DENTAL ANESTHESIOLOGY

4th Edition

치과 마취과학
Dental Anesthesiology

대한치과마취과학회

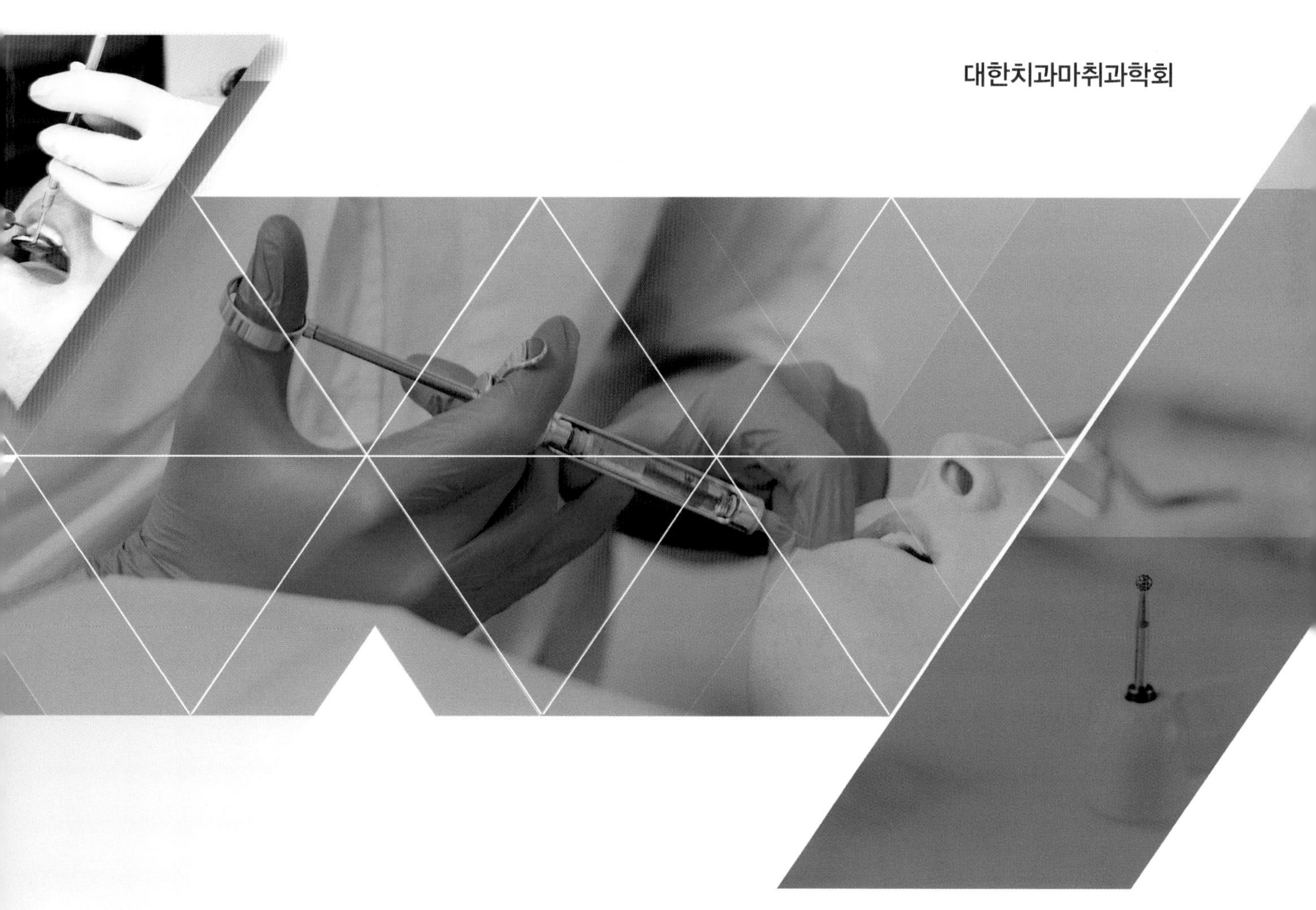

KDSA
THE KOREAN DENTAL SOCIETY OF ANESTHESIOLOGY

Dental Anesthesiology

치과마취과학 4th

첫째판 1쇄 발행 | 2005년 2월 25일
둘째판 1쇄 발행 | 2010년 3월 25일
셋째판 1쇄 발행 | 2015년 2월 25일
셋째판 2쇄 발행 | 2016년 9월 10일
셋째판 3쇄 발행 | 2019년 1월 24일
넷째판 1쇄 인쇄 | 2020년 8월 21일
넷째판 1쇄 발행 | 2020년 9월 4일

지 은 이 대한치과마취과학회
발 행 인 장주연
출판기획 한수인
책임편집 이경은
편집디자인 조원배
표지디자인 김재욱
일러스트 김경열
제작담당 신상현
발 행 처 군자출판사(주)
등록 제4-139호(1991. 6. 24)
본사 (10881) **파주출판단지** 경기도 파주시 회동길 338(서패동 474-1)
전화 (031) 943-1888 팩스 (031) 955-9545
홈페이지 | www.koonja.co.kr

ISBN 979-11-5955-595-4
정가 90,000원

4th Edition

치과 마취과학

Dental Anesthesiology

집필진

(가나다 순)

감명환 서울대학교 치의학대학원 치과마취과학교실
강정완 연세대학교 치과대학 구강악안면외과학교실
국민석 전남대학교 치의학전문대학원 구강악안면외과학교실
권광준 강릉원주대학교 치과대학 구강악안면외과학교실
김승오 단국대학교 치과대학 치과마취과학교실
김욱규 부산대학교 치의학전문대학원 구강악안면외과학교실
김은정 부산대학교 치의학전문대학원 치과마취통증학교실
김종빈 단국대학교 치과대학 소아치과학교실
김철홍 부산대학교 치의학전문대학원 치과마취통증학교실
김현정 서울대학교 치의학대학원 치과마취과학교실
명 훈 서울대학교 치의학대학원 구강악안면외과학교실
박원서 연세대학교 치과대학 통합치의학과
서광석 서울대학교 치의학대학원 치과마취과학교실
서정택 연세대학교 치과대학 구강생물학교실
소은선 단국대학교 치과대학 치과마취과학교실
신터전 서울대학교 치의학대학원 소아치과학교실
안소연 원광대학교 치과대학 소아치과학교실
오석배 서울대학교 치의학대학원 구강생리학교실
윤지영 부산대학교 치의학전문대학원 치과마취통증학교실
이정우 경희대학교 치의학전문대학원 구강악안면외과학교실
이현우 경희대학교 치의학전문대학원 치과약리학교실
전영훈 경북대학교 치의학전문대학원 구강악안면외과학교실
지성인 단국대학교 치과대학 소아치과학교실
최성철 경희대학교 치의학전문대학원 소아치과학교실
팽준영 서울삼성병원 구강악안면외과
한세진 단국대학교 치과대학 구강악안면외과학교실
현홍근 서울대학교 치의학대학원 소아치과학교실
황경균 한양대학교 의과대학 치과학교실 구강악안면외과학

발간사

치과마취과학 제4판 발간에 맞추어

대한치과마취과학회는 2001년 6월 30일 창립총회를 시작으로 창립되었습니다. 매년 학술대회와 정기총회를 개최하며, 학술지 대한치과마취과학회지를 발간합니다. 또한 진정법과 심폐소생술에 대한 연수회를 매년 수 차례씩 개최하여 치과마취과학의 발전과 연구교육에 최선을 다하고 있습니다. 치과마취과학 교과서의 집필 또한 대한치과마취과학회의 이러한 학문적 취지에 근간을 두어 의미 있는 발전을 해왔습니다.

2005년 처음 출간된 치과마취과학 교과서는 2회에 걸쳐 개정하여 보완했습니다. 제3판이 나온 지도 벌써 다섯 해가 지났습니다. 새로운 의료기술과 학문은 매우 빠르게 발전하고 있습니다. 이는 치과마취과학을 포함하는 치과 분야도 예외는 아닙니다. 새로운 것을 추구하고, 학습하고, 연구하는 것은 기존 선학으로서의 의무임을 명심하고 기대에 부응하는 훌륭한 교과서의 발간을 위한 노력을 게을리하지 않겠습니다.

아무쪼록 이 책이 치과마취과학에 관심을 갖고 공부하는 예비치과의사에게 도움이 되는 지침서가되기를 바랍니다. 또한 진정법과 국소마취를 시행하는 치과의사들에게 효과적으로 활용되어 실제 임상에 도움이 될 수 있기를 기대합니다.

치과마취과학 제4판을 준비하는 과정에서 심혈을 기울여 참여해 주신 모든 교수님, 교과서의 편집과 교정 등에 심혈을 기울여 주신 교과서편집위원회 위원과 위원장님께 감사의 말씀을 올립니다. 아울러 이 책을 출판해 주신 군자출판사 임직원분들께도 진심으로 감사의 말씀을 올립니다.

2020년 8월

대한치과마취과학회 회장 김 종 수

머리말

의료 행위가 시작될 때부터 현재까지 어떠한 형태로든 아프지 않게 치료를 하기 위한 노력이 계속되어 왔습니다. '아프다는(esthesia) 것을 느끼지 못한다'는(an) 마취(anesthesia)의 개념은 1세기 때 만들어진 것으로 추정되고, 그 이전 선사시대에도 다양한 방식으로 환자의 의식을 없앤 뒤 치료 행위를 한 것으로 보이는 여러 기록들이 전해집니다. 근래에 들어 과학이 발전함에 따라 여러 화학물들에서 마취 약효가 발견되고, 의료적인 이용이 활발해지면서 각종 마취약제와 기구도 발전하고 있습니다.

단순한 치아 치료를 위한 국소마취뿐 아니라, 치아 치료를 넘어 구강 내의 각종 질환과 구강을 벗어나는 영역까지 치과적 의료가 확장되면서, 전신 마취를 필요로 하는 치과 의료나 질병 및 치료에 대한 환자의 감정까지도 도움을 줄 수 있는 진정법의 활용도 점점 늘어나고 있습니다. 이런 치과 의료환경에서 국내의 치과 각 전공 전문의가 모여 치과마취과학회가 만들어 지고, 2005년 첫 교과서를 출간한 후로 벌써 네 번째 책이 만들어졌습니다.

Part 1 서론에서는 치과마취과학의 역사와 법적 문제, Part 2에서는 마취와 관계되는 기초 의학으로 신경생리, 호흡생리, 순환 생리에 관한 내용으로 구성되었습니다. 치과 영역에서 기본적으로 필요한 국소마취는 Part 3에서 다루며, 국소 마취를 위해 꼭 알아야 하는 해부학과 국소마취제의 약리, 국소마취 기구 등 각 국소마취 방법을 상세히 설명하고 그 합병증에 대한 대처까지 함께 다루고 있습니다.

Part 4 진정법에서는 진정법의 개념에서부터 중추신경계에 작용하는 진정 약물의 약리학, 진정법을 환자에게 적용하기 위해 필요한 준비에서 진정 방법들, 각 진정 방법들에 따를 수 있는 합병증과 그 대처까지 진정법과 관계하는 모든 지식을 망라하고 있습니다. 전신마취 부분은 치과의사로서 전신마취를 필요로 하는 경우 마취과 전문의와 협업을 하는 데에 꼭 필요한 지식들을 간결하면서도 소개합니다.

또한 Part 5 통증관리에서는 통증 관리에 필요한 통증 생리와 두경부 통증과 안면 통증 환자를 진료하는 진단과 그 치료법도 서술되었습니다.

이번 4판에서 특별히 중요하게 다루는 Part 6 응급처치 부분은 대한심폐소생협회와 대한치과마취과학회가 공동으로 개발한 치과 전문소생술(Dental Advanced life Support, DALS)에 참여한 위원들이 저자로 참여하여 치과 진료 시에 생길 수 있는 응급 상황들을 환자가 보이는 증상별로 기술하고, 심폐소생술에 대해서 보다 알차게 채웠습니다.

2020년 새해부터 시작된 COVID-19 사태로 각 저자들의 업무가 가중되어 힘든 가운데에서도 교과서를 위해 노력해주신 덕분에 나온 책이라 더욱 감사합니다. 그리고 그러한 어려움 속의 저자진을 이해하고 기다려 준 군자출판사 여러분께도 감사합니다.

단순히 치과 학부 강의를 위한 교과서가 아니라 치과 의료인이면 누구나 지침으로 삼을 만한 책이라 자부하면서 더욱더 나아지기 위해 노력하겠습니다.

오늘이 모든 분들께 좋은 날이 되시기를 빕니다

2020년 8월

대한치과마취과학회 교과서출판위원회 위원장 강 정 완

목차

PART 1 서론

Chapter 01 치과마취과학의 역사
1. 국소마취의 역사 ······ 3
2. 진정법의 역사 ······ 4
3. 전신마취의 역사 ······ 6
4. 우리나라 치과마취과학의 역사 ······ 8

Chapter 02 치과마취과학과 관련된 법적 문제
1. 치과마취 시행 전 환자 동의 ······ 11
2. 진료기록의 작성과 보관 ······ 13
3. 치과마취와 관련한 분쟁사례 ······ 18

PART 2 기초의학

Chapter 03 신경세포의 전기신호
1. 신경계통의 구성 ······ 23
2. 신경계의 세포 종류 ······ 24
3. 신경세포의 전기신호 발생 ······ 28
4. 세포의 전기신호 전달 ······ 36
5. 통각신호의 발생과 전도 ······ 43
6. 신경병성 통증의 발생 기전 ······ 57
7. 통증의 처치 방법 ······ 59
8. 자율신경계의 해부학적 특징 및 기능적 특성 ······ 60
9. 교감신경 및 부교감신경의 신경전달 ······ 62
10. 아드레날린성 약물 ······ 66
11. 항아드레날린성 약물 ······ 71
12. 콜린성 약물 ······ 75
13. 항무스카린성 약물 ······ 79
14. 신경절 차단제 ······ 82
15. 신경–근 차단제 ······ 83

Chapter 04 호흡과 산-염기 평형, 산소 투여
1. 호흡 ······ 88
2. 폐에서의 가스 교환 ······ 90
3. 폐와 조직 사이의 산소와 이산화탄소의 운반 ······ 99
4. 폐 환기의 조절 ······ 100
5. 산–염기 평형의 기초 물리화학 ······ 102
6. 체내의 산염기 완충기전 ······ 103
7. 동맥혈 가스분석의 판정 ······ 106
8. 산염기 조절에 중요한 장기들 ······ 108
9. 산염기 평형의 임상적 장애 ······ 109
10. 산소 투여의 목적 ······ 114
11. 산소 섭취와 분포 ······ 115
12. 산소 투여 장치 ······ 119
13. 산소 투여의 합병증 ······ 121
14. 산소 투여의 제한 요인 ······ 123
15. 가습 ······ 125

16. 진정과 호흡 ········ 126

Chapter 05 순환, 수액과 수혈
1. 순환의 조절 ········ 129
2. 심박출량과 전신 혈관저항에 대한 동맥혈압의 관계 ········ 134
3. 체액의 조성 및 분포 ········ 138
4. 수액 투여 ········ 141
5. 수분 및 전해질 투여로 인한 장애 ········ 148
6. 수혈 ········ 149

PART 3 국소마취

Chapter 06 국소마취를 위한 해부학
1. 삼차신경 ········ 159
2. 눈신경(안신경) ········ 161
3. 위턱신경(상악신경) ········ 162
4. 아래턱신경 ········ 166
5. 부교감신경절과 자율신경의 분포 ········ 171
6. 얼굴신경(안면신경) ········ 175
7. 혀인두신경(설인신경) ········ 178
8. 미주신경 ········ 180
9. 국소마취를 위한 위, 아래 턱뼈의 해부학 ········ 183

Chapter 07 국소마취제와 혈관수축제
1. 국소마취제 ········ 185
2. 혈관수축제 ········ 210

Chapter 08 치과마취기구 및 재료
1. 치과용 주사기 ········ 227
2. 주사바늘 ········ 234
3. Cartridge ········ 238
4. 도포마취제 ········ 241
5. 보조기구 ········ 242
6. 합병증 및 응급치료 시에 사용되는 기구 ········ 242

Chapter 09 국소마취법의 기본원칙
1. 국소마취법의 종류 ········ 245
2. 주사를 위한 일반적 준비 ········ 251
3. 어린이 국소마취법 ········ 253
4. 고령환자 국소마취법 ········ 256
5. 국소마취 시 통증을 줄이는 방법 ········ 258

Chapter 10 상악신경마취법
1. 골막주위마취법 ········ 261
2. 전상치조신경 전달마취법 ········ 263
3. 중상치조신경 전달마취법 ········ 265
4. 후상치조신경 전달마취법 ········ 266
5. 안와하신경 전달마취법 ········ 267
6. 비구개신경 전달마취법 ········ 270
7. 대구개신경 전달마취법 ········ 272
8. 상악신경 전달마취법 ········ 274

Chapter 11 하악신경마취법
1. 골막주위마취법 ········ 280
2. 이신경 및 절치신경 전달마취법 ········ 281
3. 협신경 전달마취법 ········ 284
4. 하치조신경 전달마취법 ········ 286
5. 폐구 상태에서의 하악신경 전달마취법 ········ 295
6. 하치조신경의 구외 전달마취법 ········ 296
7. 하악신경의 구외 전달마취법 ········ 296

Chapter 12 국소마취 합병증의 이해와 대처
1. 마취액 흡수에 의한 합병증 ········ 300
2. 주사침 자입에 관련된 합병증 ········ 314
3. 혈관수축제에 의한 합병증 ········ 326
4. 합병증의 예방 ········ 327

PART 4 진정법

Chapter 13 진정법의 개념

1. 치과치료를 위한 진정법의 목적과 적응증 ······ 332
2. 진정법의 정의와 분류 ······ 332
3. 투여경로에 따른 진정법의 분류 ······ 334
4. 안전한 진정법을 위한 준비 ······ 337
5. 진정법 중 환자감시와 기록 ······ 341

Chapter 14 진정약물의 약동학과 약력학

1. 약동학 ······ 345
2. 임상약동학 ······ 349
3. 약동학과 질병 ······ 356
4. 약력학 ······ 356
5. 약물 상호작용 ······ 358
6. 진정 시 사용되는 약물 ······ 360

Chapter 15 진정 전 환자평가

1. 환자 진료기록의 조사 ······ 366
2. 환자 방문과 면담 ······ 366
3. 병력청취 ······ 366
4. 이학적 검사 ······ 370
5. 임상 검사 ······ 372
6. 수술 및 마취위험도 ······ 374
7. 마취계획 ······ 375
8. 환자의 동의 ······ 376
9. 마취 전 기록 ······ 376
10. 마취 전 투약 ······ 378
11. 마취 전 금식 ······ 381

Chapter 16 환자감시와 기록

1. 환자감시의 기본 개념 ······ 383
2. 산소화 감시 ······ 386
3. 호흡의 감시 ······ 387
4. 심혈관계 감시 ······ 390
5. 대사감시 ······ 395
6. 신경근 감시 ······ 396
7. 마취심도감시 ······ 398
8. 마취기록의 보존 ······ 399

Chapter 17 비약물적인 불안해소

1. 통증과 불안 ······ 404
2. 치과에서 많이 사용하는 비약물적 불안해소법 ······ 405
3. 불안을 감소시키기 위한 비약물적 방법과 약물적 방법들의 선택 ······ 407

Chapter 18 경구진정법

1. 항불안제 ······ 410
2. 진정-수면제 ······ 411
3. 항히스타민제 ······ 412
4. 경구진정법의 실제 ······ 413

Chapter 19 흡입진정법

1. 아산화질소-산소 진정법 ······ 417
2. 세보플루란 흡입진정법 ······ 427

Chapter 20 정주진정법

1. 정주진정법의 장단점 ······ 436
2. 정주진정법의 적응증 ······ 436
3. 자주 사용되는 정주진정제 ······ 436
4. 정주진정법의 실제 ······ 440
5. 정주진정법의 합병증 ······ 443
6. 아편양 수용체와 내인성 아편유사제 ······ 444
7. 아편유사제의 약동학적 특성 ······ 445
8. 아편유사제의 약력학적 특성 ······ 447
9. 아편유사제의 실제와 부작용 ······ 449
10. 주요 아편양 작용제 ······ 453

11. 부분작용제와 작용길항제 ··· 456
12. 아편양 길항제 ··· 458
13. 아편유사제의 내성, 의존성과 중독 ··· 458
14. 비스테로이드성 소염진통제 ··· 459
15. 진통보조제 ··· 462

Chapter 21 **진정 후 관리와 합병증의 처치**
1. 진정 후 회복 및 관리 ··· 463
2. 회복 후 퇴실 ··· 464
2. 진정 후 퇴원 ··· 467
4. 진정법과 관련된 전신적 합병증 ··· 468
5. 약물상호작용 ··· 478
6. 각성섬망 ··· 478
7. 길항제 사용과 관련된 합병증 ··· 479
8. 정주진정법과 관련된 합병증 ··· 479
9. 진정법 시 발생하는 응급 상황에 대한 준비 ··· 479

Chapter 22 **전신마취**
1. 전신마취의 개념 ··· 485
2. 외래마취 ··· 501
3. 소아마취 ··· 506
4. 노인마취 ··· 509
5. 장애인마취 ··· 515
6. 치과영역에서의 전신마취 ··· 524

PART 5 통증의학

Chapter 23 **통증의 생리**
1. 급성 통증 ··· 533
2. 만성 통증 ··· 535
3. 비정형 통증의 병태 생리 ··· 536

Chapter 24 **통증과 불안의 평가**
1. 일차원적 평가도구 ··· 539
2. 다차원적 평가 방법 ··· 541
3. 행동관찰 ··· 543
4. 기능적 신경영상 ··· 543
5. 통증평가를 위한 기술 사용 ··· 544
6. 소아 환자나 노인 또는 의사 소통이 제한된 환자에서의 통증 평가 방법 ··· 544
7. 신경병증성 통증 평가 척도 ··· 547
8. 불안Anxiety의 평가 ··· 548

Chapter 25 **통증관리**
1. 통증의 정의와 분류 ··· 553
2. 급 · 만성 통증질환에서의 약물치료 ··· 554
3. 통증질환의 진단 ··· 555
4. 두부 통증 ··· 556
5. 안면부 통증 ··· 562

PART 6 응급의학

Chapter 26 **치과에서의 의학적 응급처치**
1. 응급 상황의 종류 ··· 573
2. 응급 상황 예방법 ··· 575
3. 응급에 대한 준비 ··· 576
4. 필수적인 응급의약품 ··· 579
5. 추가 약물 ··· 580

Chapter 27 **의식 변화**
1. 의식변화의 일반적 고려사항 ··· 583
2. 혈관미주신경실신 ··· 585
3. 체위성 저혈압 ··· 587
4. 당뇨 ··· 588
5. 급성 부신기능부전 ··· 590

6. 뇌혈관 장애 ······ 592

Chapter 28 **호흡 곤란**

1. 과호흡증후군 ······ 595
2. 이물질에 의한 기도폐쇄 ······ 597
3. 천식 ······ 601
4. 급성 심장 기능 이상과 허파부종에 의한 호흡 곤란 ······ 604
5. 호흡곤란 시 감별진단 ······ 606

Chapter 29 **기도 관리와 보조 기구**

1. 기도의 해부학적 구조 ······ 609

Chapter 30 **약물관련 응급 상황**

1. 약물 부작용 ······ 630
2. 알레르기 반응의 치료 ······ 633
3. 감별진단 시 고려사항 ······ 634

Chapter 31 **가슴 통증**

1. 가슴 통증의 일반적 고려 사항 ······ 639
2. 협심증 ······ 641
3. 급성 심근경색증 ······ 643
4. 감별진단 ······ 645

Chapter 32 **심폐정지 및 심폐소생술**

1. 심폐정지 ······ 647
2. 심폐소생술 ······ 649

Index ······ 657

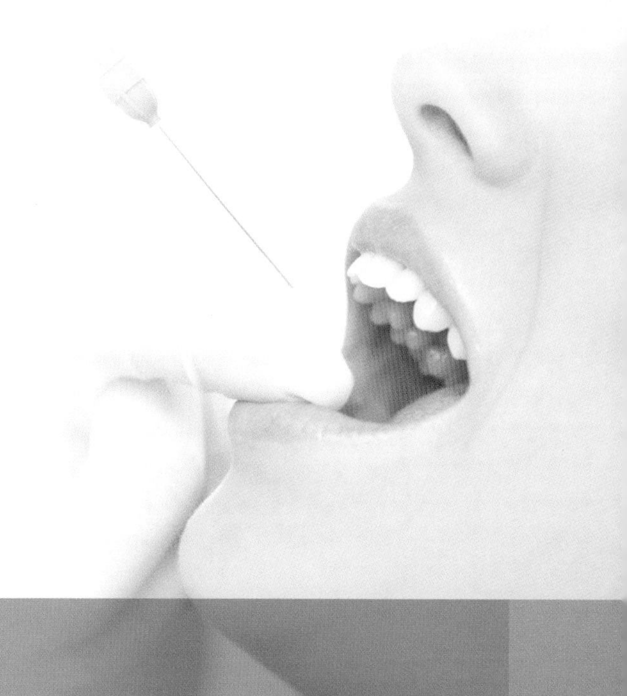

PART 1 서론

Chapter 01 치과마취의 역사
Chapter 02 치과마취과학과 관련된 법적 문제

CHAPTER 01

| Dental Anesthesiology | 서론

치과마취과학의 역사

학습목표

1. 치과마취과학의 정의를 설명한다.
2. 치과마취과학의 업무영역을 설명한다.
3. 치과마취의 종류를 열거한다.
4. 치과마취과학의 역사를 설명한다.

치과마취과학은 치과에서의 마취과학으로 정의될 수 있다. 치과마취과학은 치과환자의 안전하고 효과적인 통증과 불안 조절을 위하여 환자의 평가와 자문, 국소마취, 진정법, 전신마취, 치과장애인 환자의 행동조절, 통증의 진단과 치료, 수술 중 생체 징후의 감시와 안정화, 마취 후 환자관리, 응급처치, 응급처치 교육 등과 관련된 학문이다.

미국마취과학회(American Society of Anesthesiologists)가 1989년에 제시한 마취과학의 관련 분야는 다음과 같다.

1. 마취가 예정된 환자의 평가, 자문 및 마취 전 환자 관리
2. 진단적 치료적 시술 중의 통증 제거
3. 치료 전, 중, 후나 중환자에서의 모니터링 및 환자의 항상성 유지
4. 다양한 통증 환자의 진단 및 치료
5. 심폐소생술 관리 및 교육
6. 심폐기능 파악 및 호흡관리 실시
7. 마취 관련 인력의 교육, 감독 및 행위 판정
8. 기초 및 임상적 연구 활동
9. 병원, 대학 등의 각종 행정에 참여

1. 국소마취의 역사

임상적으로 사용된 최초의 국소마취제는 코카인(cocaine)이다. 오래 전부터 남미 안데스 산맥에 거주하였던 페루 원주민들이 기호품으로 애용하던 코카나무(Erythroxylon coca)를 태우면 코카인이 포함되어 있다. 스페인에 의해 유럽에 소개된 코카인은 1860년에 Albert Niemann (1880~1921)에 의해 순수정제되었다. 점막을 통해 체내 흡수가 잘 되는 코카인의 최초의 임상적용은 1884년 정신분석의 선구자 Sigmund Freud (1856~1939)의 친한 친구이기도 했던 Carl Koller에 의해 안과 수술에서 도포마취제로 최초로 사용되었다. 1855년 피하주사기(hypodermic syringe)가 발명된 후, 1861년 William Stewart Halsted (1852~1922)는 코카인을 이용하여 두경

표 1-1. 화학구조에 따른 국소마취제의 분류

Esters	Amide
Benzocaine	Amides
Chloroprocaine	Articaine
Cocaine	Bupivacaine
Cyclomethycaine	Carticaine
Dimethocaine/Larocaine	Cinchocaine/Dibucaine
Propoxycaine	Etidocaine
Procaine/Novocaine	Levobupivacaine
Proparacaine	Lidocaine/Lignocaine
Tetracaine/Amethocaine	Mepivacaine
	Piperocaine
	Prilocaine
	Ropivacaine
	Trimecaine

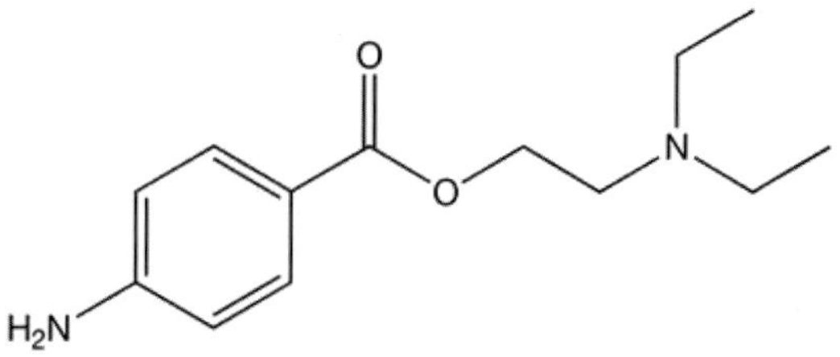

H_2N O O N

그림 1-1. 국소마취제의 원형인 프로카인의 화학구조식

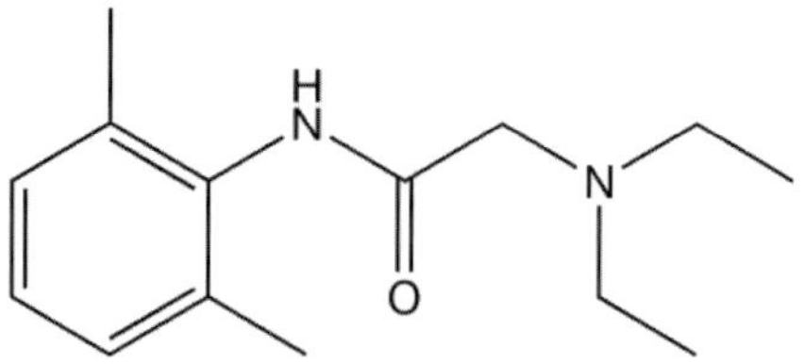

H N N O

그림 1-2. 치과에서 가장 많이 사용되는 리도카인의 화학구조식

부에 존재하는 신경들에 대한 전달마취의 효과를 관찰하고, 치과에서의 국소마취의 가치를 체계적으로 설명하였으며, 구강악안면 영역에 사용되는 전달마취가 다른 신경 줄기에도 사용될 수 있음을 언급하였다.

한편, 1897년 독일 외과의사인 Heinlich F.W. Braun (1862~1934)은 에피네프린이 혈관을 수축시켜, 혈관으로의 코카인의 흡수를 줄이므로 에피네프린의 첨가는 국소마취 효과를 오래 유지하고, 마취 강도를 증가시키며, 주입 부위 부근의 혈관을 수축시킴으로써 국소마취의 전신 부작용을 방지할 수 있음을 보고하였다. Braun 전에는 수술 중 팔이나 다리로부터 코카인의 흡수를 줄이는 유일한 방법은 고무줄로 사지를 묶는 것이었다. 이러한 이유로 Braun은 그의 새로운 방법을 "화학적 고무줄"로 명명하였다.

그러나 코카인은 전신 독성과 약물중독성뿐만 아니라 국소마취 효과가 약하고, 작용 시간이 짧아 코카인의 단점을 극복할 수 있는 새로운 국소마취제가 요구되었다. 1904년 Alfred Einhorn (1856~1917)은 최초의 합성 국소마취제인 프로카인을 합성하였다. 프로카인은 코카인보다 전신독성이 적어 임상적으로 안전하게 적용할 수 있고, 10배나 강한 국소마취효과를 보였다. 임상적으로 프로카인을 최초로 사용한 의사도 Braun이었다.

그 후 1943년 스웨덴 화학자인 Lofgren과 Lundqvist는 최초의 아미드 국소마취제인 리도카인을 성공적으로 합성하였으며, 그 후 다양한 국소마취제가 개발되었다.

우리나라에서 가장 많이 사용되는 국소마취제인 리도카인은 프로카인보다 강력한 국소마취효과를 나타내며, 보다 안전하게 사용할 수 있고, 주입 시 자극이 없고, 과민반응이 적은 장점을 가지고 있다. 이러한 이유로 1947년 이후 현재까지 리도카인은 전 세계적으로 널리 사용되고 있다.

국소마취제는 화학구조에 따라 에스테르(ester)와 아미드(amide) 형으로 나눌 수 있고(표 1-1), 임상적으로 많이 사용되는 것은 lidocaine과 Articaine이다.

2. 진정법의 역사

치과진정법의 기본인 아산화질소(nitrous oxide) 흡입 진정법의 시초는 Horace Wells (1815~1848)로 거슬러 올

그림 1-3. 코카인을 최초로 국소마취제로 사용한 Carl Koller와 전달마취의 창시자 William Stewart Halsted

그림 1-4. 흡입진정법의 선구자 Horace Wells와 정주진정법의 선구자인 Niels B. Jorgensen

라간다. 근대의학의 아버지 William T. G. Morton의 스승이기도 한 치과의사인 Wells은 우연히 아산화질소의 마취효과를 관찰한 후 1845년 미국 Massachusetts General Hospital (MGH)에서 아산화질소 흡입 하에 의과대학생의 무통발치를 시도하였으나, 아산화질소의 마취 역가가 낮아 환자는 강한 통증으로 고함을 지르며 시연장을 뛰어나간 사건으로 사회적 망신을 당한 후 치과의사를 접고 방문판매원을 하다가 결국 클로르포름 중독 상태에서 범죄를 저지른 후 자살로 삶을 마감하였다.

한편, 로마시대부터 있었던 체내 주입기를 개량하여 오늘날 우리가 보는 주사기 형태로 임상에 도입한 사람은 Alexander Wood (1817~1884)와 Charles Pravcaz였다. Wood는 1855년 의학저널인 "The Edinburgh Medical and Surgical Review"에 "A New Method of Direct Application of Opiates to Painful Points"라는 논문에서 통증부위에 hypodermic syringe를 이용하여 체내에 morphine을 주사하여 기본적인 통증조절 방법을 제시하였다.

1872년 Ore는 chloral hydrate를, 1909년 Burkhardt는 에테르를, 1916년에는 Bredenfelt는 모르핀과 scopolamine 혼합액을 이용하여 정맥마취를 각각 시도하였다. 그 후 John Lundy와 Ralph Waters (1934)에 의해서 barbiturate계 마취유도제인 thiopental이 최초로 정맥마취제로 사용되었다.

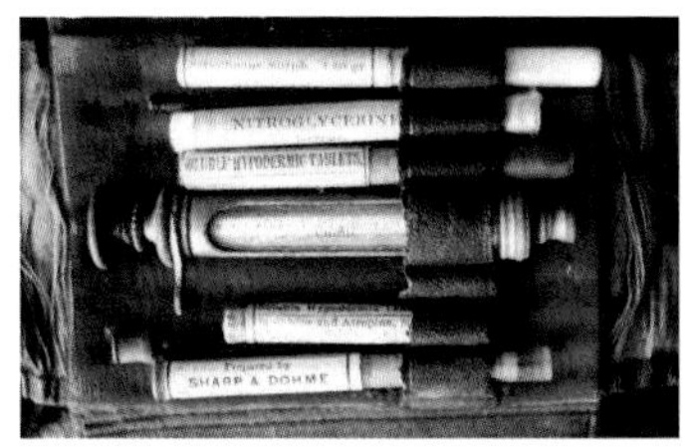

그림 1-5. Hypodermic syringe를 이용하여 morphine을 주사했던 Alexander Wood (1817~1884)

오늘날 치과진정제로 가장 많이 사용되고 있는 약물은 미다졸람이다. 미다졸람을 포함하는 benzodiazepine계 진정제를 개발하는 데 밑거름이 된 chlordiazepoxide는 1957년에 개발되었으며, 그 후 diazepam (1959), lorazepam (1971) 및 midazolam (1976)이 개발되었다.

Ketamine은 Corssen과 Domino (1965)에 의해서 최초로 임상에 도입되었다. 정맥마취제인 etomidate는 1964년에 개발되어 1972년부터 임상적으로 사용되었다. 순환 및 호흡억제가 적은 장점이 있지만, 부신피질을 억제하여 환자의 상태가 불안정할 때 전신마취 유도제로 제한적으로 사용된다. 정맥마취제인 propofol은 1989년부터 임상적으로 사용하기 시하였다. 그러나 propofol은 이상적인 전신마취제의 여러 조건을 갖추고 있으나, 심각한 저혈압, 서맥, 호흡부전 등의 부작용이 발행할 수 있어 교육

받은 의료진에 의해 사용되어야 한다.

치과정주진정법은 미국 Loma Linda 대학의 치과마취과 Niels B. Jorgensen (1894~1974) 교수에 의해 시작되었다. Jorgensen은 1930년대에 합성된 barbiturate의 정주법을 개량하였고, pentobarbital을 아편유사제(opioid)인 meperidine과 항콜린성 약제인 scopolamine을 함께 투여하여 "Loma Linda 법"또는 "Jorgensen 법"으로 알려진 정주진정법을 1945년 임상에 도입하였다.

한편, 프랑스 치과의사 Albert Davidau는 1966년 치과에서 처음으로 benzodiazepine계 진정제인 diazepam (Valium®)을 사용하였다. 일부 의사들이 적절한 진정 상태로 알고 있는 "Verrill sign"은 diazepam을 이용한 정주진정법에서 기술된 개념이다. 1986년에 수용성인 midazolam은 미국 임상에 소개된 후 다른 benzodiazepine계 약물들에 비하여 약리학적으로 우수하여 오늘날 임상에서 가장 많이 사용되는 정주진정제로 자리잡았다.

1) 미국에서의 치과마취

치과의사의 기본 술기인 국소마취와 아산화질소 흡입진정뿐만 아니라, 정주진정법은 1960년 후반까지도 구강악안면외과의사들에 의해 제한적으로 시행되었는데, 주된 이유는 박사학위 취득 후의 수련 과정에서 정주진정법에 대한 교육이 이루어졌기 때문이다. 1980년 초반까지도 Loma Linda 대학, 오하이오 주립대학, 피츠버그 대학을 제외한 거의 대부분의 치과대학에서 교과과정에 정주법에 대한 교육이 없었다. 그러나 지난 20년간, 점차적으로 치대 학부과정에 정주진정법이 확대되다가 현재는 모든 치과대학 교과과정에서 정주진정의 교육이 권장되고 있다.

미국 치과계에서 흥미로운 것은 통증과 불안을 조절하는 진정법 진료지침은 미국치과의사협회(American Dental Association, ADA), 미국치과의사학회(American Dental Society of Anesthesiology, ADSA) 및 미국치과대학협의회(American Association of Dental Schools, AADS)의 주도로 1964년 제정된 후 1965년, 1971년 개정된 이후 주기적으로 개정이 이루어지고 있다.

미국에서는 3년 과정의 치과마취과 수련을 받으면(National Dental Board of Anesthesiology) 치과 환자를 대상으로 깊은 진정과 전신마취도 할 수 있다.

3. 전신마취의 역사

통증조절을 위한 인간의 노력은 현생인류의 출현과 함께 시작되었을 것으로 생각된다. 구약성서의 창세기에 따르면 하나님께서 아담을 잠들게 한 후 아담의 갈비뼈를 취하여 하와를 만드시는 과정을 읽을 수 있다. 마취(anesthesia)란 어원은 그리스어로 감각의 상실을 의미하는 'without (an, 무) sensation (sense, 감각)'의 복합어이며, 이러한 마취표현이 인류 역사상 처음 등장하기 시작한 것은 1세기 네로황제 시대의 그리스 외과의사 Pedanius Dioscordes가 항콜린성 성분인 hyoscyamine이 주성분인 식물 mandragora의 진통효과를 기술한 것이 시초다. 옛날에는 아편(opium), 만드레이크 뿌리(mandrake root) 또는 코카 잎이나 알콜 또는 최면, 때로는 두부 강타나 실혈에 의한 실신상태 또는 신경총을 압박하여 허혈을 유도하거나 얼음을 사용하여 진통을 유도하였다. 이러한 방법은 수술에 따른 적절한 진통이나 마취가 불가능하였고, 마취 자체로 인한 심각한 합병증이 빈번하였다.

그 후 18세기에 들어와서 영국의 어원사전(Bailey's An Universal Etymological English Dictionary, 1721)에는 마취개념이 감각결손현상으로 기술되고 있으며, 처음 출간된 대영백과사전(Encyclopedia Britannica, 1771)에는 마취란 감각박탈현상이라고 기술되고 있다. 19세기에 들어와서 Oliver W. Holmes (1890~1894)는 마취란 무통수술을 가능케 하는 수면상태라고 기술하여 근대적 의미의 마취개념과 근접한 마취개념을 서술하고 있다. 근대 마취의 선구자인 Philip D. Woodbridge (1895~1978)는 마취와 관련된 신경계의 활동을 의식(mental), 감각(sensory), 운동(motor) 및 반사요소(reflex component)의 4개 요소로 구분하여 이들 4개의 신경계 활동을 인간의 생

그림 1-6. 최초의 진통제인 mandrake 뿌리와 국소마취제인 코카잎

리적 활동 범위 내에서 그 기능을 가역적으로 억제 또는 차단하는 작용을 마취라고 정의하고 있다. 이러한 Woodbridge의 마취개념은 현재까지도 근대마취 개념으로 활용되고 있다. 한편 국소마취는 Woodbridge가 정의한 마취개념에서 중요한 부분을 차지하고 있는 감각요소, 또는 감각과 운동요소만의 활동을 가역적으로 차단하는 좁은 의미의 마취를 의미하므로 전신마취와 구별된다.

근대마취는 19세기 후반에 아산화질소, 에테르(ether), 클로로포름(chloroform)과 같은 흡입마취제가 개발되면서부터 시작하였다.

아산화질소는 1772년 Joseph Priestley에 의해 합성되고 1800년 Humphry Davy에 의해 진통효과가 확인되었으며, 1884년 Gardner Colton, Horace Wells에 의해 임상적으로 사용된 후 오늘날까지도 다른 흡입마취제와 혼용하여 사용되는 흡입마취제로, 치과흡입진정법의 중요 약제이다.

클로로포름은 1831년에 개발되고 1847년 Richard Holmes Coote (1817~1872)에 의해 임상적으로 사용되었으나 부정맥 발생 빈도가 높고 이어서 치명적인 간 손상을 유발한다는 사실이 알려지면서 임상적으로 더 이상 사용되지 않고 있다.

에테르는 1540년 Valerius Cordus (1515~1554)에 의해 합성되었다. 현저한 전신마취작용이 있음을 공식적으로 보고한 사람은 미국의 외과의사인 William T.G. Morton (1819~1868)이었다. 에테르는 비록 마취유도 및 회복시간이 길고 폭발 위험성과 같은 단점은 있었으나, 전신마취 효과가 탁월하고 근이완 작용이 우수할 뿐만 아니라 안전성이 높아 할로겐 탄화수소 흡입마취제가 등장하기 이전까지는 표준마취제로 가장 선호되던 흡입마취제였다.

에테르 이후 여러 가지 흡입마취제가 개발되었다. Cyclopropane은 마취작용이 강력하면서 심폐기능에 미치는 억제작용이 거의 없어 각광을 받았으나, 타 마취제에 비해 비싸고 폭발성이 강하여 수술장 내 전기소작기와 같이 전기를 사용하는 외과적 시술 활동이 증가되면서 임상적 입지를 잃게 되었다.

1951년 영국의 Charles Suckling (1920~2013)이 할로겐 탄화수소 화합물인 halothane을 개발하여 임상적으로 사용하기 시작하면서 미국 외과계에서도 할로겐 탄화수소 화합물로 된 마취제 개발에 박차를 가하는 계기가 마련되었다. 그 후 methoxyflurane, enflurane, isoflurane, desflurane, sevoflurane 등이 합성되었다. 오늘날 사용하는 흡입마취제는 할로겐 탄화수소로 된 흡입마취제가 주로 사용되고 있다.

Halothane은 에테르에 비해 마취작용이 강력하고 비폭발성이고 마취유도 시 호흡기계 자극이 적고 마취유도 및 회복이 기존의 마취제보다 신속하여 급속히 임상적 사용이 늘었다. 그러나 치명적인 간독성 임상 례가 보고되고, 제약회사의 생산 중단으로 인하여 우리나라에서는 더 이상 사용되지 않고 있다.

Methoxyflurane은 미국에서 halothane에 이어 만들어진 흡입마취제이지만, 신장독성이 보고되면서 임상적으로 사용이 중지되었다. 그 후 화학식은 같으나 구조가 다른 이성체(isomer)인 enflurane과 isoflurane이 개발되어 사용되다가 최근에는 마취 유도와 회복이 빠른 desflurane과 기도 자극이 적은 sevoflurane이 주로 사용되고 있다.

전신마취는 인체의 해부학적 구조 및 생리현상에 관한 광범한 지식은 물론 약물의 인체 주입에 필요한 의료기기, 전신마취 중 효과적인 호흡유지를 위한 기관내튜브

삽관(endotracheal intubation)과 기계적 환기가 가능한 전신마취기, 다양한 전신마취제(anesthetics)와 적절한 근이완제(muscle relaxant), 감염관리 등의 발달로 인하여 지금과 같은 눈부신 의학발전을 가능하게 하였다.

4. 우리나라 치과마취과학의 역사

치과마취과학은 마취과학의 여러 학문적 지식과 임상술기를 치과 환자를 위하여 전문적으로 접근한 것으로서, 치과마취과학이 가장 앞서 있는 일본에서는 치과마취과 전문의들을 양성하여 치과임상에서 국소마취, 전신마취, 진정법, 환자감시하 마취관리, 두경부 만성 통증 환자들을 대상으로 한 통증치료를 시행하고 있다. 뿐만 아니라, 치과마취과학에서는 턱관절장애, 구강암 등 기도유지에 어려움이 예상되는 두경부 질환의 시술과 연관된 기도관리, 기도의 관문인 구강 내에서 이루어지는 시술에 부가적으로 행해지는 진정법, 척수신경뿐만 아니라 뇌신경, 감각기관인 눈, 귀, 코, 입에서 오는 감각신호들이 복잡하게 얽히는 두경부 통증관리와 함께 치과진료 중 발생하는 응급처치 등 다양한 분야에 걸쳐 연관되어 있다.

우리나라의 근대의학은 한일합방 이후 일본에 의해 도입되어 일본 중심의 서양의학이 이 땅에서 시행되었으나, 근대적 개념의 임상마취는 한국전쟁 이후 유엔군과 함께 파병된 구미 군의관들에 의해 도입되었다. 1955년부터 1960년대까지는 일본 식민지 시절의 의학교육 및 임상의학에서 벗어나 독자적으로 근대의학을 도입하고 발전시킨 시기에 마취통증의학이 외과 분야에서 분리되어 신설되었다.

1950년대 치과 학문의 보급 및 발전은 서울대학교 치과대학 및 그 부속병원에서 이루어졌다. 당시 치과마취는 주로 초급 조교에 의하여 국소침윤마취가 주로 시행되었다. 당시 서울대학교 치과대학 부속병원의 임상진료는 보철부, 보존부 및 구강외과부 3개 진료부서만 개설되었다. 구강외과부에서 주로 국소마취에 의해서 비교적 간단한 골절 정복술, 낭종 적출술, 때로는 상악동 근치술 등을 시행하였다. 1960년 초기에는 비교적 규모가 큰 장시간의 수술들이 군병원에서 치과군의관으로 개방 점적식 에테르 마취법으로 전신마취를 시행한 경험을 갖고 있던 치과의사들에 의해서 전신마취가 시행되기도 하였다.

치과대학에서는 구강악안면외과학의 일부분으로 당시 김용락 교수가 치과마취과 강좌를 개설하고 강의하였으며, 외과수술을 위한 국소마취의 임상수기에 대한 교육이 이루어졌다.

전신마취가 필요한 구강악안면외과 수술은 서울대학교 의과대학 부속병원 마취과 의사들에 가능하였다. 1960년 후반에서부터 국제학술교류가 점차 증가하면서 치과마취의 필요성이 서울대 치대 내에 제기되었다. 그 결

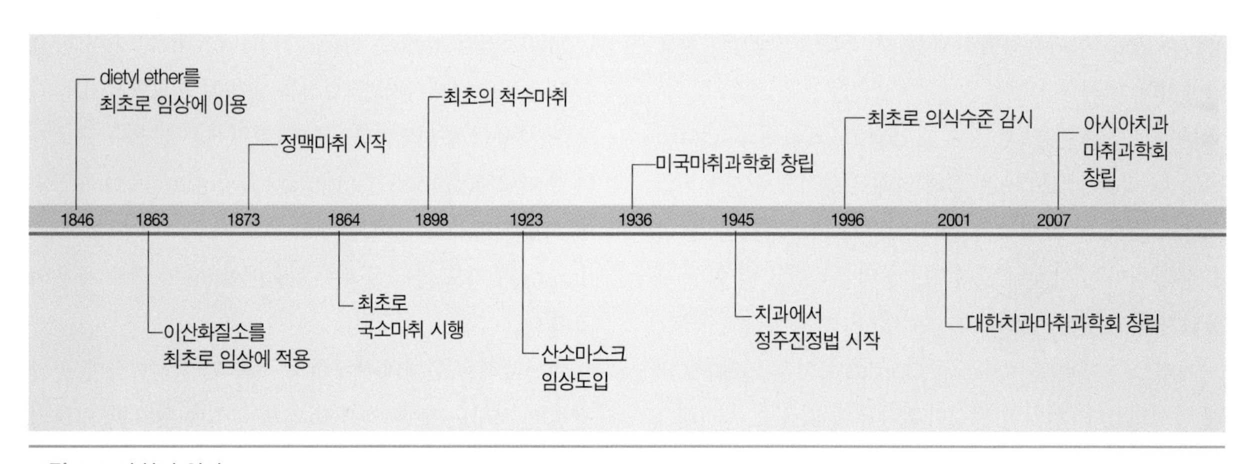

그림 1-7. 마취의 역사

과 1981년 12월부터 서울대 염광원 교수가 구강외과 수술의 전신마취를 전담하게 되었고, 1982년 서울대 구강외과학교실 교수로 재직하면서 국내 최초로 내시경을 이용한 의식하 기도삽관 등 전신마취하 수술을 위한 마취관리 및 학부 치과마취과학 교육이 본격적으로 시작되었다.

1993년에는 치과마취과학교실이 서울대 치대에 신설되면서 전남대 치대(정성수 교수) 및 전북대 치대(이준례 교수) 등 전국 치과대학에 마취과 전문의가 교수로 부임하였다. 현재 11개 치대 중 9개 대학에 치과마취과학 교수들이 치과환자들의 전통증과 불안 관리를 통하여 보다 안전하고 효과적인 치과치료를 하고 있다.

2001년 대한치과마취과학회(Korean Dental Society of Anesthesiology, KDSA)가 창립된 후 일본치과마취과학회 학술대회의 정기적 참여를 통한 인적 교류를 바탕으로 2007년에는 아시아치과마취과학회(Federation of Asian Dental Anesthesiology Societies, FADAS)의 창립멤버로 일본 중국과 더불어 매년마다 학술대회를 개최하고 있다. 또한 세계치과마취과학회(International Federation of Dental Anesthesiology Societies, IFDAS)의

그림 1-8. 마취의 역사에서 중요한 역할을 하였던 치과의사 William T.G. Morton

그림 1-9. 1846년 10월 16일 하버드 의대 부속병원인 Massachusetts General Hospital에서 세계 최초로 에테르 마취하에 하악종양제거술과 다수의 발치를 성공함

표 1-2. 치과마취과학의 임상분야

전신마취 (General Anesthesia)	흡입마취(inhalational anesthesia) 정주마취(intravenous anesthesia) 기타
국소마취 (Local Anesthesia)	침윤마취(Infiltration anesthesia) 말초신경차단(block anesthesia) 부위마취(regional anesthesia)
특수마취	구강악안면외과마취 소아치과마취 노인환자마취 장애인치과환자마취 외래환자마취 기타
진정법 (Sedation)	의식하 진정(conscious sedation) 깊은 진정(deep sedation)
환자감시하마취관리 (Monitored Anesthesia Care, MAC)	
통증조절 (Pain Control)	술후 통증조절 (postoperative pain control) 두경부 통증조절 (head and neck pain control)
치과진료실에서의 응급 처치	기본 생명 유지술(Basic Life Support) 전문생명유지술(Advanced Life Support)

일원으로서도 적극적인 학문교류를 하고 있어 향후 국제적 공조를 통한 치과마취과학의 발전을 도모하고 있다.

한편 치과에서의 응급처치 교육을 위하여 2002년 KDSA 주관으로 의료인을 위한 심폐소생술 연수회가 시작되었다. 2012년 미국심장협회(American Heart Association) ACLS Training Center, 2014년 미국심장협회(American Heart Association) BLS Training Center 가 서울대 치대 DEST (Dental Emergency Simulation Training) Center가 유치되어 현재까지 교육에 임하고 있다. 2015년부터 대한심폐소생협회와 공동 개발한 치과 응급상황에 효과적으로 대비할 수 있는 실습과 시뮬레이션 교육을 바탕으로 실제적인 처치를 할 수 있도록 교육하는 1일(9시간) 코스로, 대한심폐소생협회에서 대한치과마취과학회와 같이 프로그램을 개발하여 질관리 및 인증하는 심폐소생술 교육인 치과전문소생술(DALS) 프로그램이 치과의사를 대상으로 교육되고 있다.

참고문헌

1. Davidau A. Premedication for problem patients or for long-lasting treatments. Rev Stomatol Chir Maxillofac. 1966;67(10):589-95.
2. Davison MH. The evolution of anaesthesia. Br J Anaesth. 1960 Mar;32:141-6.
3. Guidelines for teaching the comprehensive control of pain and anxiety in dentistry. American Dental Association, Council on Dental Education, May, 1971. J Dent Educ. 1972;36(1):62-7.
4. Kravetz RE. Hypodermic Syringe. Am J Gastroenterol 2005;100(12):2614.
5. Morgan Jr GE, Mikhail MS: Clinical Anesthesiology, 1996, pp 1-4.
6. http://www.ada.org/prof/resources/positions/statements/statements_anesthesia.pdf
7. http://www.ada.org/prof/resources/positions/statements/anesthesia_guidelines.pdf
8. http://www.ada.org/prof/resources/positions/statements/anxiety_guidelines.pdf
9. https://www.kacpr.org/page/page.php?category_idx=2&category1_code=1247206237&category2_code=1528172801&page_idx=1159

CHAPTER

02

| Dental Anesthesiology | 서론

치과마취과학과 관련된 법적 문제

학습목표

1. 치과마취 시행 전 환자 동의에 관련된 지식을 습득한다.
2. 진료기록의 작성과 보관법을 숙지한다.
3. 치과마취와 관련하여 문제가 제기되었던 사례를 통하여 그 중요성을 이해하고 예방법을 습득한다.

치과마취과학을 포함한 의료 행위에서의 법학적인 문제는 궁극적으로는 의료소송으로 나타나게 되지만, 이 과정에서 의사의 설명 의무, 환자 동의서, 의료과실이나 합병증 여부, 의무기록 등의 내용을 포함하게 된다. 이 장에서는 의사의 설명 의무와 동의서, 진료기록의 작성 그리고 치과마취와 관련한 의료소송의 예를 살펴보기로 한다.

1. 치과마취 시행 전 환자 동의

1) 설명 의무

의사의 의료행위는 환자의 신체에 상처를 내게 되는 것을 포함하며, 특히 마취의 과정은 이러한 침습적인 과정 전에 환자의 의식을 조절하는 과정을 포함하고 있어 그것이 정당한 의료행위로 인정받기 위해서는 환자로부터의 사전 허락을 받아야만 한다. 환자의 허락은 의사로부터 마취를 하는 이유와 마취의 방법, 그에 따른 증상과 마취로부터 회복되는 과정, 그리고 발생할 수 있는 위험과 합병증에 대하여 충분히 설명된 이후에 얻어질 수 있는 것이다. 따라서 충분한 설명이 없었다면 환자에게서 받은 동의는 적절하다고 할 수 없으며, 그에 근거한 의료행위는 정당성을 확보할 수 없으며, 위법한 것으로 판단될 수 있다.

2) 치료 전 동의서

환자에게 충분한 설명을 한 뒤 이해를 바탕으로 동의하게 하고, 필요한 검사, 마취, 치료 등을 받도록 하는 것을 '충분한 설명에 의거한 환자의 동의'라고 할 수 있다. 의료나 치과의료 행위에 있어 '동의서'란 의사나 치과의사가 환자에게 그 병의 상태를 환자의 지식 수준에서 충분히 설명하고, 당연히 행해야 하는 검사나 치료내용에 대한 충분한 정보를 제공하며, 환자는 그 설명을 이해한 뒤에 강제되지 않는 자유입장에서 그 검사나 치료를 선택하고 스스로의 동의를 바탕으로 의사나 치과의사가 의료나 치과 의료를 실행한다고 하는 문서이다. 즉 '치료 동의서'는 환자 측에서 충분히 납득한 후의 의사표시로서의 동의 여야 하며 반드시 문서상에 서명으로 그 동의를 표시하고, 환자가 납득하지 않은 동의는 재판상 무효가 된다.

(1) 치료 전 동의서(Informed consent)의 역사적 배경

나날이 발전하는 새로운 치료법은 말할 것도 없거니와 개인의 권리가 강조되는 현실에 비추어 점차 동의서의 중요성은 꾸준하게 커져 왔다. 원래 이 개념은 제2차세계대전 중에 행해진 나치의 비인도적인 인체실험에 대한 비난이 극에 달했었던 1945~1946년에 걸친 뉘른베르크 군사재판에서 나치에 의한 잔학행위가 명백하게 밝혀지고 난 이후, 1947년에 비로소 의학적 실험에서는 피검자의 동의가 필요하다는 내용의 '뉘른베르크 강령'이 발표되었던 것이 시작이라 할 수 있다.

그 이후 1964년, 헬싱키에서 개최된 제18회 세계의사회(World Medical Association) 총회에서 사람을 대상으로 하는 생물학적 연구(임상실험)에 관한 윤리강령이 채택되었다. 이것은 나중에 일부 수정이 되었지만 소위 '헬싱키 선언'으로 불려지고, 의사윤리의 기본으로 세계적으로 널리 존중되고 있다. 헬싱키 선언에서는 먼저 사람에 대한 연구는 의학을 위해서 필요하다고 인정하고 있으며, 동의서라는 말이 시작된 것은 헬싱키 선언 이후이다.

"헬싱키 선언"의 중심 내용은 다음과 같다.

① 사람에 있어서 생물학적 연구는 동물실험 및 과학적 문헌에 의한 완전한 지식에 기초를 두지 않으면 안 된다.

② 실험을 받는 사람에게 연구의 목적과 방법 그리고 예상되는 위험성과 불쾌함에 대하여 충분히 알려주지 않으면 안된다.

③ 실험을 받는 사람은 연구에 참가하지 않을 자유를 가지며, 만약 참가 중이라 하더라도 언제든지 그 동의를 철회할 자유가 있음을 사전에 알려야 한다.

④ 의사는 실험을 받는 사람의 자유의지에 의한 동의서를 가능하면 서면으로 받도록 해야 한다.

1960년 후반에 미국에서는 인종, 사회적 입장, 성차별 등에 대한 저항으로 시민운동이 점차 고조되면서 의료에 대해서도 비판이 생겨나고, 환자의 권리주장이 강해져 의료 소송이 증가하는 사회적 상황에 있었으며, 마침내 1972년 미국병원협회는 다음과 같은 '환자의 권리장전에 관한 선언'을 발표하였다.

① 환자는 환자를 생각하는 마음이 있는 정중한 치료를 받을 권리가 있다.

② 환자는 자신의 질병에 대한 진단, 치료, 예후에 대하여 완전한 새로운 정보를 자신에게 완전히 이해할 수 있는 말로 전하여 들을 권리가 있다.

③ 환자는 어떠한 처치나 치료를 시작하기 전에 동의 과정에서 필요한 정보를 의사로부터 받을 권리가 있다.

④ 의학적으로 보다 나은 방법이 있는 경우 혹은 환자가 의학적으로 다른 방법이 있다면 가르쳐 달라고 하는 경우에는 환자는 그 정보를 전해 받을 권리를 가지고 있다.

⑤ 환자는 처치나 치료에 대해 책임을 가지는 사람의 이름을 알 권리가 있다.

미국에서는 환자 권리장전에 이어 1983년 '생명윤리에 관한 미국합중국 대통령위원회 보고서'가 공표되었다. 이 위원회는 의학, 간호학, 윤리학, 사회과학 등 많은 분야에서 다수의 증인을 불러모아서 동시에 세 가지 위탁 연구를 하였고, 마침내 보고서를 정리하였다. 또한 그 중의 미국대통령위원회 생명윤리 통괄보고서에서는 동의서에 관한 조사결과와 결론이 보고되었다. 따라서 동의서의 기본적인 사항은 다음과 같다.

① 개념에서는 윤리적인 성격을 가지고 있는 점

② 환자는 자신의 가치관과 인생의 목표에 바탕을 두고 의료의 내용을 결정할 권리를 갖지만, 환자의 선택이 절대적인 것은 아니라는 점

③ 의지결정능력이 없는 환자의 이익을 보호하기 위해 배려해야 할 것

(2) 치료 전 설명 및 동의서 받는 방법

치료 전 설명 및 동의는 환자 한명 한명의 인간성을 존

중하며 행해져야 한다. 즉, 불안이나 통증, 어려움에 처해 있는 환자의 심적 위기를 공감하고, 인간으로서의 환자의 존엄성을 중요시 하는 태도에서부터 의사나 치과의사로서 환자의 의료 혹은 치과의료의 문제에 관계하는 것이 허락된다는 인식에서 설명을 해야 한다. 설명할 때는 먼저 적합한 장소를 선택하는 것이 중요하며, 프라이버시를 지켜주며 환자의 말에 귀를 기울이는 태도를 보이는 것이 환자와의 신뢰관계를 깊게 하는 데 중요하다. 설명은 환자 본인에 대해 행하는 것이 원칙이며, 설명 도중에도 환자가 이야기하기 시작하면 설명을 중단하고 귀를 기울이도록 한다. 의료소송의 경우 의사 환자의 관계는 많은 영향을 미치는데, 치료 전 충분한 설명과 의견교환을 통하여 치료 전반에 대하여 이해시키며, 환자에게 질문의 기회를 제공하고 발생 가능한 합병증에 대한 설명이 필요하다. 이때 지나치게 환자에게 겁을 주어 치료를 거부하도록 하거나(특히 치과공포증환자조심), 치료거부로 인한 나쁜 결과가 환자에게 발생되면 치과의사에게 책임을 물을 수도 있다. 따라서 부작용의 설명은 통계적인 배경을 갖고 설명해 주면 될 것이다.

의사에 있어서 설명 의무와 그 범위에 대해서는 다음과 같은 내용이 포함되어 있어야 한다.

① 현재 환자의 질병 및 손상의 정도와 상태
② 치료하지 않고 방치 시의 위험성
③ 이에 대해 채택하고자 하는 치료의 방법
④ 치료에 의한 상태의 개선 정도와 예후(질병 경과 예측)
⑤ 위험의 유무와 정도
⑥ 그 이외 선택 가능한 치료 방법과 그 이해 득실
⑦ 불가항력적으로 야기될 가능성이 있는 합병증의 빈도와 정도

상기 내용에 관한 설명이 필요하다고 생각할 수 있다. 최근 치과치료를 위해서 국소마취, 치과진정법, 전신마취 등의 방법을 사용하게 되는데, 이러한 선택할 수 있는 마취의 종류와 각각의 방법에 관련된 장점, 단점, 안정성, 합병증 및 위험성에 대한 내용을 충분히 설명하는 것이 필요하다. 치과치료 시에 국소마취관련 내용에 대한 설명 및 동의 부분이 생략되는 경우들이 많이 있는데, 이러한 부분이 법적인 문제로 진행된 사례들이 증가하는 실정이다.

치료상 긴급성이 강할수록 설명의 의무의 범위는 좁아지고 긴급성이 약할수록 설명의 의무의 범위는 넓어진다. 또한 치료수단에 선택의 여지가 있으면 여기에 대해서도 설명을 해야 한다. 이 기본적인 부분을 넘는 부분에 대해서는 환자가 어디까지 충분한 설명을 요구하는지는 각각 다르므로 의사는 환자와의 상대적인 관계에 있어서 환자의 요구에 따라 적절히 설명하면 좋겠다

예외로 하는 경우로는,

① 응급 상황으로 환자에게 설명하고 동의를 얻는 시간적인 여유가 없는 경우
② 환자본인이 유아라든지 정신지체와 같이 설명을 들어도 동의를 하는데 판단능력이 부족한 경우를 들 수 있다. 이 경우에는 환자를 대신하여 동의를 법적 대리인에게 동의를 구하게 되는데, 대리인은 환자의 입장에서 설명을 듣고 환자의 이익을 위해서 최선의 선택을 결정해야 한다.

2. 진료기록의 작성과 보관

1) 진료기록 작성의 의의

과거 치료 중에 발생한 사건에 대해 소송이 제기될 경우 원고 측은 의사의 과실을 증명해야 하던 관례에서, 의사가 환자에게 시술되었던 행위가 적절하였다는 것을 입증해야 한다는 방향으로 변화하고 있다. 의료사고는 뚜렷한 이유 없이 발생되는 경우가 흔하고, 복잡한 당시의 상황을 재현할 수가 없어, 원인의 배제와 추측을 통해 판결이 나는 경우가 빈번하다. 의료소송은 본질적으로 전문지식이 없는 원고와 전문인인 피고의 지식수준의 차이가 크므로, 의료 과실의 경우 피고측이 과실의 원인을 밝히지 않으면 유죄로 인정되기 쉬운 최근의 경향은 의사들을

어렵게 만들고 있다. 진료기록은 의료소송 시 가장 중요한 변호의 기본 자료로 이용되므로 치료 중에 일어난 행위를 빠짐없이 기록해야 한다.

"기록되어 있지 않은 것은 일어난 것이 아니다"라고 원고측은 주장할 것이고, 기록하지 않은 이유를 심문할 수도 있다. 제대로 된 진료 기록은 기억이 희미해진 훗날 법적인 문제의 발생 시 피고에게 유리하게 이용될 수 있다.

2) 치과마취에서의 진료기록의 작성

전신마취 중 마취통증의학 전문의에 의해 이루어지는 전신마취를 제외한 치과의사에 의해 행해지는 국소마취와 진정마취에 대해서는 해당 치과의사에 의해 그 과정이 자세히 기록되어야 한다.

진료기록에 포함되어야 할 내용은

① 환자의 의학적 전신 병력(질병의 종류, 치료와 현재의 전신상태 등)
② 국소마취의 부위
③ 국소마위의 방법(전달마취, 침윤마취)
④ 사용된 국소마취제의 종류와 용량
⑤ 마취 후 발생한 특이한 증상
⑥ 진정마취의 방법
⑦ 진정마취 시 사용한 약물의 종류와 용량
⑧ 진정마취 중 환자의 상태
⑨ 회복 시기와 회복 시 상태
⑩ 귀가 시기와 환자의 상태

3) 진료기록의 보관

마취기록은 의료법상 진료기록으로서 상세히 기재할 의무가 있고, 보통 진료기록에 관한 보존 의무 기간을 고려해 보면 10년간 보존할 필요가 있다고 생각된다. 기재사항은 의료소송에 있어서도 중요시 되어 기재가 빠진 것이 있는 경우에는 그 증거 능력이 낮아진다는 것을 염두에 두어야 한다.

참고

선한 사마리아 규정은 건강관리 제공자들이 자신의 환자가 아닌 다른 일반대중(즉, 보상 받을 것으로 기대하지 않는 이들을 위한 치료)에게 좋은 의도로 생사에 관련된 치료를 제공한 경우 죽음이나 상해에 책임을 지우지 않는다(중과실의 상황은 제외)는 것으로, 사소한 환자 소송으로부터 어느 정도 치과의사를 보호할 수 있게 하지만, 치과 진료 시 발생한 응급 상황을 겪는 환자에 대해서는 해당 치과의사는 이러한 선한 사마리아인 규정의 보호에 해당하지 않는다고 할 수 있다. 즉, 응급 상황의 희생자는 치과의사의 환자이므로, 치과의사는 그 환자를 효과적으로 다룰 의무가 있다. 그러나 만약 환자의 가족처럼 치과의사의 환자가 아닌 사람이 대기실에 있다가 갑자기 비상사태에 처한 경우라면, 선한 사마리아인 변호가 적용될 수 있다.

표 2-1. **진정법 동의서**

챠트번호 / 환자성명 :

설명일시 :

설명의사 :

진정법은 환자의 불안과 공포를 감소시키기 위하여 환자에게 흡입마취제를 호흡시키거나 또는 정맥로로 여러 가지 약물을 주입하여 보다 원활한 치과치료를 도와주는 방법입니다. 건강한 환자는 보다 편안하게 치료를 받을 수 있으며 전신질환이 있는 환자는 철저한 환자감시 하에 보다 안전하게 치료를 받을 수 있으며, 필요한 경우 즉각적인 조처가 취해지게 됩니다. 대부분 환자가 의식이 있는 상태로 진행되지만 경우에 따라서는 얕게 또는 깊게 잠을 주무실 수도 있습니다. 이는 치과치료에 대한 환자의 반응과 전신상태를 고려하여 치과 마취과 의사가 조절하는 사항입니다.
합병증은 그렇게 흔하지 않지만 경우에 따라서는 너무 깊게 잠이 들어 호흡이 불가능한 상태가 될 수 있다는 점과 입 안에서 치과치료가 이루어지기 때문에 이물질의 폐내 흡인이 일어날 수 있는 점이 대표적입니다. 또한 진정법에 사용하는 약물에 알레르기 반응을 가지고 계신 분들도 있지만, 이러한 경우는 극히 드물며 저희는 이를 대비한 철저한 준비를 갖추고 있습니다.
마지막으로 진정법 시행 후 식사는 충분히 허기가 느껴질 때(대략 3시간 정도 후)에 하시면 됩니다. 그리고 치과마취과 의사가 환자의 회복이 충분하지 않다고 판단될 경우 치과마취과 간호사님들이 상주하는 회복실에서 대략 1~ 3시간 정도의 체류가 필요할 수도 있으며 환자의 안전을 위하여 하루 정도 입원하시는 것이 필요하기도 합니다. 또한 당일에는 정교한 운동기능(운전이나 기계조작)이나 기억작용(공부나 암기)에 문제가 있을 수 있습니다. 그러므로 진정법을 받은 당일에는 충분한 휴식을 취하는 것이 추천됩니다.

위와 같은 진정법과 관련된 충분한 설명을 듣고 불가항력적으로 야기될 수 있는 합병증 또는 후유증이 발생할 수 있다는 것을 사전설명으로 이해하며 진정법에 협력할 것을 선약하고 주치의 판단에 위임하여 진정법을 받는데 동의합니다.

주소 :

연락처 :

이름 : (서명)

표 2-2. 미국치과협회의 병력 질문 사항 형식

병력 기록지

성명 : **성별 :** **생년월일 :**
주소 :
전화 : **키 :** **몸무게 :**
날짜 : **직업 :** **결혼여부 :**

지시

문항에 대한 답이 "예"면 "예"에 동그라미 하시오.
문항에 대한 답이 "아니오"면 "아니오"에 동그라미 하시오.
"예"나 "아니오"에 동그라미 하여 모든 문항에 답하고 지시된 빈 공간을 채우시오.

다음 문항에 대한 답은 기록만을 위한 것이며 기밀에 붙여진다.

1. 당신은 건강한가? 예 아니오
   a. 지난 몇 년 동안 당신의 총체적 건강에 어떤 변화가 있었는가? 예 아니오
2. 마지막 건강 검진 날짜는 ________________ 였다.
3. 현재 의사의 치료를 받고 있는가? 예 아니오 a. 그렇다면 치료되고 있는 상태는? ___________
4. 치료받는 의사의 이름과 주소는 ____
5. 중병을 앓거나 수술을 받은 적이 있는가? 예 아니오 a. 그렇다면 어떤 질병이나 수술이었는가? ______
6. 지난 5년 동안 입원하거나 중병을 앓은 적이 있는가? 예 아니오 a. 그렇다면 어떤 문제였는가? ________________
7. 다음의 질병이나 문제를 가지고 있거나 혹은 앓았었는가?
   a. 류머티스성 발열 혹은 류머티스성 심장 질환 예 아니오
   b. 선천성 심장 장애 예 아니오
   c. 심장 혈관 질환(심장병, 심장 마비, 심장 기능부전, 심장 폐색, 고혈압, 동맥경화증, 발작) 예 아니오
      1) 격심한 활동 중 가슴에 통증이 있는가? 예 아니오
      2) 가벼운 운동 후에도 호흡이 가쁜가? 예 아니오
      3) 발목이 붓는가? 예 아니오
      4) 누울 때 호흡이 가빠지는가 혹은 잠잘 때 베개가 더 필요한가? 예 아니오
   d. 알레르기 예 아니오
   e. 천식 혹은 건초열 예 아니오
   f. 두드러기나 발진 예 아니오
   g. 기절 혹은 발작 예 아니오
   h. 당뇨병 예 아니오
      1) 하루에 6회 이상 소변을 봐야 하는가? 예 아니오
      2) 항상 목이 마른가? 예 아니오
      3) 구강이 자주 건조해지는가? 예 아니오
   i. 간염, 황달, 혹은 간질환 예 아니오
   j. 관절염 예 아니오
   k. 염증성 류머티즘(관절이 아프고 붓는다) 예 아니오

l. 위궤양 예 아니오
m. 신장 장애 예 아니오
n. 결핵 예 아니오
o. 만성 기침 혹은 각혈이 있는가? 예 아니오
p. 저혈압 예 아니오
q. 기타 ______

8. 이전의 발치, 수술, 혹은 외상과 관련된 비이상적 출혈이 있는가?
   a. 쉽게 멍이 드는가? 예 아니오
   b. 수혈이 필요한가? 예 아니오
   그렇다면 그 상황을 설명하라 ______
9. 빈혈증과 같은 혈액 장애가 있는가? 예 아니오
10. 종양 증식, 혹은 머리나 목의 다른 증상으로 수술이나 엑스레이 치료를 받은 적이 있는가? 예 아니오
11. 약이나 약물을 복용하고 있는가? 예 아니오 그렇다면 무엇인가? ______
12. 다음을 복용하는가?
   a. 항생제나 sulfa drug 예 아니오
   b. 항응고제(혈액 희석제) 예 아니오
   c. 고혈압약 예 아니오
   d. 코티손(스테로이드) 예 아니오
   e. 진정제 예 아니오
   f. 아스피린 예 아니오
   g. 인슐린, tolbutamide 혹은 유사 약물 예 아니오
   h. 강심제 혹은 심장 질환약 예 아니오
   i. 니트로글리세린 예 아니오
   j. 경구피임약 혹은 다른 호르몬 치료제 예 아니오
   k. 기타 ______
13. 다음 사항에 알레르기가 있거나 반대적으로 반응한 적이 있는가?
   a. 국소마취제 예 아니오
   b. 페니실린 혹은 기타 항생제 예 아니오
   c. sulfa drug 예 아니오
   d. barbiturate, 진정제, 수면제 예 아니오
   e. 아스피린 예 아니오
   f. iodine 예 아니오
   g. codeine 혹은 다른 최면약 예 아니오
   h. 기타 ______
14. 이전 치과치료와 관련된 심각한 질환이 있었는가? 예 아니오
   그렇다면 설명하라 ______
15. 본 문항의 제공자가 알아야 한다고 생각되는, 상기에 언급되지 않은 질환, 상태, 문제가 있는가? 예 아니오
   그렇다면 설명하라 ______
16. 당신은 엑스레이나 다른 전리 방사선에 정기적으로 노출되는 상황에 고용되어 있는가? 예 아니오
17. 콘택트렌즈를 착용하는가? 예 아니오

여성

18. 임신 중인가? 예 아니오
19. 월경주기와 관련된 문제가 있는가? 예 아니오

주치의 소견:

환자 서명 ______
치과의사 서명 ______

3. 치과마취와 관련한 분쟁사례

1) 분쟁사례 1

(1) 사례

제1대구치 신경치료 후 하순부위의 지각마비 발생 건

(2) 사고 내용

수진자는 충치발생으로 내원, 우측 제1대구치에서 기존 인레이 치료된 부위와 다른 방향으로 우식증 발생하여 신경치료 진행하기로 하고 국소마취(전달마취)를 시행하고, 해당부위 신경치료 후 기타 다른 보철치료 진행하였으나, 마취가 계속 안풀리고 지각마비 발생하여, 타 병원 내과에서 신경손상 진단받음. 이후 수진자는 신경치료과정에서 의료과실 주장하며 피해보상을 요구함.

(3) 진행 경과(손해배상책임 발생여부)

하악우측 제1대구치 신경치료 과정에서 마취 시 하치조신경에 손상을 초래한 것으로 판단되며 주의를 소홀히 한 의료과실이 인정되어 법률상 손해배상책임을 면하기 어려우나, 부득이한 시술상의 어려움과 위험성이 내재되었을 뿐만 아니라 신경손상에 따른 감각이상을 의학적으로 사전에 진단하고, 이를 예견하기가 극히 어려운 점이 인정되므로 손해배상책임은 제한되고 제한범위는 50%가 적정함.

2) 분쟁사례 2

(1) 사례

신경치료를 위한 마취제로 인한 안면마비 증상 발생 건

2) 사고 내용

수진자는 기존 아말감 주위의 충치로 인한 통증으로 내원하였으며, 아말감 제거 후 신경치료를 시행 받았음. 이후 마취부위 눈꺼풀이 감기지 않는 등 안면마비 증상이 발현되어서 타병원에서 물리치료를 받으면서 손해 배상 청구한 건임.

(3) 진행 결과(손해배상책임 발상여부)

의사는 신경치료를 위한 마취제(리도카인) 투여 후 정상적인 시술을 행하였으므로 수진자의 증상이 시술과 직접적인 인과관계가 있는지 불분명한 상황이었음. 그럼에도 불구하고 의사가 사전에 부작용이 발생할 수 있음에 대한 설명 의무를 다하지 않은 주의 의무 위반에 대하여 일부 손해배상책임이 인정될 수 있는 건임.

3) 분쟁사례 3

(1) 사례

상악 좌측 제2대구치 충치치료를 위해 국소마취 시행 후 의식소실 건

(2) 사고 내용

상악좌측 제2대구치의 충치치료를 위해서 상악좌측 협측 치은 부위에 침윤마취를 시행한 후 치과치료 시작 5분 후 의식을 잃은 상황에서 치과의사가 심폐소생술을 시행하고, 응급상태를 119에 알려 5분 내에 119구급대가 도착하여 응급 의료기관으로 이송되었으나, 사망에 이른 경우임.

(3) 진행 경과

환자의 경우 해당병원에서 3회에 걸쳐 국소마취 하에 치과치료를 시행했던 환자로 국소마취에 관련된 특이반응이 있었다고 보기 어렵고, 치과진료실에서 응급 상황이 발생하였을 때 5분 이내에 응급 처치 및 응급 구조팀 인계가 이루어진 바, 응급상태에서 신속히 적절하게 대응하였다고 판단된 것으로 치과치료 과정에서 과실을 인정하기는 어려운 건임. 이 사례로 볼 때에 치과진료실에 치과마취를 시행하는 경우에는 항상 응급 상황의 발생 가능성을 염두에 두고 평상시 응급 처치를 위한 장비 약제를 준비하고, 치과의사뿐만 아니라 치과 스텝들의 응급 구조를 위한 훈련이 필요하고, 응급 이송을 위한 체계에 대한 교육 및 훈련이 향후의 의료 사고를 예방을 위한 것임을 인식해야 함.

4) 분쟁사례 4

(1) 사례

하악좌측 소구치 및 대구치 발치를 위한 국소마취 과정에 발생한 두경부 통증

(2) 사고 내용

하악좌측 대구치 발치를 위해서 하악전달 마취과정에서 몸의 경련과 동시에 두경부의 통증(두통)의 발생. 이후 신경외과 및 통증클리닉 치료 이후에도 증상 지속됨.

(3) 진행 경과

치과치료를 위한 국소마취나 치과진정법은 마취 전의 환자의 상태를 파악하는 것이 매우 중요하다. 환자가 내과, 신경과 등의 만성적인 전신질환이 있거나, 전신마취 또는 진정법 시행 병력이 있는 경우, 해당 시술과정에서 특이반응을 보였다면, 해당 진료과의 진료의뢰를 시행하여 환자의 상태를 평가 및 처지를 시행한 이 후 치과마취 시술을 시행해야 한다.

참고문헌

1. 김일순, 손명세, 김상득: 의료윤리의 네 원칙. 서울출판사, 15-178, 1999.
2. 대한마취과학회: 마취과학. 서울. 군자출판사, 2553-2565. 2002.
3. 대한치과의사협회: 치과의료기관 의료분쟁백서. 대한치과의사협회, 2009.
4. 박종수, 박인국: 의료사고의 안전벨트 개정판. 군자출판사, 2009.
5. 일본치과마취과학회: 치과마취학 5판, 567-571, 1997.
6. 한국의료윤리학회: 의료 윤리학. 서울. 계축 문화사, 35-113, 2001.

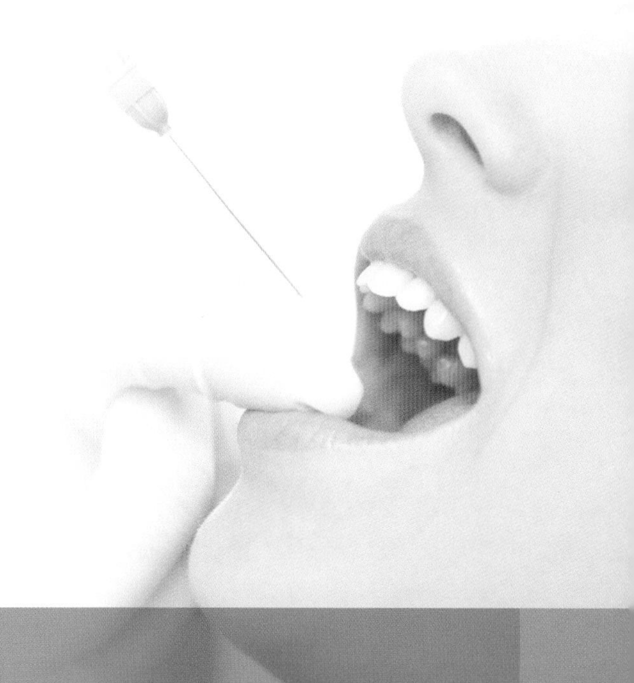

PART 2 기초의학

Chapter 03 신경세포의 전기신호
Chapter 04 호흡과 산-염기 평형, 산소 투여
Chapter 05 순환, 수액과 수혈

| Dental Anesthesiology | 기초의학

신경세포의 전기신호

학습목표

1. 중추신경계와 말초신경계의 구성과 형태를 이해한다.
2. 신경섬유의 종류와 기능을 알아야 한다.
3. 신경의 전기적 현상을 이해하고, 신경신호 전달과정을 파악한다.
4. 신경전달과정에서 Na^+ 통로의 기전을 이해한다.
5. 통증 발생의 이론적 기전을 설명해야 한다.
6. 자율신경계의 해부학적 특징 및 기능적 특성을 알아야 한다.
7. 교감신경 및 부교감신경의 신경전달물질과 수용체의 종류 및 역할을 알아야 한다.
8. 아드레날린성 약물 및 항아드레날린성 약물의 종류, 약리작용, 부작용, 치료용도, 치과에서의 치료용도에 대해 이해해야 한다.
9. 콜린성 약물 및 항콜린성 약물의 종류, 약리작용, 부작용, 치료용도, 치과에서의 치료용도에 대해 이해해야 한다.
10. 신경-근 차단제의 종류 및 약리작용, 부작용, 치료용도에 대해 이해해야 한다.

신경계통(nervous system)은 몸의 각 기관을 연결하여 하나의 유기체를 조절하는 기관에 해당된다. 신경자극을 통하여 몸의 활동 조절이 이루어지며, 자극에 반응하는 기관을 연결하는 모든 경로가 신경계통에 포함된다. 해부학적으로 신경계통을 중추신경계(central nervous system, CNS)와 말초신경계(peripheral nervous system, PNS)로 나눈다. 큰 틀에서 보면 이런 신경계는 상호소통에 따라 감각을 인식하고 정보를 처리하여 몸의 반응을 일으키기 때문에 우리 몸의 핵심부분이 되는 것이다. 따라서 여기서는 ① 신경계통의 구성, ② 신경세포의 전기적 특성, ③ 신경세포간 신호전달, 그리고 ④ 통증 발생의 기본적 이해에 초점을 맞추고자 한다.

1. 신경계통의 구성

신경계통은 두 부분으로 나눈다. 첫째 뇌와 척수를 포함하는 중추신경계와, 둘째 말초신경계는 구심성신경(afferent neuron, 혹은 들신경)과 원심성신경(efferent neuron, 혹은 날신경)으로 구성된다(그림 3-1). 중추신경계는 신경반사(neural reflex)를 통합하는 센터로서 말초신경계의 구심성신경으로부터 오는 모든 정보를 받아들여 반응 여부를 결정한다. 즉 반응이 필요하다면 중추신경계는 원심성신경을 통하여 효과기(effector)에 적절한 신호를 내보낸다. 중추신경계에서 내보내는 신호는 두 종류의 신경섬유를 따라 이동하는데, 바로 체성신경계(somatic nervous system)와 자율신경계(autonomic nervous system)가 그것이다. 체성신경계는 주로 골격근으로 가는 신

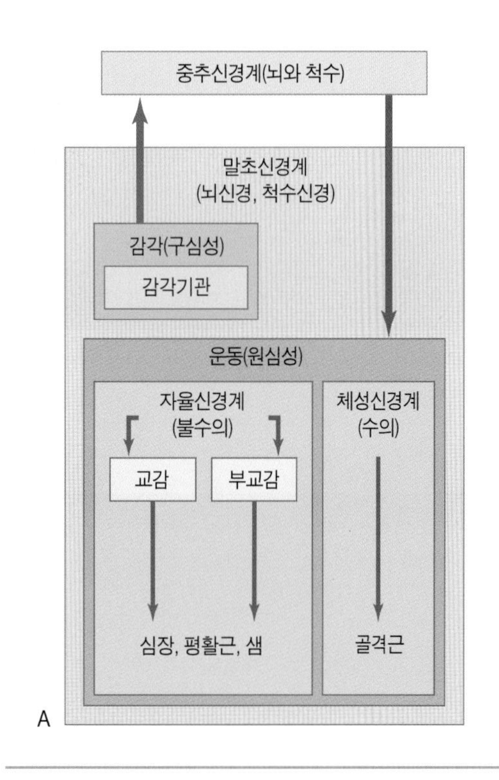

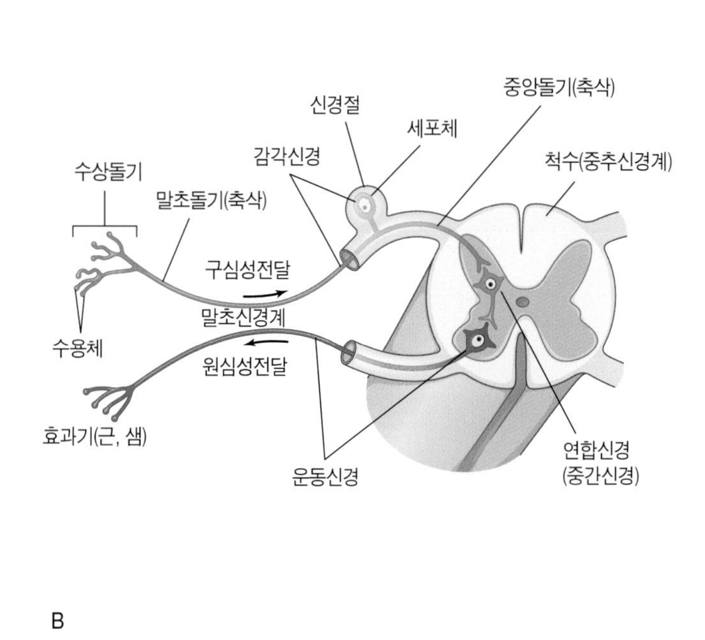

그림 3-1. 신경계의 구성 및 구조
신경계는 중추신경계(뇌와 척수)와 말초신경계(뇌신경과 척수신경)로 나누며, 각각 운동과 감각정보의 흐름을 이끈다(왼쪽). 오른쪽은 척수를 중심으로 나타낸 원심성운동신경과 구심성감각신경이다.

호를 운반하는 반면에, 평활근, 심장근육, 외분비선, 그리고 일부 내분비선과 지방조직은 자율신경계에 의하여 조절된다.

특히 자율신경계는 주로 평활근의 운동과 분비샘의 활동을 지배하여 동물 내부의 환경을 일정하게 유지시켜 주는 신경계통으로 교감신경계(sympathetic nervous system)와 부교감신경계(parasympathetic nervous system)로 이루어진다. 자율신경계는 중추신경계 밖에서 다른 신경섬유로 연결된 후 말초에 이르며, 교감, 부교감 신경계는 대부분 쌍으로 신체 기관과 연결되어 서로 길항적으로 작용한다. 이런 자율신경계가 중추신경으로부터 자극을 받으면 교감신경에서는 노르에피네프린(norepinephrine)이, 부교감신경에서는 아세틸콜린(acetylcholine)이 각각 분비된다. 자율신경이란 이름은 대뇌의 직접적인 지배를 받지 않는다는 의미로 붙여진 것이나, 실제 시상하부와 그 밖의 여러 중추신경의 지배를 받아 어느 정도 의식적인 조절이 가능하다. 최근에는 중추신경계와 말초신경계 이외에 세 번째 신경계로서 장신경계(enteric nervous system, ENS)가 주목을 받고 있다. 사실 장신경계는 위장관 벽에 존재하는 신경망(neuronal network)이지만, 자율신경계에 의하여 조절됨은 물론 자체에서 정보를 처리하는 능력도 있다.

2. 신경계의 세포 종류

기본적으로 신경계통은 세포, 결합조직, 그리고 혈관으로 구성되어 있다. 중요한 세포로는 신경세포(neuron)와 이를 지지하는 세포인 신경아교세포(glia cell, 혹은 neuroglia)를 들 수 있다. 이런 세포들의 특수한 구조나 기능에 의하여 신경을 통한 신호전달이라는 핵심적 기능이 이루어진다.

1) 신경세포

신경계통의 기능적 단위는 신경세포(neuron, 뉴런 혹은 신경원)이다. 이는 사람의 한 개체 내에 10^{10}~10^{11}개 이상이 존재하며 복잡한 신경회로를 형성한다. 신경계의 복잡성은 근본적으로 서로 다른 신호가 많아서가 아니고, 신경세포 사이의 상호연결이 복잡하기 때문이다. 또한 신경세포는 기본성상이 비슷하더라도 모양이나 크기가 다양하여 여러 가지 특수 분화된 기능을 나타낸다. 신경세포의 기본구조는 수상돌기(가지돌기, dendrite; 들어오는 신호를 받는 곳), 세포체(cell body, soma) 그리고 축삭(axon; 나가는 신호를 운반한다)으로 구분된다(그림 3-2). 수상돌기는 나뭇가지 모양으로 신경세포의 가장 원심 측에 존재하며, 조직손상과 연관된 모든 인자들에 대하여 반응한다. 한 마디로 신경세포는 전기적 신호를 발생할 뿐 아니라, 이를 운반하는 흥분성 조직이다. 예를 들어 세포손상 과정에서 분비되는 통증매개물질(pain mediator) 중 하나인 브라디키닌(bradykinin)과 같은 자극으로 수상돌기를 활성화시키면, 탈분극(depolarization)이 형성되면서 신경전도(nerve conduction) 과정을 밟는다. 신경전도는 가는 케이블(전선)을 따라 이동하는 전기신호에 비유되곤 한다. 즉 신경에서는 축삭을 따라 전기신호가 전달되는데, 이 과정이 바로 신경전도다.

신경세포의 또 다른 부분은 세포체이다. 일반적인 감각신경세포(sensory neuron)에서 세포체는 신경전도에 직접적으로 작용하지 않으며, 축삭의 신경전도 경로에서 떨어져 있다. 하지만 세포체는 신경세포의 대사과정에 중요한 역할을 한다. 예를 들어 구강조직에 분포하는 감각신경세포의 세포체는 삼차신경절(trigeminal ganglion)에 존재한다. 그렇지만 운동신경세포인 경우 세포체가 수상돌기와 축삭을 분리하고 있으며, 신경전도에 직접 관여한다. 이 과정에서 신경세포와 신경세포 사이의 접속부를 시냅스(synapse)라고 하며, 여기에서 화학물질인 신경전달물질(neurotransmitter)에 의하여 신경세포 간 정보의 흐름이 이루어진다.

2) 신경아교세포(Neuroglial cell)

이는 신경계에 존재하는 세포들 중 하나로, 신경세포들 사이를 이어주는 세포이다. 비록 신경아교세포가 신경의 전기신호전달에 직접 관여하지 않지만, 물리적(기하학적 구조를 유지시켜 주는 관점) 혹은 생화학적 측면에서 신경세포를 지지하고 신경세포의 기능을 보조해 주는 활

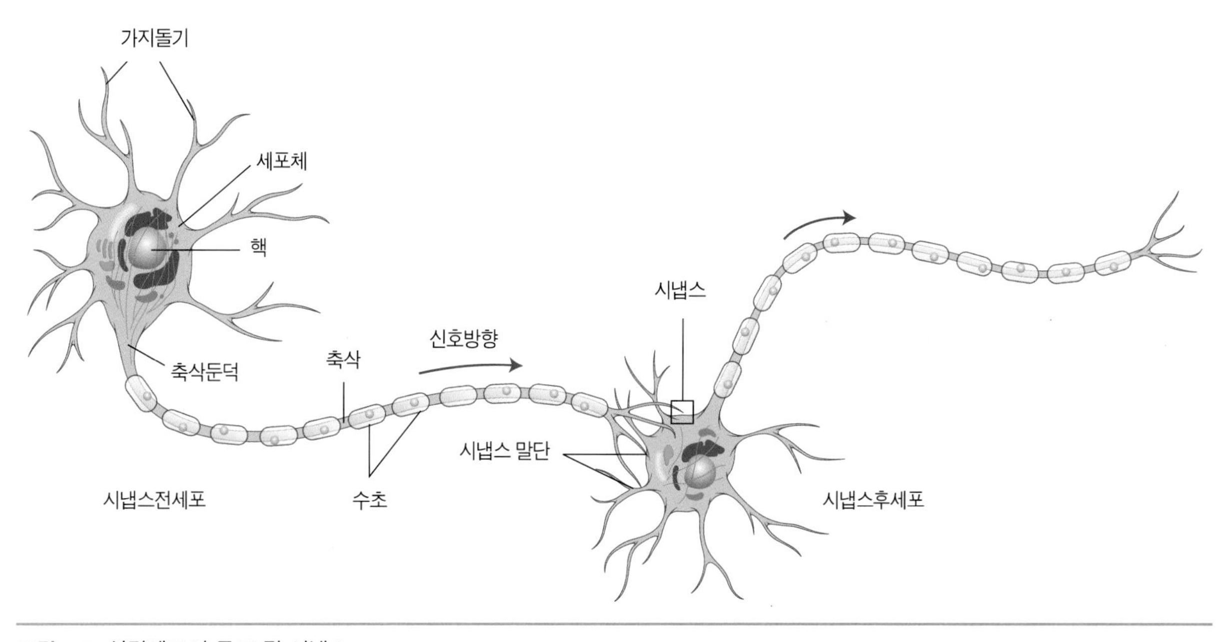

그림 3-2. 신경세포의 구조 및 시냅스

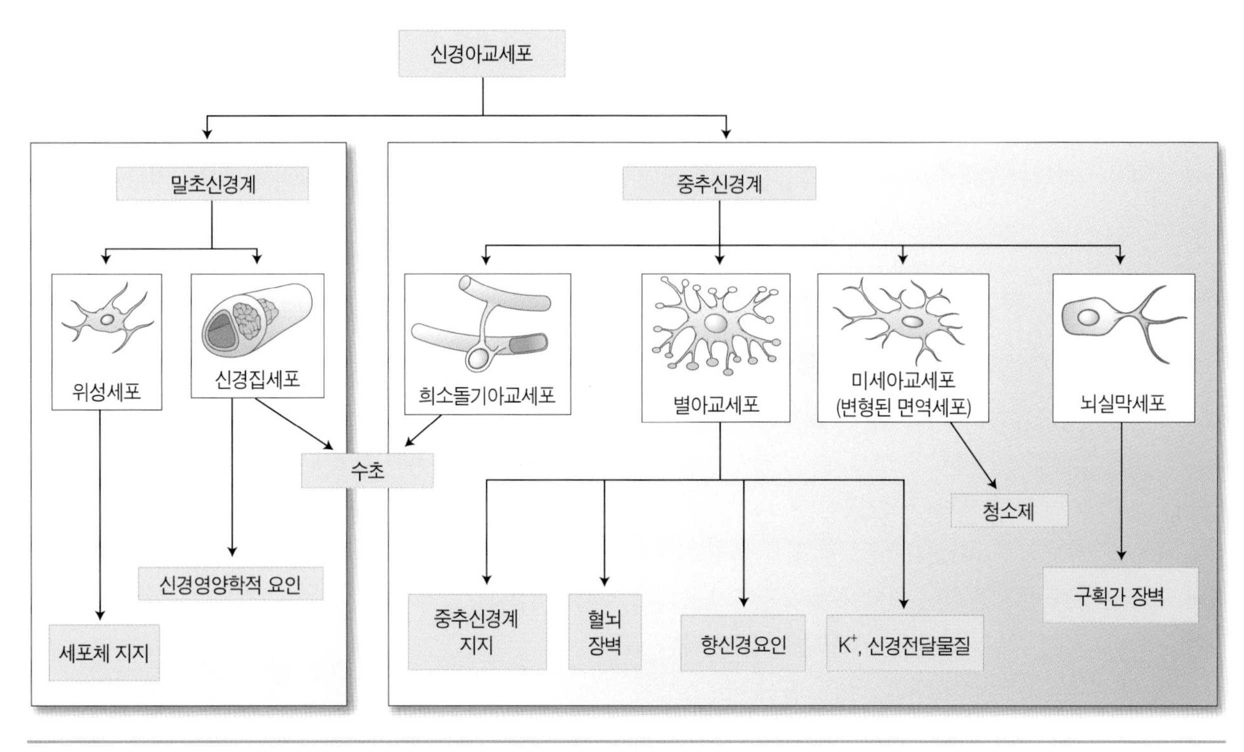

그림 3-3. 말초신경계와 중추신경신경계에 존재하는 신경아교세포의 종류 및 기능

동적인 세포이다. 신경아교세포가 구조의 안정성에 관여하는지 혹은 대사성 보조역할을 하는지는 세포의 종류에 따라 다르다. 여러 종류의 신경아교세포가 있으나, 크게 중추신경아교세포와 말초신경아교세포로 나뉜다. 별아교세포(astrocyte)와 희소돌기아교세포(oligodendrocyte), 미세아교세포(microglia), 그리고 뇌실막세포(ependymal cell)는 중추신경아교세포에 속하고, 슈반세포(Schwann cell)와 위성세포(satellite cell)는 말초신경아교세포에 포함된다(그림 3-3). 이 세포들은 신경세포의 지지그물을 이루며, 수초 형성과 탐식 작용을 하는 반면에 신경세포와는 달리 세포분열 능력도 있다. 또한 신경세포와 주변 환경 사이에서 활발한 물질대사 및 신경의 정보 흐름을 조절하는 것이 아교세포의 역할이다. 즉 신경아교세포 중 일부는 세포외부의 과다한 대사물질과 K^+을 끌어들여 뇌의 세포외액의 조성을 일정하게 유지함으로써, 신경세포의 전기신호를 조절한다.

(1) 별아교세포(Astrocyte)

이 명칭은 밝은 세포체로부터 다수의 돌기가 방사상으로 나오기 때문에 붙여졌다. 세포체가 다른 아교세포보다 크기 때문에 대아교세포라고도 한다. 섬유성, 원형질성의 두 종류가 있다. 섬유성 별아교세포는 주로 백색질에 들어있으며, 돌기는 가늘고 길며 가지는 많지 않다. 반면에 원형질성 별아교세포는 회백질에 있고 돌기는 굵고, 짧으며 가지가 많다.

별아교세포의 돌기는 모세혈관에 뻗어 있으며, 주로 신경섬유다발(fascicles) 사이에 위치한다. 모세 혈관과 신경세포의 사이를 가득 채우고 있기 때문에, 별아교세포는 신경세포의 물질 대사뿐 아니라 신경세포간 전기신호 그리고 대뇌 미세순환(cerebral microcirculation) 조절에도 한 몫을 한다(그림 3-3). 기능적인 측면에서 신경세포간 시냅스 이외에 별아교세포돌기 사이에서도 상호 정보를 주고 받는다. 이를 두고 삼각관계시냅스(tripartite synapse)라고 한다(그림 3-4). 그림 3-4에 나타낸 바와 같이

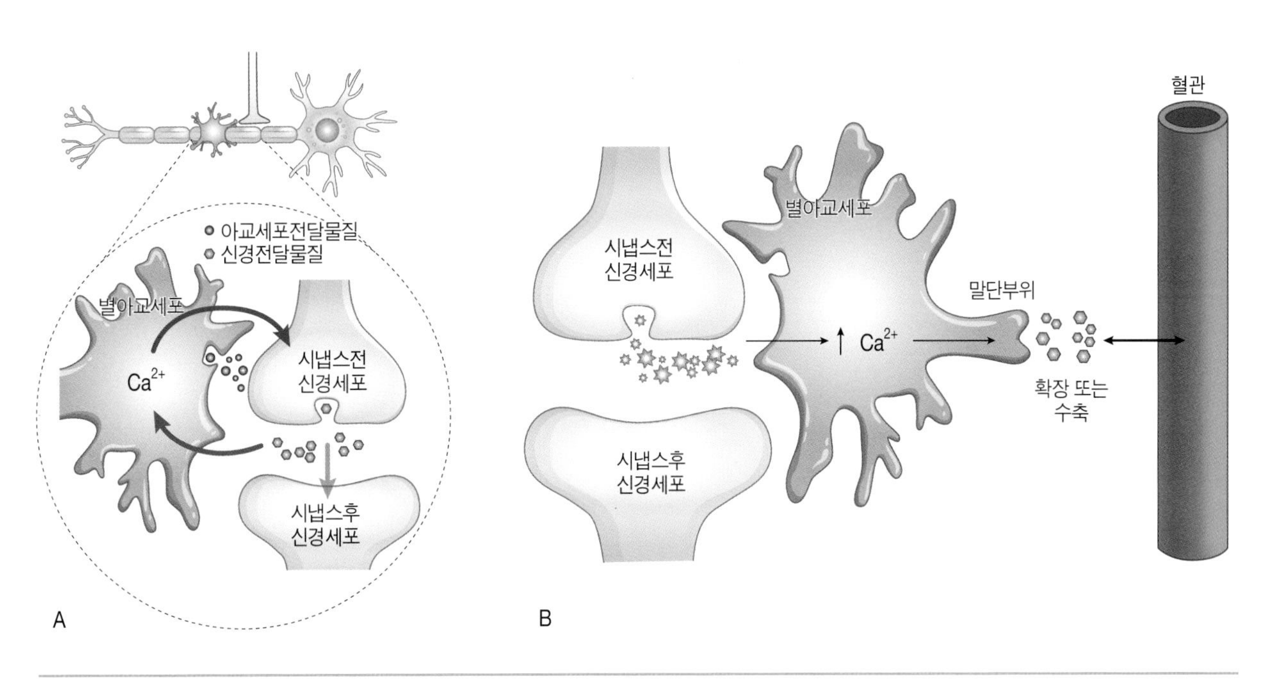

그림 3-4. 삼각관계시냅스(tripartite synapse)와 신경혈관 맞물림(neurovascular coupling)
(A) 전형적인 피라미드신경세포(pyramidal neuron)의 가지돌기와 이 신경에 가깝게 붙어있는 별아교세포(주황색) 사이에 형성된 시냅스이다. 점선으로 표시한 큰 원에 삼각관계시냅스(tripartite synapse), 즉 시냅스 이전 신경세포와 시냅스 이후 신경세포(푸른색), 그리고 별아교세포가 서로 정보를 주고 받으면서 기능적으로 엮여있는 구조를 나타냈다. (B) 신경 시냅스의 활성으로 별아교세포로 정보가 흘러가고, 이어 대뇌미세순환이 조절되는 양상으로 신경계와 순환계가 맞물려 있음을 보여준다(neurovascular coupling). 신경혈관 맞물림에 따라 혈관이 수축 혹은 이완되어 뇌혈류량을 조절한다.

신경이 흥분하면, 그 결과 신경전달물질이 유리되고(파란 점), 인접한 별아교세포내 칼슘이 증가하게 된다. 이때 증가된 칼슘이 별아교세포에서 유리되는 아교세포전달물질(gliotransmitter, 빨간 점)의 양을 결정하여 신경의 흥분도와 시냅스전달(synaptic transmission)에 영향을 미치게 된다. 이외에도 신경세포는 혈관계와 밀접하게 연결되어 있는데, 이를 두고 신경혈관 맞물림, neurovascular coupling이라고 한다. 즉 신경세포가 별아교세포를 흥분시키면, 별아교세포에서 칼슘 의존성 전달물질이 유리되어 혈관의 평활근을 이완 혹은 수축시킨다. 물론 이 과정에 관여하는 혈관은 소동맥이지 모세혈관은 아니다. 특히 세포 밖의 K^+ 수준을 조절하는 역할은 별아교세포의 몫이다. 다시 말해 신경세포가 활성화된 이후 형성된 K^+은 별아교세포에 의해서 뇌 표면으로 보내져 뇌척수액과 혈액의 전기적 중성을 유지하게 한다.

(2) 미세아교세포(Microglia)

특수화된 면역세포로 중추신경계에 존재한다. 이 세포가 활성화되면 외부에서 들어온 이물질과 손상된 세포를 제거한다. 이외에도 가지를 많이 뻗어 주위 신경세포와 혈관에 접촉함으로써 영양소를 운반할 뿐 아니라, 세포외액으로부터 신경전달물질과 K^+을 끌어들여 일정한 외부 환경을 조성한다.

(3) 희소돌기아교세포(Oligodendroglia)

말초신경계의 슈반세포와 같이 수초를 형성하여 축삭의 구조를 지지하고, 축삭에서 빠져나가는 전기적 손실을 막아주는 절연체(insulator) 역할을 한다.

(4) 뇌실막세포(Ependymal cell)

뇌실을 덮고 있는 일종의 상피세포로 돌기가 없거나 한 개 정도 있다. 뇌척수액과 뇌실질 사이에서 대사작용을 도와준다.

(5) 슈반세포(Schwann cell)

말초신경계에서 축삭에 수초를 형성하여 구조를 지지하고, 축삭으로부터 빠져나가는 전기적 손실을 막아준다.

(6) 위성세포(Satellite cell)

수초가 없는 슈반세포이다. 세포체가 밀집되어 있는 신경절(ganglion)내 세포체 주위에 지지 주머니(supportive capsules)를 형성한다. 참고로 중추신경계에서는 세포체의 집단을 핵(nucleus)이라 부른다.

3. 신경세포의 전기신호 발생

흥분성 조직인 신경세포와 근육은 외부자극에 대한 전기신호를 만들어내고 이를 전도하는 성질을 지니고 있다. 알려진 바와 같이 많은 종류의 세포들이 전기적 신호를 만들어내어 세포내 반응을 일으키지만, 전기신호를 다른 곳으로 전도할 수 있는 세포는 신경과 근육으로 국한된다. 본질적으로 신경세포의 활동전위(action potential)의 발생능력은 신경세포막을 경계로 균일하지 않은 이온 분포와 이온의 세포막 투과도(permeability) 차이에 의하여 결정된다. 발생된 전기신호는 신경섬유를 따라 활동전위형태로 중추신경계로 또는 중추신경계로부터 정보가 전달된다. 한 마디로 세포막 탈분극의 자가 생산성(self-reinforcement)의 파동으로 활동전위가 신경세포를 따라 전도된다.

1) 안정막전위의 형성과 Nernst equation

살아있는 모든 세포는 세포막을 경계로 이온의 분포가 다르기 때문에 안정막전위(resting membrane potential)가 형성된다. 아래 두 가지 인자가 막전위에 영향을 미친다.

(1) 세포막을 경계로 존재하는 이온들의 농도차 (Concentration gradient)

정상석으로 Na^+, Cl^- 그리고 Ca^{2+}은 세포외부에 많이 존재하는 반면에 K^+은 세포내부에 많다.

(2) 이온에 대한 막투과도(Membrane permeability)

안정 시 세포막에 대한 K^+의 투과도가 높지만, Na^+과 Ca^{2+}의 투과도는 상대적으로 낮다. 이런 이유 때문에 K^+이 안정막전위를 결정하는 중요한 이온인 것이다. 만일 신경세포막이 두 층의 지방으로만 이루어져 있다면 이온들의 투과도는 거의 기대하기 어렵다. 왜냐하면 지방층이 바로 소수성 방어벽(hydrophobic barrier)으로 작용하기 때문이다. 그렇지만 실제 세포막에는 지방층 이외에 내재성 단백질(intrinsic protein)이 있어서 Na^+ 및 K^+과 같은 전해질들이 쉽게 신경세포막을 통하여 이동하며, 이러한 단백질들은 Na^+과 K^+의 이온통로(ionic channel)로서 역할을 하게 된다. 그렇다면 세포막을 경계로 특정 이온의 농도 차이가 존재하는 경우 막전위를 어떻게 예측할 수 있을까? 이를 계산한 수식이 바로 Nernst equation이다.

Nernst equation: $E_{ion} = 61/z \log [Ion]_{out} / [Ion]_{in}$

여기서 E_{ion}은 특정 이온의 막전위이고, 61은 37℃에서 구한 2.303 RT/F 값이다. 그리고 z는 특정 이온의 하전, $[Ion]_{out}$과 $[Ion]_{in}$은 각각 세포내부와 외부의 이온 농도를 나타낸다(표 3-1). Nernst 수식이 일정한 크기의 값을 가지려면 ① 세포막을 경계로 특정 이온의 농도차가 존재해야 하며, ② 이 이온은 세포막을 통과해야 한다.

예를 들어 Nernst 수식에 K^+을 적용해 보면, K^+의 막전압은 -90 mv로 계산된다. 다시 말해서 신경세포막을 경계로 -90 mv의 K^+ 평형전압(equilibrium potential)이 형성되었다는 의미이다(여기서 -90 mv란 세포내부가 외부보다 상대적으로 90 mv 낮다는 의미로 해석한다). 그러나

표 3-1. 세포내외부의 이온 농도와 평형전위

이온	세포외액(mM)	세포내액(mM)	E_{ION} at 37℃
K^+	5 mM	150 mM	-90 mV
Na^+	145 mM	15 mM	+60 mV
Cl^-	108 mM	10 mM	-63 mV
Ca^{2+}	1 mM	0.0001 mM	+122 mv

실제 안정 시 측정한 막전위 즉 안정막전위는 -70 mv로서 K^+ 평형전압(계산치)보다 높다. 이는 K^+ 이외에 다른 이온이 막전위 형성에 관여하고 있다는 근거이다. 물론 계산치 -90 mv와 측정치 -70 mv 사이에 큰 차이가 나지 않으므로 안정막전위를 평형전위의 근사치로 간주하기도 하지만, 보다 정확히 막전위를 계산하려면 Na^+과 Cl^-을 고려한 새로운 수식이 요구된다. 이에 모든 이온들의 투과도와 농도차를 감안하여 막전위를 계산하는 Goldman-Hodgkin-Katz (GHK) equation (약해서 Goldman 수식)을 도입하게 된다. 이 "Goldman" 수식은 실제 상황처럼 여러 이온들이 동시에 관여할 때, 세포막전위를 계산하는 식이다. 다시 말해 신경세포막 전위에서 주요한 의미를 지닌 K^+, Na^+, Cl^- 이온들을 중심으로 각 이온들의 투과도(P_K, P_{Na}, P_{Cl})까지 고려한 막전위를 계산할 수 있다. 여기서 한 가지 주목할 사항은 Ca^{2+}에 의한 평형전압이 세포막전위 계산에 포함되지 않는다는 사실이다. 물론 Ca^{2+}의 경우 농도차에 의한 평형전압이 +122 mv이지만, 안정 시 세포막을 통한 Ca^{2+}의 투과성이 없으므로 Ca^{2+}이 GHK 수식에서 제외되는 것은 당연하다.

Goldman-Hodgkin-Katz (GHK) equation:

$$V_m = \frac{RT}{F} \ln\left(\frac{P_{Na^+}[Na^+]_{out} + P_{K^+}[K^+]_{out} + P_{Cl}[Cl^-]_{in}}{P_{Na^+}[Na^+]_{in} + P_{K^+}[K^+]_{in} + P_{Cl}[Cl^-]_{out}}\right)$$

이 식에서 눈 여겨 볼 점은 Cl^- 음(-)이온이다. 다른 K^+나 Na^+과 같은 양(+)이온들과 전위가 반대이기 때문에, 분모와 분자의 위치가 다르다는 것이다. 또 한가지 신경세포막에는 Cl^-의 능동적 운반기전이 없고, 안정상태에서 Cl^- 통로가 열려있기 때문에 단순히 피동적인 전기화학적 경사에 의하여 Cl^-이 이동한다. 결과적으로 Cl^-은 안정 시 이미 평형을 이루어 Ecl은 안정막전위와 같아져 있으므로 Cl^-의 순수한 이동은 없다. 따라서 Cl^-은 안정막전위 형성에 기여하지 못하는 것으로 간주한다. 이런 이유로 Goldman 수식에서 Cl^- 항을 무시할 경우, 아래와 같이 간단하게 막전위를 예측할 수 있다. 이 간소화된 골드만 식이 나타내듯 안정 시 막전위는 K^+과 Na^+의 농도차와 이들의 막 투과도(permeability: Pk, P_{Na})에 의하여 결정된다. 그렇지만 안정상태에서 $P_K >> P_{Na}$ 다면, 안정막전위는 K^+에 의하여 결정되고 그 반대인 $P_K << P_{Na}$면 막전압은 E_{Na}가 되어 Nernst 수식의 결과와 같아진다. 따라서 안정상태에 신경이나 골격근에서 K^+에 대한 세포막의 투과도는 Na^+보다 매우 크기 때문에 안정막전위는 K^+에 의하여 결정되지만, 신경이나 골격근에 자극을 주면 Na^+ 투과도가 K^+보다 증가하여 활동전위를 형성한다. 바로 이 활동전위가 신경과 근육의 전기적 신호로 작용하게 된다.

Simplified Goldman Equation:

$$V_m = 60\ mV \log\left(\frac{P_{Na^+}[Na^+]_{out} + P_{K^+}[K^+]_{out}}{P_{Na^+}[Na^+]_{in} + P_{K^+}[K^+]_{in}}\right)$$

2) 안정막전위와 Na^+ pump의 역할

대부분의 세포에서 K^+의 투과도는 Na^+에 비하여 40배 정도 크다. 이런 투과도와 농도 차이 때문에 안정막전위가 -70 mv 정도로 유지된다는 사실은 이미 밝힌 바 있다. 그렇지만 각각 이온의 평형전압(E_K = -90 mv, E_{Na} = +60 mv)을 놓고 볼 때 안정막전위와는 차이를 보인다. 이 결과 각각의 이온들은 자신의 평형전압을 찾아 이동하게 된다. 즉 K^+은 세포내부에서 외부로, Na^+은 세포외부에서 내부로 이온통로를 통하여 이동한다. 하지만 Na^+/K^+ 펌프 (Na^+/K^+ activated adenosine triphosphatase, 다른 용어로 Na^+ pump)에 의하여 이동했던 이온들은 곧 제 자리로 돌아가게 된다.

Na^+/K^+ 펌프는 전해질의 능동 수송(active transport) 형태이다. Na^+/K^+ 펌프는 Na^+를 방출하고 K^+를 세포내로 다시 끌어들이는 역할을 한다. ATP 형태의 에너지를 사용하여 이 펌프를 움직이는데, Na^+를 세포 밖으로 내보내면서 동시에 K^+을 세포 안으로 끌어들인다. 여기서 눈여겨 볼 부분은 Na^+/K^+의 교환비율이 1:1이 아니고 3:2라는 사실이다. 이런 이유로 Na^+/K^+ 펌프 작동으로 막전압이 (—) 쪽으로 이동된다. Na^+/K^+ 펌프에 의하여 형성되는 전압차(electrogenic potential)가 약 5 mv 발생되지만, 이 크기는 안정막전위에 크게 영향을 미치지 않는 것으로 간주한다.

3) 관문통로(Gated channel)에 의한 이온 투과도의 조절

막전압은 세포막에 존재하는 여러 종류의 이온통로가 열리고 닫힘에 따라 변화한다. 이온통로는 크게 안정통로(resting channel 혹은 leak channel)와 관문통로(gated channel)로 구별한다. 먼저 안정통로는 말 그대로 안정 시 열려있어 안정막전위를 유지하는 중요한 역할을 한다. 반면에 안정 시 닫혀 있으나 막전압의 변화, 화학물질 혹은 기계적인 힘 등에 의하여 관문(gate)이 조절되는 통로를 특별히 관문통로라 한다. 신경세포막에 한 종류의 이온만 선택적으로 이동시키는 통로에는 Na^+ 통로, K^+ 통로, Cl^- 통로 그리고 Ca^{2+} 통로 등이 있다. 통과하는 이온의 선택성(selectivity)이 없는 통로도 있다(예를 들어 1가 양이온통로; monovalent cation channel). 통로의 종류를 떠나 이온이 얼마나 쉽게 통로를 통과하는지 전도도(conductance)란 개념으로 평가하는데, 이는 통로 단백질의 종류와 통로의 관문상태(gating state)에 따라 다르다. 다시 말해 관문이 항상 열려있는 경우가 있는가 하면, 특정 자극에 반응하여 관문이 열리거나 혹은 닫히기도 한다. 특정자극에 반응하는 관문통로의 종류는 아래와 같다(그림 3-5).

(1) 기계작동 이온통로(Mechanically gated ion channel)

주로 감각신경에 존재하며, 압력과 신장(stretch), 그리고 shear stress와 같은 물리적 힘에 의하여 열린다. 이처럼 물리적 힘이 화학적 신호로 변환되는 경우, 이를 특별히 mechanotransduction이라고 부른다.

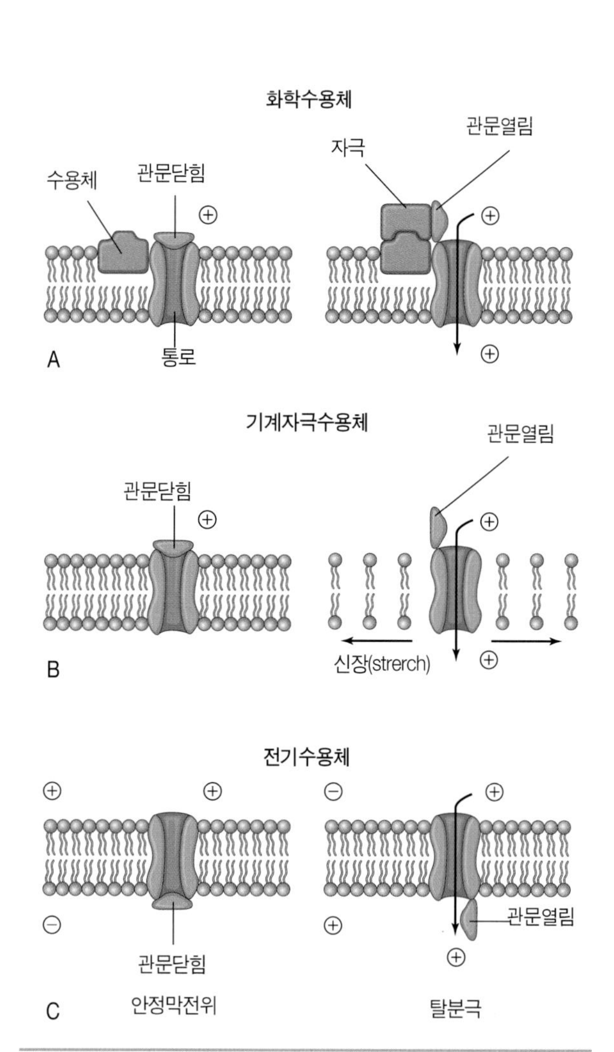

그림 3-5. 관문 통로의 종류
일반적으로 세 가지 종류로 구분하여 통로를 수용체로 나타냈다. 화학적 자극에 의하여 관문이 열리는 chemically-gated channel (A), 기계자극(신장, stretch)에 의한 mechanically gated channel (B), 그리고 전압에 의하여 관문이 조절되는 voltage-gated channel (C)이 있다. 모든 경우 통로 단백질의 구조적 변화가 관문을 조절한다.

(2) 화학작동 이온통로(Chemically gated ion channel)

대부분의 신경세포에 화학적 물질(ligand; 리간드)이 반응한다. 주로 세포외 신경전달물질, 신경조절물질(neuromodulator) 혹은 세포내 신호전달물질 등이 이에 속한다.

(3) 전압작동 이온통로(Voltage-gated ion channel)

이는 세포막전위 변화에 대하여 반응하기 때문에 전기적 신호의 형성과 이동에 중요한 역할은 한다.

이와 같이 여러 가지 종류의 이온통로가 있지만 모두 동일한 기전으로 작동되는 것은 아니다. 즉, 이온통로의 종류에 따라 문턱치 전압(threshold; 최소한의 자극)의 크기가 다를 뿐 아니라 관문이 열리고 닫히는 속도도 통로마다 특정 값을 가진다. 관문의 특성이 어떻든 관문이 열리면 활성화(activation), 닫히면 비활성화(inactivation)라 부른다. 따라서 관문이 활성화되면 통로를 통해 이온이 흘러가지만, 비활성 상태에서는 이온의 흐름이 없다. 예를 들어 축삭돌기에는 Na^+과 K^+ 통로가 있어 탈분극에 의하여 모두 활성화된다. 그렇지만 시간의 차이를 두고 통로가 열리고 닫힌다. 다시 말해서 Na^+ 통로는 빨리 열리는 반면에, K^+ 통로는 느리게 열린다. 이처럼 이온통로에 따라 관문의 열리는 속도가 다르기 때문에 시간에 따른 이온 흐름(ionic flow)에 시간적 차이가 발생된다. 초기에 Na^+이 흘러가고 이어 K^+의 흐름이 뒤따르게 된다. 구조적 측면에서 볼 때, 이온통로는 다양한 특성을 지닌 복합구조(multiple subunit)를 띤다.

이온통로의 관문이 열리고 닫힘에 따라 이온의 움직임도 달라진다. 결국 하전의 이동으로 전류(ionic current)가 발생된다. 물론 이온의 움직이는 방향은 전기화학적 차이에 따라 바뀌는데, K^+의 경우 세포 밖으로 이동하고 Na^+, Cl^- 그리고 Ca^{2+}은 세포 안으로 움직인다. 바로 이와 같은 이온의 움직임이 세포의 과분극(hyperpolarization) 혹은 탈분극으로 이어지면서 전기신호를 생성한다. 그렇다고 이런 전기신호가 모두 신경세포의 정보흐름으로 이어지는 것은 아니다. 탈분극의 강도가 약하여 멀리 이동하지 못하고 다시 안정막전위 수준으로 돌아오는 이른바 graded potential이 있는가 하면, graded potential이 충분히 커서 신경세포의 특정부위(integrating region 즉, 신경세포의 initial segment 혹은 발화점 trigger zone이라고도 한다)에서 자발적으로 형성되는 활동전위도 있다. 덧붙여 설명하자면 graded potential 강도가 신경세포의 문턱치에 도달해야만 활동전위가 발생된다(그림 3-6). 이런 활동전위는 일정한 강도의 탈분극으로 볼 수 있으며, 신경세포가 문턱치 이상의 자극에 대해 빠르게 반응한 결과로써 그 크기가 줄지 않고 멀리까지 이동된다. 바로 전기신호인 활동전위를 통해 신경세포 사이에서 정보가 흘러가는 현상을 신경세포의 흥분성(excitability)이라 한다.

신경에서 graded potential은 가지돌기, 세포체, 그리고 드물게 축삭 말단부 근체에서 발생된다. 물론 자극의 강도에 비례하여 graded potential의 크기가 결정되지만,

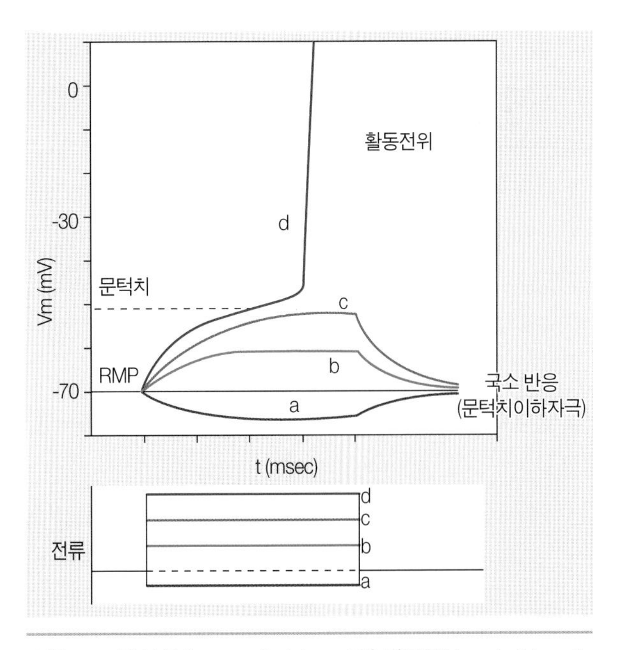

그림 3-6. 과분극(hyperpolarizing, a)과 탈분극(depolarizing, b, c, d) 전류에 대한 신경 축삭의 반응
세포막을 통한 전류와 전압의 변화를 시간의 함수로 나타냄. 신경을 문턱치에 해당하는 강도로 자극하면 활동전위가(d) 형성되지만, 자극강도가 문턱치 이하이면 국소반응만 일어난다(a, b, c). 여기서 RMP은 resting membrane potential이다.

이 결과 신경세포의 막전위는 탈분극 혹은 과분극 형태를 보이게 된다. 그러나 일단 막전압이 문턱치에 도달하면 활동전위가 폭발적으로 발생된다. 중추신경과 원심성신경의 graded potential은 다른 신경세포에서 들어온 화학적 신호(chemical signal)에 의하여 발생된다. 즉, 화학적 관문 이온통로가 열리고, 이온이 신경세포내로 들어오거나 나가기 때문에 graded potential이 형성된다. 기계적 자극도 이온통로를 열어 graded potential을 형성하지만, 이는 주로 감각신경세포에서 일어난다. 이온통로를 여는 방법 이외에 열려있던 이온통로를 닫음으로써 graded potential을 만들 수도 있다. 좋은 예로 K^+ 통로가 닫히면, K^+이 세포 밖으로 나가는 양이 줄고, 그 결과 K^+이 세포내 많이 남아 신경세포 막전위는 탈분극이 된다. 초기 탈분극의 강도는 주어진 자극으로 얼마나 많은 이온이 세포로 들어왔느냐에 달려있다. 따라서 Na^+ 이온통로가 열리는 정도에 따라 세포내로 들어온 Na^+ 양이 달라지고 graded potential의 크기가 결정되는 것이다. 그렇지만 이렇게 형성된 graded potential이 신경세포의 세포질을 통과하면서 세포질을 통한 전류의 누출(current leak) 그리고 세포질 내부저항(cytoplasmic resistance) 때문에, 초기 강도가 유지되지 못하고 줄어든다. 아무튼 graded potential은 신경세포질을 통과하면서 그 크기가 일부 감소된다. 이 전기신호는 결국 축삭둔덕(axon hillock)을 지나 신경세포의 특정부위 축삭시작마디(axon initial segment, AIS)에 도달된다. 알려진 바와 같이 원심성신경과 사이신경(interneuron)의 발화지점은 AIS에 해당되지만, 감각신경의 경우 발화지점은 수용기가 존재하는 바로 인접부위이다.

흥미로운 사실은 신경세포의 발화지점인 AIS는 일종의 integrating center로서 전압 이온통로가 밀집되어 있다는 것이다. 따라서 발화지점에 도달한 graded potential이 전압 이온통로를 움직이기에 충분한 크기이면, Na^+ 통로가 열리면서 활동전압이 발생된다. 위와는 달리 축삭둔덕으로 들어온 전위가 낮아 Na^+ 통로의 관문을 열지 못하면, 활동전압이 발생되지 않아 신호전달이 멈추게 된다. 이와 같이 신경세포에서 활동전압이 형성된 후 이 전기신호가 세포체를 지나 축삭둔덕에 도달하는 탈분극의 크기가 신호전달에 결정적 역할을 한다. 왜냐하면 탈분극은 활동전위를 형성하는 전 단계이기 때문이다. 따라서 이를 흥분성 신호라고 부른다. 그렇지만 신경세포 막전위는 항상 탈분극만 일어나는 것은 아니다. 과분극도 일어난다. 이는 활동전위의 발생을 근본적으로 차단하는 전기신호로 작용한다. 이렇게 신경세포는 탈분극을 흥분성 신호로, 과분극을 억제성(inhibitory) 신호로 이용하여 정보의 흐름을 조절한다.

4) 활동전위와 이온전류

활동전위가 발생되려면 두 가지 형태의 이온통로가 요구된다. 전압성 관문 Na^+ 통로(voltage-gated Na^+ channel)와 전압성 관문 K^+ 통로(voltage-gated K^+ channel)가 전기신호 즉, 활동전위 발생에 영향을 미친다(물론 leak channel도 일부 관여한다). 특히 말초신경계와는 달리 중추신경세포의 전기신호 과정은 복잡하다. 전기신호의 특성이 다양할 뿐 아니라 외부 자극 없이도 막전위를 문턱치에 도달시킬 수 있다. 실제 항상 흥분상태로 있는(tonically active) 신경세포가 있어서 활동전위를 발생하기도 하고(이를 beating pacemaker로 부른다), 아니면 율동성으로 활동전위를 만들어낸다(이를 특별히 rhythmic pacemaker라 부른다). 그렇다면 활동전위의 발생 양상이 다른 이유는 무엇일까? ① 신경세포내 이온통로를 활성화 혹은 비활성화시키는데 필요한 전압, ② 통로가 닫히고 열리는 속도, 그리고 ③ 신경조절물질(neuromodulator)에 대한 민감도(sensitivity)가 다르기 때문이다. 이런 다양성 때문에 뇌신경세포는 체성운동신경계에 비하여 역동적이고 복잡성이 더해지는 것이다.

전기적신호가 어떤 조건에서 생성되었든 간에 전압성 관문 이온통로가 열리면 Na^+과 K^+의 투과도가 바뀌면서 활동전위가 생성된다. 그렇기 때문에 Na^+과 K^+의 투과도를 변화시키는 모든 인자는 세포의 탈분극을 유도하면서 활동전위를 발생시킬 수 있다. 특히 활동전위가 발생되는 동안 시간적으로 이온의 흐름이 변하는데(그림 3-7), 이를

① 활동전위의 상승기(rising phase), ② 하강기(falling phase), 그리고 ③ 후과분극 시기(after-hyperpolarization phase)로 구분한다.

(1) 활동전위의 상승기

순간적으로 Na^+의 투과도가 증가하는 시기를 말한다. 이렇게 활동전위 형성 초기에 Na^+의 투과성이 폭발적으로 증가하는 이유는 Na^+ 통로로 Na^+이 세포 안으로 빠르게 들어오기 때문이다. 이 결과 신경세포의 탈분극이 급격히 진행되면서 양성되먹임(positive feedback)에 의해 점점 Na^+에 대한 투과도가 증가하고 Na^+의 유입은 더욱 늘어나게 된다. Na^+이 계속 들어오면서 세포 내부에 양전하가 쌓이면 막전위는 +쪽을 치닫는다. 결국 수 msec 이내에 막전위가 약 +40 mV까지 올라간다. 막전위가 −에서 +로 역전된 순간이다. 이 +막전위가 세포막을 통한 Na^+ 이온과 K^+ 이온 투과도의 변화를 몰고 온다. 첫째, 막

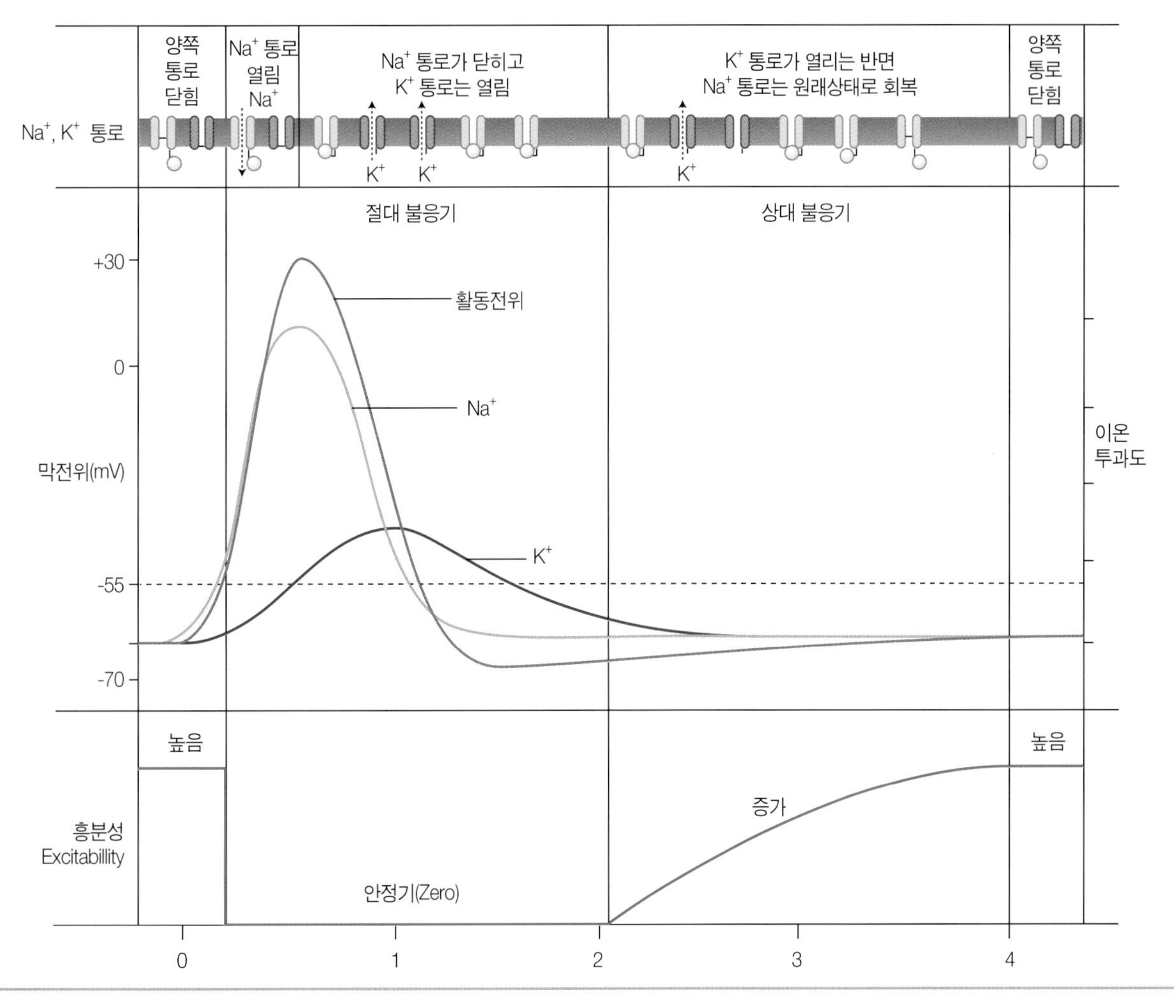

그림 3-7. 활동전위 발생 시 시간에 따른 전위 및 Na^+과 K^+ 투과도 변화양상

활동전위가 발생하는 초기에 Na^+ 통로의 activation gate가 열리면서 투과도가 증가한다. 그러나 곧 inactivation gate가 활성화되어 닫히면서 Na^+ 투과도는 떨어진다. Na^+ 투과도가 줄어들면서 K^+ 투과도는 올라가고 재분극이 이어진다. 따라서 Na^+ 통로의 inactivation gate가 활성화되어 있는 한 세포는 다른 자극에 반응하지 않는 절대불응기를 맞이한다. 절대불응기 동안 세포의 흥분성은 거의 없다. 그렇지만 절대불응기 이후에 오는 상대불응기에서는 새로운 자극에 대한 반응을 보이며, 세포의 흥분성도 점차 증가된다. 자세한 내용은 본문 참조.

전위가 +쪽으로 역전되면서 곧 Na^+을 세포내로 이동시키던 전기적 원동력(electrical driving force)은 사라질 뿐 아니라 Na^+ 통로가 닫힌다. 둘째, 탈분극은 K^+에 대한 세포막 투과성을 증가시킨다. 이런 K^+ 투과도의 증가는 Na^+에 비하여 비교적 천천히 일어나지만, 활성화된 K^+ 통로를 통해서 K^+이 빠져나가는 과정은 안정막전위로 회복될 때까지 지속된다(그림 3-7).

(2) 활동전위의 하강기

이는 K^+ 투과도가 증가되는 시기이다. Na^+ 통로와 같이 전압성 관문 K^+ 통로가 탈분극에 의하여 열리지만, K^+ 통로의 관문은 Na^+에 비해 천천히 활성화된다. 이 시기에 K^+ 통로를 통하여 K^+이 세포 밖으로 계속 빠져나갈 뿐 아니라, 여기에 K^+ leak 통로를 통한 K^+ 유출이 더해져 막전위는 더욱 -쪽으로 내려간다.

(3) 후과분극 시기(After hyperpolarization phase)

활동전위가 발생된 이후 막전위가 안정막 전위보다 더 떨어져 있는 시기이다. 이 시기엔 일단 늦게 열렸던 K^+ 통로가 닫히면서 세포 밖으로 빠져나가던 K^+이 줄어든다. 덧붙여 Na^+이 세포 안으로 새어 들어오면서 원래 막전위 즉, 안정막전위로 돌아온다.

이와 같이 활동전위란 한 마디로 막전위의 변화이다. 요약하면 막전압의존성 이온통로 즉 Na^+ 통로가 열려 탈분극이 일어난다. 시간이 흐름에 따라 이렇게 형성된 탈분극이 K^+ 통로의 투과도를 증가시켜 K^+이 빠져나가면 다시 안정막 전위로 돌아오게 되는 것이다.

5) Na^+ 통로의 특성과 불응기 (Refractory period); 두 개의 관문(Gate)

Na^+ 통로는 β1과 β2로 이름 붙여진 두 소단위(subunit)와 네 개의 α 소단위로 구성되어 있다. 이러한 여섯 종류의 소단위에 당화(glycosylation)된 부분은 세포외 공간으로 노출되어 있다(그림 3-8). α 소단위의 통로 당펩티드(channel glycopeptide)가 인지질 이중층(phospholipid bilayer) 내에서 통로를 형성하고, β 소단위는 통로에 기능적 안정성을 부여하는 것으로 생각한다.

앞에서 설명한 바와 같이 활동전위가 발생되는 동안 초기에 열렸던 Na^+ 통로는 닫히고, 이어서 K^+ 통로가 열리면서 안정막전위로 돌아간다. 이 과정이 활동전위 기전을 설명하는 중요한 부분이지만, 문제는 "막전압 의존성 Na^+ 통로가 어떻게 탈분극에 의하여 닫히는가?" 하는 점이다. 이를 설명하려면 Na^+ 통로에 두 종류의 관문(gate)이 있다는 사실에 초점을 맞추어야 한다. 다시 말해 하나의 관문을 가지는 일반적인 통로와는 달리 Na^+ 통로는 두 개의 관문, 즉 활성화 관문(activation gate; m gate)과 비활성화 관문(inactivation gate; h gate)을 가지고 있다. 자극이 가해지지 않은 신경세포에서 Na^+ 통로의 활성화 관문은 닫혀있기 때문에 Na^+ 이동은 없다. 그렇지만 비활성화 관문은 열려있다. 이런 상황에서 탈분극이 일어나면, 활성화 관문이 움직이면서 Na^+이 농도차에 따라 세포내부로 들어온다. 이어서 세포내부에 더해지는 Na^+ 전하 때문에 세포막은 더욱 탈분극되고, 이는 또 다른 통로를 활성화시킨다(positive feedback effect; 양성되먹임 효과). 활성화된 Na^+ 통로가 많아질수록 점점 세포내부로 들어오는 Na^+ 양이 증가한다. 세포는 더욱 더 탈분극 상태로 치닫게 된다.

이미 설명한 바와 같이 활동전위가 발생되는 초기에 Na^+ 통로가 열린다. 이어 양성되먹임 효과에 의하여 Na^+이 지속적으로 세포내부로 들어오면서 막전위를 더욱 탈분극시킨다. 그렇지만 이런 탈분극은 특별한 제어 장치에 의하여 조절된다. 즉 비활성화 관문(h gate)이 그 역할을 한다. 앞서 지적한 바와 같이 m gate나 h gate 모두 탈분극에 의하여 활성화된다. 그러나 h gate는 m gate에 비해 0.5 msec 정도 늦게 작동하기 때문에, 먼저 열린 m gate를 통해 Na^+이 세포내부로 들어온 후에 h gate가 닫힌다. 바로 이 시점에서 Na^+의 유입이 중단되고 활동전위는 최고치에 도달한다. 한편 Na^+ 통로와 같이, K^+ 통로도 탈분극에 의해 관문이 활성화되지만 Na^+ 통로에 비해 느리게 열리며, Na^+ 통로의 비활성화 gate와 같은 구조를 가지고 있지 않기 때문에 막이 재분극될 때까지 열린 상태를 유지한다.

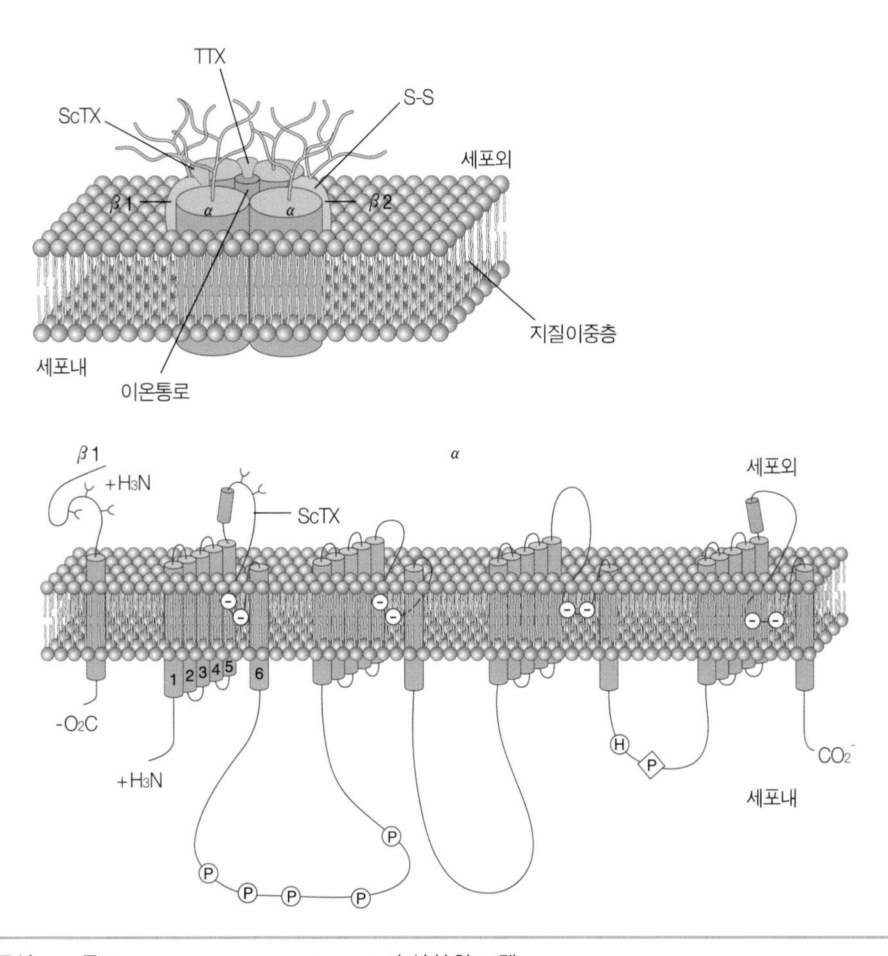

그림 3-8. 전압의존성 Na^+ 통로(voltage-gated Na^+ channel)의 삼차원 모델
네 개의 α 소단위와 두 개의 β 소단위가 모여 실린더를 형성한다(위). β 소단위에 α scorpion (ScTX)과 tetrodotoxin (TTX)가 붙는 부위가 있다(이들에 의해 통로의 기능이 억제된다). 아래는 β1 소단위와 α 소단위가 세포막에 걸쳐서 형성된 나선형구조이다.

이상과 같이 Na^+ 통로는 이중 관문으로 이루어져 있기 때문에 자극에 대하여 반응하지 않는 이른바 불응기(refractory period)라는 현상을 보인다. 이는 활동전위가 형성된 후 약 2 msec 내 새로운 자극에 대하여 또 다른 활동전위가 만들어지지 않는다는 의미이다. 이처럼 자극에 대하여 반응하지 않는 시기를 절대불응기(absolute refractory period)라 한다. 한마디로 요약해서 Na^+ 통로에 존재하는 활성화와 비활성화 관문 모두 제 위치로 돌아가기 전에는 어떤 자극에 대해서도 절대 반응하지 않는다는 것이다(그림 3-7). 여기서 한가지 짚고 가야 할 내용은, 초기 자극에 대한 반응이 진행되고 있는 도중에 또 다른 자극에 대하여 반응하지 않는다 하여, 이를 두고 활동전위 형성을 막는 비효율적 장치라 할 수 없다는 것이다. 왜냐하면 사실 불응기가 있기 때문에 활동전위가 겹치거나, 역방향으로(축삭에서 세포체 방향으로) 이동하는 것을 막을 수 있기 때문이다. 그렇다면 절대불응기에 대립된 개념으로 상대불응기란 무엇인가? 이는 절대불응기 이후에 따라온다. 이 시기에 모두는 아니지만 많은 Na^+ 통로의 관문이 제자리에 위치하고 있으며 K^+ 통로는 열려있다. 때문에 정상 graded potential의 크기보다 강한 자극이 들어오면 활동전위가 발생될 수 있다.

4. 세포의 전기신호 전달

1) 세포막을 통한 피동적 전달

축삭을 따라 전도되는 활동전위는 마치 세포막을 경계로 탈분극이 전기적으로 확산하는 모습이다. 즉 Na^+이 세포막내로 이동함에 따라 형성된 국소 전류가 인접부위로 피동적으로 전달된다(그림 3-9). 이러한 전기신호가 전도되는 양상은 축삭을 전선(cable)으로 비유하면 쉽게 이해된다. 이론적으로 전기 자극에 대하여 세포막이 보이는 현상은, 저항(resistor)과 축전기(capacitor)가 병렬로 연결된 전기회로와 같다. 따라서 축삭을 통해 흐르는 전류는 저항 때문에 거리가 멀어질수록 줄어든다. 따라서 세포막에 전류를 흘려보낸다면, 이때 기록된 전위의 크기는 전류가 들어간 곳에서 기록전극(recording electrode)까지 거리에 반비례한다. 전류가 주입된 곳으로부터 기록전극이 멀어질수록 전위변화가 심하게 일어난다는 말이다. 자세히 설명하자면 전위변화의 크기는 떨어진 거리에 따라 지수 함수적으로 감소하며, 이 같은 현상을 전기긴장성전도(electrotonic conduction)라고 부른다. 그래서 전기긴장성으로 전도되는 신호의 크기는 거리가 멀어지면서 줄어들다가 결국 사라질 수도 있다. 이런 의미에서 전위크기가 초기 최대치의 37%까지 떨어질 때 이동한 거리, 즉 길이상수(length constant, λ: 축삭은 약 1~3 mm 정도이다), 혹은 공간상수(space constant)라는 개념을 도입하게 된다(그림 3-9).

위에서 설명한 바와 같이 생체막이 전선과 같은 특성을 지니고 있다면 전기신호는 축삭을 따라 멀리 전도될 수 없다. 이를 극복하기 위하여 신경세포는 ① 축삭을 미엘린(myelin)으로 둘러싸서 막저항(transmembrane resistance: r_m)을 증가시키고, ② 축삭의 직경을 크게 하여 축저항(axial resistance: r_a)을 줄여주는 구조로 되어 있다. 다시 말해 r_m/r_a 비율을 증가시켜 길이상수가 늘어나 전기신호를 멀리 전달할 수 있는 것이다($\lambda = r_m/r_a$).

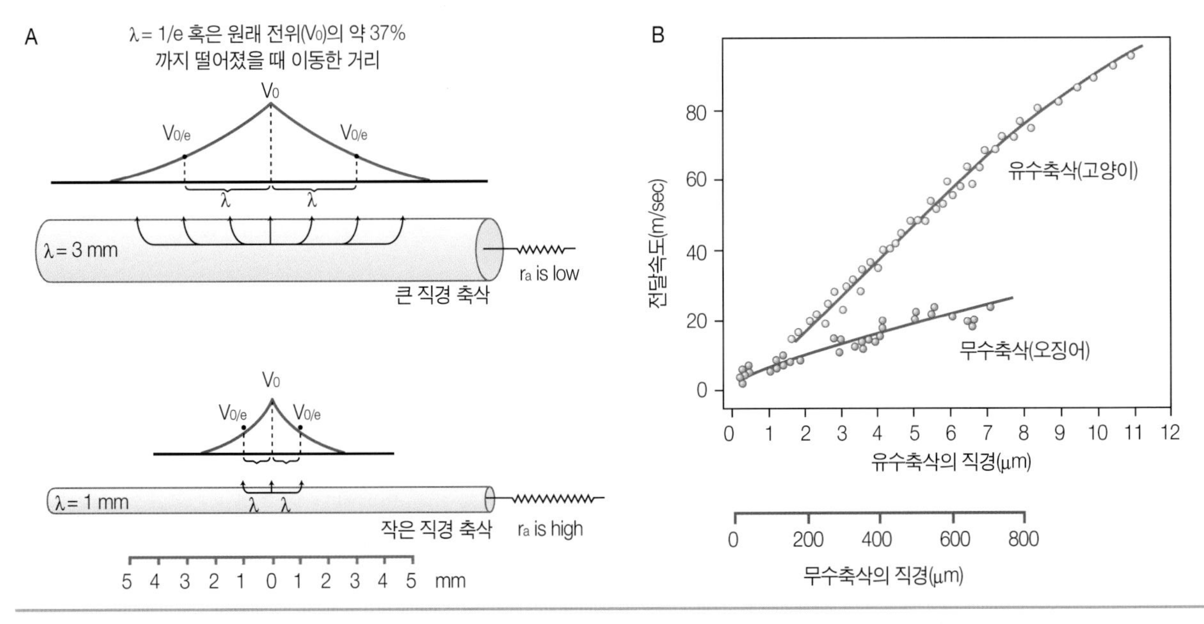

그림 3-9. 신경의 굵기(diameter)와 길이상수(λ)와의 관계(A), 그리고 유수신경과 무수신경에서 활동전위의 전달 속도(B)
축삭에 전기를 주입하면 거리에 따라 전위가 지수함수적으로 줄어든다. 이때 길이상수는 λ= 1/e 혹은 원래 전위(V_0)의 약 37%까지 떨어졌을 때 이동한 거리이다. 큰 직경을 가진 신경은 작은 신경과 비교해 거리상수가 크다(A). 또한 수초가 있는 신경은 그렇지 않은 신경에 비하여 전도속도가 빠르다(B). 즉 이러한 활동전위의 전달속도는 수초의 유무에 따라 차이를 나타낸다.

2) 신경섬유(Nerve fiber)

신경섬유는 축삭과 슈반세포 및 결합조직막(connective tissue sheath)으로 구성되어 있다. 슈반세포는 절연성인 미엘린으로 축삭을 둘러싼 수초를 형성한다. 신경섬유에는 굵은 신경섬유와 가는 신경섬유가 혼재되어 있다. 굵은 것은 수초가 있는 유수신경섬유(myelinated nerve fiber)이며, 가는 것은 수초가 없는 무수신경섬유(unmyelinated nerve fiber)이다. 유수신경은 수초를 형성하는 슈반세포들이 축삭에 일렬로 늘어서 있고, 슈반세포와 인접 슈반세포 사이에는 수초가 없는 좁은 공간이 있는데 이를 랑비에결절(Ranvier node)이라 한다. 유수신경섬유를 둘러싸고 있는 수초는 축삭 주위 슈반세포의 세포막이 둥글게 겹겹이 둘러싼 형태를 띤다. 이 막은 지질성분인 스핑고미엘린으로 되어 있어 신경세포막을 통한 이온 통과를 강력하게 차단한다. 사실 슈반세포의 세포막은 다른 세포의 이온 투과성에 비해 거의 5,000배나 강한 저항성을 가지며, 세포막 축전능을 약 1,000배 가까이 향상시킨다. 그러나 슈반세포 사이에 수초가 없는 랑비에결절에서는 이온통과가 활발하다.

구강악안면영역에 분포하는 신경섬유를 포함하여 말초신경계의 다양한 신경섬유들은 전기생리학 및 형태적 차이에 따라 몇 가지로 분류할 수 있다(표 3-2). A섬유는 포유동물의 신경섬유 중 수초가 가장 굵다. 신경전달 속도는 섬유의 굵기에 비례하기 때문에 A섬유의 전달속도가 가장 빠르다. A섬유는 다시 Aα, Aβ, Aγ, Aδ섬유로 나뉘어진다. B섬유는 수초가 가는 신경절이전자율신경세포(preganglionic autonomic neuron)로서 분포가 제한되어 있기 때문에 쉽게 구분되지만, 전기생리학적으로 보면 A섬유와 구별이 쉽지 않다. 말초신경계에서 가장 흔한 형태는 C섬유이다. A, B섬유와는 달리 C섬유는 무수신경이다. C섬유는 많은 감각정보를 중추신경에 전달하며, 신경절이후자율신경 축삭(postganglionic autonomic axon)을 따라 평활근과 선조직(glandular tissue)에 전기신호를 보낸다. 이들 신경섬유 중에서 유해성 자극은 Aδ와 C섬유를 통하여 중추신경계로 전달된다. Aδ섬유는 예리한 통증을, C섬유는 둔통(dull pain)이나 작열통(burning pain) 등을 각각 전달한다. 이러한 신경섬유들은 통각뿐만 아니라 다른 감각(온도, 촉각, 압각 등)도 감지한다(표

표 3-2. 전기생리 및 형태적 차이에 따른 신경섬유의 분류

섬유의 종류	섬유의 직경(μm)	전달속도(m/sec)	기 능(구조물)
Aα 운동 Ia 감각 Ib 감각	12~20	70~120	근수축(빠른 연축 신경섬유) 고유수용기(근방추체) 고유수용기(골지건 기관)
Aβ 운동 II 감각	5~12	30~70	근수축(느린 연축 신경섬유) 고유수용기(근방추체, 관절), 촉각, 압각, 진동
Aγ 운동	3~6	15~30	근수축(intrafusal fibers) 고유수용기(근방추체, 관절), 촉각, 압각, 진동
Aδ III 감각	2~5	12~30	빠른 통증, 온도, 촉각, 압각
B 신경절이전 자율신경	<3	3~15	운동조절(심근, 평활근) 분비선조절(분비선)
C 신경절이후 자율신경 IV 감각	0.1~1.5	0.5~2	운동조절(심근, 평활근) 분비선조절(분비선) 느린 통증, 가려움(pruritus), 온도, 촉각, 압각, 내장감각

3-2 참고). Aβ 신경섬유처럼 직경이 큰 감각신경세포를 통해 전달된 전기적 신호는 중추신경계 내에서 유해성자극을 조절하는 역할을 하기도 한다.

3) 활동전위의 전도(Conduction)

활동전위가 축삭을 따라 빠른 속도로 이동하는 것을 전도(conduction 혹은 propagation)라 부른다. 전도란 세포의 한 부분에서 다른 부분으로 전기에너지가 흘러가는 현상이지만, 앞서 설명한 바와 같이 거리에 따라 그 크기가 줄어드는 것이 일반적이다. 한 마디로 전기에너지가 전선을 타고 흘러가는 도중에 에너지 손실이 필연적으로 발생된다는 말이다. 그럼에도 불구하고 신경세포에서는 거리에 따라 활동전위의 크기가 감소하지 않는다. 어떻게 발화지점에서 발생된 활동전위의 크기가 축삭 끝부분까지 그대로 유지되면서 전달될 수 있는 것일까? 먼저 탈분극이 일어날 때 양이온이 세포질내로 이동하면서 국소적으로 전류가 흐른다. 동시에 축삭막 외부에서도 탈분극이 일어난 부위로 전류가 흘러간다. 이때 형성된 탈분극이 전압관문 Na^+ 통로를 열고, Na^+이 세포 안으로 들어온다. 이는 탈분극에 힘을 불어넣는 결과를 낳는다. 이와 같은 기전이 양성되먹임 효과에 의하여 반복되면서 활동전위가 전도된다(국소전류 흐름에 의한 활동전위 전도, 그림 3-10). 마치 도미노 효과(domino effect)를 보듯 발화지점에서 형성된 활동전위가 거리에 따른 에너지의 손실 없이 이어져 간다.

그렇다면 어떤 인자들이 활동전위의 전도속도에 영향을 미치나? 두 가지 중요한 물리적 변수가 있다. 첫째 축삭의 직경이고, 둘째 축삭막의 저항(외부로 전류의 누출

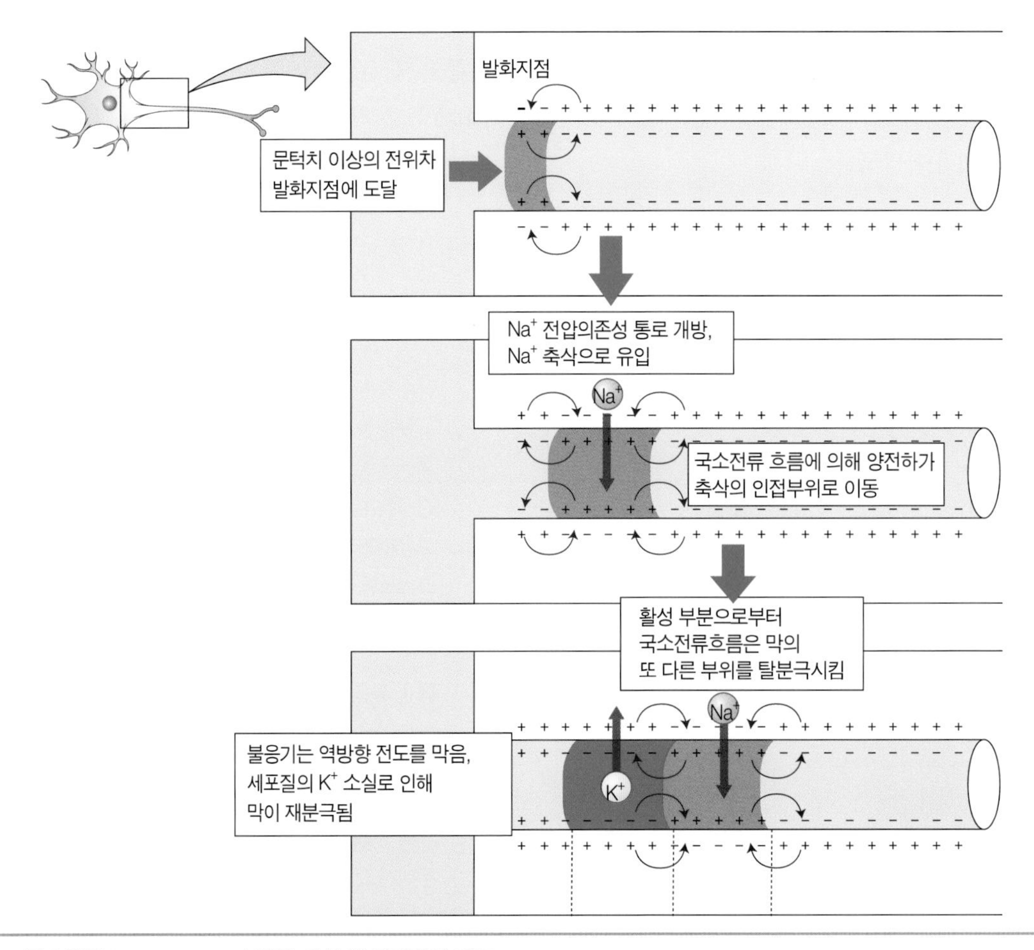

그림 3-10. 국소전류(local current) 흐름에 의한 활동전위의 전도

을 막아준다)이다. 따라서 굵고 말이집이 수초가 있는 신경섬유(유수신경)는 활동전위의 전도속도가 빠르다. 기본적으로 유수신경의 전도 과정은 무수신경과 유사하다. 다만 다른 점이 있다면 무수신경에서 발생된 활동전위는 인접막을 국소적으로 탈분극시키면서 소용돌이치듯 전도되는(local circuit current에 의한 전도라 한다) 반면에, 유수신경에서는 Ranvier node (랑비에 결절) 사이에서 전도가 일어난다. 특히 유수신경의 랑비에 결절에는 전압 관문 Na^+ 통로가 고농도로 밀집되어 있어서 탈분극에 의하여 이 통로가 열린다. 때문에 Na^+이 세포내로 들어오면서 약화되었던 탈분극이 다시 재충전되어 활동전위를 생성하는 것이다. 이렇게 전도되는 양상이 마치 결절과 결절을 뛰어넘듯 함으로 이를 도약전도(saltatory conduction)이라고 부른다(그림 3-11). 무수신경의 경우 Na^+ 통로가 약 110 개/μm^2의 평균밀도로 신경섬유의 표면에 고르게 분포되어 있는 반면 유수신경섬유는 결절부위에만 1,200~1,500 개/μm^2의 Na^+ 통로를 포함하고 있다. 그러나 결절 이외에 축삭에는 Na^+ 통로가 거의 존재하지 않는다. 따라서 활동전위가 정상적으로 전도되려면 랑비에 결절에 도달하는 전위의 크기가 적어도 전압 관문 Na^+ 통로를 활성화시킬 만큼 충분히 커야 한다. 만일 그림 3-11에 보인 것처럼 말이집에 퇴행성 병변이 있으면 손상을 입은 말이집을 수초를 통하여 누출전류가 증가하여 활동전위가 제대로 전도되지 않는 결과를 낳는다.

4) 전기신호에 영향을 주는 화학적 인자들 (Chemical factors)

다양한 종류의 화학물질들은 세포막에 존재하는 Na^+, K^+, Ca^{2+} 통로에 작용하여 활동전위 형성과 전도에 영향

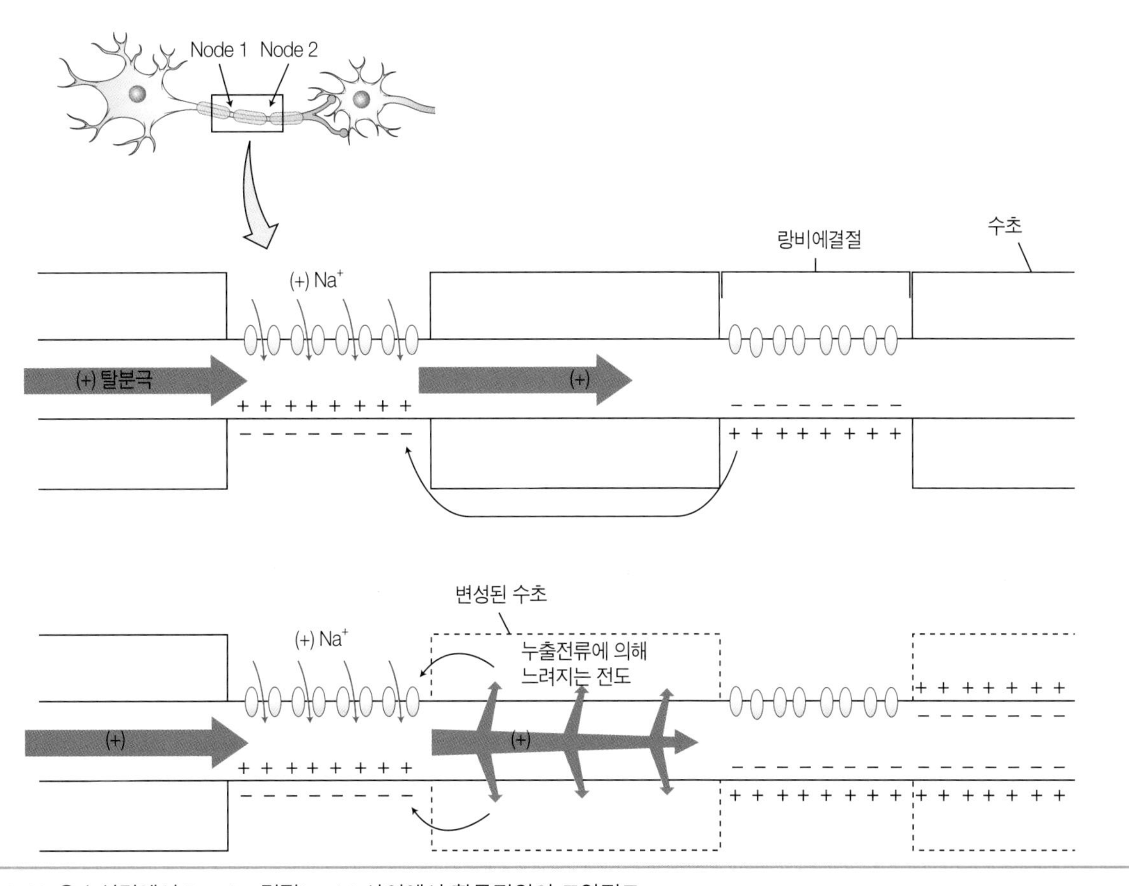

그림 3-11. 유수신경에서 Ranvier 결절(node) 사이에서 활동전위의 도약전도

을 미친다. 예를 들어, 어떤 신경독소(neurotoxin)는 Na^+ 통로에 결합하여 기능을 방해한다. 이렇게 되면 축삭 내부로 Na^+ 이온이 들어갈 수가 없게 되기 때문에 시발점(trigger zone; axon hillock과 axon initial segment)에서 형성된 탈분극은 축삭을 따라 이동하면서 그 세기가 점점 줄어든다. 따라서 시냅스 이전 신경세포(presynaptic neuron)로부터 시냅스 이후 신경세포(postsynaptic neuron)까지 활동전위가 전달되지 못하게 되는 것이다. 당연히 뇌로 전달되는 감각정보나 뇌로부터 신체 기관으로 들어가는 운동정보의 전달이 모두 차단된다. 임상적으로 Na^+ 통로에 작용하여 신경전도를 차단하는 물질로는 프로카인(procaine) 등과 같은 국소마취제를 들 수 있다.

세포막을 통한 Na^+ 이온의 투과도 이외에 세포 밖에 K^+과 Ca^{2+}의 농도 변화 또한 신경계에서 비정상적인 전기신호를 만들어낸다. K^+ 농도와 활동전위와의 관계는 임상적으로 중요한 의미를 제공한다. 잘 알려진 대로 혈액과 세포간질액내 K^+ 농도는 모든 세포의 안정막전위를 결정하는데 중요한 역할을 한다. 따라서 혈액의 K^+ 농도가 정상 범위인 3.5~5 mmol/L를 벗어나게 되면, 안정막전위가 바뀐다. 먼저 혈액 내 K^+ 농도가 정상보다 높은 고칼륨혈증(hyperkalemia)을 예로 들어보자. 이런 조건이라면 신경세포의 안정막전위는 상승하여 문턱치에 가까워 진다. 강도가 낮은 자극을 가하여도 쉽게 활동전위가 형성될 수 있다는 말이다. 반대로 K^+ 농도가 정상보다 낮은 저칼륨혈증(hypokalemia) 상태에 빠지면, 신경세포의 안정막전위는 문턱치에서 더 멀어지게 된다. 평소보다 더 큰 자극이 주어져도 활동전위 형성에 어려움을 겪는다는 의미이다. 그러므로 저칼륨혈증 상태에서는 신경을 통해 근육으로 가는 자극이 원활히 전도되지 못해 근력이 약해지는 현상이 나타나게 된다. 저칼륨혈증과 이에 따른 근력의 감소는 땀을 많이 흘리면서 지속적인 운동을 하는 경우 종종 나타난다. 즉 사람들이 땀을 많이 흘리게 되면 물과 함께 다량의 전해질을 잃게 된다. 이런 체액의 손실을 순수한 물로 대체하게 되면, 혈액 내 K^+ 농도는 낮아지면서 저칼륨혈증이 발생된다. 따라서 땀으로 인한 체액의 손실을 순수한 물이 아닌 전해질 음료로 보충함으로써 혈액 내 K^+ 농도가 떨어지는 것을 막을 수 있다. 이렇게 K^+ 농도가 우리 인체에서 중요한 역할을 하기 때문에 혈액 내 K^+ 농도를 일정하게 유지해야 한다.

5) 시냅스(Synapse)에 의한 신호전달

신경세포는 신호를 주고 받는 기능을 효율적으로 수행하기 위하여 세포의 일부를 인접한 세포에 가깝게 위치시킨다. 이렇게 하여 신호전달이 이루어지는 곳을 시냅스라고 한다. 시냅스를 건너가는 방법에 따라 화학시냅스(chemical synapse)와 전기시냅스(electrical synapse)로 구분한다. 화학시냅스에서는 시냅스 이전 신경세포의 말단부분이 팽창해 혹 같은 구조를 형성하는데, 이는 시냅스틈(synaptic cleft)을 통해 시냅스 이후 신경세포(postsynaptic neuron)라 부르는 이웃한 뉴런과 분리되어 있다. 전형적인 시냅스틈의 너비는 0.02 μm 정도이다. 신경의 전기신호가(즉 활동전위) 시냅스 이전 신경말단(presynaptic nerve terminal)에 도달하면 시냅스소포(synaptic vesicle)라는 주머니가 시냅스 이전막(presynaptic membrane) 쪽으로 움직여서 막과 융합한다. 이 과정을 거쳐 신경전달물질이 분비된다. 이후 신경전달물질은 시냅스틈을 가로질러 시냅스 이후막(postsynaptic membrane)에 있는 수용체 분자에 결합하여 시냅스 이후 신경세포에 새로운 막전위를 형성한다. 신경전달물질과 이의 수용체와 이루는 화학적 결합, 이것이야 말로 신호가 전달되는 핵심적인 요소이다. 이런 화학적 결합 때문에 수용체 혹은 이온통로 단백질분자의 모양이 변형되면서 신호변환이 발생되거나, 이온의 움직임이 바뀐다.

예를 들어 신경전달물질과 그 수용체가 결합하면서 이온들이 해당 통로를 통해 뉴런 안으로, 또는 밖으로 흐른다. 이렇게 시냅스 이후막을 가로지르는 전하의 움직임 때문에 막의 전기적 극성이 달라진다. 시냅스 이후전위(postsynaptic potential, PSP)가 생성되는 기전이다. 만약 세포 내로 양전하(주로 Na^+)를 띤 이온들이 많이 들어오면 PSP는 탈분극되어 흥분성시냅스 이후전위(excitatory postsynaptic potential, EPSP)가 된다(그림 3-12). 위

과정을 통해 형성된 EPSP가 활동전위로 발전하는 것이다. 한편 신경전달물질이 일단 방출되어 시냅스 이후 수용체에 결합되면 즉시 시냅스틈에 있는 효소에 의해 활성을 잃게 되거나 시냅스 이전막에 있는 수용체에 결합해 재순환한다. EPSP와는 달리 시냅스 이후 세포 내에서 양전하(주로 K^+)를 띤 이온들이 나오거나 아니면 시냅스 이후막을 통해 음이온(Cl^-)이 들어가면 과분극이 만들어져 억제성 시냅스 이후 전위(inhibitory postsynaptic potential, IPSP)가 형성된다(그림 3-12). IPSP 결과 신경세포를 통하여 신호가 흐르지 못하거나 단절된다.

화학시냅스에서 전기신호가 연접한 신경세포로 전달될 것인지의 여부는 신경전달물질의 종류와 시냅스 이후 수용체에 달려 있다. 같은 신경전달물질이라 하더라도 수용체가 다르면 다른 반응이 나타날 수 있다. 예를 들어 자율

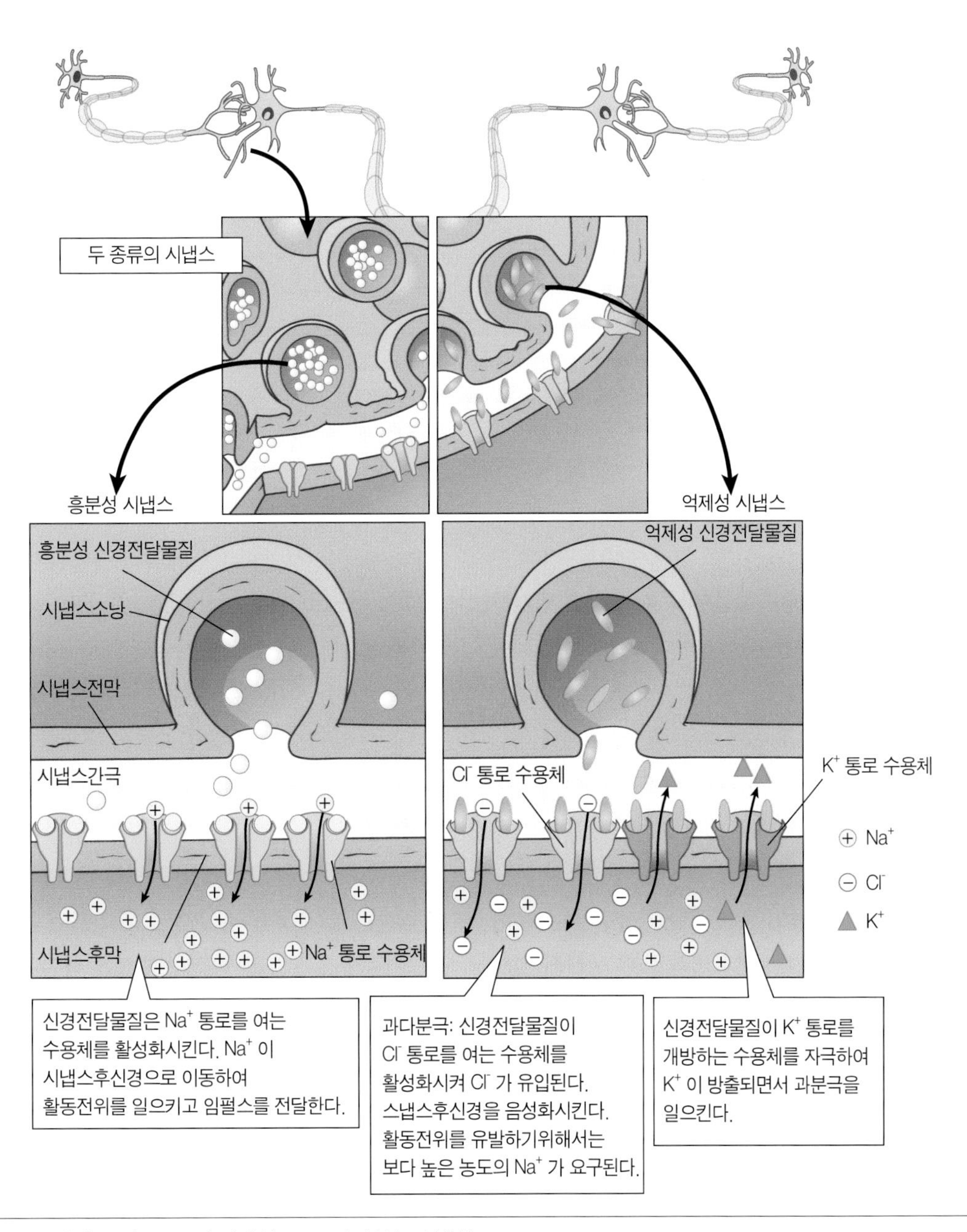

그림 3-12. 시냅스에서 흥분성(EPSP)과 억제성(IPSP) 전기신호의 발생

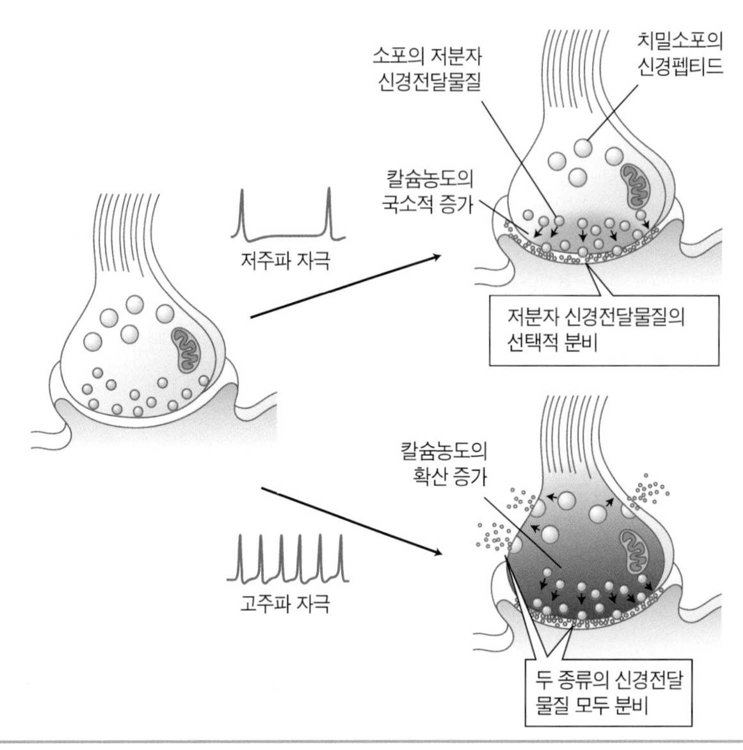

그림 3-13. 활동전위의 발생빈도에 따른 시냅스에서 신경전달물질 유리의 변화
활동전위 발생빈도는 시냅스에서 유리되는 신경전달물질의 종류와 양을 결정한다.

신경계의 일반적인 신경전달물질인 노르에피네프린은 신경전달을 자극하는 수용체에 붙기도 하고, 그것을 억제하는 다른 수용체와 결합하기도 한다. 신경전달물질에 의한 반응을 이어가기 위하여 시냅스 이후 신경막에는 여러 종류의 수용체들이 있다. 대부분의 경우 시냅스 이전 신경말단에서는 한 종류 이상의 신경전달물질이 분비되며, 각각의 시냅스 이후 신경세포가 다른 신경들과 수백 개의 시냅스를 형성하기도 한다. 주어진 자극에 대해 신경계가 복잡한 반응을 나타낼 수 있는 것은 이러한 다양성 때문이다. 결론적으로 시냅스는 화학전달물질과 함께 생리적 밸브로 작용함으로써, 신경의 전기신호를 세포내 정해진 화학신호(chemical signal)로 전환하게 한다. 따라서 어떤 신경전달물질이 얼마나 나오느냐 하는 것은 실제 정보의 흐름을 가름하는 중요한 잣대가 된다. 바로 시냅스 이전 신경세포의 활동전위 빈도(firing frequency)가 신경전달물질의 종류와 양을 결정하는 것이다(그림 3-13). 활동전위의 빈도가 곧 신경세포가 사용하는 명령어에 해당한다는 의미이다(일종의 전기에서 말하는 FM 방식이다)(그림 3-14).

전기시냅스는 간극결합(gap junction)이라는 채널을 통해 세포들 사이에 이온이 흐르게 함으로써 융합된 뉴런과 뉴런 사이에 직접적인 소통이 일어나게 한다. 무척추동물과 하등척추동물은 간극결합을 통해 뉴런 전체가 동시에 자극될 수 있을 뿐 아니라 시냅스전달이 더 빠르게 일어날 수 있다. 간극결합은 신체기관에 있는 세포들 사이와 신경교세포들 사이에서 가장 많이 볼 수 있다. 화학전달은 몸집이 크고 구조가 복잡한 척추동물의 신경계에서 진화되어왔는데, 이는 보다 먼 거리로 여러 가지 정보를 전달해야 하기 때문이다.

(A) 약한 자극은 매우 소량의 신경전달 물질만 분비시킴

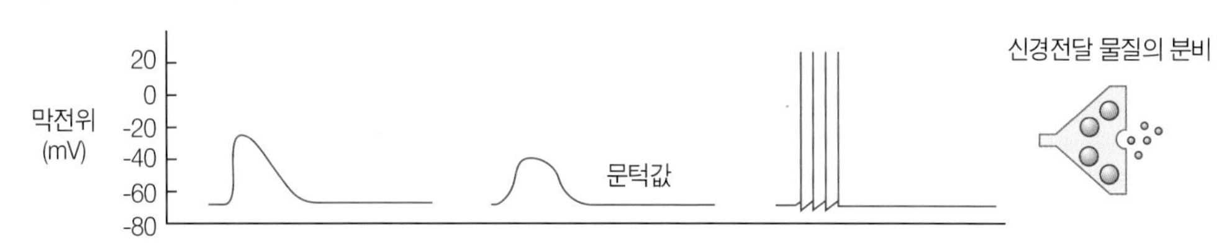

(B) 강한 자극은 보다 큰 활동전위를 일으키고 더욱 많은 양의 신경전달 물질을 분비시킴

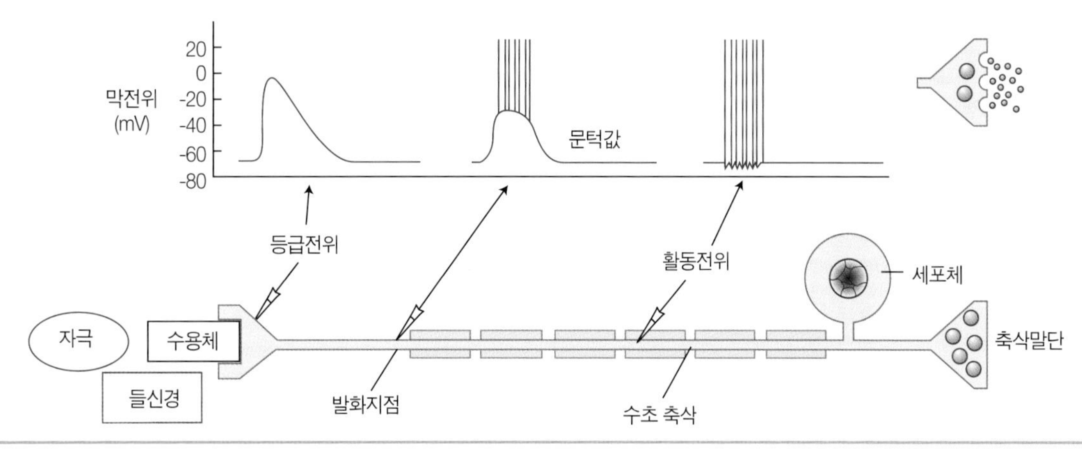

그림 3-14. 자극 강도에 따른 활동전위 발생빈도와 신경전달물질 양의 변화
강한 자극은 약한 자극에 비하여 활동전위의 발생빈도가 높으며, 신경전달물질의 분비도 많다. 이런 차이가 정보(혹은 명령어)를 만든다.

5. 통각신호의 발생과 전도

1) 통증의 정의 및 종류

통증(pain)은 유해한 자극으로 손상된 조직에서 발생되는 불쾌한 감각 또는 정서적 경험의 한 형태이며, 일종의 생리적 방어기전 중 하나다. 정의한 바와 같이 통증은 조직의 손상 혹은 질환 때문에 발생되지만, 어떤 통증은 명확한 조직손상 없이 나타나기도 한다(표 3-3). 통증은 발생부위에 따라 체성통증(somatic pain)과 내장통증(visceral pain)으로 구분하며, 임상적으로 통증이 시작되는 시간과 지속시간에 따라 급성 통증(acute pain)과 만성 통증(chronic pain)으로 나눈다. 특히 구강악안면 통증은 여러 가지 원인으로 발생될 수 있는데, 주로 치아, 측두아래턱관절 영역 외에 구강 내 점막 및 안면을 구성하는 구조물에서 발생된다. 통증 부위가 다른 연관통증(referred pain)과 연결되어 있으면, 치통 역시 귀나 얼굴로 옮겨질 수 있다. 이처럼 통증은 가장 중요한 임상증상 중 하나이며, 염증 증상이기도 하다. 더욱이 통증은 단순한 감각이 아니다. 특히 구강악안면영역에서 발생되는 급

표 3-3. 구강악안면통증의 종류

- 두개골 내부통증 장애(Intracranial pain disorders)
- Primary 두통(신경혈관성 장애)
- 신경성 통증 장애(Neurogenic pain disorders)
  - 발작성 신경통(Paroxysmal neuralgia)
  - 지속성 통증 장애(Continuous pain disorders)
  - 교감신경성 통증(Sympathetically mediated pain)
- 구강 내 통증(Intraoral pain disorders)
- 측두 아래턱 관절 통증(Temporomandibular pain disorders)
- 안면 구조물에 의한 통증(눈, 귀, 코, 인후)
- 정신장애에 의한 통증(Psychogenic pain)

성 혹은 만성 통증은 그 원인에 대한 불확실성, 병리적 원인에 대한 이해의 부족으로 처치하기 어려운 면도 있다.

2) 유해수용기와 통증신호 발생

(1) 유해수용기(Nociceptor)와 통증의 분류

통증이란 자극이 아니라 지각의 한 형태를 말한다. 때문에 통증수용기(pain receptor)가 아닌 유해하거나, 손상을 줄 가능성이 있는 자극에 반응하는 유해수용기(혹은 유해감수기; nociceptor) 아니면 통각수용기라 불러야 한다. 형태학적 측면에서 대부분의 유해수용기는 자유신경 종말(free nerve ending)로 되어 있으며, A-섬유(A-fiber)와 C-섬유(C-fiber) 두 가지 형태가 존재한다. 이들을 통해 통각뿐 아니라 온도감각도 전달된다. 모든 유수신경의 유해수용기는 Aδ 신경섬유로 분류된다(단 예외는 치수로 들어가는 Aβ섬유이다). 특히 사람에서 대부분의 Aδ 유해수용기는 유해한 기계적 자극 이외에 온도, 화학적 자극에 모두 반응하기 때문에 다형(polymodal) 유해수용기라고 한다. 또 다른 형태의 Aδ 섬유도 존재한다. 이는 냉각, 혹은 온각과 화학적 자극에 반응하지만 기계적 자극에는 반응하지 않는다.

대부분의 무수(unmyelinated) 유해수용기는 다양한 자극에 반응한다(polymodal 하다). 이는 강한 기계적 자극, 온각, 냉각, 그리고 여러 가지 통증유발물질 등, 여러 종류의 자극에 대하여 반응한다는 뜻이다. 바로 C-섬유 다형(polymodal) 유해수용기가 여기에 속한다. 신체의 일부분에서는 짧고 강한 자극에 의하여 두 가지 통각신호가 만들어진다. 초기에 빠른 통증(first pain 혹은 fast pain)과 이후 나타나는 느린 통증(second pain 혹은 slow pain)이 그것이다. 유해자극이 가해진 후 처음에는 날카로운 통증(sharp pain)이 나타나고, 이후 둔한 통증(dull pain)이 지속적으로 이어진다. 이를 통증의 이중적 반응(biphasic response of pain)이라고 한다. 물론 Aδ와 C-섬유의 신경전도 속도가 다르기 때문에 나타난 결과이지만, 구강악안면영역에서 두 섬유의 신경전도 속도로 빠른 통증과 느린 통증을 구별하기 쉽지 않다. 왜냐하면 구강악안면에 존재하는 유해수용기와 뇌와의 거리가 짧기 때문이다.

일반적 의미에서 통증은 세 가지 형태로 구별한다. 첫째 유해수용기를 자극하여 발생되는 전기적 신호에 의한 유해성통증(nociceptive pain), 둘째 조직에 염증이 발생된 결과 만들어진 염증성 물질에 의하여 통증이 유발되는 염증성통증(inflammatory pain)이 있다. 그리고 셋째 신경염증이나 신경 자체의 손상에 의하여 나타나는 신경병성 통증(neuropathic pain)을 들 수 있다.

(2) 통증유발물질과 통증 화학(Pain chemistry)

통각신호는 어떻게 형성되나? 먼저 조직이 손상을 받으면 다양한 종류의 화학물질을 유리한다. 이런 물질들이 신경과 혈관계에 복합적으로 작용하여 유해수용기를 민감화(sensitization) 혹은 활성화(activation)시킨다. 유해수용기의 전기적 변화와 세포내 신호변환 과정을 거쳐 통각신호가 만들어지는 것이다. 조직손상으로 유리된 통증유발물질에는 K^+, H^+, ATP, serotonin, histamine, cytokine, prostaglandin (PG), leukotriene, arachidonic acid, 그리고 여러 가지 cytokine들이 있다(표 3-4). 이중 arachidonic acid는 COX-1(cyclooxygenase-1)이나 COX2에 의하여 PG으로 전환된다. 낮은 농도의 COX-1에 의하여 만들어지는 PG은 조직을 방어하는 효과를 나타내지만, COX-2는 주로 손상된 조직에서 발현되어 PG을 다량 생산하여 통증유발에 관여한다. 여기서 PG은 유해성감각신경을 민감화시킬 뿐 직접 활성을 유도하지는 않는다.

이처럼 통증유발물질은 조직이 손상될 때 직접 나오지만, 이들에 의하여 활성화된 말초감각신경의 말단에서도 통증유발물질이 유리된다. 바로 substance P (SP), calcitonin gene-related protein (CGRP)과 같은 신경펩티드(neuropeptide)가 여기에 속한다. 위 신경펩티드는 유해성수용기의 활동전위가 축삭반사(axon reflex)에 의하여 다시 말초감각신경 말단으로 되돌아갈 때 유리된다. 이들 물질 때문에 유해성감각신경이 또 다시 민감화되는 악순환을 거듭하게 된다. 한편 염증반응으로 형성된 물질인 경우 이들 모두를 포함하여 염증성 수프(inflammatory soup)라 부른다. 이들 역시 통증유발물질로 작용하여,

표 3-4. 주요 통증유발 물질의 종류 및 감각신경에 대한 효과

종류	생성원	통증유발정도(인체)	감각신경에 대한 효과
Potassium	손상세포	++	Activate
Serotonin	혈소판	++	Activate
Bradykinin	혈장 kininogen	+++	Activate
Histamine	비만세포	+	Activate
Prostaglandin	Arachidonic acid, 손상세포	±	Sensitize
Leukotriene	Arachidonic acid	±	Sensitize
Sub P	일차 감각신경	±	Sensitize

* 여기서 activate란 신경세포의 활성화 즉, 막전위의 탈분극을 의미하고, sensitize란 민감화, 다시 말해 문턱치가 낮아진 상태이다.

혈관 투과도의 증가, 혈관확장, 그리고 신경의 활성화와 민감화를 일으킬 수 있다(그림 3-15). 물론 발치 후 소켓이나 염증성 구강점막, TMJ, 치주조직에도 염증성 수프가 존재하기 때문에 환자가 통증을 느끼는 것은 피할 수 없는 일이다.

그러면 구체적으로 자유신경말단에서 어떤 과정을 거쳐 활동전위를 만들어내는가? 기계적, 화학적 자극이나 열자극으로 조직이 손상되면, 국소적으로 여러 종류의 화

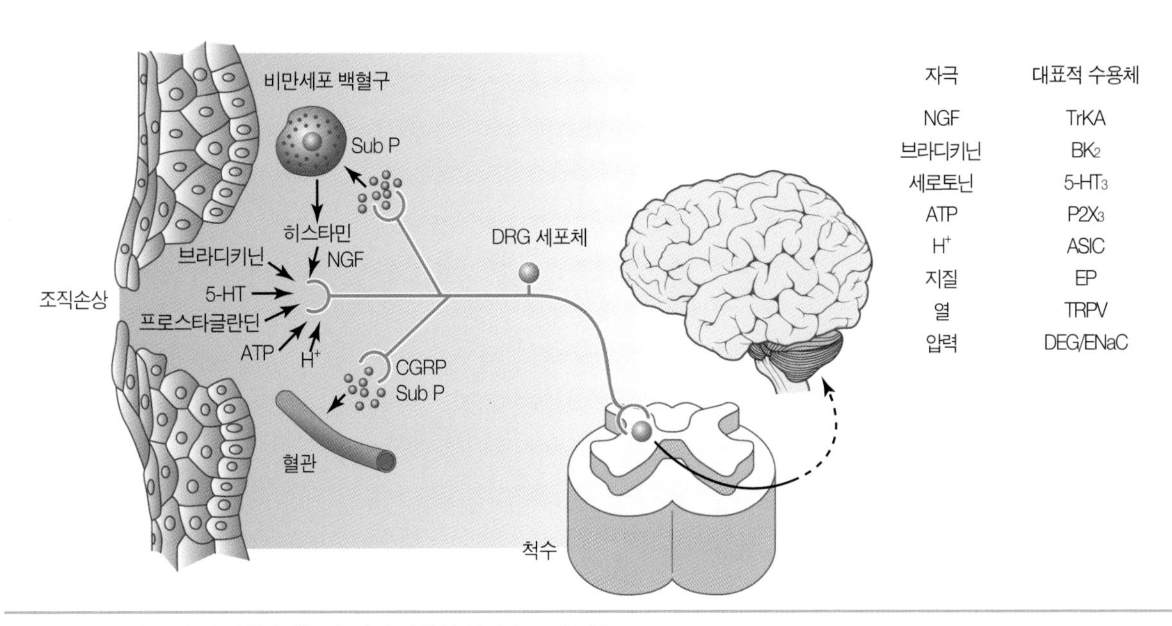

그림 3-15. 조직 손상에 의한 유해수용기의 복잡한 분자수준의 반응

조직이 손상되면 브라디키닌(bradykinin), 5-HT (5-hydroxytryptamine), 프로스타글란딘, ATP 그리고 H^+ 등, 통증유발물질이 유리된다. 축삭반사가 이어지면서 유해성 감각신경 말단에서 neuropeptide (sub P와 CGRP)가 나와 감각신경을 더욱 민감화시킨다. 모든 통증유발물질은 각각의 수용체에 결합하여 신경을 활성화, 혹은 민감화시킴으로써 통각정보(즉, 활동전위)를 척수후각을 통해 척수시상로로 전달한다. 자세한 내용은 본문 참조.

학물질이 흘러나온다. 이는 직접 혹은 간접으로 유해수용기에 영향을 미친다(그림 3-16). 그림에서와 같이 조직손상으로 브라디키닌(bradykinin), 5-HT (5-hydroxytryptamin), PG, ATP 그리고 H^+ 등의 통증유발물질이 유리된다. 통증유발물질이 직접 혹은 간접으로 작용하여 유해수용성감각신경(nociceptive sensory nerve)을 활성화 혹은 민감화시켜 통각정보(즉, 활동전위)를 만든다. 당연히 이 활동전위는 척수후각(혹은 척수뒤뿔; dorsal horn of spinal cord)으로 전달되지만, 그 중 일부는 축삭반사(axonal reflex)에 의하여 축삭가지의 말단으로 진행하고, 여기에서 CGRP와 substance P (sub P)가 나와 혈관확장, 지방세포와 백혈구를 자극하여 히스타민, NGF (신경성장인자; nerve growth factor)를 유리시킨다. 이런 복합적인 효과가 다시 유해수용기를 자극하면서 유해성 감각신경을 활성화 혹은 민감화시킨다. 중요한 점은 어떤 물질이 어디에서 유리되든 자유신경말단에 있는 각각의 수용체나 이온통로에 결합하여 세포막을 민감화시키거나 활성화시켜 활동전위를 만들어낸다는 사실이다(그림 3-16). 다시 말해 수용체와 이온통로(ion channel)가 통각신호를 만든다. 이런 점 때문에 통증감각의 발생을 이해하려면 무엇보다 자유신경말단 유해수용기에 존재하는 수용체(막단백질)와 이온통로에 대한 설명이 필수다.

유해수용기에 존재하는 수용체 혹은 이온통로는 종류에 따라 다른 양상으로 전기신호(즉 탈분극)를 생성한다. 대표적인 수용체로 TrkA; tyrosine receptor kinase의 일종으로 NGF의 수용체, BK2; bradykinin 수용체, $5\text{-}HT_3$; serotonin 수용체, $P2X_3$; ATP 수용체, EP; PGE2(지질) 수용체, ASIC; anion-sensing ion channel 일종의 H^+ 수용체, TRPV; vanilloid 형의 TRP channel, DEG/ENaC; degenerin/epithelial Na^+ channel 등이 있다. 최근 흥미를

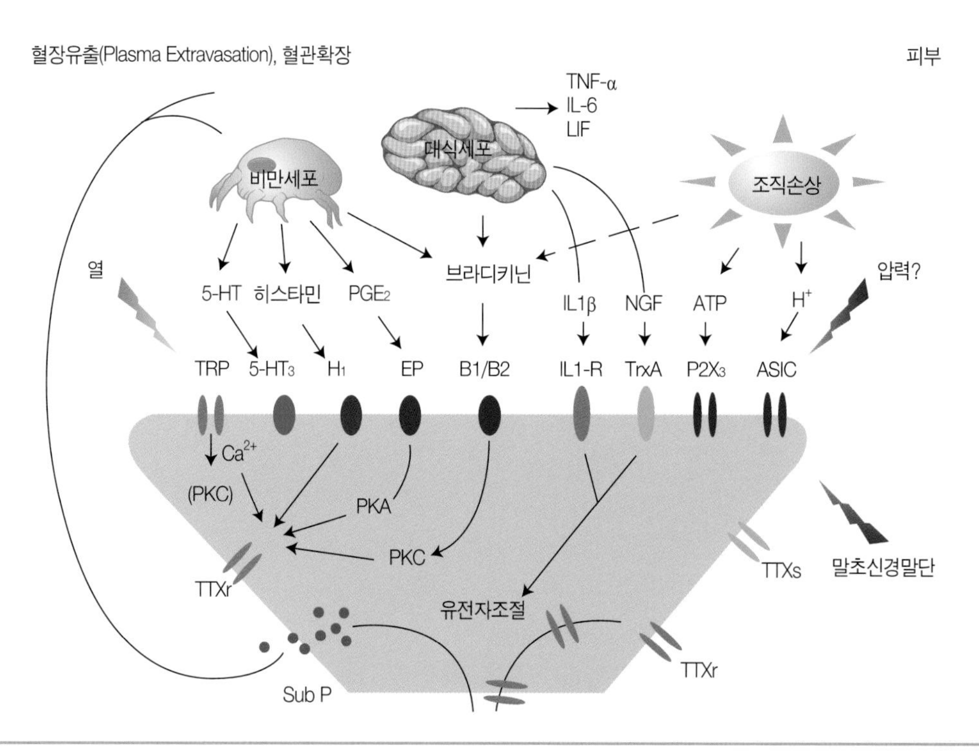

그림 3-16. 조직손상과 물리적 자극(열, 기계적 압력)으로 유리된 통증유발물질과 유해수용성 감각신경세포의 수용체 및 신호전달 과정. 조직손상으로 나오는 통증유발물질이 각각의 수용체에 결합하여 이온통로나, 세포내 대사성 경로(PKA, PKC)를 통해 TTXr (tetrodotoxin-resistance Na^+ channel) 즉, tetrodotoxin에 작용하지 않는 Na^+ 통로를 활성화시킨다. 이외에도 통증유발물질이 유전자 조절을 통해 Sub P를 유리하거나 세포막으로 TTXr 운반을 증가시킨다. TTXs는 tetrodotoxin-sensitive Na^+ channel로 통각신호 형성에는 관여하지 않는다.

끄는 수용체로 capsaicin (고추의 매운 맛 성분)과 결합하는 단백실이 주목을 끌고 있다. 이는 TRP (transient receptor potential로서 일종의 Ca^{2+} 통로의 역할을 함) 계열에 속하는 단백질로서 온도 감각을 전기신호로 바꾸어 주는 변환기(transducer) 역할을 한다. 많은 종류의 이온통로가 온도에 반응하지만, 특히 TRP 통로의 관문은 온도에 의하여 직접 조절된다. 더욱이 신경섬유의 종류에 따라 온도에 대한 반응에 많은 차이를 보인다. 즉, 신경섬유의 후근신경절(dorsal root ganglion)에 존재하는 TRP의 종류가 다르기 때문에 넓은 영역의 온도에 반응할 수 있는 것이다(표 3-5). 온도 변환(temperature transducer) 역할을 하는 TRP 이외에 유해한 기계적 자극을 전기신호로 바꾸어 주는 장치로 DEG/ENaC (degenerin/epithelial Na^+ channel) 계열이 있다. 전압의존성이 아닌 amiloride에 의하여 억제되는 Na^+ 통로이다. 기계적 자극이 전기신호로 변환되는 ENaC의 정확한 기전은 아직 확실히 모른다. 그러나 ① 이 통로가 기계적 힘을 감지하고, 이어 세포막에 가해진 인장력에 의하여 관문이 조절되거나, ② 세포외 기질과 cytoskeleton에 가해진 인장력을 통로가 감지한다는 두 가지 가능성이 제시되어 있다.

기계적 수용체와 더불어 여러 종류의 변환 단백질이 활성화되면 발생기전위(generator potential)가 형성되고, 최종 통각정보를 담은 활동전위가 중추신경계로 향한다. 또한 유해수용기의 활성으로 자유신경말단에서 tachykinin (substance P와 calcitonin gene-related protein, CGRP)을 포함한 여러 가지 화학물질이 유리된다. 특히 이런 물질들과 손상받은 조직에서 빠져나온 물질의 영향으로 주위조직이 붉게(redness) 변하고 부종(edema)이 오면서 신경성 염증(neurogenic inflammation)을 일으킨다. 이런 경우 통각을 만들어내는 민감도가 증가된다. 예를 들면 염증성 피부나 치근단 염증이 있는 치아는 약한 기계적 자극에도 심한 통증을 일으킨다. 이처럼 정상적인 조건에서는 가해진 자극에 의하여 통증을 적게 일으켰지만, 동일한 자극임에도 불구하고 심한 통증이 나타날 수 있다. 이를 통각과민(hyperalgesia)이라 한다. 심한 경우 무해한 자극에 의해서도 통증이 발생되는 경우를 특별히 무해자극통증(allodynia)이라고 한다.

이처럼 말초신경이 민감화되어 있으면 손상 조직의 특성에 따라 그 반응이 상대적으로 복잡하고 다양한 형태로 발전할 수 있다. 이는 유해수용기가 다양하고 복합적으로 자극을 받기 때문이다. 따라서 다양한 자극이 주어지면 원래 비활동 상태에 있던 유해수용기라 할지라도 모두 동원되어 활동전위의 문턱치가 낮아지면서 활동전위 발사율(혹은 발생빈도; firing rate of action potential)이 증가하게 된다. 이는 중추신경계에 공간적(spatial), 혹은 시간적(temporal)으로 반응이 가중되는 효과로 이어질 수 있다. 결과적으로 말초신경의 민감화 및 신경세포의 손상으로 여기 저기에서 활성이 폭발적으로 증가되면서 (이를 이소성, ectopic activity 이라고 함), 신경의 전사활동의 양상이 달라진다(그림 3-17). 이상과 같이 신경을 포함한 조직의 손상으로 세포활동이 걷잡을 수 없이 바뀌면서 감각신경세포의 정보흐름이 변화한다. 곧 유해성 신

표 3-5. 열을 감지하는 TRP 계열 단백질

수용체 단백질	활성화를 위한 온도범위(℃)	기타 특징
TRPV1	>42	capsaicin에 의한 활성화
TRPV2	>52	
TRPV3	34~38	장뇌(camphor)에 의한 활성화
TRPV4	27~34	
TRPM8	<25	멘톨(menthol)에 의한 활성화
TRPA1	<18	겨자유(mustard oil)에 의한 활성화

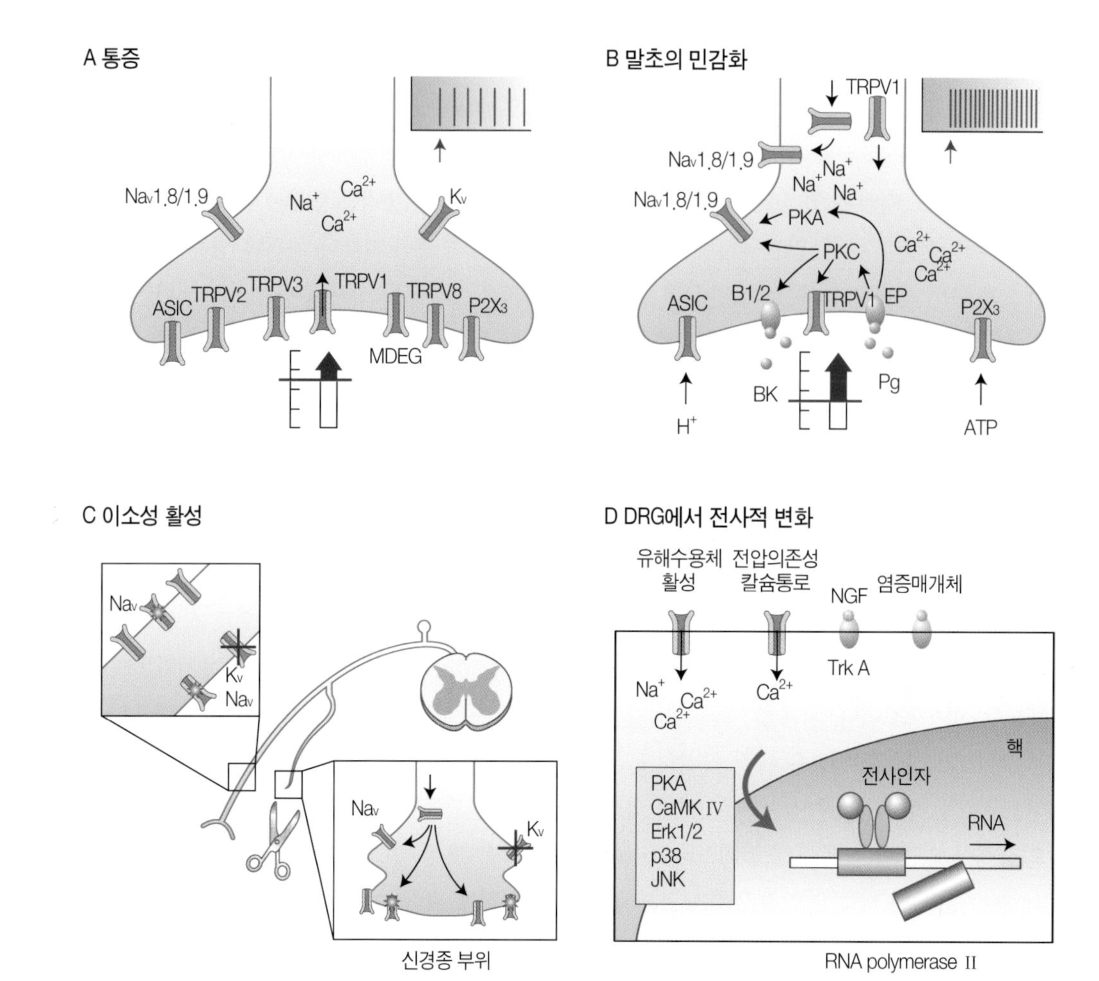

그림 3-17. 말초 유해성 감각신경섬유에서 일어나는 활성의 변화

정상적인 조건에서 높은 문턱치를 갖는 유해수용기에 유해성 자극이 가해지면 유해수용기 말단에 존재하는 많은 수용체(ASIC, TRPV2, TRPV3, TRPV1, MDEG, TRPM8, P2X$_3$) 중 높은 온도에 민감한 TRPV1이 활성화되어 활동전위가 형성된다(A). 그러나 염증이 발생된 경우 온도, BK (bradykinin), Pg (prostaglandin), ATP 그리고 H$^+$ 등 다수의 통증유발물질이 각각의 수용체에 결합하면서 활동전위 발화율이 증가할 수 있다(B). 특히 말초감각신경이 손상되면(이를 신경종, neuroma라 함) 손상받은 부위는 물론 딴 곳에서도 Na$^+$ 통로(Nav1.8/1.9)의 세포막 유입이 증가하는 반면, 전압의존성 K$^+$ 통로(Kv)는 억제되어 활동전위 발생을 더욱 촉진시킨다(C). 그리고 후근신경절에서 유해수용체, 전압의존성 칼슘통로, NGF (nerve growth factor; 신경성장인자) 그리고 염증매개체들의 작용으로 신호전달 과정을 거쳐 감각신경세포의 특성(phenotype)이 다르게 변한다(D).

경세포의 활동전위를 증가시키고, 이를 중추신경계의 고위 수준에서 통증의 정도로 해석하는 것이다. 여기서 하나 기억할 점은 조직 손상 정도와 통증을 경험하는 수준이 반드시 일치하는 것은 아니라는 사실이다. 왜냐하면 다른 과정이 유해성 체계(nociceptive system)를 조절할 수 있기 때문이다.

(3) 상아질을 통한 통각신호 형성(Formation of pain signal)

기본적인 틀에 있어 상아질을 통해서 통각신호가 발생되는 양상은 일반적인 통증 발생기전과 동일하다. 즉, 기계적, 화학적, 온도자극 등이 말초감각신경에 있는 각각의 수용체를 통해서 전기신호로 변환되어(transduction) 말초감각신경에서 활동전위를 형성한다. 그렇지만 상아

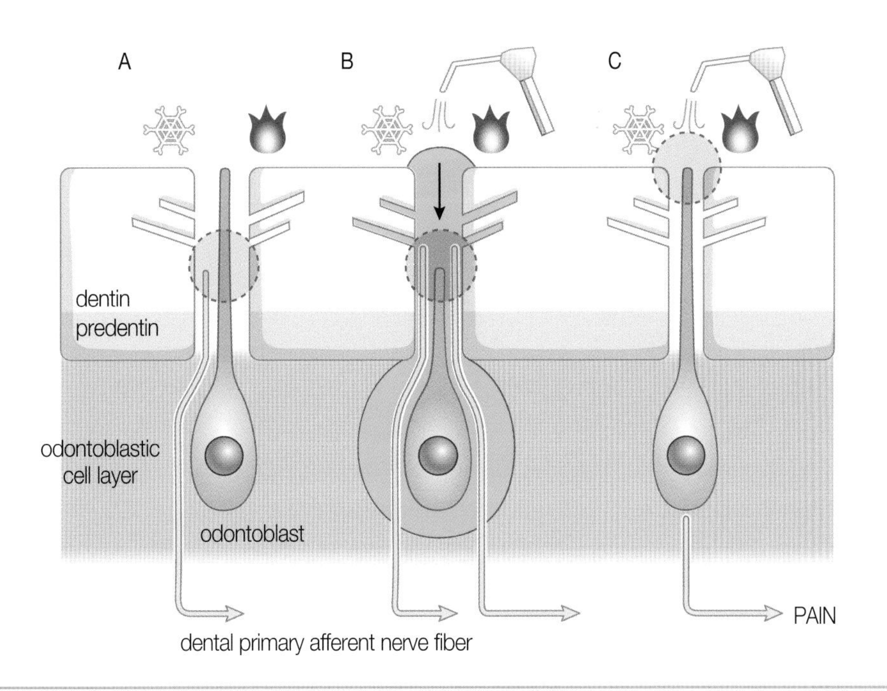

그림 3-18. 치아 통각(dental nociception)의 발생기전을 설명하는 세 가지 이론
상아질이 노출되면 상아질모세포와 신경말단 부분이 외부의 자극(열, 저온, 기계적 자극) 들을 감지하여 통증을 유발하게 된다. A. 신경설(neural theory): 상아질세관(dentinal tubule)내 신경말단이 외부 자극으로 직접 활성화되는 경우. B. 유체역학설(hydrodynamic theory): 상아질세관 안에서 움직이는 액체의 흐름(fluid movement)이 신경말단을 자극하여 활성화시킨다. C. 상아질모세포 변환기설(odontoblast transducer theory): 이는 상아질모세포 그 자체가 통각수용기로 작용한다는 이론이다. 상아질모세포에는 다양한 종류의 TRP (transient receptor potential) 통로가 있어 외부의 자극을 받아들이는 중요한 역할을 하는 것으로 생각하고 있다.

질을 통하여 감각신경에 활동전위가 만들어지는 과정은 구조적 복잡성 때문에 간단치 않다. 구강으로 노출된 상아질은 찬물, 공기의 흐름(air currents), 그리고 접촉성 자극에 매우 민감하다. 이런 이유 때문에 상아질을 통한 통각신호의 형성은 다른 부위와는 다르게 다루어져야 한다. 그렇다면 노출된 상아질은 외부 자극을 어떻게 받아들이는 것일까? 구조상 치아에서 발생되는 통각은 신경말단과 상아질모세포, 상아질모세포돌기(odontoblastic process) 사이의 밀접한 관계에 의하여 발생된다. 그러나 이들의 해부학적 구조의 복잡성 때문에 실제 이로부터 통증이 어떻게 발생되는지 명확히 설명하기 어렵지만, 현재 세 가지 가설이 통증 발생에 대한 이해를 돕기 위해 제시되어 있다(그림 3-18).

첫째, 신경설(neural theory)로서 신경이 상아질-사기질 접합 부위까지 나가 있기 때문에, 그 주변에 자극(온도, 압력, 공기 흐름 등)이 가해지면 노출된 상아질 내 신경이 활성화된다는 것이다. 두 번째, 상아질 주변 자극이 상아질이라는 특수 구조 즉 상아세관액을 흐르게 하고, 이 흐름이 신경말단에 활동전위를 발생시킨다는 유체역학설(hydrodynamic theory)이 그것이다. 이 가설에 따르면 상아질을 통한 신경자극 전달에 상아세관액의 흐름이 결정적 역할을 한다는 것이다. 따라서 상아질이 자극을 받으면 상아세관내 세관액과 상아질모세포가 움직이게 되고, 이런 움직임이 치수 인접 부위와 상아질 안쪽 부위에 있는 신경말단에 변형을 일으켜(이는 기계적수용기, mechanoreceptor를 활성화시킴) 활동전위를 만들어낸다는 것이다. 마지막으로 상아질모세포돌기 그 자체가 수용기(receptor) 역할을 하여 여러 종류의 자극을 직접 받아 상아질세관 내 혹은 치수 주변의 신경말단에 감각정보를 전달한다는 이른바 상아질모세포 변환기설(odontoblast transduc-

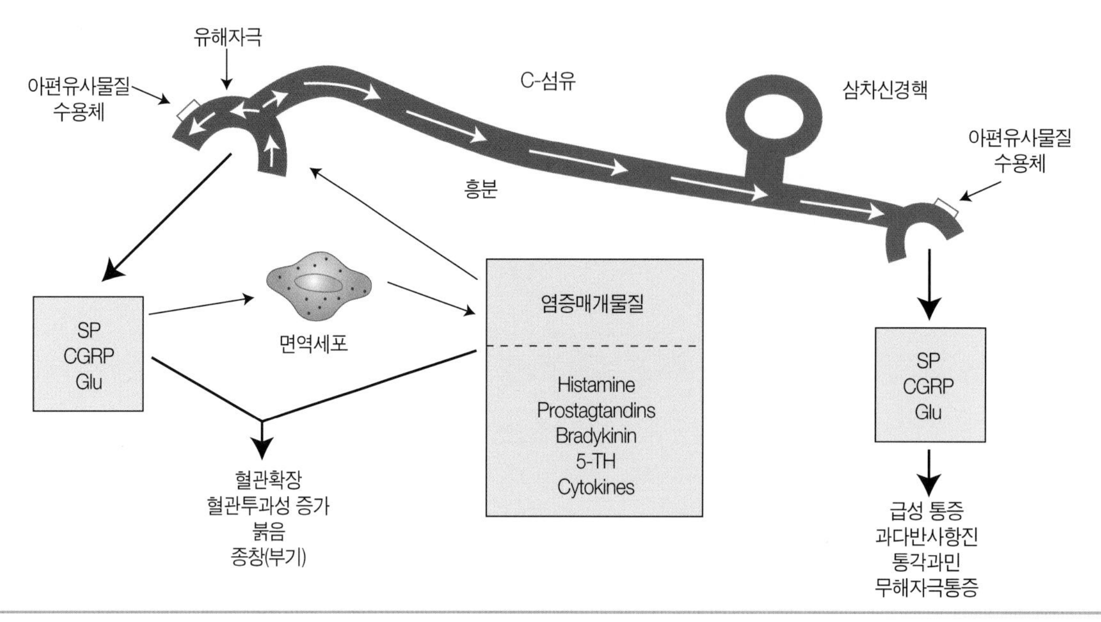

그림 3-19. 치수에 가해진 유해자극에 의한 구심성 유해수용성 C-섬유의 활성 조절

er theory)을 들 수 있다. 최근에 상아질모세포에 온도를 감지하는 TRPV (vanilloid 형의 transient receptor potential) 이온통로 이외에 기계적 자극에 반응하는 TRPV4, TRPM3, 그리고 TREK1(이는 기계적, 삼투성 자극에 의하여 활성화되는 K^+ 통로이다)같은 이온통로가 있는 것으로 밝혀졌다. 이를 근거로 상아질모세포 그 자체가 외부 자극(압력, 공기흐름, 삼투압 변화 등)을 인지하는 센서(sensor) 역할을 한다는 견해가 설득력을 얻고 있다.

한편 치수에 가해진 유해한 자극은 일차구심성신경(primary afferent neuron)의 말초말단(peripheral terminal)과 중추말단(central terminal)에서 neuropeptide인 Sub P와 CGRP와 흥분성 아미노산인 glutamate을 유리한다. C-섬유에서 나온 많은 물질들이 면역세포의 과립을 분비하고, 이런 물질들이 C-섬유의 문턱치(threshold)를 낮추거나, 혈관과 C-섬유에 직접 작용하여 염증을 일으킨다. 뇌간에서 내려온 신경말단이나 척수의 후각에서 유리된 Sub P, CGRP, glutamate는 통각을 더욱 키우거나, 통각경로를 민감화시킬 수 있다(그림 3-19). 반면에 C-섬유의 양쪽(말초, 중추)에 존재하는 아편유사물질 수용체(opioid receptor)가 흥분되면 오히려 Sub P, CGRP, glutamate의 유리가 조절되면서 통각신호가 약화된다.

3) 통각신호의 전달회로; core circuit

(1) 유해수용성 경로(Nociceptive pathway 혹은 ascending nociceptive pathway)

통각정보는 말초, 심부 조직, 그리고 내장에 있는 Aδ와 C-섬유의 유해수용기를 작동시켜 만들어낸다. 일단 유해성수용기의 활성으로 일차구심성신경에 활동전위가 발생되면, 척수후근 신경절(dorsal root ganglion, DRG)을 거쳐 척수에서 시냅스 한 후 이차구심성신경으로 통각정보가 전달된다. 이는 말초에서 중추로 통각정보가 옮겨가는 과정으로 바로 척수의 회백질(gray matter)과 삼차신경핵에서 일어난다. 척수후근을 통해 올라가는 감각신경섬유 중 통각섬유는 외측으로, 기타 섬유는 내측으로 나뉘어져 척수로 들어간다. 통각을 전도하는 섬유는 척수로 들어간 다음 척수후각의 I, II 및 V층을 포함하는 망상구조 영역(reticular area)에 분포한다. 척수후각에는 많은 종류의 신경세포가 있지만 크게 두 가지로 나눈다. 하

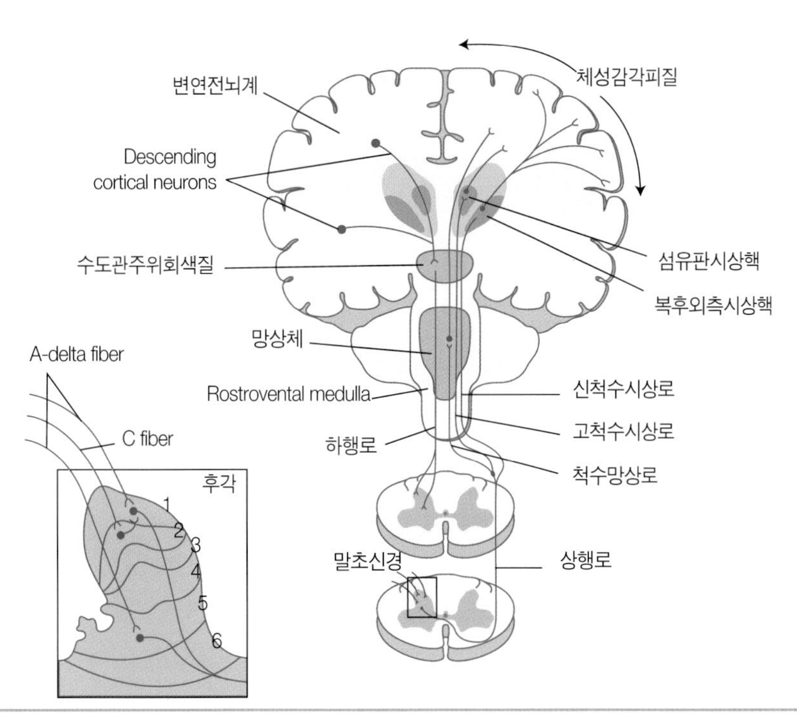

그림 3-20. 말초 감각신경세포인 Aδ와 C-섬유에서 형성된 통각정보의 상행로(ascending nociceptive pathway) 및 변연전뇌와 하행 피질신경계에서 내려오는 하행로(descending antinociceptive pathway).

나는 통각신호를 위쪽으로 전달하는 투사신경세포(project neuron)이고, 또 다른 하나는 통각신호를 조절하는 사이신경세포(interneuron)이다.

일차구심성신경은 척수에서 시냅스 한 후 척수반사 경로를 통해 운동신경으로 전달되거나, 이차구심성신경 즉, 투사신경에 통각정보를 옮겨 싣는다. 이는 반대측으로 교차한 후 통각을 상부로 전도한다. 그런 다음 이차구심성신경 통각정보는 척수시상로(spinothalamic tract, STT) 혹은 삼차신경시상로(trigeminothalamic tract)를 거쳐 시상(thalamus) 그리고 대뇌피질에 통각영역으로 들어간다. 유해수용성경로(혹은 상행성경로, bottom-up pathway인 nociceptive pathway)가 이어진 것이다(그림 3-20). 척수시상로 신경섬유는 척수의 전방 연합에서 교차하여 반대측 바깥 쪽을 통하여 빠른 통각경로인 신척수시상로(neospinothalamic tract)와 느린 통각경로인 고척수시상로(paleospinothalamic tract)을 통하여 시상과 중추신경으로 이어진다. 일반적인 통각경로와는 달리 구강악안면영역에서 발생한 통각정보는 삼차신경을 통하여 삼차신경척수감각핵(trigeminal spinal sensory nucleus)으로 들어와 시냅스한다. 다음 신삼차시상로(neotrigeminothalamic tract)와 고삼차신경시상로(paleotrigeminothalamic tract)를 따라 통각정보가 중추신경으로 투사된다.

통각정보의 처리내용을 간추리면 여러 종류의 자극을 전기신호로 변환하는(transduction) 과정, 이를 운반하는 전달(transmission), 그리고 유해성정보를 조절하는 modulation, 마지막 지각(perception)하는 단계로 구별할 수 있다(그림 3-21).

(2) 항유해수용성경로(Antinociceptive pathway 혹은 descending antinociceptive pathway)

통각을 중추로 전달하는 상행성경로와 더불어 상행성 통각의 강도를 조절하는 경로도 있는데, 이를 항유해수용성경로(혹은 하행성경로)라 부른다. 이 경로가 바로 척수후각으로 내려옴으로써 통각정보를 조절(modulation)한다. 중추에서 시작하는 하행로(즉 top-down pathway)를

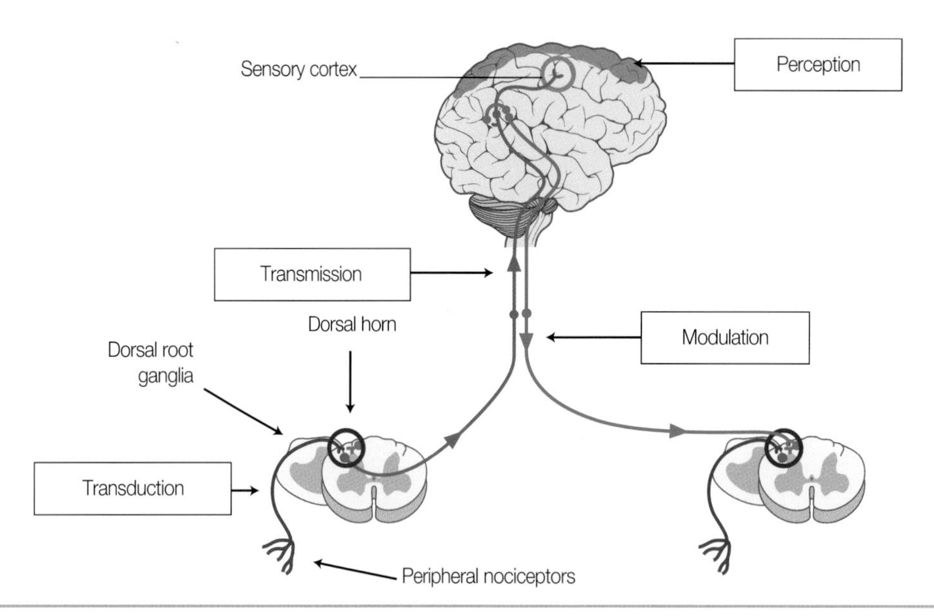

그림 3-21. 통각정보 처리의 주요과정
transduction, transmission, modulation, 그리고 perception.

중추신경 통각조절계(central pain modulatory network)라 한다. 띠이랑(대상회; cingulate gyrus), 수도관주위회백질(periaqueductal gray), 등바깥쪽다리뇌덮개(dorsolateral pontine tegmentum)과 배안쪽연수(ventromedial medulla) 등이 통각조절에 관여한다(그림 3-20). 실제 이런 부위들에서 신경전달물질인 serotonin, norepinephrine, 혹은 dopamine이 유리되면서 통각정보를 촉진, 혹은 억제시킨다(이 부분은 뒤에 자세히 설명).

4) 통각신호의 정보처리(Processing)

통각정보는 발생되는 위치와 정보가 전달되는 연결고리 즉 relay station에 따라 ① 일차구심성감각세포의 말단(peripheral terminal), ② 척수의 후각 그리고 ③ 척수의 상부(supraspinal level)로 구별한다. 이들 부위에서 통각정보가 만들어지고 전달되기도 하지만, 통각정보가 항유해성 신호에 의하여 조절될 수도 있다. 다시 풀어 설명하면 일차구심성신경의 활성으로 발생된 활동전위는 척수후근신경절(dorsal root ganglion, DRG)을 거쳐 유해수용성 경로의 첫 번째 접합부인 척수의 후각(일차구심성신경의 중추말단이 이차구심성신경과 시냅스 하는 부위)에 도달한다. 바로 이 부위에서 일, 이차구심성신경의 활성은 고위중추에서 내려온 하행로신경 그리고 신경아교세포에 의하여 영향을 받는다. 즉 하행로신경, 신경아교세포 등 다양한 세포들이 분비하는 여러 종류의 신경전달물질들(glutamate, substance P; CGRP, serotonin, epinephrine, dopamine, enkephalin 등)에 의하여 통각정보의 조절이 이루어진다. 따라서 척수의 후각은 통각정보를 조절하는데 핵심적인 부분이다. 이 곳에서 말초에서 올라가는 유해성 정보와 중추에서 내려가는 항유해성 정보간 힘겨루기가 시작된다. 구체적으로 척수후각에 존재하는 다양한 종류의 신경전달물질을 포함한 통각조절물질들이 시냅스 전후 세포막에 탈분극 혹은 과분극을 유발하여 일차 혹은 이차구심성신경의 활동전압의 발생을 촉진하거나 억제한다는 것을 이해해야 한다. 물론 이 과정에 중추신경계를 통해 통각정보가 증가되는 경우도 있고, 신경손상과 같은 특수한 병리조건에서 촉진(facilitation; 촉진성 반응)되기도 한다.

(1) 유해수용성의 억제성조절(통각정보의 억제): Antinociceptive pathway

통각정보는 일차구심성감각신경의 말초말단(peripheral terminal of primary afferent neuron)에서 탈분극을 쌓아 활동전위를 만든 결과이다. 따라서 일차구심성신경의 통각신호의 활성을 초기에 억제하거나 아니면, 일차구심성신경의 중추말단(central terminal of primary afferent neuron)에서 탈분극 형성을 어렵게 만들면, 자동적으로 통각정보의 조절이 이루어진다. 유해수용정보의 억제성 조절을 설명하기 위하여 가장 널리 알려진 관문 조절설(gate control theory)이 있다(그림 3-22). 척수후각의 관문에서 일차구심성신경자극이 이차구심성신경으로 전달되는 것을 조절한다는 이론이다. 이는 1965년 Melzack와 Wall에 의하여 제기된 이론으로써 일부 수정된 부분이 있지만 아직도 유해성통각정보의 조절을 설명하는 좋은 모형으로 받아들여지고 있다. 이 설에 의하면 일차구심성신경으로부터 이차구심성신경(척수 혹은 삼차신경계)으로 넘어가는 신호는 반드시 관문을 통과해야 한다. 물론 이 관문이 넓게 열려져 있는 경우(wide open; 이 경우 통증을 심하게 느낀다), 닫혀진 경우(closed; 이는 통증을 느끼지 않는다), 마지막으로 부분적으로 열려진 경우로 나누어 생각할 수 있다. 실제 이 관문은 첫 번째 시냅스를 이룬 후 활성을 억제할 수 있는 사이신경(internuncial neuron)으로 구성되어 있다. 사이신경을 통하여 흥분성 신경전달물질의 유리를 줄이거나 이차구심성신경세포의 활성을 억제하여 유해수용성정보 전달을 조절한다. 관문조절이라는 측면에서 억제성 효과는 주로 γ amino butyric acid (γ GABA), glycine, 그리고 enkephalin, dynorphin을 포함한 다양한 물질에 의하여 야기된다.

① 일차구심성신경의 통각정보 조절

직경이 큰 구심성신경(Aβ) 즉 굵은 촉각신경으로 전달된 촉감이 가느다란 통각신경으로 전달되는 통각을 억제한다(문조절 이론). Aβ 신경섬유가 기계적 자극에 의하여 활성화되면 일차구심성신경의 활성이 이차구심성신경으로 넘어가지 못한다는 의미이다. 촉각을 키워 통증을 막는다는 원리다. 이를 이용하여, 손상 부위나 치통이 있는 주위를 문지르면(구심성신경으로 Aβ 신경섬유가 흥분된다), 관문이 닫쳐 통각정보를 차단할 수 있다. 또 다른 예로 경피전기신경자극(transcutaneous electrical nerve

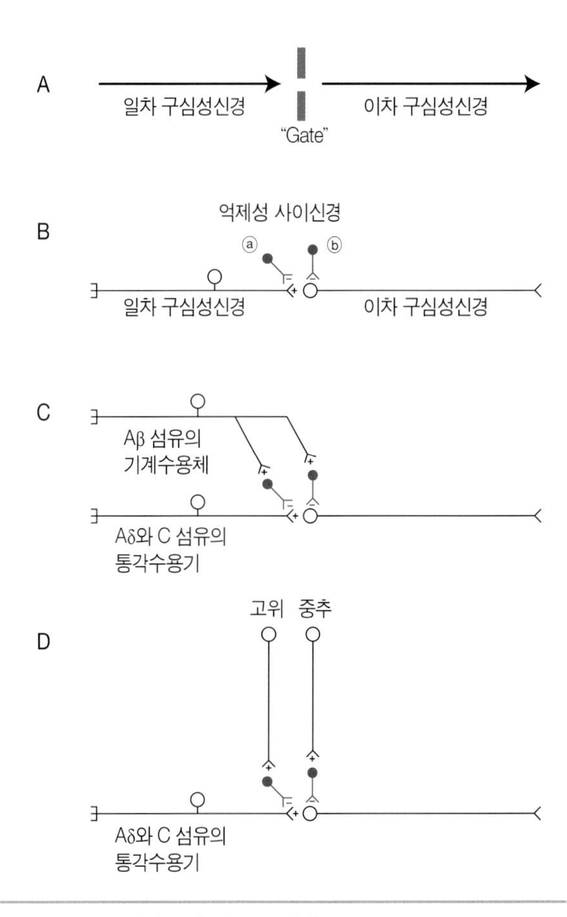

그림 3-22. 통각정보의 관문 조절설(gate control theory)
(A) 정상적으로 일차구심성신경에서 만들어진 신호가 관문을 통과하여 이차구심성신경으로 전달된다. (B) 일차구심성신경의 활성이 이차구심신경섬유로 전달된다. 이 과정에 ⓐ와 ⓑ로 표시된 억제성 사이신경이 시냅스전신경과 시냅스후신경에 작용하여 관문을 차단한다. 즉 억제성 사이신경의 활성으로 일차구심성신경에서 나오는 흥분성 신경전달물질의 양을 줄이거나(ⓐ), 직접 이차구심성 신경의 활성을 억제한다(ⓑ). (C) 억제성 사이신경은 스스로 직경이 큰 기계수용체 신경이나, (D)와 같이 중추신경계에서 내려온 신호에 의하여 활성화된다. 이 결과 C와 D와 같이 Aδ와 C-섬유에서 발생된 활동전위가 관문(gate)을 통과하지 못한다. 특히 D와 같이 고위중추에서 내려온 신호에 의하여 일차구심성신경의 활동전위가 이차구심성신경으로 옮겨가지 못하는 경우를 하행성억제(descending inhibition)라고 한다.

stimulation, TENS)을 들 수 있다. 이는 Aβ신경섬유를 전기적으로 자극하여 통증을 완화시키고자 하는 원리다. 치과영역에서 전기적 치아 진통(electronic dental analgesia, EDA) 형태로 사용될 수 있다.

② 중추하행성경로에 의한 통각정보 조절

뇌의 특정 부위, 예를 들면 뇌간의 수도관주위회색질(periaqueductal gray) 혹은 뇌실주위회색질(periventricular gray), 솔기핵(raphe nuclei)을 전기적으로 자극하면 진통효과가 나타난다. 이는 뇌에서 내려오는 하행성항유해수용성경로(descending anti-nociceptive pathway)가 관문조절에 관여하는 억제성사이신경을 활성화시켜 나타난다. 그렇지만 하행성경로의 일부는 억제성사이신경의 도움 없이 직접 유해수용성경로를 차단하기도 한다. 이런 하행성신경은 monoamine계 신경전달 물질인 serotonin (5-HT), noradrenaline, 그리고 dopamine을 유리하여 유해수용성신경의 통각신호를 조절한다.

하행성신경을 통하여 통증이 억제되는 경우도 있고, 자연적으로 발생할 수 있다. 예를 들어 ① 스트레스, 혹은 걱정이 통각정보를 억제하거나, ② 신체 a부위에 유해한 자극이나 고통스러운 자극이 들어온 경우, 약한 자극으로 형성된 b 부위에 통각정보가 사라지거나 미미해 진다. 첫 번째는 스트레스가 진통효과를 일으키는 경우이다. 이를 stress-induced analgesia (SIA)라고 하며, 전쟁이나 운동경기 중 입은 상처가 실제 아픔보다 덜 느끼는 현상을 두고 일컫는 말이다. 반면에 두 번째 경우는 하나의 통각정보가 다른 곳의 정보를 가려주는 현상이다(counter-irritation phenomenon).

(2) 중추민감화(Sensitization); 유해성 통각정보의 촉진(Facilitation)

억제성 조절과는 달리 유해수용성 경로의 첫 번째 시냅스에서 통각신호 형성이 증가될 수도 있다. 이를 촉진이라고 하는데, 통증이 길어지든지 아니면 통증의 강도가 증가된다. 예를 들어 C-섬유를 반복적으로 흥분시키면 이 섬유의 지속적인 활성으로 반응이 증가되어 나타난다. 이는 일종의 wind-up 현상("끌어 올린다"라는 의미)이다. Wind-up 현상은 시냅스 이전 신경세포에서 substance P를 포함한 신경전달물질이 많이 분비되었거나, substance P와 glutamate에 대한 시냅스 이후 신경세포의 반응이 증가되어 나타날 수 있다. 임상적인 측면에서 보면 wind-up이라는 개념 이외에 지속적인 유해수용성 자극과 말초신경 손상으로 나타나는 중추민감화(central sensitization) 현상이 있는 것이다. 이는 여러 가지 경우가 복합적으로 얽혀 일어나며, 결과적으로 통각과민(hyperalgesia)과 무해자극통증(allodynia)의 형태가 나타날 수 있다.

중추민감화는 신경세포수준에서 발생되는 변화로 척수와 척수 상부 중추의 유해성 감각신경체계에서 일어난다. 말초의 유해수용기의 흥분에 의해 시작되거나, 아니면 일차구심성신경의 자극 없이도 중추민감화가 지속될 수 있다. 이 과정에 excitatory amino acid (EAA) 수용체, 특히 N-methyl-d-aspartate 수용체(NMDA 수용체)가 깊이 관여하고 있다. 즉 glutamate와 같은 EAA, substance P 그리고 neurokinin A와 같은 흥분성 신경펩티드는 유해성 신경의 중추종말에서 동시에 분비되어 시냅스 이후 척수후각 신경세포의 특성을 변화시킨다. 다시 말해 흥분성 신경펩티드인 glutamate가 NMDA 수용체에 결합하면 Ca^{2+}이 세포내로 유입되어 탈분극이 발생된다. 이 탈분극이 NMDA 수용체의 이온통로를 다시 활성화시키기 때문에, 세포는 더욱 더 흥분된다. 이외에도 세포내 Ca^{2+} 농도의 증가가 또 다른 효과 즉 nitric oxide 생성을 유도한다. 이렇게 생성된 nitric oxide는 시냅스 이전 신경세포로 확산되어 탈분극을 일으키거나 아니면 통증유발물질을 쏟아낸다. 그 주변에 흥분 상태가 한층 더 끌어올려지는 것은 자명하다. 중추신경이 민감화 상태로 들어가게 되는 이유이다. 이런 중추민감화 현상은 여러 가지 원인 때문에 발생된다(그림 3-23). 요약하면 ① 신경활성 의존성(activity-dependent) 중추민감화; 이는 척수후각신경세포에 빠른 반응과 흥분성이 증가되는 경우다. 이온통로와 수용체의 인산화가 촉진되면서 문턱치이하 자극(subthreshold stimulus)에 대해서도 민감하게 반응하기

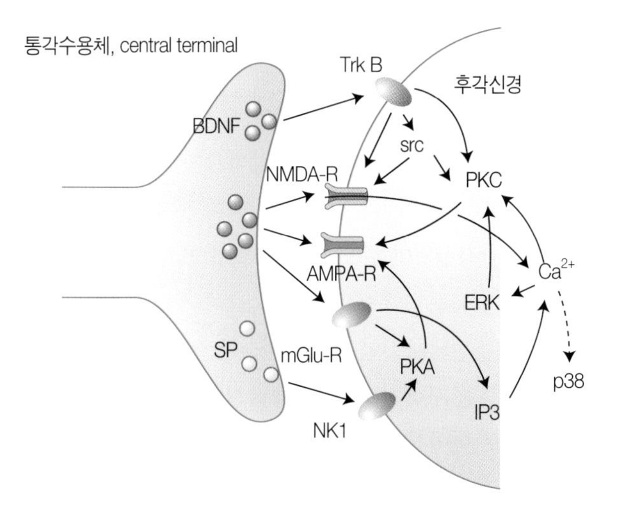

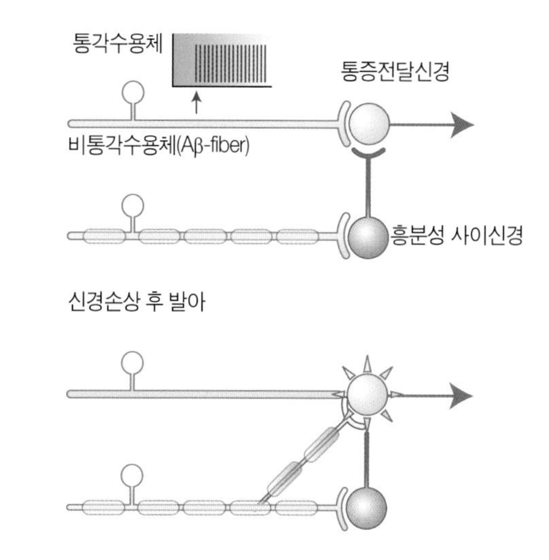

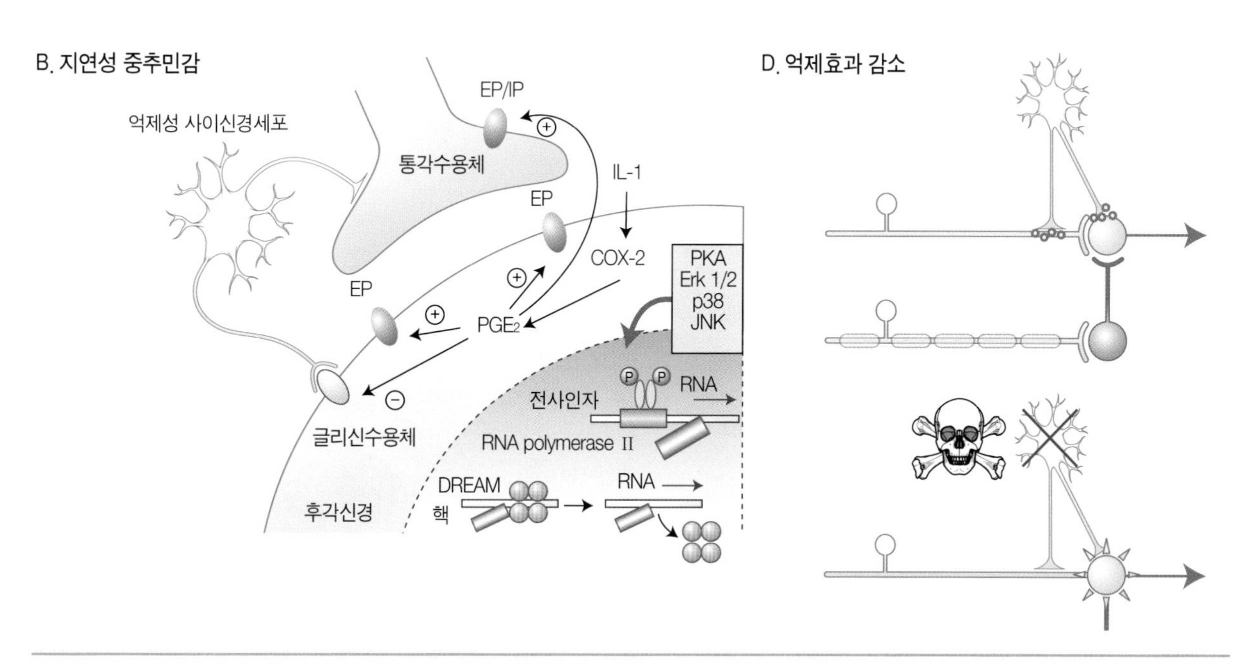

그림 3-23. 중추민감화의 여러 가지 형태

크게 네 가지 유형으로 구분된다. a: 즉각 일어나는 중추민감화 현상이다. 그림과 같이 위부터 BDNF (brain-derived neurotrophic factor), glutamate, 그리고 sub P 같은 신경전달물질이 다량 유출되어 척수후각세포에 존재하는 수용체를 활성화함으로써 민감화가 일어난다. b: 전사인자의 활성화나 전사억제인자(DREAM) 억제효과로 지속적으로 이차구심성신경의 흥분이 발생된다. 더욱이 Cox2의 발현증가로 PGE2의 생성이 증가되면, 이로 인해 억제성사이신경(glycine 수용체)이 차단되어, 시냅스 이후 감각신경을 다시 흥분시킨다. c: 정상적인 경우 통각신경에 포함된 통각정보(수직선으로 표시한 활동전위의 발화율)가 비통각신경에 연결된 사이신경의 작용으로 억제된다. 그러나 신경이 손상을 받으면 비통각신경의 발아로(신경손상 후 발아) 사이신경의 작용을 직접 동원하지 못하면서 통각과민화가 발생된다. d: 사이신경이나 하행성 항유해성감각신경에 의하여 통각정보가 억제되지 않으면, 이 역시 중추과민화를 피할 수 없다(억제효과 감소).

때문에 나타난다. 그 흥분도가 오래가지 않지만 즉각 민감화된다는 것이 특징이다. ② 전사 의존성(transcription-dependent) 중추민감화; 통각정보와 관련된 유전자 발현을 촉진하여 척수후각신경세포의 활성이 오래 지속되기 때문에 발생된다. 이 과정은 전사인자의 활성과 전사를 방해하는 인자(downstream regulatory element antagonist modulator, DREAM와 같은 transcriptional repressor)가 제거됨으로써 야기될 수 있다. 예를 들어 Cox2 발현을 증가시켜 PGE2 생성이 많아지면 시냅스 전후막에 흥분성 전달은 촉진되고, 반면에 억제성 전달은 줄어들어 결과적으로 과민화를 피할 수 없다. ③ 말초감각신경의 손상(peripheral nerve injury)으로 인한 민감화; 말초감각신경이 손상되면 수초가 있는 비유해성신경의 중추 말단이 척수후각에서 발아(sprout)하여 후각의 I과 Ⅱ층에서 새로운 연결망을 구축한다. 이와 같이 척수회로에 새로운 연결(rewiring)이 형성되면 지속적인 통증과민을 불러온다는 것이다. 마지막으로 ④ 탈억제성(disinhibition) 민감도에 대해 살펴보자. 감각신경의 정보흐름이 억제성 사이신경의 활성에 따라 조절되는 상황이다. 말초감각신경이 손상되어 흥분성 glutamate가 과다하게 나오게 되는 경우에 해당된다. 이렇게 되면 말초신경 억제성 신경전달물질인 GABA나 glycine 합성이 감소하거나, 사이신경 자체의 기능이 사라진다. 억제효과가 감소하는 결과로 이어진다. 이상의 이유 때문에 통각정보의 흥분성이 증가될 뿐 아니라, 평상시 무해한 자극에 대해서도 통각이 형성되는 민감화 현상이 동반될 수 있다.

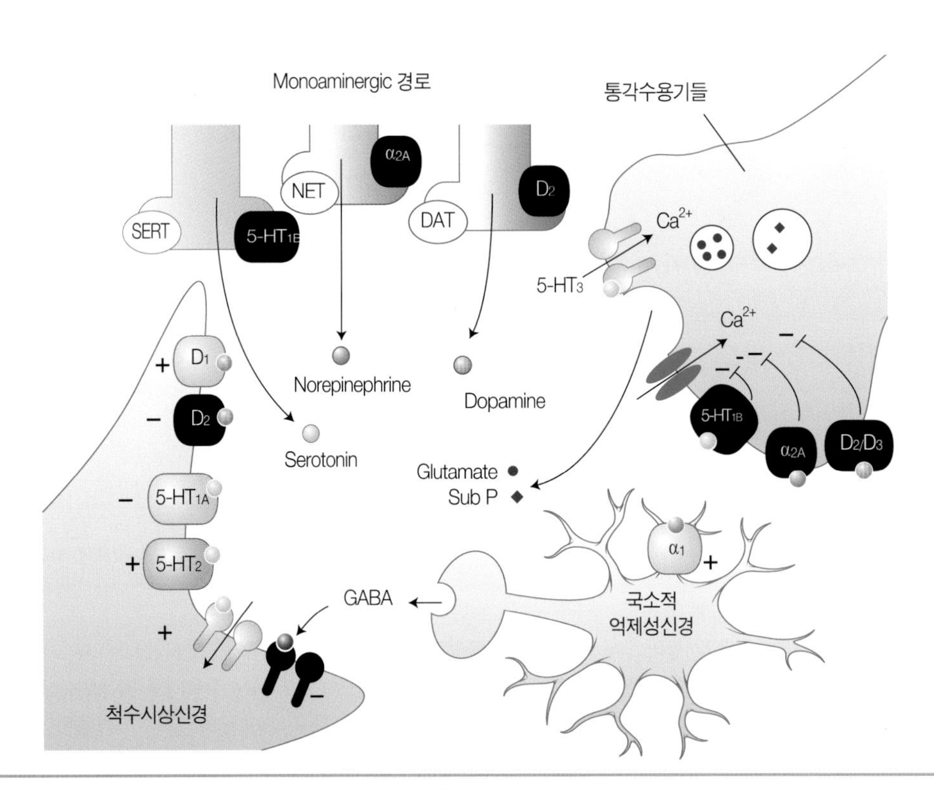

그림 3-24. 척수후각에서 모노아민(monoamine)에 의한 통각조절(pain modulation)
척수후각에 접하고 있는 신경세포에는 유해수용성 일차구심성감각신경(nociceptor afferent)과 척수시상신경(spinothalamic neuron)이 시냅스하고 있지만, 억제성사이신경(국소적 억제성신경; local inhibitory neuron), 그리고 항유해수용성신경(기능적으로 monoaminergic pathway에 해당; monoamine 계열의 신경전달물질 즉, serotonin, norepinephrine, dopamine 등이 유리되는 신경)들이 복합적으로 얽혀있다. 따라서 유해수용성 일차구심성감각세포에서 만들어진 통각정보는 척수후각을 지나면서 monoaminergic neuron과 억제성사이신경에 의하여 조절된다. 그밖에 신경아교세포(neuroglial cell)에서 유리되는 물질도 통각정보 조절에 깊이 관여한다. 자세한 내용은 본문 참조. DAT = dopamine transporter; NET = norepinephrine transporter; SERT = serotonin transporter.

지금까지 설명한대로 유해수용성 감각신경에서 형성된 통각정보는 척수후각에 존재하는 여러 종류의 신경들의 복합적 작용으로 조절된다(그림 3-24). 척수후각에는 serotonin, norepinephrine, 그리고 dopamine 등이 각각의 수용체에 결합하여 일차구심성신경으로부터 신경전달물질의 유리를 줄인다. 이는 시냅스 이전 감각신경에 monoamine들 각각의 수용체인 5-HT1B, α_{2A}, 그리고 D2/D3를 통해 이루어진다. 시냅스 이전 감각신경 이외에 monoamine은 시냅스 이후 척수시상로 신경을 억제한다. 반면에 serotonin (시냅스 전후 신경에 5-HT3 수용체와 결합, 시냅스 이후 신경에 5-HT2 수용체와 결합)과 dopamine (D1 수용체)은 유해수용성 효과를 더해준다(pronociceptive effect). 여기에 하나 더 사이신경이 monoamine 작용을 조절한다는 점이다. 예를 들어 norepinephrine은 사이신경(γ-aminobutyric acid; GABAergic 신경)에 있는 α1 수용체를 활성화시켜 통각정보를 깎아 내린다. 이와 같이 다양한 신경전달물질과 그의 수용체의 위치에 따라 통각정보가 결정된다. 더욱이 시냅스 이전 세포에서 신경전달물질의 유리를 어떻게 조절하고, 이미 나온 신경전달물질의 재흡수 및 대사성 전환을 얼마나 하는지는 통각정보의 조절 수위를 결정하는 데 중요하다.

6. 신경병성 통증의 발생 기전

손상을 받은 신경은 말초와 후근신경절 그리고 척수에 변화를 일으켜 신경병성 통증(neuropathic pain)을 야기한다. 일단 발생된 신경병성 통증은 말초와 중추신경계의 병변이나 기능이상으로 이어진다. 신경계 자체의 기능이상과 병변이 신경병성 통증을 일으키는 것으로 알려졌지만, 이의 정확한 원인을 한 마디로 설명하기란 쉽지 않다. 다만 크게 두 가지 기전 즉, 첫째 말초기전(peripheral mechanism), 둘째 중추기전(central mechanism)으로 신경병성 통증을 이해하고 있다. 신경이 손상을 받으면 세포막의 흥분과다(hyperexcitability)와 말초민감화가 일어난다. 먼저 생각할 수 있는 것은 세포막의 흥분과다로 인해 감각신경을 따라 엉뚱한 곳에서 흥분파가 만들어 진다는 사실이다(이를 ectopic discharge라 함). 이 때문에 지속적인 통증이 일어난다. 문제는 어떻게 흥분파가 만들어지는가 하는 점이다. 이미 지적한 바와 같이 신경손상으로 흥분파가 정상이 아닌 딴 곳에서 발생된다. 따라서 전압의존성 Nav 1.8/1.9 통로 단백질이 세포막으로 대량 유입되면서 활성화되는 반면에 K^+ 통로의 활성은 억제된다. 결과적으로 세포내부로 Na^+이 많이 들어오고, K^+이 나가지 못하게 되므로 말초감각신경에 흥분성이 더해진다. 또한 신경손상으로 후근신경절내 비유해수용성 신경 즉, 교감신경의 발아(sympathetic sprouting, 이를 ephapse라 한다)가 촉진되어 신경의 흥분파 형성을 더욱 높여준다(그림 3-25). 말초가 아닌 중추신경계의 문제로 야기되는 흥분과다, wind-up, 중추민감화, denervation supersensitivity, 그리고 억제성 조절기능 등이 사라지는 경우 등도 모두 신경병성 통증의 원인으로 지적되고 있다.

아직 신경병성 통증의 기전이 명확히 밝혀진 바 없지만, 신경아교세포(neuroglial cell)가 이 과정에 결정적으로 작용한다고 한다(그림 3-25). 왜냐하면 신경세포의 Cl^- 농도는 막전압에 형성에 중요한데, 이 과정에 신경아교세포가 신경세포 내부 Cl^- 농도에 관여하는 운반체의 활성을 조절하는 것으로 알려졌기 때문이다. 일반적으로 성숙한 신경세포에서는 NKCC1(sodium-potassium-chloride cotransporter; Cl^-을 세포내로 끌어들이는운반체)와 KCC2(potassium-chloride-cotransporter 2; Cl^-을 세포 밖으로 내보내는 운반체)가 세포내 Cl^- 농도를 유지하는데 중요한 역할을 한다. 이런 이유 때문에 이들 운반체의 역할에 따라 세포내 외부의 Cl^- 전기화학적 차이가 달라지는 것은 지극히 당연하다. 정상 상태에서 NKCC1 역할은 적은 대신, KCC2는 활발하게 작동하고 있기 때문에 신경세포내부 Cl^- 농도는 낮게 유지된다. 이렇게 되면 E_{Cl} (Cl^- 평형전압)은 막전압 Vm에 비하여 음(negative)으로 치우치게 되는데, 이런 조건에서 GABA 수용체(이는 glycine 수용체와 같이 일종의 Cl^- 통로이다)가 활성화되면 외부의 Cl^-이 세포내부로 들어오면서 막전압은 과분극 상태에 놓이게 된다. 바로 이런 전략을 이용하여 신경세포는

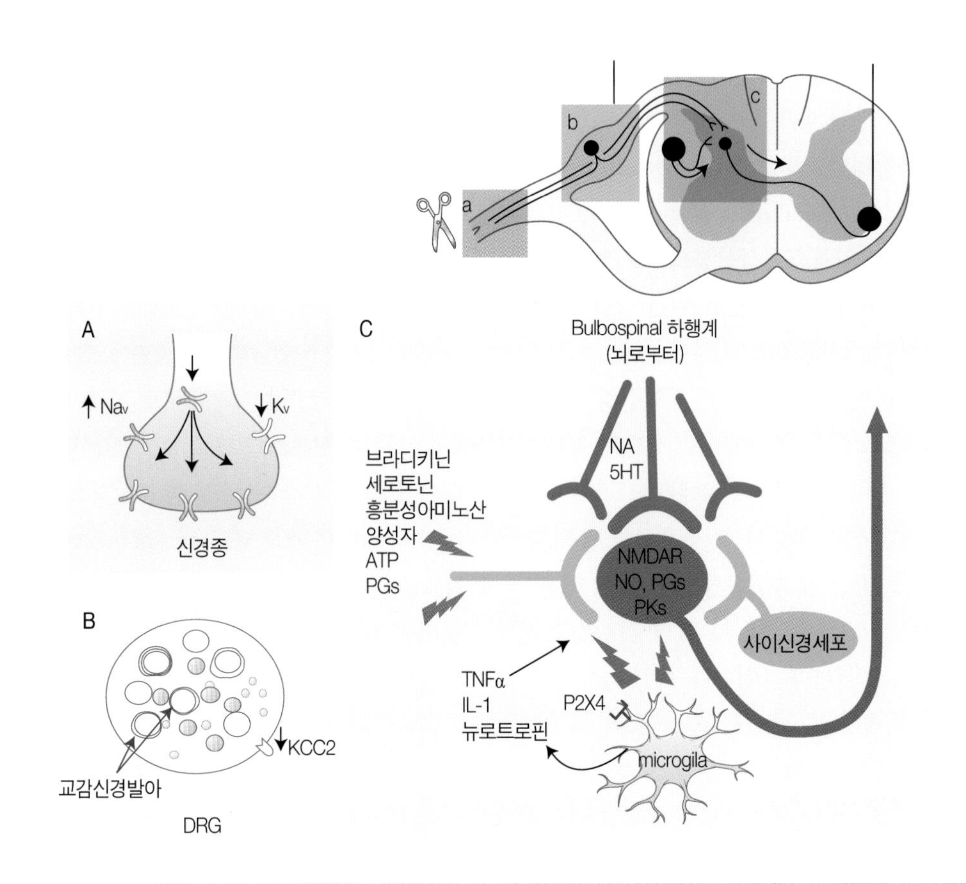

그림 3-25. 신경손상과 기능장애로 인한 신경병성 통증(neuropathic pain)의 원인
(A) (B) 그리고 (C)는 각각 신경손상을 직접 받은 곳, 후각신경절, 그리고 척수후각에서 일차구심성신경의 중추말단이다. (A)신경손상으로 신경종이 일어나 전압의존성 Na^+ 통로의 활성은 증가하고, 전압의존성 K^+ 통로의 활성은 감소한다. (b) 후근신경절(DRG)이 신경손상으로 변한 모양이다. 후근신경절에 교감신경의 발아(sprouting)가 일어나고(더욱 민감해짐), 아울러 KCC2(potassium chloride cotransporter 2; Cl^-을 세포 밖으로 내보내는 운반체)의 활성이 감소된다. (C) 척수후각에서 일차구심성신경과 이차구심성신경, 위에서 내려온 하행신경계 그리고 신경아교세포들이 복합적으로 얽혀 신경의 활성을 결정하지만, 신경아교세포에서 나온 neutrophin (BDNF) 외에 IL-1, TNFα 들이 이차구심성신경의 흥분도를 증가시킨다. 그리고 이차구심성신경 자체에서도 NMDAR (NMDA receptor), NO (nitric oxide), prostaglandin (PG), 그리고 protein kinases (PKs)의 활성이 증가된다.

억제성 신호인 IPSP를 만든다. 더욱이 정상조건이 아닌 병적상황 즉, 신경손상이나 간질(epilepsy)인 경우, 중추신경계의 미세아교세포(microglia)가 활성화된 상태로 바뀌면서 $P2X_4$ (ATP에 의하여 활성화되는 purinergic 수용체) 발현이 증가된다. 이는 BDNF (brain derived neurotrophic factor) 유리를 촉진시키고, 이어 신경세포의 TrkB와 결합하여 KCC2의 기능을 떨어뜨린다. KCC2가 기능을 제대로 하지 못하면, 신경세포 내부에 Cl^-이 쌓이고 이제는 오히려 E_{Cl}가 막전압보다 양(positive)으로 전환된다. 이런 조건하에서 가해진 GABA나 glycine은 Cl^-을 세포 밖으로 끌어낸다. 탈분극이 유도되면서 흥분도의 증가가 뒤따른다(그림 3-26). 결론적으로 신경병성 통증은 말초와 중추신경의 민감화 때문에 발생되는 증상이다. 신경병성 통증의 기전을 한마디로 설명하긴 어렵지만, 신경손상으로 빚어진 중추신경내 신경아교세포들의 과다한 활성이 신경병성 통증을 일으킨다고 이해하고 있다.

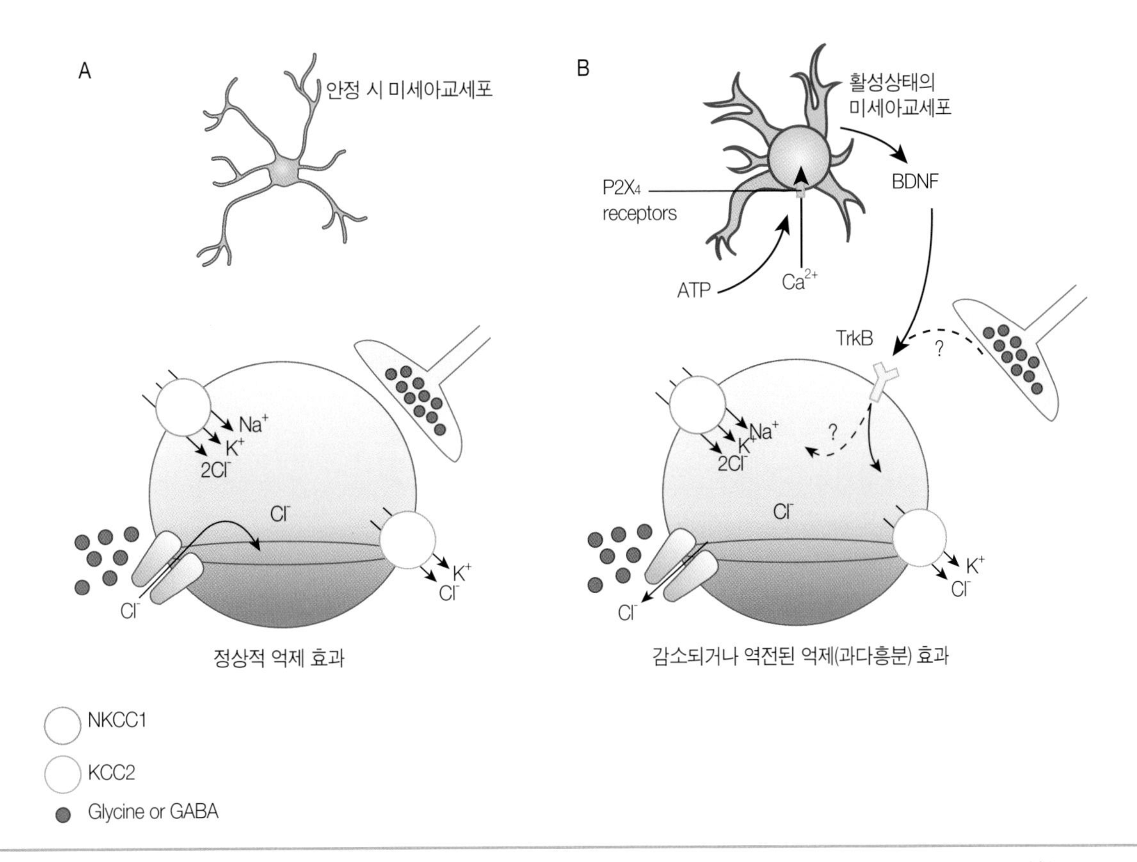

그림 3-26. 신경손상과 기능장애로 야기된 미세아교세포의 변화와 신경세포내 Cl^- 농도와 관련된 NKCC1과 KCC2의 역할
자세한 내용은 본문 참조

7. 통증의 처치 방법

통증은 감각신경계가 자극을 받아 나타난 생리적 느낌으로, 이는 몸에 상해의 가능성을 알려 몸을 보호하려는 일종의 회피반사(withdrawal reflex)이다. 급성 통증은 보통 갑자기 일어난 병, 염증, 조직의 손상으로 인해 생기며 일반적으로 진단, 치료 가능하고 기간과 정도가 한정되어 있다. 그렇지만 만성적인 통증은 급성 통증보다 장기간 지속되고 거의 모든 의료요법으로 잘 치유되지 않는다. 심한 경우 어떤 사람은 과거의 상해나 손상의 흔적이 없는데도 통증으로부터 시달리기도 한다. 일반적으로 분명한 원인이 있어야 통증이 발생됨에도 불구하고, 손상 정도와 인지된 통증의 강도 간에 명확한 관계가 없다는 뜻이다. 다시 말해서 ① 심각한 조직손상이 있다 하여도 통증을 수반하지 않거나, 혹은 예상보다 통증이 가벼울 수 있다. 이에 대한 대표적인 예로서 전쟁터에서 부상당한 사람이나 운동경기 중 상해를 당했지만, 주위 상황에 집중한 나머지 통증을 덜 느끼는 것이다. 또한 ② 통증은 때때로 특별한 조직손상이 없이도 나타날 수 있다. 예를 들면 삼차신경통 또는 불붙은 난로에 대한 환상 등이 여기에 해당된다. 그 밖에도 통증은 여러 가지 여건에 따라 달라질 수 있다. 즉 침술(acupuncture), 최면(hypnosis), 혹은 속임약효과(placebo effect), 그리고 개인, 문화적인 요인, 주어진 상황, 감정상태에 따라 변할 수 있다. 앞서 언급한대로 통증은 방어적 기전 때문에 발생된다고 하지만, 이러한 증상이 오래 지속되는 경우 여러 가지 원인에 의하여 또 다른 이상을 초래할 수 있다. 통증이 격심하고 만성(chronic)화하게 되면 통증 자체가 하나의 질병이 되며,

환자는 불안, 절망감 등의 정신적 문제와 더불어 식욕부진, 영양장애, 그리고 전신상태 등이 악화될 수 있다. 또한 신체적, 정신적 요인이 단독 혹은 복합적으로 관여하기 때문에 같은 자극일지라도 통증반응이 사람마다 다를 수 있다. 통증 반응이나 행동이 다양할 뿐 아니라 이를 객관적인 지표로 평가하기 쉽지 않은 이유가 여기에 있다. 이처럼 통증은 복잡한 감식 체계이기 때문에 같은 손상이나 질병을 가진 환자일지라도 개인마다 다르게 나타난다. 마비환자들은 보통 신경병성 통증(신경이나 척수, 뇌의 손상으로부터 유래)이라고 불리는 고통을 호소한다.

만성 통증을 치료하는 방법으로 약물복용(진통제), 국소마취, 국소 전기자극, 최면마취, 뇌자극 및 수술 등이 있다(그림 3-27). 가장 흔하게 사용하는 진통제는 아스피린(aspirin), 아세트아미노펜(acetaminophen), 이부프로펜(ibuprofen)과 같이 고통을 완화하는 종류이다. 항경련제(anticonvulsant)는 뇌전증을 치료하는데 쓰이지만 종종 통증을 치료하기 위하여 쓰이기도 한다. 특히 카바마제핀(carbamazepine, 항경련제)은 삼차신경통을 포함한 다수의 통증을 치료하는데 쓰여진다. 이외에 항우울증제 및 근육이완제도 통증치료에 종종 사용된다.

경피신경전기자극(TENS) 치료, 이식된 전기신경자극, 척수자극을 포함한 전기자극법 등이 통증조절에 이용되고 있다. 근본적으로 옛날부터 전해오는 근육신경이 열과 마사지 등 다양한 자극의 대상이 된다는 점을 이용한 현대판 치료법이라 할 수 있다. 경피신경전기자극 치료는 미세한 전기펄스를 사용한다. 따라서 마비감이나 수축같이 근육에 변화시키기 위해 피부의 신경섬유를 통해 전달되므로 일시적으로 고통을 덜어줄 수 있다. 신경 차단술은 약물, 화학성분, 수술테크닉 등을 이용하여 특정한 신체부분과 뇌 사이의 통증 메시지 전달을 방해하는 기술이다. 신경 차단술의 종류로는 신경절제술, 척추배면, 두골 및 삼차신경 절단술 및 교감신경 차단이라고 불리는 교감신경 절제술 등이 있다(그림 3-27, 녹색화살표). 물리치료와 재활치료는 특정 상태를 치료하기 위한 고대의 열, 냉, 운동, 마사지 등 손으로 다루기와 같은 물리적 요법에서 비롯되었다. 이는 기능 증가, 통증 관리와 환자의 완전회복의 빠르게 하기 위하여 응용될 수도 있다. 침술요법은 신경을 전기적으로 자극하기 위해 침에 전기를 연결하기도 하는데, 이런 시술이 엔도르핀을 활성화시킨다고 한다.

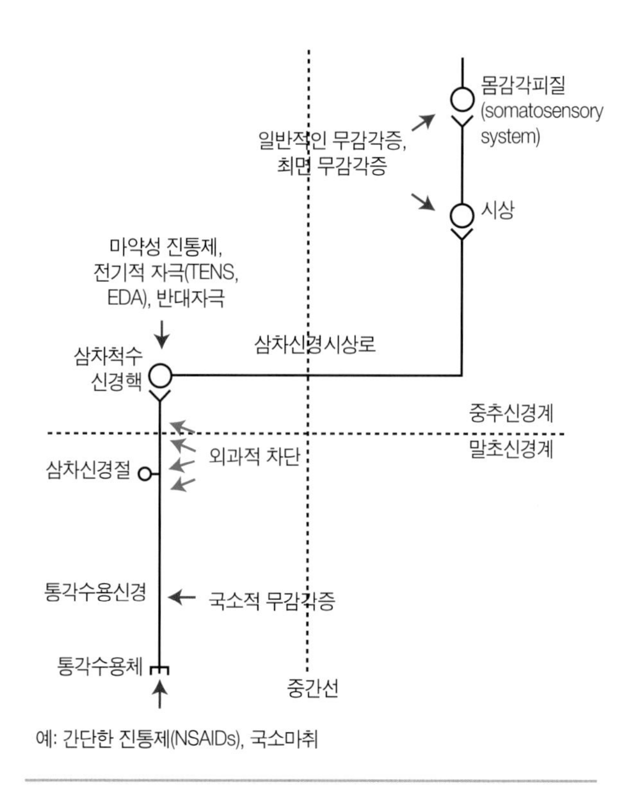

그림 3-27. 통증조절 방법에 따른 작용부위
대부분의 통증조절 수단(청색 화살표로 표시된 곳)에 작용한다. 구강악안면통증을 조절하는 약물 이외에 다른 종류 즉 항우울제나 세포막 안정제는 여러 부위에서 진통작용을 나타낼 수 있다. 더욱이 다루기 어려운 통증은 수술로써 차단하는 방법도 있다(녹색 화살표).

8. 자율신경계의 해부학적 특징 및 기능적 특성

자율신경계는 내분비계와 함께 인체 항상성을 조절하는 주요 조절체계로서 심혈관계, 호흡기계, 위장관계, 신장계, 생식계, 대사계 및 면역계를 총체적으로 조절·조정한다. 따라서 자율신경계의 작용을 변화시키는 약물들은 다양한 작용과 부작용을 일으키므로 주의해야 한다.

1) 자율신경계의 해부학적 특징

중추신경계 안에 있는 세포체에서 시작되어 시냅스 없이 골격근을 지배하는 체신경계와는 대조적으로 자율신경계는 뇌-척수 축 안에 있는 세포체에서 나온 신경절전섬유가 중추신경계 밖에 있는 자율신경절에서 신경절후섬유와 시냅스를 이룬다. 자율신경계는 해부학적 특성을 기준으로 교감신경계와 부교감신경계로 나뉜다(그림 3-28).

교감신경은 제1흉추에서 제3요추 사이에 있는 척수에

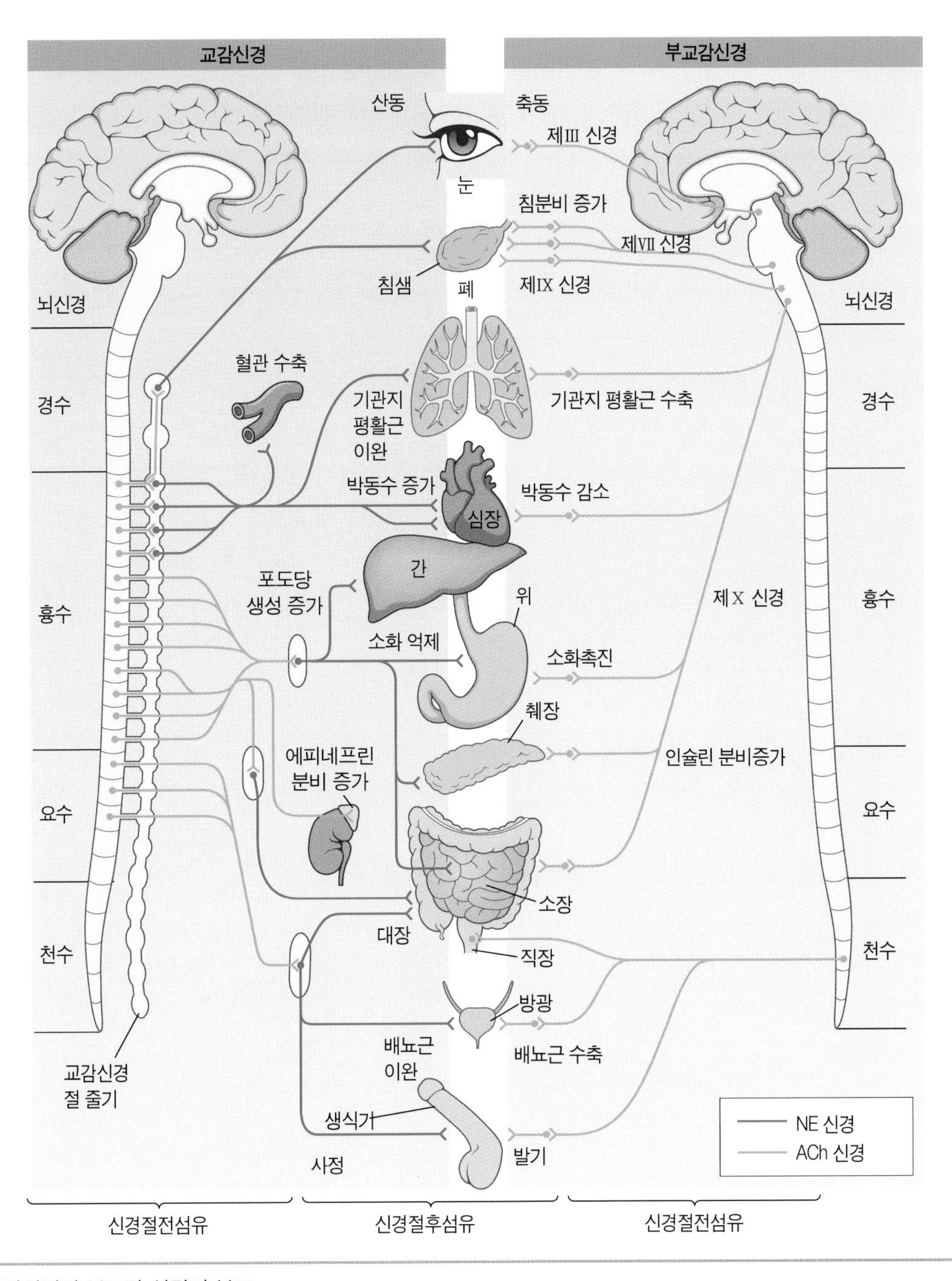

그림 3-28. 교감신경과 부교감 신경의 분포

서 나온다. 교감신경계는 하나의 신경절전 섬유가 20개 이상의 신경절후 섬유와 접합하는데, 이것은 하나의 신경절전 뉴런에서 일어난 신경충동이 다수의 신경절후 뉴런에 영향을 줄 수 있다는 것을 의미하며, 교감신경계 반응이 광범위하게 나타나는 특성을 설명한다. 또한 교감신경계를 자극하면 부신수질을 지배하는 신경절전 섬유가 활성화되어 부신수질에서 에피네프린, 노르에피네프린의 혼합물이 유리된다.

부교감신경은 동안신경(제Ⅲ뇌신경), 안면신경(제Ⅶ뇌신경), 설인신경(제Ⅸ뇌신경), 미주신경(제Ⅹ뇌신경)의 뇌간핵과 제2, 3, 4천수에서 나온다. 교감신경계와는 다르게 부교감신경계는 신경충동이 비교적 국한된 부위에 전달된다. 하나의 신경절전 섬유가 8,000개 정도의 신경절후 섬유와 접합하는 위장관의 Auerbach 신경총과 같은 예외가 있긴 하지만, 부교감신경은 신경절전 섬유와 신경절후 섬유 사이에 대부분 1:1 관계가 성립한다. 부교감신경은 비교적 긴 신경절전 섬유와 매우 짧은 신경절후 섬유를 가진다.

2) 자율신경계의 기능적 특성

심장, 기관지 평활근 및 내장 장기 등은 교감신경계와 부교감신경계가 함께 기능을 조절한다. 예를 들어 심장에서 교감신경은 심근의 수축력과 심장 박동수를 증가시키는 반면 부교감신경은 심근 수축력 및 심장 박동수를 감소시킨다. 이와는 달리 어떤 장기는 한 신경에 의해서만 주로 신경지배를 받는데 땀샘, 부신수질, 입모근(piloerector muscle), 대부분의 혈관은 교감신경계가 주로 지배한다.

교감신경계가 스트레스에 대응하여 적절한 반응을 일으키는데 관여하는 반면 부교감신경계는 주로 보호, 보존, 에너지 생성에 관여한다.

9. 교감신경 및 부교감신경의 신경전달

1) 교감신경 및 부교감신경의 신경전달물질

교감신경 및 부교감신경의 신경절전 섬유와 부교감신경의 신경절후 섬유에서 분비되는 신경전달물질은 아세틸콜린이며 대부분의 교감신경 신경절후 섬유에서 분비되는 물질은 노르에피네프린이다(그림 3-29). 최근에는 도파

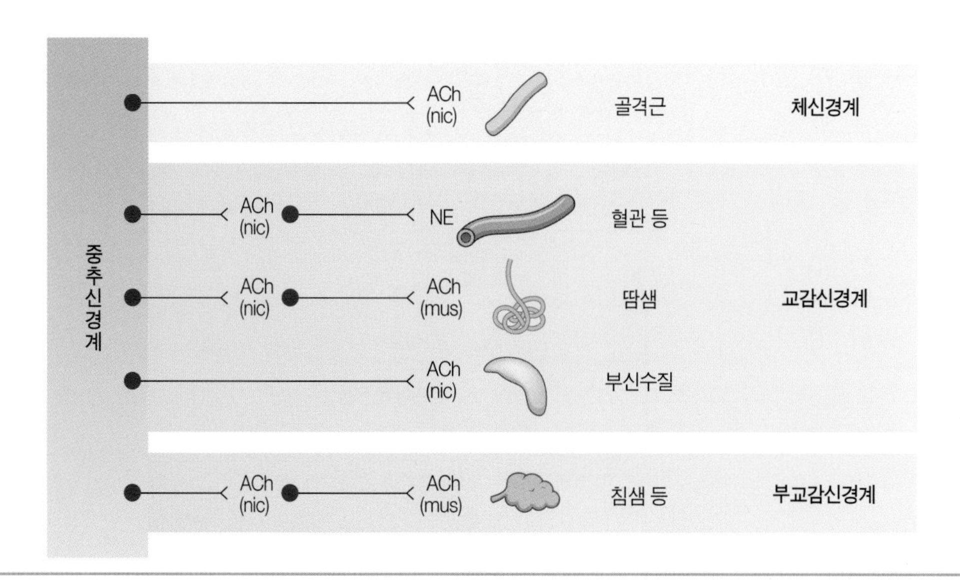

그림 3-29. 자율신경계 및 체신경계의 신경전달물질
ACh: 아세틸콜린, NE: 노르에피네프린, nic: 니코틴성, mus: 무스카린성

민이 자율신경계의 특정 부위에서 중요한 신경전달물질로 작용한다는 것이 밝혀졌으며 그 외에도 히스타민, 5-HT (세로토닌), ATP뿐 아니라 neuropeptide Y, cholecystokinin (CCK), enkephalin, substance P, calcitonin gene-related peptide (CGRP), vasoactive intestinal polypeptide (VIP) 등의 다양한 펩티드도 신경전달물질로서 역할을 한다.

2) 아드레날린 및 콜린성 수용체와 세포내 신호전달

평활근, 심장, 분비샘 등의 장기에 분포하는 교감신경 신경절후 섬유에서는 노르에피네프린이 신경전달물질로 작용하지만 이를 제외한 모든 다른 부위 즉, 자율신경계 신경절, 부신수질, 교감신경계가 지배하는 일부 조직장기, 부교감신경계가 지배하는 모든 조직 장기가 아세틸콜린을 신경전달물질로 사용하는 콜린성 신경의 지배를 받는다. 아세틸콜린 수용체의 경우 구조적으로 서로 관련 없는 두 종류 즉, 무스카린 수용체와 니코틴 수용체가 있다. 무스카린 수용체는 콜린성 신경이 지배하는 조직 장기에 위치하는데, 이 조직 장기에는 신경절후 부교감신경 접합부의 조직 장기와 몇몇 신경절후 교감신경 접합부에 있는 조직 장기(일부 땀샘과 혈관)가 포함된다. 니코틴 수용체는 모든 자율신경절의 신경절후 세포체 및 부신수질, 골격근에 존재한다. 아드레날린 수용체에는 α_1, α_2, β_1, β_2, β_3 수용체가 있다.

세포막에 있는 수용체에 신경전달물질이 결합하면 그 세포의 생리적 활동을 변화시키는 신호전달이 시작된다. 표적세포의 정확한 반응은 신경전달물질 그 자체보다는 활성화된 수용체의 종류에 의해 결정된다. 자율신경계에 작용하는 약물과 결합하는 수용체는 일반적으로 이온통로 연계 수용체와 G단백 연계 수용체의 두 가지로 분류된다.

(1) 이온통로 연계 수용체

Ionotropic 수용체로도 알려져 있는 이온통로 연계 수용체는 리간드 작동(ligand-gated) 이온통로이다. 리간드가 수용체에 결합하면 구조적인 변화가 일어나 이온통로가 열리게 되는데, 니코틴 수용체는 리간드 작동 이온통로의 예이다. 니코틴 수용체가 활성화되면 이 통로를 통해 Na^+ 이온과 Ca^{2+} 이온이 통과함으로써 세포막은 빠르게 탈분극된다. 뉴런에 있는 리간드 작동 Na^+ 이온통로의 경우 통로가 열리면 흥분성 접합후 전위가 발생한다. 그리고 리간드 작동 K^+ 이온통로와 Cl^- 이온통로의 경우에는 억제성 접합후 전위가 발생한다. 흥분성 접합후 전위는 뉴런을 활성화시키는 반면에 억제성 접합후 전위는 신경활동을 억제한다.

(2) G단백 연계 수용체

아드레날린 수용체와 무스카린 수용체는 세포신호를 전달하는 데 있어서 G단백(GTP 결합단백)에 기능적으로 의존한다. G단백은 서로 다른 세 종류의 단백질로 구성되어 있다. α 소단위는 phospholipase C 또는 adenylyl cyclase와 같은 단백질에 작용하여 그 기능을 조절하며, GTP를 가수분해하여 GDP로 전환시키는 작용도 한다. $\beta\gamma$ 소단위는 G단백을 세포막에 부착시키는 역할을 하며 α 소단위와는 다른 신호전달 특성을 갖는다.

G단백의 중간매개 작용에 의해 세포내 신호전달물질이 만들어 지는데 cAMP와 Ca^{2+}/inositol 1,4,5-trisphosphate (IP_3)가 대표적인 예이다.

3) 아드레날린성 신경전달

(1) 카테콜아민 합성

노르에피네프린은 신경말단에서 여러 효소작용에 의해 합성된다. 혈액 중의 티로신이 신경세포 내로 유입되면 세포질 내의 티로신수산화효소(tyrosine hydroxylase)에 의해 dopa로 전환되고 이는 다시 방향족L-아미노산탈탄산효소(aromatic L-amino acid decarboxylase)에 의해 도파민이 된다. 도파민은 소포 내로 섭취되어 도파민 β-수산화효소(dopamine β-hydroxylase)에 의해 노르에피네프린으로 전환된다. 티로신수산화효소는 이 과정의 속도조절(rate-limiting) 효소로서 세포질의 노르에피네프린 농도가 높아지면 티로신수산화효소의 활성을 되먹임 억제(feedback inhibition)함으로써 스스로 노르에피네프린의 생성을 조절한다. 노르에피네프린을 에피네프린으로 전환시키는 효소인 페닐에타놀아민 N-메틸전이효소(phenylethanolamine-N-methyltransferase)는 부신수질의 크롬친화성 세포에 존재하며 아드레날린성 신경 말단에는 존재하지 않는다. 따라서 아드레날린성 신경 말단에서는 노르에피네프린이 최종적으로 생성되는 반면 사람의 부신수질 크롬친화성 세포에서는 에피네프린이 80%, 노르에피네프린이 20% 정도 만들어진다.

(2) 카테콜아민 유리

세포 안에 있는 노르에피네프린의 90~95%는 과립성 소포에 저장되어 있으며 5~10%은 세포질에서 발견된다. 따라서 대부분의 노르에피네프린은 단백질 크로모그래닌, 도파민 β-수산화효소, ATP와 함께 소포 안에 존재한다. 아드레날린성 신경 말단에서 신경 충동에 의해 노르에피네프린이 유리되는 과정에는 전압의존성 칼슘통로를 통한 칼슘유입이 중요한 역할을 한다. 노르에피네프린을 함유한 소포의 세포외 유출과정(exocytosis)에 의해 노르에피네프린이 유리되면 접합부 틈새를 지난 후 수용체와 결합하여 적절한 반응을 일으킨다.

(3) 아드레날린 수용체

아드레날린 수용체에는 α 아드레날린 수용체와 β 아드레날린 수용체가 있다. α 아드레날린 수용체에는 α_1 및 α_2 수용체가 존재하는데, α_1 수용체는 주로 평활근 수축과 샘분비를 중개하고 α_2 수용체는 췌장 β세포에서 인슐린 분비를 억제하고 접합 전 신경말단에서 신경전달물질의 유리를 억제한다.

β 아드레날린 수용체의 아형에는 β_1, β_2, β_3가 있는데, β_1 수용체는 심근 수축력 및 renin 분비를 증가시키고, β_2 수용체는 평활근 이완반응과 간장 및 골격근에서 당원분해를 촉진하며, β_3 수용체는 주로 지방세포에서 지방분해를 증가시킨다.

(4) 카테콜아민의 섭취 및 대사

유리된 노르에피네프린의 제거는 주로 섭취(uptake) 과정에 의해 이루어진다. 섭취에는 신경성 섭취(섭취-1)와 신경외성 섭취(섭취-2)가 있다. 섭취-1 과정을 통해 선택적으로 노르에피네프린이 섭취되는 반면, 에피네프린은 친화성이 낮고 isoproterenol은 운반되지 않는다. 섭취-1은 코카인과 imipramine에 의해 차단된다. 섭취-2는 노르에피네프린 보다는 에피네프린 및 isoproterenol에 대한 친화성이 크다.

신경말단에서 신경전달물질은 모노아민산화효소(monoamine oxidase, MAO)의 작용에 의해 산화성 탈아민이 촉매된다. MAO는 신체 전반에 걸쳐 널리 분포하는데, 특히 간, 신장, 뇌에 많고 아드레날린성 신경 말단의 미토콘드리아 외막에 주로 존재한다. 카테콜-O-메틸전이효소(catechol-O-methyltransferase, COMT)는 다수의 조직에 널리 분포되어 있으나 신경 말단에는 거의 존재하지 않기 때문에 주로 혈중 카테콜아민 대사에 중요한 역할을 한다.

4) 콜린성 신경전달

(1) 아세틸콜린의 합성, 유리 및 대사

신경말단에서 콜린아세틸전이효소(choline acetyltransferase)가 콜린을 아세틸콜린으로 전환시킨다. 합성된 아세틸콜린은 소포에 저장된 후 신경이 자극되면 세포외 유출과정에 의해 분비되어 수용체에 결합한다. 이 수용체의 주변에는 아세틸콜린에스테라제(acetylcholinesterase, AChE)가 존재하는데 아세틸콜린은 이 효소와 결합하여 콜린과 아세트산으로 가수분해되고 이 과정에 의해 생성된 콜린은 운반체에 의해 신경말단으로 되돌아가서 아세틸콜린 형성에 다시 사용된다.

아세틸콜린은 혈액 및 조직에 존재하는 butyrylcholinesterase (pseudocholinesterase)에 의해서도 매우 빠르게 대사된다. 유전적으로 butyrylcholinesterase의 작용이 불완전한 경우 이 효소에 의해 대사되는 succinylcholine

과 같은 근육이완제에 의해 마비가 지속되기도 한다.

(2) 콜린성 수용체

콜린성 수용체는 니코틴 수용체와 무스카린 수용체로 나뉜다. 니코틴 수용체는 자율신경절의 신경절후 섬유, 부신수질의 크롬친화성 세포, 신경-근 접합부의 골격근에 위치하는데 신경절후 섬유와 부신수질의 니코틴 수용체는 N_N 수용체로 분류되고 신경-근 접합부의 골격근에서 발견되는 수용체는 N_M 수용체이다. 니코틴 수용체는 이온통로 수용체로서 4개의 서로 다른 소단위(subunit)-α, β, γ, δ로 구성되어 있다. 이 소단위들은 함께 모여 막을 통과하는 통로를 구성한다.

무스카린 수용체는 평활근, 심장, 분비샘 등에 위치한다. 분자클론연구에 의해 M_1에서 M_5로 분류되는 5개 아형의 아미노산 배열이 파악되었다. 아드레날린 수용체의 경우처럼 무스카린 수용체는 모두 세포막을 가로질러 걸쳐 있는 일곱 개의 도메인을 갖고 있다.

5) 기타 자율신경 신경전달

(1) 도파민성 전달

도파민 수용체는 주로 콩팥, 장간막혈관, 관상혈관 등에 존재하며 적은 용량의 도파민은 콩팥의 혈액 흐름과 사구체 여과, Na^+ 분비를 증가시킨다. 이런 작용 때문에 도파민 수용체 작용제는 심박출량의 감소와 관련된 쇼크가 일어날 경우에 콩팥의 기능을 유지하는 데 쓰인다. 위장관에서는 도파민이 신경전달물질로 작용한다. 도파민의 합성, 저장, 유리, 재섭취는 노르에피네프린과 같은 방식을 따른다. 도파민 수용체에는 5가지(D_1~D_5) 아형이 있는데, 전체구조가 아드레날린 수용체를 닮았고 G단백 연계 이차전달체계를 이용한다.

(2) 퓨린성 전달

척추동물의 위장관, 중추신경계의 특정 영역, 혈관계, 폐, 호흡관, 방광 등에는 퓨린성 수용체도 존재한다. 신경 말단의 소포에 저장된 ATP가 유리되어 퓨린성 P_2 수용체를 직접 활성화시키거나 ATP가 아데노신으로 분해되어 P_1 또는 아데노신 수용체를 활성화시킨다. 아데노신 수용체에는 A_1, A_2, A_3가 있는데, 모두 Gαs나 Gαi에 연결되어 있다. P_2 수용체에는 2가지 중요한 그룹이 있다(P_{2X}와 P_{2Y}). P_{2X} 는 리간드 작동 이온통로와 연결되어 있고 P_{2Y} 는 G단백 연계 수용체다.

(3) 펩티드 전달과 신경전달물질의 공동분비

어떤 뉴런은 한 가지 이상의 신경전달물질을 분비하며, ATP와 노르에피네프린이 그 예이다. 이 두 가지 물질은 같은 소포에 저장되어 있기 때문에 함께 분비된다. 두 가지 이상의 신경전달물질이 각각 다른 곳에 저장되어 있다가 공동으로 분비될 수도 있다. 다양한 종류의 펩티드가 전형적인 자율신경계 신경전달물질과 한 소포에 같이 저장되어 있거나 다른 소포에 따로 저장되어 공동분비된다.

예를 들어, 고양이의 턱밑샘에 있는 콜린성 신경에서는 vasoactive intestinal peptide (VIP)가 분비된다. 이것은 아세틸콜린과 수용체의 결합을 증진시켜 아세틸콜린이 유도하는 침 분비를 강화하는 신경전달물질 작용을 나타낸다. 이와 유사하게 neuropeptide Y는 노르에피네프린의 작용을 강화할 뿐만 아니라 혈관계에 직접 작용해서 혈관 수축을 증진시킨다.

6) 자율신경기능의 중앙통제

중추신경계는 자율신경계 조절에 있어서 중요한 역할을 담당한다. 척수와 뇌간은 혈압조절반사중추이고 시상하부, 대뇌변연계(limbic system), 대뇌 피질은 행동, 생식, 정신상태 등 매우 복잡한 자율신경반응을 통합한다. 자율신경계는 혈압, 호흡, 배뇨, 땀흘림 등을 시상하부를 통해 조절하며 변연계에서 혈압, 생식행동 및 다른 특징적인 자율신경계 자극 반응의 변화를 일으킨다고 알려졌다. 소뇌와 대뇌피질 역시 자율신경계 활동 양상에 영향은 주지만 시상하부보다는 덜 중요하다.

10. 아드레날린성 약물

아드레날린성 작용을 나타내는 약물은 아드레날린 수용체에 직접 결합하여 작용을 나타내는 직접작용 아드레날린성 약물과 교감신경 말단에서 노르에피네프린을 유리시킴으로써 작용을 나타내는 간접작용 약물이 있다. 혼합작용 아드레날린성 작용제는 직접 작용기전과 간접 작용기전을 모두 갖는다.

1) 직접작용 아드레날린성 약물

(1) 노르에피네프린 및 에피네프린

① 혈관작용

에피네프린은 혈관의 α와 β_2 아드레날린 수용체에 모두 작용하지만 1분당 0.2 μg/kg 이상의 속도로 정맥 주입하면 α 수용체를 매개로 하는 혈관 수축반응이 뚜렷하게 나타나고, 1분에 0.1 μg/kg 이하로 정맥 주입하면 β_2 수용체에 의한 혈관 확장반응이 뚜렷해진다. 노르에피네린은 β_2 수용체를 자극하지 않기 때문에 노르에피네프린을 정맥 주입하면 α 수용체가 자극되어 수축기와 확장기 혈압이 상승하고 압수용기 반사가 활성화되어 반사 서맥(reflex bradycardia)이 나타난다.

② 심장에 대한 작용

노르에피네프린과 에피네프린은 심근에 존재하는 β_1 수용체를 자극한다. β_1 수용체가 자극되면 수축강도가 증가될 뿐 아니라 수축기 간격도 짧아진다. 또한 전도조직을 통한 자극 전도시간도 단축되며 심박수가 증가하고, 자동능이 증진된다.

β_1 수용체를 자극하면 심박출량이 증가하므로 심근의 산소 소비량도 따라서 증가하며 심장효율은 감소한다.

③ 평활근에 대한 작용

위 및 장관 벽의 평활근에는 β_2 수용체가 분포하는데 β_2 수용체가 활성화되면 평활근은 이완된다. 괄약근의 경우에는 주로 α_1 수용체가 분포하며 아드레날린성 작용제가 결합하면 괄약근이 수축된다. 방광에서도 괄약근과 삼각근은 α_1 수용체 자극에 의해 수축하고 배뇨근은 β_2 수용체 자극으로 이완되어 요배출이 억제된다. 자궁의 반응은 일반적으로 α_1 수용체가 활성화되면 수축되고, β_2 수용체가 활성화되면 이완된다.

기관지의 β_2 수용체는 기관지 확장에 관여한다. α_1 수용체 자극으로 피부의 털운동근(pilomotor muscles)은 수축되어 털이 곤두서는 현상이 일어나고 홍채의 방사상 근육은 수축되어 산동(mydriasis) 현상이 일어난다.

④ 침샘에 대한 작용

에피네프린과 노르에피네프린은 침샘세포에 있는 아드레날린 수용체를 활성화시킴으로써 침분비에 영향을 준다. 침샘세포의 α_1 수용체가 자극되면 물과 전해질의 분비가 증가되는데, 이것은 무스카린 수용체의 작용과 질적으로 유사하다. β 수용체가 자극되면 아밀라제 등의 단백질 유출이 촉진된다. 결론적으로 에피네프린과 노르에피네프린은 침샘에서 고농도의 단백질이 들어있는 분비물을 적당히 분비시킨다.

⑤ 신진대사 반응

간에서 β_2 수용체가 자극되면 당원분해(glycogenolysis)가 촉진되어 혈중 혈당 농도가 증가된다. 췌장에서는 α_2 수용체에 의해 인슐린 분비가 억제되어 혈당이 증가한다. β_3 수용체 자극에 의해서 중성지방이 가수분해되어 자유 지방산의 농도가 증가하게 된다.

⑥ 중추신경계에 대한 작용

카테콜아민은 중추신경계에서의 신경전달과정에 광범위하게 관련되어 있으나 말초에서 투여된 카테콜아민은 혈액-뇌 장벽을 통과하지 못하기 때문에 중추신경계로 거의 들어가지 못한다. 그러나 에피네프린을 정맥주사하면 불안, 신경과민 등과 같이 중추신경에 대한 다양한 작용이 나타나는데, 대부분의 이런 증상은 말초에서 뇌로 들어가는 감각입력의 결과 간접적으로 나타나는 것으로 생각된다.

(2) α 수용체 작용제

① α_1 수용체 작용제

Phenylephrine과 methoxamine은 선택적으로 α_1 수용체에 결합한다. 이 약물들은 혈관 평활근을 수축시켜 수축기와 확장기 혈압을 상승시키고 반사서맥 현상을 일으킨다. Phenylephrine과 methoxamine은 중추신경계에 직접 작용하지는 않는다.

② α_2 수용체 작용제

Clonidine, guanabenz, guanfacine은 중추신경계의 α_2 수용체를 자극하여 혈압을 강하시키지만 말초작용은 비교적 약하게 나타낸다. Clonidine은 아편유사약물을 중단할 때 나타나는 메스꺼움, 구토, 땀흘림, 설사, 교감신경 활성 증가로 인한 증상 등의 금단증상을 억제할 목적으로도 사용된다.

(3) β 수용체 작용제

① 비선택적 β 수용체 작용제

합성 카테콜아민인 isoproterenol은 β 수용체에 대한 강력한 작용제이다. 이것은 β_1, β_2, β_3 수용체에 모두 작용하지만, α 수용체와의 친화성은 매우 낮다.

- 심혈관에 대한 작용: Isoproterenol은 오직 β 수용체에만 작용한다. Isoproterenol은 뚜렷한 확장기 혈압강하를 일으키는데 이는 주로 골격근에 분포하는 혈관 및 신장과 장간막 혈관의 확장으로 인해 일어난다. 수축기 혈압상승도 일어나는데, 이것은 주로 β_1 수용체의 수축 자극으로 인해 심박출량이 증가하기 때문에 생긴다. 수축기 혈압이 약간 오르고 확장기 혈압이 내려가면 평균동맥 혈압은 적절하게 유지된다. 박동조율기세포에 있는 β_1 수용체가 자극되기 때문에 심박수는 증가한다. Isoproterenol은 심장에서 흥분성과 전도속도를 증가시키기 때문에 두근거림(palpitation)과 부정맥 현상이 나타날 수 있다. 강력한 수축력 증가와 박동수 증가 작용은 심근의 산소 요구량을 증가시켜 허혈을 일으킬 수도 있다.
- 기관지 평활근에 대한 작용: Isoproterenol은 β_2 수용체 작용제로 작용하여 기관지 평활근을 이완시킨다. 그러나 기관지 확장을 위해 isoproterenol을 임상에 이용하는 데는 제한이 따른다. 그 이유는 β_1 수용체에 대한 작용으로 인해 빈맥, 두근거림, 부정맥이 나타나고 내성이 증가하기 때문이다. β_2 수용체에만 선택적으로 작용하는 작용제들이 개발되어 기관지 확장에 사용된다. 그러나 비록 β_2 수용체에 선택적으로 작용하는 약물들이 isoproterenol에 비해 심장에 미치는 영향이 약하지만 여전히 심장을 흥분시키고 부정맥을 일으킬 수 있으므로 주의해야 한다.
- 대사작용과 기타작용: Isoproterenol도 간에서 당원분해와 포도당신생성(gluconeogenesis)을 일으키지만 에피네프린 만큼 혈장 포도당 농도를 높이지는 못한다. Isoproterenol은 아밀라아제와 기타 단백질이 풍부하게 들어있는 침분비를 자극한다.

② 선택적 β_1 수용체 작용제

Dobutamine은 β_1 수용체를 자극한다. Dobutamine에 의해 일차적으로 심근수축력과 심박출량은 증가되지만 심박수는 크게 증가되지 않는다. 말초혈관저항은 거의 변화가 없다. Dobutamine은 심장부전 또는 심장수술의 결과로 생기는 급성 심근부전(myocardial insufficiency)의 단기 치료제로 쓰인다.

③ 선택적 β_2 수용체 작용제

Metaproterenol, terbutaline, albuterol, isoetharine, bitolterol, pirbuterol, salmeterol은 β_2 수용체를 선택적으로 흥분시키는 작용제로 기도저항을 줄이는 데 효과적이며, 심장촉진과 같은 유해작용을 isoproterenol보다 덜 일으킨다. Ritodrine은 자궁이완제로 이용된다.

2) 간접작용 아드레날린성 약물

간접작용 아드레날린성 약물은 아드레날린성 신경말단으로부터 노르에피네프린을 유리시켜서 그 작용을 나타낸다. 따라서 간접작용약물의 약리효과는 노르에피네프린과 유사하다. 그러나 노프에피네프린과는 대조적으로 간접작용약물은 일반적으로 빠르게 불활성화되지 않으며 경구로 투여해도 효과를 나타낸다. 또한 많은 간접작용약물이 노르에피네프린과는 달리 중추신경계에 들어가 작용을 일으킬 수 있다.

에페드린은 경구투여할 때 효과가 잘 나타나는 간접작용약물의 한 예다. 이 약물은 노르에피네프린을 유리시킬 뿐만 아니라 α와 β 수용체에 직접 작용한다. 그러므로 에페드린은 기관지 확장, 혈관수축, 심박수 증가 등을 일으키고 중추신경계도 적절히 자극한다. 암페타민은 지질 친화성이 커서 뇌로 쉽게 들어가 중추신경계에서 카테콜아민 분비를 자극하는 순수한 간접작용 약물이다. 이것은 강력한 중추신경계 자극물질로 각성, 피로 제거, 운동수행능력 향상, 도취감 등의 작용을 일으킨다.

간접작용 아드레날린성 약물을 반복해서 투여했을 때 나타나는 공통적 현상이 반응급강현상(tachyphylaxis)이다. 간접작용 아드레날린성 약물을 반복 투여하면 신경전달물질이 고갈되어서 신경자극에 대한 반응이 줄어들거나 아예 없어질 수도 있다. 간접작용 아드레날린성 약물을 MAO 억제약물과 함께 투여하면 카테콜아민이 과도하게 분비되어서 심각한 결과를 초래할 수 있다. Tyramine과 같은 간접작용 약물은 일부 음식이나 음료수에서 자연적으로 만들어지기 때문에 MAO 억제약물을 복용하는 환자들이 이와 같은 tyramine이 들어 있는 음식을 먹게 되면 굉장히 위험해 질 수 있다.

3) 흡수, 대사 및 배설

아드레날린성 작용제의 투여 경로는 그 약물의 화학구조에 따라 다르다. 카테콜아민은 위장관에서 효소작용에 의해 파괴되므로 주로 주사 방법으로 투여되나, 눈에는 국소 점안하고 호흡 관련 장기에는 흡입하는 방식으로 투여되기도 한다.

카테콜아민의 대사 및 제거는 여러 단계의 과정을 거치게 된다. 뉴런에서 유리된 아드레날린성 신경전달물질의 대부분은 능동적 섭취과정에 의해 신경말단으로 되돌아가지만 일부는 접합 후 조직장기 세포에 의해 섭취된 후 COMT에 의해 O-메틸화된 후 간으로 운반되어 MAO에 의해 탈아민화된다.

신경말단으로 재섭취된 노르에피네프린 중 대부분은 저장 소포로 들어가서 신경자극이 오면 다시 유리되지만, 일부는 미토콘드리아 외막에 있는 MAO에 의해 탈아민화되어 3,4-dihydroxyphenylglycoaldehyde (DOPGAL)로 전환된다. 대부분의 알데히드는 산으로 바뀌고 나머지는 글리콜로 바뀐다. 생성된 두 가지 대사산물은 순환계로 들어가서 COMT에 의해 O-메틸화된다. MAO와 COMT의 작용을 함께 받은 결과 생겨난 노르에피네프린의 주요 대사산물은 vanillylmandelic acid (VMA)와 3-methoxy-4-hydroxyphenylethyleneglycol (MOPEG)이다.

에피네프린과 주사로 주입된 카테콜아민의 대사는 신체 전반에 걸쳐 널리 분포하는 COMT에 크게 의존한다.

4) 일반적인 치료용도

(1) 국소 혈관수축

코의 충혈 증상을 일시적으로 완화시키기 위해 아드레날린성 작용제가 유용하게 사용된다. Phenylephrine, pseudoephedrine, oxymetazoline 등과 같은 약물은 중추신경계를 크게 자극하지는 않으면서 효과를 나타낸다.

Naphazoline이나 tetrahydrozoline과 같은 충혈제거제는 확장된 결막 혈관을 수축시키거나 충혈된 눈의 가려움을 제거하는 데 사용되기도 한다.

아드레날린성 작용제는 혈관을 수축시켜 출혈을 억제할 목적으로, 또는 국소마취 작용을 증진시키기 위해서 사용된다. 국소마취제와 함께, 혹은 단독으로 투여되는 아드레날린성 작용제는 특정 상황에서 수술 부위의 시야를 확보해 준다. 하지만 이러한 혈관수축 작용은 일시적이므로 외과적인 출혈을 조절하기 위해 사용해서는 안된다. Halothane과 같은 흡입마취제를 사용하여 전신마취를 하는 경우 아드레날린성 작용제를 투여하면 부정맥을 일으킬 수 있으므로 조심해야 한다. 손가락, 발가락,

귀, 성기 등에 혈관수축제를 주사하는 경우 조직괴사가 유발된다고 알려져 있는데, 최근의 연구에 의하면 손가락의 국소마취를 위해 에피네프린과 리도케인을 같이 투여해도 어떤 유해작용이나 후유증이 일어나지 않았다는 보고도 있다.

(2) 저혈압과 쇼크 치료

쇼크는 부적절한 조직관류에 의해 생기는 현상이다. 만약 쇼크의 원인이 혈액이나 체액손실이라면 혈액이나 다른 정맥내 용액을 투입해서 손실을 보충하고 아드레날린성 작용제를 사용하여 혈압을 상승시킨다.

α 수용체 작용제는 혈관을 수축시켜서 혈압을 높이는 데 유용하게 사용되지만 신장이나 장간막 장기로 가는 혈류를 줄일 수도 있기 때문에 저혈압과 관련된 쇼크를 치료하는 데는 주의를 해야 한다.

일반적으로 급성 심근경색이 원인인 심인성 쇼크를 치료하는 경우 β_1 수용체의 작용제가 유용하게 사용되나 심근의 산소 요구량도 따라서 증가하므로 주의해야 한다. 빈맥을 일으키는 isoproterenol과 같은 약물은 심근허혈을 더 악화시키고 부정맥 유발 가능성이 커진다. 따라서 심인성 쇼크의 초기 치료에는 도파민이 자주 사용되는데, 그 이유는 도파민이 전형적인 β 수용체의 작용제보다 혈관 확장을 덜 일으키고 도파민 수용체를 자극하여 콩팥과 장간막의 관류를 개선시킬 수 있기 때문이다. 심박수의 증가 없이 심근 수축력을 증가시킬 수 있는 능력은 도파민의 또 다른 장점이다. 도파민은 감염성 쇼크를 치료하는 데도 사용된다.

(3) 기관지 확장

급·만성 폐쇄성 폐 질환에 의한 호흡 곤란 증상을 호전시키는데 아드레날린성 작용제가 중요한 역할을 해 왔다. 에피네프린이나 isoproterenol을 호흡기로 투여하면 수축된 기도가 즉각적으로 확장된다. 그러나 이들 약물에 의해 β_1 수용체가 자극되면 빈맥과 부정맥이 동반될 수 있기 때문에 사용이 제한된다.

현재 기관지연축 질환을 치료하는 데 가장 효과적으로 사용되는 아드레날린성 작용제는 isoetharine, metaproterenol, terbutaline, albuterol, bitolterol, pirbuterol, salmeterol, formoterol 등과 같이 선택적으로 β_2 수용체에 작용하는 약물들이다. Salmeterol과 formoterol은 24시간 동안 작용시간이 유지되므로 기관지 수축을 예방하는 데 적절하다.

(4) 자궁이완

β_2 수용체에 선택적으로 작용하는 작용제 중 ritodrine이 자궁을 이완시키는 작용에 거의 독점적으로 사용된다. 그 밖에 terbutaline과 β_2 수용체에 선택적으로 작용하는 다른 작용제도 사용되지만 상대적으로 유용성이 낮다.

(5) 안과 응용

아드레날린성 작용제를 눈에 투여했을 때 나타나는 두 가지 중요한 적응증은 산동(mydriasis)과 안압 감소이다. 아트로핀과 같은 무스카린 수용체 길항제가 더 강력한 동공확장 작용을 일으키지만, 아드레날린성 작용제는 모양체근마비(cycloplegia)를 유발하지 않고 산동을 일으키기 때문에 유용하게 사용된다. 만약 더 강력하게 산동을 유발하려면 무스카린 수용체를 억제하는 약물과 아드레날린성 약물을 같이 사용한다. Phenylephrine과 hydroxyamphetamine이 산동을 일으키는 데 주로 사용된다.

아드레날린성 작용제가 안압을 낮추는 기전은 잘 알려져 있지 않다. 하지만 몇몇 작용제는 방수(aqueous humor)의 생성을 줄이거나 눈으로부터 방수의 유출을 증가시켜서 광우각 녹내장(wide-angle glaucoma) 치료에 효과를 나타낸다. 이러한 약물에는 비선택적 아드레날린성 약물인 에피네프린과 dipivefrin, α_2 수용체에 선택적으로 작용하는 작용제인 apraclonidine과 brimonidine 등이 있다.

(6) 알레르기 치료

아드레날린성 작용제, 특히 에피네프린이 알레르기 치료에 유용하게 사용된다. 항히스타민제와 달리 아드레날린성 작용제는 생리적 길항제로서 히스타민 및 알레르기와 연관된 autacoids에 의해 일어나는 급성 작용을 진정시킨다. 두드러기(urticaria) 같은 급성 알레르기 반응의 경우 1:1,000 에피네프린 용액 0.3~0.5 ml를 피하주사한다. 아나필락시스성 쇼크의 경우에는 1:1,000 에피네프린 0.4~0.6 ml를 근육 내 주사하거나 1:10,000 에피네프린을 천천히 정맥투여하는 것이 빠른 흡수를 위한 방법이 될 수 있다. 에피네프린을 정맥투여하면 심각한 심장 부정맥과 심실세동(ventricular fibrillation)이 유발될 수 있으므로 주의해야 한다. 에피네프린은 빠르게 대사되기 때문에 5~15분 간격으로 주사한다. 피하주사로 에피네프린을 투여하면 가장 긴 작용시간을 얻게 되고, 정맥주사하면 작용시간이 가장 짧다.

(7) 중추신경계 자극

혈액-뇌 장벽을 통과하는 교감신경 유사약물로는 에페드린, 암페타민, mephentermine, methylphenidate 등이 있다. 암페타민 유사약물의 경우 부작용이 심하고 과거에 많이 남용되었기 때문에 사용이 엄격히 제한되고 있다.

암페타민 유사약물은 주로 집중력결여-과다운동장애 아동을 치료하는 데 사용된다. 집중력결여-과다운동장애를 치료하는 약물로 methylphenidate가 빈번하게 사용되어 왔으나 작용시간이 비교적 짧은 단점이 있어 최근에는 작용시간을 증가시킨 methylphenidate의 제형과, dextroamphetamine을 병용해서 쓰는 방법을 사용하기도 한다.

암페타민 및 일부 암페타민 유사약물은 식욕감퇴를 일으킨다. 그러나 체중 감소를 위해 이들 약물을 사용하는 것은 다양한 유해작용과 높은 남용 가능성으로 인해 많은 국가에서 사용이 금지되었다.

MAO억제제를 복용하는 환자, 심부정맥, 갑상선기능항진증(thyrotoxicosis), 기타 심각한 심혈관 질환을 앓고 있는 환자의 경우 이 약물은 절대로 사용하면 안 된다.

(8) 고혈압 치료

중추신경계의 α_2 수용체에 선택적으로 작용하는 clonidine, guanabenz, guanfacine, methyldopa는 고혈압 치료에 이용되고 있다. 이들은 심혈관계에 있는 자율신경 조절과 관련된 중추의 α_2 수용체에 작용한다. 뇌에 있는 억제성 뉴런이 활성화되면 중추신경계로부터 교감신경흥분 유출이 억제되고, 증가된 미주신경의 긴장과 감소된 교감신경의 긴장을 통해 심박출량이 감소되고 말초혈관이 확장된다.

5) 치과에서 치료용도

혈관수축제를 국소마취제와 혼합하여 사용하는데 그 장점은 첫째, 혈관수축제는 국소마취제의 작용시간을 연장시키고 둘째, 국소마취제의 흡수를 지체시킴으로써 전신 독성을 최소화할 수 있으며 셋째, 마취용액이 침윤되면 혈관수축제는 수술과정과 연관된 출혈을 줄인다. 치과에서 가장 많이 이용되는 혈관수축제는 ℓ-에피네프린으로서 1:100,000 에피네프린을 주로 사용한다. 치주조직 수술과 같은 외과 수술과정에서 국소조직을 지혈해야 할 때 최대 1:50,000 에피네프린을 포함하는 국소마취 용액을 사용할 수 있으나 1:50,000 에피네프린을 2% 리도케인과 섞어서 반복적으로 주사하면 조직괴사가 생길 수도 있다.

구강 안으로 주사된 후 혈관수축제가 흡수되어 전신 독작용을 유발할 수 있다. 치과에서 사용되는 아주 적은 양의 혈관수축제도 혈중 카테콜아민 농도를 상당히 상승시키고 심장기능에 영향을 미칠 수 있다. 따라서 혈관수축제가 포함된 국소마취제를 사용할 경우 수술과정이 짧아지고 통증이 감소될 것이라는 확신이 있을 경우에만 사용해야 하며, 최소한의 양만 주입해야 하고, 혈관 안으로 주입되지 않도록 각별히 주의해야 한다. 필요에 따라 혈관수축제가 포함되지 않은 국소마취제(3% mepivacaine)를 사용할 수도 있다.

치아수술 과정에서나 인상을 채득할 때 에피네프린을 적신 실(cotton cord; 1 inch당 최대 1.0 mg의 에피네프린 포함)을 사용하기도 하는데 이 경우 심혈관 질환을 앓고 있는 환자에서뿐만 아니라 질환을 갖고 있지 않는 정상적인 환자에게도 영향을 미친다. 전신적인 흡수가 일어나면 불안, 혈압상승, 심박수 증가, 부정맥 등이 유발될 수 있다. 심혈관 질환이 있는 환자 또는 아드레날린성 작용제의 작용을 증진시키는 치료를 받는 환자의 경우 심각한 상황을 일으킬 수도 있다.

6) 유해작용

아드레날린성 작용제의 거의 모든 유해작용은 용량과 관련되어 있다. 독성반응은 과용량 투여, 의도하지 않은 혈관내 주사, 약물 섭취(uptake)의 차단, 민감성 혹은 아드레날린 수용체의 증가, 또는 이미 심혈관 질환을 갖고 있는 경우에 생길 수 있다. 비교적 적은 양의 에피네프린이라도 극도로 민감한 환자에겐 사망을 야기할 수 있다. 일반적으로 에피네프린을 0.5 mg 이상 투여하면 심각한 유해작용이 생길 수 있다고 예상되며, 4 mg 이상 투여하면 사망에 이를 수 있다. 치과영역에서는 국소마취제와 함께 사용된 혈관수축제 때문에 일어난 유해작용이 보고된 사례는 극히 드물다.

에피네프린의 독성 작용 중 가장 심각한 것은 심근 허혈, 심장마비, 심실세동을 포함하는 부정맥이다. 갑상선기능항진증 또는 협심증의 병력을 가진 환자들은 특히 더 민감하다. 만약에 propranolol과 같은 비선택적 β 수용체 길항제를 투여받고 있는 환자에게 에피네프린을 주사하면 α 수용체 자극에 의해 과도한 혈관수축이 일어날 수도 있다. 또한 손가락과 발가락같이 허혈이 잘 발생하는 부위에 혈관수축제가 주사되면 국소조직 괴사가 생길 수도 있다.

α_2 수용체에 작용하는 항고혈압 약물이 일으키는 가장 공통적인 유해작용은 현기증, 졸음, 구강건조증이다. 구강건조증은 clonidine과 guanabenz를 사용했을 때 가장 심하게 나타난다. 변비, 성기능장애, 중추신경계장애, 서맥, 심각한 저혈압 증상도 보고되었다. 이들 약물의 투여를 갑자기 중단하는 경우 심각한 반동성 고혈압이 발생한다.

11. 항아드레날린성 약물

1) 비선택적 α 수용체 길항제

비선택적 α 수용체 길항제로는 phentolamine과 phenoxybenzamine이 있다.

Phentolamine은 α_1과 α_2 수용체 모두를 경쟁적으로 봉쇄하는 길항제이다. Phentolamine은 마취 중에 발생하는 급성 고혈압을 조절하는 데 사용되고, 갈색세포종(pheochromocytoma) 환자의 수술 중 관리에 사용되어 왔다. 또한 이 약물은 clonidine 투여를 중단하면 나타나는 탐닉증상과 MAO 억제제와 교감신경 유사아민이 상호작용한 결과 나타나는 심각한 고혈압 상황을 치료하는 데도 사용된다.

Phenoxybenzamine은 α_1과 α_2 수용체를 봉쇄하는 강력한 비경쟁적 길항제다. Phenoxybenzamine은 처음에는 수용체와 가역적으로 결합하지만 시간이 흐름에 따라 화학적 반응을 거쳐 수용체와 공유결합을 한다. Phenoxybenzamine은 갈색세포종 환자의 장기치료에 쓰이는데, 수술 전 준비과정이나 수술하기가 곤란하다고 판정 내려진 환자에게 사용된다. 드문 경우이긴 하나 전립선비대증이 원인이 되어 발생하는 폐색이나 방광의 운동마비증세를 지닌 환자의 방광 괄약근을 이완시키는 데도 사용된다.

Phenoxybenzamine은 심장흥분성 증가, 심장수축 증가, 심장박동수 증가, 심박출량의 증가 등을 일으키고 정맥에 대한 조절이 상실되어 기립성저혈압이 일어나기도 한다. 빈맥, 어지러움, 두통, 실신 등도 전형적인 유해작용이며 보상되지 않은 부교감 신경 작용에 의해 복부통증과 설사 증세도 나타난다. 또한 사정억제 현상도 일어나기 때문에 특히 남자환자들의 경우 이 약에 적응하기가 결코 쉽지 않다.

2) 선택적 α_1 수용체 길항제

α_1 수용체 길항제로 prazosin, terazosin, doxazosin 등이 있다. Prazosin은 혈관 평활근에 있는 α_1 수용체를 봉쇄하여 세동맥과 정맥을 확장시켜 혈압을 낮춘다. 동맥 평활근의 α_1 수용체를 봉쇄하면 말초혈관 저항이 감소되며, 정맥에 있는 α_1 수용체를 봉쇄하면 심장의 전부하(preload)를 감소시킨다. 비선택적 α_1 수용체 길항제와 비교하면 prazosin을 투여했을 때 빈맥 발생 및 심박출량 증

가가 덜 유발된다.

(1) 치료용도

Prazosin, terazosin, doxazosin은 고혈압을 치료할 때 단일치료 요법으로 사용된다. 이들 약물은 전부하와 후부하를 감소시키므로 심장부전의 증상을 완화시키기는 하지만, 심장부전 환자의 생존율을 증가시키지는 못한다. 이들 약물은 요도에 가해지는 압력을 낮추고 배뇨 흐름을 향상시키므로 양성 전립선비대증을 치료하는 데도 효과적이다.

(2) 유해작용

Prazosin 등과 같은 α_1 수용체 길항제는 최초 투여 후 30~90분 내에 기립성 저혈압과 실신이 특징적으로 나타나는 최초투약효과를 일으킬 수 있다. 그러므로 prazosin을 투여하는 경우 처음 투여할 때는 소량을 복용하고 용량을 조금씩 증가시킨다. Prazosin을 복용하면 체액 정체와 부종 현상이 일어날 수 있으므로 이뇨제와 함께 투여하는 것이 유리할 수 있다. 다른 유해작용으로는 구강건조, 현기증, 두통, 코막힘 및 피로 등이 있다.

3) β 수용체 길항제

Propranolol은 β_1 및 β_2 수용체에 대한 경쟁적 길항제로서 비선택적 β 수용체 길항제라고도 불린다. Metoprolol, atenolol, acebutolol, esmolol 등은 β_1 수용체를 선택적으로 봉쇄하는 약물로서, β_2 수용체를 봉쇄했을 때 나타나는 유해작용을 잘 일으키지 않는 장점이 있다. 현재 비선택적 β 수용체 길항제와 선택적 β_1 수용체 길항제가 모두 임상에서 사용되고 있다.

(1) 약리효과

① 심혈관계에 대한 작용

사람의 심근에 있는 주요 조절 β 수용체는 β_1 수용체다. Propranolol에 의해 심장 박동이 억제되고(negative chronotropic) 전도가 느려지며 자발성이 감소한다. 이런 작용으로 인해 β 수용체 길항제는 항부정맥 효능을 나타낸다. 수축력도 감소되어(negative inotropic) 심박출량이 감소된다. 수축력 감소와 심장 박동 억제 작용은 심장의 산소 소모량을 줄이고 허혈성 심장질환을 치료하는 데 β 수용체 길항제가 유용하게 작용하는 근거가 된다. β 수용체 길항제의 작용은 교감신경 작용이 활발할 때 뚜렷하게 나타난다.

β 수용체를 봉쇄하는 약물은 고혈압 환자의 혈압을 낮추는 데 강력한 효과를 발휘한다. Propranolol은 기립성 저혈압을 일으키지 않고 누운 자세나 서 있는 자세에서 모두 똑같이 혈압을 낮춘다. Propranolol을 환자에게 처음 투여하면 심박출량은 감소하고 말초혈관의 저항은 증가한다. 말초혈관의 저항이 증가하는 현상은 혈관에 존재하는 β_2 수용체가 봉쇄되거나 교감신경 긴장도가 압수용기를 매개로 해서 증가하기 때문에 일어난다. 하지만 propranolol을 계속 복용하면 말초혈관 저항은 감소한다. Propranolol은 레닌 분비에 관련된 콩팥의 β_1 수용체를 봉쇄하여 혈중 레닌 농도를 낮춘다. 혈장의 레닌 작용이 감소하면 결국에는 안지오텐신Ⅱ 농도가 감소하여 알도스테론 분비가 줄어든다. 혈압 강하에 영향을 미치는 다른 기전에는 심박수, 심박출량, 중추신경계에서 교감신경 유출 감소와 압수용기 반응 변화 등이 포함된다.

② 평활근에 대한 작용

Propranolol 및 기타 비선택적 β 수용체 봉쇄약물은 천식이나, 급성 기관지염, 폐기종(emphysema)과 같은 기관지 연축질환을 앓고 있는 환자에게는 투여해서는 안 된다.

③ 신진대사 작용

Propranolol은 간과 골격근에서 당원분해를 일으키는 데 관여하는 β_2 수용체를 봉쇄한다. 이런 작용으로 인해 저혈당증이 생길 수도 있지만, 당뇨병에 걸리지 않은 사람에서 일어날 확률은 극히 낮다.

④ 눈에 대한 작용

β 수용체 길항제는 방수 생성을 감소시켜서 안압을 낮

춘다. 따라서 이 약물은 녹내장을 치료하는 데 효과적으로 사용된다.

⑤ 중추신경계에 대한 작용

β 수용체 길항제는 편두통, 불안과 연관된 떨림(tremor) 등에 사용될 수 있다.

(2) 치료용도

① 고혈압

β 수용체 길항제는 고혈압 치료에 중요하게 사용되는 효과적이면서 안전한 약물이다. β 수용체 길항제는 고혈압을 조절하기 위해 단독으로 사용되거나, 이뇨제 등과 함께 쓰여 더 강력한 혈압하강 작용을 나타낸다. 중성지방의 농도와 포도당 대사에 미치는 β 수용체 길항제의 작용 때문에 고지혈증(hyperlipidemia) 환자와 당뇨병 환자의 경우 그 사용이 제한될 수 있다.

② 허혈성 심장 질환

β 수용체 길항제는 죽상경화(atherosclerotic) 관상동맥 질환과 관련된 협심증을 억제하는 데 널리 이용된다. 심근의 산소 소비를 결정하는 두 가지 주요 인자인 수축력과 박동수가 β 수용체 길항제에 의해 줄어들기 때문에 심장 허혈과 이와 관련된 협심증이 감소된다.

③ 심근 경색증 발생 후 이용

심장 활동과 심근의 산소 소비에 유리하게 작용하기 때문에 β 수용체 길항제는 심근 경색이 일어난 후에 쓰인다. 이 약물은 다시 경색이 일어날 가능성과 그 고통을 줄인다. β 수용체 길항제의 항부정맥 작용도 심근경색 발생 후의 사망률을 줄이는 데 기여한다.

④ 심장부전

β 수용체 길항제는 심장부전의 질병률과 사망률을 감소시킨다. 이 약물은 여러 단계에서 작용하여 교감신경계의 심부전 증상에 대한 작용을 억제한다. 레닌의 분비가 억제되어서 안지오텐신Ⅱ의 혈중농도가 떨어진다. 안지오텐신Ⅱ는 말초혈관 저항을 증대시킬 뿐만 아니라 Na^+와 수분의 저류 현상을 촉진하고 심장의 비대성장을 유발하므로 β 수용체 길항제에 의한 안지오텐신Ⅱ의 생성 억제는 심장부전의 질병률과 사망률 감소의 중요한 요인이다. Bisoprolol, carvedilol, metoprolol 등이 심장부전에 주로 사용된다.

⑤ 부정맥 치료

β 수용체 길항제는 다양한 심실상부 부정맥을 치료하는 데 사용된다.

⑥ 기타 이용

β 수용체 길항제는 갈색세포종, 갑상선항진증, 편두통 예방, 녹내장, 비후성 판막하대동맥협착증(hypertrophic subaortic stenosis)에 사용하고, 식도정맥류(esophageal varices)와 관련된 급성 출혈을 방지한다. Propranolol은 β 수용체 길항제 중 사용승인을 가장 많이 얻은 약물이다. Timolol, metoprolol, nadolol, atenolol은 편두통을 치료하는 데 사용된다. Levobunolol과 metipranolol은 안과질환에만 독점적으로 사용된다.

(3) 유해작용

β 수용체 길항제의 유해작용은 대부분 β 수용체를 봉쇄하기 때문에 주로 심장, 평활근, 뇌, 대사반응을 매개하는 장기에서 뚜렷하게 일어난다.

① 심장에 나타나는 유해작용

동방결절과 방실결절의 기능에 대한 β 수용체 길항제의 작용이 확대되어서 서맥과 방실 봉쇄가 일어난다. Propranolol 투여를 갑자기 중지하면 협심증, 심근경색이 악화되고 돌연사의 위험이 생기는데, 특히 협심증 환자에게 이런 위험이 생길 수 있다. β 수용체를 장기간 봉쇄하면 β 수용체 초민감성이 생길 수 있는데, 초민감성은 이런 임상 증상의 반동성 악화와 관련 있다. 그렇기 때문에 β 수용체를 봉쇄하는 약물의 투여를 중단할 때는 1~2주에 걸쳐 천천히 해야 한다. 증세가 심각하지 않은 심장부전을 앓고 있는 환자에서 심각한 환자에 이르기까지 β 수용체 봉쇄약물은 서맥, 방실결절 전도이상, 심각한 심실 기능장애, 심부전 증상을 악화시킨다.

② 평활근에 나타나는 유해작용

혈관에 있는 β_2 수용체를 봉쇄하는 비선택적 β 수용체 봉쇄약물은 혈관의 확장반응을 감소시키므로 Raynaud 질환 같은 말초혈관 질환을 앓고 있는 환자의 경우 비선택적 β 수용체 봉쇄약물을 사용해선 안 된다.

β_2 수용체가 봉쇄되면 나타나는 기관지연축 증상은 천식, 만성 기관지염, 폐기종(emphysema)과 같은 만성 폐색 호흡기질환을 앓고 있는 환자에게서 자주 나타난다. β_1 수용체를 선택적으로 봉쇄하는 약물은 비선택적 약물보다 기관지 평활근에 영향을 덜 미친다.

③ 대사에 미치는 유해작용

당뇨병 환자에서 혈당하강제 투여로 저혈당이 초래되면 보상성 교감신경자극에 의해 간세포막에 존재하는 β 수용체가 흥분되어 혈중 혈당을 상승시킨다. 그러므로 β 수용체 봉쇄약물을 복용하는 경우 저혈당으로부터의 회복이 지연될 수 있다. 당뇨병 환자에서 혈당하강제에 의해 유발되는 대표적인 징후는 박동수 증가다. 이런 현상은 β_1 수용체가 중개하기 때문에 β 수용체 봉쇄약물로 인해 저혈당 증세의 초기 징후를 발견하지 못할 수 있다.

④ 중추신경계에서 나타나는 유해작용

β 수용체 봉쇄약물을 투여 받는 환자는 중추신경계 기능저하, 병약, 피로, 수면장애, 우울증, 불면증, 악몽, 환각(hallucination), 현기증 등의 증세를 경험할 수 있다.

4) 아드레날린성 α 및 β 수용체를 모두 봉쇄하는 약물

(1) Labetalol

Labetalol은 비선택적으로 β 수용체를 봉쇄하는 특성과 α_1 수용체를 봉쇄하는 작용을 모두 나타내는 특이한 약물로서 강력한 혈압 강하제이다. β_2 수용체에 대한 부분작용제의 효과도 나타낸다. Labetalol을 투여하면 기립성 저혈압이 생길 수 있다. Labetalol을 고혈압의 장기치료 목적으로 사용할 때는 경구투여하고, 급박한 고혈압 상황을 치료할 때는 정맥주사한다.

(2) Carvedilol

Carvedilol은 α_1과 β 수용체를 모두 봉쇄하는 작용을 갖는 약물로서 labetalol과는 대조적으로 교감신경 유사작용을 갖고 있지 않다. Carvedilol은 항고혈압제로 승인받아 쓰였으나 최근 연구에 의하면 carvedilol이 심장부전과 관련된 질병률과 사망률의 위험성을 낮춘다고 한다. Carvedilol은 항산화 작용을 나타내기 때문에 항산화제로 작용하여 심장부전 질환을 겪고 있는 환자에게 도움을 준다고 알려져 있다.

5) CNS 교감신경 유출을 줄이는 약물

Methyldopa, clonidine, guanabenz, guanfacine 등과 같은 α_2 수용체 작용제는 중추신경계 안에서 작용하여 교감신경 유출을 억제한다.

6) 아드레날린성 뉴런 봉쇄 약물

아드레날린성 뉴런 봉쇄약물에는 metyrosine, reserpine, guanethidine, bretylium, guanadrel 등 많은 종류의 약물이 포함된다. 이 약물의 가장 기본적인 작용은 교감신경 말단의 작용을 줄이는 것이다. 이 약물은 예전부터 관심을 받아 왔으나 현재는 그 사용이 제한되어 있다.

7) 치과와의 관련

항아드레날린성 약물을 사용하여 치료받는 환자는 치과용 의자에 누워 있다가 갑자기 일어서게 되면 실신하기 쉽다. 특히 α_1 수용체 길항제, α와 β 수용체 봉쇄 작용을 모두 갖는 약물, 아드레날린성 뉴런 차단제의 경우 기립성 저혈압이 보다 잘 일어난다.

비선택적 β 수용체 봉쇄약물은 β_2 수용체가 매개하는 혈관확장을 봉쇄하기 때문에, 이 약물을 복용하는 환자의 경우 에피네프린이 들어있는 국소마취제를 투여하거나 에피네프린을 적신 퇴축실을 사용하면 혈관의 α 수용체에만 작용하여 급성 고혈압 증상이 일어날 수 있다.

Clonidine과 기타 다른 선택적 α_2 수용체의 작용제는 구강건조증을 일으킨다. α_1 수용체의 길항제도 구강건조증을 일으킬 수 있다. 구강건조증을 일으키는 약물을 장기간 사용하면 구강 칸디다증과 치아우식의 발생률이 높아진다. β 수용체 봉쇄약물을 사용하면 침샘 단백질의 조성이 변화될 수 있으나 그 변화작용은 확실히 알려져 있지 않다.

12. 콜린성 약물

콜린성 약물은 내인성 신경전달물질인 아세틸콜린의 작용을 모방한다. 콜린성 약물은 콜린성 수용체에 직접 작용하는 콜린유사 작용제와 아세틸콜린에스테라제를 억제하여 간접적으로 콜린성 작용을 나타내는 항콜린에스테라제로 분류할 수 있다.

1) 콜린유사 작용제

콜린유사 작용제에는 콜린에스터(Choline ester) 화합물과 천연 알카로이드가 있다. 콜린에스터 화합물에는 아세틸콜린과 methacholine, carbachol 및 bethanechol이 있다. Methacholine, carbachol, bethanechol은 아세틸콜린보다 긴 작용시간과 높은 선택성을 가지고 있지만, 일반적으로 아세틸콜린과 그 관련 약물들은 치료목적으로 사용되지 않고 일부 한정된 경우에만 사용된다.

다양한 식물에서 얻은 알카로이드는 직접적인 콜린유사 작용을 가지고 있다. 무스카린은 버섯독으로서 4급 암모늄 화합물이지만 경구투여 시 신속하게 흡수되고 부교감신경 자극과 동일한 생리적 특성을 유발한다. 심각한 중독 시에는 심혈관 허탈이 발생한다. Pilocarpine은 선택적인 무스카린 수용체 작용제로서 일부 한정된 목적으로 사용되고 있으며 치과적 목적으로도 사용된다. 빈랑나무 열매의 주된 알카로이드인 arecoline은 도취감을 유발하며 무스카린 수용체 및 신경절의 니코틴 수용체를 자극한다. 담배잎에서 발견되는 알카로이드인 니코틴은 니코틴 수용체 작용제의 원형으로서 담배의 육체적 의존성과 밀접한 관계를 가지고 있다.

(1) 작용기전

전신으로 투여된 아세틸콜린은 무스카린 및 니코틴 수용체를 모두 자극하는데, 저용량에서는 무스카린성 효과가 주로 나타나며 고용량에서는 니코틴성 효과가 나타난다. 콜린에스터인 bethanechol 및 식물성 알카로이드인 무스카린은 평활근 및 분비샘과 중추신경에 존재하는 무스카린 수용체를 비교적 선택적으로 활성화시킨다.

무스카린 수용체는 총 5개의 수용체 아류가 있다. 말초에서 M_1 수용체는 신경절, 일부 외분비선 세포에 분포하고 있으며 M_2 수용체는 심장에 주로 분포하고 있다. M_3 수용체는 광범위하게 분포하고 있는데 분비샘에 가장 유의하게 분포되어 있다. M_5 수용체의 말초분포는 아직 밝혀져 있지 않으나 중추신경계에 산발적으로 발현되고 있다.

모든 아형의 무스카린 수용체는 G단백 연계 수용체이다. M_1, M_3 및 M_5 수용체가 활성화되면 phospholipase C를 자극하여 세포내 칼슘농도를 증가시킨다. M_2 및 M_4 수용체가 자극되면 adenylyl cyclase의 활성이 억제되어 세포내 cAMP의 농도가 낮아진다. 심장에서는 M_2 수용체의 활성화에 의해 칼륨이온의 유출이 증가하고 심방섬유의 과분극이 나타난다.

고농도의 아세틸콜린을 전신적으로 투여하면 자율신경계의 신경절후 섬유의 세포체에 분포하고 있는 니코틴 수용체(N_N 수용체)와 신경-근 접합부에 분포하고 있는 니코틴 수용체(N_M 수용체)를 활성화시킨다. 아세틸콜린 또는 니코틴에 의해 니코틴 수용체가 지속적으로 자극되면 "탈분극 차단"으로 불리는 현상이 초래되어 이후의 자극에 대해서 반응성이 낮아지거나 완전히 소실된다.

(2) 약리효과

① 말초 무스카린성 효과

- 눈: 무스카린 수용체 작용제는 홍채의 괄약근(sphincter muscle)을 활성화시켜서 동공을 축소(축동)시킨다. 또한 섬모체근(ciliary muscle)을 수축시켜서 근거리에 초점을 맞추도록 해 준다. 특히 초기 긴장도가 증가되었을 때 안압이 감소한다. 결막의 일시적인 충혈을 일으키기도 한다.
- 심장: 심장에 대한 직접적인 효과는 미주신경을 자극한 효과와 유사하여 심장박동수와 심장수축력이 감소한다. 무스카린 수용체 길항제인 atropine을 복용하고 있는 환자의 경우에 자율 신경절 및 부신의 니코틴 수용체를 활성화시키기에 충분한 용량의 콜린성 약물을 투여하면 카테콜아민의 분비가 촉진되어 심장자극효과가 나타나게 된다.
- 혈관평활근: 무스카린 수용체 작용제는 혈관내피세포에서 일산화질소(NO)를 유리시켜 인접 혈관평활근을 이완시킴으로써 혈압을 하강시킨다. 치수혈관을 포함한 모든 혈관이 영향을 받는다.
- 호흡기 평활근: 무스카린 수용체 작용제는 호흡기 평활근을 수축시킨다.
- 위장관 평활근: 무스카린 수용체 작용제에 의해서 위장관 평활근의 운동성, 연동 수축, 수축 강도, 근긴장도 등이 증가된다. 괄약근은 이완된다.
- 분비샘: 침샘, 눈물샘, 기관지샘, 땀샘, 위샘, 장관샘, 이자샘 등이 콜린성 약물에 의해 자극되어 분비가 증가한다.
- 요로: 무스카린 수용체 작용제는 배뇨근의 수축을 유발하여 방광 크기를 감소시키고 방광의 기저에 있는 입구를 개구한다.

② 말초 니코틴 효과

Methacholine 및 carbachol과 같은 일부 콜린에스터 화합물은 치료용량에서 니코틴 특성도 나타낸다. Pilocarpine은 본래 무스카린 효과를 나타내지만 고농도에서는 신경절 자극효과를 나타낸다는 보고도 있다.

③ 중추신경계 효과

콜린성 수용체가 중추성 신경전달에 중요한 역할을 하지만 대부분의 콜린성 작용제는 4급 아민 구조를 가지고 있으므로 생체 내에서 중추신경계 내로 흡수되지 않는다.

(3) 흡수, 대사 및 배설

비록 4급 암모늄화합물의 위장관 흡수를 예측하기 어렵지만 모든 콜린성 수용체 작용제는 경구 및 비경구투여를 통한 흡수가 가능하다. 콜린에스터 화합물을 비경구투여하면 콜린성 작용이 강하게 나타나므로 주의해야 한다. 아세틸콜린은 아세틸콜린에스테라제 또는 pseudocholinesterase에 의해 신속하게 분해된다. Methacholine은 아세틸콜린에스테라제에 의해 대사가 느리게 되며 pseudocholinesterase에 의해서는 대사되지 않기 때문에 작용지속기간이 길다. Carbachol과 bethanechol은 콜린에스테라제의 영향을 받지 않기 때문에 작용지속기간이 아주 길며, 광범위하고 지속적인 콜린성 효과를 나타낼 수 있다.

Pilocarpine은 경구, 피하투여 또는 피부 도포 시 잘 흡수된다. 중추신경계 및 전신의 조직과 기관에 잘 분포된다. 대부분은 신장에서 원래의 상태로 배설된다.

(4) 유해작용

일반적으로 콜린성 약물의 부작용은 콜린성 수용체 자극에 의해 유발되므로 예측할 수 있다. 천식, 심혈관 질환 및 위궤양 환자는 콜린성 약물의 부작용에 의해 더욱 위험해질 수 있다. 원하지 않는 반응으로는 침분비, 눈물분비, 배뇨, 기관지경련, 저혈압, 부정맥을 유발할 수 있다. 고용량의 pilocarpine을 비경구적으로 투여할 경우 혈압이 상승할 수 있다. 이 현상은 교감신경절이 자극되어 나타나는 비전형적 반응이다.

독버섯인 Inocybe lateraria은 무스카린 함량이 매우 높기 때문에 섭취에 의한 중독증상이 무스카린에 의해 나타나는 중독증상과 유사하다. 섭취 후 중독이 빠르게 나타나며 중독치료를 위해 고용량의 atropine 주사, 위세척 등으로 조치한다. 버섯 중독 시 심한 구토, 설사 및 간독성 등의 지연증상이 자주 동반되는데, 이는 무스카린 이외의 독성물질에 의해 일어나기 때문에 atropine을 투여하더라도 상황을 개선시킬 수 없다.

(5) 치과에서의 치료용도

Pilocarpine과 cevimeline은 침샘기능이 저하된 구강건조증의 치료제로 허가되었다. Pilocarpine은 혈압, 심장 박동수 또는 심장기능에 별다른 영향을 미치지 않는 용량에서 침분비를 항진시킨다. Cevimeline는 선택적 M_1과 M_3 무스카린 수용체 작용제로서 구강건조증 치료에 사용된다.

2) 항콜린에스테라제

항콜린에스테라제는 자율신경계, 중추신경계의 시냅스 또는 체신경계 신경-근 접합부에서 아세틸콜린을 가수분해하여 불활성화시키는 아세틸콜린에스테라제를 억제함으로써 간접적으로 콜린성 신경전달을 자극하는 약물이다. 이 계통의 약물은 수용체 부위에서 아세틸콜린의 분해를 억제하기 때문에 장기간 약리학적 작용을 나타낸다.

항콜린에스테라제는 edrophonium, neostigmine, physostigmine 등과 같은 가역적 항콜린에스테라제와, 유기인산염제제(organophosphates)와 같은 비가역적 항콜린에스테라제로 분류된다. 가역적 억제제는 콜린에스테라제와 비공유결합을 하거나, 쉽게 가수분해될 수 있는 공유결합을 형성하여 효소를 일시적으로 불활성화시키는 반면, 비가역성 억제제는 콜린에스테라제와 영구적으로 공유결합을 하여 효소를 불활성화시킨다.

Physostigmine은 가장 일찍 알려진 항콜린에스테라제로서 오늘날까지도 녹내장, 중증근육무력증(myasthenia gravis) 치료에 사용된다.

유기인산염계열의 항콜린에스테라제는 살충제 또는 치명적인 신경가스로 사용되는데 독일에서 개발된 tabun과 sarin은 가장 독성이 강한 신경가스에 속한다.

(1) 작용기전

아세틸콜린에스테라제는 아세틸콜린 수용체 주위에 위치하고 있으며 매우 빠르게 아세틸콜린을 가수분해한다. 혈장에도 비특이적 콜린에스테라제인 pseudocholinesterase (butyrylcholinesterase)가 있다.

아세틸콜린 분자는 두 부위에서 아세틸콜린에스테라제와 반응한다. 아세틸콜린에스테라제는 콜린 결합부위를 가지고 있고 이곳에 아세틸콜린 분자의 4급 암모늄 부위가 결합하며, 에스터 부위에는 아세틸콜린 분자의 에스터가 결합한다. 에스터 부위에서 아세틸콜린 분자가 분해되면서 아세틸콜린에스테라제가 아세틸화되고 곧 가수분해되면서 신속하게 재생된다. 유기인산염 항콜린에스테라제는 주로 아세틸콜린에스테라제의 에스터 부위에 결합한다. 유기인산염과 결합된 아세틸콜린에스테라제는 매우 안정적인 공유결합을 하고 있으며 가수분해가 일어나지 않으므로 재생되지 않는다. 따라서 새로운 아세틸콜린에스테라제가 합성되기 전까지는 콜린에스테라제 활성이 지속적으로 억제되어 있다. 이 효소의 합성 및 분해 과정은 수 주일이 걸리기 때문에 유기인산염의 작용이 비가역적이다. 가장 간단한 4급 암모늄 항콜린에스테라제인 edrophonium은 아세틸콜린에스테라제와 비공유 결합을 한다. 이 약물의 억제작용은 신속한 가역적 반응이므로 진단 목적과 같은 짧은 지속시간을 요하는 상황에서 사용된다.

가역적 및 비가역적 항콜린에스테라제 약리작용은 아세틸콜린이 관여하는 곳에서 아세틸콜린의 작용이 지속되기 때문에 나타난다. 따라서 이 약물의 작용은 아세틸콜린의 작용과 일치한다. 그러나 일반적으로 이 약물들의 작용은 아세틸콜린 보다 작용지속시간이 훨씬 길고, 대부분의 경우는 작용부위에서의 내인성 아세틸콜린 존재 여부에 전적으로 의존한다. 그러므로 대부분의 항콜린에스테라제는 신경이 분포하지 않은 장기에서는 효과를 나타내지 않는다.

(2) 약리효과

항콜린에스테라제의 약리작용은 지속적인 콜린성 신경자극을 받는 기관에서 크게 나타나므로 눈 조직, 위장관, 요로 방광 등의 평활근에서 우선적으로 약효가 나타난다. 혈관은 부교감신경이 분포하고 있지 않아서 혈관확장 작용이 없다. 콜린에스테라제 억제약물은 신경절과 신경-근 접합부위에서 아세틸콜린 농도를 증가시킴으로써 N_N 및 N_M 수용체를 자극하지만 고용량 투여 시 이 수용체들은 순차적으로 억제된다. 교감신경절 차단작용으로 인해 저혈압 반응이 나타날 수 있다. 중추신경에도 작용을 나타내어 혼란, 운동실조, 비정상적 호흡, 경련, 혼수, 호흡마비로 인한 사망 등을 유발할 수 있다.

(3) 유해작용

사람에서 항콜린에스테라제 중독이 나타나는 경우는 중증근무력증 치료제의 과다복용 및 살충제나 화학전에 쓰이는 유기인산염에 대한 과다노출 등이다.

초기중독 증상은 무스카린성 효과가 강하게 나타나서 축동, 기관지수축 및 분비물 증가, 침흘림, 땀흘림, 구토, 설사, 서맥, 배뇨, 배변 등을 일으킨다. 니코틴성 효과로는 피로, 전신 쇠약감, 근육 연축, 호흡기 근육을 포함한 전반적인 근육마비로 인공호흡을 하지 않으면 수분 내에 호흡을 못하게 된다. 중추 중독 증상으로 긴장, 흥분 및 신경과민을 시작으로 착란, 조화운동불능, 경련, 혼수 등이 나타난다. 호흡근의 마비, 중추성 호흡 저하, 기도 폐쇄에 기인하는 호흡불가 등이 사망원인이다.

아세틸콜린에스테라제를 활성화시키는 약물로 pralidoxime이 있다. Pralidoxime 및 그 유사체는 비가역적 항콜린에스테라제 중독의 치료에 사용한다. Oxime의 정맥투여는 비가역성 항콜린에스테라제 중독으로 인해 불활성화된 아세틸콜린에스테라제를 빠르게 재활성화시킨다. 그러나 oxime은 'aging'이 일어난 아세틸콜린에스테라제는 재활성화시키지 못하므로 유기인산염에 노출 즉시 투여해야 효과적이다.

(4) 일반적인 치료용도

① 녹내장

녹내장(glaucoma)은 시신경유두의 진행성 쇠퇴와 시력의 점진적 손상, 안압 증가의 특징을 갖는 질환이다. 오래 전부터 콜린성 제제가 만성 개방각 녹내장의 치료에 일차적인 약물로 사용되었으나 현재는 다른 많은 약물들이 단독으로 혹은 콜린성 축동제와 함께 사용되고 있다.

Physostigmine은 개방각 녹내장, 속발성 녹내장 및 급성 울혈성 녹내장의 단기 및 장기간 관리에 사용된다. Pilocarpine 및 carbachol과 같이 physostigmine의 효과는 12~36시간 지속되어 단시간 작용 축동제로 분류된다.

Demecarium, echothiophate, isoflurophate 등과 같은 지속성 축동제는 단기성 축동제 및 전통적인 약물들로 다루기 힘든 만성 개방각 녹내장 환자에 사용되어 왔다. 장기 투여는 백내장의 진전 및 드물게는 망막박리와도 연관되어 있으므로 녹내장의 장기적 치료목적에 이 약물들을 사용하는 것은 제한된다.

② 신경근육 차단의 역전

전신마취 시 curare유사약물의 신경근육 차단작용을 종결시키기 위해 가역적 항콜린에스테라제를 사용한다.

③ 중증근무력증(Myasthenia gravis, MG)

중증근무력증은 골격근이 쉽게 피로해지는 만성 신경-근 질환이다. 중증근무력증을 앓고 있는 전형적인 환자는 초기에 안검하수(눈꺼풀 처짐)와 복시, 저작 및 삼키기 곤란 등이 나타나며 나중에는 호흡곤란 등이 나타난다.

현재 중증근무력증은 신경-근 이음부에서 아세틸콜린 수용체에 대한 항체가 지속적으로 생산되는 자가면역 질환으로 받아들여지고 있다. 아세틸콜린 수용체 항체의 역가가 상승되고 단기성 항콜린에스테라제인 edrophonium의 정맥 또는 근육주사 후 근력이 향상되면 이 질환이라고 진단한다. 중증근무력증에는 neostigmine, pyridostigmine 또는 ambenonium을 사용한다. 과도한 항콜린에스테라제를 사용하는 경우 근육 약화로 특정지워지는 콜린성 위기(cholinergic crisis)가 유발되는데 이 증상이 근무력성 위기(myasthenic crisis)와 매우 유사하기 때문에 어떤 위기인지 신속하게 결정해야 한다. 이것을 구분하기 위해서는 매우 적은 양의 edrophonium을 투여하는데, 증상이 경감되면 근무력성 위기이고 근력이 감소했다면 콜린성 위기라고 확인한다.

④ Atropine 중독 해독제

Atropine 중독에 가장 효과적으로 사용되는 약물은 항콜린에스테라제이며 일차선택약물은 physostigmine이다. Atropine 중독으로 진단되어 physostigmine을 정맥내 투여하면, 신속히 섬망과 혼수상태를 회복시킨다. Neostigmine및 그 외 다른 4급 암모늄 화합물은 atropine의 중추신경계 효과를 차단할 수 없기 때문에 제한적으로 사용된다.

⑤ 마비성 장 폐쇄 및 방광무력증

수술 후 마비성 장 폐쇄 및 방광무력증에 neostigmine을 사용한다.

⑥ 알츠하이머 노인치매

알츠하이머 환자의 뇌에서 아세틸콜린과 콜린아세틸전이효소(choline acetyltransferase)가 결핍되어 있음이 확인됨으로써 알츠하이머 질환의 치료에 콜린성제제가 사용되기 시작하였다. 알츠하이머 질환 치료에 사용되는 항콜린에스테라제는 혈액-뇌 장벽을 통과해야 한다. 장기간 작용하는 가역적 항콜린에스테라제인 tacrine은 경등도 및 중등도의 알츠하이머 질환에 임시적인 치료제로 승인되어 있다. 새로운 항콜린에스테라제인 donepezil 및 rivastigmine, galantamine 등이 알츠하이머 질환에 사용된다.

13. 항무스카린성 약물

항무스카린성 약물은 무스카린 수용체에 대해 아세틸콜린의 경쟁적 길항제이다. 이 약물은 수용체에 결합하여 아세틸콜린의 결합을 막아 효과를 나타내며, 이러한 억제효과는 항콜린에스테라제를 투여하여 수용체 주변 아세틸콜린의 농도를 높여 주면 소실된다.

1) 약리효과

(1) 눈

항무스카린성 약물은 홍채괄약근(iris sphincter)과 섬모체근(ciliary muscle)에 존재하는 무스카린 수용체를 봉쇄하여 동공확대(mydriasis)와 원근 조절마비(accommodation paralysis)를 초래한다. 눈부심을 유발하며 원거리에 초점이 고정되므로 근거리의 물체는 흐리게 보인다. 좁은앞방각녹내장(또는 폐쇄각녹내장) 환자의 경우에는 안압이 위태로운 수준까지 상승될 수 있다.

(2) 호흡기

항무스카린성 약물에 의해 평활근 이완이 나타나며, 그 결과 기도저항이 감소한다. 무스카린 작용제, 이산화황 및 특정한 기관지연축(bronchospasm) 유도물질에 의해 야기된 기관지수축은 atropine에 의해 쉽게 반전되지만, 히스타민, 세로토닌, 류코트리엔에 의한 기관지수축은 atropine에 저항성을 보인다. 코, 입, 인두, 기관지에 존재하는 샘분비는 모두 억제된다.

(3) 침샘

부교감신경 흥분에 의한 침분비는 항무스카린성 약물에 의해 용량의존적으로 소실된다. 말하기와 삼키기가 어려울 정도까지 입안이 건조해질 수 있다. 구강건조증으로 인해 구강에 다양한 부작용을 야기할 수 있다.

(4) 위장관

항무스카린성 약물은 콜린성 약물을 투여했을 때 나타나는 위장관의 운동과 분비 반응을 효과적으로 방지하지만, 미주신경 자극에 따른 반응에는 효과가 분명하지 않다. 항무스카린성 약물은 위장관 전체에 걸쳐 운동성을 뚜렷하게 감소시킨다. 사람에서 위액분비 활성은 고농도의 atropine에 의해서만 억제되며, 위액분비 활성을 억제하는 농도에서는 다른 모든 부교감신경 기능이 차단되므로 매우 심한 구강건조, 심장박동수 증가, 심각한 위장관 운동억제를 유발하게 된다.

(5) 심혈관계

항무스카린성 약물이 심혈관계에 미치는 영향은 약물의 용량에 따라 다르다. 침분비를 억제하는 정도의 경구투여 용량에서는 종종 약한 서맥이 나타난다. 이 경우 심장에 분포하는 신경절후 섬유의 시냅스전 무스카린 수용체를 선택적으로 길항하여 신경말단에서 아세틸콜린의 유리를 촉진한다. 그러나 대량을 투여하면 대부분의 경우 심장박동수가 유의하게 증가한다.

(6) 비뇨생식관

Atropine은 요관(ureter)과 방광 배뇨근을 이완시키며 괄약근은 수축시키므로 요축적(urinary retention)을 야기한다. 이러한 효과는 특히 전립선비대가 있는 경우 잘 나타난다.

(7) 체온

손바닥 땀샘과 아포크린땀샘을 제외한 땀샘에는 교감신경계의 콜린신경섬유가 분포하므로, atropine은 발한을 억제한다. Atropine이나 scopolamine을 다량 투여하면 체온이 상승하며, 이러한 작용에는 중추신경계도 관여하지만 주요 원인은 말초에서 발한을 억제한 결과이다. 체온상승은 이러한 약물을 과량으로 투여했을 때 나타나는 가장 심각하며 생명을 위협하는 부작용이기도 하다.

(8) 중추신경계 작용

Scopolamine과 atropine 모두 중추신경계에 복잡한 작용을 나타낸다. 통상적 치료용량의 atropine은 중추신경계를 직접 자극하여 연수의 미주신경핵에 있는 호흡중추를 흥분시킨다. 치료용량의 scopolamine은 정신활동의 효율 감소부터 졸림, 진정, 도취감(euphoria), 기억상실 등의 다양한 효과를 나타내지만, 흥분, 안절부절증, 환각, 망상 등을 야기할 수도 있다. Atropine은 scopolamine에 비해 약한 중추신경계 활성을 나타낸다.

(9) 항떨림 효과

벨라돈나 알칼로이드는 선조체(striatum)에서 도파민성 신경섬유의 소실로 콜린성작용이 도파민에 비해 상대적으로 증가된 파킨슨병 치료에 사용된다.

(10) 전정 기능

벨라돈나 알칼로이드는 고대로부터 멀미 치료를 위해 사용되었다. Scopolamine이 atropine보다 더 효과적이다.

2) 일반적 치료용도

(1) 안과

항무스카린성 약물을 국소적으로 투여하면 동공확대와 원근조절마비가 일어날 수 있다. Atropine의 경우 장시간, scopolamine은 보통, tropicamide는 매우 짧은 기간 동안 이러한 효과를 나타낸다. 동공확대는 망막 및 시신경유두(optic disk)의 검사에 필요하며, 원근조절마비는 수정체의 굴절력 측정에 필요하다. 좁은앞방각녹내장 소인이 있는 환자에서는 이 약을 국소적으로 사용하지 말아야 한다. 개방각녹내장 환자에게 항콜린제를 전신적으로 투여하는 것이 대체로 안전하지만, 때로 이런 환자에서 급성 폐쇄각녹내장의 최초 발작을 유발할 수도 있다. 주로 사용되는 동공확대 약으로는 homatropine, cyclopentolate, tropicamide가 있다. 약효 지속시간은 homatropine은 1~3일, tropicamide는 6시간 정도이다.

(2) 기도

벨라돈나 알칼로이드는 한때 기관지천식 치료에 흔히 사용되었으나 그 효과가 제한적이며, 분비를 억제함으로써 기도에 점액질의 잔류물이 많이 남도록 하여 오히려 공기흐름을 막는 결과를 유발하기도 하였기 때문에 이 용도로 더 이상 사용되지 않는다. 그러나 ipratropium, tiotropium은 기관지 분비 억제작용이 잘 나타나지 않아서 만성 기관지염 환자에게 매우 효과적이다. Ipratropium은 항무스카성 약물이지만 기관지 점막의 섬모운동을 억제하지 않으므로 점액전(mucus plaque) 형성을 방지한다는 중요한 이점이 있다. Tiotropium은 ipratropium보다 작용기간이 더 길기 때문에 하루에 한 번만 투여해도 된다.

(3) 침분비

항무스카성 약물은 수술 전 특히 구강악안면외과수술 전 침분비를 감소시키는 데 광범위하게 사용된다. 이러한 목적으로 사용된 atropine은 구강을 건조하게 만들고 자극적인 마취가스에 대한 침샘의 반응을 감소시킨다.

(4) 위장관

항무스카성 약물은 위장관 평활근 경련으로 유발되는 통증을 완화시켜주는 진경제 및 궤양치료제로서 사용된다. Pirenzepine은 M_1 무스카린 수용체 봉쇄제로서 심장, 방광, 눈 등에는 작용을 나타내지 않고 위산과 펩신의 분비를 억제한다.

(5) 심혈관계

항무스카성 약물은 ① 전신마취나 수술 동안 미주신경 반사를 방지하기 위해, ② 미주신경 긴장도가 과도하게 커서 동서맥(sinus bradycardia) 또는 결절서맥(nodal bradycardia)을 유발하는 심근경색증의 경우, ③ 서맥이나 실신을 유발하는 과다활동성 경동맥팽대반사(hyperactive carotid sinus reflex)가 나타나는 경우, ④ digitalis에 의한 심장 차단(heart block)이 나타나는 경우에 사용할 수 있다.

(6) 비뇨생식관

벨라돈나 알칼로이드는 신산통(renal colic, 보통 아편유사제와 병용), 야뇨증, 절박요실금(urge incontinence) 및 빈뇨(urinary frequency)와 연관된 과활동성 방광 등의 다양한 비뇨기과질환에 사용되고 있다.

(7) 마취 전 투약

마취 전 투약은 벨라돈나 알칼로이드의 주된 용도이다. 특히 scopolamine은 침 분비와 호흡기 분비를 억제하여 후두연축을 방지하는 보호효과뿐 아니라, 도취감, 기억상실, 진정 등의 중추신경계 효과도 나타낸다. 대부분의 새로 개발된 흡입마취제는 ether 같은 자극적인 성질을 가지고 있지 않으므로 호흡기와 침샘의 분비를 억제할 필요가 크지 않다.

(8) 중추신경계

항무스카성 약물의 중추신경계 효과를 치료에 사용하는 용도로는 멀미 예방 및 메니에르병(Me'nie`re's disease)과 파킨슨병의 치료가 있다. Scopolamine은 멀미예방과 메니에르병 치료에 가장 흔히 사용되는 약물이며, 실제로 예방적으로 투약했을 때 짧은 기간 나타나는 심한 멀미에 가장 효과적인 단일 약물이다. Scopolamine은 멀미를 예방하기 위해 피부를 통해 투약한다. 구강건조증이나 졸림 같은 부작용이 때로 나타나기는 하지만 피부를 통한 투약방법을 사용하면 일반적인 콜린작용 차단효과는 최소로 나타난다. 항무스카성 약물은 파킨슨병 치료에 오랫동안 사용된 약이며, 현재에도 이 병의 초기 치료에 여전히 유용하고, levodopa 및 다른 항파킨슨 약물과 함께 투여된다.

(7) 항콜린에스테라제 해독

항콜린에스테라제 중독은 이 약물을 중증근무력증 치료에 사용하였거나 또는 유기인산염 살충제나 항콜린에스테라제 신경가스에 노출되었을 때 야기된다. Atropine은 무스카린 작용 부위에서 나타나는 모든 작용을 효과적으로 길항하므로 항콜린에스테라제에 의한 침, 눈물, 호흡기에서의 과분비, 기관지수축, 위장관 증상, 발한, 다양한 무스카린성 자극 증상, 일부 중추신경계 효과 등의 증상을 완화시켜 준다.

(10) 무스카린을 포함하는 버섯에 의한 중독의 해독

버섯 Inocybe lateraria는 무스카린을 다량 함유하므로 유독하다. Atropine은 이에 대한 특이적 길항제이다.

3) 유해효과

Atropine 중독 증상으로 구강건조증, 갈증, 시각장애와 눈부심을 동반한 동공확대와 원근조절마비, 피부홍조, 피부혈관의 확장, 땀분비 억제, 따뜻한 환경에서 체온상승, 요축적, 중추신경계 활동장애 등이 있다. 경미한 중독 반응은 몇 시간 이내에 회복되지만 완전히 회복되는데 하루 또는 그 이상이 필요하다. Atropine 중독의 치료에는 physostigmine이 포함된다. 이 약물은 아세틸콜린 수용체 근처의 아세틸콜린의 양을 증가시켜 신속히 atropine에 의한 차단효과를 종결시킨다. Diazepam과 같은 항불안제는 중추신경계 흥분을 조절하기 위해 사용될 수 있다.

녹내장으로 의심되거나 진단된 경우에는 절대 항무스카린성 약물을 눈에 국소점안해서는 안 된다. 전립선비대증 환자에서는 항무스카린성 약물이 요축적을 야기할 수 있다.

4) 약물 상호작용

아트로핀유사약의 항콜린효과는 항히스타민제(특히 구강건조증을 가중시킴), 항결핵제인 isoniazid, MAO 억제제, 삼환계항우울제에 의해 그 약효가 상승된다. Phenothiazine은 항무스카린성 약물의 중추신경 효과를 강화시키는 경향이 있다. Atropine을 propranolol 존재하에 투여하면, propranolol에 의해 유도되는 효과(심장이 느려지고 방실결절 불응기가 연장됨)를 길항한다. 또한 digitalis glycoside의 미주신경 작용을 차단한다.

5) 치과에서의 치료용도

치과에서 항콜린성 약물의 주된 용도는 치과치료 중 침분비를 감소시키는 것이다. 치과치료 30분~2시간 전에 경구 및 비경구로 소량투여하면 효과적이나, 몇몇 환자에서는 불쾌감을 야기하는 부작용을 일으킬 수 있다.

Atropine과 glycopyrrolate는 수술 중 침분비억제제로 사용된다. Glycopyrrolate는 atropine에 비해 보다 선택적인 침분비억제제로서 통상적인 용량에서는 빈맥 촉진 작용이 덜 나타난다.

14. 신경절 차단제

신경절 차단제는 화학적 구조 또는 작용기전에 따라 다음과 같이 나눌 수 있다.

- 니코틴이나 dimethylphenylpiperazinium 같은 탈분극 차단제는 처음에는 신경절을 흥분시키나 이어서 다양한 정도의 차단을 보인다.
- Trimethaphan과 TEA 같은 경쟁적 차단제는 신경절의 니코틴 수용체에 아세틸콜린이 결합하는 것을 방해한다.
- Hexamethonium은 아세틸콜린에 의해 열리는 이온통로를 봉쇄함으로써 신경절 전달을 억제하며 mecamylamine은 이온통로 및 니코틴 수용체에 모두 작용한다.

1) 약리효과

신경절 차단제는 교감 및 부교감 신경작용 모두를 억제하므로 그 효과는 조직 내에서 기본적으로 우세한 영향을 행사하는 자율신경과 연관되어 있다.

(1) 눈

홍채 괄약근과 섬모체근에서 부교감신경이 동공크기와 원근을 조절하는 역할을 한다. 자율신경절을 차단하면 최대는 아니지만 부분적으로 동공을 확장시키며 초점조절마비(paralysis of accommodation; cycloplegia)를 일으킨다.

(2) 호흡기관

호흡기관에서 분비를 억제하고 기관지를 약간 확장시킨다. 그러나 신경절 차단제가 직접적으로 호흡에 영향을 주지는 않는다.

(3) 침샘

침샘은 부교감 신경의 영향을 강하게 받고 있으므로 신경절 차단은 구강건조증을 유발한다.

(4) 위장관

자발적인 위산 분비는 신경절 차단제에 의하여 억제되나 히스타민에 의한 분비는 영향을 받지 않는다. 미주신경 흥분이 억제되고 위장관의 전반적인 운동성 감소가 나타난다.

(5) 심혈관계

신경절 차단제는 자세에 의존하여 혈압하강을 유발한다. 맥박 변화는 미주신경 긴장 정도에 따라 다르나 사람에서는 일반적으로 맥박수가 약간 증가한다. 반면에 심박출량은 정맥환류(venous return)가 잘 되지 않고 사지쪽에 혈액이 고여 있어 감소된다. 국소적 혈류는 혈관의 위치에 따라 다르다. 피부의 혈류가 증가하여 표면 체온이 상승하고 분홍 혈색을 띠게 된다.

(6) 요로

정상적 배뇨에 관여하는 척수반사의 원심성 부교감 신경 요인이 차단되어 방광의 팽창이 배뇨반사를 유발하지 못하고 방광이 불완전하게 비워져 요축적이 일어난다.

(7) 땀샘

땀분비가 억제되어 피부가 건조하고 따뜻해지며 피부혈관의 확장으로 피부가 붉어진다.

(8) 중추신경계

치료용량에서는 hexamethonium과 동종 화합물을 포함한 음이온 차단제들은 중추신경계에 도달하지 못하므로 직접적인 효과는 없다. Mecamylamine과 기타 2급, 3급 아민 계열의 신경절 차단제는 떨림, 무도병적 운동, 정신 착란(mental aberrations), 경련 등을 유발한다는 보고가 있다.

2) 일반적 치료용도

마취 중 혈압을 일시적으로 조절할 목적으로 trimethaphan을 사용하는데, 조절된 저혈압은 출혈 감소가 바람직한 외과 수술을 하는 동안 유용하다. Trimethaphan은 고혈압 응급 상황과 급성 박리성동맥류(acute dissecting aortic aneurism)에도 사용되지만 sodium nitroprusside 등이 더 선호된다.

3) 유해작용

구강건조증, 시각의 흐려짐, 변비, 저혈압, 요축적, 위 및 장의 긴장도 저하, 발기부전 등의 부작용이 나타날 수 있다. 이러한 독성 경향 때문에 고혈압 치료에 있어서 이 약물들은 점차 사용되지 않고 있다.

4) 약물 상호작용

Mecamylamine의 작용은 알코올, 마취제, thiazides, furosemide 등의 이뇨제, 제산제, 여러 항고혈압제 등에 의해 증대된다.

15. 신경-근 차단제

신경-근 접합부 차단제는 아세틸콜린이 골격근 종판에 작용하여 탈분극을 일으키는 능력을 저해한다. 이 약들은 작용 과정 중에 스스로 골격근 종판 탈분극을 일으킬 수 있는지 여부에 따라 탈분극 차단제와 비탈분극 차단제로 나뉜다.

1) 약물의 종류

(1) 비탈분극 제제

Tubocurarine, metocurine, atracurium, rocuronium, pancuronium, vecuronium, gallamine 등은 골격근 종판의 N_M 수용체 길항제로서 스스로 종판의 탈분극

을 일으키지는 않는다.

(2) 탈분극 제제

비탈분극제와는 달리 succinylcholine은 골격근 종판의 콜린 수용체에 결합하여 근육섬유의 탈분극을 유발한다. 따라서 이 약물은 투여 초기에는 근수축을 일으키지만 골격근 종판의 탈분극이 뚜렷한 상태에서도 신경-근 흥분전달이 차단되어 근육이 이완되는데 이것을 1상 차단이라고 한다. 종판의 지속적 탈분극으로 인해 주변의 전압작동성 Na^{+} 통로가 불활성화 상태로 유지되기 때문에 신경-근 흥분전달이 차단된다. 이러한 양상의 신경-근 마비는 succinylcholine 투여중단으로 빠르게 회복된다. 그러나 지속적으로 약물을 투입하면 succinylcholine이 존재함에도 불구하고 종판이 천천히 재분극되고 오래 지속되는 2상(또는 민감소실) 차단 상태로 점차적으로 변한다. 이 상태로부터의 회복은 탈분극제를 제거하여도 지연되어 일어난다.

2) 약리효과

(1) 신경-근 접합

서서히 정맥내 주사하면 신경-근 차단제는 탈분극성이든 비탈분극성이든 모두가 우선적으로 얼굴 근육에 영향을 미치고 다음에 머리와 목의 다른 근육에 작용한다. 차단이 진전되면 손과 신체의 작은 근육들에 영향을 주며 결국 모든 호흡근 마비를 포함해 완전한 근육이완이 일어난다.

완전히 마비시킬 정도의 용량을 급히 정맥주사하면 기도상부근육과 횡격막이 엄지손가락의 내전근 같은 말초근육보다 먼저 차단된다.

(2) 중추신경계

뇌혈관장벽을 통과하지 못하기 때문에 중추신경계에는 영향을 미치지 않는다. 신경-근 차단제는 마취나 진통효과는 없으며 환자가 통증을 외적으로 표현할 수 없게 할 뿐이다.

(3) 자율신경계

골격근 종판에 있는 N_M 수용체에 대한 선택성 때문에 신경-근 차단 약물들은 자율신경계에 크게 영향을 주지는 않으나 몇몇 약물들은 자율신경계에 어느 정도 특정한 영향을 준다.

Pancuronium 그리고 gallamine은 부분적으로 미주신경활성을 억제하고 심장에서 norepinephrine 분비를 증가시켜서 심박수를 증가시킨다.

(4) 히스타민 분비

Tubocurarine은 비만세포에서 히스타민을 유리시켜 저혈압, 부종, 기관지수축, 침 분비 증가를 유발한다. 히스타민과 관련된 효과들은 빠른 정맥내 주사를 피함으로써 최소화할 수 있다.

(5) 심혈관계

어떤 신경-근 차단제도 혈관 긴장도에 직접적인 효과를 나타내지는 않지만, 복합적 간접작용에 의해 저혈압을 일으킬 수 있다. 히스타민 분비는 부종과 혈관확장을 유발하며 신경-근 차단에 의한 골격근의 긴장 상실은 말단부위의 정맥에 대한 골격근의 압출기능을 상실케 한다. 그러므로 하지정맥에 울혈이 생기고 심장으로의 정맥환류가 감소된다.

3) 약물작용 시간

Succinylcholine은 정맥 주사 후 30~60초 내에 효과가 나타나고 2분 내에 최대효과를 나타내며 회복은 5~10분 후에 나타난다. 비탈분극 차단제는 일반적으로 느리게 작용하며 더 오래 지속된다. 그러나 rocuronium은 어린이에게 사용할 때 succinylcholine만큼 빠르게 효과가 나타나며 mivacurium은 15~20분 정도의 임상적 작용 지속시간을 가진다.

Succinylcholine과 mivacurium은 혈장 pseudocholinesterase에 의해 가수분해되므로 짧은 작용시간을 갖는다. 비정형 혈장 cholinesterase를 지닌 일부 사람들의 경우 succinylcholine과 mivacurium의 작용이 지속되므로 주의해야 한다.

4) 일반적 치료용도

(1) 기관내 삽관

전신마취를 받는 환자나 다른 이유로 의식이 없고 호흡 보조가 필요한 환자에서 기도확보를 위해 기관내관을 종종 삽입한다. Succinylcholine은 작용개시가 빨라서 오랫동안 이 용도로 사용되어 왔다. Rocuronium은 succinylcholine 만큼 빠르게 효과를 나타내는 최초의 비탈분극 차단제이다.

(2) 수술 보조제

신경-근 차단제는 수술 과정에서 전신마취 보조제로 종종 사용된다. 이 분야에서 가장 일반적 적용은 복부수술 중 복부벽 근육을 이완시키는 것이다. 환자가 진정 상태에 있지만 의식이 있는 상태로 하는 뇌나 뇌혈관 수술에서 기침과 반사적 재채기를 억제시켜 수술부위가 움직이지 않도록 하기 위해서도 신경-근 차단이 필요하다.

(3) 파상풍

약한 파상풍의 경우 간헐적인 경련을 약화시키기 위해 신경-근 차단제가 사용된다. 환자의 경직이 호흡 근육까지 확장되는 심한 파상풍의 경우 차단제 투여는 근육 이완을 유도하여 인공적 호흡을 할 수 있게 해 준다.

(4) 그 외의 사용

Succinylcholine은 기관지경 검사처럼 간단한 처치를 수행하기 위해 일시적으로 근육을 이완시키는 데 사용된다. 단기 작용 비탈분극 차단제는 팔다리나 하악골 골절의 정위를 용이하게 한다. 이러한 과정에는 단기 작용 차단제가 필요하지만, succinylcholine은 근육 수축을 일으켜 골절에 의한 손상을 더 악화시킬 수 있기 때문에 부적합하다.

5) 유해작용

신경-근 차단제 과다 투여의 가장 큰 위험은 호흡정지로 인한 사망이다. 어떠한 신경-근 차단제를 투여하든지 인공호흡기를 준비하고 있어야 한다. 비탈분극제에 의한 마비는 neostigmine 같은 항콜린에스테라제를 투여하여 역전시킬 수 있다. Succinylcholine의 2상 차단을 감소시키기 위해 항콜린에스테라제를 사용하는 것도 가능하다.

Succinylcholine에 의해 야기되는 고칼륨혈증으로 인해 부정맥이 일어날 수 있으며 특히 화상환자나 신경근 질환을 가진 환자에서 잘 나타난다.

6) 약물 상호작용

(1) 항콜린에스테라제

아세틸콜린에스테라제 억제제는 수용체 부착 부위에서 아세틸콜린의 양을 증가시킴으로써 비탈분극 차단제의 작용에 대항한다. 반면 succinylcholine과 함께 투여하였을 때에는 신경-근 차단을 더욱 강화한다. 골격근 종판의 아세틸콜린에스테라제에는 영향이 없으면서 혈장의 pseudocholinesterase를 억제하는 hexafluorenium은 succinylcholine의 신경-근 차단을 지속시킨다.

(2) 전신마취제

마취제는 흥분성 세포막을 안정시키므로 비탈분극제제와 서로 작용을 강화해 주는 성질이 있다. Isoflurane과 pancuronium을 사용할 때 상호작용이 크게 나타나며 sevoflurane과 vecronium을 같이 사용할 때에는 상호작용이 약하다.

(3) 항생제

Aminoglycosides 등의 항생제는 활동전위에 대한 반응으로 운동신경말단에서 유리되는 아세틸콜린 양을 줄이고 비탈분극 신경-근 차단제의 작용을 증가시킨다. Succinylcholine의 작용도 강화된다. 신경-근 차단제의 용량을 줄여야 하는 다른 항생제로는 tetracycline류, clindamycin, polymyxin류가 있다.

7) 신경근 전달에 영향을 미치는 다른 약물들

(1) Botulinum 독소

Clostridium botulinum에 의해 생성되는 botulinum 독소는 운동신경말단에서의 아세틸콜린 분비를 막는다. Botulinum 독소는 안과에서 특정 사시나 안구 비정위(deviation) 치료에 사용되며 심한 안검 경련(blepharo-spasm)을 해소하는 데 사용되기도 한다. 이 경우 orbicularis oculi 근육에 주사하며 최대 3개월 동안 발작성 수축을 차단한다. 미용적 측면에서 botulinum 독소는 피부 주름을 유발하는 이마의 근육 같은 특정 안면근의 활동을 막는 데 이용된다.

(2) Tetrodotoxin

Tetrodotoxin은 전압의존성 Na^+ 통로의 세포 바깥쪽 부위에 결합함으로써 Na^+ 이온의 세포내 유입을 억제하여 말초신경의 축삭과 골격근의 활동전위 전파를 막는다. 전압의존성 Na^+ 통로를 봉쇄한다는 면에서 작용기전이 국소마취제와 비슷하나 tetrodotoxin의 효능이 현재 임상에 사용되는 국소마취제에 비해 백만 배 정도 더 크며 효과의 지속시간이 길다.

(3) Dantrolene

Dantrolene은 골격근세포에 직접 작용하여 근소포체(sarcoplasmic reticulum)로부터의 칼슘 유리를 차단함으로써 근육 경직을 완화시키거나 악성 고열증 발현을 예방 또는 중단시킬 목적으로 사용할 수 있다. Dantrolene은 부작용으로 근육 허약 및 간독성을 유발할 수 있다.

참고문헌

1. 구효진, 박민경, 박영민, 심연수, 심재숙, 이경희, et al., 구강생리학. 고문사, 2014.
2. 대한생리학회 옮김: Ganong's 의학생리학, 24판, 도서출판 대한의학, 2013.
3. 전국치과대학(원) 생리학교수협의회: 치의학을 위한 생리학, 제 3판, 대한나래출판사, 2016.
4. Argoff C. Mechanism of pain transmission and pharmacological management. Curr Med Res Opin. 2011; 27(10): 2019-31.
5. Bear MF, Connors BW, Paradiso MA: Neuroscience: Exploring the Brain, 4th ed. Lippincott-Raven. 2016.
6. Bruce MK, Bruce AS: Berne and Levy Physiology, 6th Ed., Mosby Elsevier, 2008.
7. Chung G. Jung sJ and Oh SB. Cellular and Molecular Mechanisms of Dental Nociception. J Dent Res 2013; 92: (11), 948-55.
8. Dowd FJ, Johnson BS, Mariotti AJ: Pharmacology and Therapeutics for Dentistry, 7th ed. Elsevier, 2017.
9. Fields RD, Araque A, Johansen-Berg H, Lim SS, Lynch G, Nave KA, et al. Glial Biology in Learning and cognition. Neuroscientist 2014; 20 (5): 426-31.
10. Fitzgerald, Gruener, Mtui: Clinical Neuroanatomy and Neuroscience, 6th Ed., Elsevier, 2012.
11. Garcia-Larrea L, Peyron R. Pain matrices and neuropathic pain matrices: A review. Pain. 2013; 154: Suppl 1:S29-43.
12. Guyton and Hall: textbook of Medical Physiology, 12th Ed, Elsevier and Saunders, 2011.
13. Navarrette M, Araque A: The Cajal school and physiological role of astrocytes. Front. Neuroanat. 2014; 8 (33): 1-5.
14. Rang HP, Ritter JM, flower RJ, Henderson G: Rang and Dale's Pharmacology, 8th ed. Churchill Livingstone. 2015.
15. Wehrwein EA, Orer HS, Barman SM: Overview of the Anatomy, Physiology, and Pharmacology of the Autonomic Nervous System. Compr Physiol. 2016, 6(3):1239-1278.

CHAPTER 04

| Dental Anesthesiology | 기초의학

호흡과 산-염기 평형, 산소 투여

학습목표

1. 호흡계의 기계적 특성을 이해한다.
2. 상기도 감염과 기도 저항과의 관계를 이해한다.
3. 사강, 션트 등 환기/관류 불균등에 의한 호흡 장애를 이해한다.
4. 마취제와 진정제로 인한 호흡억제 기전을 이해하고, 그에 대비한다.
5. 산-염기 평형의 물리화학 기전을 이해한다.
6. 체내 산염기 완충기전을 나열하고 설명한다.
7. 동맥혈 가스분석 소견으로 산염기 상태를 판독한다.
8. 산염기 평형의 임상적 장애를 보정한다.
9. 산소 투여의 목적을 설명한다.
10. 산소 투여법의 종류를 열거한다.
11. 산소 투여법에 따른 흡입산소농도를 설명한다.
12. 가습의 필요성과 방법을 설명한다.

호흡이란 대사에 필요한 산소를 공급하고 이산화탄소를 배출하는 전 과정을 말하며, 폐조직에서 폐모세혈관과 대기 가스 사이에서 산소와 이산화탄소의 교환이 일어나는 외호흡(external respiration)과 말초조직의 혈관과 세포 사이에서의 가스 교환을 뜻하는 내호흡(internal respiration)의 두 가지 과정으로 나눌 수 있는데, 일반적으로 외호흡을 뜻한다. 폐는 산소를 섭취하고, 이산화탄소를 배출하는 가스교환 작용뿐만 아니라 산염기 평형조절, 뇌 혈류량 조절, 심박출량 조절, 각종 효소를 분비하고 분해하는 기능을 가지고 있다.

정상적인 사람은 안정 상태에서 분당 약 12회 정도 호흡하고, 일회호흡량은 약 500 ml 정도이며, 산소섭취량은 매분 약 250 ml이고, 이산화탄소 배출량은 약 200 ml가 된다. 그러나 세포 활동에 따라 산소 소비량과 이산화탄소 생산량은 현저한 차이를 보여 심한 운동 시에는 안정 상태에 비하여 20~30배가 된다. 말초 세포에서 필요한 산소 공급과 이산화탄소의 배출은 폐 기능만으로 단순하게 설명할 수 없으며, 심박출량, 혈류 속도 등의 심혈관계 기능이 동반되어 복잡하게 이루어지므로 심장과 폐의 기능은 상호 불가분의 관계이다. 또 호흡을 통한 이산화탄소 배출은 산염기 조절에 큰 영향을 미친다.

세포의 대사 환경을 의미하는 산염기 상태에 있어 동맥혈의 pH는 7.38~7.42로 정확히 조절되고 있다. 반면 세포 내 pH는 약 7.0으로 세포내 수소이온농도가 혈장에 비해 약 2.5배 높으며, 세포 외로 수소이온을 능동 운반하는 기전을 가지고 있으며 세포 내 pH는 세포 외 pH에 의해 영향을 받는다.

세포 내외 및 세포막에 존재하는 단백질은 수소 이온과 결합하는 정도에 따라 전하를 가지는 정도가 다르기 때문에 세포 내외의 pH가 적정 수준을 벗어날 경우 체내 단백질의 구조와 기능에 이상이 생긴다. 동맥혈의 pH가 7.35 이하인 경우 산증(acidosis), 7.45 이상인 경우를 알칼리증(alkalosis)이라 한다. 혈장의 pH가 6.8 이하이거나 7.8 이상이 되면 치명적이므로 인체는 pH 조절을 위한 여러 조절 기능을 발휘하여 적정 pH를 유지하고 있다.

환기와 순환의 변화는 산-염기 상태를 변화시키며 이는 신체 장기의 대사 환경에 아주 큰 영향을 미치므로 산-염기 불균형의 병태 생리적 영향과 그 치료 대책을 잘 알아야 한다.

이런 호흡과 산염기 평형에서의 폐의 역할과 더불어 폐의 산소 섭취에 장애가 오거나 신체에서의 산소 요구량이 증가할 때 발생하는 저산소혈증의 예방과 치료는 전신질환을 가지고 있거나 불안, 공포에 의해 진정법을 시행받는 환자에서는 아주 중요한 문제이고, 이를 위해서는 저산소혈증에 대한 기초학적 지식과 산소 투여와 관련된 기본적인 지식을 숙지하고 환자의 호흡 상황에 따라 적절한 산소 투여를 시행할 수 있어야 한다.

1. 호흡

1) 폐의 기능과 구조

폐는 가스가 교환되기 좋은 구조로 되어 있다. 성인에서 혼합 정맥혈이 폐에 들어오면 약 50~100 m^2(정구장 크기) 정도의 면적으로 분산되어 공기와 접촉하게 된다. 모세혈관이 풍부한 약 3억 개의 폐포에서 가스 교환이 이루어진다. 혈액과 가스를 분리하고 있는 막은 약 1 μm 정도의 두께이며, 폐포의 지름은 약 150 μm이다. 이 같은 넓은 면적과 공기와 혈액 사이의 좁은 거리로 인하여 O_2와 CO_2의 확산성 교환이 효과적으로 이루어지고 있다.

기도는 코에서 종말 세기관지(terminal bronchiole)까지이며 이는 가스 교환을 하는 곳이 아니고 호흡 가스를 전도하는 곳이기 때문에 해부학적 사강이라 불리며, 전체 폐용적의 10%이다. 가스 교환기능을 하는 곳은 호흡성 세기관지(respiratory bronchiole)에서 폐포관(alveolar duct), 폐포낭(alveolar sac) 까지를 말하며, 전체 폐용적의 90%에 해당한다.

가스는 집단운동(mass movement)에 의하여 전도성 기도(conducting airway)를 통하여 폐포까지 도달한다. 코, 입, 인두, 후두로 이루어지는 상부 기도는 큰 입자를 여과하고 흡입된 가스를 가온, 가습하며, 호기의 수증기를 보존하는 역할을 한다.

하부 기도는 기관에서 시작하여 기관 분기점(carina)에서 두 개의 주 기관지로 나누어지는 것을 제1세대 분지로 시작하여 불규칙하지만 2개씩 분지되어(dichotomous) 대략 20세대의 분지를 이루면서 폐포에 이른다(그림 4-1).

분지 과정을 통하여 분지 기관지의 직경은 점차 작아지지만 총 단면적은 점차 증가하여 말단 세기관지(terminal bronchiole)에 이르러서는 현저히 단면적이 넓어져 두 개의 주기관지 면적의 약 90배로 증가되고, 반면에 호흡가스의 유속은 점차 감소된다.

기도의 해부학적 구조는 기저막(basal membrane)을 가진 상피 세포층과 연골과 불수의 근을 포함하는 지지 결체조직(supporting connective tissue)으로 구성되어 있다. 기관과 주기관지에서 연골은 U자 형태이나 점차 소멸되어 직경 1 mm 정도의 기관지(약 10~11세대)에서는 없어진다. 좁은 기도에서 기도가 개방상태를 유지하는 것은 폐조직의 탄성반동(elastic recoil)에 기인한다. 기관지의 불수의근은 기관에서 말단 세기관까지 분포되어 있으며 천식환자는 이것이 수축하여 기도 저항을 증가시킨다.

하부 기도 중 상부의 상피 세포층은 위중층 원추형(pseudostratified columnar type)의 상피세포로 되어 있으나, 점차 두께가 얇아지면서 말단 세기관지에 이르면 입방세포(cuboidal cell)가 되며 섬모 세포 사이에 점액을 생성하는 잔모양세포(goblet cell)와 장액세포(serous cell)가 분포되어 있는 것이다. 큰 기관지에는 이 같은 선

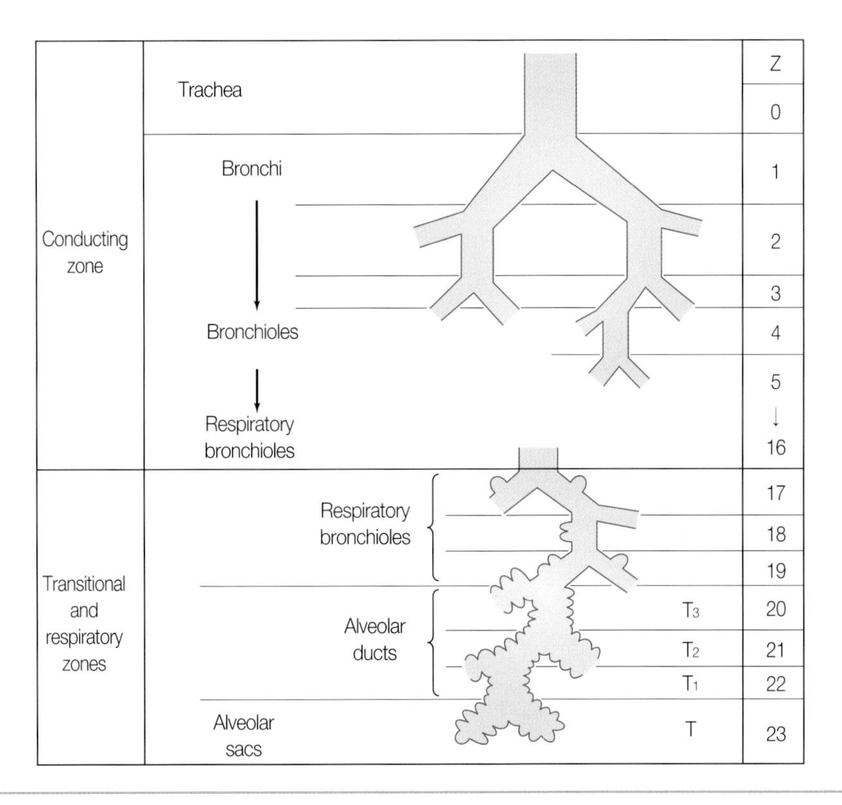

그림 4-1. 기도(호흡영역은 제17분지인 호흡세기관지부터 시작된다)

세포(gland cell)가 기저막 아래에까지 존재하고 있다.

만성 기관지염이 있을 경우 선 층이 두꺼워져서 분비물이 많이 생성된다. 보통 상피 부분에서 생성된 분비물은 점액층을 이루고 이것은 섬모에 의해 후두로 배출된다.

기능적 혈액-기관지 장벽(functional blood-bronchial barrier)이 있기 때문에 점액의 액체 성분은 혈액의 단순 여과물이 아니며, 이런 이유로 전신적으로 투여된 항생제의 기관지 분비물 내 농도가 혈액보다 낮다. 3 μm 이하의 흡입 입자가 폐포에 도달하면 폐의 대식세포에 흡식된 후 소화되어 폐 림프관이나 모세혈관을 통하여 배출된다.

2) 폐 용량(Lung volumes)과 폐 용적(Lung capacities) (그림 4-2)

폐 용량은 4가지로 나눌 수 있으며, 모두 합하면 폐가 확장 가능한 최대의 용적인 전폐용량이 된다.

① 일회호흡량(tidal volume, VT): 정상적인 호흡에서 한 번에 출입하는 공기의 양. 500 ml.

② 예비 흡기량(inspiratory reserve volume, IRV): 정상 호흡으로 숨을 들이쉰 상태에서 더 들이마실 수 있는 양. 3,000 ml.

③ 예비 호기량(expiratory reserve volume, ERV): 정상 호흡으로 숨을 내쉰 상태에서 최대한 더 내쉴 수 있는 양. 1,100 ml.

④ 잔기량(residual volume, RV): 최대한으로 내쉬고도 폐 속에 남아있는 공기의 양. 1,200 ml.

폐 호흡의 설명을 위하여 위의 각 용량들을 합하여 부르는 4가지의 폐용적이 있다.

① 흡기용량(inspiratory capacity, IC): 일회호흡량과 예비 흡기량의 합. 숨을 내쉰 상태에서 들이마실 수 있는 공기의 최대량. 3,500 ml.

② 기능적 잔기용량(functional residual capacity, FRC): 예비 호기량과 잔기량의 합. 정상 호기 후에

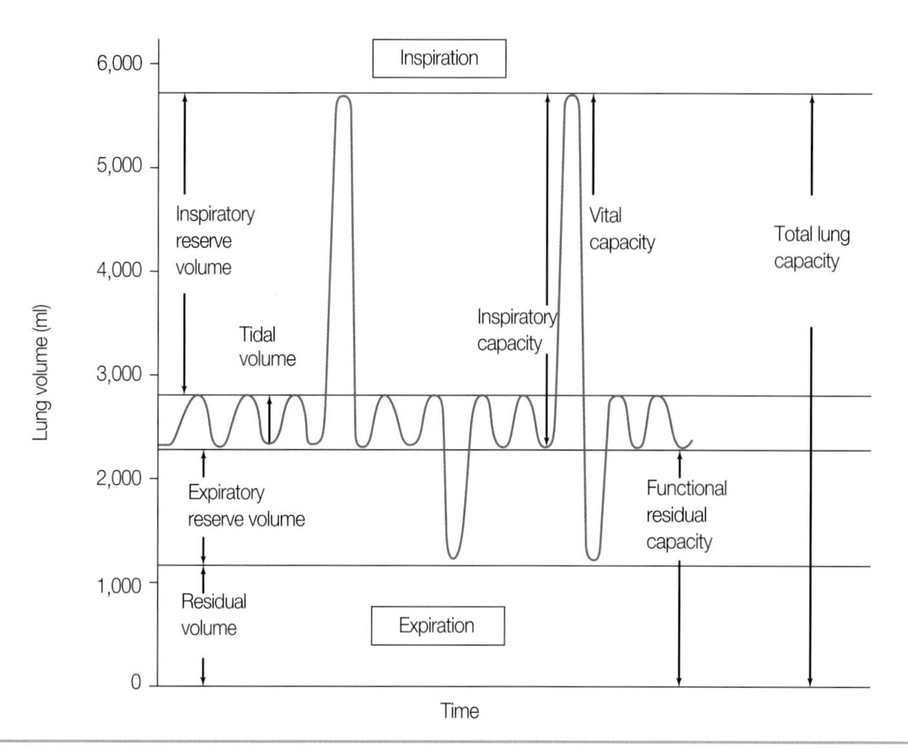

그림 4-2. 폐 용량

폐 속에 남아있는 공기의 양. 약 2,300 ml.

③ 폐활량(vital capacity, VC): 예비 흡기량과 일회호흡량, 예비 호기량의 합. 들이쉬고 내쉴 수 있는 최대의 공기량. 약 4,600 ml.

④ 전폐용량(total lung capacity, TLC): 폐가 확장가능한 최대의 양. 폐활량과 잔기량의 합. 약 5,800 ml.

모든 폐용량과 폐용적은 여성에서 남성에 비해 약 20~25% 정도 적다.

3) 분당 환기량(Minute respiratory volume, V_E)

분당 환기량은 일분 동안 호흡기로 들어온 공기의 총량을 뜻한다. 일회호흡량에 분당 호흡횟수를 곱한 것과 같다. 정상 일회호흡량이 500 ml이고, 분당 호흡횟수가 12번 정도이므로 분당 환기량은 대략 분당 6 L 정도이다.

호흡횟수는 분당 40~50회까지 증가할 수 있으며, 일회호흡량은 폐활량만큼이나 커질 수 있어서 젊은 성인에서는 4,600 ml 정도가 된다. 그러나 빠른 호흡을 하는 경우 일회호흡량을 폐활량의 반 이상으로 유지하기는 힘들다.

2. 폐에서의 가스 교환

폐에서의 가스 교환 과정을 세 가지로 나누면 ① 폐환기 ② 폐혈류 ③ 혈액과 가스 사이의 O_2와 CO_2의 확산성 교환으로 구별된다. 효과적인 확산성 교환이 이루어지려면 환기와 관류가 폐 전체에서 균형을 이루어야 하나, 정상인 경우에도 중력효과로 인하여 폐 전체에서 균형을 이루지 못 한다.

1) 폐 환기

폐의 전도성 기도 길이는 매우 길어서 대기에서 폐포까지의 이동은 단순히 확산작용으로 되는 것이 아니고 환기 즉 가스의 집단운동이 필수적이다. 이 같은 폐 환기는 폐의 정적 용적(static volume), 호흡역학 및 가스 이동에 관련된 여러 가지 인자의 영향을 받는다.

(1) 폐 압력 경사도(Pulmonary pressure gradient)

환기에 관여하는 폐 압력 경사에는 경기도 압력 경사(transairway pressure gradient)와 경폐 압력 경사(transpulmonary pressure gradient)가 있다. 경기도 압력 경사란 기도 개구부(입, 기관내 튜브, 기관 절개 튜브)와 폐포간의 압력차(P_{ao}- P_A)를 말하며 가스를 호흡계 안 혹은 밖으로 움직이는 추진압력이다. 경폐 압력 경사는 기도 개구부와 흉곽내(흉막강내) 압력의 차(P_{ao}- P_{pl})이다. 흡기 시 흉막내압의 음압이 증가되어 경폐 압력 경사가 증가하면, 이로 인하여 폐포내압이 대기압 이하로 감소하여 경기도 압력 경사가 유발된다. 호기 시는 흉막내압이 양압(대기압보다 크게)이 되어 경폐 압력경사가 흡기 시와는 반대 방향으로 커진다. 따라서 폐포내압도 양압이 되어 흡기와는 반대 방향으로 경기도 압력 경사가 유발된다.

(2) 폐포 팽창압(Alveolar distending pressure)

폐포 팽창압이란 폐포와 흉막강 사이의 압력차(P_A- P_{pl})이다. 호기말의 폐용량인 기능적 잔기용량(FRC)에서는 폐포를 수축시키는 폐포의 탄성반동력(alveolar elastic recoil forces)과 폐포를 팽창시키는 폐포 팽창압이 평형을 이루므로 폐포용적이 유지된다. 이는 기능적 잔류용량에서는 폐포 팽창압과 경폐압력 경사가 같다는 뜻이다.

2) 호흡 역학

자발적 호흡운동은 흉곽과 폐를 확대하는 것이지 직접 공기를 이동시키는 작용은 아니다. 정상적인 자발 호흡에서는 P_{ao}- P_A의 압력차 1 cmH_2O로 공기가 이동한다. 일회호흡량(V_T)은 1회의 호흡주기 중에 폐로 들어오고 나오는 공기의 양을 말하는 것으로 휴식 시 평균치는 성인에서 약 500 ml 정도이다. 일회호흡량과 호흡수를 곱하면 분당 환기량(minute ventilation)이 되어 이를 V_E로 표시하며 호흡수가 분당 14회이면 분당 환기량은 7 L/min가 된다. 자발적 호흡 상태인 경우 흡입근의 작용으로 P_A는 대기 압력보다 낮아지며, 인공 환기일 때는 구강과 폐포간 압력차(P_{ao}-P_A)는 기도에 가하는 양압에 의하여 발생되므로 이를 양압환기(positive pressure ventilation, PPV)라 한다.

폐의 확장과 수축은 횡격막의 상하운동에 의한 흉곽의 길이 변화와 늑골의 운동에 의한 흉곽의 전후 지름의 변화로 일어난다.

횡격막은 횡격막신경에 의하여 지배되는 중요한 흡입근으로 횡격막이 수축하면 횡격막 자체는 내려가면서 늑골강의 말단이 올라가서 흉곽의 용량이 증가한다. 늑골은 흉부 척수의 분절적 신경지배를 받는 외늑간근의 수축으로 올라간다.

정상적인 상태에서의 호흡은 주로 횡격막에 의하여 이루어지며, 호기 동안에는 횡격막은 단순히 이완되어 있으며, 폐와 흉곽의 탄력성과 복강 내 장기들이 폐를 압박하는 힘들이 호기를 일으킨다. 그러나 빠르게 호흡해야 하는 상태에서는 단순한 탄력성으로는 빠른 호기를 유발할 수가 없으므로 복근의 수축이 주로 호기를 일으키게 된다(그림 4-3).

폐를 확장시키는 늑골의 거상은 흉골을 척추로부터 멀리 이동시킴으로써 이루어진다. 심하게 호흡할 경우 흡기시에는 흉곽의 전후 길이가 호기 때보다 20%나 증가한다.

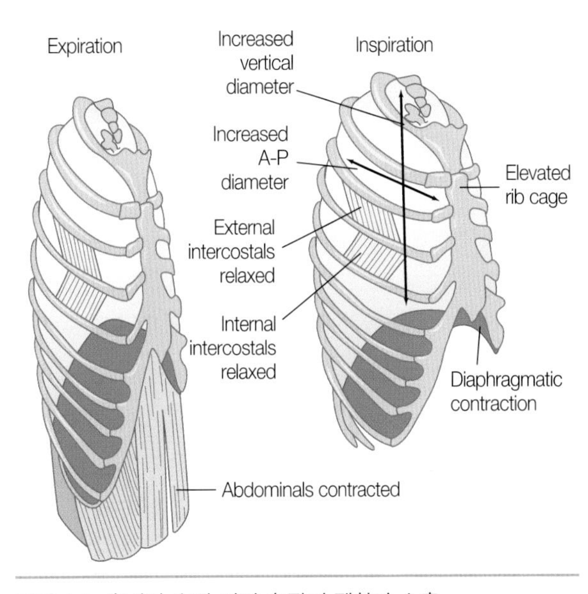

그림 4-3. 흡기와 호기 시의 흉곽의 팽창과 수축

이때 사용되는 근육을 흡입근으로 분류하고 이 중 외늑골간근(external intercoastals)이 가장 중요하며, 흉쇄유돌근(sternocleidomastoid muscle)과 전거근(anterior serrati), 사각근(scaleni) 등도 흡기에 약간 도움을 준다. 호기 시에 늑골을 아래로 당기는 주된 호출근은 복직근이며, 이는 복압을 증가시켜 복강 내 장기가 폐를 압박하도록 한다. 내늑골간근(internal intercoastals)도 능동적인 호기에 관계한다.

사지마비 환자의 경우 횡격막 수축 능력이 남아 있어 휴지기 호흡은 가능하지만 호출근의 기능이 약하므로 능동적인 호흡이나 기침은 하기가 힘들다.

(1) 폐의 탄성

분리된 폐의 정적탄성(static elastic properties)은 정적 압-용적 관계(static volume-pressure relationship)로 나타낼 수 있으며 이에 관련되는 압력은 경폐압(transpulmonary pressure, P_L) 즉 폐포압(P_A)과 폐 표면압의 차이로써 경폐압 증가 시 용적이 증가하며 그 역도 성립한다. 분리된 폐에서 표면압은 대기압(P_B)이며, 분리된 폐가 주어진 용적을 유지하려면 폐포압이 대기압보다 커서 경폐압이 0보다 커야 한다. 폐가 흉곽 내에 있고 가스 이동이 없으며, 기도가 개방된 경우 폐포압(P_A)은 대기압(P_B)과 같고, 이때 폐가 팽창되려면 흉벽의 견인으로 흉막내압(pleural pressure, P_{pl})이 대기압 이하의 음압이 되어 팽창 압력이 양압이 되어야 한다.

그림 4-4는 정상 개의 폐 압-용적 곡선인데 팽창 시의 곡선과 수축 시의 곡선이 다름을 알 수 있고 이것을 이력현상(hysteresis)이라 한다. 압-용적 곡선의 경사는 폐 유순도(compliance, C)를 나타내며, 단위 압력에 대한 용적의 변화(C = V/P)를 의미한다. 정상 일회 호흡량에서 폐 유순도는 약 200 ml/cmH_2O이다. 폐 용적이 정상 범위를 지나 훨씬 증가되면 유순도는 매우 떨어지고 폐는 매우 경직(stiff)된다. 폐의 탄성(elasticity)은 실질 내의 섬유망과, 폐포 및 소기도내의 기체와 액체 사이의 표면 장력의 결과이다.

표면 장력은 탄성 반동력의 주요 원인으로, 만일 폐가

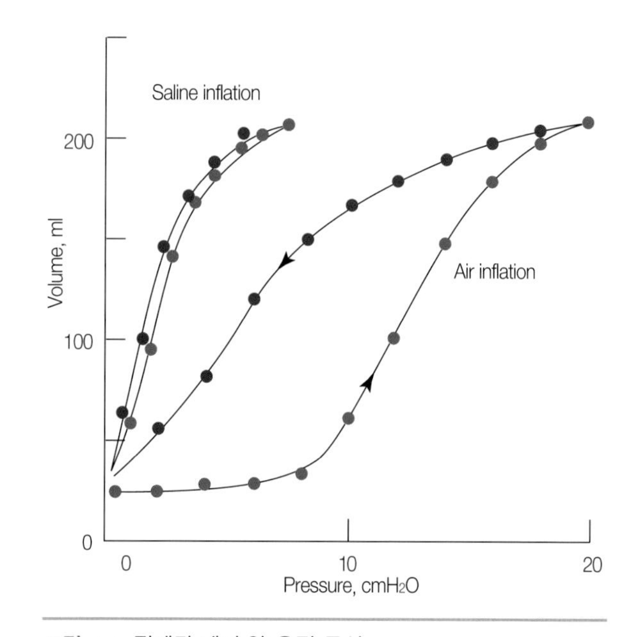

그림 4-4. 절제된 폐의 압-용적 곡선
폐가 생리식염수로 채워지면 공기 액체 계면에 존재하는 표면장력이 없어져 폐의 탄성 반동력이 감소되어 압력-용적 곡선이 좌측으로 이동한다. 공기로 채워진 폐는 표면장력에 의하여 팽창과 허탈 시의 곡선에 차이가 나는데 이를 이력현상(hysteresis)이라 한다.

식염수로 충만되어 기체-액체 계면이 없어지는 경우 유순도는 커지고 압-용적 곡선에서 이력현상이 감소한다. 폐포가 아주 작음에도 불구하고 표면 장력이 폐 탄성반동에 미치는 영향이 크지 않음은 dipalmitoyl lecithin 성분인 표면 활성제(surfactant)때문인데 폐포와 말단 기도에 단백질과 결합하여 존재한다. 혈장 표면 장력이 50 dynes/cm 이고 식염수 표면 장력이 70 dynes/cm인데 반하여 폐포의 표면 장력은 매우 낮아 약 5 dynes/cm이다. 표면 활성제는 표면 장력을 감소시킬 뿐 아니라, 이력현상이 크게 나타나도록 하여 표면적이 늘어나면 표면 장력이 커지도록 하고, 표면적이 줄어들면 표면 장력이 작아지도록 해준다.

(2) 흉벽의 기계적 성질

흉벽은 늑골강과 횡격막 및 복부로 이루어지며, 내재성 탄성(intrinsic elasticity)을 가진 수동적 요소와 호흡근에

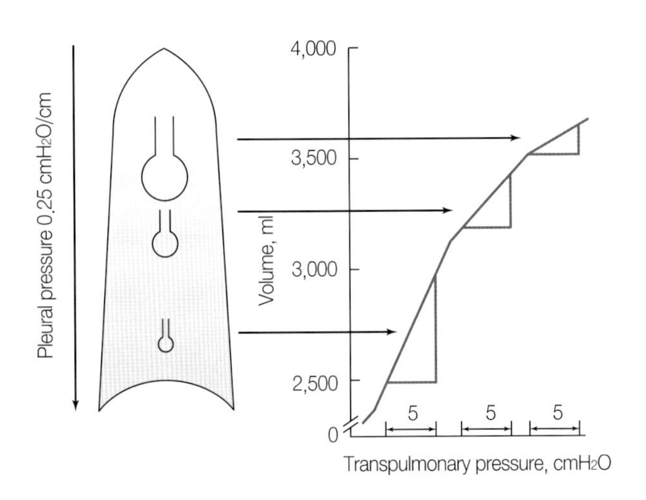

그림 4-5. 흉막내압(pleural pressure)은 폐의 아래쪽으로 1 cm 내려갈 때마다 0.25 cmH_2O 감소한다.

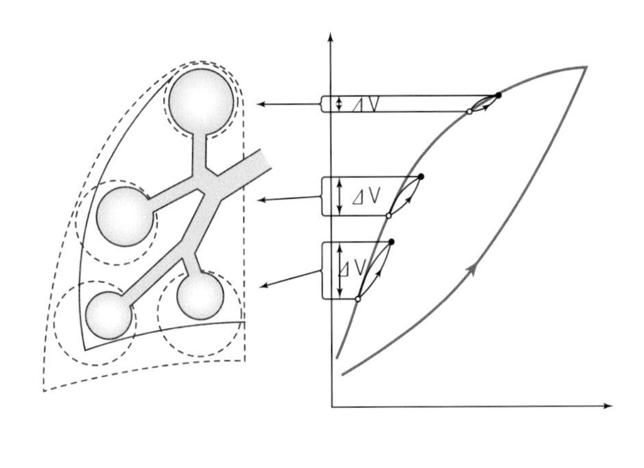

그림 4-6. 단위 폐 용적에 대한 환기량

의한 능동적 요소가 함께 존재한다. 휴식 상태에서 흉벽은 일정한 용적에 도달하여 변형되지 않으려 하는데, 이는 호기근에 의한 흉부 압박과 흡기근에 의한 팽창의 균형 때문이다. 수동적인 흉벽의 탄성은 팽창압과 용적의 관계로 표현된다. 팽창압 혹은 경흉압(transthoracic pressure)은 흉벽 내압과 외압, 즉 대기압(P_B)과의 차이다.

폐활량 영역에서 흉벽의 유순도는 폐와 비슷한 약 200 ml/cmH_2O이며, 아주 낮은 용적에서는 흉벽은 경직된다. 호흡계의 총 유순도는 폐와 흉벽 유순도의 합으로 산출된다. 폐가 흉곽 내에 있을 때 탄성저항(elastic resistance) 즉 유순도의 역수는 다음과 같다.

$$\frac{1}{C_L}+\frac{1}{C_{CW}}+\frac{1}{C_{RS}}$$

(C_L: 폐 유순도 C_{CW}: 흉벽 유순도 C_{RS}: 호흡계 유순도)

즉, $\frac{1}{200}+\frac{1}{200}+\frac{1}{100}$

따라서 전체 호흡계의 유순도(C_{RS})는 정상에서 100 ml/cmH_2O이다.

기립위에서 흉막내압은 기저부보다 첨부가 더 음압인데 이는 폐 조직의 무게에 의한 중력 때문이다. 따라서 이러한 흉막내압의 경사도(gradient)를 따라 기저부보다 첨부가 더 확장되며, 일회호흡량 호흡(tidal breathing)시 폐의 각 부위에 따라 압-용적 곡선의 적용되는 부위가 다르게 된다(그림 4-5).

흡입 시 흉막내압이 낮아지면 폐 기저부 폐포의 경폐압 경사 변화가 폐첨부보다 더 크다. 이와 함께 폐기저부 폐포는 유순도가 커서 폐단위당 용적 변화가 많은 빠른 폐포이므로 특정 환기량(specific ventilation, 단위 폐용적에 대한 환기량)이 폐첨부보다 많다(그림 4-6). 즉 흡입되는 호흡용적이 폐첨부보다는 폐기저부 쪽으로 많이 분포된다, 이는 불균등 폐환기 경사도가 생기는 원인이다. 일반적으로 기능적 잔류용량(호기말의 폐용적)이 증가하면 폐첨부의 환기는 감소하고, 기능적 잔류용량이 감소하면 폐첨부 환기는 증가한다.

(3) 기도 폐쇄(Airway closure)

연골조직의 지지가 없는 소기도들은 폐 실질의 탄성 반동력에 의해 그 개방(patency)을 유지한다. 소기도는 주로 폐의 하부(dependent lung region)에서 폐쇄되는데 이는 주위 조직의 낮은 탄성반동력과 중력의 변형 효과(deforming effect) 때문이다. 만약 이곳에 혈액 관류가 지속된다면 션트가 생긴다. 젊고 건강한 사람은 기도폐쇄가 잔류용적에 가까운 아주 낮은 폐용적에서만 발생하나 노인이나 폐기종 환자는 탄성반동력이 소실되어 보다 높은 폐용적에서 기도폐쇄가 일어나고 때로는 일회호흡량 호흡 시에도 나타날 수 있다.

기도 폐쇄가 일어나는 폐용적을 폐쇄용적(closing volume, CV)이라 하며 폐쇄용량(closing capacity, CC)이란 폐쇄용적에 잔류용적을 더한 것으로써, 대개 전폐용량에 대한 백분율로 나타낸다(CC/TCL%).

(4) 기도저항

기도저항이란 주어진 가스유량(L/min)이 전체 호흡계를 통하여 흐르도록 하는데 필요한 압력차(cmH_2O)를 말한다. 생리적으로 기도저항을 결정하는 인자는 직경, 길이, 분지와 같은 기하학적 요소와 가스흐름이 층류(laminar flow)인가 혹은 와류(turbulent flow)인가 하는 점이다.

층류에서 유체가 관을 통과할 때 발생하는 압력 감소(ΔP)는 Hagen-Poiseuille의 법칙을 따른다.

$$\Delta p = \frac{8nlF}{\pi\gamma^4}$$

(γ: 관의 반경, n: 가스의 점도, l: 관의 길이, F: 유속)

폐에서 층류는 가스 흐름이 느린 소기도에서 보인다. 기관에서는 와류이며, 중간크기의 기도에서는 아마도 혼합 형태일 것이다. 성인의 기도 저항의 정상치는 1 cmH_2O/L/sec이며, 극심한 천식 발작 시의 저항은 50 cmH_2O/L/sec까지 이를 수 있다. 전체 기도 저항의 60%는 코에서 후두에 이르는 상기도에 의한 것이다. 직경 2 mm 이하의 소기도는 전체 저항의 20% 이하만 차지하는데, 이는 소기도의 전체 횡절단면이 넓어서 가스 흐름을 잘 수용할 수 있기 때문이다. 소기도는 저항이 작기 때문에 폐쇄가 있다 하더라도 발견하기 어렵다. 또한 전체기도저항이 증가되지 않아도, 소기도 질환이 있을 수 있다. 기도 저항은 많은 인자에 의하여 변하는데 폐용적 변화도 그 중의 하나이다. 기도 자체가 탄성조직의 일부이므로 그 길이나 직경은 폐 용적에 따라 변한다. 즉 FRC 이상의 폐용적에서 기도 저항의 변화는 거의 없으나, FRC와 RV 사이의 용적에서는 기도 저항이 상당히 증가한다. RV에 가까운 폐용적에서 일부 소기도는 완전히 폐쇄될 수도 있으므로 이때의 기도저항은 매우 커진다. 그 외에 기도저항에 영향을 주는 다른 인자는 평활근의 긴장도 증가, 기관지 점막의 부종, 기관지 분비물 등이 있다. 이런 이유로 상기도 감염의 경우, 기도 저항이 크게 증가하며, 특히 기도가 좁은 소아에서는 그 정도가 심하다(그림 4-7).

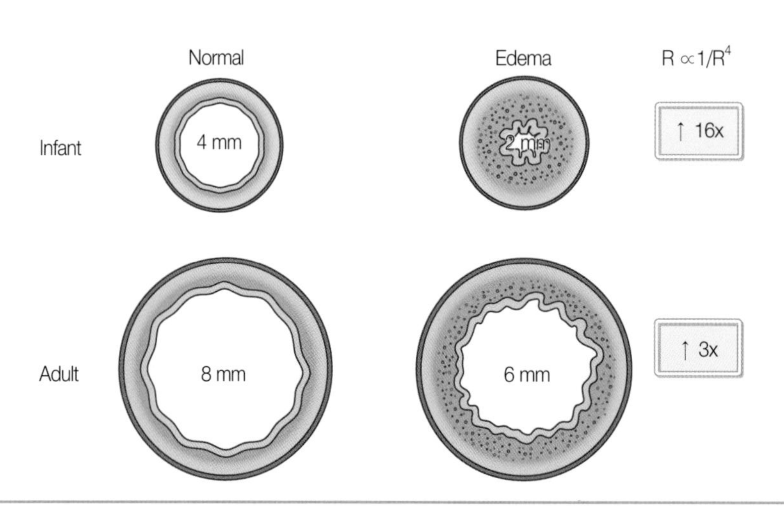

그림 4-7. 기도 직경과 저항

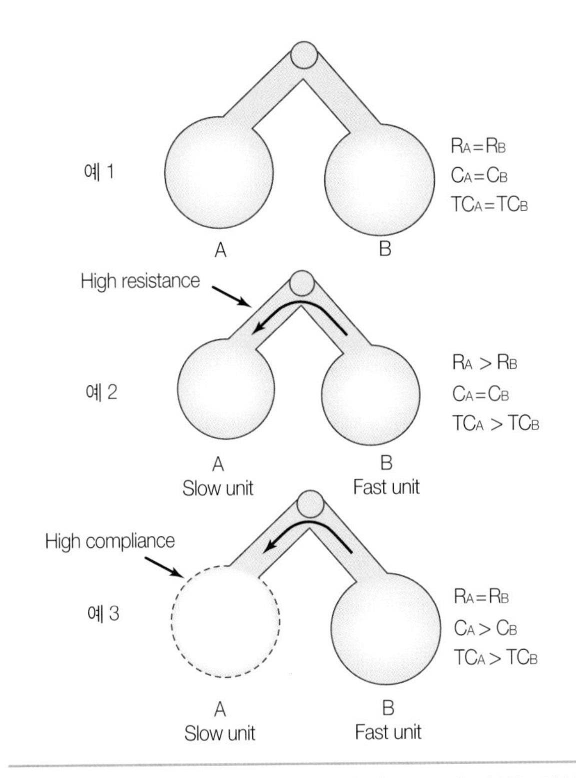

그림 4-8. 폐 유순도와 기도저항이 폐의 가스분포에 미치는 영향

(5) 폐 유순도와 기도저항이 폐의 가스분포에 미치는 영향

한 개의 폐단위(lung unit)를 가스로 채우는데 필요한 시간을 시간상수(time constant, TC)라고 하며, TC=RC (R: 저항, $cmH_2O/L/sec$, C: 유순도 L/cmH_2O)이다.

일반적으로 시간상수란 폐의 최종용적의 63%에 도달하는데 걸리는 시간을 의미한다. 시간상수가 짧을수록 빨리 가스로 채워진다. 시간상수는 폐 유순도와 기도저항이 폐의 가스분포에 미치는 영향을 반영하는 것이다. 그림 4-8은 인접 폐단위 A, B에서 저항과 유순도에 따른 시간상수 변화와 가스분포를 나타내고 있다.

3) 폐 가스 교환의 양적분석

(1) 교환된 가스의 양

건강한 70 kg의 사람이 정상 대기 온도에서 휴식 시 소모하는 산소량은 250 ml/min (STPD)이다. 이는 에너지로는 1.2 kcal/min나 70 watts 정도이다. 산소 소모와 동시에 CO_2는 200 ml/min (STPD)이 생성된다. 체온이 1℃ 상승하면 대사율이 10% 증가한다. V_{CO_2}/V_{O_2}를 호흡교환 비율(respiratory exchange ratio, R)이라 하고 이 값은 체내에서 산화되는 물질의 성격에 따라 결정되며 탄수화물은 1.0, 지방은 0.7, 단백질은 0.8이며, 혼합된 식사의 경우 R의 표준치는 대개 0.82이다.

(2) 호흡 사강과 폐포 환기

흡입된 가스 전부가 폐의 호흡영역(respiratory zone)에 도달하지는 않는다. 이처럼 환기는 되나 가스 교환은 일어나지 않는 부분을 해부학적 사강(anatomical dead space)이라 하고 통상 입과 코에서부터 세기관지까지의 공기 통로를 의미한다. 해부학적 사강의 용적은 Radford의 경험적 공식, 즉 해부학적 사강(ml) = 체중(lb)으로 구할 수 있으며, 흉곽 밖의 상부 기도가 대략 반을 차지한다. 해부학적 사강 외에도, 폐의 상태에 따라 일부 폐포에서 환기는 되나 관류는 되지 않는 폐포가 있으며 이들을 폐포 사강(alveolar dead space)이라고 하며, 이 둘을 합쳐 생리적 사강(physiological dead space)이라 한다.

정상인에서 이는 환기의 30% 정도가 사강 환기에 해당되어, 사강 환기와 환기량의 비(V_D/V_T)가 약 0.3이다. 유효 혹은 폐포 환기(V_A)는 분당 환기량(V_E)에서 사강환기(V_D)를 뺀 것이다.

생리적 사강이 증가된 상태에서 주어진 V_A를 유지하려면 V_E가 증가해야 한다.

(3) 폐포 가스

폐포가스의 일정한 구성은 폐포환기(V_A)와 관류(Q)에 의해 정해지는데, 폐포환기를 통하여 폐포 가스는 흡기의 구성에 접근하게 되고 관류를 통하여 혼합 정맥혈의 가스 구성에 가까워진다. 혼합 정맥혈의 가스구성은 심박출량, 산소 소모량, 이산화탄소 생산량에 의하여 결정된다. V_A/Q비가 높으면 폐포 가스가 흡기의 구성과 더 비슷하여지고 이 비가 낮으면 폐포가스가 혼합 정맥혈의 가스 구성에 더 접근하게 된다. 요약하면 폐포 가스의 구성은 V_A,

Q, 흡기와 혼합 정맥혈의 구성에 의하여 결정된다.

(4) 폐 환기와 대사율

폐 환기와 대사율은

$$V_A = \frac{V_{O_2}}{P_ACO_2} R(P_B - 47)$$

로 표시할 수 있다. 이를 P_ACO_2에 대하여 정리하면

$$P_ACO_2 = \frac{V_{O_2}}{V_A} R(P_B - 47)$$

인데 여기에는 두 가지 중요한 의미가 있다.

① 고열, 근육운동 등과 같이 V_{O_2}가 증가된 경우 P_ACO_2를 일정하게 유지하려면 V_A도 같이 증가해야 한다. P_B, R, P_ACO_2의 정상치에서 보면

$$V_A\ (L/min,\ STPD) = \frac{V_{O_2}(L/min,\ STPD)}{40\ mmHG} \cdot 0.82 \cdot 713 = 15 \cdot V_{O_2}$$

따라서 산소 소모량 1 L당 15 L의 V_A가 제공되어야 P_ACO_2가 40 mmHg로 유지된다.

② 대사율(VO_2)이 일정하다면 P_ACO_2는 V_A와 반비례 관계가 있다. 일정한 VO_2하에서 V_A가 절반이 되면 P_ACO_2는 2배가 된다. 이 관계는 산염기 평형 장애의 단기적인 보상에 있어서 호흡계가 중요한 역할을 하게 되는 원리가 된다.

4) 폐 순환

만약 폐가 완전하고 균일한 가스 교환기라면 체순환의 $PaCO_2$와 PaO_2가 폐포가스의 그것과 같을 것이나 다음의 두 가지 이유로 차이를 보인다. 첫째로 생리적 우-좌 션트의 존재, 즉 기관지 정맥은 폐정맥으로 가고, 심근의 일부 Thebesian 정맥은 좌심장으로 간다. 둘째로 환기와 관류가 폐의 부위에 따라 일정치 않으므로 이러한 불균등 환기/관류가 폐포 가스와 말초 폐 모세혈관 혈액의 조성에 반영된다. 불균등 환기/관류로 인하여 혼합 폐포 가스와 동맥혈 간에 $PaCO_2$와 PaO_2 차이가 발생되는 이유는 폐순환을 통해 알 수 있다.

평균 폐동맥압(PAP)은 15 mmHg이며 수축기/이완기압은 25/8 mmHg이다. 폐정맥압은 좌심방압(LAP)과 거의 같아 8 mmHg 정도이다. 이와 같이 폐순환계의 압력 경사는 약 7 mmHg로 전신순환 압경사의 1/10 미만이며 폐혈관 저항(pulmonary vascular resistance, PVR)은 휴식 상태에서 15(PAP) − 7(PWP) mmHg/5 L/min (CO)로 1.6 units이고 전신혈관 저항(systemic vascular resistance, SVR)은 95(MAP) − 5(CVP)/5인 18 units이다. 전체 폐와 특히 국소적 관류상태에 관한 폐혈역학을 평가하는 압-유량 관계(pressure-flow relations)에서 폐혈관의 구조와 기계적인 성질이 특이하기 때문에 PVR은 임상적으로는 별 의미가 없다.

저산소증은 폐의 저항성 혈관을 수축시키는 중요한 인자이다. 폐포가스와 전신혈액의 저산소증은 혈관을 수축시키고 폐동맥압을 상승시킨다. 폐 혈관수축에 대한 저산소혈증의 작용은 pH가 낮거나 $PaCO_2$가 높으면 더 강화된다. 저산소성 폐 혈관수축(hypoxic pulmonary vasoconstriction, HPV)은 P_AO_2가 낮은 저환기 지역에서 P_AO_2가 높은 고환기 지역으로 혈류량을 이동시켜 환기와 관류의 균형을 이루게 한다. 그러나 만성 저산소혈증에서는 광범위한 폐 혈관수축으로 폐동맥 고혈압과 심성폐(cor pulmonale)가 초래된다.

(1) 폐혈류의 국소적 분포

폐순환은 저혈압 체계이므로 중력에 의한 정수압 차이가 유효 동맥 유입압(effective arterial inflow pressure)을 변화시킬 수 있다. 폐의 여러 부위의 국소 관류압은 폐문으로부터의 정수압 차이와 폐동맥압에 의하여 결정된다. 그림 4-9는 수직 폐(vertical lung)에서 혈액을 관류시키는 유효 유입압을 보여준다. 혈관 내의 압력은 심장보다 위쪽이면 감소하고 아래쪽에서는 증가한다. 폐첨부에서는 유효관류압인 PAP가 폐포 내 압력보다 적어서 혈액을 폐첨부로 올릴 만큼 충분치 못하여 결과적으로 폐포 혈

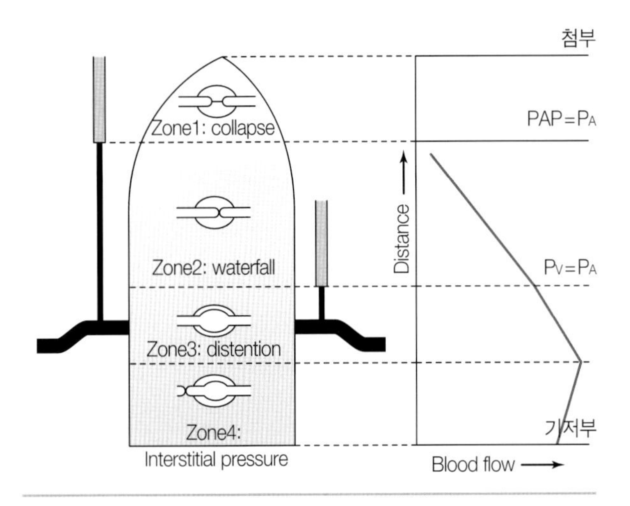

그림 4-9. 폐의 네 구역에 따른 관류량

관은 허탈되고 혈액의 흐름이 멎게 된다. 자발호흡을 하는 정상 폐에서 혈액이 관류되지 않는 곳은 없으나, 출혈 또는 저혈압으로 인하여 폐동맥압이 낮아지거나 양압 환기 시, 특히 PEEP의 경우에 폐포 가스의 압력이 높아지면 관류는 되지 않으면서 환기는 정상인 1 구역(폐포사강)이 발생하게 된다. 폐첨부 아래쪽의 폐 부위(2 구역)는 심장으로부터의 높이가 폐첨부보다는 낮기 때문에 유효 유입압이 폐포압보다 높다. 그러나 폐정맥압은 여전히 폐포압보다 작다. 혈액 관류는 유효 유입압과 폐포압의 차이로 결정된다. 정맥압이 폐포압보다 커지지 않는 한 폐 국소 혈류에 영향이 없다(폭포효과, waterfall effect). 심장보다 약간 아래쪽 폐 부분은 정맥압이 폐포압보다 크며(3 구역), 혈류는 유효 유입압(즉 PAP, 3 구역에서는 정수압 효과에 의하여 PAP가 증가된다)과 폐정맥압의 차이로 결정된다. 3 구역에서는 폐포 혈관압이 동맥유입압과 정맥유출압의 사이에 있으므로 폐포압보다 높다. 따라서 폐포 혈관은 확장되어 저항이 낮아진다. 결론적으로 수직 폐에서 첨부는 혈류가 적고 아래로 갈수록 혈류가 증가하는 국소 관류 경사가 존재함을 알 수 있다.

그러나 실제로는 폐포의 혈관이 혈류에 대한 국소 저항에 영향을 미치므로 더 복잡하다. 폐포외 혈관 주의의 압력은 폐 탄성반동력, 나아가서는 폐용적에 의하여 영향을 받는다. 기저부처럼 팽창이 잘 되지 않는 폐 부위의 폐포외 혈관 주위압은 혈관 허탈을 일으킬 정도로 양압이다. 따라서 경벽 팽창압(transmural distending pressure)이 감소되고 혈류저항이 증가되는데, 수직 폐에서는 이러한 기전에 의하여 혈류가 감소한다(4 구역).

앙와위에서는 첨부로부터 기저부까지의 관류경사가 없어지고 자세에 의한 상하부간의 경사가 나타나는데 이 경사의 폭은 상하거리가 좁으므로 적다.

(2) 폐의 액체교환

다른 혈관 분포지역과 같이 폐 모세혈관을 통한 액체교환은 Starling의 법칙에 따른다. 순액체유출량(n: net filtration)은 여과력과 재흡수력의 차이에 비례하는데 여과력은 폐포 모세혈관 정수압(P_c)과 폐 간질액 정수압(P_{ist})의 차이이고, 재흡수력은 혈장내 교질 삼투압(π_c)과 간질액내 교질 삼투압(π_{ist})의 차이이다.

$$n = K[(P_c - P_{ist}) - (\pi_c - \pi_{ist})]$$

(K: 모세혈관막의 여과계수)

폐 모세혈관에서 Starling의 평형에 관여하는 모든 압력을 측정할 수 없지만 정상에서 혈장 단백질의 교질 삼투압(colloid osmotic 혹은 oncotic pressure)은 약 25 mmHg이고 간질액내의 교질 삼투압은 폐 임파액의 단백질 농도로 미루어 보건데 약 19 mmHg이다. 따라서 체액의 재흡수를 일으키는 순 교질 삼투압 차이는 6 mmHg 정도이다.

모세혈관내 정수압은 폐 세동맥 정수압과 좌심방 정수압 사이에 있다. 동맥 유입압에 대한 중력의 영향 때문에 세동맥압과 모세혈관의 압력이 전체적으로 균일하지 않으며, 폐첨에서 기저부로 가면서 7~12 mmHg에 이르고, 평균 10 mmHg 정도이다.

(3) 폐부종

폐 간질액의 생성 속도가 임파계의 운반능력을 초과하면 폐 간질 내에 축적된다. 임파계의 운반능력은 정상의 두 배까지 증가될 수 있다. 만일 모세혈관 내 정수압의 증가, 혈장 교질 삼투압 감소와 모세혈관막의 투과성 증가로 인하여 폐 간질액의 생성 속도가 임파계 운반능력을 초과하면 액체 축적이 초래된다.

종양 등에 의하여 림프관 폐쇄가 생기면 부분적인 부종이 올 수는 있으나, 가장 흔한 폐부종의 원인은 좌심실부전과 수액과잉 공급 시 볼 수 있는 모세혈관 내압 증가에 의한 고압성 폐부종(high pressure pulmonary edema)과 패혈증, 급성 외상 후 폐부전 및 독성가스 흡입 후에 볼 수 있는 누수성 모세혈관(leaking capillaries)에 의한 저압성 폐부종(low pressure pulmonary edema)이다. 상기 두 종류의 폐부종은 폐동맥쐐기압을 측정하여 구별할 수 있다.

5) 폐의 환기/관류 균형과 저산소혈증

휴식 상태에서 정상인의 폐는 분당 4 L의 폐포 환기를 하며, 분당 5 L의 혈액이 관류하게 되므로 전체 환기/관류 비율(V/Q ratio)은 4/5 즉 0.8이다.

환기/관류비가 높은($V/Q > 0.8$)부분은 국소 폐포 가스 조성이 P_ACO_2는 낮고 P_AO_2는 높은 흡입가스와 비슷하다. 환기/관류 비율이 낮은($V/Q < 0.8$) 부분은 폐포 내 가스 조성이 P_ACO_2는 높고 P_AO_2는 낮은 혼합 정맥혈과 비슷하다. 또한 폐포 환기는 되나 관류가 전혀 안되는($V/Q = \infty$) 부분은 폐포 사강이며, 관류는 되나 환기가 안 되는($V/Q = 0$) 부분은 정맥혈 혼합 혹은 폐내 션트이다.

정상적으로 직립위에서 폐의 기저부가 환기 및 관류가 더 잘 되지만, 폐첨부에서 폐기저부까지의 관류 경사가 환기 경사보다 심하므로 환기/관류 비율이 폐첨부는 높아서 약 3 정도이고 폐기저부에서는 낮아서 약 0.6 정도이다. 환기/관류비가 높은 지역과 낮은 지역이 있다는 것은 가스 교환 효능에 중대한 결과를 초래한다.

환기/관류 비율이 각기 다른 여러 지역으로부터 나온 혈액들이 섞이면 동맥혈의 산소와 이산화탄소의 함량은 두 가스 함량의 가중 평균(weighted average)과 같아지고 두 가스의 혼합 동맥혈(mixed arterialized blood) 분압은 각각의 가스 해리곡선에 따른다.

이산화탄소 해리곡선은 이산화탄소 분안 분압 20~50 mmHg 범위 내에서는 거의 일직선을 나타내므로 이산화탄소 분압의 변화는 단순히 이산화탄소 함량과 비례한다. 예를 들어 이산화탄소 분압이 30 mmHg인 혈액과 50 mmHg인 혈액이 동량으로 섞였다면 이산화탄소 분압은 40 mmHg이다. 그러나 산소해리곡선은 직선이 아니므로 산소 분압이 50 mmHg이고 산소포화도가 83%인 혈액과 산소분압이 120 mmHg이고 산소포화도가 99%인 혈액이 동량으로 섞이면 동맥혈 산소포화도는$(83 + 99)/2 = 91\%$이고 산소분압은 산소해리곡선 상의 상응점인 63 mmHg가 된다.

산소해리곡선은 산소 분압이 80 mmHg 이상일 때에는 거의 수평선을 이루기 때문에 대기로 호흡할 때 높은 환기/관류 비율 지역을 거친 혈액에 의하여 동맥혈 산소분압이 중등도 증가한다 하더라도 낮은 환기/관류 비율 지역을 거친 혈액의 낮은 산소 포화를 대상하지는 못한다. 대기를 호흡할 때 V/Q율이 낮은 환기/관류 불균등 분포가 있다면, 저산소혈증 발생이 불가피하다. 그러나 흡입산소농도(FiO_2)를 높이면 환기가 잘 되지 않는 폐포에도 폐포내 산소분압(P_AO_2)이 충분한 가스가 채워져서 그 폐포를 통과하는 혈액을 산소로 포화시킬 수 있기 때문에 저산소혈증은 나타나지 않을 수 있다.

저 환기/관류 지역의 존재는 이산화탄소의 배출에도 영향을 미친다. 환기가 잘 안되고 관류가 잘 되는 지역(저 환기/관류 지역)의 혼합 혈액은 혼합 동맥혈에 과탄산혈증을 유발하는 경향을 보인다. 증가된 $PaCO_2$은 호흡을 촉진시켜서 전체 환기가 증가되므로 과탄산혈증을 피할 수 있고, 이산화탄소 해리곡선이 직선에 가까우므로 환기가 잘 되는 지역은 이산화탄소 함량이 더욱 낮아질 수도 있으나 대신 호흡운동량이 많아진다.

환기/관류 불균등은 만성 폐질환 환자에서 저산소혈증의 가장 흔한 원인이며, 이러한 불균등 분포는 공기흐름에 대한 유순도와 저항의 국소적인 차이, 폐색전증 등의 혈관폐쇄성 질환, 그 밖의 다른 요인들에 의해 야기된다.

저산소혈증의 다른 원인으로 폐포 저환기와 폐내 션트가 있다. 폐포 저환기는 과탄산혈증과 동일한 용어이며, 대기를 호흡하면서 폐포 저환기가 있을 경우 저산소혈증을 야기한다. 저환기는 근육, 골격, 신경근전도 혹은 중추신경계 질환이 있을 때, 근육이완제 투여, 중추신경계 억제제의 투여, 사강율이 증가되어 최대로 환기를 해도 적절한 폐포 환기를 얻을 수 없는 폐질환 등에서 올 수 있다.

진성(true) 폐내 션트는 혼합 정맥혈이 폐를 통과할 때 가스와 접촉을 못하여 가스교환이 생기지 않는 것이며, 무기폐와 폐허탈 환자에서 발생하지만, 급성 호흡부전 시에 볼 수 있는 저산소혈증의 중요한 원인은 아니다. 급성 호흡곤란증 환자에서 "션트"라 불리는 것은 대부분 V/Q 비율이 매우 낮은 환기/관류 불균등을 말한다.

3. 폐와 조직 사이의 산소와 이산화탄소의 운반

폐포와 혈액 사이의 가스교환의 과정은 단순 확산으로 산소와 이산화탄소 분자가 가스 상태에서 가스 교환막과 혈액을 통하여 이루어진다.

수동적 확산(passive diffusion)에 의한 가스의 이전율(transfer rate, V_{gas} ml/min)은 확산이 가능한 면적(A)과 폐포가스 분압(P_A)과 모세혈액의 분압(P_c) 차이에 비례하고, 확산이 일어나는 거리(d)에 반비례한다. 이것이 Fick의 확산법칙이다.

$$V_{gas} = D\frac{A}{d}\ P_A - P_C$$

확산계수(D)는 각 가스마다 고유하여 가스분자가 무거울수록 이동은 느리며, 조직의 수분에 잘 녹을수록 확산이 빠르다. 이산화탄소는 산소보다 조금 무겁지만 조직의 수분에 잘 녹으므로 확산계수가 산소의 20배 정도이다.

1) 혈액 내 산소 운반

산소는 폐포 모세혈관막을 통하여 물리적으로 혈액에 용해되거나 혈색소와 가역적으로 결합되어 운반된다. 용액에 녹는 양은 용해 계수와 분압에 의해 결정된다(Henry의 법칙). 산소의 혈액 용해도는 매우 낮아서 37℃ 때 mmHg 당 0.003 ml O_2/100 ml blood이므로 PaO_2 100 mmHg에서 100 ml의 동맥혈에는 0.3 ml 즉 0.3 vol%의 산소가 존재한다.

산소는 혈색소와 결합하여 산화혈색소(HbO_2)가 되며 이는 가역적이다. 포화 상태에서 1 gm의 혈색소는 1.36 ml의 산소와 결합한다. 산소용량(oxygen capacity)이란 가용 혈색소에 의해 운반될 수 있는 최대 산소량을 의미한다. 혈액 내의 산소함량(oxygen content, CaO_2) 혹은 산소농도(concentration)는 용해된 산소량과 혈색소에 결합된 산소량의 합이다. 혈색소의 산소포화도(SO_2)는 산소와 결합한 혈색소량을 총 혈색소량으로 나누어 백분율로 나타낸다. 산소 운반량은 동맥혈 산소 함량에 심박출량을 곱한 것이다($CaO_2 \times CO$).

혈색소의 산소포화도는 주로 PaO_2에 의하여 결정된다. SO_2와 PaO_2 간의 관계는 복잡하며 이 관계는 산소해리곡선(oxygen dissociation curve)으로 가장 잘 표현된다(그림 4-10).

이 곡선의 특수한 모양은 몇 가지 생리적 장점을 수반한다. 수평한 위 부분(plateau)은 폐포가스의 정상적인 PO_2

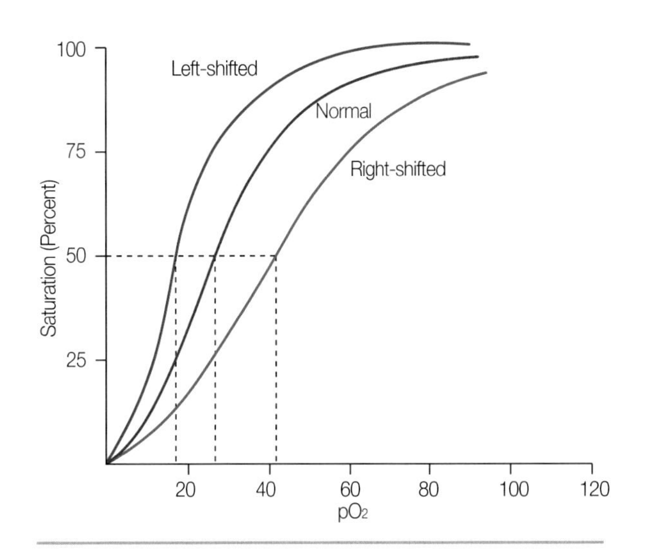

그림 4-10. 산화헤모글로빈 해리곡선
동맥혈의 헤모글로빈의 산소포화도와 산소분압과의 관계를 S자형의 산화헤모글로빈해리곡선으로 나타내었다. 곡선이 좌측으로 이동하게 되면 헤모글로빈 분자는 산소와 더욱 견고하게 결합하게 된다.

변화에 따른 SO_2의 변동을 막아주며, 가파른 부분은 조직에 산소를 공급하기 쉽도록 하는데, PO_2가 조금 떨어지더라도 산소포화도가 많이 감소된다. 관습상 50% 포화를 일으키는 PO_2 값(P_{50})으로 해리곡선의 이동 정도를 표시한다. 정상인의 P_{50}은 26~27 mmHg (37℃, pH 7.40, PCO_2 40 mmHg, 정상 2,3-DPG 농도)이다. 우측 이동은 체온 증가, pH 감소, PCO_2 증가, 2,3-DPG 증가 때 일어나고, 반대의 경우에는 좌측으로 이동한다. 산소에 대한 혈색소의 친화도 증가로 산소해리곡선이 좌측으로 이동하면 조직으로 산소 공급이 어려워지는데 이때는 조직의 PO_2가 더 낮아야만 산소 공급이 이루어질 수 있다. 적혈구 내의 pH는 2,3-DPG의 농도를 결정하는데 중요한다. 산증은 2,3-DPG 농도 변화에 의하여 수 시간 이상에 걸쳐 상쇄된다. 따라서 산증은 처음에는 우측이동을 유발하나, 며칠이 지나면 산증이 지속되더라도 정상으로 돌아가는데 이것은 2,3-DPG 농도가 감소하기 때문이다. 이때 갑자기 산증을 교정하면 2,3-DPG 농도가 새로운 산염기 평형으로 재조정될 때까지는 곡선이 좌측으로 이동된다.

2) 이산화탄소 운반

이산화탄소는 조직에서 생산되어 모세혈관 내의 혈액으로 확산된 후 물리적으로 용해되거나 화학적 결합 상태로 존재하게 된다. 이산화탄소의 혈액 내 용해계수(solubility coefficient)는 0.03 mM/L/mmHg PCO_2이므로 PCO_2 46 mmHg인 혼합 정맥혈에서 1.38 mM/L의 CO_2가 물리적으로 용해되며, $PaCO_2$ 40 mmHg인 동맥혈의 경우 1.2 mM/L의 CO_2가 용해된다. 화학적 결합은 두 가지 방법으로 일어난다.

① CO_2가 수화(hydration)되어 H_2CO_3로 되며($CO_2 + H_2O \rightleftarrows H_2CO_3$) 이어서 H_2CO_3가 복잡한 완충작용(buffering) 과정에 포함된다.

② 단백질의 NH_2기와 작용하여 비교적 강산(pKa<6)인 carbamino 화합물인 carboxy 혈색소(carboxyhemoglobin)를 형성함으로써, 혈액 내에서 이산화탄소 운반에 주된 역할을 한다.

이산화탄소가 수화되어 탄산이 되는 과정은 혈장에서는 느린 반면, 적혈구내에서는 탄산탈수효소(carbonic anhydrase)가 있어 가속화된다. 대부분의 탄산 형성과 이들의 완충작용, HCO_3^-의 형성은 적혈구내에서 일어난다. 생성된 HCO_3^-는 그 후 혈장내로 확산되고 Cl^-은 적혈구내로 들어가서 전기적인 평형을 이룬다(염소이동, chloride shift). 이산화탄소를 혈액으로 내보내는 동시에 산화 혈색소가 환원되는데, 이는 혈색소가 carbamino 화합물인 carboxy 혈색소를 생성하는 능력을 높여주고 혈색소 분자를 더 약산으로 만든다. 이 두 가지 작용에 의하여 환원된 혈색소가 이산화탄소와 결합하기 쉽게 된다 (Haldane 효과). 폐에서는 이 과정이 거꾸로 일어나서 혈색소가 중탄산염(bicarbonate)에서 떨어져 나온다.

PCO_2와 혈액 내 전체 이산화탄소 함량과의 관계는 이산화탄소 해리곡선에서 알 수 있다. 산소해리곡선과 달리 PCO_2와 혈액 내 전체 이산화탄소 함량과의 관계는 혼합 정맥혈과 동맥혈의 PCO_2 범위 내에서는 직선에 가깝다.

4. 폐 환기의 조절

1) 호흡 중추와 반사(그림 4-11)

호흡은 외부의 자극이 없으면 수축하지 않는 골격근에 의하여 일어난다.

호흡 중추의 신경원들은 연수(medulla oblongata)와 뇌교(pons)에 널리 퍼져 있다. 배측 호흡군(dorsal respiratory group)이 정상적인 휴지기의 호흡에 가장 중요하며, 호흡의 흡기를 담당하며 규칙적인 호흡 주기를 만든다. 복측 호흡군(ventral respiratory group)은 흡기와 호기 모두에 관계하나 능동적으로 호흡할 때 주로 작용한다(Kalia, 1981). 뇌교의 후상부에 위치하는 호흡조정 중추(pneumotaxic center)는 호흡의 빈도와 호흡 형태에 주로 영향을 미친다.

신경에 의한 조절 기전 외에도 기관지와 세기관지에 분포하는 신장 수용체(stretch receptor)에 의한 반사작용도 호흡의 규칙적인 운동에 관계하는데, 폐가 팽창하는 것

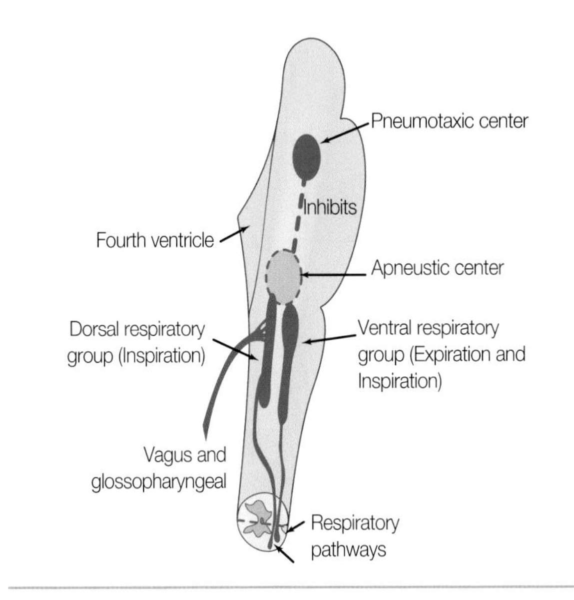

그림 4-11. 호흡 중추

을 인지하고 이 신호를 미주신경을 통해 연수의 배측 호흡군과 호흡조정 중추로 보내어 폐가 과잉 팽창되는 것을 막게 한다. 이 반사작용을 Hering-Breuer 흡입 반사(inspiratory reflex)라 한다. 그러나 실제로 이 반사가 활성화되는 것은 흡입 공기량이 1.5 L 이상에서 생기기 때문에 정상 호흡에서는 크게 중요하지 않으며, 과잉 팽창에 의한 폐손상을 막는 하나의 방어 기전으로 생각된다.

정상 상태의 가스교환과는 무관한 많은 생리적 기능들은 정상적인 호흡양상을 중단 혹은 변형시킨다. 이들 중 자발적인 것으로는 숨참기, 자발적 과환기, 복압 주기(staining), 말하기, 관악기불기 등이 있고, 반사적인 것으로는 재채기, 연하(swallowing), 구토, 딸꾹질 등이 있다.

2) 화학적 조절

호흡에 대한 화학적 수용은 산소와 이산화탄소, 그리고 수소이온에 의하여 일어난다(Walker, 1984). 이산화탄소와 수소이온농도는 직접 호흡중추를 자극하여 호흡근으로 가는 신호를 크게 만든다. 반면 산소의 변화는 뇌중추에 대한 직접적인 영향은 크지 않으며 주로 말초 수용체를 통하여 작용한다.

이산화탄소에 대한 호흡의 현저한 감수성은 여러 농도의 이산화탄소 혼합가스를 흡입시켜보면 알 수 있다. 동맥혈 이산화탄소분압을 1 mmHg 증가시키면 V_E는 2~3 L/min 증가된다. 만약 인공적 과환기 등으로 동맥혈 이산화탄소 분압이 감소되면 환기는 일시적으로 완전히 억제된다. 이러한 이유로 마취되어 있는 환자에서 과환기 후에 무호흡이 일어나기도 한다.

이산화탄소에 대한 환기 반응은 중추신경계 억제제 즉 마취제, 아편양 제제, 진정제 등에 의하면 감소된다. 각성 상태 또한 이산화탄소에 대한 호흡반응에 영향을 주며, 수면 중에는 이 반응이 감소된다.

Ondine's curse는 뇌간과 경추의 상부 분절을 포함하는 수술 후의 환자가 연수성 소아마비 환자에서 발견되는 증후군이다. 환자는 오랫 동안 무호흡 상태가 초래되나, 깨어 있을 때에는 명령에 따라 호흡한다. 이와 비슷한 현상은 아편양 제제를 과량 썼을 때도 나타난다. 이들은 이산화탄소에 대한 현저한 둔감성이 원인으로 생각된다.

연수의 화학수용체는 이산화탄소와 수소이온의 변화를 감지하여 다른 호흡 중추로 신호를 보내게 되며 특히 수소이온에 민감하다. 그러나 혈중의 수소이온농도의 변화는 수소이온이 혈뇌장벽(blood brain barrier)을 통과할 수 없어 직접적으로 화학수용체를 자극하는 효과가 적으며, 반면 이산화탄소는 혈뇌장벽을 아주 잘 통과하므로 뇌 실질과 뇌척수액으로 들어간 이산화탄소는 다시 화학적 변화를 거쳐 수소이온을 형성함으로써 화학수용체를 빠르게 자극한다(그림 4-12).

주어진 뇌척수액 HCO_3^- 농도와 이산화탄소 분압에 따라 결정되는 뇌척수액의 pH는 휴식 시의 폐환기량을 결정한다. 대사성 산증에서는 뇌척수액의 HCO_3^-가 낮아지며, 대사성 알카리증에서는 뇌척수액의 HCO_3^- 농도가 증가하여 환기를 저하시켜서 동맥혈에 대상성 이산화탄소 축적을 초래한다. 대사성 산염기 장애에 대한 호흡성 대상 작용으로 1 mEq/L의 염기 과잉(base excess)이나 결손(base deficit)마다 $PaCO_2$가 약 1 mmHg씩 변한다. 따라서 염기 과잉이 +10 mEq/L인 환자에서 $PaCO_2$의 생리적 정상치는 50 mmHg 정도이며, 염기결

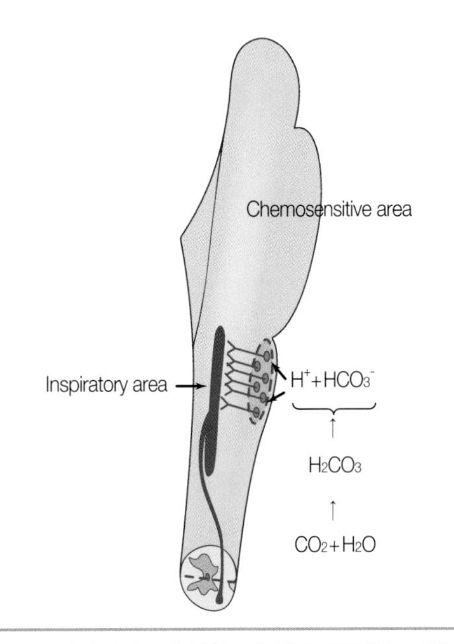

그림 4-12. 이산화탄소가 화학수용체를 자극하는 과정

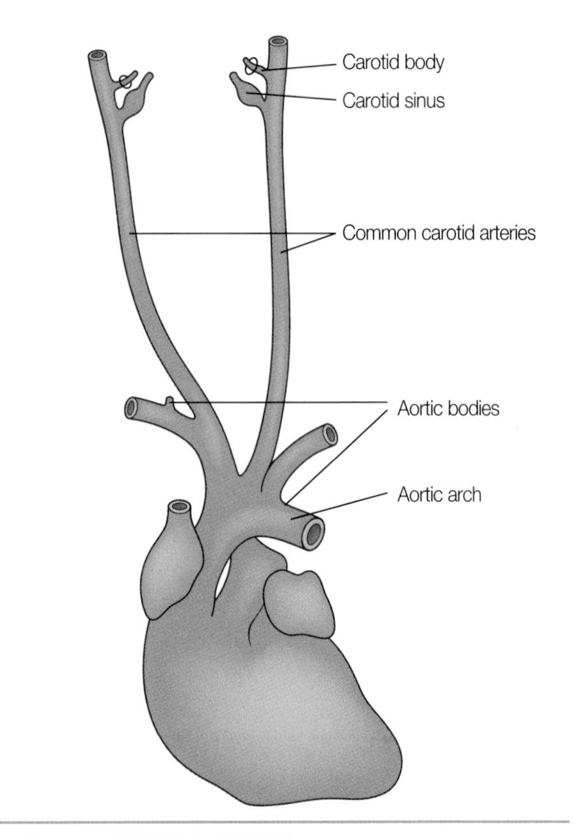

그림 4-13. 경동맥체와 대동맥체

손이 -10 mEq/L이면 $PaCO_2$는 30 mmHg 정도로 유지된다. Henderson-Hasselbalch 등식에 따르면 뇌척수액의 HCO_3^- 농도가 크면 클수록 뇌척수액내의 이산화탄소 분압의 증가에 대한 pH의 변화는 적어진다.

만성 폐쇄성 폐질환으로 이산화탄소가 만성적으로 축적되어 있는 환자는 이산화탄소에 대한 감수성이 거의 상실되므로 호흡충동은 동반된 저산소혈증에 의하여 발생된다. 만약 자발 호흡 시 저산소혈증을 개선시켜 주기 위하여 고농도의 산소를 투여하면 환자는 효과적인 호흡충동을 잃게 되므로 이산화탄소성 혼수(CO_2 narcosis)에 빠지게 된다.

혈중 산소분압의 변화를 인지하여 전달하는 수용체 중 가장 큰 것이 경동맥체(carotid body)이다. 이는 총경동맥의 분지부에 위치하고 설인신경을 통하여 신호를 호흡중추로 전달한다. 그리고 대동맥궁을 따라 분포하는 대동맥체(aortic bodies)는 미주신경을 통하여 전달한다(그림 4-13). 산소 결핍을 감지하는 화학 수용체를 자극하는 것은 산소함량 감소가 아니고 산소분압의 감소이므로 빈혈이나 일산화탄소 중독 때에는 호흡이 자극되지 않는다.

산소의 호흡에 대한 효과는 비정상적인 농도의 산소를 흡입시켜서 연구할 수 있다. 해면상에서 흡입 산소농도 감소가 분당 환기량에 미치는 효과는 매우 적다. 흡입 산소농도를 낮추면서 $PaCO_2$가 일정하게 유지된다면, 산소 분압이 60 mmHg로 감소될 때까지는 환기에 대한 효과는 크지 않다. 따라서 저산소혈증을 감지하는 신체 기전은 민감하지 않은 것을 알 수 있다. 과탄산혈증을 동반한 저산소혈증은 각각의 자극의 합보다 더 많이 환기를 증가시킨다. 이것을 산소와 이산화탄소의 호흡충동에 대한 상호 작용이라고 하며, 작용 위치는 알려져 있지 않다.

5. 산-염기 평형의 기초 물리화학

용액 내에서 산이나 염기는 이온화하면 양이온인 수소이온(H^+)과 음이온을 만드는데, 일반적으로 산이란 H^+를 주는 것이고, 염기는 H^+를 받는 것이다. 강산일수록 해리도가 높아 수소이온을 더 많이 생성하고 강염기는 더 많은 수소이온과 결합할 수 있다. 약산과 약염기는 해리도가 낮아 불완전하게 해리되어 산성과 염기성이 함께 존재하므로 산염기 평형에 중요하다.

어떤 용액의 수소이온 농도는 그 농도의 -log 값을 취하여 pH로 나타낸다.

$$pH = \log 1/[H^+] = -\log[H^+]$$

pH는 수소 이온 농도와 반비례 관계에 있으며, 어떤 용액에 산이나 염기를 첨가하면 pH가 변하게 된다. 완충제(buffer)란 산이나 염기와 반응하여 pH 변화를 최소화하는 물질이며, 이러한 완충용액은 약산이나 약염기의 염으로 구성된다.

예를 들어 보면 $HCl \rightarrow H^+ + Cl^-$, $NH_4^+ \rightarrow NH_3 + H^+$에서처럼 HCl과 NH_4^+는 H^+를 내놓으므로 산이고, $OH^- + H^+ \rightarrow HOH$, $CO_3^{-2} + H^+ \rightarrow HCO_3$에서와 같이 OH^-와 CO_3^{-2}는 H^+를 받으므로 염기이다.

산의 해리는 $HA \leftrightarrow H^+ + A^-$ 와 같이 일어나는데, 이때의 A^-를 짝염기(conjugate base)라 한다. 짝염기는 강산, 약산에 따라 수소 이온과의 결합력에 차이가 있어 강산의 짝염기는 H^+와의 결합력이 약하고, 약산의 짝염기는 H^+와의 결합력이 강하다.

용액 내에서

약산: $HA \leftarrow H^+ + A$

약산의 염: $BA \rightarrow B^+ + A$

와 같이 주 완충제는 약산의 염에 의해 이루어진다. 예를 들면 동량의 H_2CO_3와 $NaHCO_3$가 함유된 완충용액에서 짝염기의 주요 자원은 $NaHCO_3$가 된다.

평형 상태에서 $HA \leftrightarrow H^+ + A^-$ 란 식이 성립될 때, $[H^+][A^-]/[HA]$는 항상 일정하다.

일정한 상수 K를 도입하면

$$K = [H^+][A^-]/[HA]$$

이 성립되며, 따라서

$$[H^+] = K[HA]/[A^-]$$

로 표시할 수 있는데, 이를 Henderson-Hasselbach 방정식이라 한다.

임상적으로는 $H_2CO_3 \leftrightarrow H^+ + HCO_3^-$ 란 반응의 평형식은 다음과 같은데

$$[H^+] = K[H_2CO_3]/[HCO_3^-]$$

그 좌, 우변의 역수를 취하면

$$\frac{1}{[H^+]} = \frac{1}{K} \times \frac{[HCO_3^-]}{[H_2CO_3]}$$

좌, 우를 대수 처리하면

$$\log\frac{1}{[H^+]} = \log\left(\frac{1}{K} \times \frac{[HCO_3^-]}{[H_2CO_3]}\right)$$

$$= \log\frac{1}{K} + \log\frac{[HCO_3^-]}{[H_2CO_3]})$$

즉, $pH = pKa + \log\frac{[HCO_3^-]}{[H_2CO_3]}$

이것을 Henderson-Hasselbach 공식이라 한다.

6. 체내의 산염기 완충기전

신체가 심근수축이나 신경계의 전기생리학적 기능과 같은 생명유지에 필수적인 기능을 유지하기 위해서는 체내에서 세포내 대사과정에 의해 생성되는 대사물질에 의해 세포내 pH가 변하지 않도록 해야 한다. 체내에서 수소이온 농도가 변화하면 완충작용이 즉시 일어나 급격한 pH 변화를 억지하며 그 변화의 폭이 큰 경우는 호흡 중추를 자극하여 1~3분 내에 이산화탄소의 배출을 증가시킴으로써 pH를 조절하며, 12~48시간 정도에는 신장을 통한 보상반응으로 체내 pH를 효과적으로 유지한다.

표 4-1은 전혈에서 완충작용을 하는 물질과 완충능력을 표시하고 있는데, 체내의 완충제로는 세포 내의 단백질, 다단백체 등과 세포외액에 존재하는 중탄산염(H_2CO_3/HCO_3^-), 헤모글로빈(HbH/Hb), 혈장 단백질과 phosphate ($H_2PO_3/H_2PO_4^-$), 암모니아(NH_3/Nh_4^+) 등이 있는데 세포외액에서의 가장 중요한 완충제는 중탄산염으로 약 50%를 차지하며 혈색소가 35%, 혈장 단백질은 6% 정도이다.

1) 중탄산 완충계

체내 대사산물 중 98%는 CO_2를 생성하며 이는 H_2O와 반응하여 H_2CO_3를 형성한다. 이는 액체나 가스 상태로 존재하는데 가스인 CO_2는 폐를 통해서 배출되고, 비휘발성 산은 신장을 통해 배설된다.

혈장내 중탄산 완충계(bicarbonate buffer system)는 흔히 다음과 같은 평형식을 갖는다.

반응명: 수화반응 ↓, 해리반응 ↓

반응: $CO_2(d) + H_2O \leftrightarrow H_2CO_3 \leftrightarrow H^+ + HCO_3^-$

농도: [800] [1] [0.03] [0.03]

Henderson-Hasselbach 공식에 의하면

$$pH = pKa + \log \frac{[HCO_3^-]}{[H_2CO_3]}$$

가 되나, 위 반응식의 농도에서와 같이 H_2CO_3의 농도에 비해 용해된 $CO_2(d)$가 훨씬 더 크므로

$$pH = pKa + \log \frac{[HCO_3^-]}{[CO_2(d) + H_2CO_3]}$$

로 표시할 수 있다.

일반적으로 가스분압(partial pressure)은 "전체 압력×가스농도"로 표시되며, 가스와 액체가 평형이 이루어지면 가스분압은 액체내의 용해된 농도에 비례하므로 다음 관계식이 성립한다.

$$PCO_2 \propto [CO_2(d) + H_2CO_3]$$

상수만 곱하면 액체 상태에서의 농도를 표시하게 되는데 이 상수를 용해계수(solubility coefficient)라 한다. 일반적으로 폐포 이산화탄소분압(P_ACO_2)과 혈장 이산화탄소농도 사이에 그 용해계수는 0.03 mM/L/mmHg이다.

따라서 중탄산 완충계에서 Henderson-Hasselbach 공식은 다음과 같이 요약할 수 있다.

$$pH = pKa + \log \frac{[HCO_3^-]}{[CO_2(d) + H_2CO_3]}$$

$$= pKa + \log \frac{[HCO_3^-]}{0.03\ [PCO_2]}$$

표 4-1. 전혈 내 완충제와 완충능력

완충제	혈장내	적혈구내	전혈 완충력에 대한 백분율
알부민	+	-	7%
중탄산	+	-	혈장 35%, 적혈구 18%
글로부린	+	-	7%
혈색소, 산화혈색소	-	+	35%
무기인산	+	+	2%
유기인산	+	+	3%

PCO_2가 40 mmHg, pH 7.4인 정상 상태에서

$$7.4 = pKa + \log \frac{24}{0.03 \times 40} = pKa + \log 20 = pKa + 1.3$$

따라서 $pKa = 7.4 - 1.3 = 6.1$이며

$$pH = 6.1 + \log \frac{[HCO_3^-]}{0.03\ [PCO_3]}$$

라는 식이 성립한다.

결과적으로 혈액 내의 HCO_3^-의 농도변화는 대사성 변화로 신장에 의해 조절되며, H_2CO_3 농도는 CO_2 용해상수인 0.03과 동맥혈 PCO_2의 곱으로 표현할 수 있으며 호흡성 변화로 폐 환기를 통해 혈액의 pH 조절을 하게 된다.

이 식을 이용하면 임상검사로 PCO_2와 HCO_3^- 농도를 구하면 그 때의 pH를 계산할 수 있게 된다.

2) Phosphate 완충계

Phosphate 완충계는 $H_2PO_4^-$와 $H_2PO_3^{2-}$로 구성되어 강산은 Na_2HPO_4와 강알칼리는 NaH_2PO_4와 각각 반응하여 pH를 조절하며 특히 신장 세뇨관에서는 phosphate 농도가 증가되어 완충능력이 높아지고, 세포외액에 비해 세뇨관액은 보다 더 산성이므로 완충작용의 범위가 phosphate 해리상수와 가깝게 된다. 또한 세포내액은 세포외액에 비해 phosphate 농도가 높고 세포내 pH가 phosphate 해리상수와 비슷하므로 세포내액에서도 중요한 역할을 한다.

3) 혈색소의 완충작용

적혈구의 혈색소는 histidine을 많이 함유하고 있어 완충작용이 효과적이며 약산인 HbH와 KHb 상태로 평형을 이루며 탄산과 비탄산에 모두 완충작용이 있고 일부 CO_2는 혈색소와 직접 결합하여 탄산화 혈색소(carbaminohemoglobin)를 형성하여 완충작용을 한다.

4) 염기 과다(Base Excess)

표 4-2는 혈장에 강산이나 강염기가 가해질 때 혈액에서의 완충작용이 나타나는 과정을 보여준다. 강산이 가해지면 짝염기가 감소하고, 강염기가 가해지면 짝염기가 증가한다.

염기 과다는 37℃, 산소 포화가 잘된 상태에서 pH 7.4, $PaCO_2$ 40 mmHg을 유지하기 위해 필요한 산 또는 염기의 양을 의미하며 이를 통해 산염기 불균형의 정도를 알 수 있다.

완충 염기(buffer base)란 혈액 1 L 내에 존재하는 짝염기의 합계로 다음과 같이 나타낼 수 있으며 단위는 mEq/L이다.

$$[BB] = [HCO_3^-] + [Buffer^-]$$

혈액 내의 [Buffer-]의 대부분은 비중탄산 완충계로, 그 주요 인자가 혈색소이므로 정상 완충염기 값은 일정하지 않으며 혈색소 농도에 따라 달라진다.

정상 산염기 상태에서 혈색소 15 g%일 때의 정상 완충염기는 48 mEq/L이며, 염기 과다(base excess)는 완충염기의 측정치와 정상치의 차로 계산하며 양의 값은 대사성 알칼리증을, 음의 값은 대사성 산증을 의미한다.

표 4-2. 강산과 강염기가 가해질 때의 완충작용

	중탄산 완충작용	비중탄산 완충작용
강산(H^+)이 가해질때	$H^+ + HCO_3^- \rightarrow H_2CO_3$	$H^+ + Buf \rightarrow HBuf$
강염기(OH^-)가 가해질때	$OH^- + H_2CO_3 \rightarrow HCO_3^- + H_2O$	$OH^- + HBuf \rightarrow Buf + H_2O$

7. 동맥혈 가스분석의 판정

1) 환기 상태 판정

동맥혈 가스분석 결과를 판단할 때 우선 이산화탄소분압($PaCO_2$)을 보고 환기 상태를 판정한다. 보통 $PaCO_2$가 30~50 mmHg이면 정상으로 허용되는 범위로 판정하고, 30 mmHg 이하이면 폐포 과다환기(alveolar hyperventilation) 혹은 호흡성 알칼리증, $PaCO_2$가 50 mmHg 이상이면 폐포 환기 저하(alveolar hypoventilation) 또는 호흡성 산증, 환기 부전증으로 판정한다. $PaCO_2$ 변화에 따라 pH 변화가 동반되면 급성 호흡성이라 하고, pH가 정상이면 만성 호흡성이라 하며 $PaCO_2$ 변화가 적어도 24시간 이상 경과하여 대상성 보상을 하여 HCO_3^-가 변화된 것으로 간주한다.

순수한 호흡성 변화만 있을 때 pH와 $PaCO_2$ 간에는 밀접한 상관관계를 나타낸다(표 4-3). 이렇게 표를 보고 간단이 알아내는 방법도 있으나 예상되는 호흡성 pH를 계산해 낼 수도 있다(표 4-4).

이처럼 $PaCO_2$에 해당되는 pH값을 나타내면 이것은 순수한 호흡성 산증 혹은 알칼리증으로 신장에 의한 대사성 대상 기전이 아직 없으며 비교적 급성 변화를 나타낸다고 할 수 있으며 환기 상태만 변화시켜 주면 치료가 된다.

2) 대사성 산증 혹은 알칼리증

환기 상태를 판정한 뒤에는 대사성 상태를 판정하게 된다.

대사성 상태 판정은 표 4-3과 표 4-4와 같이 $PaCO_2$와 pH의 상관관계가 정확히 성립하지 않으면 일단 대사성 산증 혹은 알칼리증이 있는 것으로 보아야 하며 일단 HCO_3^-의 증감 즉 신장에 의한 대상기전이 작동하고 있음을 의미한다. 예를 들면 측정된 값이 pH 7.2, $PaCO_2$ 60 mmHg인 경우를 판정하여 보면, 우선 $PaCO_2$ 60 mmHg에 합당한 pH는 7.3이다. 그러나 측정된 pH는 7.2이므로 $7.3-7.2=0.1$ 만큼의 대사성 산증이 동반됨을 알 수 있다. 이러한 대사성 대상 기전으로 pH 7.3－7.5 사이를 유지하면 그림 4-14 같이 호흡성 산증 혹은 알칼리증이 아급성 혹은 만성으로 진행되고 있음을 의미한다. 표 4-5는 각종 산-염기 상태의 예를 보여 준다.

이런 과정에서의 선행 요소가 대사성인지, 호흡성인지의 판정은 그림 4-14에서 보는 바와 같이 $PaCO_2$ 30 mmHg 이하, pH 7.4 이하에서는 호흡성 알칼리증이 먼저 생기는 경우는 아주 드물며 대사성 산증이 먼저이다. 또한 $PaCO_2$ 50 mmHg 이상, pH 7.4 이상에서는 역시 대사성 알칼리증이 먼저이고, 이를 호흡성 산증으로 대상해 주는 경우로 간주할 수 있다.

결론적으로 산염기 상태는 그림 4-14에서 보는 바와 같이 호흡성이 원발성인 경우가 4개, 대사성이 원발성인 경우가 4개 있다고 할 수 있다.

표 4-3. 순수 호흡성 변화일 때 $PaCO_2$에 따른 pH값

$PaCO_2$(mmHg)	pH	비고
80	7.20	호흡성 산증
70	7.25	
60	7.30	
50	7.35	정상 범위
40	7.40	
35	7.45	
30	7.50	호흡성 알카리증
25	7.55	
20	7.60	

표 4-4. 측정된 $PaCO_2$로 예상되는 pH 계산 방법

	측정값	예상 pH
PCO_2	76 mmHg	$76-40=36$ $0.36\times½=0.18$ $7.40-0.18=7.22$
PCO_2	90 mmHg	$90-40=50$ $0.50\times½=0.25$ $7.40-0.25=7.15$
PCO_3	18 mmHg	$40-18=22$ $7.40+0.22=7.62$

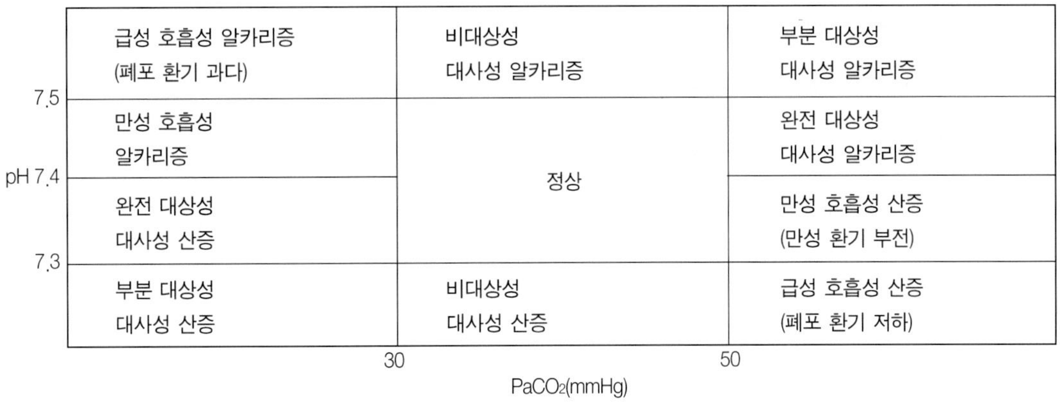

pH	PaCO₂ < 30	30–50	> 50
> 7.5	급성 호흡성 알카리증 (폐포 환기 과다)	비대상성 대사성 알카리증	부분 대상성 대사성 알카리증
7.4–7.5	만성 호흡성 알카리증	정상	완전 대상성 대사성 알카리증
7.3–7.4	완전 대상성 대사성 산증	정상	만성 호흡성 산증 (만성 환기 부전)
< 7.3	부분 대상성 대사성 산증	비대상성 대사성 산증	급성 호흡성 산증 (폐포 환기 저하)

7.5
pH 7.4
7.3
30
50
$PaCO_2$(mmHg)

그림 4-14. 산염기 상태 판정을 위한 pH와 $PaCO_2$와의 상관관계

호흡성이 주된 변화일 때 급성인 경우에 base excess (BE)가 정상이고, 만성인 경우에 호흡성 알카리증에서는 BE 감소, 호흡성 산증에서는 BE 증가가 있으며, pH가 정상 범위로 된다. 대사성이 주된 경우에는 비대상성은 $PaCO_2$가 정상이고, 대상성이면 $PaCO_2$가 변화하는 바 대상성 대사성 산증에서는 $PaCO_2$가 감소하고, 대상성 대사성 알카리증에서는 $PaCO_2$가 증가하며, 완전 대상성에서는 pH가 정상범위로 된다.

표 4-5. 산-염기 이상의 임상 예

측정치		예상치	산- 염기 이상
pH	$PaCO_2$ (mmHg)	pH	
7.04	76	(76-4)/2=18 7.40-0.18=7.22	호흡성 산증+대사성 산증 (급성 호흡성 산증)
7.47	18	40-18=22 7.40+0.22=7.62	호흡성 알카리증+대사성 산증 (만성 호흡성 알카리증)
7.60	56	(56-40)/2=8 7.40-0.08=7.32	호흡성산증+대사성 알카리증 (부분대상성 대사성 알카리증)
7.35	96	(96-40)/2=28 7.40-0.28=7.12	호흡성 산증+대사성 알카리증 (만성 호흡성 산증)

대사성 이상이 나타나면 염기 과다(Base Excess, BE) 혹은 염기 결손(Base Deficit, BD)의 정도를 확인하여 그에 맞는 치료를 해야 한다.

3) 저산소혈증의 판정

환기와 산염기 상태의 판정 후에는 동맥혈 산소분압을 보고 저산소혈증의 존재를 확인할 수 있다. 동맥혈 저산소혈증은 조직 저산소증의 존재 가능성을 나타낼 수는 있으나 확실히 조직 저산소증이 존재한다고 말할 수는 없다. 또한 동맥혈 저산소혈증은 환기나 산염기 상태에 이상을 일으킬 수 있다. 동맥혈 저산소혈증의 진단은 실제로 대기로 숨을 쉴 때의 PaO_2를 보고 판정할 수 있다. 표 4-6은 대기로 숨 쉴 때의 최소 허용치인바 산소 투여로도 대기 중의 최소 허용치를 넘지 못하면 저산소혈증이 교정되지 않은 것이며, 대기 중의 최소 허용치를 넘고 100 mmHg 이하이면 교정되었다고 보고, 100 mmHg 이상이면 이는 과다하게 교정되었다고 보는 것이 타당하나, 이때 흡입산소

표 4-6. 동맥혈 저산소혈증의 정의(FiO_2=0.21, 60세 이하)

경증 저산소혈증(mild)	$PaO_2 < 80$ mmHg
중등도 저산소혈증(moderate)	$PaO_2 < 60$ mmHg
중증 저산소혈증(severe)	$PaO_2 < 40$ mmHg

표 4-7. 흡입산소 농도에 따른 $PaCO_2$ 최소 예상치

FiO_2	PaO_2 최소 예상치 (mmHg)
0.3	150
0.4	200
0.5	250
0.8	400
1.0	500

농도에 따른 최소 예상치(표 4-7)를 넘지 않으면 환자가 대기를 호흡하는 경우에는 저산소혈증이 생긴다.

4) 조직 저산소증의 판정

조직의 산소화 정도를 판정하기 위해서는 적어도 심장의 박출 상태, 말초 관류 상태, 혈액의 산소 운반능 등을 판정해야 한다. 심장 상태나 말초 순환 상태의 판정은 다분히 임상적인 면이 있으므로 혈압, 맥압, 심박수, 심전도, 피부색, 모세혈관 순환상태, 의식 상태, 전해질 이상 유무, 소변량 등을 보고 알 수 있다. 만일 심박출량과 말초 모세 순환이 정상이라면 단지 혈액의 산소운반 기전이 중요한 역할을 하므로

산소 운반능=동맥혈 산소 함량(CaO_2) × 심박출량(CO)
= [Hb×1.34 × 동맥혈 산소포화도(SaO_2) + PaO_2 × 0.0031] × CO

와 같이 동맥혈 산소분압, 혈액의 산소함량, 혈색소의 산소에 대한 친화력 등에 의해 좌우된다. 동맥혈 저산소혈증에도 불구하고 조직 저산소증이 예방되려면 심혈관계는 조직의 관류를 원활히 하기 위해 심박수 등의 작업량이 증가하게 되고, 혈색소 함량이 많아져 혈구과다증(polycytemia)이 존재해야 한다.

8. 산염기 조절에 중요한 장기들

1) 폐

체내에서 탄수화물과 지방의 세포내 대사과정 중 생성된 CO_2는 혈액의 적혈구로 들어와 carbonic anhydrase의 도움으로 빠르게 H_2O와 결합하여 H_2CO_3가 되며 이는 다시 H^+와 HCO_3^-로 해리된다. H^+는 혈색소에 의해 완충되고 혈장의 Cl^-이 적혈구 내로 들어오면서 HCO_3^-는 혈장으로 나가게 되는데 이를 염소이동(Chloride shift)이라 하며 이는 적혈구의 전기적 중성을 유지하기 위한 현상이다. 혈액이 폐를 지나는 동안 혈장의 HCO_3^-는 다시 적혈구로 들어가 H^+와 결합하여 H_2CO_3가 되며 이는 다시 H_2O와 CO_2로 해리되고 CO_2는 적혈구와 폐포 세포를 자유롭게 이동하므로 환기에 의해 체외로 배출된다. 이러한 성질 때문에 H_2CO_3를 휘발성 산(volatile acid)이라 부른다.

결과적으로 세포성 호흡에 의해 생성된 CO_2는 폐포 환기에 의해 배출되며 이산화탄소분압의 변화에 따른 폐포 환기의 변화는 뇌간에 있는 화학수용체의 매개에 의해 이루어지며 이는 뇌척수액의 pH 감소와 동맥혈 pH의 감소에 의해 활성화되어 폐포 환기량을 증가시킨다. 대개 이산화탄소 분압이 1 mmHg 증가할 때마다 분당환기량은 1~4 L 정도 증가한다.

2) 신장

신장은 sulfuric acid와 nucleoprotein의 대사 과정에 의한 uric acid, 그리고 음식이나 내인성 단백질의 대사에 의해 정상적으로 생성되는 불완전 산화성 유기산과 인단백질과 인지질의 대사에 의해 생성된 phosphoric acid와 탄소화물 및 지방산의 불완전 연소에 의한 lactic acid, keto acid 등의 비휘발성 산(nonvolatile acid)을 배설하는데 정상적으로 하루에 생성되는 비휘발성 산의 양은 1 mEq/kg이다.

산염기 평형을 위한 신장의 역할은 여과된 세관액에 있는 HCO_3^-를 혈액 내로 재흡수시키며 신장에서 HCO_3^-를 새로 생성하고 H^+와 NH_4^+를 소변으로 배설시켜 신체

의 pH를 적절하게 유지하는 것이다. 즉 신장에서 H^+ 이온을 배설하는 데는 신장 세관세포와 여과된 세관액 사이에서 H^+ 이온과 Na^+ 이온의 능동적인 교환과 혈액이나 세관액으로부터 공급받은 CO_2가 신장 상피세포에 존재하는 carbonic anhydrase에 의하여 세포 내에서 $H_2CO_3^-$의 생성 속도를 촉진함으로써 신장에서 H^+ 이온의 배설을 용이하게 한다.

신장에서의 산염기 평형은 전해질의 불균형에 의해 영향을 받는데 K^+ 이온은 신장의 원위세관에서 H^+ 이온과 교환이 가능하여 저칼륨증인 경우에는 K^+ 이온의 재흡수가 증가하고 이에 따른 H^+ 이온의 배출증가와 HCO_3^- 이온의 재흡수가 증가하고 저나트륨증에서도 HCO_3^-의 재흡수가 증가한다.

9. 산염기 평형의 임상적 장애

1) 정의

동맥혈의 pH의 정상 범위는 7.35~7.45이며 동맥혈 pH가 7.35 이하이면 산증이고, 7.45 이상이면 알칼리증이라 하고, 동맥혈 이산화탄소 분압 즉 $PaCO_2$가 45 mmHg 이상이면 환기 저하(hypoventilation) 또는 호흡성 산증(respiratory acidosis)이라 하고, $PaCO_2$가 35 mmHg 이하인 경우는 과다호흡(hyperventilation) 혹은 호흡성 알칼리증(respiratory alkalosis)으로 정의한다. 또 동맥혈 HCO_3^- 농도가 27 mEq/L 이상인 경우는 대사성 알칼리증(metabolic alkalosis)이라 하고, 21 mEq/L 미만인 경우는 대사성 산증(metabolic acidosis)으로 정의한다.

2) 산염기 장애의 생리적 유해 효과

(1) 산증의 유해효과

혈액의 pH가 7.2 미만인 심한 산증이 생기면 심혈관계에서는 심근수축력의 저하, 세동맥확장, 정맥수축, 혈액 분포의 중심화, 폐혈관 저항 증가와 동맥혈압과 심박출량의 감소 및 간과 신장 혈류의 감소가 일어나고 회귀성 부정맥이 발생하기 쉬우며 심방세동의 문턱값(threshold)이 저하되며 카테콜아민에 대한 심혈관계의 반응이 감소된다. 호흡계는 과다호흡, 호흡근의 근력 저하로 인해 근육 피로가 빨리 와서 호흡곤란이 나타난다. 대사에 미치는 영향은 대사요구량이 증가하며 인슐린에 대한 저항이 생기고 혐기성 해당작용이 억제되고 ATP합성이 감소하며 고칼륨혈증과 단백질 분해가 증가된다. 또 뇌에서는 뇌의 대사가 억제되고 의식이 둔화되어 혼수에 이를 수 있는데 특히 중추신경계 억제는 호흡산증의 경우가 대사산증에 비해 현저하여 $PaCO_2$가 70 mmHg 이상으로 증가되면 이산화탄소혼수(CO_2 narcosis)가 발생하여 졸음이나 혼미, 혼수가 생긴다. 또 이산화탄소 증가에 의해 뇌혈류량이 증가하면 두개내압이 상승하여 두통을 초래할 수 있다.

(2) 알칼리증의 유해효과

혈액의 pH가 7.6 이상인 심한 알칼리증이 되면 심혈관계에서는 세동맥 수축, 관상동맥 혈류량 감소, 협심증의 문턱값 감소와 불응성 심실위 및 심실성 부정맥이 발생하기 쉽다. 또 환기 저하에 따른 고탄산혈증과 저산소혈증이 발생한다. 대사상 혐기성 해당작용 및 유기산의 생성이 촉진되고 저칼슘증, 혈장 이온화 칼슘의 농도가 감소하고, 저마그네슘혈증과 저인산혈증이 유발되며 뇌에서는 뇌혈류량의 감소와 강직, 발작, 졸음, 섬망이나 혼미 등이 발생할 수 있다. 또한 산소해리곡선을 왼쪽으로 이동시켜 조직에서의 산소 추출이 감소한다.

3) 호흡성 산증

호흡성 산증은 동맥혈 pH가 7.35 미만, $PaCO_2$가 45 mmHg 이상인 경우이다.

(1) 원인 및 기전

"호흡성"이란 용어가 사용되면 이는 CO_2의 배출과 관련이 있다. 호흡성 산증이란 정상 이산화탄소 생산에 비해 폐포 환기가 저하되어 이산화탄소의 배출이 부족하거나, 정상적인 폐포 환기에 비해 이산화탄소의 생성이 증가하여 발생한다. 또한 폐포 환기량의 감소는 주로 분당환기량의 감소와 비례적으로 나타나지만, 사강 환기량이 높으면 정상적인 분당환기량에도 불구하고 폐포 환기량의 감소로 이어진다. 호흡성 산증은 폐포 환기 저하에 의한 경우가 대부분이므로 "호흡성 산증 = 폐포 환기 저하 = 호흡부전"이란 등식이 성립될 수 있다.

혈액 내의 이산화탄소 분압이 증가하여 pH가 감소하면 목동맥토리(carotid body)를 자극하여 환기를 촉진시키고 또 즉시 이산화탄소가 혈액뇌장벽을 통과하여 뇌척수액의 pH가 감소하면 호흡중추인 뇌수질의 화학수용체를 자극하여 환기를 촉진시킨다. 그러나 외과 환자에서는 마취제나 마약성 약제, 진정제 등의 투여에 의해 호흡중추와 목동맥토리의 억제에 의해 호흡산증이 일어난다. 인공환기기를 부착한 환자에서는 부적절하게 적은 환기량을 공급하거나 삽관튜브가 빠지거나, 기관 튜브의 폐쇄, 호흡회로의 이상 등에 의해 호흡산증이 생긴다. 전신마취 중에는 마취기 호흡회로의 일방통행밸브가 기능 장애를 일으키거나, 이산화탄소 흡착제의 기능 이상에 의해 이산화탄소를 재호흡하게 되면 호흡산증이 생길 수 있다.

(2) 보상기전

호흡산증에 의해 pH가 감소하면 6~12시간 내의 급성인 경우는 $PaCO_2$가 40 mmHg보다 매 10 mmHg가 증가되면 HCO_3^-는 1 mEq/L 증가되고 만성 호흡산증인 경우의 신장에 의한 보상은 12~48시간 이후에 시작하는데 $PaCO_2$가 40 mmHg보다 매 10 mmHg가 증가되면 HCO_3^-는 4 mEq/L 증가된다. pH는 $PaCO_2$가 10 mmHg 증가할 때마다 0.05씩 감소되나 만성 호흡산증의 경우는 약간 감소하거나 정상이다.

(3) 주의점

폐질환에 의해 만성 호흡산증이 있는 환자는 마취 시에 근이완제들의 작용을 강화시키며, 마취제, 마약계 약물 및 진정제 등을 소량 사용하여도 환기 억제의 위험이 따른다. 이런 환자는 수술 중 pH가 정상으로 유지되도록 환기시켜야 하며 급격한 분당 환기량의 증가는 증가되어 있는 HCO_3^-를 더욱 증가시켜 심한 알칼리증을 유발할 수 있다. 또한 만성 고탄산혈증 환자는 술후 기계 환기가 필요한 경우도 있으며, 경막외 아편유사제 투여와 같은 환기 추진력을 감소시키지 않는 통증조절을 고려해야 한다.

(4) 치료

호흡산증의 치료는 그 원인인 이산화탄소의 생성과 폐포환기의 불균형을 해소하여 $PaCO_2$를 정상으로 유지하는 것이다. 급성의 경우에는 폐포 환기를 증가시킴으로써 가능하다. 기관지확장제, 마약길항제, 잔류신경근 차단제의 역전 등에 의해 폐탄성을 개선하여 폐포환기량을 증가시킨다. pH가 7.2 이하의 심한 호흡산증이나 이산화탄소 혼수 등의 경우에는 기계 환기가 필요하며 이런 경우는 저산소증도 동반되므로 산소 투여도 병행되어야 한다. 기계 환기 시 요구되는 환기량은 다음 식으로 나타낼 수 있다.

원하는 환기량[$V_E(2)$] =
기존 환기량[$V_E(1)$] × 기존 $PaCO_2$ (1) / 원하는 $PaCO_2$ (2)

그러나 만성 폐쇄성 폐질환 환자에서와 같이 만성 호흡산증에 잘 적응되어 있는 경우에는 환기추진력이 저산소에 의한 말초 화학수용체의 자극에 의해 일어나므로 산소 투여로 인하여 저산소증이 개선되면 환기 저하가 초래될 수 있으므로 주의해야 하며 뇌척수액의 급격한 pH의 증가는 경련과 무의식을 유발하므로 매우 천천히 $PaCO_2$를 감소시켜야 한다.

저산소증에 이차적으로 발생하는 lactic acidosis와 같이 공존하는 대사산증은 함께 치료해야 하며 대사알칼리증도 저환기를 유발하므로 교정해야 한다. 그러나 pH가 7.1 미만이거나 HCO_3^- 농도가 15 mEq/L 미만인 경우가 아니면 $NaHCO_3$의 투여는 거의 필요하지 않다.

4) 호흡성 알칼리증

가장 흔히 발생되는 산염기 장애인 호흡성 알칼리증은 동맥혈 pH가 7.45 이상이며 $PaCO_2$가 35 mmHg 이하인 경우이다.

(1) 원인 및 기전

이산화탄소 생성량에 비해 폐포 환기량이 많은 경우에 발생한다. 임신이나 통증, 불안, 공포와 salicylate 중독 등에 의해 뇌 호흡 중추의 화학수용체가 자극되어 발생할 수 있으며, 고산인이나 빈혈, 폐혈증, 심부전 등에 의해 저산소혈증에 의해 자극되는 목동맥토리의 화학수용체가 자극되어 호흡알칼리증이 나타난다. 그러나 pH가 7.55를 넘지 않는 호흡알칼리증은 임상 증상은 나타나지 않는다. 이외에 뇌손상과 만성 간경화증도 원인이 된다.

마취 중의 가장 흔한 원인은 기계 환기 시 분당환기량이 과다하게 설정된 경우이다. 분당환기량을 두 배로 증가시키면 $PaCO_2$는 40 mmHg에서 20 mmHg로 반으로 감소하므로 두개내압을 떨어뜨릴 목적으로 일시적으로 사용하지만 그 효과는 24시간 이상은 지속되지 않는다. 전신마취 중에는 마취제에 의해 뇌와 근육의 대사율 감소와 더불어 체온이 감소하는데 체온 1℃ 감소에 대사율이 9% 감소되므로 전신마취 동안 이산화탄소의 생성을 감소시켜 알칼리증이 생길 수 있다.

(3) 보상 기전

호흡성 알칼리증에 의해 pH가 증가하는 급성인 경우는 $PaCO_2$가 40 mmHg보다 매 10 mmHg가 감소하면 HCO_3^-는 2 mEq/L 감소되고 만성 호흡성 알칼리증의 경우는 신장에 의해 보상하는데 $PaCO_2$가 40 mmHg보다 10 mmHg 감소되면 HCO_3^-는 5~6 mEq/L 감소된다. pH는 $PaCO_2$가 10 mmHg 감소할 때마다 0.1씩 증가되나 만성 호흡성 알칼리증의 경우는 약간 증가하거나 정상으로 된다.

(4) 주의점

마취 중 급성 저탄산혈증이 생기면 저칼륨증, 저칼슘증, 부정맥 등이 발생하기 쉽고, 디곡신 중독을 유발시킬 수 있으며 저칼륨증에 의한 비탈분극성 근이완제의 효과를 항진시키며 특히 양압환기의 경우 흉곽내 압력 증가에 의한 심박출량의 감소에 의한 저혈압과 호흡성 알칼리증에 의한 혈역학적 변화를 구분하기 어렵다. 만성 과다호흡에 의한 저탄산혈증의 경우 술중에도 비슷한 이산화탄소 분압을 유지하는 것이 좋다. 또 아편양 제제의 단백 결합이 증가하여 호흡억제 기간이 연장될 수 있다.

(5) 치료

자발호흡을 하는 환자는 원인을 제거하는 것이 중요하며 저산소혈증이 동반되면 산소를 투여하고 통증에 의한 경우는 진통제를 투여한다. 기계 환기를 받는 환자는 $PaCO_2$가 40 mmHg가 유지되도록 분당환기량을 감소시킨다. pH가 8.0 이상의 심한 알칼리증인 경우는 HCl, arginine chloride, ammonium chloride 등의 사용을 고려한다.

5) 대사성 산증

대사성 산증은 가장 복잡하고 예후가 나쁜 산염기 장애인데 동맥혈 pH가 7.35 미만이며 HCO_3^-가 21 mEq/L 미만이고 염기과다가 -2 mEq/L 미만인 경우가 해당된다.

(1) 원인 및 기전

대사성 산증은 비휘발성 강산에 의한 HCO_3^-의 소모, 신장이나 위장관에서 HCO_3^-의 배출이나 HCO_3^-을 포함하지 않은 용액에 의해 HCO_3^-가 희석되는 경우에 발생한다.

음이온 결손(anion gap)이란 혈장 내 양이온인 Na^+ 수치에서 음이온인 Cl^-, HCO_3^-를 뺀 수치를 말하며 ($[Na^+] - ([Cl^-] + [HCO_3^-]) = 140 - (104-24) = 12$ mEq/L), 정상치는 12mEq/L이며, 측정되지 않은 음이온 즉 혈장 단백질을 포함한 lactate, ketoacid 등의 유기산, sulfates, phosphates 등의 음이온을 반영하는데, 이 중에서 혈장 알부민이 중요한 부분을 차지하여 혈장 알부민이 매 1 L 당 1 g 감소할 때마다 염기과다는 3.7 mEq/L 씩 증가하고 음이온 결손은 2.5 mEq/L 씩 감소한다. 측정되지 않은 음이온이 증가하거나 측정되지 않은 양이온이 감소하면 음이온 결손이 증가하며 대사성 산증은 음이온 결손이 정상인 경우와 증가된 경우로 구분할 수 있다.

음이온 결손이 13 mEq/L 이상으로 증가된 대사성 산증의 원인에는 기아와 요독증, ketoacidosis, lactic acidosis 등의 질환과 methanol, ethylene glycol, salicylate와 paraldehyde 중독증이 있다. 음이온 결손이 증가된 대사성 산증은 특징적으로 비휘발성 강산이 증가한 경우이며, 이 강산들은 해리되어 H^+ 이온이 HCO_3^-와 반응하여 CO_2를 형성하고 해리된 음이온은 축적된다. 이에 비해 음이온 결손이 13 mEq/L 미만의 정상 음이온 결손의 대사성 산증은 신세뇨관산증, 설사, carbonic anhydrase 억제, 요관전환(ureteral diversion), 초기 신기능부전, 수신증(hydronephrosis), 칼륨보존성 이뇨제 투여, 췌장루(pandreatic fistula), 담즙 배출, 그리고 NH_4Cl, HCl 투여와 증류수의 주입, 고알도스테론증 등에 의해 생긴다.

정상 음이온 결손을 동반한 대사성 산증의 특징은 고염소혈증으로 뇨에서의 음이온 결손은 $([Na^+]+[K^+])-[Cl^-]$로 계산되며 정상은 + 혹은 0이지만 신기능상실이나 신세뇨관 산증에서는 측정되지 않은 뇨의 양이온인 NH_4^+의 분비가 잘 안되어 뇨의 음이온 결손은 +가 된다.

(2) 보상기전

대사성 산증의 보상기전은 신세뇨관으로 H^+ 이온을 분비하여 뇨로 배출하는 한편 H^+ 이온에 의해 목동맥토리가 자극되어 폐포 환기가 증가하면 PCO_2가 감소하고 이에 따라서 뇌척수액의 pH가 증가하여 뇌 호흡중추의 화학수용체의 활성을 억제시키는 보상기전이 일어난다. 이때의 $PaCO_2$의 변화는 $PaCO_2 = HCO_3^- \times 1.5 + 8$ 만큼 변화하고 pH는 $HCO_3^- + 15$ 만큼 pH의 마지막 두 자릿수가 변화한다. 따라서 만일 HCO_3^-가 10 mEq/L로 감소하면 $PaCO_2$는 23 mmHg, pH는 7.25가 된다(표 4-8).

(3) 주의점

대사성 산증이 있는 환자는 심근수축력의 감소와 동맥 및 정맥혈관의 확장에 의해 저혈압이 생기기 쉬우므로 저혈량증이 있는지, 신장과 폐의 기능은 정상인지 등을 평가해야 한다. 수술 중에는 약물과 기계 환기에 의해 저혈압이 악화될 수 있으므로 조심하고 대사산증의 보상반응에 의해 과다호흡을 가진 환자에서는 마취 중에도 수술 전과 같은 정도의 과다호흡을 유지해야 한다.

표 4-8. 산염기 불균형과 보상기전

	산염기불균형	급성	부분 보상	완전 보상
pH 7.35~7.45	호흡성 산증	<7.35	↓	정상
	호흡성 알칼리증	>7.45	↑	정상
	대사성 산증	<7.35	↓	정상
	대사성 알칼리증	>7.45	↑	정상
$PaCO_2$ (mmHg) 35~45	호흡성 산증	>45	↑	↑
	호흡성 알칼리증	<35	↓	↓
	대사성 산증	정상	↓	↓
	대사성 알칼리증	정상	↑	↑
HCO_3^- (mEq/L) 22~26	호흡성 산증	정상	↑	↑
	호흡성 알칼리증	정상	↓	↓
	대사성 산증	<22	↓	↓
	대사성 알칼리증	>26	↑	↑

↑: 증가, ↓: 감소

산혈증이 있으면 아편양 제제는 비이온화 형태로 많이 존재하여 뇌혈관장벽을 쉽게 통과하여 진정효과가 항진된다. 또한 국소마취제는 약염기이므로 이온화가 증가하여 약의 효과가 감소한다. 또한 수술 중에 사용하는 수액으로 HCO_3^- 나 lactate를 함유하는 전해질 용액은 pH를 증가시키나, Cl^-를 함유한 생리식염수는 pH를 감소시킨다.

(4) 치료

대사성 산증의 치료는 산증의 중증도에 따라 다양하겠지만 선행질환을 우선 치료하는 것이 중요하며 호흡성 보상을 원활하게 하기 위해 보조적 기계환기를 시행하고, 저산소증이 있으면 산소 투여 그리고 심박출량이 부족하면 약물 요법을 시행한다. pH가 7.2 미만의 심한 대사성 산증에서는 $NaHCO_3$를 투여해야 하며 필요한 총 투여량은

$$NaHCO_3\ (mEq/L) = \text{체중}(Kg) \times (24 - [HCO_3^-]\ (mEq/L) \times 0.3$$

으로 구할 수 있는데, 0.3은 체중에 대한 세포외액의 비율이다.

투여 시에는 총량의 반을 10분에 걸쳐 천천히 정주하며, 5분 후 동맥혈 가스분석을 시행하여 pH가 7.25보다 크면 산혈증에 의한 부작용을 감소시키기에 충분하다고 판정한다. 그러나 심정지 등의 저관류 상황에서는 $NaHCO_3$의 투여가 대사산증과 심혈관계의 개선 효과보다는 심장, 간, 근육, 적혈구 등의 세포내 pH를 증가하는 부작용이 나타나므로 고식적으로 다량 투여하는 방법은 더 이상 사용하지 않는다. 다만 어린이의 경우에는 체중 1Kg당 1.0~2.0 mEq/L을 투여한다.

Lactic acidosis의 경우에는 조직에 산소를 충분히 공급하는 것이 중요하므로 산소를 투여하면서 조직의 관류를 개선해야 한다.

당뇨성 ketoacidosis의 치료는 인슐린을 투여하여 포도당의 이용을 촉진하는 것이 제일 중요하다.

6) 대사성 알칼리증

대사성 알칼리증은 동맥혈 pH가 7.45 이상이며 HCO_3^-가 27 mEq/L 이상이거나 염기과다가 2 mEq/L 이상인 경우다.

(1) 원인 및 기전

대사성 알칼리증은 여러 가지 원인에 의해 H^+ 이온의 손실 증가와 생성 감소 혹은 신장에서 HCO_3^- 이온의 재흡수나 재생성이 증가되어 발생하며 동맥혈 pH가 7.65 이상의 심한 대사성 알칼리증은 65% 정도의 높은 사망률을 보인다.

임상적으로 대사성 알칼리증은 크게 두 가지 나눌 수 있는데 구토나 이뇨제로 인한 대사성 알칼리증은 Cl 투여(KCl, NaCl)에 반응을 잘 하며, 특징은 뇨에 Cl 배설량이 매우 낮은 것이다. 또 하나는 Cl 투여에 반응을 잘 안하는 대사성 알칼리증으로 매우 드물며 치료도 어렵다. 전자의 경우는 구토나 위액배출에 의한 H^+ 이온의 소실 증가와 Cl가 포함된 설사와 이뇨제 사용에 의한 산배설 증가에 따른 신장에서의 HCO_3^-의 재생성 증가 등이 있으며, 후자에 속하는 경우는 광물부신겉질호르몬의 활동이 증가하여 원위세뇨관에서 H^+와 K^+ 이온 배출을 촉진하여 Na^+ 재흡수를 촉진시키는 원발성 고알도스테론혈증(hyperaldosteronism), Cushing 증후군 등과 심한 저칼륨증 등에 의해 신장에서 HCO_3^-의 재생성이 증가하는 경우 등이다. 이외에 급성으로 $PaCO_2$가 증가하면 보상반응으로 신장에서 HCO_3^-의 재생성이 증가하는데 이 보상기전이 오래 지속되면 혈액의 HCO_3^-가 증가하게 된다. 이 외에 다량의 수혈 시에도 대사성 알칼리증이 생길 수 있다.

(2) 보상 기전

대사성 알칼리증의 보상은 호흡계를 통하여 이루어지는데, HCO_3^-가 1 mEq/L 증가하면 $PaCO_2$는 0.5~0.6 mmHg 증가하며 pH는 HCO_3^- + 15 만큼 pH의 마지막 두 자릿수가 변화한다. 예를 들어 HCO_3^-가 34 mEQ/L로 증가하면 $PaCO_2$는 $(34 - 24) \times 0.5(0.6) = 5.0 \sim 6.0$ mmHg가 증가되며 pH는 7.49가 된다.

(3) 주의점

대사성 알칼리증을 가진 환자는 보상에 의해 호흡저하가 생기므로 폐기능이 감소한 환자는 저산소혈증에 빠지기 쉽고 수술 환자의 경우 아편양 제제에 의해 무호흡이 생길 수 있다. 기계호흡 시에는 과다 호흡에 의한 호흡성 알칼리증이 추가로 나타나지 않도록 조심해야 한다. 마취 동안의 수액은 HCO_3^-가 포함되지 않은 생리식염수를 투여하는 것이 좋다.

(4) 치료

원인 질환을 치료하기 전에는 완전한 교정은 어려우나 염화물에 민감한 대사성 알칼리증은 NaCl을 정맥 주사하는데 용적을 확장시키는 것이 금기가 될 때에는 KCl이나 $CaCl_2$를 대신 사용할 수 있다. 과다한 위액 손실이 있는 경우에는 H_2 차단제를 투여한다. Acetazolamide를 신장 근위세뇨관에서의 HCO_3^- 재생성을 막기 위해 사용할 수 있으나 부작용으로 저칼륨증이 발생할 수 있다.

7) 대사성과 호흡성이 혼합된 산염기 장애

(1) 대사성 산증을 동반한 호흡성 산증

혼합 산염기 장애 중 가장 흔한 경우로 만성 폐질환을 가진 환자가 심정지, 폐부종, 저산소증 등에 의해 대사성 산증이 발생한 경우에 보상반응이 충분히 일어나지 않은 경우에 흔히 생긴다. 또한 sodium nitroprusside, CO, ethylene glycol 등은 환기 억제와 대사성 산증을 동시에 일으킨다. 이런 경우 $NaHCO_3$의 투여는 $PaCO_2$를 더욱 증가시키므로 환기 보조가 반드시 필요하다.

(2) 대사성 알칼리증과 호흡산증의 동반

만성 폐질환 환자에게 이뇨제를 투여하면 K^+ 소실에 의해 대사성 알칼리증과 보상적 호흡성 산증이 발생하므로 NH_4Cl을 투여하여 알칼리증을 교정하고 $PaCO_2$를 감소시킨다.

(3)호흡성 알칼리증을 동반한 대사성 산증

Salicylate 중독이나 심한 유산증(lactic acidosis) 환자에서 호흡성 보상이 과도한 경우에 생긴다.

10. 산소 투여의 목적

산소 투여의 일차적인 목표는 저산소혈증을 예방하고 교정하는 데 있다. 이는 대기 중 산소 농도인 21%(FiO_2 0.21) 이상의 산소를 공급함으로써 폐포 산소분압(P_AO_2)을 증가시켜 필요한 동맥혈 산소분압(PaO_2)을 유지하는데 필요한 환기 작업량과 심근 작업량을 감소시킨다. 임상적으로 표현하면 다음 세 가지 목적으로 산소를 투여한다.

첫째, 확인되거나 의심되는 급성 저산소혈증을 예방 및 교정한다.

둘째, 만성 폐질환에서처럼 만성적으로 저산소혈증을 호소하는 환자의 증상을 감소시킨다.

셋째, 저산소혈증으로 인한 심폐기관에 부가된 일의 양을 감소시킨다.

저산소혈증으로 환기요구량과 호흡작업량이 증가된 경우에 산소를 투여하면 호흡에 따르는 일량을 줄일 수 있다. 또 저산소혈증이 있으면 조직의 산소화를 유지하기 위하여 심박출량과 심박수가 증가하는데 산소를 투여하면 이러한 심장의 일량도 감소시킨다. 또한 저산소혈증은 폐혈관 수축을 일으켜 폐고혈압을 야기하고 이는 다시 우심실의 부하를 증가시켜 만성으로 진행하면 우심실의 비대를 동반하는 폐심장증(cor pulmonale)이 발생한다.

이런 저산소혈증에서 산소 투여를 결정하는 기준은 나이로 보아 28일 이하의 신생아에서 산소분압이 50 mmHg 이하, 산소포화도 88% 이하인 경우와 그 이상의 나이에서 산소분압이 60 mmHg 이하 또는 산소포화도가 90% 이하 인 경우에 산소를 투여한다. 미국호흡요법 학회의 임상지침에는 저산소혈증으로 인해 응급 상황이 생기거나, 저산소혈증이 생기기 쉬운 심한 외상, 급성 심근경색증, 수술 후 환자에게 투여하도록 권장하고 있다. 산소 투여 시에는 저산소혈증에 의한 신경계(두통, 의식변화), 호흡계(빠른 호흡, 숨참, 무호흡) 및 심혈관계(빈맥, 고혈압, 저혈압) 증상의 경중을 감시하면서 산소 투여 방법과 투여량 등을 결정하게 된다.

저산소혈증을 야기하는 원인들은 표 4-9에 있다.

표 4-9. 저산소혈증의 원인

$AaDO_2$가 정상인 경우	대기를 흡입하면서 저환기일 때 FiO_2가 낮은 가스를 흡입할 때
$AaDO_2$가 증가된 경우	정맥혈 혼합 V/Q가 낮은 환기/관류 불균형 폐의 확산능 감소

11. 산소 섭취와 분포

1) 산소 섭취

산소는 호흡으로 폐를 통하여 혈액에 섭취되며 영양물질과 같이 순환계를 따라 조직과 장기에 공급되어 최종 산소 이용 장소인 세포내 사립체에 공급된다.

산소는 그림 4-15에서 보는 바와 같이 흡입 공기로부터 호흡 기도를 통하여 폐포 가스, 동맥혈, 전신 모세혈관 그리고 세포, 마지막으로 사립체까지 이동되는 동안 분압경사가 생긴다. 대기로부터 사립체까지 산소 캐스케이드의 어떤 단계에서든지 분압경사가 급격히 증가될 수 있으며 이는 저산소증을 초래한다.

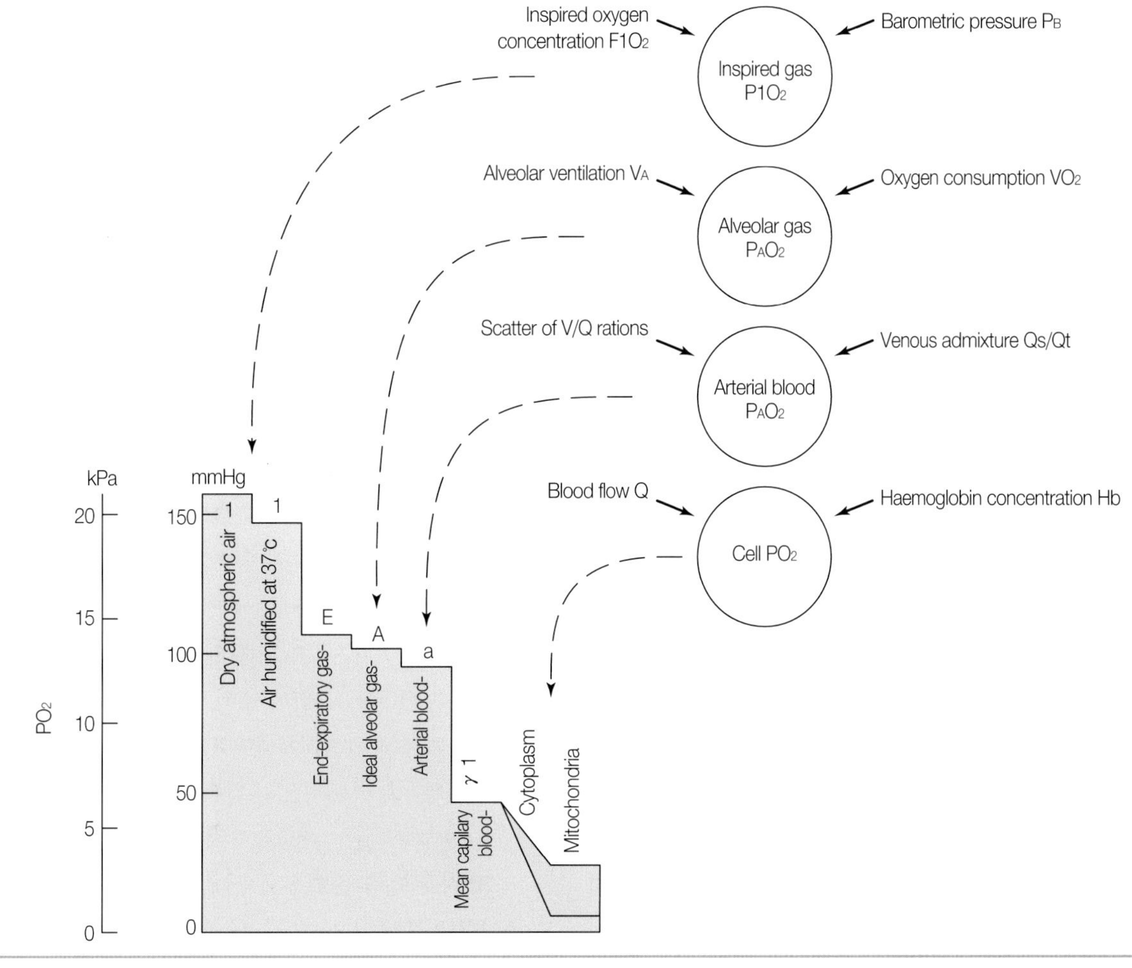

그림 4-15. 산소 캐스케이드

공기가 흡입되어 말초 기도와 폐포까지 전달되면 이산화탄소 및 수증기에 의하여 산소분압이 감소된다. 대기의 산소농도는 20.9%이며, 분압은 158.8 mmHg (760 mmHg × 0.209)이다. 비강을 통과하면서 비점막에 분포된 풍부한 점액에 의하여 흡기가 수분으로 포화되면 산소분압은 149 mmHg로 떨어진다. 흡기가 폐포로 들어가면 질소와 이산화탄소가 많은 기능적 잔류용량(FRC)에 희석되어 산소분압은 105 mmHg로 감소되는데 이를 이상적 폐포 산소분압(ideal alveolar PO_2)이라고 한다. 사강 내의 가스와 폐포가스가 혼합된 호기의 평균 산소분압(PeO_2)은 117 mmHg (FeO_2 0.15)이다.

휴식 시 체중 1 kg당 1분에 약 3 ml의 산소를 소비한다.

2) 폐포와 동맥간의 산소분압 차이($AaDO_2$) 발생의 폐내 요인

동맥혈의 산소분압은 혼합 폐모세혈관 혈액의 산소분압보다 작다. 확산 장벽, 환기/관류의 비동질성, 정맥혈 혼입은 $AaDO_2$를 발생 시키는 주요인이다. $AaDO_2$는 공기를 호흡할 경우 10~12 mmHg, 100% 산소를 호흡할 경우 30~50 mmHg가 정상 이다.

(1) 확산 장벽

대기에서 정상인은 폐실질 조직에 중증 병변이 없는 한 폐포와 동맥혈간의 산소 확산장애는 거의 없는 것으로 나타났다.

(2) 환기/관류(Ventilation/Perfusion, V/Q)의 비동질성

만성 폐질환 환자에게 보이는 저산소혈증의 가장 흔한 원인 요소이다. 호흡가스는 가벼워 폐첨부로 많이 가고 혈류는 무거워 폐기저부로 많이 몰려 환기/관류의 비동질성은 더욱 현저해진다. 대체로 정상인의 환기량은 5 L/분이고 혈류량은 6 L/분이므로 V/Q비는 0.8이 정상치이다. 그러나 경우에 따라서 V/Q비는 폐 부위에 따른 변화가 심할 수 있으며 이 경우에 $AaDO_2$는 더 크게 나타난다.

환기/관류의 비동질성은 다음의 두 가지 이유로 $AaDO_2$를 발생시킨다.

① 많은 양의 혈류가 V/Q비가 낮은 지역(저환기, 과관류)의 폐포를 통하여 흐르며, V/Q비가 높은 지역(과환기, 저관류)을 지나는 혈류는 양이 적기 때문에 이를 보상하지 못하여 혼합 동맥혈은 V/Q비가 낮은 지역에서 온 혈액에 가깝다.

② 산소해리곡선 상부의 고평부(plateau) 때문에 V/Q비가 낮은 지역에서 온 혈액의 산소포화도 감소는 V/Q비가 높은 지역에서 온 혈액의 산소포화도 증가보다 더 큰 경향이 있다. 이것이 V/Q비가 높은 지역에서 온 혈액이 V/Q비가 낮은 지역에서 온 혈액을 보상하지 못하는 두 번째 이유이다.

대기를 호흡하는 정상적인 젊은이는 $AaDO_2$가 정상적으로 약 8 mmHg 정도이며, 나이가 들수록 증가하여 70대가 되면 정상치는 약 24 mmHg까지 올라간다. 연령 증가와 폐질환에 의한 $AaDO_2$ 증가는 P_AO_2가 아니라 PaO_2가 감소하기 때문이다.

3) 폐내 션트

저산소혈증을 일으키는 흔한 원인은 폐내 션트를 유발하는 질환들이다. 생리적 혹은 전체 션트란 폐포 내의 공기와 가스교환이 되지 않는 심박출량의 부분을 의미한다. 생리적 션트는 해부학적 션트, 모세혈관 션트, 관류의 상대적 과잉 상태의 세 가지 요소로 구성된다.

폐혈관이 폐포내 산소분압에 따라서 수축하므로 진성 션트에 의한 $AaDO_2$가 폐포내 산소분압(P_AO_2)에 따라서 변화하는 정도는 그림 4-16과 같다. 션트효과에 기인한 $AaDO_2$도 P_AO_2 변화에 따라서 함께 그림 4-16에서 표시하고 있다.

(1) 해부학적 션트

정상인에서 bronchial, pleural, Thebesian 정맥은 폐순환계를 거치지 않고 바로 좌심실로 돌아오며, 심박출량의

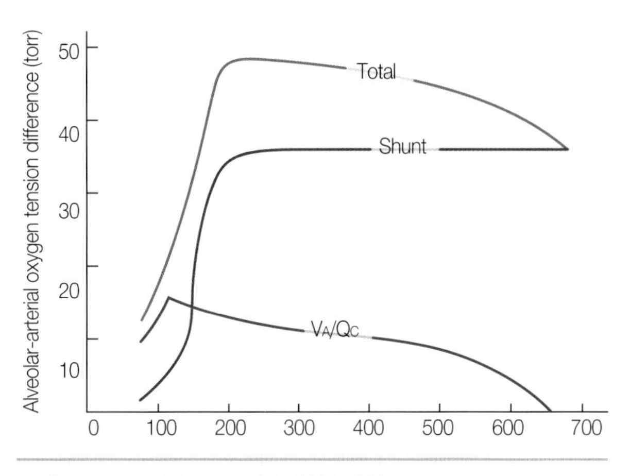

그림 4-16. P_AO_2가 $AaDO_2$에 미치는 영향

2~5% 정도이다. 이를 정상적인 해부학적 션트라 한다.

(2) 모세혈관 션트

모세혈관 션트란 폐모세혈관의 혈액이 전혀 환기되지 않은 폐포를 통과함으로써 산소섭취를 못하고 좌심실로 돌아오는 경우를 말한다. 모세혈관 션트는 기흉, 혈흉, 흉막강내 액체 축적 등에 의한 압박성 무기폐, 기관지 혹은 세기관지가 완전히 막혀 원위부의 폐포공기가 흡수됨으로써 생기는 흡수성 무기폐, 일정용적 환기(constant volume ventilation) 혹은 표면 장력 증가(예: ARDS)에 의한 폐포의 다발성 허탈로 발생하는 미세 무기폐 등의 급성 무기폐와 폐포 농양, 심인성 폐수종, 폐렴, 분비물 축적 등에 의한 폐포내 액체 축적에 의하여 초래된다. 해부학적 션트와 모세혈관 션트의 합을 진성 혹은 절대 션트(true shunt)라고 하며 이들은 산소 투여에 반응을 하지 않는다. 반면에 션트 효과(관류의 상대적 과잉 상태, V/Q 비가 낮은 환기/관류 불균형)는 산소 투여에 잘 반응하며 흡입산소농도를 조금만 올려도 혈액으로 운반되는 산소량은 크게 늘어난다.

4) $AaDO_2$ 발생의 폐외 요인

① 흡입산소농도(FiO_2)가 높은 경우

② 혼합 정맥혈내 산소분압(P_VO_2)이 낮은 경우

- 심박출량이 감소하는 질환
- 산소 소모량이 증가하는 질환
- 빈혈

③ 산소해리곡선의 좌측 이동 등이 $AaDO_2$를 증가시킨다.

5) 혈액의 산소 함량

혈액 산소의 대부분은 혈색소와 화학적으로 결합되어 운반된다. 혈장에는 훨씬 소량이 직접 용해된다. 혈색소 산소함량과 PaO_2 간의 관계는 S자형의 산화 혈색소 해리곡선에 의하여 설명된다. 완전히 포화되었을 경우 혈색소 1 g은 1.31 ml의 산소와 결합한다. 공기를 호흡하는 건강한 사람은 혈색소가 98% 포화되어 있다. 산소를 호흡하여 산소분압이 더 증가되면 혈장에 녹는 산소량이 증가되어 혈액 산소함량이 증가된다. 혈장에서의 산소 용해도는 0.0031 ml/dl/mmHg이다. 100% 산소를 호흡하여 동맥혈 산소분압이 500 mmHg인 건강한 사람도 혈장 100 ml마다 1.5 ml의 산소만 녹아 있으며 이것은 포화된 혈색소 1 g이 운반하는 산소량과 비슷하다.

혼합정맥혈의 산소함량은 정상적인 상황에서 대사 요구(metabolic needs)에 필요한 양인 5~6 ml/dl 정도 동맥혈 산소함량보다 적다. 공기를 호흡하는 사람에서 정맥혈 혈색소는 70% 정도 산소로 포화되어 있으나, 흡입 산소가 3기압이 되면 100%로 된다. 고압 산소는 주로 저산소혈증이나 조직 저산소증을 교정하기 위하여 투여된다.

(1) 정상인의 동맥혈 산소분압치

심폐질환이 없는 사람에서 PaO_2는 대체로 연령의 증가에 따라 감소하는데 대개 매 10세 증가에 따라 3.5 mmHg 정도 감소하는데 도시하면 그림 4-17과 같다.

연령이 증가되면서 폐 실질의 노화현상으로 폐 조직의 탄력성이 떨어지기 때문에 폐쇄용적(closing volume, CV)이 커지고, 이로 인하여 기능적 잔기용량(functional residual capacity, FRC)은 변하지 않아도 FRC와 CV의 차가 작아져 폐에서 동맥혈로 흡수되는 산소량이 적어지

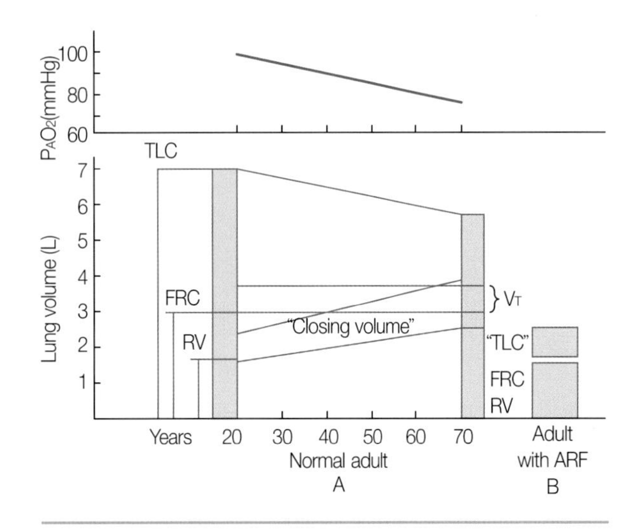

그림 4-17. 정상인(A)과 급성 호흡부전 환자(B)에서 폐용량 및 용적 변화와 정상인의 연령에 따른 PaO_2 감소

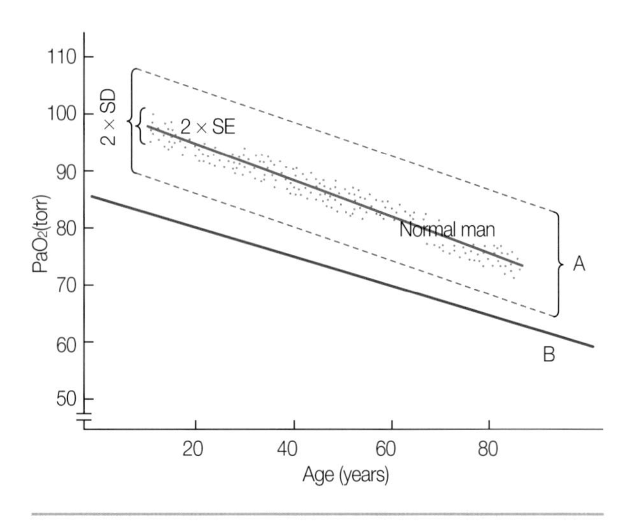

그림 4-18. 연령에 따른 PaO_2 (A) 정상인(B) 수술 후

기 때문이다.

그림 4-17(A)는 연령이 많아질수록 FRC는 거의 일정하나 CV는 점차 증가되고, 이에 대응하여 PaO_2가 감소하는 것을 나타내고 있다. 그림 4-17(A)에 표시된 FRC는 환자가 누워 있을 때의 것이며, 앉거나 일어서면 이보다 20% 정도 높다.

수술 후 PaO_2가 낮아지는 이유는 동일인에서 CV의 증가는 없더라도 FRC의 감소가 현저하기 때문에 FRC-CV 차가 작아지고, 더구나 수술 조작과 흡입마취제로 인하여 사강률(사강환기량/총환기량, V_D/V_T)이 증가하기 때문이다(그림 4-18). 특히 손상 환자에서 그림 4-17(B)에서 표시한 바와 같이 수액 및 수혈요법, 손상으로 인한 동통, 마취로 인한 호흡억제는 결과적으로 FRC의 감소를 초래하여 CV의 변화가 없이도 PaO_2는 떨어지고 나아가 전체적인 폐기능의 저하가 발생된다. 이런 경우 동반되는 대사성 산증에 대하여 호흡성 대상을 하지 못하기 때문에 예후가 나쁘다. 따라서 치료 면에서 FRC의 감소 방지가 중요하므로 이를 위하여 호기말 양압(positive end expiratory pressure, PEEP)이 고안되었으며 저혈량증이 없는 경우에는 좋은 예후를 보인다. FiO_2 0.5 이상의 고농도 산소를 장기간 흡입 시 폐기능의 장애와 폐실질의 병변을 일으키는 산소독성이 발생되는데, PEEP은 PaO_2의 감소를 막고 나아가 FiO_2를 0.5 이하로 낮출 수 있다.

(2) 폐포내 산소분압의 감소원인

P_AO_2는 표 4-10에서 보는 바와 같은 원인으로 감소하게 된다.

생리학적 사강이 증가된 상태에서 주어진 폐포 환기량을 유지하려면 분당 환기량이 증가해야 한다. 예를 들면 급성 호흡부전에서 가끔 볼 수 있듯이 사강률이 0.8 정도 된다면 적절한 가스교환을 위하여 분당 환기량이 20 L/min을 넘어야 한다.

이때 분당 환기량을 증가시키려는 노력으로 환자는 흉곽의 수축, 천명, 통음 등이 나타난다.

폐의 생리적 사강률은 정상인의 자발 호흡에서 0.2~0.4, 평균 0.3이며, 계산식은

$$V_D/V_T = \frac{P_aCO_2 - P_ECO_2}{PaCO_2}$$

이다.

PaO_2는 아트로핀, 스코폴아민, 헥사메쏘니움(hexamethonium), 이소프로테레놀(isoproterenol) 등의 약물

표 4-10. P_AO_2의 감소 원인

흡기의 산소농도가 낮은 경우
• 계기 고장 • 고농도의 마취제 흡입
폐포 환기의 저하
• 호흡억제 중추성: 신경 질환, 마취 전 투약, 마취제 말초성: 신경근 질환, 신경근차단제 • 호흡 사강 증가 약물, 인공호흡, 저혈압, 심폐질환, 마취기 • 기계적 장애 기도 폐쇄: 구토물, 기도 주위의 조직, 분비물, 이물, 호흡기 질환 흉곽: 골관절 질환, 체위, 고정된 자세, 외과적 조작

들에 의하여 감소되며, 저혈압, 심폐질환이 있어도 감소된다. 실혈이나 저혈압 또는 심박출량의 감소가 있으면 사강률이 증대되며 분당 환기량이 예측치보다 훨씬 많아진다.

12. 산소 투여 장치

산소 투여 장치는 통상 비재호흡 체계로서 산소는 고유량 장치 혹은 저유량 장치에 의하여 투여된다. 고유량 산소 투여 장치는 유속과 저장백 용량이 전체 흡기량을 충족시키며 대부분 Venturi 기구를 사용한다. 저유량 산소 투여 장치는 비 캐눌러(nasal cannula), 산소 마스크, 호흡낭이 있는 마스크 등이 있으며 전체 흡기 요구량을 충족시키지 못하므로 일회호흡량의 일부가 대기로 보충되어야 한다. FiO_2는 산소 호흡낭의 용량, 산소유량, 환자의 호흡용적과 환기 형태에 의하여 달라진다. 저유량 장치에서 호흡용적이 클수록 FiO_2는 감소되고, 호흡용적이 적을수록 FiO_2는 증가된다. 그러나 환기형태가 변하지 않는 한 저유량 장치가 공급하는 산소농도는 비교적 일정하다.

산소는 체외 산화기를 제외하고는 전부 흡입에 의하여 투여된다. 산소 흡입 기구에는 비캐눌러, 마스크, 텐트, 후드, 기관내 튜브 등이 있다.

고농도의 산소를 환자의 기도로 전달하는 방법은 여러 가지가 있으므로, 그 선택은 ① 필요한 FiO_2 ② 정확하고 일정한 FiO_2에 대한 필요성 여부 ③ 환자가 편안해 하는가 등에 따라서 결정된다. 그러나 이들 대부분은 FiO_2가 정확하지 못하다. 이것은 여기에 사용되는 많은 기구들이 환자의 최대 흡기유량보다 가스를 적게 공급하므로 공기가 다양한 비율로 섞이게 되어, 환자에게 공급되는 가스의 원래 산소농도가 희석되기 때문이다.

1) 저유량/ 변동 FiO_2 산소 투여장치

환자의 최대 흡기유량보다 흡입 산소유량이 적은 경우이다. FiO_2는 공급되는 산소와 혼합되는 공기에 의하여 결정된다. 공기 혼합은 환자의 호흡용적과 호흡수에 따라 달라진다. 저유량 산소투여장치는 호흡용적이 300~700 ml, 호흡수<25 회/분, 그리고 환기 형태가 일정할 때 사용할 수 있으며, 값이 싸고 FiO_2를 증가 시키는데 있어서 중등도의 효과가 있기 때문에 산소 투여 시 흔히 사용되고 있다.

(1) 비 캐눌러(Nasal cannula)

모든 저유량 산소투여장치 중에서 가장 환자가 편안해 한다. 산소유량은 0.5~6 L/min까지 조절하고 이때 FiO_2는 0.22~0.4 정도이다. 유량이 6 L/min 이상 되면 비점막을 자극한다. 산소유량을 1 L/min 증가시킬 때마다 FiO_2가 약 0.04씩 증가한다.

(2) 산소마스크

산소마스크는 유량을 더 많이 줄 수 있고, 흡입 가스를 저장하는 호흡낭이 있기 때문에 비 캐눌러보다 FiO_2를 더 높일 수 있다. FiO_2는 유량, 마스크의 크기, 호흡낭의 크기, 환자의 흡입유량에 따라 결정된다. 산소마스크는 그림 4-19에서 보는 바와 같이 여러 가지 형태가 있다.

① 단순 산소마스크

단순하면서 공기유량을 적게 요구하고 마스크 하단에

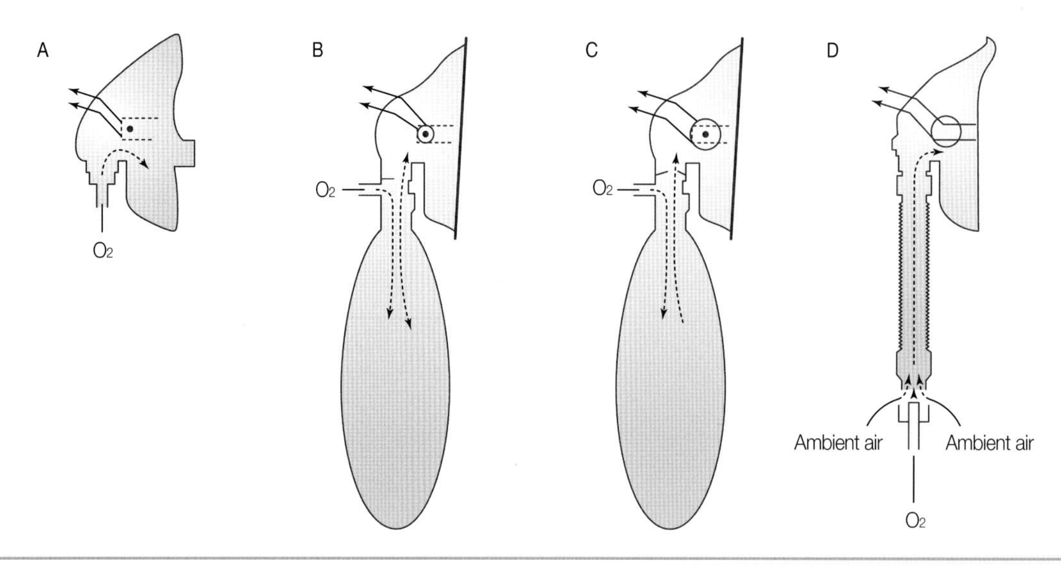

그림 4-19. 산소 마스크. (A) 단순 마스크 (B) 부분 재호흡 마스크 (C) 비재호흡 마스크 (D) 벤튜리(venturi) 마스크

서 산소를 공급하고 옆으로 공기가 빠져나간다. 상용되는 유량은 8~15 L/min이고 이때 FiO_2는 0.4~0.5이다.

② 부분 재호흡 마스크

호흡낭 역할을 하는 비닐 백이 있고 여기에도 산소가 들어간다. 이 마스크에는 밸브가 없기 때문에 호기 가스(사강의 가스 즉, 흡입 가스)가 호흡낭에서 새로 들어오는 산소와 혼합된다. 호기의 초기 동안에 호흡낭이 일단 채워지고 나면 그 후의 폐포 가스는 마스크 옆에 나 있는 구멍으로 빠져 나가므로 실제는 CO_2가 재호흡되지는 않는다. 호흡낭을 부풀리려면 10 L/min 이상의 산소공급을 요하고 이때는 FiO_2가 0.5~0.65 정도 이른다.

③ 비재호흡 마스크

부분 재호흡 마스크와 비슷하나 호흡낭에 편도(one-way) 밸브가 있어서 재호흡과 공기혼합을 방지한다. 이 밸브는 호흡낭과 마스크 사이에 있으면서 흡기 시에는 호흡낭에서 환자에게 가스가 공급되도록 하고, 호기 시에는 마스크 옆의 구멍으로만 호기 가스가 나가도록 해 준다. 이론적으로 호흡낭 내에 대기가 흡입될 수 없다고 하나 FiO_2가 0.9 이상 되기는 어렵다.

2) 고유량 산소 투여 장치

낮거나 중등도의 산소 농도이지만 정확한 FiO_2를 공급

표 4-11. 고유량 산소투여 시 여러 FiO_2를 이루기 위한 산소와 대기의 혼합비

FiO_2(%)	산소유량(L/min)	대기(L/min)	혼합 비율	전체유량(L/min)
24	2~4	50~100	1:25	52~104
28	4~6	40~60	1:10	44~66
31	6~8	56	1:7	72
35	8	40	1:5	48
40	8~12	24~36	1:3	32~44

할 수 있는 방법들은 여러 가지가 있다. 혼합 가스가 환자의 최대 흡입유량만큼 혹은 그 이상으로 공급되어야 FiO_2를 정확하게 조절할 수 있다. 이러한 기구들은 대개 일정 비율의 공기를 혼합하기 위하여 산소 구동 주입기(oxygen-driven injector)가 있다. 기도에서 더 이상의 공기혼합이 일어나지 않도록 하기 위해서 전체유량은 50 L/min 이상이어야 한다. 이런 방법을 사용하는 기구들을 고유량 혹은 고정 FiO_2 산소투여 장치라고 한다.

그림 4-19D와 같은 Venturi 마스크에서 주입기를 통하여 4~8 L/min의 산소를 공급 시 Bernoulli 법칙에 따라 100 L/min 까지 많은 양의 공기가 혼합된다. 산소 주입기의 직경에 따라 FiO_2는 0.24~0.4 사이로 안정되게 유지된다(표 4-11).

기관 절개 마스크, T-piece, 분무 마스크 등과 같이 사용 하였을 때 정확한 FiO_2를 제공하는 여러 종류의 공기형 분무기에 이와 유사한 주입기구가 이용되고 있다.

3) 산소 후드, 텐트

환자의 머리(후드)나 몸(텐트) 전체를 감쌀 정도로 흡기 저장장치(reservoir)가 크면 일정한 농도로 산소를 투여할 수 있다. 이렇게 편안한 기구들은 환자의 협조가 별로 필요 없으나 중환자 관리에는 적합하지 않다. 이산화탄소 축적을 막기 위하여 신선 가스 유량이 반드시 적절해야 한다.

13. 산소 투여의 합병증

1) 산소 독성

폐와 중추신경계의 산소 독성은 노출된 산소분압과 시간에 비례적으로 결정된다.

산화성 손상은 superoxide 음이온, single oxygen, hydroxyl radical, hydrogen peroxide 등의 산소 자유기(oxygen free radical)의 생성이 증가되어 생긴다. 정상에서는 superoxide dismutase에 의해 비활성화되고, 비타민 E, C나 beta-carotene이 산소 자유기에 대한 방어를 하지만 산소분압이 높으면 산소자유기가 과잉 생산되어 세포 손상이 생긴다. 세포 손상은 면역 반응을 자극하여 호중구와 대식세포를 활성화되어 조직에 침투한다. 유리기 제거 세포(scavenger cell)들은 염증 매개 물질을 분비하고, 호중구와 혈소판은 산소 자유기를 더 발생시킬 수도 있다. 비록 모든 조직에 독성을 나타내지만 과산소증은 고유한 조직인자와 조직 내의 산소분압에 따라서 각각의 조직에서 각기 다른 효과를 나타낸다.

(1) 폐포 산소독성

임상적인 산소 투여에서 볼 수 있는 산소독성 중 가장 먼저 나타난다. 6~8시간 정도만 산소를 흡입시켜도 기관 점액의 속도가 떨어지고, 12시간 정도 지나면 정상인에서도 기관 및 기관지 자극 증상과 흉부 압박감이 나타난다. 폐 기능의 변화는 12~24시간 후부터 시작된다. 24시간이 지나면 구역, 구토 식욕부진, 기면증 등의 증상이 뚜렷해진다. 폐 실질 이상은 처음에는 내피의 기능이상이 먼저 오고 나중에 상피의 기능이상이 초래된다. 폐 모세혈관의 투과성이 증가되고, 간질과 폐포의 부종, 폐부종, 폐포내 출혈 등이 나타난다. 폐 산소독성의 발현은 폐포 산소분압에 직접적으로 관련된다. 폐 손상이 악화되면 산소화가 나빠지게 되고 저산소혈증에 대한 치료를 위해서 산소를 투여하면 독성효과가 더 심해져 악순환이 된다. 정상적인 영장류에서 100% 산소를 흡입하면서 생존할 수 있는 시간은 일주일이 넘으며, 폐부종과 저산소증으로 사망한다. 치료로서는 흡입산소 분압을 낮추고 보조요법을 쓴다.

(2) 중추신경계 산소독성

1 기압 이상의 고압 산소를 투여할 때 발생하며, 폐 산소독성과 마찬가지로 개체별 감수성의 차이가 심하다. 주 증상은 떨림(tremor), 단일 수축(twitching), 경련이며, 압력을 감소시키면 빠르게 정상화되며 후유증도 보고된 바 없다.

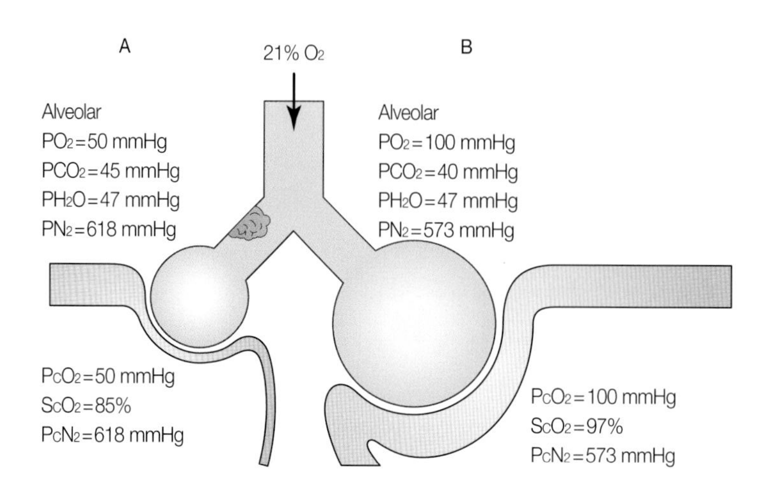

그림 4-20. FiO_2 0.21에서 정상적으로 환기되는 폐 단위(B)와 환기가 잘 안되는 폐 단위(A)의 가스교환 상태의 비교

(3) 망막에 대한 산소독성(Retinopathy of prematurity, ROP)

미숙아나 저체중 신생아에게 산소투여 시 혈중의 과잉 산소로 망막혈관의 수축이 지속되어 혈관의 괴사가 나타나 안구내출혈, 망막부종과 박리현상이 발생된다. 망막혈관이 재증식되고 수정체 측면에 섬유화가 발생된다(retrolental fibroplasia). 생후 1달까지의 신생아에서 고농도의 산소투여가 망막변증을 일으킬 수 있으며, 직접 요인은 고농도 산소분압이나, 저이산화탄소혈증, 고이산화탄소혈증, 뇌실질내 출혈, 감염, 유산증, 빈혈, 저칼슘혈증 및 저체온 등도 원인이 된다. 가능하면 조산아에서 산소분압이 80 mmHg 이하로 유지하도록 추천된다.

2) 환기 저하

만성 저산소혈증과 호흡 조절장애가 있는 환자에서 환기 저하를 유발할 수 있다. 이 환자들은 높은 이산화탄소 분압에 대한 정상 반응이 감소되어 있어 낮은 산소분압이 말초 화학수용체를 자극하여 호흡을 유지하고 있는데, 산소 투여로 산소 분압이 증가하면 환기 저하가 일어나 이산화탄소 저류가 더욱 심해진다. 이런 환자에서 산소 투여는 필수적이므로 환자의 환기 저하가 발생하지 않도록 주의 깊게 감시해야 한다.

3) 흡수성 무기폐

FiO_2를 0.5 이상 유지하는 경우 체내 질소를 빠른 속도로 제거한다. 혈중 질소가 감소하면 정맥내 총 가스분압이 갑자기 저하되고, 이에 따라 신체의 가스가 혈액으로 확산된다. 이런 과정 중에 폐쇄된 폐포에서 산소는 혈액으로 확산되고, 산소가 폐포로 들어오지 못하므로 폐포의 가스 압력이 감소하여 허탈이 일어나 무기폐가 발생한다. 그림 4-20은 FiO_2 0.21에서 정상적으로 환기되는 폐 단위와 환기가 잘 되지 않는 폐 단위를 비교하여 설명한 것이며, 그림 4-21은 탈질소화 흡수성 무기폐를 일으키는 주요기전을 설명한 것이다. 그림 4-20에서 보는 바와 같이 21% 산소 흡입 시 A 폐포는 환기가 잘 되지 않아서 P_AO_2가 낮고, P_ACO_2와 P_AN_2는 약간 높다. 따라서 A 폐포 주위의 모세혈관은 저산소성 폐혈관 수축이 일어나, 환기가 잘되는 B 쪽으로 혈류가 재분포된다.

그러나 100% 산소를 흡입시키면 환기가 잘 되지 않는 A 단위의 P_AO_2가 증가되어 저산소성 폐혈관 수축(hypoxic pulmonary vasoconstriction, HPV)이 없어지고 이곳을 관류하는 혈류가 많아진다. A 단위는 환기가 잘

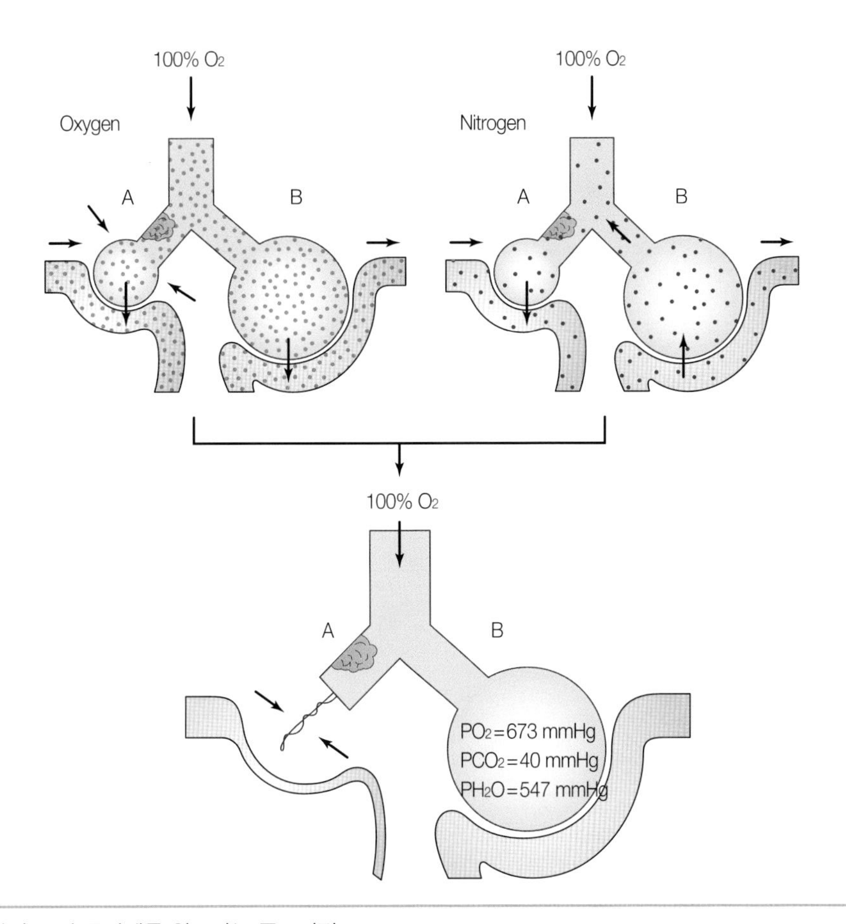

그림 4-21. 탈질소화 흡수성 무기폐를 일으키는 주요기전

안되면서, 관류는 많아졌기 때문에 산소 섭취(oxygen extraction)가 증가하여 폐포내 가스용적이 감소하게 된다. 이와 동시에 환기가 잘되는 B 단위의 P_AN_2는 급격히 감소되어 혈액 내의 P_aN_2도 급속히 감소된다. 이런 혈류가 A 쪽으로 가면 A 폐포의 P_AN_2가 혈류의 P_aN_2보다 높기 때문에 질소가 혈액 내로 들어간다. 결국 폐포 단위 A에서 산소와 질소 모두가 빠져 나가버림으로써 폐포가 허탈되고 동시에 HPV가 다시 일어난다(그림 4-21).

폐포는 허탈되나 혈류는 잘 유지되므로 무기폐는 션트를 증가시켜 산소화를 악화시킨다. 이런 흡수성 무기폐는 진정제 투여, 흉부 및 상복부 수술 후 통증, 중추신경계 질환과 같이 일회환기량이 감소한 경우에 심하다. 환기가 되지 않는 폐포가 더 빨리 허탈 되며, 산소투여를 받지 않더라도 서서히 허탈 된다. 의식이 명료할 때는 한숨쉬기(sigh mechanism)에 의해 폐를 주기적으로 팽창하므로 이런 위험은 흔하지 않다.

4) 점막섬모 청결 작용 감퇴

산소를 포함한 건조한 가스가 적절히 가습되지 않으면 분비물과 점막에 대한 건조효과로 인하여 점막섬모 청결 작용(mucociliary clearance)이 감퇴된다.

14. 산소 투여의 제한 요인

션트효과에 의한 저산소혈증은 대개 $FiO_2<0.5$로 역전시킬 수 있다. $FiO_2>0.5$ 시 탈질소화 흡수성 무기폐와 특히 중환자에서 폐 산소 독성이 초래될 수 있다. V/Q가 작을수록 P_AO_2는 감소되므로 폐모세혈액을 포화시키기 위

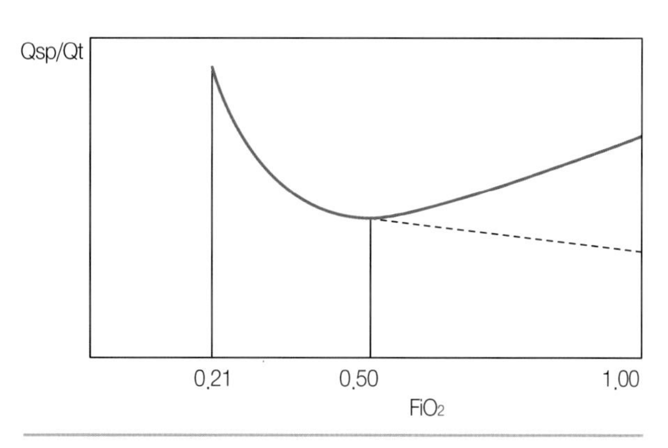

그림 4-22. Qsp/Qt와 FiO_2

표 4-12. 불응성 저산소혈증의 원인

심혈관계
심장 우 → 좌 션트
폐 동정맥 누관
호흡계
경변성 폐렴
대엽성 무기폐
큰 종양
ARDS

해서는 FiO_2가 높아야 한다. 그러나 V/Q가 작을수록 폐포 용적이 작아지므로 탈질소화 흡수성 무기폐가 발생하기 쉽다.

1) 생리적 션트와 산소 투여

그림 4-22는 Qsp/Qt와 FiO_2의 관계를 도시하고 있다. 그림 4-21에서 Qsp/Qt는 100% 산소 흡입 시가 50% 산소 흡입 시보다 더 크며, 40~60% 산소 흡입 시 가장 낮음을 알 수 있다. 생리적 션트는 션트효과($0 < V/Q < 0.8$)와 진성 션트($V/Q = 0$)의 합이다. 대기에서 50% 산소 흡입 시까지 계속 Qsp/Qt가 감소하는 것은 산소 투여에 의하여 션트효과에 의한 저산소혈증이 감소되기 때문이다. FiO_2 0.5~1.0은 탈질소화 흡수성 무기폐를 발생시켜 진성 션트를 증가시키므로 오히려 Qsp/Qt는 더 증가된다. 따라서 산소 투여 시 산소농도를 22~50% 사이로 하는 것이 가장 좋다.

2) 불응성 저산소혈증(Refractory hypoxemia)

정상적으로 동맥혈 산소분압은 흡입 산소농도의 5배 정도이다. 즉 $PaO_2 = 500\ FiO_2$이다. 불응성 저산소혈증이란 산소 시험투여(oxygen challenge, FiO_2를 0.2 증가시킴) 10~15분 후의 PaO_2 증가가 10 mmHg 이하인 경우를 말한다. 불응성 저산소혈증의 원인은 표 4-12와 같다.

$FiO_2 > 0.35$ 시 $PaO_2 < 55$ mmHg이거나, $FiO_2 < 0.35$에서 $PaO_2 < 55$ mmHg이면서 산소 시험투여에 반응을 하지 않는다면 불응성 저산소혈증을 의심해야 한다.

3) 저산소성 폐혈관 수축 (Hypoxic pulmonary vasoconstriction, HPV)

PaO_2의 감소는 저산소성 폐혈관 수축을 유발한다. 션트효과가 있는 환자가 대기를 호흡할 경우 저산소성 폐혈관 수축이 일어나서 질환이 있는 폐 부위의 션트량을 감소시킨다. 진성 션트의 경우 심박출량이 증가되어 PvO_2가 증가되기 때문에 저산소성 폐혈관 수축은 덜 일어난다.

4) 탈질소화 흡수성 무기폐

흡수성 무기폐 현상은 산소 투여 시 60~100% 산소를 흡입시켜도 PaO_2가 별로 개선되지 않는 현상을 설명하기에 충분하다. 따라서 어떤 환자에서는 100% 산소보다는 50% 이하의 산소가 더 효과적으로 PaO_2를 개선시키는 경우가 있다. 즉 50% 이상의 산소는 치료 약제로서의 효과가 별로 없다.

5) 70~100% 산소의 적응증

70~100% 산소는 심폐소생술, 급성 심폐불안정, 환자

이동 시에 필요하다. 적절한 산소화를 유지하는 최소의 FiO_2를 얻기 위하여 가능한 모든 조치들을 해야 한다. 여기에는 적절한 환기 형태, 기관지 이완, 수액 제한, 산염기 평형 및 전해질 균형 유지, 호기말 양압 등을 고려할 수 있다. 물론 이 경우 호흡 작업량을 줄이고 환기의 분포를 개선시키기 위하여 기본적인 기관지 청결요법을 시행하는 것은 필수적이다.

15. 가습

1) 수증기의 물리적 특성

수증기로 완전 포화(100% 습도)된 기체의 수증기 분압(P_{H2O})은 오로지 온도에 의하여 결정된다. 표 4-13는 임상에서 볼 수 있는 온도에서 완전 포화된 기체의 수증기 분압과 수분함량(content of water, mgH_2O/L of gas)을 나타내고 있다.

기체의 수증기 포화가 불완전하다면 즉 상대 습도가 100% 이하일 경우 수증기압과 수분함량은 % 습도에 비례해서 감소된다. 예를 들어, 20℃에서 습도가 50%라면 P_{H2O}는 17.5 mmHg × 0.50 = 8.8 mmHg이며 이때 기체의 수분함량은 18.5 mg/L × 0.50 = 9.3 mg/L이다. 이 가스를 환자가 흡입할 때 체온 37℃에서 완전 포화되기 위해서는 기도점막으로부터 34.5 mg의 수분(43.8~9.3 mg)이 증발되어야 한다.

표 4-13. 완전 포화 시 기체의 수증기압

온도 (℃)	수증기압 (mmHg)	수분 함량 (mgH_2O/L gas 760 mmHg)
20	17.5	18.5
25	24.0	24.0
37	47.0	43.8
38	50.0	46.0
40	55.0	50.0
42	61.0	56.4

2) 가스의 가습

습도란 기체의 수분함량을 의미한다. 절대 습도란 주어진 부피의 기체에 있는 수증기의 질량(중량)이다. 상대 습도란 특정 온도에서 기체가 물과 평형을 이루었다고 가정하였을 때 기체 내에 있어야 할 수분량에 대한 실제 수증기량의 비이다.

호흡기 점막의 기능을 적절하게 유지하기 위해서는 흡입가스의 가습 및 가온이 필요하다.

흡입가스의 이러한 조절은 정상적으로 상부기도에서 이루어진다. 수분함량이 너무 적은 흡입가스가 상부기도를 거치지 않고 환자에 전달되면 하부기도에서 추가적으로 습기를 공급해야 한다. 이로 인하여 점막 분비물의 점도가 높아져서 점막섬모 청결작용에 장애가 발생한다.

일반적으로 폐포에 도달한 호흡가스는 체온 37℃로 가온되어 있고 수분으로 완전 포화되어 43.8 mg/L의 수증기를 함유하고 있다. 이보다 적은 양의 수분을 함유한 폐포 가스를 습도 결핍(humidity deficit)이 있다고 칭한다. 상부기도의 정상적인 조절체계가 이 습도결핍을 보충하는 역할을 한다.

상부기도를 거치지 않거나, 건조한 공기를 흡입할 때 인공적인 가습기구가 필요하다. 건조한 산소 혹은 산소와 공기의 혼합가스를 상부기도를 거쳐서 공급할 때 가습기는 대기에 정상적으로 존재하는 만큼의 수분량을 공급한다. 가습기는 전달되는 건조한 가스가 물통 속의 상온으로 유지되는 물을 단순히 포말로 통과하도록 해주는 기구이다. 대개 상온(약 20℃, 68℉)의 상대습도 30~40%에서 대기의 수분함량은 6~8 mg/L이다. 가스 공급원과 환자 사이에 설치되는 단순 포말형 가습기(simple bubble hunidifier)는 6~8 mgH_2O의 수분만 공급하여 건조한 가스의 습도를 대기와 비슷한 수준으로 만들어 준다.

상부기도가 우회된다면 포말형 가습기로는 부족하다. 가습기가 공급할 수 있는 습도를 올릴 수 있는 가장 간단한 방법은 물과 물을 통과하는 가스를 가온하는 것이다. 20℃에서 완전 포화된 가스에는 18.5 mgH_2O/L의 수분이 존재한다. 그러나 37℃에서는 44 mg/L로 수분함량은 증가된다. 가습기 내의 물은 체온까지 가온할 수 있으나,

가스가 전달관을 통과하면서 식기 때문에 물이 응결된다. 이를 극복하기 위해서 가습기의 수온을 체온 이상으로 올려, 기도에 들어갈 때는 가스 온도가 체온과 같게 해준다. 그러나 이때는 자칫하면 기도에 열손상을 줄 위험이 있다.

최근에는 가습기 내의 수온을 높게 하지 않아도 되도록 전달관을 가온시켜 주는 장치가 개발되어 있다.

3) 분무요법

분무발생기는 기체흐름 속에 작은 물방울을 부유시켜 기체 내 액체량을 증가시킨다.

분무기는 두 가지가 있다. 하나는 기체 제트로 액체를 잘게 부수어 입자로 만드는 것이고, 다른 하나는 빠르게 진동하는 변환기로 분무를 만들어 내는 것이다. 전자는 기체성 분무기라고 하며 Bernoullli 효과를 이용하여 액체 저장통에 장치되어 있는 작은 모세관 속으로 액체를 빨아들인다. 일단 액체가 기체 흐름에 도달하면 작은 입자들로 잘게 부서지고 이 입자들이 한 개 이상의 조절판(baffle)에 부딪혀 더욱 잘게 부서지며, 큰 물방울들은 제거된다. 기체성 분무기는 대개 기체유량 1 L당 15~35 mgH_2O의 작은 물방울들을 만들어 낸다. 가습기와 마찬가지로, 기체성 분무기의 물방울 생산량은 기체가 완전 포화 혹은 과포화(supersaturation; 과포화란 특정 온도에서 기체가 가질 수 있는 증기량보다 실제 포함된 수분량이 더 많은 것을 말한다) 될 수 있을 정도로 증가시키기 위하여 가온시킬 수도 있다. 두 번째는 초음파형(ultrasonic) 분무기로서 음파를 액체 면에 집중시켜 분무를 발생시킨다. 진동 빈도가 입자의 크기를 결정하며, 진폭은 분무 생산량을 결정한다. 진동 빈도는 입자의 크기가 1~10 μm 사이에서 유지되도록 택한다. 초음파형 분무기는 기체 1 L당 55 mg의 수분량을 만들 수 있으므로 가온은 불필요하다.

분무에 부유시켜 기관지에 공급할 수 있는 약물은 다음과 같다.

① 기관지 확장제: β-아드레날린성 수용체를 자극하여 기관 평활근을 이완시킨다.
예: isoproterenol, isoetharine, mataproterenol sulfate, albuterol

② Racemic epinephrine: epinephrine 보다 심혈관계 부작용이 적은 약물로서 국소 혈관수축제로서 유용하다. 후두나 기관지 부종, 소아의 croup 등의 치료에 사용한다.

③ 점액 용해제: 점액 단백질(mucoprotein)과 점액 다당류(mucopolysaccharides) 사이의 디설피드 결합(disulfide bond)을 파괴하는 약물로 호흡기 분비물의 점도를 낮추는 약제이다. Acetylcysteine이 대표적 약제이다.

16. 진정과 호흡

진정에 사용되는 모든 약물들은 직, 간접적으로 뇌의 호흡중추나 연수의 화학수용체에 작용하여 호흡억제를 나타낼 수 있다. 특히 연수의 화학수용체가 이산화탄소의 농도에 반응하는 역치를 높여 체내에 심각한 이산화탄소의 저류를 야기할 수 있다. 호흡억제를 가장 잘 일으키는 약물로는 아편양(opioid) 제제, 바비튜레이트(barbiturate), 그리고 프로포폴(propofol)을 들 수 있다. 특히 진정의 깊이가 깊어질수록 이러한 호흡억제의 가능성은 급격히 증가하며 호흡정지, 부정맥, 심정지 등으로 진행하게 된다. 과용량의 경우뿐만 아니라 환자에 따라서는 적은 용량에서도 호흡억제가 나타날 수 있기 때문에 진정을 시행하는 의료진은 환자의 기도관리에 숙련되어야 한다.

대표적인 흡입진정제인 아산화질소는 일회호흡량을 감소시키는 반면 폐의 신장 수용기를 자극하여 호흡수를 증가시켜 분당 호흡량에 미치는 영향은 미비하다. 그러나 경동맥체의 저산소반응을 억제하기 때문에 저산소증에 대한 반응은 감소하게 되어 호흡을 억제할 수 있는 가능성이 높다.

정주진정제 중 아편양 제제는 과탄산혈증에 대한 반사 반응을 감소시켜 동맥 이산화탄소분압의 인식 역치를 상승시킨다. 직접적으로 환기를 억제하며, 이는 호흡수의 감소로 확연하게 나타난다. 또한 아편양 계열 중 fentanyl, alfentanil, 그리고 sufentanil은 흉곽 경직성(chest wall rigidity)을 동반하여 환기를 억제하기도 한다. 아편양 제제를 제외한 정주진정제 중 바비튜레이트와 프로포폴은 연수 내 환기중추를 직접적으로 억제하여 과탄산혈증과 저산소혈증에 대한 환기반응의 저하를 일으킨다. 이는 저용량에서도 이러한 현상을 일으킬 수 있으므로 진정에 사용될 때는 의식수준 유지를 위한 적정과 환자감시에 주의를 기울어야 한다. 바비튜레이트나 프로포폴보다는 덜하지만 benzodiazepine도 과탄산혈증에 대한 반응을 억제하여 환기를 저하시킨다. 이에 비하여 ketamine은 교감신경계의 중추적 자극을 통하여 상대적으로 환기 억제는 덜하지만 역시 호흡억제의 가능성은 상존하고 있다.

참고문헌

1. Barber RE, Hamilton WK. Oxygen toxity in man. N Engl J Med 1970;283;1478-1483.
2. Brooks GA. Lactate production under fully aerobic conditions: the lactate shuttle during rest and exercise. Fed Proc 1986;45:2924-2929.
3. Duarte A, Bidani A. Evaluating hypoxemia in the critically ill. J Crit Illness 2005;20:91-93.
4. Gilfix BM, Bique M, Magder S. A physical chemical approach to the analysis of acid-base balance in the clinical setting. J Crit Care 1993;8:187-197.
5. Gray Ba, Blalock JM. Interpretation of the alveolar-arterial oxygen difference in patients with hypercapnia. Am Rev Respir Dis 1991;143:4-8.
6. Hameed SM, Aird WC, Cohn SM. Oxygen delivery. Crit Care Med 2003; 31(suppl):S658-S667.
7. Harris EA, Kenyon AM, Nisbet HD, et al. The normal alveolar-arterial oxygen tension gradient in man. Clin Sci 1974;46:89-104.
8. Hurst JK, Barrette WC, Jr. Leukocyte activation and microbicidal oxidative toxins. Crit Rev Biochem Mol Biol 1989;24:271-328.
9. Leach RM, Treacher DF: The relationship between oxygen delivery and consumption. Di Mon 1994;30:301-368.
10. Nunn JF. Nonrespiratory functions of the lung. In Nunn JF, ed. Applied respiratory physiology. London: Butterworth, 1993:306-317.
11. Vines DL, Shelledy DC, Peters J. Current respiratory care: Oxygen therapy, oximetry, bronchial hygiene. J Crit Illness 2000;15:507-515.
12. Zander R, Merttzluff F, etc. The oxygen status of arterial blood. Basel: Karager, 1991.

| Dental Anesthesiology | 기초의학

순환, 수액과 수혈

학습목표

1. 순환 조절 기전을 이해한다.
2. 동맥혈압에 대한 심박출량과 혈관저항의 관계를 설명한다.
3. 심근 산소 균형과 심박수의 관계를 설명한다.
4. 관상순환과 뇌순환의 자동조절기전을 이해한다.
5. 임상 징후를 통하여 탈수의 정도를 판단한다.
6. 금식시간에 따른 수액 보충량을 계산한다.
7. 정질액과 교질액의 특징과 종류를 나열한다.
8. 술중 결손 보충량을 계산하여 수액 및 수혈요법을 설명한다.
9. 수액의 주입 속도를 조절한다.
10. 혈액제제의 투여 전 환자 확인 및 혈액형을 확인한다.
11. 정맥로 확보를 위한 정맥주사를 실시한다.

질병과 치료라는 스트레스에 대하여 환자의 심혈관계가 얼마나 잘 적응하느냐에 따라 각 장기에 필요한 산소와 영양분을 적절히 공급하고 이산화탄소와 대사산물을 잘 배출하는지가 결정된다. 심혈관계의 생리적 조절 기전을 이해하고, 동맥혈압을 중심으로 심박출량과 말초혈관저항에 대한 동맥혈압의 관계를 이해하여 환자의 심혈관계 상태를 파악함으로써 주술기 환자의 순환 관리를 적절히 해야 한다.

또한 수술을 받는 외과환자는 주술기 동안 출혈이나 수액의 소실로 산-염기 상태의 생리적 변화 및 전해질 균형과 혈액응고 기전의 변화가 초래되어 생명에 위협을 받을 수도 있다. 또한 심장, 간, 폐, 신장 기능의 장애는 이러한 문제들을 더욱 심각하게 만들어 수술적 치료를 어렵게 한다. 그러므로 간단한 수술의 경우라도 정맥로(intravenous route)의 확보는 수액과 전해질의 투여와 응급 약물의 투여 통로로서 반드시 필요하므로 수액 관리에 대한 지식과 더불어 필요한 경우 정맥로를 확보할 수 있어야 한다.

1. 순환의 조절

심장과 동맥, 모세혈관, 그리고 정맥으로 이루어진 심혈관계는 심장의 펌프작용에 의해 심장에서 박출된 혈액을 전신 조직 세포에 공급한다. 심혈관계에 의해 조직세포들을 순환하는 혈액을 통하여 각 조직세포들은 기능을 유지하는 데 필요한 물질들을 공급받고 대사산물을 제거한다.

신체가 적절한 기능을 다하기 위해서는 신체의 내외 환경에 생긴 혼란 요인에 대하여 적절하고 효율적으로 반응해야 한다. 신체의 어떤 조직에서 혈액을 우선적으로 필요하게 되면 순환계는 경제적이고도 적절하게 반응하여 심박출량을 즉각적으로 결정한다.

스트레스가 없는 휴지기 안정 상태의 심박출량은 각 조직들의 혈류요구량의 합으로 결정된다. 이런 안정 상태에서는 각 조직들은 다른 조직과는 다소 독립적으로 국소혈류의 일차적 조절자 역할을 하게 되며 이를 조직 내에서의 혈류의 "자동조절"이라 한다. 운동이나 화상, 저산소증, 출혈 등의 스트레스가 증가된 상태에서는 조직 내 국소 혈류의 조절은 주로 자율신경계의 항진이나 안지오텐신(angiotensin) 또는 바소프레신(vasopressin) 같은 혈관활성제의 분비를 통하여 조직 외부의 신경액성(humoral) 조절에 의한다.

1) 국소혈류의 자동 조절(Autoregulation)

신체의 혈압과 심박출량은 중추에 의해 조절되지만 조직에서의 혈류는 각 조직이 스스로 적절하게 조절한다. 혈류의 자동조절은 50~170 mmHg 사이의 압력 변화에 대하여 일정한 혈류량을 유지하는 것을 말하며, 뇌, 신장, 심장에서 특히 중요한 의미를 가진다. 그 기전의 하나로 근원설(myogenic hypothesis)이 있는데 혈관 내의 관류압이 상승하면 혈관벽압이 상승하여 혈관 평활근이 늘어나게 되면 Ca^{2+} 통로(stretch-activated Ca^{2+} channel)의 활성으로 Ca^{2+} 의 유입이 일어나 혈관 평활근이 수축하며, 그로 인해 혈관 내경이 좁아져 혈관저항이 증가한다. 그 결과로 혈류량이 줄어들면 Ca^{2+} 통로가 막히게 되고, 다시 혈관을 확장시키게 된다. 이러한 혈관저항과 관류압 사이의 균형이 혈류량을 일정하게 유지시킨다는 것인데 이러한 기전은 신장에 가장 잘 발달되어 있고, 골격근, 뇌, 간장, 심근 및 장관에는 있으나 피부순환에는 없다.

또 다른 기전으로 대사설(metabolic hypothesis)이 있다. 혈류의 자동 조절은 관류압 이외에 대사산물에 의해 이루어진다는 것이다. 대사가 활발하거나 상대적으로 혈류량이 적은 조직에는 많은 대사산물이 축적되며 이들이 혈관을 확장하여 혈류량을 증가시키게 된다. 대사가 증가하면 조직 산소가 많이 필요하게 되고 칼륨(potassium, K), 이산화탄소 및 아데노신(adenosine) 등의 대사산물이 증가한다. 이들 대사산물들은 혈관을 확장시키는 작용이 있어 혈관활성제(vasoactive agent)라 한다. 다른 혈관활성제로는 유산염, 수소이온, 인산염, 다단백 (polypeptide), 프로스타글란딘(prostaglandin), 히스타민 (histamine), 아데닌 핵산(adenine nucleotide) 등이 있다.

2) 순환의 자율신경성 조절

자율신경계는 조직으로 가는 혈류를 외인성으로 조절한다. 이것은 국소 조직의 내인성 조절과는 달리 독립적이며 때로는 조직의 내인성 조절과 반대로 작용하기도 한다. 자율신경계는 교감신경과 부교감신경으로 구성되어 있다. 교감신경은 미세순환을 지배적으로 조절할 뿐 아니라 미주신경으로 대표되는 부교감신경과 더불어 심장에도 중요한 영향을 미친다.

심혈관성 교감신경은 뇌간의 혈관운동 중추에서 기시하여 흉요부를 향해 척수의 전측주(anterolateral column)를 따라 내려가서 척추 주위의 교감신경절을 이루어 신경절후 신경원과 마지막으로 접합하며, 신경효과기 접합부에서 노르에피네프린(norepinephrine)을 분비하여 심장과 혈관을 지배한다. 예외로는 부신수질세포와 접합하는 교감신경 신경절전 신경원이 있으며 이것들은 혈류에 직접 에피네프린(epinephrine)을 유리한다. 부신수질에서 분비하는 카테콜아민(catecholamine) 중 노르에피네프린은 약 20%, 에피네프린은 약 80%를 차지하기 때문에 혈관에 대한 작용은 주로 에피네프린이 크게 영향을 미친다. 또 다른 예외로는 혈관의 신경효과기 접합부에서 아세틸콜린(acetylcholine)을 분비하여 혈관확장을 일으키는 것이다.

자율신경계의 신경절 접합부에서의 신경전달 물질은 일차적으로 아세틸콜린인데 절후신경섬유에서 니코틴 수용체를 통해서 작용한다.

교감신경의 강력한 혈관 효과는 국소적으로 유리되는

노르에피네프린과 혈류 내 에피네프린 모두에 의해 매개된다.

외음부의 혈관과 뇌의 소경막동맥을 제외한 대부분의 혈관에서 혈관을 지배하는 자율신경은 교감신경으로 부교감신경의 지배가 없으며, 자율신경계의 활동은 장기에 따라 차이가 있으나 전신의 혈관에 동시에 영향을 미친다.

대부분의 체순환에서는 α 아드레날린성 혈관 수축이 β 아드레날린성 혈관 확장보다 더 우세하며, 예외적으로 골격근과 간장에서는 $β_2$ 아드레날린성 혈관 확장이 더 우세하다. 체순환과는 대조적으로 폐순환에서는 β 아드레날린 수용체의 활성을 통해 자동적으로 매개되는 혈관 확장이 기초상태로 유지되는 것 같다. 그 밖에 도파민 수용체가 있는데 신장과 내장혈관을 확장시키는 도파민1 수용체와 절전 섬유에 작용하여 노르에피네프린 분비를 억제하는 도파민2 수용체가 있다.

3) 순환의 신경반사적 조절

심혈관계 반사는 다양한 생리적 변화에 대해 빠르고 선택적으로 반응하여 심박출량의 조절을 촉진한다. 심혈관계의 반사궁은 감각 신경원에서 시작된다(그림 5-1). 감각 신경원은 물리적(혈압) 또는 화학적(산소분압) 자극의 변화를 감지하고 이들 정보를 구심성 신경섬유를 통하여 중추신경계, 특히 연수내의 고립로핵(nucleus tractus solitarius)에 전달한다.

연수에 있는 신경원들은 들어온 정보를 받고, 교감 및 부교감 신경계의 원심성 신경절후 신경원을 통하여 선택적인 심혈관계의 반응을 보낸다. 이들 심혈관계 반응은 최초의 물리적 화학적 자극을 완충하여 최소화시키도록 한다. 일반적으로 이들 반사궁은 연수 및 뇌의 시상하부(hypothalamus)와 연결된 다른 신경망에 의해 조절된다.

심혈관계 반사를 일으키는 물리화학적 자극은 특수한

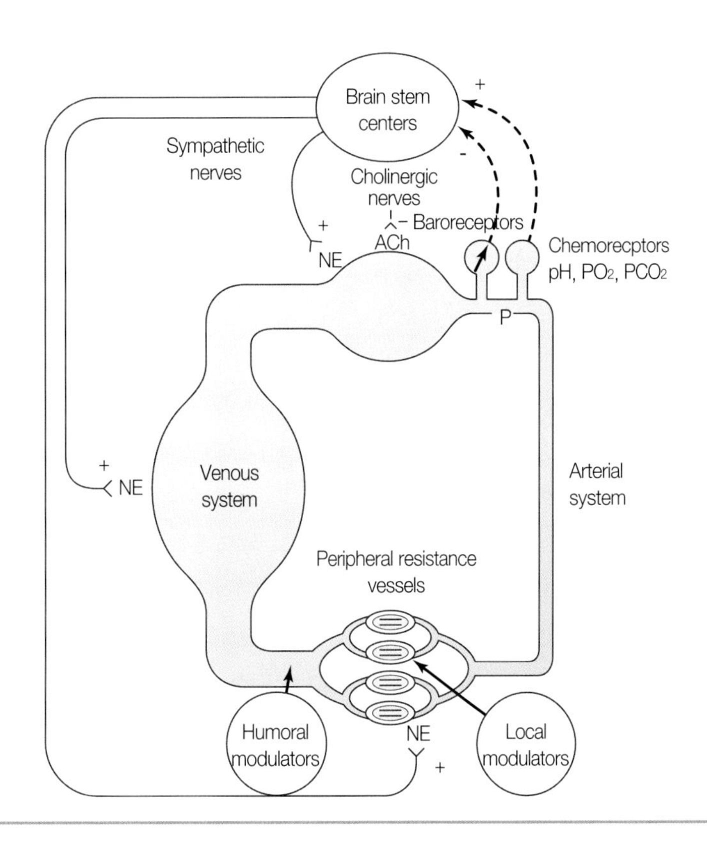

그림 5-1. 심혈관계 반사궁의 도해

혈압, 동맥혈 pH, PCO_2 또는 PO_2 같은 물리화학적 변화에 대하여 동맥 압수용체 및 화학수용체가 반응한다. 이 정보는 뇌간에 있는 심혈관 중추로 가서 교감 및 부교감 신경을 통하여 선택적인 심혈관 반응을 나타낸다.

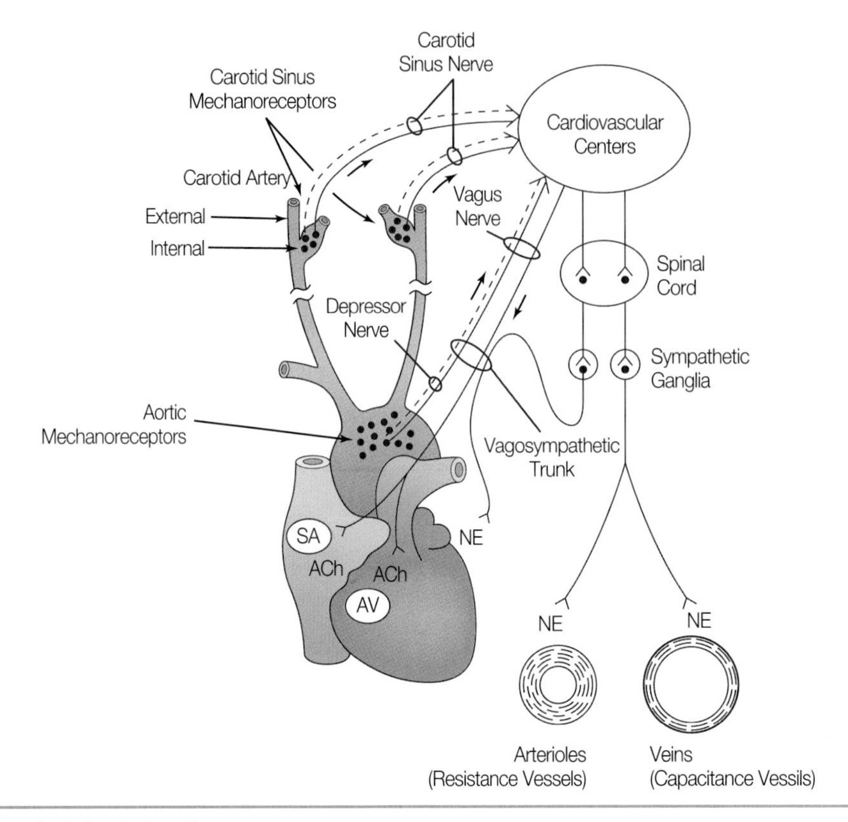

그림 5-2. 동맥 압수용체 반사작용의 도해
경동맥동과 대동맥궁에 있는 기계수용체는 혈압변동을 감지하고 신경반사궁을 가동한다. 이는 뇌간의 심혈관중추에서 심장 및 혈관으로 가는 교감신경과 부교감신경성 전도물질의 유출량을 변화시켜 최초 혈압변동을 최소화시킨다.

조직들에 퍼져 있는 감각 수용체를 통하여 감지된다. 이들 수용체에는 압 수용체, 화학 수용체, 폐기도 기계 수용체, 시상하부 온도 수용체 및 혈액량과 삼투압 수용체가 있다.

전신성 동맥의 주요 압 수용체는 경동맥동(carotid sinus)과 대동맥궁에 있으며 동맥의 경벽압력(transmural pressure)의 변화 즉 경동맥벽의 신장도 변화에 반응한다. 동맥압의 변화가 이들 압 수용체에 감지되면 각각 설인신경과 미주신경을 통하여 연수로 정보를 보내고, 이를 받은 연수는 원심성으로 교감 및 부교감신경에 지시하여 반사궁을 가동시킨다(그림 5-2). 이들 구심성 정보는 반사궁 작동을 통해 전신성 혈관 운동의 긴장도(tone), 심박수, 심근 수축력, 레닌과 바소프레신(vasopressin) 분비 등의 제반 기능에 역으로 작용하여 맨 처음 유발된 동맥압의 변화에 대하여 완충 작용을 일으킨다. 경동맥동 압수용체 반사는 혈압의 생리적 범위 내에서 가장 강력한데 이들은 평균 동맥압 약 50 mmHg 이하와 200 mmHg 이상을 구별한다. 또한 평균 동맥압과 맥압(pulse pressure) 모두에 부가적으로 반응한다. 평균 동맥압이 60 mmHg 이하일 때는 압 수용체의 흥분이 전혀 측정되지 않으며, 평균동맥압이 60 mmHg 이상에서는 압력 상승에 비례하여 압 수용체의 흥분 방출 수효가 증가하여 180 mmHg에서 최고에 달한다. 그러므로 정상인의 압 수용체는 낮은 빈도의 흥분을 늘 방출하고 있고 혈압의 변동에 따라 변동한다. 고혈압 환자에서는 흥분방출빈도의 조절점이 좀 더 높게 치우쳐 있다(그림 5-3).

심장 기계 수용체는 심방심실 접합부에 있으며 동맥 화학 수용체는 총경동맥 분지에 있는 경동맥 소체(carotid body)와 대동맥궁을 따라 있는 대동맥 소체(aortic bod-

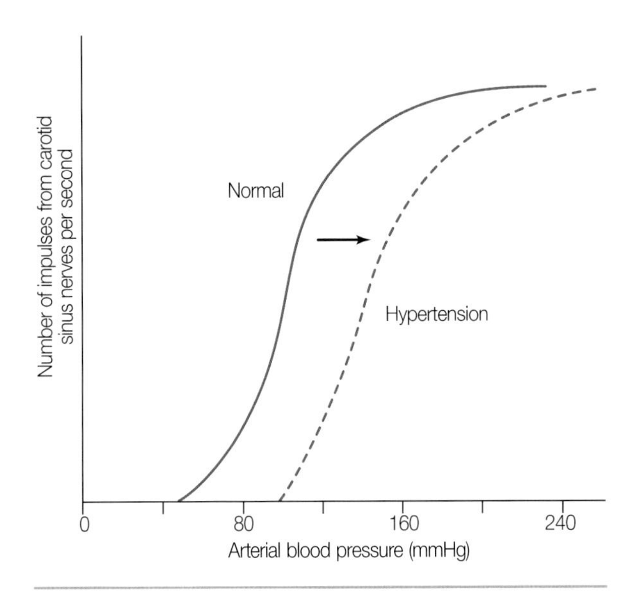

그림 5-3. 경동맥동 압수용체 반응과 동맥압과의 관계

ies)에 위치하고 있다. 동맥 화학 수용체는 저산소증, 과탄산혈증 또는 산증에 의해 자극된다.

4) 호르몬에 의한 순환 조절

혈관 긴장도를 유지하여 혈류를 유지하는 가장 중요한 호르몬성 매개체에는 혈관수축 물질인 에피네프린, 노르에피네프린과 안지오텐신(angiotensin) Ⅱ, 바소프레신 및 트롬복산(thromboxane) 등이 있고, 혈관 확장 물질로는 심방 나트륨 배설 촉진인자(atrial natriuretic factor), 브래디키닌(bradykinin), 세로토닌(serotonin), 히스타민 (histamine), 프로스타사이클린(prostacyclin) 등이 있다.

안지오텐신 Ⅱ는 강력한 혈관 수축제이다. 동맥혈압이 낮거나 체내 나트륨이온이 낮으면 신장의 사구체옆 세포에서 레닌의 분비가 증가된다. 레닌은 신세동맥 저혈압이나 교감신경의 β1 수용체 자극에 의해서 분비된다. 순환기계에 분비된 레닌은 간에서 나온 안지오텐시노겐(angiotensinogen)에 작용하여 안지오텐신 I을 형성하고 이는 폐순환 동안 혈관 내피에 있는 전환효소(converting enzyme)의 작용을 받아 안지오텐신 Ⅱ로 전환된다. 안지오텐신 Ⅱ는 정맥보다는 동맥에 직접 작용하는 혈관 수축제이다. 또 직접 신장에 작용하여 항이뇨효과와 항나트륨 배설 작용을 한다. 한편으로 부신 피질에 작용하여 알도스테론(aldosterone) 분비를 자극하여 신장의 나트륨 재흡수를 촉진한다.

세포외액량의 감소가 심방의 기계 수용체와 동맥벽의 압 수용체에 감지되거나, 혈장 삼투압의 상승이 시상하부의 삼투압 수용체에 의해 감지되면 뇌하수체 후엽에서 항이뇨 호르몬인 바소프레신이 순환계로 분비된다. 바소프레신은 직접 혈액용량혈관을 수축시켜 총말초저항과 평균순환 충만압이 상승하게 되어 혈압을 급격히 증가시킨다.

또 신 세뇨관에 작용하여 물의 재흡수를 촉진하여 혈관 내 용적 증가를 통해서 간접적으로도 혈압을 상승시킨다. 고농도에서는 관상순환을 포함한 모든 혈관상(vascular beds)을 수축시킨다.

심방 나트륨배설 촉진인자는 다단백체로 심방 확장기 때 양쪽 심방에서 관상정맥 순환으로 분비된다. 이것은 뇨를 통한 나트륨 배설 촉진 작용과 혈관확장제의 특성을 가지며 레닌의 분비를 감소시키고 혈장 알도스테론의 농도를 감소시키며 저혈량증에 대한 바소프레신의 분비도 억제한다.

5) 심박출량의 통합적 조절

정상적인 휴식 상태에서 심박출량은 개개의 조직이 요구하는 혈류량의 총합으로 결정된다. 내인성 자동 조절은 조직이 필요에 따라 조직의 혈류량을 조절하는 것이며, 이를 효과적으로 유지하기 위해서는 동맥혈압이 잘 조절되어 국소 동맥혈류에 적절한 압력을 제공할 수 있어야 한다. 또한 심박출량의 변화에 따른 국소 정맥환류량의 변화에 쉽게 반응하기 위한 효율적인 심장의 펌프작용이 역시 필요하다. 복잡한 신경 호르몬계통이 외인성으로 심장과 말초혈관의 기능을 조절하고, 스트레스 상태에서는 개체의 생존을 위해 내인성 자동조절 계통을 무시하고 더

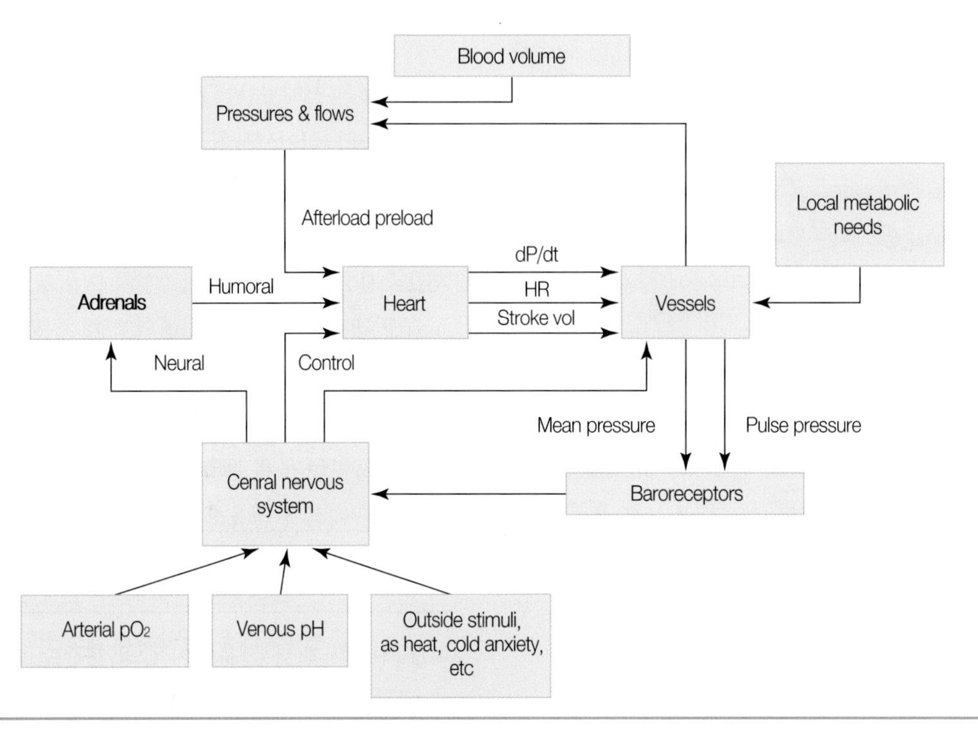

그림 5-4. 심박출량의 통합적 조절을 위한 전신적 상관 관계

욱 효과적이고 직접적이며 신속한 순환 반응을 유도한다. 심혈관계의 기능에 필요한 여러 인자들의 상호 조절 관계의 기능에 필요한 여러 인자들이 상호조절 관계를 종합적으로 이해하는데 그림 5-4를 참고하면 도움이 될 것이다.

2. 심박출량과 전신 혈관저항에 대한 동맥혈압의 관계

신체 환경의 변화에 맞추어 각 장기 조직이 처한 상황에 적절한 혈액을 공급하기 위해서는 혈류의 구동력인 혈압이 적절히 조절되어야 한다.

동맥혈압은 심박출량과 전신혈관저항에 의하여 결정된다. 만일 다른 인자의 변화가 없을 때 심박출량이나 전신혈관저항 중 어느 하나라도 증가하게 되면 평균 동맥압이 증가한다. 달리 말하면 임상적으로 순환 상태를 대변하는 동맥혈압의 조절을 설명하기 위해서는 두 인자의 역할을 이해해야 한다.

심실 수축기 중 압력의 최고치를 수축기 혈압(Systolic pressure, Ps), 확장기 중 최저 압력을 이완기 혈압(diastolic pressure, Pd)이라 하고, 수축기압과 이완기압의 차를 1(pulse pressure)이라 한다. 심장 주기 동안에 그려지는 압력 곡선을 시간에 대하여 적분하여 얻은 중간치를 평균 혈압(mean blood pressure, Pm) 또는 평균 동맥압(mean arterial pressure)이라 한다. 말초 동맥에서의 평균 혈압은 대체로 다음과 같은 식으로 산술적으로 구할 수 있다.

평균동맥압 = 이완기 동맥압 + (수축기 동맥압 − 이완기 동맥압)/3

1) 심박출량의 결정인자

심박출량은 심장이 일 분간 말초순환으로 박출한 혈액량을 말하며, 심박수(heart rate)에 일회박출량(stroke volume)을 곱한 것이다. 심박출량을 결정하는 인자는 ①

전부하(preload), ② 후부하(afterload), ③ 심박수, ④ 심근 수축력(contractility) 및 ⑤ 심실 유순도(compliance)이다. 임상적으로는 환자의 체형에 따른 교정을 위해 보통 심박출량을 체표면적으로 나눈 심장지수(cardiac index, CI)를 사용한다. 정상 심장지수는 2.5~4.0 L/min/m^2이다. 심박출량은 심박수, 전부하, 심근 수축력이 증가하거나 후부하가 감소함에 따라 증가하며, 심박수, 전부하, 심근 수축력이 감소하거나 후부하가 증가하면 심박출량의 감소가 나타난다.

(1) 전부하

전부하는 심실의 이완기말 스트레스로 정의되는데, 심실 이완기말 심근섬유의 길이 또는 용적을 뜻한다. 전부하를 결정하는 인자는 혈액량, 정맥 긴장도, 심실 유순도, 심실 후부하 및 심근 수축력으로 심박출량에 영향을 주는 모든 인자들이 전부하와 상관관계를 가진다. 전부하가 증가하면 이완기말 용적과 심벽의 긴장도가 증가한다.

이 이완기말 심실 용적에 대한 일회박출량의 비를 박출 계수(ejection fraction)이라 하는데 정상은 0.6~0.7이며, 박출계수가 0.4 이하인 경우는 심한 심기능 장애를 의미한다.

박출계수 = (이완기말 용적 − 수축기말 용적) / 이완기말 용적 = 일회박출량/이완기말 용적

(2) 후부하

후부하는 심실 박출 시에 심근에 미치는 스트레스 또는 긴장도를 말한다. 임상적으로는 흔히 전신 혈관저항이 후부하의 평가치로 사용된다. 전신 혈관저항은 전신 순환에서의 동맥과 정맥의 압력차와 그 때의 혈류량과의 상관관계이므로 임상적으로 중심정맥압, 평균 동맥압, 심박출량으로 산출해 낼 수 있다.

전신 혈관저항(dyne · sec/cm^2) = 80 × (평균 동맥압 − 중심정맥압) / 심박출량

그러나 이렇게 구하게 되는 전신 혈관저항은 수축기 동안의 좌심실 심벽의 긴장도를 반영하진 못하고 말초 세동맥 혈관저항을 반영할 뿐이다.

또 다른 인자로는 혈액의 점성도로 적혈구용적률(hematocrit, Hct)이 혈액 점성도를 결정하게 되며 Hct가 높으면 후부하가 증가하여 조직관류를 감소시킨다. 점성도와 산소 운반능을 고려하면 Hct는 30% 내외가 좋다.

심근 수축력이 감소한 심장에서 후부하가 급격히 증가하면 일회박출량은 매우 줄어든다. 이런 경우는 혈관확장제가 심박출량을 늘리는 데 사용될 수 있다.

(3) 심박수

심박수는 일차적으로 동방결절의 자율성에 의해 결정된다. 그러나 심박의 내인성 속도는 신경 호르몬성 영향을 받는다. 심박수가 45 bpm (beats/min, 회/분) 이상에서 심장지수(CI)의 정상 수준인 2.5 L/min/m^2를 유지할 수 있다. 120 bpm까지는 심근 수축속도의 증가에 의해 심박수에 비례하여 심박출량이 증가하지만, 150 bpm 이상에서는 확장기 충만 시간이 감소하여 일회박출량이 감소한다.

(4) 심근 수축력

심근 수축력은 전부하, 후부하 또는 심박수의 변화와는 독립적인 심장근의 변력성(inotropic state)을 말한다. 심근 수축력은 심실 압력 변화에 대한 시간의 변화율(dP/dt), 압력-용적 곡선, 힘-속도 곡선 등의 방법으로 평가하는데, Starling 법칙에 의하면 심근섬유의 길이에 비례하여 수축력이 증가한다. 심근 수축력은 저산소증, 산혈증, 심근 허 혈, 심근 경색, 심근병증이나 칼슘 또는 β 차단제 같은 약제에 의해 감소한다.

(5) 심실 유순도

심실 유순도는 이완기말 압력에 대한 이완기말 용적의 변화이다. 유순도가 감소하면 이완기 충만의 속도가 감소하여 심박출량도 감소한다.

2) 심박출량의 순환 분포와 주요 장기의 순환

심장에 의해 박출된 혈류는 각 장기에 다음의 비율로 분포된다. 뇌 12~15%, 심장 4~5%, 간장 24%, 신장 20%, 근육 23%, 피부 6% 및 내장 8% 등이다. 각 장기의 조직을 흐르는 혈류는 조직 내에서의 관류압과 혈관저항에 의해 이루어진다.

(1) 장기의 관류압과 전부하, 후부하

혈액이 조직을 흐르는 것을 관류라 하며 관류량은 관류압에 의해 결정된다. 관류압은 장기의 (전부하 – 후부하)로 계산되는데, 전부하는 장기로 들어오는 혈압이며 후부하는 혈액이 관류되고 나가는 쪽의 저항에 해당된다.

전신순환의 일부로서의 심장에서는 우심방으로 들어오는 혈액량이 전부하로 중심정맥압이 지표가 되며, 좌심실에서 나가는 쪽의 저항, 즉 전신혈관저항이 후부하가 된다. 반면 대부분의 장기에서는 평균 동맥압이 전부하로 작용하고 나가는 쪽의 저항인 중심정맥압이 후부하로 작용한다.

그러나 심장의 관상 관류압은 (확장기혈압 – 좌심실 이완기말압력)으로 계산되며, 뇌 관류압은 (평균동맥압 – 두개내압)으로 표시되나 중심정맥압이 두개내압보다 더 높을 때는 중심정맥압이 후부하가 된다.

뇌, 심장, 신장, 간장 등 주요 장기는 관류압이 변하더라도 그 혈류를 일정하게 유지하려는 자동조절 기능을 가지고 있다. 특히 뇌와 심장은 높은 대사율로 인하여 혈류량의 감소에 가장 취약한 장기이며 또한 자율신경계의 영향을 직접 받지도 않으므로 전신 순환의 변화에 대하여 장기 스스로의 혈류를 유지하기 위한 자동조절기능이 발달되어 있다.

(2) 관상동맥 순환

안정기의 70 kg인 성인의 관상동맥 관류량은 심박출량의 5%이며 약 250 ml/min이다. 격렬한 운동을 하면 심박출량과 관상동맥 혈류는 비례적으로 증가한다. 관상순환에는 심근의 혈류, 혈압 및 심근 산소소모량이 종합적으로 관계한다. 관상순환 조절에 미치는 주요인자는 ① 관상동맥 관류압; 대동맥압 및 좌심실 이완기말압, ② 심근 산소 균형, ③ 심박수, ④ 국소 대사성 인자, ⑤ 신경 및 신경 체액성 인자 등이다.

① 관상동맥 관류압

일반적으로 대동맥 이완기압의 변화에 따라 관상혈류량의 변동이 온다. 좌심실로 가는 대부분의 관상동맥 혈류는 이완기에 생긴다. 그 이유는 해부학적으로 좌, 우 관상동맥이 대동맥근위부에서 기시하고, 수축기 동안 심근이 수축하면 관상혈관을 압박하여 심근으로 가는 혈류를 방해한다. 그 후 이완기에는 심근이 이완되면 대동맥 이완기말압에 의해 추진되는 관상혈류가 심근 내로 흐른다. 관상동맥 관류압(coronary perfusion pressure, CPP)은 대동맥 이완기압(aortic diastolic blood pressure, DBP)에서 좌심실 이완기말압(left ventricular end-diastolic pressure, LVEDP)을 뺀 것이다.

$$CPP = DBP - LVEDP$$

심근 산소요구량이 정상인 조건에서, 50~120 mmHg의 관상동맥 관류압의 범위 내에서는 관상동맥 관류는 자동 조절되어 일정한 혈류를 유지한다. 이 한계를 벗어나면 관상동맥 혈류는 관류압에 따라 변하게 된다.

② 심근 산소 균형(Myocardial oxygen balance)

심근의 산소 요구와 공급 간의 균형이 관상순환을 전적으로 조절하는 중요한 인자이다. 인체에서 관상순환을 통과하는 혈류는 일차적으로 심근 산소요구량에 비례해서 조절된다. 휴식 상태에서 심근 100 g당 8~10 ml/min의 산소를 사용한다. 심장은 대사율이 가장 높은 장기 중 하나이기 때문에 심장에서 혈액이 지나가는 동안 동맥혈로부터 약 60~70%의 산소를 추출한다. 이 양은 거의 최대의 산소 추출량으로 더 이상의 산소 예비량이 없기 때문에 심실의 산소 요구가 증가하더라도 혈액으로부터 산소를 조금 밖에는 더 추출할 수가 없다. 따라서 심장이 여분의 산소를 더 필요로 하면 관상동맥 혈류를 증가시켜야

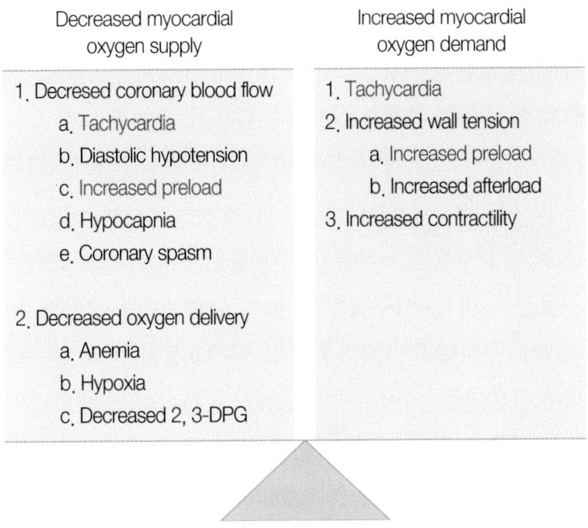

Decreased myocardial oxygen supply	Increased myocardial oxygen demand
1. Decresed coronary blood flow a. Tachycardia b. Diastolic hypotension c. Increased preload d. Hypocapnia e. Coronary spasm 2. Decreased oxygen delivery a. Anemia b. Hypoxia c. Decreased 2, 3-DPG	1. Tachycardia 2. Increased wall tension a. Increased preload b. Increased afterload 3. Increased contractility

그림 5-5. 심근의 산소소모와 공급균형을 결정하는 인자
심근 산소 균형에서 일어날 수 있는 해로운 변화를 설명한 것이다. 빈맥과 전부하의 증가는 이 균형의 양측에서 일어날 수 있기 때문에 특히 주의해야 한다.

한다. 그러나 관상동맥경화증이 있는 환자에서는 관상혈관이 심근의 산소 수요에 따라 확장하거나 수축하지 못하므로 혈압이 관상혈류의 중요한 결정 인자가 되어 혈압 하강은 좋지 못한 결과를 가져 온다.

그림 5-5는 심근 산소균형에서 일어날 수 있는 해로운 변화와 공급과 요구에 영향을 미치는 인자들을 설명한 것이다. 심근 산소 공급에 영향을 미치는 인자는 관상혈류와 그 혈액의 산소운반능을 들 수 있다. 빈맥은 혈액이 좌심실로 향하는 이완기 충만 시간을 줄여서 관상혈류를 감소시킨다. 대동맥 이완기압이 감소하거나 좌심실 이완기말압이 증가하면 관상동맥 관류압이 감소하여 관상혈류가 감소한다. 저산소증이나 빈혈이 있으면 산소 공급이 감소한다.

심장의 산소 요구량은 관상혈류량을 결정하며, 대부분의 중요한 혈역학적 변화는 산소요구를 증가시킨다. 심근 산소요구량에 영향을 미치는 인자로는 심박수, 심실벽 긴장도 및 심근 수축력이 있다. 좌심실 이완기말압(전부하)의 증가나 동맥혈압(후부하)의 증가에 의해 심실벽의 긴장도 증가는 산소 요구를 증가시킨다. 심근 산소요구를 증가시키는 마지막 인자는 심근 수축력 증가이다.

양성 심근 변력제(positive inotropic agents)를 정상 심실을 가진 개체에 투여하면 심근 산소요구는 증가된다. 그러나 심장이 과팽창된 심실부전이 있는 환자에서 디기탈리스(digitalis)같은 양성 심근 변력제의 투여는 오히려 심근 산소요구를 감소시키기도 한다.

③ 심박수의 변화

인체에서 약 70%의 관상동맥 혈류는 이완기 중에 흐른다. 빈맥은 단위시간 중 이완기에 소요되는 시간을 감소시켜 직접 관상혈류를 감소시키고 서맥은 그 반대효과로 관상혈류를 증가시킨다. 따라서 관상동맥 질환에서 심박수의 증가는 산소 요구가 증가하면서 산소 공급은 거꾸로 감소하기 때문에 매우 좋지 않다. 즉 심근허혈 및 경색이 자주 나타난다.

(3) 뇌순환

뇌의 무게는 체중의 약 2%이지만 높은 대사율 때문에 심박출량의 약 12~15%가 뇌로 간다. 휴식상태에서 1분간 뇌조직 100 g이 약 3.5 ml의 산소를 소모하며 이는 전신 산소 소모량의 약 20%에 해당한다. 뇌의 자동 조절 기전은 자율신경의 직접적인 지배를 받지 않고 수소이온 농도의 변화를 일으키는 동맥혈 이산화탄소분압과 평균 관류압에 의해 조절되며 동맥혈 산소분압에 영향을 받는다.

이산화탄소분압의 상승은 뇌혈관 확장을 일으키고 뇌혈류를 증가시킨다. $PaCO_2$ 40 mmHg에서 80 mmHg로 상승하면 뇌혈류는 두 배로 증가하고, 반대로 20 mmHg로 하강하면 뇌혈류도 절반으로 감소한다. 그러나 이런 변화는 일시적이며 이산화탄소분압이 계속 높은 상태로 유지되어도 약 6~8시간 내에 혈류는 정상으로 돌아간다.

뇌혈류는 혈압의 변화에 대하여 자동조절 되는데 정상 혈압 개체에서는 평균동맥압이 50~150 mmHg의 범위에서는 뇌혈관 저항이 자동으로 조절되기 때문에 뇌혈류는 일정하게 유지된다.

동맥혈 산소분압이 60~300 mmHg의 범위 내에서 뇌혈류는 별로 영향을 받지 않으나 PaO_2가 60 mmHg 이하가 되면 뇌혈류는 급속하게 증가한다. 저산소증이 뇌혈관 확장을 일으키는 기전은 확실치 않다. 고압의 산소 농도에 뇌혈류는 점진적으로 감소하는데 1기압 당 약 15%의 혈류가 감소한다.

3. 체액의 조성 및 분포

수술 중에 적절한 혈액량을 유지하지 못하여 일어난 심박출량의 감소가 장 점막의 허혈을 일으켜 수술 후의 예후를 나쁘게 하며, 화학적 검사와 요량으로는 알 수 없는 신장의 손상을 일으킨다. 이와 같이 주술기에 출혈과 혈장의 손실을 적절하게 보정하지 않으면 환자에게 여러 가지 좋지 못한 결과를 초래할 수 있다. 이를 위하여 환자의 혈압, 심박수을 기본으로 필요시에는 요량, 중심정맥압, 나아가 폐모세혈관쐐기압을 측정하고 분석하여 환자의 혈액량을 계속 감시해야 하며 이러한 관찰 결과에 대한 평가는 총체액량, 세포내액, 세포외액, 그리고 혈관내액과 조직 간질액 사이의 조성 관계를 이해함으로써 가능하다.

1) 체액의 구획

물은 우리 몸을 구성하는 주성분으로 보통 체중에 대한 백분율로 표시하며, 총체액량은 체중의 60%이다. 세포내 구획과 세포외 구획은 물을 잘 투과하는 세포막으로 분리되어 있다. 적혈구를 포함하는 세포내 용적은 체중의 약 40%이고 세포외 용적은 20%이다. 세포외 용적은 다시 혈장과 간질액으로 나뉘고, 혈장은 약 4%, 간질액은 16%이다. 이외 흉수, 복수, 안방수(aqueous humor), 땀, 오줌, 림프액, 뇌척수액으로 구성되는 세포횡단액(transcellular fluid)이 있다.

서로 평형을 이루고 있는 이들 체액 각각의 수분량은

표 5-1. 연령에 따른 체액 분포

체액 구분		체액량(% 체중)			
		신생아	3개월	1세~성인	노인
세포외액(ECF)	혈관내액(IVF)	45%	35%	4%	7%
	조직간질액(ISF)			16%	18%
세포내액(ICF)		35%	35%	40%	27%
총체액(TBF)		80%	70%	60%	52%

표 5-2. 평균 체액량

	절대치		상대치(% 체중)	
	남	여	남	여
체중(kg)	70	60	100	100
전혈 헤마토크리트(%)	42	30	-	-
혈장량(ml)	3,150	2,700	4.5	4.5
적혈구량(ml)	2,100	1,500	3.0	2.5
혈액량(ml)	5,250	4,200	7.5	7.0
세포외액(L)	16.4	14.2	23.4	23.7
총체액(L)	42	30	60	50

연령(표 5-1), 성별(표 5-2) 및 체중에서 수분 함량이 적은 지방이 차지하는 비율 등에 따라서 차이가 있다.

2) 체액의 조성

혈장과 간질액 사이의 체액 분포는 모세혈관막을 두고 정수압과 교질삼투압의 균형에 의해 이루어진다. 세포막은 작은 이온은 투과시키지 않고 물은 쉽게 투과하므로 물이 세포막을 통과하여 세포외액과 세포내액이 등장성(isotonic)이 되게 한다. 작은 이온 용질인 Na^+, Cl^-와 다른 전해질들이 세포막에 작용하는 삼투효과를 통해 물의 이동이 일어나 세포외액과 세포내액 사이의 체액분포가 결정된다.

(1) 혈장과 간질액의 전해질 조성

혈장과 간질액은 투과가 잘 되는 모세혈관으로만 분리되어 있어 이온 조성이 서로 비슷하다. 그러나 분자량이 큰 혈장단백질은 모세혈관을 잘 통과하지 못하기 때문에 간질액보다 혈장에서 그 농도가 더 높으며 대부분의 조직에서 소량의 혈장 단백질만이 간질액으로 누설된다. 음전하를 갖는 단백질로 인한 Donnan 효과 때문에 혈장과 간질액의 양이온과 음이온의 농도가 조금 다르지만 임상적으로는 같다고 여긴다. 세포외액에 Na^+와 Cl^-의 양이 많고, HCO_3^-의 양도 많은 편이다. 그러나 K^+, Ca^{++}, Mg^{++}, 인산과 유기산 이온의 양은 적다. 세포외액은 여러 가지 기전에 의해 정교하게 조절된다. 이로써 알맞은 농도의 전해질과 영양소를 공급하는 수액을 세포가 누리게 되어 최상의 세포기능을 유지한다. 혈장 양이온 중 K^+의 농도 변화는 먼저 심장기능의 변화를 나타내고 Ca^{++}, Mg^{++}의 농도변화는 신경 및 심장기능의 변화를 가져온 다음에 이차적으로 삼투압의 변화를 통하여 신체 대사에 영향을 준다(표 5-3).

(2) 세포내액의 주요 성분

세포내액에는 소량의 Na^+, Cl^-가 있고, Ca^{++}는 거의 없다. 대신 세포내액은 다량의 K^+, 인산 이온과 중량의

표 5-3. 혈장 양이온의 변화 및 치료

	K^+↑	K^+↓	Ca^{++}↓	Mg^{++}↓
주 임상증상	부정맥: 심하면 심정지	부정맥: 심하면 심실세동 근력 허약 또는 반사 소실	변력성(inotropic) 심부전 반사 이상항진 및 경직	반사(reflex) 이상 항진 및 경직(tetant) 정신 이상 증상 digitalis를 쓰면 부정맥 증가
흔한 원인	신부전(renal failure) 산증 의인성(iatrogenic)	이뇨치료, steroid치료 산증치료: 위액흡인 알카리증, 탈수	알카리증 부갑상선 기능감퇴증 대량 수혈(드묾)	알코올 중독증, 이뇨 치료 만성 신장 질환 위장관루(G-I fistula)
검사 성적	5 mEq/L 이상	3.5 mEq/L 이하	4.5 mEq/L 이하 9 mg/dl 이하	1.5 mEq/L 이하 1.8 mg/dl 이하
심전도 변화	T파 상승, P파 소실 상승된 T파 소실 서맥 QRS의 확장	ST하강 T파 역전(inversion) U파 발생	QT간격 연장	QT간격 연장 명백한 변화 없음
긴급 처치법 - 성인용량 (생명에 위협 받을 경우에만)	$NaHCO_3$ 100 mFq 정주(2분 이상에 걸쳐서) 포도당 50 gm + regular insulin 20단위 정주	K^+ 1 mEq/분 정주	$CaCl_2$ 5분 마다 250 mg 정주(증상 없어질때까지) Ca gluconate 때에는 용량을 3배로 하여	$MgSO_4$ 5 g/시간 정주 또는 근주

표 5-4. 체액의 전해질 조성

		혈장	조직간액	세포내액
양이온	Ma^{+}	142	142	10
	K^{+}	4	4	140
	Ca^{++}	5	5	<1
	Mg^{++}	3	3	58
음이온	Cl^{-}	103	106	4
	HCO_3^{-}	27	24	10
	SO_4^{--}	1	1	2
	HPO_4^{--}	4	4	75
	유기산	7	7	25
	단백	17	2	66

Mg^{++} 과 황산(sulfur) 이온을 함유한다. 또한 세포내액은 세포외액의 4배에 달하는 다량의 단백질을 함유하고 단백질은 각 구획을 자유롭게 이동하지 못하므로 체액분포에 아주 큰 영향을 미친다. 이처럼 세포내액과 세포외액의 물질 조성이 다른 것은 물질에 따라서 그 투과 정도가 달라지는 세포막의 특성과 세포 내외로의 투과 방향을 조절하는 세포막 이온통로의 작용에 의한다(표 5-4).

(3) 체액의 조절

체액의 용적, 삼투질 농도(osmolality) 및 조성은 아주 좁은 범위 내에서 엄격히 조절된다. 세포용적 변동의 기계적 자극에 반응한 세포막에서 이온통로가 활성화되어 수분이 이동함으로써 세포수준의 체액조절이 일어난다. 체액의 용적 감소와 삼투질 농도의 증가가 갈증을 일으킨다. 생리적인 갈증이 생기기 전에 이미 체액 조절에 관계하는 호르몬계가 활성화된다.

① 체액 용적 변동의 감지와 조절

세포외액 삼투질 농도의 증가(1~2%) 및 출혈과 같은 세포외액의 감소로 인한 좌심방 압수용체의 활동이 감소하면 그에 대한 보상기전으로 림프계를 통하여 혈관외 단백을 동원하여 혈액의 삼투압을 증가시키고, 주로 정맥계에서 혈관 수축을 일으켜 말초혈관에서의 혈액 수용량을 줄이고, 중추신경계에서는 항이뇨호르몬(antidiuretic hormone, ADH, vasopressin)의 분비가 증가한다. ADH는 시상하부의 신경세포에서 생성되어 축삭을 따라 뇌하수체 후엽으로 이동하여 혈액으로 유리된다. 혈중 ADH가 원위세뇨관과 신집합관에 있는 수용체에 작용하여 세뇨관의 수분을 재흡수하여 오줌을 농축한다. 또한 ADH는 심한 탈수가 있으면 말초혈관을 수축하여 동맥혈압을 유지한다. 세포외액의 증가나 심울혈로 인한 우심방의 용적 증가는 심방에서 심방이뇨호르몬(atrial natriuretic hormone)의 분비를 증가시켜 콩팥에서 오줌과 전

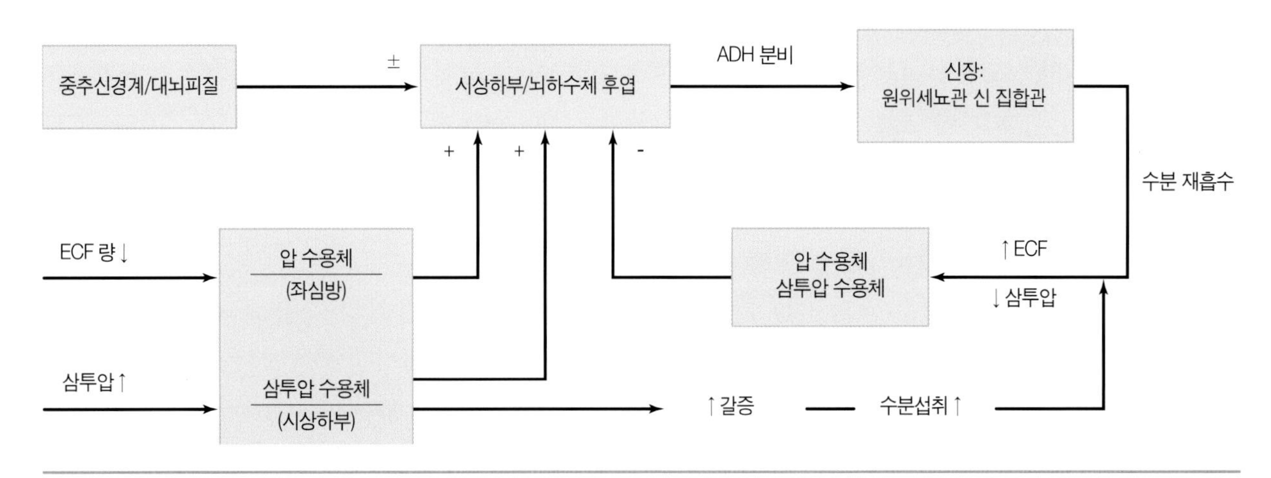

그림 5-6. 항이뇨호르몬 조절에 따른 세포외액량 및 삼투압 조절

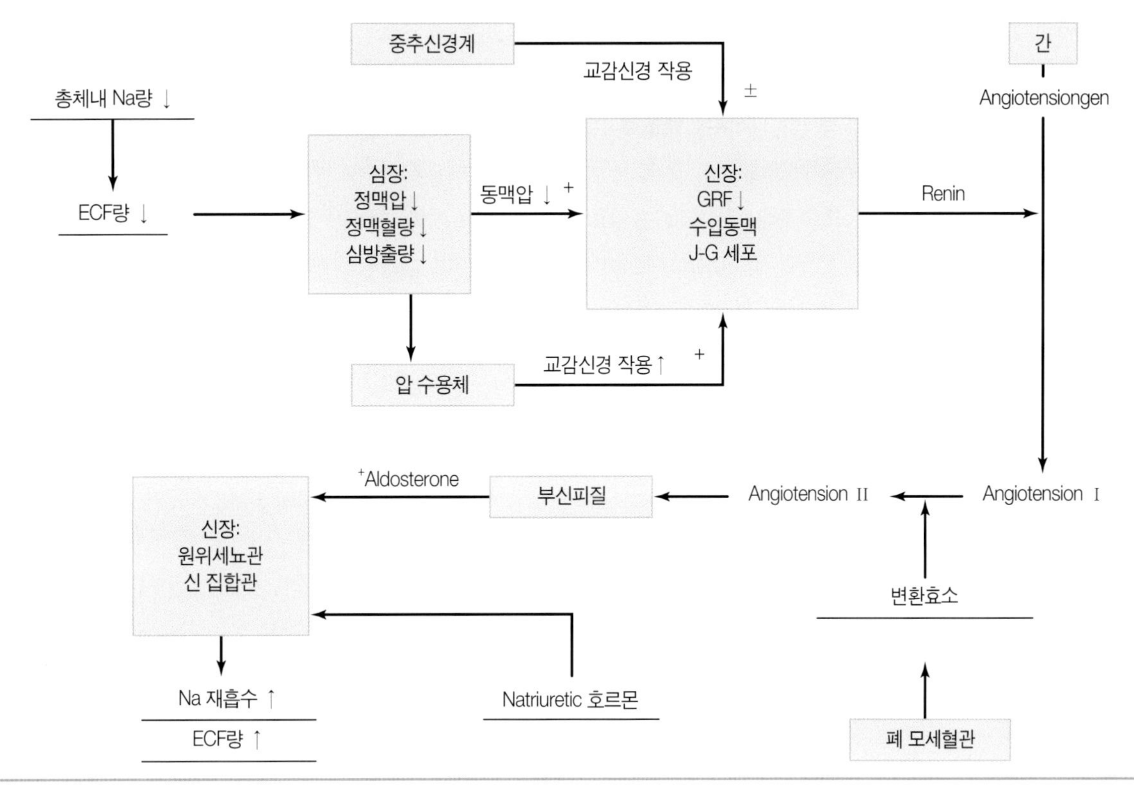

그림 5-7. Na 평형, ECF량의 조절 및 renin-angiotensin-aldosterone의 작용 기전

해질의 배설을 증가시킨다(그림 5-6).

② 세포외액의 조절

세포내외의 용적은 그 구획 내에 존재하는 삼투질 농도에 의해 결정되므로 세포외액의 용적은 세포외액의 삼투질 농도에 의해 결정된다. 세포외액 삼투질 농도의 90% 이상을 나트륨염이 차지한다. 이 중 대부분이 식염(NaCl) 형태이므로 음식을 통한 식염의 섭취와 배설은 세포외액량의 조절에 가장 중요하다. 혈장내 Na^+와 Cl^- 농도의 감소는 세포외액량을 감소시키고 동맥혈압의 감소와 교감 신경 자극이 레닌-안지오텐신-알도스테론(renin-angiotensin-aldosterone)계를 촉진하여 원위세뇨관과 신 집합관에서 Na^+의 재흡수를 증가하여 세포외액량을 유지 한다(그림 5-7).

4. 수액 투여

수액 투여는 혈액의 적절한 산소 운반, 정상 전해질 농도와 정상 혈당의 유지를 위하여 비경구적으로 수분, 전해질 및 영양분들을 공급하고 체액의 이상 현상을 교정하는 것으로 그 기준이 되는 정상 성인의 하루 수액 소실량은 다음과 같다.

- 불감 소실량(폐, 피부): 800~1,000 ml/day
- 뇨 량: 1.0 ml/kg/hr
- 대변 수분량: 150 ml/day

따라서 성인에서는 매일 약 2,000 ml 정도의 수분보충이 필요하게 된다. 또한 전해질도 하루에 Na^+ 70~100 mEq, K^+ 40~60 mEq이 배설되는데, 이는 NaCl 5 g, KCl 4 g, $MgSO_4$ 1~3 g에 해당하며 수액이나 특정 전해

표 5-5. 수액과 특정 전해질의 과량투여나 부족 시 나타나는 증상들

물질	투여된 양	
	너무 적을 때	너무 많은 때
수분	고삼투성 저나트륨증 농축된 소변 갈증 핍뇨 발열 순환 부전	저삼투성 저나트륨증 희석된 소변 다뇨 뇌성고혈압, 착란, 두통, 오심, 구토 허약 근육연축과 경련 발작 혼수
염분(Sodium)	세포외액량 감소 혈액 농축 조직 탄력성 소실 저혈압 순환 부전 요독증	세포외액량 증가 부종형성과 울혈성 심부전 칼륨 부족현상
인(Phosphorus)	저인산 혈증	고인산혈증 저칼슘혈증
탄수화물 (Carbohydrate)	케토시스(ketosis) 원형질 이화작용의 강화 수분과 전해질의 더 큰 소실경향	고혈당 당뇨 간부전

질 보충이 부족하거나 과량 투여한 경우 여러 가지 반응이 나타나게 된다(표 5-5).

또한 체온이 1℃ 상승할 경우에는 정상에서보다 15% 정도의 수분이 더 소실되며 발한이 증가되면 수분과 함께 전해질의 손실이 있으므로 이를 보충하기 위해서 발한량의 2/3는 5% 포도당액을, 나머지 1/3은 식염수를 사용할 수 있다.

과다한 체액의 손실에 의하여 탈수가 심한 환자는 마취 유도 중 수액 치료에 잘 반응하지 않는 대상기능장애가 생길 위험이 크므로 마취 전에 환자의 혈액량을 미리 평가할 필요가 있다.

1) 혈액량의 평가

혈액량을 평가하는 데는 진찰, 임상병리검사 및 혈역학적 검사법을 이용하여 종합적으로 판단해야 한다.

(1) 진찰

다른 임상징후가 미미하면서 갈증을 호소하면 체중의 약 2%에 달하는 수분 부족이 있음을 뜻한다. 60 kg의 환자에서는 수분 부족이 1,200 ml이다. 3~4일 동안 수분 섭취를 하지 못하고 심한 갈증, 구강건조, 핍뇨가 있으면 수분 부족이 체중의 6% 정도이다. 이런 증상에 더하여 근무력과 정신 착란 또는 헛소리와 같은 정신활동 장애를 보이면 약 7~14%의 수분 부족이 있는 셈이다. 매일 체중을 재는 경우에는 식이가 정상이라고 할 경우 체중 감소는 수분 부족과 같다. 누웠다가 앉거나 일어설 때 심박수가 증가하고 혈압이 감소되면 변화의 크기에 비례하는 수분 부족이 있으며 이런 경우 동맥의 충만감을 촉진해 보아야 한다.

과혈량의 증후는 장기 기능이 정상인 환자에서 함몰성 부종과 소변량의 증가를 보이며 만성적으로 지속되면 심부전과 폐부종으로 발전한다.

(2) 임상병리 검사

탈수의 임상병리 결과에는 적혈구 용적치(hematocrit, Hct) 증가, 대사성 산증, 1.010 이상의 요 비중, 10 mM/L 미만의 요 나트륨, 450 mOsm/L 이상의 BUN/Cr 비율 등이 있다. 과혈량증은 병리적 검사로 알 수 없고, 흉부 방사선 소견을 필요로 한다.

(3) 혈역학적 검사

중심정맥압이 환자의 혈액량 상태를 잘 반영하려면 심장과 폐의 기능이 정상이어야 한다. 중심정맥압이 6 cmH_2O 이하로 낮아도 저혈량증의 징후가 없으면 정상으로 볼 수 있다. 그리고 수액 200 ml를 10분 동안 주입한 뒤에 중심정맥압이 2 cmH_2O, 폐동맥쐐기압이 3 mmHg 이하로 증가하면 더 많은 수액이 필요하며, 중심정맥압이 5 cmH_2O, 폐동맥쐐기압이 7 mmHg 이상 증가하면 수액 투여를 제한해야 하며, 중심정맥압이 2~5 cmH_2O, 동맥혈압이 3~7 mmHg 정도 증가하면 10분을 더 기다린 후 다시 평가한다. 우심실 기능이상이 없는 상태에서 중심정맥압이 15 cmH_2O 이상이면 과혈량증을 뜻한다. 우심실 기능이상이 있으면 폐동맥쐐기압을 측정하여 8 mmHg 미만이면 저혈량증이고, 심실 유순도가 나쁜 환자에서 15 mmHg 미만이면 상대적 저혈량증을 뜻할 수 있다. 폐동맥쐐기압이 18 mmHg 이상이면 좌심실용적 과부하를 의미한다. 그리고 이런 압력들은 호기말에 측정해야 하는데, 흉강내압 및 기도압의 이상, 심실기능이상이나 협착성 심장막염이 있으면 모든 압력 측정에 오류가 생기므로 임상 증상과 비교하여 판단한다.

이들보다 직접적으로 수액 상태를 최적화하는 방법으로는 10 ml/kg 정도의 소량의 수액을 투여한 후 일회박출량의 반응을 경식도 심장초음파조영술을 통하여 실시간으로 측정하여 수액 조절을 최적화할 수 있다.

2) 수액의 선택

정질액은 물과 전해질을 섞은 수액이고, 교질액은 알부민, 포도당 고중합체와 같은 고분자량의 물질로 된 수액이다. 교질액은 교질삼투압을 유지하면서 대부분 혈관 내에 머물지만 정질액은 혈관 밖으로 빠르게 확산되어 간질액과 혈관 내에 4:1의 비율로 분포하게 되므로 출혈을 보정하기 위한 양은 출혈량의 3~4배가 필요하다. 수분과 전해질 보충을 위해서는 등장성 정질액을 투여하고, 수분이 주로 필요한 경우는 저장성 정질액을 사용한다. 5% 포도당 용액은 포도당이 빠르게 대사되므로 혈액 조성의 면에서는 자유수(free water)를 투여하는 것과 같다.

정질액과 교질액의 조성은 표 5-6에서 볼 수 있다.

(1) 정질액

Lactated Ringer씨 액은 세포외액과 전해질 조성이 비슷하고, 저장성이다. 중탄산염을 대신하는 완충제가 들어 있다. 용액에 있는 젖산염이 간에서 중탄산염으로 전환된다. 생리식염수와 다르게 부족하나마 다른 전해질을 공급하므로 수술 중의 수액손실에 가장 널리 사용한다.

생리식염수(0.9% NaCl)는 등장성이며 세포외액보다 염소를 더 많이 갖고 있다. 많은 양을 주입하면 가벼운 고염소혈성 대사성 산증이 생긴다. 이 용액은 다른 전해질이나 완충제를 갖고 있지 않다. 뇌손상, 저염소혈증, 대사성 알칼리증, 저나트륨혈증이 있을 때 Lactated Ringer씨 액보다 더 유리하다. 고칼륨혈증 환자에서도 사용한다.

고장성 식염수는 드물게 사용된다. 이 용액은 나트륨 농도가 250~1,200 mEq/L이다. 나트륨 농도가 높으면 높을수록 충분한 수액 소생에 필요한 총주입량이 적어지는데 삼투질 농도의 차이에 의해 세포 안에서 밖으로 자유수가 이동하기 때문이다. 그런 만큼 적은 양의 물이 주입되므로 조직 부종의 위험이 적어 장시간의 복부 수술, 화상, 뇌손상 등 조직 부종이 생기기 쉬운 경우에 중요하다. 심한 저나트륨혈증을 보이는 환자에서는 3% 고장성 식염수를 사용한다. 그러나 고장성 용액은 주입 부위에서 용혈을 일으키므로 수액 소생이나 술중 수분 유지액으로는 잘 사용하지 않는다. 5% 포도당액은 고나트륨혈증을 교정하기 위해 사용한다.

표 5-6. 수액의 종류

	전해질(mEg/L)				lactate	칼로리 (kcal/L)	삼투압 (mOsm/L)
	Na^+	K^+	Ca^{++}	Cl^+			
1. 수분 및 영양 보충용							
5% dextrose (1,000 ml)	-	-	-	-	-	200	278
10% dextrose (1,000 ml)	-	-	-	-	-	400	523
Sorbitol (250, 500 ml)	-	-	-	-	-	200	275
Xylitol (250, 500 ml)	-	-	-	-	-	200	329
5% Fructose (500 ml)	-	-	-	-	-	200	278
10% Lipid emulsion (500 ml)	-	-	-	-	-	550	300
2. 전해질 보충용							
Lactated Ringer's (1,000 ml)	130	4	3	109	28	-	290
Ringer's (1,000 ml)	147	4	6	157	-	-	290
생리식염수(1,000 ml)	154	-	-	154	-	-	310
Darrow's (1,000 ml)	118	40	-	109	50	-	306
S-D 1-3(500 ml)	39	-	-	39	-	150	283
S-D 1-2(500 ml)	51	-	-	51	-	133	289
3. 혈장 보충용							
Dextran-70*(D)(6% 500 ml)	-	-	-	-	-	100	800
Dextran-40*(D)(10% 500 ml)	-	-	-	-	-	100	2,000
5% albumin (100 ml)	154	-	-	-	-	1,000	1,500
Plasmanate (100, 250 ml)	110	-	-	50	-	260	300
Aminofusin (500 ml)	52	30	5	34	-	600	1,100
Human plasma	140	5	5	103	-	250	300

* Dextran-70(D)나 dextran-40(D)의 칼로리 양은 그 속에 포함된 dextrose에 의한 것임.

(2) 교질액

고분자량 물질의 교질삼투압이 교질액을 혈관에 오래 머무르게 한다. 정질액의 혈관내 반감기는 20~30분이나 대부분의 교질액은 3~6시간이며 알부민은 16시간이다. 교질액은 고분자량 물질을 등장성 전해질 용액과 혼합한 용액으로 제공된다. 복막염과 광범위한 화상과 같이 혈관내 단백질이 많이 소실되는 경우 교질액이 가장 적합하다. 5% 알부민과 plasmanate는 10시간 동안 60℃로 가열하므로 간염 등의 바이러스 질환을 옮길 가능성은 매우 적다. 25% 알부민은 정상 농도의 5배이므로 투여한 용적의 5배까지 혈액량을 팽창시킨다.

Dextran은 Dextran 40과 Dextran 70이 있다. 40과 70이 라는 숫자는 용질의 평균 분자량을 뜻하는데 40은 약 40,000이고, 70은 약 70,000을 뜻한다. Dextran은 물에 녹는 포도당 중합체이고 궁극적으로 효소에 의해 분해되어 포도당이 된다. Dextran 40은 혈량 팽창제로는 거의 사용되지 않고 혈전증을 방지하고 미세순환 개선을 위해 혈관 수술에 사용된다. Dextran의 부작용은 과민(anaphylaxis)과 과민양 반응(anaphylactoid reaction)을 일으키고 20 ml/kg/day 이상으로 투여되면 혈소판 응집을 감소시켜 출혈시간을 증가시키고, 혈액형 검사를 방해하며, 드물게는 비심장성 폐부종과 신부전을 일으킨다.

Hydroxyethyl starch (hetastarch)는 평균 분자량이 450,000인 합성 교질액이다. 0.9% 식염수에 녹인 6% 용액이 있으며 pH는 약 5.5이고 삼투질 농도는 약 310 mOsm/L이다. 큰 분자는 amylase에 의해 분해되고 작은 분자는 신장으로 배설된다. Hetastarch는 알부민보다 싸면서도 혈장 팽창제로 아주 효과적이며, 항원이 아니므로 과민양 반응이 드물다. 20 ml/kg/day 이상으로 투여되면 응괴형성방해로 출혈시간이 길어진다. Pentastarch는 분자당 hydroxyethyl기가 적은 저분자량의 hetastarch이며 hetastarch와 비슷한 항응고작용이 있다.

3) 주술기 수액 투여

수술 환자의 총 수액요구량은 정상 유지요구량, 혈액량의 보충량, 기존의 부족량, 손실량, 제삼공간 손실량으로 구성된다.

(1) 정상 유지 요구량

경구 섭취가 없는 경우 소변, 위장관 분비, 땀, 피부와 폐를 통한 불감손실 등으로 급격히 물과 전해질의 부족이 일어난다. 표 5-7을 이용하여 하루에 공급할 정상유지 요구량을 계산할 수 있다. 여기에 탈수를 유발하는 요소로 생긴 손실량을 더해준다. 수술과 마취가 카테콜아민, 콜티솔, 성장호르몬에 변화를 유발하여 인슐린 분비를 감소시키고 인슐린의 포도당 감소효과를 억제하여 고혈당을 유발한다. 그러므로 술중에 5% 포도당용액을 투여하면 심한 고혈당이 나타날 수 있으므로 포도당이 없는 정질액을 사용해야 한다.

표 5-7. 정상 하루 수액 유지 요구량

체중(kg)	하루 요구량(kg/day)
10	100 ml
10~20	50 ml
20 이상	20 ml

예: 체중 28 kg인 환자의 하루 유지요구량은
(10×100)+(10×50)+(8×20)=1,660 ml

(2) 혈관내 용적의 보정증량

전신마취 및 부위마취는 세동맥과 정맥의 확장을 일으켜 혈액이 말초혈관에 많이 수용되므로, 말초정맥압, 정맥환류량과 심박출량이 감소한다. 또한 전신마취제는 심근수축력도 억제하여 심박출량이 더욱 감소한다. 심장의 전부하를 늘리면 일회박출량을 적절히 유지할 수 있으므로 혈관내 용적을 보충해야 한다. 이 경우 심장과 신장에 기능장애가 있는 환자는 수술 후 과혈량증에 빠질 수 있어, Lasix 등의 이뇨제나 심근수축 촉진제(inotropes)를 투여하여 폐부종이나 심부전의 예방을 필요로 할 수 있다.

(3) 기존의 부족량

금식 환자에서는 금식 시간에 비례하여 정상 유지 요구량의 부족이 생기며, 수술 전에 일어난 체외 및 제삼공간으로의 손실도 있다. 열이 있거나 발한에 의한 불감손실도 있으며, 외상으로 인한 손실과 감염 조직으로의 체액 이동도 고려해야 한다. 수액부족량은 금식시간 곱하기 시간 당 정상 유지 요구량과 체외 및 제삼공간 손실량을 합한 것이다. 모든 부족량은 수술 전에 보정되어야 한다.

(4) 체액의 손실량

출혈과 같은 체액의 손실량을 정상 혈액량과 세포외액의 정상 조성을 유지하도록 보정해야 한다. 지속적으로 출혈을 감시하고, 출혈량을 추정해야 하는데, 수술용 흡인기의 혈액량 측정과 함께 거즈에 흡수되어 나온 혈액량을 고려해야 한다. 출혈이외의 손실에는 수술 중에 제거된 복수나 삼출액 및 수술로 노출된 장기에서의 증발량, 과소변량 등이 있다.

(5) 체액의 재분포량

제삼공간 손실량과 같은 의미로 외상, 감염 조직에서 수분이 간질이나 체강으로 이동하여 세포외액과 세포내액의 기능적 손실이 발생하는 것이다. 일반적으로 그 조성은 세포외액과 유사하므로 생리식염수가 적합한 보정액이 된다. 수술 중에 일어나는 재분포와 증발로 인한 손실량의 크기는 수술 상처의 크기와 조작 정도에 관계가 있으므로 조직 손상 정도에 따라 제삼공간 손실량을 추정 하는데, 탈장 수술과 같은 최소 조직손상의 경우는 0~2 ml/kg/h, 개복 담낭절제와 같은 중등도의 수술은 2~4 ml/kg/h, 개복 장절제 등의 심한 조직 손상을 동반하는 수술의 경우는 4~8 ml/kg/h의 수분을 더 투여한다. 이는 하나의 기준일 뿐이므로 실제 필요량은 환자마다 상당히 다르다는 것을 염두에 두고 있어야 한다.

그리고 선택수술 시 일상적인 수액요법은 술전 금식으로 부족하게 된 수액, 전해질 및 영양을 공급하고 수술 중 적절한 요량(1 ml/kg/시간)을 유지하기 위하여 첫째, 술전 부족량을 1일 소요량의 1/3~1/2로 추정하여 약 600~1,000 ml를 수술 개시 후 1~2시간 내에 공급하고 동시에 수술 중에 소실되는 체액량과 혈액량을 추가 공급해야 한다. 물론 어느 정도의 탈수나 염분공급 제한을 받고 있는 경우에는 수액공급 방법의 수정이 불가피하다. 둘째로 과잉자유수(free water) 주입의 위험을 줄이기 위하여 투여되는 수액 중 1/3만 전해질용액을 사용하며, 셋째로 대부분의 환자는 수술 전 10~12시간 이상 칼로리 섭취가 부족한 상태이므로 수액 중에 25~30 g의 포도당이 함유된 수액을 공급하는 것이 바람직하다. 그리고 탈수 시 수액 요법으로써 적절한 심혈관 및 신기능을 유지하기 위하여 수술 전에 세포외액의 양을 정상으로 유지시키는 것이 필수적이다.

4) 탈수(Dehydration)

체액의 부족(탈수)이 있으면 글리코겐, 단백질, 지방질 등 영양부족과 세포내액이 부족하여 몸 전체의 K^+, PO_4^{3-}, Na^+ 및 혈청 단백의 감소로 혈청 삼투압이 감소되는데 이러한 환자는 수술이나 마취 등의 스트레스가 있기 전에는 신체상태가 안정되어 보이더라도 일단 스트레스에 노출 되면 급속하게 대상 실조(decompensation)에 빠지고, 이에 대한 치료 효과도 나쁘다. 특히 만성질환과 영양실조의 경우에 증상이 현저하다. 그 외에 구설(furrowed tongue), 구강점막의 건조, 피부 및 조직의 긴장도 상실 등의 증상이 나타난다.

(1) 탈수의 종류 및 상태

① 위장관액의 소실: 구토, 위액배출, 설사, 장루(intestinal fistula)
② 고단백 체액소실: 복막염, 장폐쇄증
③ 소변을 통한 전해질 및 수분소실: 당뇨병환자의 고혈당뇨 및 아세톤뇨, 신부전
④ 수분손실: 발열질환(febrile disease), 심한 더위에 노출
⑤ 수분, 전해질 및 단백의 동시 손실: 화상
⑥ 경구적 영양부족: 만성질환, 정신질환

(2) 탈수의 예상량 측정

의식이 있는 환자를 1분 정도 앉혀 놓았을 때 맥박의 현저한 상승이나 평균동맥압의 감소가 없으면 10% 이하의 세포외액 소실을 예상할 수 있고 의식의 변화가 생기거나 맥박의 상승이 있고, 평균동맥압이 저하되면 심한 탈수 현상을 예상할 수 있다. 또한 누워있는 상태에서도 저혈압을 동반한 빈맥이 있을 경우에는 심한 세포외액의 부족을 의미하며, 진정법이나 약한 전신마취에도 심한 저혈압과 빈맥이 발생하면 순환혈액량의 부족을 뜻한다.

수술실에서의 혈관 내 수액량의 검사방법으로는 수술대를 1분간 환자의 머리 쪽을 높게 하여 맥박이 10회/분 이상 증가하거나 혈압이 10 mmHg 이상 떨어지면 역시 순환혈액량의 부족을 의미한다(tilt test).

(3) 수액의 선택

① 세포외액의 보충: lactated Ringer 수액
② 소화액의 보충: 생리식염수
③ 수분의 보충: 포도당액, 1:2 또는 1:3 식염수-포도당액
④ 영양보충: 포도당액, 맥아당액, 아미노산제제, 지질제제
⑤ 혈장보충: albumin, plasmanate 등의 교질제제와 인공교질용액으로 dextran-70, dextran-40, gelatin, hydroxyethyl starch (HES)

등이 있다.

위에 나열한 수액들은 우선적으로 선택할 수 있는 종류이고, 기타의 수액부족 현상과 많은 양의 수액을 투여해야 할 경우에는 전해질 및 산-염기 평형, 삼투압 등을 관찰하면서 부족량을 교정해야 한다. 그리고 상용되는 수액 중에는 전해질용액, 영양액, 교질제제의 혼합액도 있으므로 그 내용을 잘 살펴서 사용하는 것이 바람직하다(표 5-6).

(4) 수액 투여량의 결정

수액부족으로 나타나는 신체증상과 투여된 수액량에 대한 반응에 따라서 계속 주입해야할 투여량에 대한 방침을 결정할 수가 있다.

① 뇌기능, 심혈관 기능 및 요량이 정상인 경우는 측정된 체액소실량과 불감성 소실량만 보충한다.

② 혈압하강의 경우: 세포외액의 부족량을 보충해야 하는데 심한 경우에는 15분마다 1 L의 속도로 3~4 L를 공급해야할 경우도 있으며, 이와 같이 다량의 수액을 급속하게 주입할 경우는 중심정맥압이나 폐동맥쐐기압을 측정하면서 실시해야 한다.

③ 중심정맥압, 폐동맥쐐기압의 이용법: 50~200 ml의 전해질 용액을 10분 동안 주입한 후에 혈압, 말초순환상태, 소변량 등을 살피고, 중심정맥압이나 폐동맥쐐기압을 측정한다. 이 경우 중심정맥압이 2 cmH_2O, 폐동맥쐐기압이 3 torr 이하의 증가 상태에서는 계속적인 수액 보충이 필요하며, 중심정맥압이 5 cmH_2O 이상이고, 폐동맥쐐기압이 7 torr 이상의 속도로 증가하면 수액투여를 제한하고, 중심동맥압이 2~5 cmH_2O, 폐동맥쐐기압이 3~7 torr 사이에서 변화를 보이면, 10분을 기다린 후에 다시 측정하여 수액 보충의 지침으로 삼는다.

④ 심혈관계: 불안정 상태이거나 소변량이 충분하기 전에 중심정맥압이나 폐동맥압이 급격하게 증가하거나 흉부 청진 상 수포음(rale)이 들리는 등의 좌심실 과부하(overload) 증상이 나타나면 수액 공급을 아주 느리게 하고 충분히 산소를 흡입시키면서 이뇨제, 심장의 변력성 약제(inotropic drugs; dopamine, dobutamine, isoproterenol 등)를 투여하고, 때로는 morphine 1~5 mg을 반복해서 투여하기도 한다.

(5) 수액의 투여 시 고려할 점

체액이 부족한 상태에서 마취를 유도하면 혈관 확장으로 순환장애가 더욱 심하여지므로 마취 전에 심혈관의 기능을 안정시켜야 하며 중심정맥압의 지속적인 감시가 필요하다. 만일 심혈관 기능이 안정되기 전에 수술을 할 경우에는 아주 얕은 전신마취나 국소침윤마취를 실시하는 것이 좋으며 마취 유도에 따라서 저혈압이나 중심정맥압의 저하가 발생하면 수액을 공급해야 한다.

혈장 Na^+ 농도가 세포외액량의 지침이나 수액 보충의 기준이 될 수는 없다.

만성질환 환자의 혈색소가 정상 또는 증가되어 있을 경우에는 심한 탈수를 의심해야 한다.

다량의 수액공급이 필요한 때에는 반드시 동맥혈가스 분석과 전해질 측정을 해야 한다

생리식염수보다 균형전해질용액(balanced salt solution)을 선호하는 경우가 있는데 생리식염수를 다량 사용할 경우 1 L당 30 mEq의 HCO_3^-를 첨가하여 사용함이 좋다. 또 칼륨이 부족한 경우에는 균형 전해질용액 1 L에 40 mEq의 칼륨을 섞어 투여속도는 1 mEq/min/70 kg를 넘자않도록 하고 용량은 1.5 mEq/min/70 kg를 초과하지 않도록 하며 환자의 심전도를 계속 감시하고 2시간마다 혈장 칼륨 치를 측정해야 한다. 탈수 환자에 있어서 전해질상태를 고려하지 않고 칼륨을 공급하면 매우 위험한데 이것은 탈수환자는 고칼륨혈증이 동반될 수도 있기 때문이다.

고혈압, 울혈성 심부전 또는 간질환의 치료로 염류 섭취를 제한하고 이뇨제를 투여 받고 있는 환자는 특히 의인성(iatrogenic) 탈수증이 많이 발생하므로 주의해야 한다. 또한 마취 중에 심혈관계통의 안정을 유지하기 위하여 투여한 수액량이 마취 중 혈관 확장으로 인한 현상이므로 수술 후에는 과잉수분의 재분포현상을 고려하여 수액투여의 제한과 이뇨제 사용이 필요할 수도 있다.

5. 수분 및 전해질 투여로 인한 장애

1) 수분 중독(Water Intoxication)

(1) 원인

스트레스, 통증, 전신마취, 아편양 제제, 실혈, 양압성 호흡 등은 항이뇨 호르몬(ADH)을 분비시키며 이러한 현상은 가끔 수술 후 세포외액의 삼투압이 정상이거나 감소되어 있을 때에도 계속되므로 전해질이 포함되지 않은 수액을 과량 투여하면 희석성 저나트륨증과 더불어 세포내 용적의 팽창이 일어날 수 있다(표 5-5).

(2) 증상

조직의 부종, 섬망(delirium)등 뇌증상이 나타나는데 섬망의 치료를 위하여 아편 제제를 투여하면 상태가 더욱 악화된다. 대개 수분중독의 증상은 술후 1~3일에 잘 발생하며 이때 전신경련이 생기면 치사율이 매우 높다. 수술 후 성인에게 하루 2 L 정도의 자유수를 투여하여도 수분중독의 발생빈도는 매우 낮으나 60세 이상의 고령자에서는 생기기 쉽다.

(3) 진단

혈청 Na^+ 농도가 118~131(평균 122) mEq/L 이하이고 혈청 삼투압이 240 mOsm/L 이하에서 증상이 나타나며 이때 소변의 삼투압은 약 500 mOsm/L 이하이다. 그리고 혈청 Na^+ 농도가 정상 범위로 회복 되어도 증상은 며칠간 계속된다.

(4) 치료

증상이 경미할 때에는 자유수 공급을 제한하고 생리식염수도 하루 1 L 이하로 제한하며, 환자의 협조가 없을 경우나 정신이 혼미할 때는 경구 투여를 금한다. 대부분 경증 환자는 수분의 제한적 공급만으로도 치료가 가능하다.

혈청 삼투압을 급히 증가시켜야 될 경우는 이뇨제와 2.5% 고장성 식염수를 투여한다.

(5) 예방

수술 중에 수분의 소실량을 공급할 경우 수분 중독의 위험을 예방하기 위하여 등장성 전해질용액으로 보충하는 것이 바람직하다

2) 전해질 과다증

대부분의 환자는 수분중독의 경우보다는 전해질 과다증에 보다 잘 견디지만 적응증을 고려하지 않고 무분별하게 전해질용액만 사용하는 것은 바람직하지 못하다.

(1) 원인

세포외액의 삼투압이 감소하여도 수술 후의 스트레스에 의하여 항이뇨호르몬 분비량이 증가될 수 있는 것과 같이 세포외액량이 증가하여도 부신피질호르몬(glucocorticoid, aldosterone)의 분비가 증가될 수 있다. Aldosterone치가 상승하면 체액손실 때 체내의 다른 부위로부터 체액의 이동이 늦어져서 기능적으로 세포외액량이 감소될 수 있다. 대수술이나 큰 외상으로 인하여 기능적으로 세포외액량의 소실이 있을 수 있고 수술 후 신장에서 전해질을 보존하려는 경향이 있으며 쇼크 등의 치료목적으로 대량의 등장성 전해질 용액을 급속히 주입하는 것이 원인이 된다.

(2) 증상

부종(특히 폐부종), 심부전, 폐의 가스교환 장애로 인한 호흡부전

(3) 진단

혈청 Na^+ 농도가 150 mEq/L 이상이고 폐포-동맥간 산소분압차(A-aDO_2)의 상승

(4) 치료

식염 섭취제한, 이뇨제투여, 자유수의 공급

6. 수혈

쇼크 또는 출혈환자를 치료하는데 전혈, 혈액성분제제, 교질용액과 그 외의 수액제제가 사용되고 있다. 수혈은 적당한 순환혈액량의 유지, 적절한 산소공급과 응고인자의 확보를 위하여 시행되며 수혈 효과를 극대화하기 위해 수혈량, 수혈방법, 수혈의 적응증, 수혈의 합병증을 포함한 제반지식이 필요하다.

1) 허용 실혈량

적합한 심예비력을 가지고 활력 장기의 순환장애가 없는 환자는 혈색소치 7.0~8.0 g/dl 정도까지는 활력징후를 잘 유지할 수 있으며, 그 이하로 떨어지면 산소운반량을 유지하기 위해서는 심박출량의 증가가 필요하여 심장의 부담이 증가하므로 수혈은 이 수준의 혈색소치를 기준으로 한다. 심폐질환이 있거나 노인에서는 이보다 높은 10 g/dl 정도의 혈색소치를 유지하는 것이 필요하다. 수혈을 하기 전까지의 실혈에 대해서는 실혈량의 3~4배의 정질액이나 실혈량과 같은 양의 교질액을 주입한다.

혈색소(Hb)를 이용하여 허용 실혈량을 구하는 방법은 다음과 같다.

허용 실혈량 = 환자의 정상혈액량 × (초기 혈색소치 − 안전 한계 혈색소치) / 초기 혈색소치

단위 체중에 대한 평균 혈액량은 연령에 따라 달라진다(표 5-8).

표 5-8. 체중당 평균 혈액량

나이	혈액량(ml/kg)
1~30일	80~90
1~24개월	70~75
어른	
남자	75
여자	65

예를 들어 환자의 혈액량이 4,500 ml, 술전 혈색소치 14 g/dl이며 안전 한계 혈색소치를 9 g/dl라고 생각하면 허용 가능한 실혈량은 4,500 × (14 − 9) / 14 = 1,607 ml이 된다.

2) 혈액형과 수혈 전 적합성검사

부적합 수혈을 방지하기 위한 첫 단계로서 예정된 수혈자를 확인하고 환자의 혈액형 검사를 위해 환자 이름, 병록번호, 혈액채취 날짜가 명확하게 표시된 혈액표본을 채집한다. 혈액을 환자에게 투여할 마지막 단계에서도 똑같이 환자 확인을 하고 환자 이름과 병록번호를 수혈하려는 혈액과 맞추어 보아야 한다. 이러한 방법으로 치명적 수혈반응의 가장 흔한 원인인 ABO 부적합 수혈을 방지할 수 있다.

(1) 혈액형

적혈구 막에는 적어도 300가지의 항원 물질들이 존재한다. 그 가운데서 현재 20여종의 혈액형들이 알려져 있다. 각각의 혈액형은 서로 다른 염색체좌로부터 유전적인 조절을 받고 있다. 다행히 ABO 및 Rh형만 수혈에서 중요인자로 취급되고 있다. 각 개체는 자신이 가지고 있지 않는 대립인자에 대해 항체를 생산한다. 이들 항체들은 수혈부작용의 중요 인자로 작용한다. 항체는 자연 발생하거나 혹은 수혈이나 임신과 같은 경로를 통해 감작되어 생성될 수 있다.

① ABO 혈액형

염색체좌는 세 종류의 대립인자(allele)들, 즉 A, B 및 O 인자를 생성한다. 각 인자는 특이한 효소를 만드는데 이 효소가 세포 표면에 있는 당단백(glycoprotein)에 작용하여 특이한 항원을 생산한다. H 항원은 기능적으로 ABO 혈액형과 연관이 되어 있지만 다른 염색체좌에서 생성된다. H 항원이 없으면 A 혹은 B 유전자를 나타내지 못한다. 이러한 매우 드문 경우에는 ABO 유전자형에 관계없이 항A와 항B 항체들을 가지게 된다.

② Rh 혈액형

Rh 유전자의 유전은 상당히 복잡하지만 실제로 수혈에 있어서 문제가 되는 것은 D 항원이다. D 항원이 없는 개체는 Rh(-)라 부르며 Rh(+) 혈액을 수혈 받았거나, Rh(+)인 태아를 분만하는 Rh(-) 산모에서 D 항원에 대한 항체가 생기게 된다.

(2) 수혈 적합검사

이 검사의 목적은 수혈의 결과로서 나타날 수 있는 항원 항체 반응을 예견하고 방지하기 위한 것이다. 공혈자와 수혈자의 혈액은 항체의 존재 유무를 가려내기 위해 혈액형이 분류되고 검사되어야 한다.

① ABO-Rh 검사

가장 심각한 수혈반응은 ABO 부적합에 의한 것이다. 자연 습득 항체가 보체를 활성화시켜 혈관내 용혈을 일으킨다. 환자의 적혈구와 이미 알고 있는 항체(A 또는 B)를 가진 혈청과 반응시켜 응집이 일어나는지 여부를 관찰하여 혈액형을 결정하는 경우를 세포혈액형 검사(cell typing)라 하고, 반대로 환자의 혈청과 이미 혈액형을 알고 있는 적혈구와 반응시켜 응집여부를 관찰하는 것을 혈청 혈액형 검사(serum typing)라 한다. 두 방법에서 혈액형이 일치되어야 한다. 환자의 적혈구를 항D 항체와 반응시켜 Rh형을 결정한다. 만일 그 개체가 Rh(-)이면 그 사람의 혈청을 Rh(+) 적혈구와 반응시켜서 항D 항체의 존재를 확인한다.

② 교차반응(Cross matching)

교차반응은 수혈했을 경우 그 혈액이 체내에서 일어나는 현상을 실험실에서 관찰하는 것이다. 여기에는 공혈자의 적혈구와 수혈자의 혈청 사이의 응집반응여부를 보는 주교차시험(major crossmatching)과 공혈자의 혈청과 수혈자의 적혈구 사이에 응집이 일어나는 지를 확인하는 부교차시험(minor crossmatching)이 있다.

교차시험은 세 가지 기능을 가진다. 즉 첫째 ABO 및 Rh 혈액형을 최종적으로 확인하고(5분 이내 확인), 둘째 다른 혈액형에 대한 항체를 찾아내며, 셋째 역가가 낮은 항체를 찾아낸다(이 두 가지 목적을 위해서는 최소한 45분 정도 소요됨).

③ 항체검사

이 검사의 목적은 혈청에서 ABO 혈액형 이외의 형에 의한 용혈반응을 일으키는 항체를 찾아내는 데 있다. 검사 방법은 환자의 혈청을 이미 알고 있는 여러 가지 혈액형의 적혈구와 반응시킨다. 이때 특이한 항체가 있으면 적혈구막을 감작시키며 항globulin 항체를 넣어주면 적혈구를 응집시킨다. 이 검사는 모든 공혈자 혈액에서 일상적으로 시행하며 교차반응시험을 대신할 수 있다.

④ 혈액형 검사와 교차 반응 대 혈액형 검사와 항체 검사

항체검사에서 음성이면서 교차시험을 하지 않고 ABO 및 Rh 적합 수혈을 할 경우 심한 용혈성 반응이 일어날 확률은 1% 미만이다. 그러나 교차시험은 항체검사에서 찾아내지 못하는 드문 항체를 찾아내므로 안전한 수혈을 하게 한다. 그러나 교차반응은 인력, 시간, 혈액 저장 공간 등의 문제점이 있기 때문에 수혈이 꼭 필요한 큰 수술 환자에만 적용시킨다.

⑤ 응급 수혈

환자가 출혈이 심하여 교차시험을 할 시간적 여유가 없을 때에는 교차시험이 안 된 ABO-Rh형 특이성 혈액을 사용하는 것이 가장 유리하나 혈액형 판정과 항체감별검사조차할 시간적 여유가 없는 응급 상황에서는 O Rh(-) 혈액(만능 공혈자)이 검사 없이 사용될 수 있다.

이것은 O형 혈액에는 A, B 항원이 없으므로 수혈자의 혈액에 있는 항체(항A 또는 항B 항체들)에 의하여 용혈이 일어나지 않기 때문이다. 그러나 어떤 O형 공혈자의 혈장에는 수혈자의 A와 B 항원에 대한 항체(항A 또는 항B 항체들)를 가지고 있을 뿐 아니라 높은 역가의 용혈성 IgG와 IgM을 갖는 경우가 있는데 이런 혈액을 O형 이외의 혈액형의 사람에게 수혈 시에는 수혈자의 적혈구를 파괴시킬

수 있으므로 투여되는 혈장량을 줄여서 응집반응을 일으킬 수 있는 항체(항A와 항B 항체들)가 거의 없는 농축적혈구를 사용하는 것이 전혈을 사용하는 것보다 안전하다.

Rh(-) 비교차시험 혈액을 사용한 다음에 바로 환자 자신의 혈액형인 혈액으로 바꾸어 사용해서는 안 된다. 이는 수혈로 인해 항A 항체와 항B 항체의 역가가 증가되어 있어서 주요 혈관내 용혈이 일어날 수 있기 때문이다. 그러므로 형 특이성 혈액의 안전한 사용이 가능할 정도로 항A 항체와 항B 항체의 역가가 떨어졌음이 확인될 때까지는(수혈 약 2주 후) Rh(-) 혈액을 사용해야 한다.

3) 전혈 및 혈액성분 요법

대부분의 환자는 혈액 중에서 특정 성분들만 필요하므로 전혈보다는 혈액성분제제를 선택하여 사용하는 것이 매우 바람직한 일이다(표 5-9).

급성 출혈, 광범위한 화상이나 교환 수혈에 전혈을 사용하며, 일반적으로 환자의 혈액에서 부족한 특정 성분을 선택하여 사용하는 것이 바람직하다. 혈액을 투여할 때는 약 30℃ 이상으로 데워서 투여하는데 환자의 체온이 떨어지면 2,3-DPG와 함께 산소해리곡선을 왼쪽으로 이동 시켜 조직에서의 산소추출량이 감소하여 조직 저산소증을 야기하기 쉽기 때문이다.

(1) 농축 적혈구(Packed RBC, pRBC)

전혈과 같은 양의 적혈구를 가지나 혈장이 많이 제거되어 있다. Hct는 약 70%이고, 혈장량은 70 ml이다. 적혈구를 필요로 하는 환자에서 사용하며, 혈액량을 늘리는 데는 적합하지 않으므로 교질액이나 정질액을 손실된 혈장량만큼 투여한다. 일반적으로 성인에서 2,200 ml 이상의 출혈에는 전혈을 사용한다.

(2) 신선 동결혈장(Fresh frozen plasma, FFP)

채혈 후 6시간 내에 분리 냉동시킨, 세포 성분을 포함하지 않는 혈액성분이다. 신선 동결혈장은 냉동시키지 않은 단일 공여자 혈장과는 다른 성분으로 실온에서 보관하는 경우 쉽게 파괴되는 인자 Ⅴ와 Ⅷ를 충분히 함유하고 있다. 신선 동결혈장은 warfarin 효과를 가역 시키고, antithrombin Ⅲ을 제공하는 인자들 즉 Ⅱ(prothrombin), Ⅴ, Ⅶ, Ⅸ, Ⅹ 그리고 Ⅺ을 보충한다. 대량 수혈 시, 특히 전혈 대신 농축적혈구를 사용할 때 신선 동결혈장이 요구된다. 응고인자를 보충하려면 25%의 증가를 위해 체중 kg당 15~20 ml의 혈장이 필요하며 이것은 인자 Ⅷ을 제외한 모든 인자들을 충분히 보충한다. 응고인자들을 25% 이상 증가시키려다 수액의 과잉공급을 초래할 수 있는데 이는 교환수혈로서 치료 가능하다.

(3) 혈소판 농축액(Platelet concentrates, p-conc.)

혈소판감소증 또는 비정상적인 혈소판 기능으로 인한 출혈을 치료하는데 유용하여 혈소판 수가 10,000~20,000 /uL 이하인 환자에서 예방적으로 투여 할 수도 있다. 그러나 특발성 자가면역 혈소판감소성 자반증(idiopathic au-

표 5-9. 혈액성분 요법

혈액요법 종류	적응증	
전혈	급성 출혈, 광범위한 화상, 교환 수혈	
농축 적혈구	심한 만성 빈혈, 울혈성 심부전, 간부전, 무뇨증	
혈소판 농축액	혈소판 감소증 환자, 대량 수혈	
혈장	신선 냉동 혈장	간질환, warfarin 효과의 역전, 대량 수혈, 혈액응고인자의 공급
	냉동 침강 혈장	혈우병, 섬유소원 결핍, von Willebrand씨 병
	알부민과 혈장 단백제	저알부민증, 저혈량증, 쇼크, 화상, 신증(nephrosis)

toimmune thrombocytopenic purpura, ITP), 패혈증, 그리고 비장 기능항진증의 경우에는 별 효과가 없다. 1 unit의 혈소판 농축액은 혈소판 소모가 활발치 않은 성인에서 약 5,000~10,000 정도의 혈소판수의 증가를 가져온다. 성인은 대개 6~8 units면 충분하다. 가임 연령의 Rh(-) 여성의 경우 Rh 면역을 방지하기 위해 ABO-Rh 적합 혈소판 수혈이 필요하다.

(4) 동결 침전제제(Cryoprecipitate)

신선 동결혈장이 4℃에서 녹았을 때의 잔여물로 인자 Ⅷ/von Willebrand와 섬유소원이 풍부하다. 혈장 1 unit은 인자 Ⅷ 100 units와 섬유소원 300 mg 정도를 함유한다. 10 units는 70 kg의 성인에서 인자 Ⅷ의 25% 증가와 섬유소원 100 mg/dl 증가를 가져온다.

4) 자가 수혈(Autologous Transfusion)

자가 수혈은 여러 가지 이점을 가지고 있다. 이러한 수혈방법은 혈액은행의 혈액을 절약할 뿐 아니라 적합성과 질환 전파가 문제 되지 않는다. 자가 수혈에는 몇 가지 방법이 있다.

(1) 술전 채혈과 저장

출혈이 예상되는 선택수술을 할 경우 수술 전에 1주일 간격으로 자가 혈액 5 units까지 채혈하여 보관할 수 있다. 희귀한 혈액형을 가진 환자에서는 이 방법이 적합수혈을 받는 유일한 방법일 수도 있으며 냉동저장으로 더 많은 양의 혈액을 보관하였다가 공급할 수 있다. 빈혈을 방지하기 위해 이러한 환자들은 채혈 시작 전부터 철분을 공급받아야 하는데 적혈구 조혈 인자 역시 혈액량을 증가시킨다.

착오를 방지하기 위해 최소한 환자와 그들의 자가 혈액에 대한 ABO와 Rh 교차시험은 반드시 필요하다.

(2) 급성 동량 혈액희석법

알맞은 혈색소량을 갖고 있는 환자가 수술로 총 혈액량의 25% 이상을 실혈할 가능성이 예상될 때 마취한 상태에서 수술시작 전 허용출혈량의 일부를 동맥이나 중심정맥을 통해 채혈하고 대신 수액(정질액 또는 교질액)을 투여하여 순환혈액량을 적혈구가 희석된 상태로 정상으로 유지해준다. 따라서 수술 중 소실혈액의 혈색소농도는 떨어지게 되며 수술이 끝날 무렵 채혈한 혈액을 다시 투여하면 혈색소는 증가되고 단지 수 시간 저장된 신선혈액을 공급할 수 있다. 그러나 중등도 이상의 빈혈이 있거나 심장기능을 억제시키는 약제(예: β 차단제)를 사용하는 환자, 뇌-심장 질환자 등에서는 각별한 주의가 필요하며 실제 임상에서 이 방법이 가장 많이 적용되는 경우는 심폐회로(체외순환)를 사용하는 심장수술이다.

(3) 술중 출혈 혈액 회수

수술 중에 소실된 혈액을 수술 중 또는 후에 회수하여 수혈하는 방법이다. 흡인식의 채혈기로 누출된 혈액을 모아 항응고제를 섞어 응고되지 않도록 한 뒤 여과, 세척하여 다시 환자에게 주입한다. 회수농축액의 Hct는 50~60%이다. 이 방법은 대량 출혈이 생기는 심장수술, 큰 혈관 수술이나 정형외과 수술, 외상 환자나 혈액의 교차시험을 할 시간 여유가 없는 응급 상황에서 유용하다. 그러나 감염과 악성 종양을 가진 환자에서는 금기이다.

5) 수혈의 합병증

(1) 감염

① 바이러스성 감염

- 간염: 간염바이러스 C 특이 검사가 개발되어 수혈 후 간염 발생은 1% 이하로 줄었다.
- 후천성 면역 결핍 증후군(Acquired Immune Deficiency Syndrome, AIDS): AIDS 바이러스에 대한 항체 검사를 적용한 후 수혈로 인한 AIDS의 발생은 많이 감소하였다. 그러나 검사로 검출될 정도의 항체 역가가 되기에는 2~3 주 정도가 소요되므로 감염된 혈액이 발견되지 않을 수 있다.

표 5-10. 수혈반응의 징후와 증상들

반응의 형태	의식이 있는 환자	마취된 환자
급성 용혈성	주입부의 통증, 불안, 흉통, 호흡곤란, 오한, 두통, 옆구리 통증	발열, 저혈색소혈증, 혈색소뇨증, 쇼크, 파종성 혈관내응고병증
발열	오한, 현기증	발열, 쇼크(매우 드묾)
혈액량 과다	호흡곤란, 두통, 심계항진	폐부종, 혈압 상승, 부정맥
알러지성	소양증, 애성, 현기증, 담마진	담마진, 천명, 혈압 하강
지연성 용혈	발열, 무력감, 혈색소 감소, 간접 빌리루빈 증가, 소변 유로빌리루빈 증가	해당 없음

표 5-11. 용혈성 수혈 반응이 의심되는 환자의 치료법

- 수혈 중단, 정맥로는 유지
- 생리식염수 투여
- 혈액은행에 알림
- 혈액은행에 새로 채혈한 혈액 표본을 보낼 것
- 투여하던 혈액과 혈액세트를 혈액은행에 보냄
- 준비된 혈액을 재검사
- 환자 소변 중 혈색소 분석을 시행

② 세균성 감염

그람 음성균이 혈액을 오염시키거나 질환을 전파하여 패혈증을 일으킬 수 있다. 수혈에 의해 전파되는 특수한 세균성 질환은 매독(syphilis), brucellosis, salmonellosis 등이 있다.

(2) 수혈반응

수혈에 의한 여러 가지 다양한 반응이 나타날 수 있으나 가장 위험한 것은 용혈성 수혈반응이며 급성 용혈성 수혈반응은 흔히 기록의 잘못으로 인한 ABO 부적합수혈, 적혈구와 부적합한 수액의 혼합 투여, 그리고 오염된 혈액으로 인한 그람 음성 패혈증 등으로 발생한다(표 5-10).

지연성 용혈성 수혈반응은 비-ABO 항원과 관계된 부적합성 때문에 발생하며. 수혈 후 2~21일에 항체가 증가하여 용혈이 나타난다. 혈색소치, 신기능 그리고 응고 정도의 감시를 필요로 한다. 용혈성 수혈반응의 일반적 치료원칙은 표 5-11과 같다.

수술 부위에서 설명할 수 없는 출혈이 있을 경우는 용혈성 수혈반응으로 인한 급성 파종성 혈관내 응고병증(disseminated intravascular coagulopathy, DIC)의 중요한 징후이다.

비용혈성 면역반응은 백혈구, 혈소판, 그리고 혈장 단백에 대한 항체에 의해 나타나며, 보통은 심각하지 않다. 발열은 용혈 반응이나 세균 오염의 첫 징후이므로 1℃ 이상 체온이 증가하면 의심해야 한다. 용혈이 없는 발열반응이 수혈로 인한 유해 반응 중 가장 흔하다. 알레르기 반응은 수혈의 3%에서 나타나며 가려움증을 동반한 두드러기가 흔한 증상이다. 치료는 해열제, 항히스타민제, 필요하다면 승압제를 사용하며, 이후의 수혈 때는 세척한 적혈구를 사용한다.

(3) 대량 수혈에 따른 합병증

환자의 총 혈액량의 1~2배 이상을 수혈하는 경우를 대량 수혈이라 한다. 이 경우에는 저장 혈액이 대량 공급되어 혈액의 전해질 조성이 달라지고 산염기 균형이 깨져 심각한 장기의 기능 장애가 발생하게 되므로 그에 대한 예방적 조치를 해야 한다.

또 너무 빠른 속도의 수혈로 발생한 과혈량증은 이뇨제, tourniquet, morphine 투여, 그리고 심폐기능 보조 등으로 치료한다.

① Citrate 중독

Citrate ion 자체에 의한 것이 아니고 citrate와 칼슘이 결합하여 발생하는 저칼슘혈증에 의한 것으로 심장 기능 저하에 따른 저혈압, 울혈, 좁은 맥압(pulse pressure), 심전도에서 QT 간격의 연장 등의 증후를 보인다.

정상에서는 citrate 대사가 간장에서 빨리 일어나고 칼슘이 체내 저장소로부터 빨리 보충되므로 칼슘 이온의 감소로 인한 citrate 중독은 중증 간 장애나 쇼크, 저체온 마취, 신생아 등 citrate 대사 장애가 있는 환자를 제외하고는 드물다. 수혈속도가 5분당 1단위 이상을 넘으면 심각한 저칼슘혈증이 발생될 수 있으므로 혈청 칼슘이온 농도의 감시가 필요하며, 관례적인 칼슘 투여는 필요하지 않다.

② 산염기 장애

보존혈액에서 적혈구의 당분해(glycolysis)에 의해 lactic acid와 pyruvic acid가 축적되어 혈액저장 21일에는 pH가 6.9 이하까지 감소할 수 있다. 또한 이 산증의 원인 중 일부는 혈액을 담은 용기로부터 탄산가스가 배출되지 않아 생기는 PCO_2의 증가이다. 그러나 수혈로 인해 대사성 산증은 거의 발생하지 않으며 조직 관류가 정상적으로 회복되면 금방 해소된다. 그보다는 citrate와 lactate가 간에서 대사되면서 중탄산염이 생성되어 대사성 알칼리증이 초래된다. 그러므로 수혈 후 중탄산염을 투여할 경우에는 동맥혈가스분석 후에 투여해야 한다. 만약 다량의 중탄산염 투여 후 대사성 알카리증이 초래되면 prothrombin time과 thrombin, clotting time이 연장되는 등 응고장애와 산소해리곡선의 좌측 이동이 일어난다. 쇼크의 경우에 경미한 산증이 도움이 될 수도 있는데 이는 산소해리곡선을 우측으로 이동시켜 조직으로의 산소유리를 증가시키기 때문이다.

이런 이유로 수혈 초기에는 대사성 산혈증이 일어나지만 대량 수혈 후의 citrate 대사, 중탄산염 투여, lactated Ringer씨 용액의 투여로 대사성 알칼리증이 일어날 수 있다.

③ 저체온

4℃의 저장혈액을 그대로 수혈하면 체온이 저하된다. 만약 체온이 30℃ 이하로 떨어지면 심실 흥분성 (ventricular irritability)이 증가하여 심실세동이 발생한다. 또한 저체온은 산소해리 곡선을 좌측으로 이동시키며 조직에서의 산소 보급량이 감소하여 조직 저산소증을 일으킨다. 그러므로 수혈 직전이나 수혈 시 혈액을 데워 체온의 하강을 예방하는 것은 필수적이다. 0.5~1℃ 정도의 적은 체온 하강으로도 수술 후에 떨림(shivering)이 생겨 산소소모량이 400% 이상 증가하기도 한다.

④ 고칼륨혈증(Hyperkalemia)

보존혈액은 적혈구에서 혈장 내로 K^+이 유리되어 대개 하루에 1 mEq/L의 속도로 증가된다. 그러나 수혈되어 산소화되면 혈장 K^+은 적혈구 속으로 들어가 정상치를 회복한다. 따라서 소량 수혈 후 고칼륨혈증은 드물게 나타나지만 대량 수혈에서는 항상 염두에 두어야 한다. 분당 100 ml 이상의 수혈에서는 항상 고칼륨혈증이 생긴다.

⑤ 산소 운반 장애

보존혈액 내 적혈구의 2,3-DPG 치가 낮아서 오는 현상으로 산소해리곡선이 좌측으로 이동하여 산소에 대한 혈색소의 친화력이 증가되어 조직으로 산소의 유리가 감소됨을 의미한다. 신선한 혈액을 사용함으로써 최소화시킬 수 있다. 적혈구의 2,3-DPG 치는 수혈 후 24시간 내에 정상으로 돌아온다.

참고문헌

1. Choi PT, Yip G, Quinonez LG, et al. Crystalloids vs. colloids in fluid resuscitation: a systematic review. Crit Care Med 1999;27:200-210.
2. Davis JW, Shackford SR, Mackersie RC, et al. Base deficit as a guide to volume resuscitaion. J Trauma 1998;28:1464-1467
3. Finney SJ, Zekveld C, Elia A, et al. Glucose control and mortality in critically ill patients. JAMA 2003;290:2041-2047
4. Griffel MI, Kaufman BS. Pharmacology of colloids and crystallods. Crit Care Clin 1992;8:235-254
5. Guyton, Jones CE, Cloeman TG, Circulatory physiology: cardiac output and its regulation, 2nd ed. philadelphia: WB Saunders, 1973
6. Maagder S, Clinical usefulness of respiratory variations in blood pressure. Am J Respir Crit Care Med 1999;25:778-780
7. Michard F, Teboud J-L. Predicting fluid responsiveness in ICU patients. Chest 2002;121:2000-2008
8. Moore FD. Effects of hemorrhage on body compositions. N Engl J Med 1965;273:567-577
9. Sato Y, Weil MH., Tang W. Tissue hypercarbic acidosis as a marker of acute circulatory failure (shock). Chest 1998;114:263-274
10. Schad JC, Ludvrool J. Hemodynamic and neurohumoral responses to acute hypovolemia in conscious animals. Am J Physiol 1991;260:H305-H318

PART 3 국소마취

Chapter 06 국소마취를 위한 해부학
Chapter 07 국소마취제와 혈관수축제
Chapter 08 치과마취기구 및 재료
Chapter 09 국소마취법의 기본원칙
Chapter 10 상악신경마취법
Chapter 11 하악신경마취법
Chapter 12 국소마취 합병증의 이해와 대처

CHAPTER 06

| Dental Anesthesiology | 국소마취

국소마취를 위한 해부학

학습목표

1. 정확한 국소마취를 위한 기본적인 해부학을 설명한다.
2. 국소마취에 관련된 주요 뇌신경의 경로와 기능을 설명한다.
3. 자율신경절과 얼굴신경 관련성에 대하여 설명한다.

1. 삼차신경

국소마취와 관련하여 치과에서 가장 관련이 많은 신경은 12쌍의 뇌신경(cranial nerves) 중 다섯째 뇌신경인 삼차신경(trigeminal nerve)으로, 치과 국소마취 및 통증 조절에 대해 이해하기 위해서는 삼차신경에 대한 이해가 필요하다.

삼차신경은 얼굴의 피부 및 점막에서 받아들인 감각신경섬유와 씹기근육(masticatory muscles, 저작근)에 분포하는 운동신경섬유로 이루어진 혼합신경이다.

삼차신경은 다리뇌(pons, 교뇌)의 앞쪽에서 짧지만 굵은 감각뿌리와 작은 운동뿌리로 일어난다.

삼차신경은 관자뼈(temporal bone, 측두골)의 바위위모서리(superior border of petrous portion, 추체상연)를 넘어 앞쪽으로 주행하여 중간머리뼈우묵(middle cranial fossa, 중두개와)의 경막동[tunnel of dura, 삼차신경절공간(trigeminal cave, 삼차신경강) 또는 멕켈동(Meckel's cave)]에 이른다. 삼차신경절 공간 내에서 삼차신경은 큰 삼차신경절(trigeminal ganglion 또는 semilunar, Gasserian, Gasser's ganglion)을 형성하며, 여기서 눈신경(ophthalmic nerve; CN V1, 안신경), 위턱신경(maxillary nerve; CN V2, 상악신경), 아래턱신경(mandibular nerve; CN V3, 하악신경)의 세 갈래로 나뉘게 된다.

삼차신경의 운동핵(motor nuclei)은 다리뇌(pons, 교뇌)에 위치하는데, 운동핵의 신경섬유는 운동뿌리를 형성하여 뒤머리뼈우묵(posterior cranial fossa)의 가쪽에서 앞쪽으로 주행하여 삼차신경절의 안쪽을 지나 아래쪽의 타원구멍(foramen ovale)을 통과해서 바로 아래턱신경(mandibular nerve)의 감각뿌리와 합쳐지며 주로 씹기근육에 분포한다. 감각뿌리를 이루는 신경섬유의 세포체는 뇌줄기(brainstem, 뇌간)에 위치한 삼차신경감각핵(trigeminal sensory nucleus)에 위치한다. 다리뇌에서 일어난 감각뿌리는 중간머리뼈우묵의 가쪽에서 앞쪽으로 나아가 삼차신경절에 도달하며, 여기서 3개의 갈래로 나뉜다(그림 6-1).

삼차신경의 일반적인 특징은 다음과 같다.

① 뇌신경 중 가장 크다.

② 다리뇌에서 일어난다.

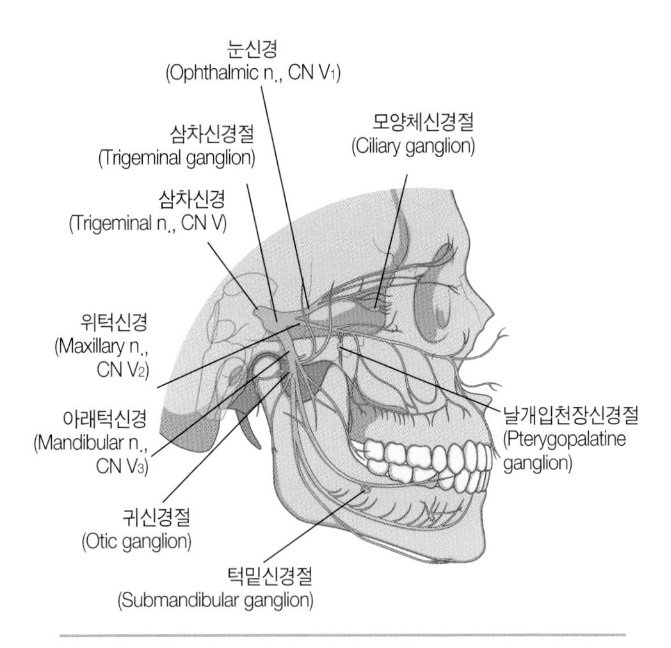

그림 6-1. 삼차신경의 분포

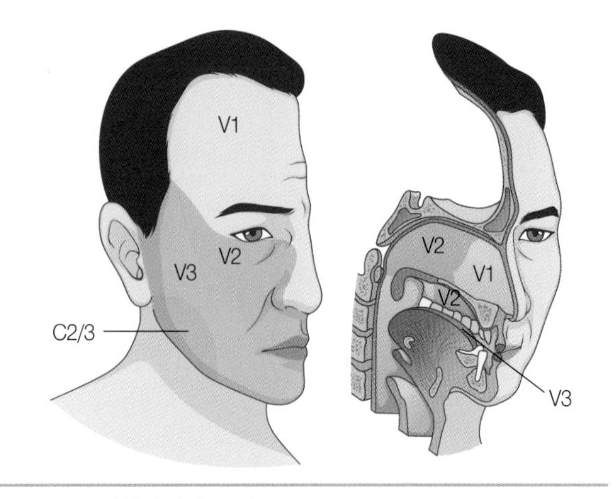

그림 6-2. 삼차신경의 감각분포
V1: 눈신경, V2: 위턱신경, V3: 아래턱신경, C2/3: 제2, 3경신경

③ 첫째아가미굽이(first branchial arch, 제1새궁)에서 발생된다.

④ 감각신경섬유와 운동신경섬유를 함께 전달하는 혼합신경이다.

⑤ 얼굴 및 구강의 감각을 받는다.

⑥ 씹기근육의 운동을 담당한다.

⑦ 삼차신경절에서 눈신경, 위턱신경 및 아래턱신경의 세갈래가 일어난다.

1) 삼차신경의 기능성분 (Functional compartments)

삼차신경을 이루는 신경섬유들은 다음과 같은 2종류의 기능성분을 갖는다.

(1) 일반체구심성분

일반체구심성분(General somatic afferent, GSA)을 갖는 신경섬유가 삼차신경절의 세포체에서 일어난다. 삼차신경절의 세포체는 거짓홑극신경세포로 중추돌기(central process)와 말초돌기(peripheral process)가 있다. 중추돌기는 다리뇌에 위치한 삼차신경 주감각핵(principal sensory nucleus of trigeminal nerve)과 연접을 이루지만, 척수로핵(spinal tract nucleus)과도 연접한다. 말초돌기는 얼굴의 피부, 구강 및 비강의 점막, 경질막, 안구의 결막 등에서 외수용성 감각종말로 연결된다(그림 6-2). 치주(periodontium, 치아주위조직), 구개점막, 씹기근육, 턱관절 등에서 받아들인 고유감각(proprioception)은 주감각핵과 연접하거나 중간뇌(midbrain)에 위치한 삼차신경 중뇌핵(mesencephalic nucleus)의 말초돌기를통하여 들어간 후 다시 중추돌기를 통하여 씹기근육을 담당하는 삼차신경 운동핵(trigeminal motor nucleus)과 연접하여 반사궁(reflex arc)을 이룬다. 중뇌핵을 통한 고유감각의 전달은 반사적으로 씹는 힘을 조절하는 역할을 수행하여 예상치 못하게 단단한 것으로부터 치아와 턱관절을 보호하는 반사작용이다.

(2) 특수내장원심성분

특수내장원심성분(Special visceral efferent, SVE)은 다리뇌의 삼차신경 운동핵(trigeminal motor nucleus)에서 일어난다. 축삭은 삼차신경의 셋째갈래인 아래턱신경을 통해 주행하여, 첫째아가미굽이에서 기원한 근육들인 씹기근육(masticatory muscles)과 고막긴장근(tensor tympani muscle), 입천장긴장근(tensor veli palatini muscle), 두힘살근 앞힘살(anterior belly of digastric muscle), 턱목뿔근(mylohyoid muscle) 등에 분포한다.

2) 삼차신경절(Trigeminal ganglion)

삼차신경절(trigeminal ganglion)은 편평한 반달모양으로 관자뼈의 바위부분(petrous portion, 추체부)에 있는 삼차신경절자국(trigeminal impression) 부위에 위치하는데, 뒤머리뼈우묵(posterior cranial fossa)으로부터 경질막이 연장된 멕켈동(Meckel's cavity) 안에 놓여 있다. 조직학적으로는 감각뿌리의 신경세포체가 있으며 위단극신경원으로 구성되고, 삼차신경절로부터 눈신경, 위턱신경, 아래턱신경의 세 갈래가 일어난다.

2. 눈신경(안신경)

삼차신경의 첫번째 갈래인 눈신경은 순수한 감각신경으로 세 신경분지들 중 가장 크기가 작다. 삼차신경절에서 일어나 안구(eye ball), 결막(conjunctiva), 위눈꺼풀(upper eyelid), 이마(forehead), 비점막 및 외비(external nose, 바깥코)의 일부, 눈물샘(lacrimal gland), 코곁굴(paranasal sinuses) 및 경질막(dura mater) 등에서 감각을 받아들인다. 눈신경이 마비될 경우 결막을 만져도 감각을 느끼지 못한다.

눈신경의 첫 번째 가지로서 되돌이뇌막가지(tentorial nerve)는 눈확(orbit, 안와)으로 들어가기 전에 중간머리뼈우묵에서 일어나 뒤쪽으로 주행하여 경질막, 특히 소뇌천막(tentorium cerebelli) 및 대뇌낫(falx cerebri)에 분포한다. 눈신경은 해면정맥굴(cavernous sinus)의 안쪽에서 정맥동의 가쪽벽을 따라 주행한 다음 위눈확틈새(superior orbital fissure)를 통하여 눈확으로 들어가기 직전에 3개의 주된 가지인 눈물샘신경, 이마신경, 코섬모체신경으로 나뉜다.

1) 눈물샘신경(Lacrimal nerve, 누선신경)

눈물샘신경은 눈신경의 가지 중 가장 작은 것으로 눈확의 가쪽벽을 지나 앞쪽으로 주행하여 눈물샘(lacrimal gland) 및 결막, 위눈꺼풀에 분포한다. 눈확을 지날 때 위턱신경의 광대신경과의 교통지(communicating branch with zygomatic nerve)와 연결되어 날개입천장신경절(pterygopalatine ganglion)에서 오는 신경절이후자율신경섬유와 합류하여 눈물샘으로 간다.

2) 이마신경(Frontal nerve)

이마신경은 눈신경의 주가지로 제일 굵으며, 눈확의 윗벽을 타고 앞쪽으로 주행한다. 눈확위모서리(supraorbital margin)의 중간 부분에서 도르래위신경과 눈확위신경으로 나뉜다.

① 도르래위신경(supratrochlear nerve): 눈확의 안쪽 상방으로 향하여 위눈꺼풀 내측의 결막 및 이마의 안쪽 아래부위에 분포한다.

② 눈확위신경(supraorbital nerve): 눈확위구멍(supraorbital foramen) 혹은 눈확위패임(supraorbital notch)으로 나와 안쪽가지(medial branch)와 가쪽가지(lateral branch)로 나뉘어 위눈꺼풀과 이마의 두피에 분포한다.

3) 코섬모체신경(Nasociliary nerve, 비모양체신경)

코섬모체신경은 눈확의 앞쪽으로 달리다 안구의 뒤에서 안쪽으로 돌아 눈확의 안쪽벽과 평행하게 지난다. 안쪽벽을 지나면서 다음과 같은 여러 개의 가지를 낸다.

(1) 코섬모체신경절과의 교통지(Communicating branches with ciliary ganglion)

코섬모비모양체신경에서 일어나 앞쪽으로 주행하다 안구의 뒤에서 시신경(optic nerve; CN II, 시각신경)과 가쪽곧은근(lateral rectus muscle) 사이에 위치한 작은 부교감신경절인 섬모체신경절(ciliary ganglion)로 간다.

섬모체신경절에서 일어나 안구로 가는 짧은섬모체신경(short ciliary nerve)은 다음과 같은 신경섬유를 포함한다.

① 일반체구심성섬유(general somatic afferent fibers): 안구부터의 감각을 받아들임
② 신경절후교감신경섬유(postganglionic sympathetic fibers): 동공확대근(dilator pupillae muscle)에 분포
③ 신경절후부교감신경섬유(postganglionic parasympathetic fibers): 동공조임근(constrictor pupillae muscle)과 섬모체근(ciliary muscle)에 분포

(2) 긴섬모체신경(Long ciliary nerve)

코섬모체신경(nasociliary nerve)에서 일어나 앞쪽으로 달려 안구의 뒷면으로 들어가 눈과 각막에 분포하는 감각 가지이다.

(3) 뒤벌집신경(Posterior ethmoidal nerve)

안쪽으로 눈확 안쪽벽의 뒤벌집구멍(posterior ethmoidal foramen)을 통과하여 뒤벌집(posterior ethmoidal air cells)과 나비굴(sphenoidal sinus)에 분포한다.

(4) 앞벌집신경(Anterior ethmoidal nerve)

코섬모체신경의 2개의 끝가지(terminal branches) 중 하나인 앞벌집신경은 안쪽으로 눈확 안쪽벽의 전사골공을 통과하여 전사골봉소와 이마굴(frontal sinus)에 분포한다. 앞벌집신경은 안쪽으로 계속되어 앞머리뼈우묵(anterior cranial fossa)의 벌집체판(cribriform plate) 앞에 위치한 벌집뼈구멍(ethmoidal foramen)을 통해 빠져나온다. 전사골신경은 비강의 천장을 달려 코뼈(nasal bone) 깊은 면을 따라 앞아래쪽으로 내려가면서 속코가지(internal nasal branch)를 낸다. 내비지는 비강의 위쪽 전면부에서 다시 2개의 가지로 나누어지며 내측내비지 또는 안쪽속코가지(medial internal nasal branch)가 비강 내측과 코중격의 점막에 분포하고, 가쪽속코가지(lateral internal nasal branch)는 비강의 전방 가쪽벽 및 상비갑개의 점막에 분포한다. 이후 앞벌집 신경은 코뼈와 외측비연골의 접합부위에서 코의 표면으로 나와 바깥코가지(external nasal branch, 외비지)가 되어 코근(nasalis muscle) 밑을 지난 다음 콧방울(ala nasi) 및 코끝(nasal tip)의 피부에 분포한다.

(5) 도르래아래신경(Infraorbital nerve, 활차하신경)

비모양체신경의 또 다른 종말지인 도르래아래신경은 눈확 안쪽벽 위쪽의 도르래(trochlea) 아래를 지나 눈확을 빠져 나온 후, 위눈꺼풀의 안쪽과 안쪽눈구석(medial canthus)의 결막 및 피부에 분포한다.

3. 위턱신경(상악신경)

위턱신경은 중간머리뼈우묵에 위치하는 삼차신경절에서 일어나는 삼차신경의 두 번째 갈래로 위턱돌기(maxillary process, 위턱돌기)에서 기원한 모든 구조, 즉 상악치아와 잇몸, 위턱골, 입천장, 비강과 비인두, 구개편도 등을 포함한 위턱 전체, 그리고 위입술, 위쪽 볼, 아래눈꺼풀, 코의 측면과 측두부의 전방 및 광대뼈 부근 등을 덮는 피부에서 감각을 받아들이는 순수 감각신경이다(그림 6-2).

위턱신경은 복잡한 경로를 갖고 있기 때문에 머리속부분(intracranial portion, 두개내부), 날개입천장오목부분(pterygopalatine fossa portion), 눈확아래부분(infraorbital portion), 얼굴부분(facial portion)의 4부분으로 나누어 설명한다.

1) 두개내부에서 일어나는 위턱신경의 가지

중간머리뼈우묵 안에서 위턱신경은 해면정맥동 가쪽벽을 지나, 원형구멍(foramen rotundum)을 통해 중간머리뼈우묵을 빠져 나온다. 이 부분에서 뇌막가지(meningeal branch)가 일어나 중간머리뼈우묵의 결질막(dura mater)에 분포한다.

2) 날개입천장오목(익구개와)에서 일어나는 위턱신경의 가지

위턱신경은 원형구멍을 통해 날개입천장오목으로 들어와 날개입천장오목과의 윗부분을 지난 뒤, 가쪽으로 꺾여 위턱뼈 뒷면의 눈확아래고랑(infraorbital groove)을 향한다. 날개입천장오목에서 위턱신경은 날개입천장신경절가지(ganglionic branches to pterygopalatine ganglion), 광대신경(zygomatic nerve), 뒤위이틀신경(posterior superior alveolar nerve)의 3개의 가지를 낸다.

(1) 날개입천장신경절가지(Ganglionic branches to pterygopalatine ganglion)

일종의 교통지(communicating branches)인 신경가지에 의해 부교감신경절인 날개입천장신경절(pterygopalatine ganglion)이 위턱신경에 매달린다. 신경절을 위턱신경에 매달아주는 2개의 짧은 신경가지를 날개입천장신경(pterygopalatine nerves)이라고도 하며, 신경연접(synapse) 없이 신경절을 지난다.

날개입천장신경절에서 일어난 신경들에는 일반체구심성분, 교감신경성분, 부교감신경성분이 모두 포함되어 안와, 상인두, 비강, 위턱굴, 구강, 입천장 등의 점막에 분포하는데, 분포영역에 따라 다음과 같이 나뉜다(그림 6-3).

① 눈확가지(orbital branches, 안와지)는 두세 개의 작은 가지로 아래눈확틈새를 통하여 눈확으로 들어가서 눈확뼈막, 뒤벌집굴, 나비굴 등에 분포하는 감각신경섬유와 눈물샘에 분포하는 부교감분비신경섬유를 포함한다.

② 입천장가지(palatine branches)는 입천장관(palatine canal) 속으로 내려와 입천장에 도달하고, 여기서 큰입천장신경과 작은입천장신경으로 구분된다. 큰입천장신경(greater palatine nerve)은 큰입천장신경을 통해 입천장부위로 나오기 전에 뒤아래코가지(pos-

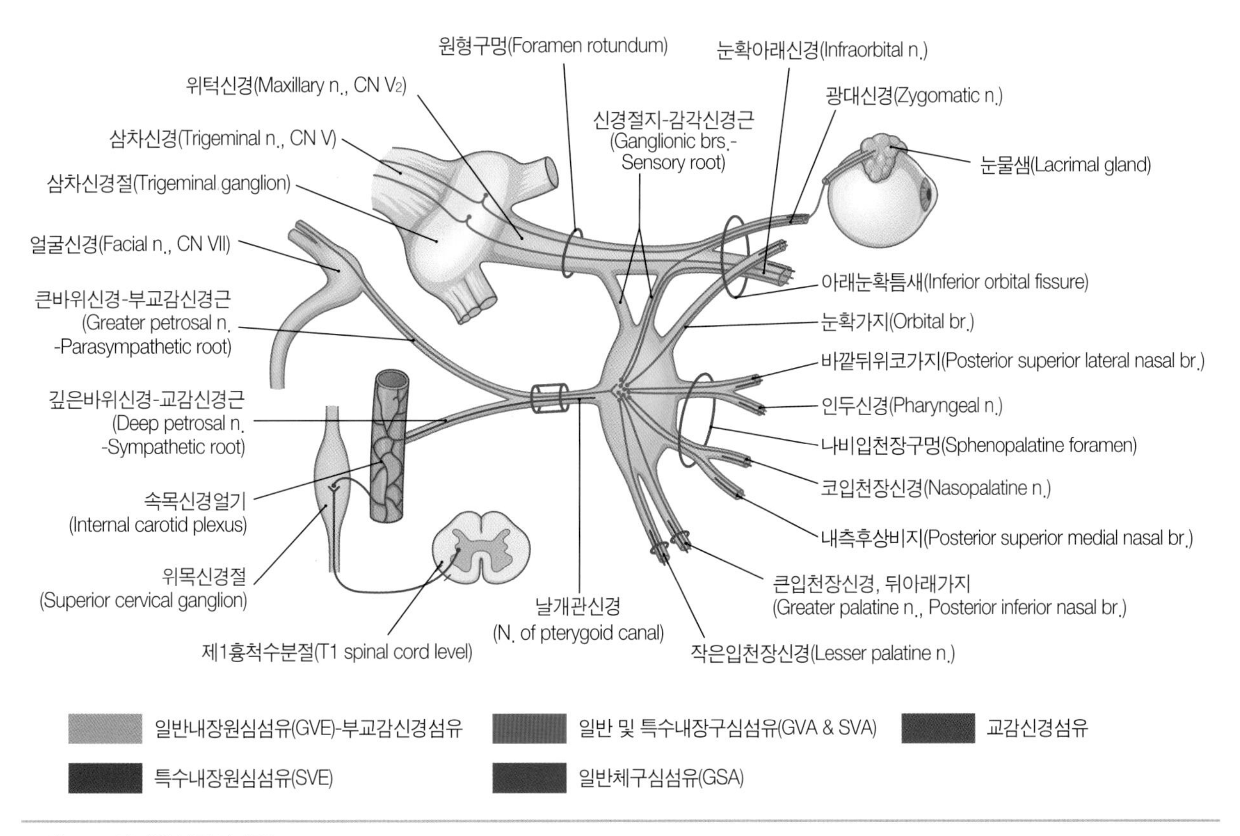

그림 6-3. 날개입천장신경절

terior inferior nasal branch)를 내서 비강 가쪽벽의 아래뒤부위에 분포한다. 큰입천장신경은 큰입천장구멍을 통해 구강의 천장으로 빠져나와 입천장고랑(palatine sulcus, 구개구)을 따라 앞쪽으로 단단입천장(hard palate, 경구개)의 점막과 잇몸, 작은침샘 등에 분포하고, 마지막으로 코입천장신경(nasopalatine nerve)의 종말지와 교통한다. 작은입천장신경(lesser palatine nerve)은 작은입천장구멍을 통해 입천장으로 나와 물렁입천장 및 목구멍편도(palatine tonsil, 구개편도) 등의 점막과 분비선에 분포한다.

③ 코가지(nasal branches)는 날개입천장신경절의 안쪽으로 일어나 나비입천장구멍(sphenopalatine foramen)을 통해 비강으로 들어가서 외측후상비지와 내측후상비지로 나뉘게 되는데, 가쪽위뒤코가지(posterior superior lateral nasal branch)는 6~7개의 가느다란 가지로 중간코선반(middle nasal concha, 중비갑개) 및 위코선반(superior nasal concha, 상비갑개), 그리고 뒤벌집굴의 점막에 분포한다. 안쪽위뒤코가지(posterior superior medial nasal branch, 내측후상비지)는 2~3개의 가지로 앞아래쪽으로 내려와 코중격과 보습뼈(vomer, 서골)의 점막에 분포한다. 내측후상비지의 아래로 굵고 긴 코입천장신경(nasopalatine nerve, 비구개신경)이 일어난다. 코입천장신경은 일반 치과영역에서 많이 다루는 신경으로 비강의 윗벽을 따라 안쪽으로 주행하여 코중격 뒤쪽의 점막과골막에 분포하며 계속 주행하여 코안바닥(floor of nasal cavity, 비강저)에 도달한다. 이곳에서 코중격의 앞부분과 비강저에 가지를 내고 앞니관(incisive canal)으로 들어가 앞니구멍(incisive foramen)을 통해 구강 내로 나오는데, 구강 내에서 양쪽으로 나뉘어 단단입천장의 앞부분에 분포하며, 각각 같은 쪽의 큰입천장신경과 교통한다.

④ 인두가지(pharyngeal branches)는 날개입천장신경절에서 뒤쪽으로 나와 뒤안쪽으로 가서 입천장뼈초돌관(palatovaginal canal, 입천장칼집관)을 통해 코인두(nasopharynx)로 들어가 분포한다.

(2) 광대신경(Zygomatic nerve)

광대신경은 눈확아래틈새(inferior orbital fissure)를 통해 날개입천장오목을 나와 눈확으로 들어간다. 눈확의 가쪽벽을 따라 앞으로 달리면서 눈신경(ophthalmic nerve; CN V1)의 눈물샘신경(lacrimal nerve)과 교통한다. 눈물샘신경의 광대신경과의 교통지(communicating branch with zygomatic nerve)에는 날개입천장신경절에서 연접한 신경절후부교감신경섬유가 포함되어 눈물샘에서 눈물을 분비케 한다. 광대신경은 눈확 가쪽벽의 작은 광대신경관(zygomatic canal)을 통해 눈확을 빠져나온다. 광대신경관은 광대뼈(zygomatic bone) 안에서 누운 'Y'자 모양으로 갈라져 다음과 같은 2개의 종말지로 나뉜다.

① 광대얼굴신경(zygomaticofacial nerve)은 광대신경관을 아래쪽으로 빠져나와 얼굴에서 뺨의 융기부분 피부에 분포한다.

② 광대관자신경(zygomaticotemporal nerve, 관골측두신경신경)은 광대신경관을 위쪽으로 빠져나와 광대뼈과 나비뼈(sphenoid bone, 접형골)의 큰날개(greater wing, 대익) 사이를 지나 관자우묵(temporal fossa)으로 들어간다. 관자근(temporalis muscle)보다 깊게 올라가다 광대뼈활 바로 위에서 근육을 뚫고 피부가지(cutaneous branches)가 되어 관자놀이(pterion) 부위의 피부에 분포한다.

(3) 뒤위이틀신경(Posterior superior alveolar nerve, 후상치조신경)

날개입천장오목에서 일어난 위턱신경의 마지막 가지인 뒤위이틀신경은 위턱뼈의 관자아래면(infratemporal surface, 측두하면)을 따라 내려간 뒤, 관자아래면에 위치한 두세 개의 작은 구멍들로 들어가면서 여러 신경가지들로 나뉜다. 뒤위이틀신경은 뒤위이틀구멍(posterior superior alveolar foramina)을 통해 위턱굴(maxillary sinus, 상악동)로 들어간 뒤, 위턱굴 가쪽벽에서 점막에 덮인 작은 고랑을 통해 위큰어금니의 치근을 향해 내려간

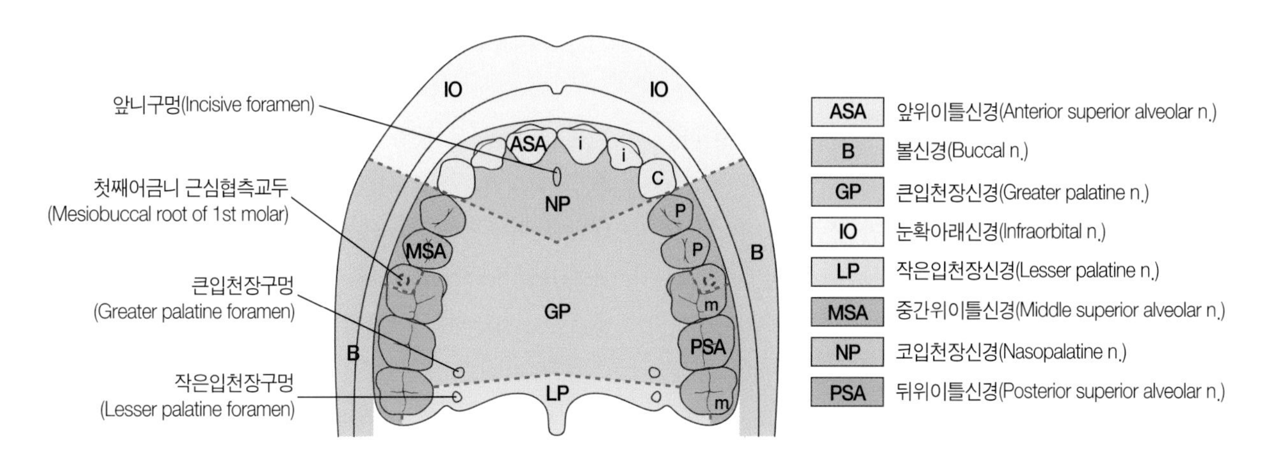

그림 6-4. 구강천장 주위의 일반감각분포

다. 뒤위이틀신경이 큰어금니에 도달하면 위치아신경얼기(superior dental plexus)의 뒷부분을 형성한다. 뒤위이틀신경은 위큰어금니 및 인근 볼쪽잇몸 및 위턱굴의 점막 등에 분포한다(그림 6-4).

뒤위이틀신경의 가지들은 다음과 같다.

① 위치아신경얼기에서 일어나 위큰어금니의 치수(dental pulps, 치아속질)에 분포하는 치아가지(dental branches)

② 위턱굴의 점막에 분포하는 위턱굴가지(maxillary sinus branches)

③ 뒤위이틀구멍으로 들어가지 않고 계속 위턱뼈의 앞아래쪽을 지나 위큰어금니 인근 볼쪽잇몸(buccal gingiva)과 뺨 위쪽의 일부에 분포하는 잇몸가지(gingival branches)

3) 눈확아래에서 일어나는 위턱신경의 가지

아래눈확틈새를 통해 눈확으로 들어온 위턱신경이 눈확바닥에 위치한 눈확아래고랑(infraorbital groove)을 지날 때 눈확아래신경(infraorbital nerve)이라 하며, 눈확아래신경에서는 다음과 같은 2개의 감각신경이 일어난다.

(1) 중간위이틀신경(Middle superior alveolar nerve)

눈확아래신경에서 일어난 중간위이틀신경은 눈확바닥 아래쪽으로 지난 뒤, 위턱굴로 들어간다. 위턱굴을 싸는 점막에 덮여 위턱굴 가쪽벽의 작은 고랑을 타고 내려온 중간위이틀신경은 위치아신경얼기의 중간부분을 형성하여 다음과 같은 가지를 낸다.

① 위치아신경얼기에서 일어나 위작은어금니 치수에 분포하는 치아가지(dental branches)는 첫째어금니의 안쪽볼쪽뿌리(mesiobuccal root)에도 분포한다(그림 6-4). 중간위이틀신경이 항상 존재하는 것은 아니며, 없는 경우에는 앞위이틀신경이 뒤위이틀신경과 문합하여 위치아신경얼기을 이루게 되고, 작은어금니부에는 위치아신경얼기의 치지가 분포하게 된다.

② 위턱굴의 점막에 분포하는 위턱굴가지(maxillary sinus branches)

③ 위작은어금니 인근 볼쪽잇몸(buccal gingiva)에 분포하는 잇몸가지(gingival branches)

(2) 앞위이틀신경(Anterior superior alveolar nerve)

눈확아래신경이 얼굴로 나오기 직전에 앞위이틀신경

을 낸다. 이틀관(alveolar canal, 치조관)을 지나 위턱굴의 앞벽에 이르며 안쪽으로 꺾인 후, 아래로 내려가 위앞니의 치근 위에서 위치아신경얼기의 앞부분을 형성한다. 전상치조신경의 가지들은 다음과 같다.

① 치아가지(dental branches)는 안쪽앞니(central incisor, 중절치)와 가쪽앞니(lateral incisor, 측절치), 송곳니(canine teeth, 견치)의 치수에 분포한다.
② 위턱굴의 점막에 분포하는 위턱굴가지(maxillary sinus branches)
③ 앞니부위 및 송곳니부위 인근 입술쪽잇몸(labial gingiva)에 분포하는 잇몸가지(gingival branches)
④ 위치아신경얼기의 앞부분에서 코가지(nasal branches)가 나와 안쪽으로 향하여 하비도(inferior nasal meatus)의 가쪽벽에 있는 작은 관을 통해 비강의 바닥과 가쪽벽, 그리고 코중격의 일부에 분포한다.

4) 얼굴에서 일어나는 위턱신경의 가지

눈확아래신경(infraorbital nerve)은 눈확아래구멍(infraorbital foramen)을 통해 얼굴로 나온 뒤, 위입술올림근(levator labii superioris m., 상순거근) 밑에서 다음과 같은 4개의 종말지로 나뉜다.

① 아래눈꺼풀가지(inferior palpebral branches)는 눈둘레근(orbicularis oculi muscle)에 덮여 눈확의 위쪽으로 올라가 이 근육을 뚫고 아래눈꺼풀 결막과 피부에 분포한다.
② 바깥코가지(external nasal branches)는 코의 바깥쪽 가쪽면을 따라 달리면서 그 부위의 피부에 분포한다.
③ 속코가지(internal nasal branches)는 비익가쪽을 지나 깊게 안쪽으로 달려 비중격을 향해 올라가 비중격가동부(mobile part of nasal septum)의 점막에 분포한다.
④ 위입술가지(superior labial branches)는 위입술올림근(levator labii superioris muscle, 상순거근)에 덮여 내려온 후, 위입술의 점막과 피부에 분포한다.

4. 아래턱신경

아래턱신경은 삼차신경의 세 가지 중 제일 큰 가지로서, 구심성인 큰 감각신경다발과 원심성인 작은 운동신경다발로 이루어진 혼합신경이다. 아래턱신경은 첫째인두굽이(first branchial arch, 제1새궁)의 턱뼈돌기(mandibular process, 하악돌기)에서 발생하는 모든 구조들에 분포한다. 아래턱신경은 중간머리뼈우묵에 위치한 삼차신경절에서 일어난다. 아래턱신경의 감각성분은 삼차신경절의 가쪽모서리에서 직접 감각뿌리로 일어나 타원구멍(foramen ovale, 난원공)을 통과하여 관자아래우묵(infratemporal fossa, 측두하와)으로 내려온다. 운동성분은 다리뇌에 위치한 삼차신경운동핵(trigeminal motor nucleus)에서 시작되어 운동뿌리로 일어나 삼차신경절의 아래로 주행하다가 타원구멍을 통과하기 직전에 감각뿌리와 합쳐진다. 감각뿌리와 운동뿌리가 합쳐져서 이루어진 아래턱신경줄기(mandibular nerve trunk, 하악신경간)는 타원구멍을 통해 두개부에서 빠져나와 관자아래우묵으로 들어오며, 이때 아래턱신경줄기는 입천장긴장근(tensor veli palatini muscle, 구개범장근)과 가쪽날개근(lateral pterygoid muscle, 외측익돌근) 사이를 지나면서 앞갈래(anterior division)와 뒤갈래(posterior division)로 나뉜다. 아래턱신경의 여러 가지들은 아래턱신경줄기, 앞갈래, 뒤갈래에서 일어난다(그림 6-5).

1) 아래턱신경줄기에서 일어나는 신경

가쪽날개근 깊게 위치한 아래턱신경줄기에서는 3개의 운동신경과 하나의 감각신경을 낸다. 아래턱신경줄기의 안쪽면에는 귀신경절(otic ganglion, 이신경절)이 붙어있다(그림 6-6).

(1) 뇌막가지(Meningeal branch, 경막지)–감각

뇌막가지는 아래턱신경줄기에서 일어나 위쪽으로 달려 뇌막동맥구멍(foramen spinosum, 극공)을 통해 두개강의 안쪽으로 다시 들어간다. 경막지는 중간머리뼈우묵의

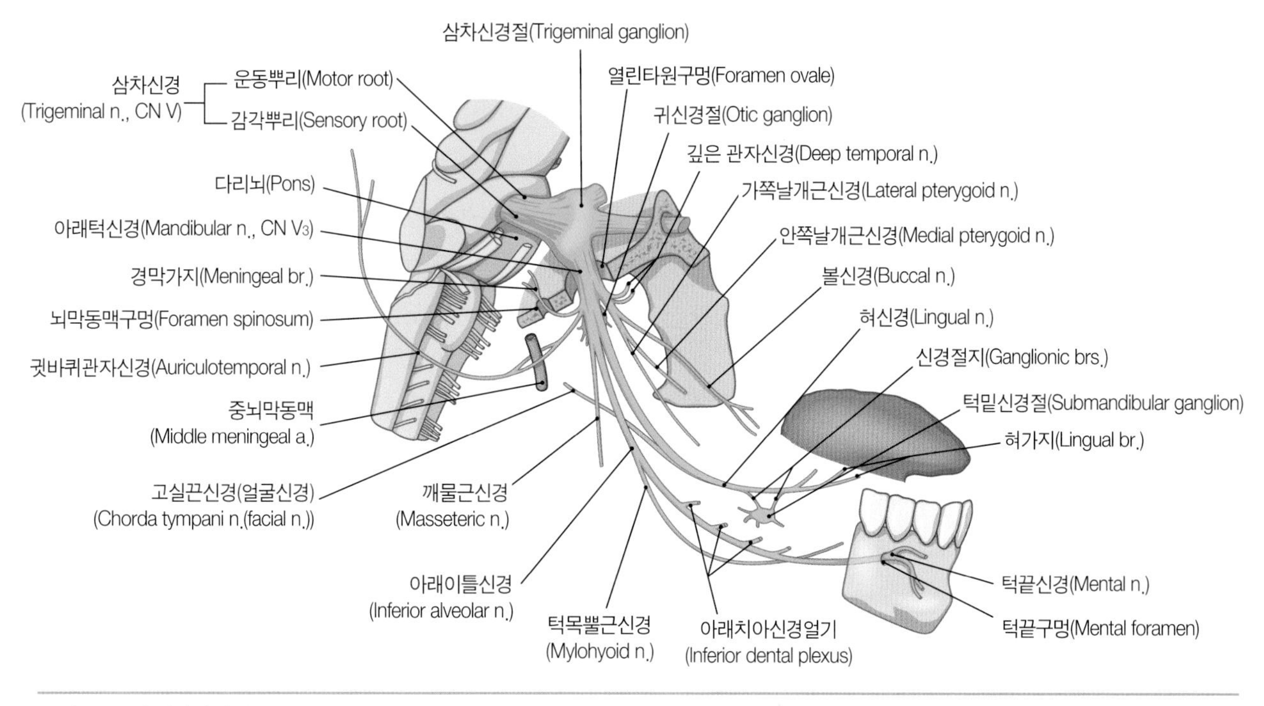

그림 6-5. 아래턱신경의 분포

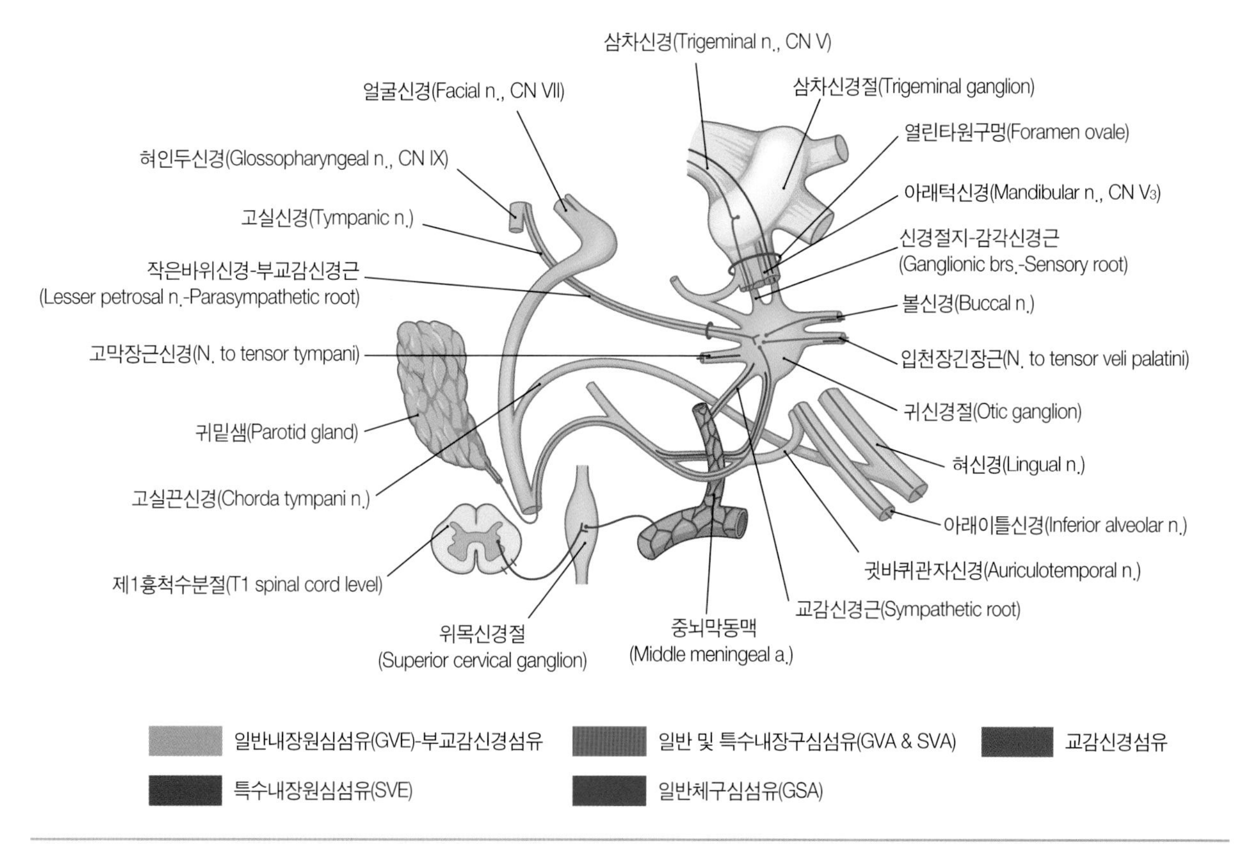

그림 6-6. 귀신경절

경질막과 꼭지벌집(mastoid air cells, 유돌봉소)에 분포한다.

(2) 안쪽날개근신경(Nerve to medial pterygoid, 내측익돌근신경)–운동

운동성분의 가지가 아래턱신경줄기에서 일어나 아래로 달려 안쪽날개근(medial pterygoid muscle)에 분포한다.

(3) 입천장긴장근신경(Nerve to tensor veli palatini)–운동

입천장긴장근신경은 아래턱신경줄기에서 일어나 안쪽으로 가서 물렁입천장(soft palate, 연구개)의 입천장긴장근(tensor veli palatini muscle)에 분포한다.

(4) 고막긴장근신경(Nerve to tensor tympani)–운동

고막긴장근신경은 아래턱신경줄기에서 일어나 귀신경절(otic ganglion)에서 연접하지 않고 통과하여 뒤쪽으로 향한다. 귀관(auditory tube, 귀인두관)의 연골부(cartilaginous part)를 지나 고막긴장근(tensor tympani muscle)의 기시부에 도달하여 이 근육에 분포한다.

2) 아래턱신경 앞갈래에서 일어나는 신경

아래턱신경의 앞갈래는 뒤갈래보다 작고, 주로 씹기근육에 분포하는 3개의 운동신경과 1개의 감각신경을 낸다.

(1) 깨물근신경(Masseteric nerve, 교근신경)–운동

깨물근신경은 앞갈래에서 대개 첫 번째로 일어나는 가지이며, 가쪽날개근(lateral pterygoid muscle)의 위갈래(superior head, 상두)보다 위쪽으로 달린다. 깨물근신경은 턱뼈패임(mandibular notch, 하악절흔)을 지나 깨물근의 안쪽 깊은 면에 분포한다. 깨물근신경은 일부 감각신경섬유도 포함하며, 이는 턱관절(temporomandibular joint)의 앞부분에 분포한다.

(2) 깊은관자신경(Deep temporal nerve, 심측두신경)–운동

앞, 중간, 뒤깊은관자신경(anterior, middle, posterior deep temporal nerves)의 3개 가지가 위쪽으로 올라가 관자근(temporalis muscle, 측두근)에 분포한다. 주로 전심측두신경은 가쪽날개근의 상두와 하두 사이를 지나는 볼신경(buccal nerve, 협신경)과 함께 일어나 관자볼신경줄기(temporobuccal trunk)를 형성한 뒤 나누어져 일어나 관자근의 앞쪽에 분포하고, 중심관자신경은 아래턱신경줄기에서 직접 일어나 관자근 중간부분에 분포하며, 후심측두신경은 가쪽날개근 상두 위를 달리는 깨물근신경과 함께 일어나 관자깨물근신경줄기(temporomasseteric trunk)를 형성한 뒤 나누어져 일어나 관자근의 뒤쪽에 분포한다.

(3) 가쪽날개근신경(Nerve to lateral pterygoid, 외측익돌신경)–운동

가쪽날개근 깊은 면에 2개의 가지가 분포한다. 하나는 상두에 분포하고, 다른 하나는 하두에 분포한다.

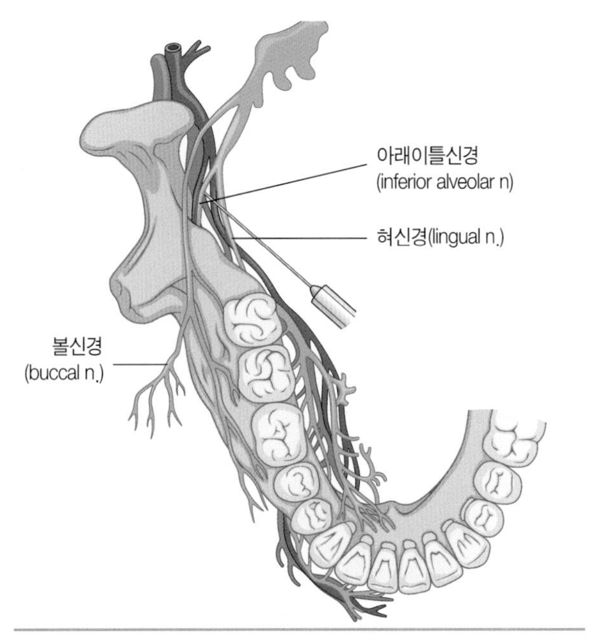

그림 6-7. 아래이틀신경, 혀신경 및 볼신경

(4) 볼신경(Buccal nerve, 협신경)–감각

볼신경은 아래턱신경의 앞갈래에서 전심측두신경과 함께 측두협신경간으로 일어나 전심측두신경과 나뉜 후 앞가쪽으로 가서 가쪽날개근의 상두와 하두 사이로 나온다.

볼신경은 아래앞쪽으로 계속 달려 관자근힘줄(temporalis tendon, 측두근건)을 뚫고, 볼지방체(buccal fat pad, 협지방체)를 통과하여 볼근(buccinator, 협근)의 앞모서리 밑에서 볼근의 표면, 즉 뺨으로 나온다(그림 6-7). 볼신경은 뺨의 점막 및 피부, 아래턱 어금니부위의 볼쪽 잇몸에서 감각을 받는다.

3) 아래턱신경 뒤갈래에서 일어나는 신경

아래턱신경의 뒤갈래에서는 2개의 감각신경과 1개의 혼합신경이 일어난다.

(1) 귓바퀴관자신경(Auriculotemporal nerve, 이개측두신경)–감각

귓바퀴관자신경은 감각신경이지만, 귀신경절(otic ganglion)에서 나온 신경절후자율신경섬유를 받아서 전달한다. 귓바퀴관자신경은 2개로 일어나 중간뇌막동맥(middle meningeal artery)을 감싼 뒤 합쳐진다. 나비뼈가시(spine of sphenoid bone, 접형골극)의 가쪽, 하악두(mandibular condyle)의 안쪽을 지나 턱관절 주머니(TM joint capsule)의 뒤를 돌아 가쪽으로 달려 턱관절과 바깥귀길(external acoustic meatus, 외이도) 사이의 표면으로 나온다. 귓바퀴관자신경은 광대활뿌리(root of zygomatic arch, 관골궁근) 위를 지나 머리의 가쪽으로 올라가면서 다음과 같은 여러 가지를 낸다.

① 바깥귀길신경(nerve to external acoustic meatus, 외이도신경)이 바깥귀길의 뼈와 연골부 사이를 통하여 바깥귀길 안으로 들어가서 그 주위의 피부에 분포한다.

② 고막가지(branches to tympanic membrane)는 작은 가지로 일어나 고막(tympanic membrane)의 바깥면에 분포한다.

③ 귀밑샘가지(parotid branches)는 혀인두신경(glossopharyngeal nerve; CN IX)의 신경절전부교감섬유인 작은바위신경(lesser petrosal nerve)이 귀신경절(otic ganglion)에서 연접한 후, 교통지를 통해 귓바퀴관자신경으로 들어온 신경절후부교감섬유, 그리고 상경교감신경절(superior cervical ganglion)의 신경절후교감섬유인 깊은바위신경(deep petrosal nerve)의 교감신경섬유를 포함하며, 귀밑샘의 분비작용을 조절한다.

④ 얼굴신경과의 교통지(communicating branches with facial nerve)는 턱관절 주위에서 귓바퀴관자신경으로부터 2~3개의 교통지로 나와 얼굴신경과 연결되며, 귀밑샘 안에서 복잡하게 형성되는 얼굴신경의 귀밑샘신경얼기(parotid plexus, 이하선신경총)를 통해 효율적으로 자율신경성분을 귀밑샘에 전달한다. 또한 얼굴표정근으로부터 고유감각(proprioception)을 받아들이는 경로로 여겨진다.

⑤ 앞귓바퀴신경(anterior auricular nerve, 전이개신경)은 2개 정도의 작은 가지들로 이루어지며, 귀둘레(helix, 이륜)와 귀구슬(tragus, 이주) 등의 피부에 분포한다.

⑥ 얕은관자신경(superficial temporal branches, 천측두지)은 위쪽으로 주행하여 측두부를 덮는 피부에 분포한다.

⑦ 관절가지(articular branches)는 한두 개가 일어나 턱관절의 뒤가쪽에 분포한다.

(2) 혀신경(Lingual nerve, 설신경)–감각

혀신경은 안쪽날개근과 가쪽날개근 사이를 지나 앞아래쪽으로 주행하여 안쪽날개근의 앞쪽 경계부에서 활꼴을 이루면서 앞으로 구부러져 입바닥(mouth floor, 구강저)에 도달하며, 이어서 턱밑샘(submandibular gland) 깊은 부분(deep part)과 턱끝목뿔근(geniohyoid muscle) 사이로 전진하여 턱밑샘관(submandibular duct)과 교차한 후 턱뼈몸통의 중앙부 안쪽에서 여러 가지로 나뉘어 혀 속으로 분포한다. 혀신경은 기시부근처에서 얼굴신

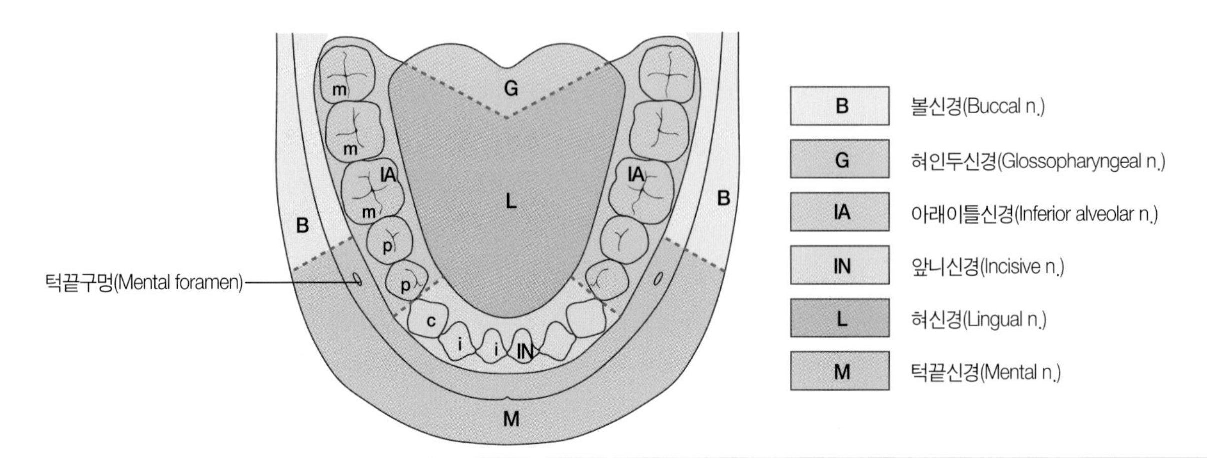

그림 6-8. 입바닥 주위의 일반감각분포

경의 가지인 고실끈신경(chorda tympanic nerve)과 합류하여 혀의 앞쪽 2/3 부분의 미각과 턱밑샘 및 혀밑샘의 분비 작용을 담당하는데, 분비섬유는 턱밑신경절(submandibular ganglion)을 통하여 귀밑샘 및 턱밑샘에 이르게 된다.

뇌줄기에 위치한 위침샘핵(superior salivatory nucleus, 상타액핵)에서 시작된 부교감성 분비섬유가 얼굴신경의 고실끈신경을 통해 혀신경과 합해지며, 감각지는 혀신경의 종말지로 혀의 앞쪽 2/3 부위, 입바닥, 아래턱의 혀쪽잇몸 및 혀쪽점막에 분포한다. 일반감각은 아래턱신경을 통해 뇌로 전달되지만, 특수감각인 미각은 혀신경을 타고 간 다음 고실끈신경과 얼굴신경을 통해 전달된다.

혀신경이 감각신경으로 분포하는 부위는 다음과 같다(그림 6-8).

① 혀의 앞쪽 2/3의 점막, 이 부위에서는 일반감각뿐만 아니라 특수감각인 미각이 고실끈신경을 통해 전달된다.

② 입바닥의 점막

③ 아래턱뼈혀쪽잇몸: 고실끈신경의 부교감성분이 혀신경을 타고가 부교감신경절인 턱밑신경절(submandibular ganglion)에서 연접한 후, 신경절후부교감성분으로 분포하는 부위는 다음과 같다.

- 턱밑샘
- 혀밑샘
- 입바닥의 작은침샘

(3) 아래이틀신경(Inferior alveolar nerve, 하치조신경)– 감각과 운동

아래이틀신경은 아래턱신경의 뒤갈래에서 일어나는 가지들 중에서 가장 굵은 신경이다. 가쪽날개근과 턱뼈가지의 안쪽면을 따라 아래이틀혈관과 함께 턱뼈구멍(mandibular foramen)으로 들어가며 턱뼈관(mandibular canal, 하악관) 속을 주행하면서 아래턱치아 및 볼쪽잇몸에 분포하고, 둘째작은어금니뿌리 아래 부위에서 턱끝구멍(mental foramen)을 통해 나온 턱끝신경(mental nerve)은 아래입술의 점막 및 피부에 분포한다. 아래이틀신경이 턱뼈구멍에 들어가기 바로 직전에 분지되는 턱목뿔근신경(mylohyoid nerve, 악설골근신경)은 턱목뿔근(mylohyoid muscle)과 두힘살근(digastric muscle, 악이복근)의 앞힘살(anterior belly)로 운동지를 보낸다.

아래이틀신경은 아래이틀신경관을 지나면서 갈라지는(bifid inferior alveolar nerve) 양상을 보이기도 한다. Langlais는 방사선상에서 60,000개의 파노라마를 조사하여 0.95%에서 두갈래의 양상을 보인다고 하였다.

① 턱목뿔근신경(Mylohyoid nerve, 악설골근신경)

턱목뿔근신경은 아래턱신경의 작은 가지이며, 아래이틀신경이 턱뼈구멍으로 들어가기 직전에 분지되어 턱목뿔근신경구(mylohyoid groove)를 따라 앞아래쪽으로 주행하는 신경이다. 운동신경섬유와 감각신경섬유로 구성된 혼합신경으로 운동신경섬유는 턱목뿔근(mylohyoid muscle, 악설골근) 및 두힘살근 앞힘살(anterior belly of digastric muscle, 악이복근 전복)에 분포하고 감각섬유는 턱끝부위(mental region) 및 턱밑부위(submandibular region)의 피부에 분포한다. 이 신경은 또한 아래턱 전치부에도 감각신경으로 역할을 하며 아래턱 어금니부위에서도 어떤 환자에서 치수의 감각을 담당하기도 하는 것으로 알려져 있다.

② 치아가지(Dental branch)

아래턱치아 및 볼쪽잇몸에 분포하는데, 아래이틀신경이 턱뼈관을 지나는 도중 서로 문합되어 아래턱치아 신경얼기(inferior dental plexus)를 이루면서 2개의 가지를 낸다. 아래치아가지(Inferior dental branch)는 아래치아의 신경관을 통해 치수조직에 분포하며, 아래잇몸가지(inferior gingival branch)는 아래턱의 볼쪽잇몸에 분포한다.

③ 턱끝신경(Mental nerve, 이신경)

아래이틀신경의 실질적인 종말지로 둘째작은어금니 아래의 턱끝구멍(mental foramen, 이공)을 통해 턱뼈몸통의 외부로 나와 턱끝과 아래입술부위의 피부 및 점막에 분포한다. 입꼬리내림근(depressor anguli oris muscle) 바로 밑에서 턱끝가지(mental branches), 입술가지(labial branches), 잇몸가지(gingival branches)의 세개의 가지로 갈라진다.

④ 절치지(Incisive branch, 앞니가지)

턱끝구멍 부위에서 턱뼈몸통 밖으로 나오지 않고 턱뼈몸통 내에서 앞으로 계속 주행하여 섬세한 앞니신경얼기(incisive plexus, 절치신경총)를 구성하며, 아래앞니부위의에 분포한다.

5. 부교감신경절과 자율신경의 분포

머리에는 4개의 부교감신경절(parasympathetic ganglion)이 있다. 각 신경절은 삼차신경의 가지에 붙어서 관련성을 갖는다. 눈신경에 섬모체신경절(ciliary ganglion), 위턱신경에 날개입천장신경절(pterygopalatine ganglion), 아래턱신경에 귀신경절(otic ganglion)과 턱밑신경절(submandibular ganglion, 악하신경절)이 붙어있는데, 이들 자율신경절은 눈돌림신경(oculomotor nerve; CN Ⅲ 동안신경), 얼굴신경(facial nerve; CN Ⅶ), 혀인두신경(glossopharyngeal nerve; CN Ⅸ) 등과 관련된 부교감신경절(parasympathetic ganglion)이다. 즉, 섬모체신경절에는 눈돌림신경, 날개입천장신경절에는 얼굴신경의 큰바위신경(greater petrosal nerve), 턱밑신경절에는 얼굴신경의 고실끝신경(chorda tympani nerve), 귀신경절에는 혀인두신경의 작은바위신경(lesser petrosal nerve) 등이 각각 신경절전부교감섬유(preganglionic parasympathetic fibers)로 들어가 연접을 하고, 부교감신경절들에서 나온 신경절후섬유(postganglionic fibers)는 여러 평활근 또는 분비선들에 분포한다. 각 부교감신경절로는 다음과 같은 3가지 유형의 신경섬유가 들어가며, 신경절에서 나오는 신경섬유는감각, 교감, 부교감의 혼합신경섬유이다.

- 감각신경근(sensory root): 삼차신경의 감각신경가지들이 신경절가지(ganglionic branches)를 통하여 부교감신경절과 연결되지만 통과할 뿐 연접하지 않는다.
- 교감신경근(sympathetic root): 목에 위치한 위목신경절(superior cervical ganglion)의 신경절후교감섬유로, 바깥목동맥(external carotid artery)이나 속목동맥(internal carotid artery)의 가지들에서 혈관주위신경총(perivascular nerve plexus)을 형성하여 표적장기(target organs)로 가서 분포한다. 이들 신경섬유들도 부교감신경절을 통과할 뿐 연접하지 않는다.
- 부교감신경근(parasympathetic root): 뇌줄기(brainstem, 뇌간)의 신경핵에서 일어나 Ⅲ, Ⅶ, Ⅸ 뇌신경을 타고 온다. 부교감신경절에서 연접한 후 신

경절후부교감신경섬유가 되어 표적장기에 분포한다.

1) 교감신경의 분포

머리에 분포하는 모든 교감신경은 위목교감신경절(superior cervical sympathetic ganglion)에서 일어난다. 교감신경섬유의 일차신경원은 제1 또는 제2가슴척수분절(thoracic spinal level)의 척수회백질 가쪽뿔(lateral horn)에 위치한다. 제1, 2가슴척수분절에서 일어난 신경절전교감신경섬유 또는 백색교통지(white rami communicantes)는 척주(vertebral column)의 옆에서 교감신경줄기(sympathetic trunk)를 형성한다. 교감신경간은 목 위쪽으로 연장되어 있으며, 목에 존재하는 교감신경간은 상경신경절, 중경신경절, 하경신경절의 3개의 신경절로 구성되어 있다. 대개 아래목신경절(inferior cervical ganglion)은 제1흉교감신경절과 합해져 별신경절(stellate ganglion)을 이룬다. 머리의 교감신경분포를 담당하는 위목신경절(superior cervical ganglion)에는 이차신경원이 위치하며, 연접을 이룬 후 신경절후교감신경섬유를 낸다. 신경절후교감신경섬유는 신경절을 나와 속목신경(internal carotid nerve)과 바깥목신경(external carotid nerve)이 된다. 이들 신경들은 속목동맥과 바깥목동맥에서 혈관주위신경총을 형성하고, 동맥을 따라 주행하여 표적장기에 분포한다. 위목신경절의 신경 절후교감섬유는 다음과 같은 곳에 분포한다.

① 피부의 땀샘(sweat glands), 세동맥(arterioles)
② 점막의 세동맥과 점액선
③ 눈확과 뇌의 혈관들
④ 동공산대근(dilator pupillae muscle)과 눈꺼풀판근(tarsal muscles)
⑤ 침샘에서 침의 점성 증가

교감신경의 혈관주위 분포는 국소마취 투여 시 부주의한 자극을 주면 반사자극에 취약하게 되는데, 예를 들면 국소마취제 바늘이 신경에 직접 닿거나 혈관수축제가 포함된 국소마취용액을 동맥 내로 주입하면 혈관주위교감신경섬유와 접한 부위에서 원심부위의 과도한 경련을 유발하여 심한 통증을 일으키고, 혈관이 수축되어 조직이 하얗게 변하게 된다.

2) 섬모체신경절(Ciliary ganglion, 모양체신경절)

부교감신경절인 모양체신경절은 삼차신경의 첫째갈래인 눈신경(ophthalmic nerve; CN V1, 눈신경)의 코섬모체신경(nasociliary nerve, 비모양체신경)에 매달린 상태로 눈확에 위치한다. 신경절은 가쪽곧은근(lateral rectus muscle, 외측직근)과 안구의 뒤쪽 시각신경(optic nerve) 사이의 공간에 위치한다. 모양체신경절로 들고나는 신경섬유들은 다음과 같다(그림 6-9).

(1) 구심성섬유(Afferent fibers)

① 부교감신경근(Parasympathetic root)

셋째뇌신경인 눈돌림신경(oculomotor nerve; CN III, 동안신경)으로부터 온 신경절전부교감섬유(preganglionic parasympathetic fibers)를 받아 연접을 이룬다.

② 교감신경근(Sympathetic root)

속목동맥과 그 가지인 안동맥 주위에 형성된 혈관주위신경얼기에서 일어나 신경절에서 연접하지 않고 통과한다.

③ 감각신경근(Sensory root)

눈신경(ophthalmic nerve)의 가지인 코모양체신경(nasociliary nerve)에서 일어나 연접하지 않고 신경절을 통과한다.

(2) 원심성섬유(Efferent fibers)

모양체신경절에서 나와 안구에 가서 분포하는 짧은섬모체신경(short ciliary nerves)에는 다음과 같은 신경섬유가 포함된다.

① 안구에서 오는 일반감각섬유
② 안구의 모양체근과 동공괄약근에 분포하는 부교감신경섬유

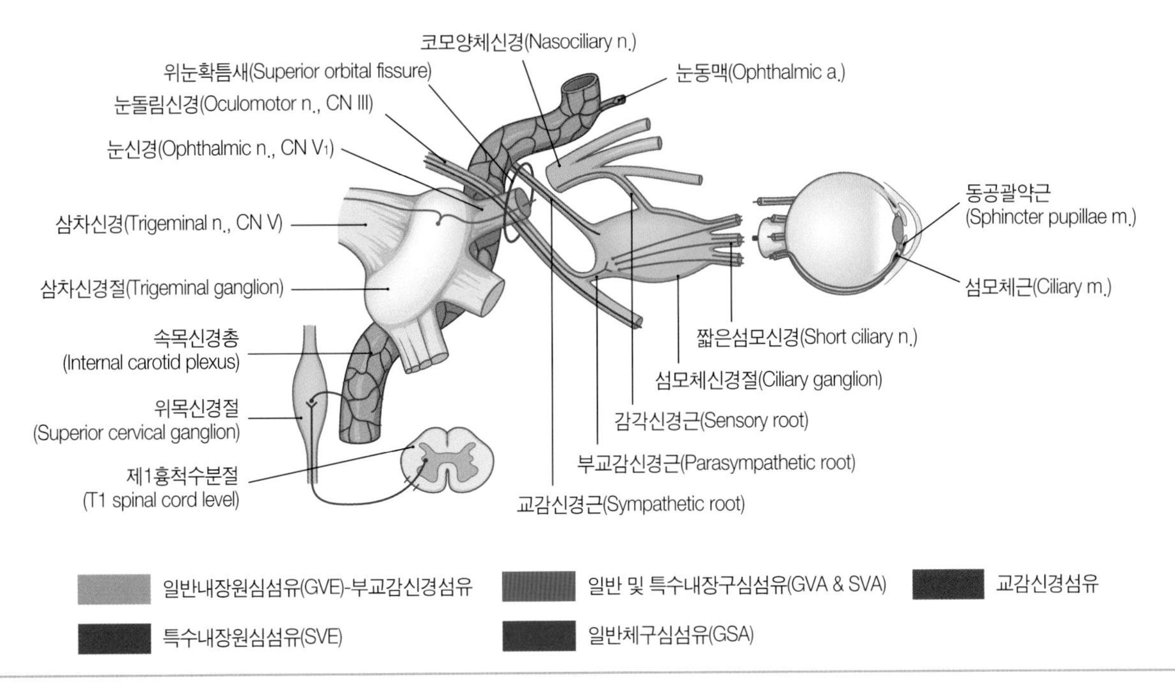

그림 6-9. 섬모체신경절

③ 안구의 혈관을 수축시키고, 동공산대근에 분포하는 교감신경섬유

3) 날개입천장신경절(Pterygopalatine ganglion, 익구개신경절)

날개입천장신경절은 날개입천장오목(pterygopalatine fossa)에 존재하는 부교감신경절이다. 이 신경절은 위턱신경이 날개입천장오목를 가로지르는 부분에 매달려 있다.

날개입천장신경절로 들고 나는 신경섬유들은 다음과 같다.

(1) 구심성섬유(Afferent fibers)

① 부교감신경근(Parasympathetic root)

일곱째 뇌신경인 얼굴신경(facial nerve; CN VII)의 신경절전부교감섬유(preganglionic parasympathetic fibers)인 큰바위신경(greater petrosal nerve)이 관자뼈 바위모양부의 얼굴신경관 안에 위치한 얼굴신경슬에서 일어난다. 큰바위신경은 관자뼈 바위모양부 앞에 있는 틈새인 큰바위신경관을 통해 중간머리뼈우묵으로 들어온다. 중간머리뼈우묵의 큰바위신경은 파열공(foramen lacerum)을 향해 주행하며, 이곳에서 교감신경인 깊은바위신경과 만나 날개관으로 들어가 날개관신경(nerve of pterygoid canal)이 된다. 큰바위신경과 깊은바위신경이 만나 형성된 날개관신경은 날개관을 지나 날개입천장오목으로 들어가서 날개입천장신경절로 연결되며, 이곳에서 연접을 이룬다.

② 교감신경근(Sympathetic root)

속목신경얼기(internal carotid plexus)에서 일어난 교감신경섬유는 깊은바위신경(deep petrosal nerve)이 된다. 깊은바위신경은 교감신경절인 상경신경절에서 연접한 신경절후교감신경섬유이다. 깊은바위신경은 큰바위신경과 만나서 날개관신경(nerve of pterygoid canal)을 형성한다. 날개관신경에 포함된 교감신경섬유는 날개입천장신경절을 통과할 뿐 연접하지 않는다.

③ 감각신경근(Sensory root)

신경절가지(ganglionic branches)를 통해 위턱신경으로 감각신경섬유를 전달하며, 연접하지 않고 신경절을 통과한다.

(2) 원심성섬유(Efferent fibers)

날개입천장신경절에서는 감각, 교감, 부교감신경섬유가 혼합된 신경이 일어나며, 입천장가지, 코가지, 인두가지, 눈확가지를 포함한다. 교감 및 부교감성분을 갖는 신경들은 단단입천장, 물렁입천장, 부비동, 인두 천장 등의 점막에 있는 분비선에 분포하고, 눈확의 눈물샘에도 분포한다. 감각신경섬유 또한 같은 부위에 분포한다.

4) 귀신경절(Otic ganglion)

귀신경절은 관자아래우묵(infratemporal fossa)에서 타원구멍(foramen ovale)을 통과하는 아래턱신경줄기의 안쪽면에 위치한다. 귀신경절로 들고나는 신경섬유들은 다음과 같다(그림 6-10).

(1) 구심성섬유(Afferent fibers)

① 부교감신경근(Parasympathetic root)

아홉째뇌신경인 혀인두신경(glossopharyngeal nerve; CN Ⅸ)으로부터 온 신경절전부교감섬유(preganglionic parasympathetic fibers)인 작은바위신경(lesser petrosal nerve)을 받아 연접을 이룬다. 혀인두신경은 목정맥구멍(jugular foramen)을 통해 두개저를 빠져나오면서 고실신경(tympanic nerve)을 내고, 고실신경은 고실관(tympanic canal)을 지나 다시 두개강으로 들어간다. 고실관은 중이강으로 이어지고, 여기서 고실신경은 중이의 점막에 분포하는 고실신경총(tympanic plexus)을 형성한다. 작은바위신경은 고실신경총에서 일어나 관자뼈 바위부의 관을 지나 작은바위신경관틈새구멍을 통해 중간머리뼈우묵으로 들어간다. 그 후 작은바위신경은 열린타원을 지나 아래턱신경줄기 안쪽면에 매달린 귀신경절로 들어가 연접한다.

② 교감신경근(Sympathetic root)

중뇌막동맥(middle meningeal artery) 주위의 혈관주위교감신경총에서 일어나 신경절에서 연접하지 않고 통과한다.

③ 감각신경근(Sensory root)

아래턱신경줄기에서 신경절지로 일어나 연접하지 않고 신경절을 통과한다.

(2) 원심성섬유(Efferent fibers)

신경절후부교감섬유는 귓바퀴관자신경(auriculotemporal nerve)과 함께 귀밑샘으로 주행한다. 감각신경과 교감신경 역시 귀밑샘에 분포한다.

5) 턱밑신경절(Submandibular ganglion)

턱밑신경절은 혀신경(lingual nerve)이 입바닥의 목뿔혀근(hyoglossus muscle) 가쪽면을 지나 고리를 형성하는 부분에 매달려있다. 턱밑신경절로 들고나는 신경섬유들은 다음과 같다(그림 6-10).

(1) 구심성섬유(Afferent fibers)

① 부교감신경근(Parasympathetic root)

일곱째 뇌신경인 얼굴신경(facial nerve; CN Ⅶ)의 신경절전부교감섬유(preganglionic parasympathetic fibers)인 고실끈신경(chorda tympani nerve)이 혀신경을 타고와 연접을 이룬다.

② 교감신경근(Sympathetic root)

구개편도동맥을 둘러싼 혈관주위신경총에서 일어난 교감신경섬유는 혀동맥과 얼굴동맥을 따라 위로 올라와서 턱밑신경절로 들어간다. 이 교감신경섬유는 이미 교감신경절인 위목신경절에서 연접하였으므로, 부교감신경절인 턱밑신경절에서는 통과만 할 뿐 연접하지 않는다.

③ 감각신경근(Sensory root)

아래턱신경의 가지인 혀신경(lingual nerve)에서 일어난 신경절가지가 턱밑신경절로 연결되며, 연접하지 않고

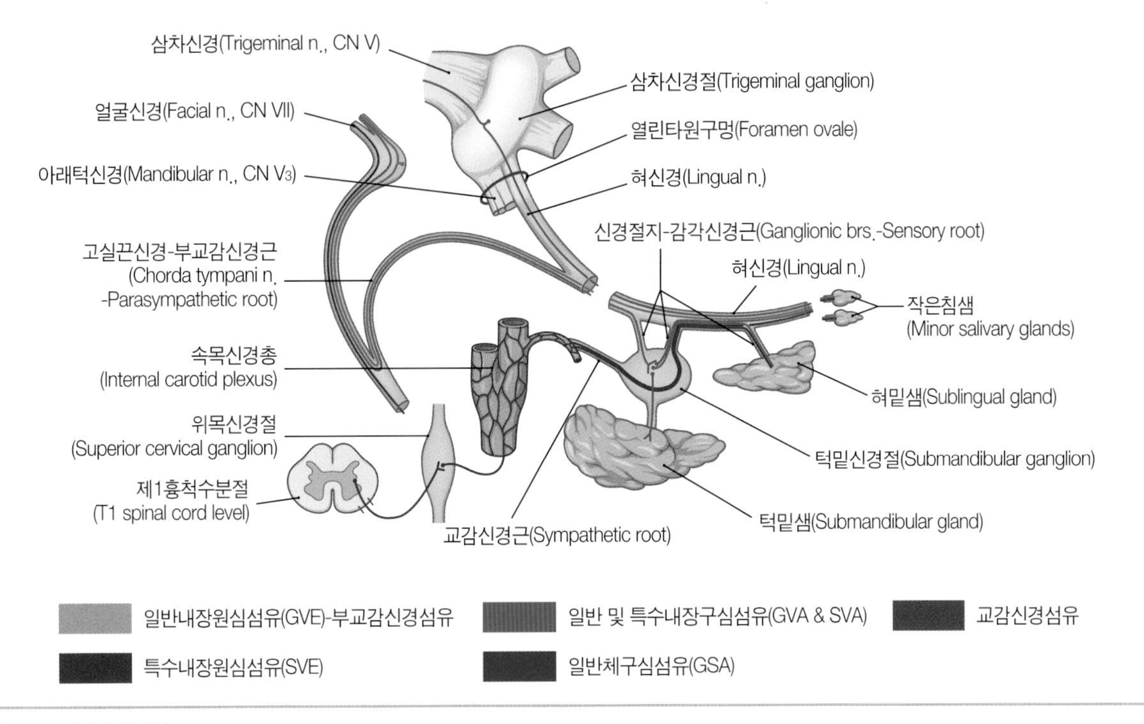

그림 6-10. 턱밑신경절

신경절을 통과한다.

(2) 원심성섬유(Efferent fibers)

신경절후부교감섬유는 턱밑샘과 혀밑샘의 분비를 촉진한다. 감각성분과 교감신경성분 또한 이들 침샘을 지나며, 구강의 점막과 혈관, 작은침샘에 분포한다. 침분비에 관하여 교감신경과 부교감신경은 상호보완적 관계에 있는데, 부교감신경은 장액선(serous gland)의 분비를 촉진시키고 교감신경은 점액선(mucous gland)의 분비를 촉진시킨다.

6. 얼굴신경(안면신경)

얼굴신경은 얼굴표정근에 분포하는 운동신경(motor nerve 또는 facial nerve proper)과 혀의 미각, 침분비에 관여하는 중간신경(intermediate nerve)으로 구성된다. 혀의 미각을 감지하고 침분비와 관련된 고실끈신경(chorda tympani nerve)은 아래턱신경의 혀신경과 교통하고 있다. 얼굴신경의 부교감성분은 고실끈신경을 통해 턱밑샘과 혀밑샘에 분포하고, 큰바위신경(greater petrosal nerve)을 통하여 눈물샘, 입천장작은침샘, 비선에 분포한다.

얼굴신경의 전체적인 분포를 그림 6-11에 표시하였는데, 국소마취와 관련해서 자율신경과 관련된 얼굴신경의 분포양상을 이해하는 것이 보다 중요하다. 눈확아래신경 전달마취나 위송곳니의 침윤마취 시에 일부 끝가지의 마비가 발생할 수 있고, 국소마취액이 귀밑샘의 심부에 도달했을 때도 얼굴신경마비가 발생할 수 있어 주의가 필요하다.

일곱째 뇌신경인 얼굴신경은 다리뇌의 아래모서리에서 2개의 신경뿌리(root)로 일어난다. 둘 중에 작은 것은 감각섬유와 부교감섬유를 포함하는 중간신경(intermediate nerve)이며, 중간신경은 속귀길(internal acoustic meatus, 내이도)로 들어갈 때 큰 신경근인 운동신경(motor root 또는 facial nerve proper)과 만난다. 속귀길에서 얼굴신경은 관자뼈 바위부분을 지나는 얼굴신경관(facial canal)을 주행한다. 얼굴신경관을 통해 가쪽으로 달리다

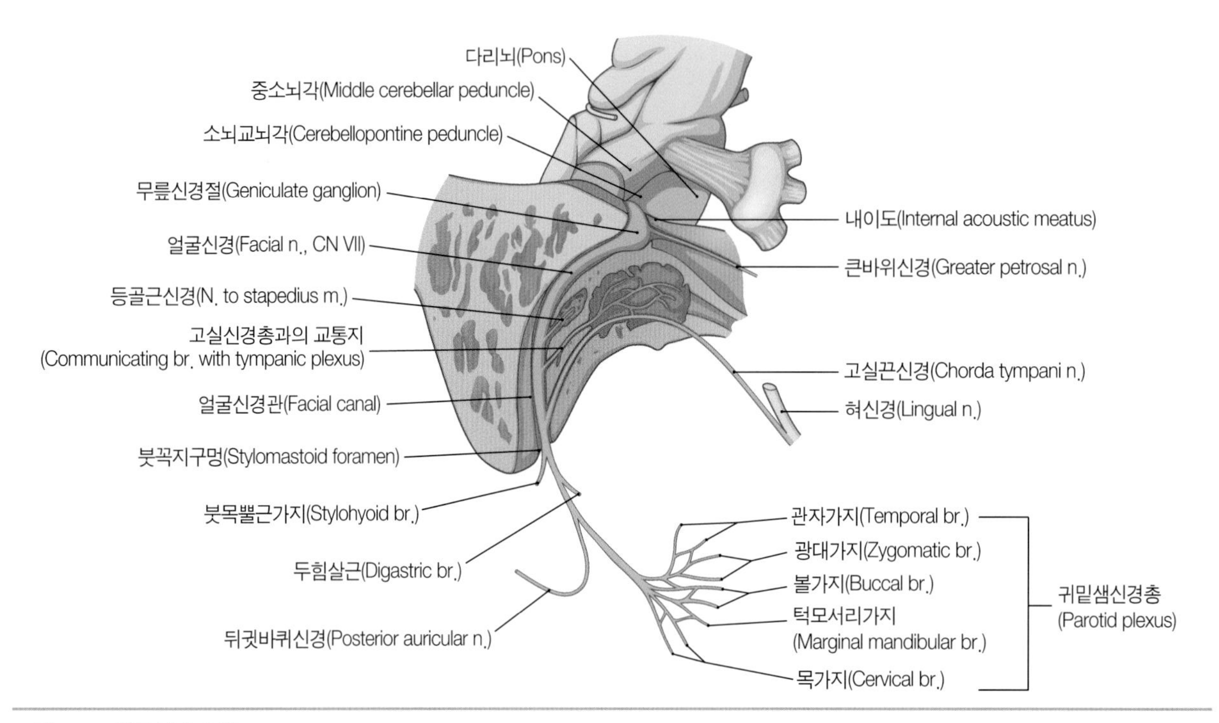

그림 6-11. 얼굴신경의 분포

얼굴신경무릎(genu of facial nerve)에서 급하게 방향을 바꾸어 뒤쪽으로 달린 다음 다시 아래쪽으로 달려 두개저에서 붓꼭지구멍(stylomastoid foramen, 경유돌공)을 통해 두개강을 빠져나온다.

얼굴신경은 귀밑샘(parotid gland)으로 들어간 뒤 관자가지(temporal branches), 광대가지(zygomatic branches), 볼가지(buccal branches), 턱모서리가지(marginal mandibular branches), 목가지(cervical branches) 등 5개의 가지로 나뉜다. 얼굴신경무릎에 감각신경절인 무릎신경절(geniculate ganglion)이 위치한다(그림 6-11).

1) 얼굴신경의 기능성분

얼굴신경은 다음과 같은 4종류의 기능성분을 갖는다.

(1) 일반체구심성분(General somatic afferent, GSA)

무릎신경절에 위치한 일부 세포체에서 일어난다. 중추돌기(central process)는 다리뇌의 삼차신경 주감각핵(principal sensory nucleus of trigeminal nerve)과 연접하고, 말초돌기(peripheral process)는 귀조가비(auricular concha) 주위의 피부감각수용체로 끝난다.

(2) 특수내장구심성분(Special visceral afferent, SVA)

무릎신경절에 위치한 일부 세포체에서 일어난다. 중추돌기는 다리뇌의 고립로핵(nucleus tractus solitarius)과 연접하고, 말초돌기는 혀의 앞쪽 2/3에서 미각수용체로 끝난다.

(3) 특수내장원심성분(Special visceral efferent, SVE)

다리뇌에 위치한 얼굴신경운동핵(facial motor nucleus)에서 일어나 둘째인두굽이(second branchial arch, 제2새궁)에서 기원한 아래와 같은 근육에 분포한다.

① 얼굴표정근육(facial expression muscles)과 넓은목근(platysma, 광경근)

② 붓목뿔근(stylohyoid muscle, 경돌설골근)

③ 두힘살근 뒤힘살(posterior belly of digastric muscle)
④ 등자근(stapedius muscle, 등골근)

(4) 일반내장원심섬유(General cisceral efferent, GVE)–부교감성분

숨뇌(medulla oblongata, 연수)의 위침샘핵(superior salivatory nucleus, 상타액핵)의 세포체에서 일어난 신경절전부교감섬유가 다음의 부교감신경절에서 연접한다.

① 큰바위신경(greater petrosal nerve, 대추체신경)이 신경절전부교감섬유로 날개입천장신경절(pterygopalatine ganglion, 익구개신경절)로 들어가 연접하며, 신경절후부교감섬유가 눈물샘, 그리고 비인두, 이관, 입천장, 비강, 부비동 등의 작은침샘과 점액선에 분포한다.
② 고실끈신경(chorda tympani nerve, 고삭신경)이 신경절전부교감섬유로 턱밑신경절로 들어가 연접하며, 신경절후부교감섬유가 턱밑샘과 혀밑샘, 그리고 입바닥의 작은침샘과 점액선 등에 분포한다.

2) 얼굴신경의 가지

얼굴신경에서는 다음과 같은 신경들이 일어난다(그림 6-11).

(1) 큰바위신경(Greater petrosal nerve, 대추체신경)–부교감

큰바위신경은 얼굴신경관 안에 위치하는 얼굴신경슬에서 일어난다. 큰바위신경은 앞안쪽 방향으로 관자뼈를 통과하여 중간머리뼈우묵의 관자뼈 바위부 앞면에 있는 큰바위신경관틈새(hiatus of facial canal, 대추체신경관열공)를 통해 나온다. 두개강 안에서 대추체신경구(groove for greater petrosal nerve)를 지나 파열구멍(foramen lacerum)을 향해 달려 파열구멍을 통과한 다음 다시 날개관(pterygoid canal)을 통과한다. 날개관을 통과하기 직전에 교감신경인 깊은바위신경(deep petrosal nerve, 심추체신경)과 만나 날개관신경(nerve of pterygoid canal)을 이룬다. 날개관신경은 날개관을 지나 날개입천장신경절로 이어진다. 일부 연접하지 않은 미각섬유가 입천장에 분포하고, 부교감신경절인 날개입천장신경절에서 연접한 신경절후부교감섬유는 눈물샘과 입천장, 비인두, 비강의 점막에 분포한다.

(2) 등자근신경(Stapedius nerve)–운동

등골근신경은 얼굴신경관에서 일어나 관자뼈 바위부 속을 달려 중이의 등자근(stapedius muscle)에 분포한다.

(3) 고실끈신경(Chorda tympani nerve)–미각과 부교감

얼굴신경이 얼굴신경관 내에서 아래쪽으로 주행하는 중간에 일어난다. 고실끈신경은 고실(tympanic cavity)의 안쪽벽과 망치뼈자루(handle of malleus) 사이를 통해 중이(middle ear)를 지나 추체고실렬(petrotympanic fissure, 바위고실틈새)을 통해 두개강을 빠져나온 뒤 관자아래우묵에서 아래턱신경의 혀신경과 만난다. 미각섬유들은 혀신경을 통해 혀의 앞쪽 2/3에 분포하고, 부교감섬유는 턱밑신경절에서 연접한 후, 턱밑샘과 혀밑샘 그리고 입바닥의 작은침샘에 분포한다.

(4) 뒤귓바퀴신경(Posterior auricular nerve)–운동과 감각

뒤귓바퀴신경은 얼굴신경이 붓꼭지구멍(stylomastoid-foramen)을 빠져나온 직후인 얼굴신경줄기(facial nerve trunk, 안면신경간)에서 뒤쪽을 향하여 나온다. 뒤귓바퀴신경은 이륜(auricle, 귓바퀴)의 일부 피부에서 감각을 받아들이는 감각섬유와 뒤귓바퀴근(posterior auricular muscle, 후이개근)과 머리덮개근(epicraniusmuscle, 두개표근)의 뒤통수힘살(occipital belly, 후두복)에 분포하는 운동섬유를 포함한다.

(5) 목뿔위운동가지(Suprahyoid motor branches)–운동

얼굴신경이 붓꼭지구멍을 나와 뒤귓바퀴신경을 낸 다

음 붓목뿔근(stylohyoid muscle)에 분포하는 붓목뿔근가지(stylohyoid branch)와 두힘살근 뒤힘살(posterior belly of digastric muscle)에 분포하는 두힘살근가지(digastric branch)를 낸다.

(6) 얼굴가지(Facial motor branches)–운동

얼굴신경줄기는 귀밑샘 내에서 복잡한 귀밑샘신경얼기(parotid plexus)를 형성한 다음 관자가지(temporal branches), 광대가지(zygomaticbranches), 볼가지(buccal branches), 턱모서리가지(marginal mandibular branches), 목가지(cervical branches)의 5개 주요 가지로 일어나 얼굴표정근과 넓은목근(platysma)에 분포한다.

3) 얼굴신경 손상 시 나타날 수 있는 임상증상

얼굴신경이 손상되었을 때 나타날 수 있는 증상은 병변의 위치에 따라 다르게 나타난다.

① 붓꼭지구멍 부위의 손상은 동측 얼굴표정근육의 마비(Bell's palsy)가 일어난다.

② 무릎신경절과 고실끈신경이 일어나는 곳 사이의 손상은 표정근육의 마비에 더해 고실끈신경과 등골근신경의 손상 증상이 나타난다. 즉, 고실끈신경의 손상으로 혀 앞쪽 2/3의 미각이 소실되며, 턱밑샘과 혀밑샘의 침분비가 감소한다. 등골근신경의 손상은 큰 소리에통증을 느끼게 되는 청각과민(hyperacusis)이 나타날 수 있다.

③ 무릎신경절보다 근위부의 얼굴신경 손상은 위의 모든 증상에 더해 큰바위신경을 통해 전달되는 부교감성분이 소실되어 눈물의 분비가 감소한다.

7. 혀인두신경(설인신경)

혀인두신경은 아홉째뇌신경으로 혀와 인두에 분포하는 일반감각 및 운동, 미각 및 분비조절에 관여하는 혼합신경이다. 숨뇌(medulla oblongata, 연수)의 가쪽면에서 3~4개의 잔뿌리(rootlet, 소근)로 일어나 서로 합쳐져서 목정맥구멍(jugular foramen, 경정맥공)을 통해 두개저를 지나 밖으로 나온다. 경정맥공을 지나는 혀인두신경은 두 부분이 팽대되어 있는데, 이 두 팽대를 각각 위신경절(superior ganglion, 상신경절) 또는 목정맥신경절(jugular ganglion), 그리고 아래신경절(inferior ganglion, 하신경절) 또는 추체신경절(petrous ganglion)이라 한다. 위신경절은 매우 작고, 없는 경우도 보고되고 있으며, 보통 아래신경절의 부착물로 간주되고, 가지를 내지 않는 신경절로 알려져 있다. 아래신경절은 위신경절보다 크고 감각신경세포를 갖고 있는데, 고실신경 및 미주신경의 가지와 서로연결되는 교통지를 낸다. 혀인두신경은 상인두수축근과 중인두수축근 사이를 지나 인두로 들어가 편도오목(tonsilar fossa)을 지나 혀 뒤쪽 1/3의 점막에 분포하면서 끝난다(그림 6-12).

1) 혀인두신경의 기능성분

혀인두신경은 다음과 같은 5가지의 기능성분을 갖는다.

(1) 일반체구심성분(General somatic afferent, GSA)

혀인두신경의 일반체구심섬유의 세포체는 위신경절과 아래신경절에 위치한다. 중추돌기는 뇌줄기로 들어가 삼차신경척수로핵(trigeminal spinal tract nucleus)의 세포체와 연접한다. 말초돌기는 이개의 피부, 혀 뒤쪽 1/3의 점막, 인두, 구개편도, 중이, 이관 등의 일반감각수용체로 끝난다.

(2) 일반내장구심성분(General visceral afferent, GVA)

세포체는 아래신경절에 위치하며, 중추돌기는 숨뇌의 고립로핵(nucleus tractus solitarius)과 연접하고, 말초돌기는 목동맥토리(carotid body)의 화학수용체로 혈중 산소분압을 감지하거나 목동맥팽대(carotid sinus)의 벽에서 압력수용체로 혈압을 감지한다.

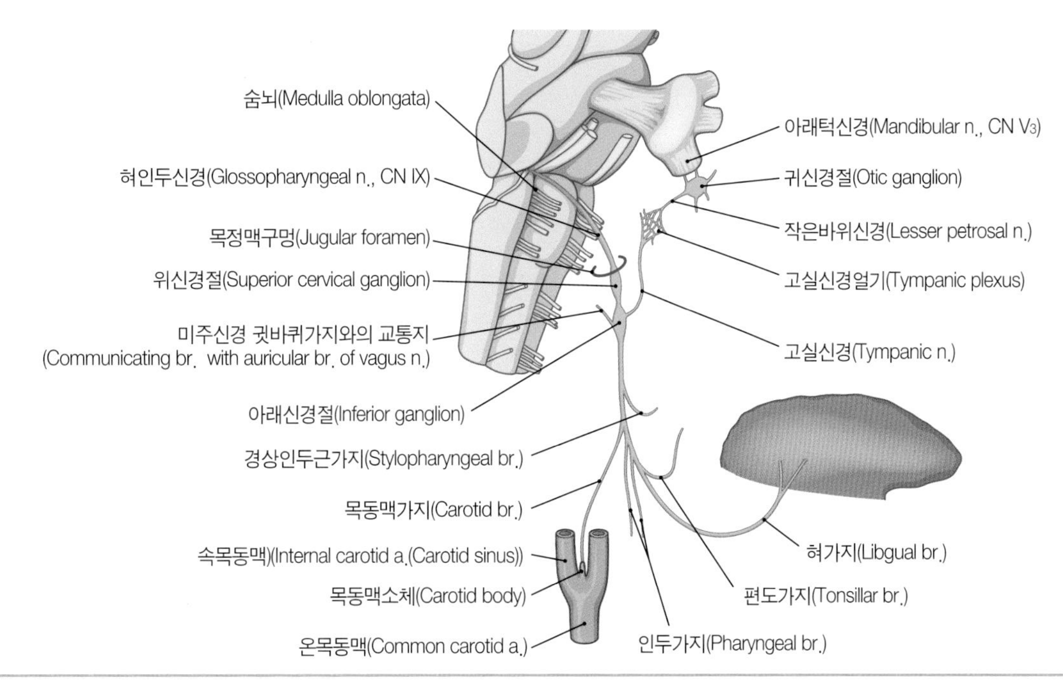

그림 6-12. 혀인두신경의 분포

(3) 특수내장구심성분(Special visceral afferent, SVA)

세포체는 아래신경절에 위치한다. 중추돌기는 뇌줄기에 위치한 고립로핵의 일부인 미각핵(gustatory nucleus)과 연접하고, 말초돌기는 혀 뒤쪽 1/3의 점막에 위치한 맛봉오리(taste bud, 미뢰)에서 미각수용체로 끝난다.

(4) 특수내장원심성분(Special visceral efferent, SVE)

세포체는 숨뇌의 의문핵(nucleus ambiguus)에 위치한다. 의문핵에 위치한 신경원의 축삭이 말초로 주행하여 붓인두근(stylopharyngeus muscle)에 분포한다.

(5) 일반내장원심성분(General visceral efferent, GVE)–부교감성분

세포체는 숨뇌의 아래침샘핵(inferior salivatory nucleus)에 위치한다. 축삭은 말초로 주행하여 귀신경절(otic ganglion)에서 연접을 이룬다. 신경절후 부교감섬유는 아래턱신경의 이개측두신경을 통해 귀밑침샘에 분포한다.

2) 혀인두신경의 가지

혀인두신경은 다음과 같은 가지들을 낸다(그림 6-12).

(1) 고실신경(Tympanic nerve)–감각과 부교감

아래신경절에서 일어난 고실신경은 고실신경관을 통해 관자뼈로 들어간다. 고실신경관은 고실의 아래벽을 뚫고 가운데귀(middle ear)로 이어지며, 중이의 안쪽벽 고실곶(promontory)에서 고실신경얼기(tympanic plexus)를 형성하여 중이의 구조들, 즉 고막의 안쪽면, 이관 및 고실점막에서 감각을 받는다. 고실신경총에서 신경절전부교감섬유인 작은바위신경이 일어난다.

(2) 작은바위신경(Lesser petrosal nerve)–부교감

작은바위신경은 고실신경총에서 일어난 부교감신경가지로 중이를 빠져나와 관자뼈 바위부 전방의 작은 구멍(작은바위신경틈새구멍)을 통해 중간머리뼈우묵으로 들어간다. 그리고 타원구멍(foramen ovale)을 지나 귀신경절(otic ganglion)에서 연접을 이룬다. 신경절후부교감섬유는 아래턱신경의 귓바퀴관자신경(auriculotemporal nerve)을 통해 귀밑샘에 분포한다.

(3) 목동맥팽대가지(Carotid branches, 경동맥동지)-감각

목동맥팽대가지는 목동맥팽대(carotid sinus)에서 혈압을, 목동맥토리(carotid body)에서 산소분압을 감지한다. 목동맥팽대반사(carotid sinus reflex)의 구심성신경으로 중추돌기가 숨뇌에 위치한 심혈관중추인 미주신경등쪽운동핵(dorsal motor nucleus of vagus nerve)과 연접한 후, 미주신경을 통하여 심장박동을 억제하고, 교감신경을 통해서는 혈관확장을 일으켜 혈압을 반사적으로 조절하는 중요한 신경이다.

(4) 붓인두근신경(Nerve to stylopharyngeus)-운동

붓인두근(stylopharyngeus muscle)에 분포하는 혀인두신경의 유일한 운동가지이며, 의문핵(ambiguous nucleus)에서 시작한다.

(5) 인두가지(Pharyngeal branches)-감각

혀인두신경의 인두가지는 인두의 가쪽벽을 따라서 미주신경(vagus nerve; CN X) 및 교감신경의 인두가지와 함께 인두신경얼기(pharyngeal plexus)를 형성하는 2~3개의 가지로 구성된다. 혀인두신경의 인두가지는 인두점막의 감각을 받아들이고, 미주신경의 인두가지가 인두선의 분비 및 인두근육의 운동에 관여한다.

(6) 편도가지(Tonsillar branches)-감각

혀인두신경의 편도가지는 목구멍편도(palatine tonsil)와 물렁입천장 부위에 분포한다.

(7) 혀가지(Lingual branches)-감각

혀인두신경의 종말지인 혀가지는 목뿔혀근(hyoglossus muscle) 안쪽면을 지나 설근(root of tongue, 혀뿌리)에 이르러 혀의 뒤쪽 1/3 부분의 점막에 분포하여 일반감각과 특수감각(미각)을 받아들인다.

3) 혀인두신경 손상 시 나타날 수 있는 임상 증상

아래신경절 아래 부위가 손상된 경우 경돌인두근 및 인두근육의 운동, 구개편도 및 인두점막의 감각, 인두선의 분비 등에 장애가 일어나며, 숨뇌에 있는 고립로핵(nucleustractus solitarius)이 변성된 경우 혀의 뒤쪽 1/3 부분에서 미각이 소실된다. 또한, 혀가지가 손상된 경우에도 혀 뒤쪽 1/3 부분의 미각이 소실될 수 있으며, 숨뇌에 있는 삼차신경척수로핵(spinal tract nucleus of trigeminal nerve)이 변성된 경우 혀 뒤 1/3 부분 및 인두, 구개편도의 점막, 이관, 중이 및 유양봉와의 감각이 소실될 수 있다. 숨뇌에 있는 아래침샘핵(inferior salivatorynucleus)이 변성된 경우에는 귀밑샘의 분비 장애도 일어날 수 있고, 아래신경절-고실신경-고실신경총-작은바위신경-귀신경절-이개측두신경의 경로 중 어느 하나가 손상된 경우에도 귀밑샘의 분비 장애가 나타나게 된다. 숨뇌에 있는 의문핵(nucleus ambiguus)이 변성된 경우 붓인두근(stylopharyngeus muscle, 경돌인두근)이 마비될 수 있으며, 인두가지(pharyngeal branches)가 손상된 경우 중인두수축근(middle pharyngeal constrictor muscle)이 마비되고, 편도가지(tonsillar branches)가 손상된 경우 물렁입천장 및 구개편도의 감각이 소실되기도 한다.

8. 미주신경

열 번째 뇌신경인 미주신경은 열두 쌍의 뇌신경 중 가장 길고 복잡한 경로를 가지며, 좌우가 비대칭적이어서 '미주(vagus)'라는 이름이 붙었다. 미주신경은 일반감각, 특수감각, 운동 및 분비를 담당하는 혼합신경이며, 주성분은 부교감신경이다. 목 및 가슴, 배 등의 다수의 내장에 분포하여 내장감각, 평활근의 운동 및 선의 분비와 호흡기계, 심장, 소화기계의 감각을 받는다. 미주신경은 숨뇌의 하소뇌각(inferior cerebellar peduncle)과 올리브(olive) 사이의 고랑에서 8~10개의 잔뿌리(rootlet) 일어난다. 잔뿌리들은 한데 모아져 혀인두신경, 더부신경(accessory nerve; CN XI)과 같이 경정맥공을 통해 두개강의 밖으로 나온다. 경정맥공을 빠져나와 두 군데의 팽창을 이루는데, 이것을 각각 위신경절과 아래신경절이라 한다.

이후 미주신경은 목혈관신경집(carotid sheath)에 싸여 목을 따라 내려간다. 오른미주신경(right vagus nerve)은 오른빗장밑동맥(right subclavian artery)의 앞쪽으로, 왼미주신경(left vagus nerve)은 대동맥활(aortic arch)의 앞쪽을 지나 가슴안(thoracic cavity)으로 들어가고, 이어서 양쪽 모두 폐근(pulmonary root, 허파뿌리)의 뒤를 통과하여 식도에 이르게 된다. 오른미주신경에서는 오른되돌이후두신경(right recurrent laryngeal nerve)이 일어나 오른빗장밑동맥을 되감아 올라가고, 왼미주신경에서는 왼되돌이후두신경이 일어나 대동맥활을 감고 되돌아 올라가 후두로 가서 대부분의 후두근육에 분포한다. 식도 주위에서 양쪽의 미주신경이 합쳐져, 식도신경얼기(esophageal plexus)를 형성하고, 식도를 따라 가로막(diaphragm)의 식도열공을 지나 배안(abdominal cavity, 복강)으로 들어간다. 이후 미주신경은 앞뒤로 나뉘어 앞미주신경줄기(anterior vagal trunk)와 뒤미주신경줄기를 이룬다. 배에서는 골반 내의 장기를 제외한 위장, 소장, 대장 윗부분 및 간, 췌장, 담낭, 신장 등의 모든 배안의 장기들에 분포한다. 목에서는 후두근육, 물렁입천장의 근육 및 인두근육의 운동을 담당하므로 음식을 삼키거나 발성과 밀접한 관계를 갖는다.

1) 미주신경의 기능성분

미주신경은 다음과 같은 5종류의 기능성분을 갖는다.

(1) 일반체구심성분(General somatic afferent, GSA)

세포체는 위신경절과 아래신경절에 위치한다. 중추돌기는 삼차신경척수로핵으로 가서 연접하며, 말초돌기는 후두개와의 뇌막, 바깥귀길 및 이개의 피부, 후두의 점막 등의 감각수용체로 끝난다.

(2) 일반내장구심성분(General visceral afferent, GVA)

세포체는 아래신경절에 위치하며, 중추돌기는 숨뇌의 고립로핵에서 연접을 이루며, 말초돌기는 심장과 기관지나무(bronchial tree), 왼잘록창자굽이(left colic flexure)까지의 창자 및 그와 관련된 소화선에서 감각수용체로 끝난다.

(3) 특수내장구심성분(Special visceral afferent, SVA)

세포체는 아래신경절에 위치한다. 중추돌기는 숨뇌의 고립로핵 위에 얹힌 미각핵(gustatory nucleus)과 연접하며, 말초돌기는 후두의 입구 주위와 후두덮개(epiglottis)의 미뢰에서 미각수용체로 끝난다.

(4) 특수내장원심성분(Special visceral efferent, SVE)

숨뇌의 의문핵(nucleus ambiguus)에 위치한 세포체들의 축삭들이 모여서 더부신경(accessory nerve)의 뇌뿌리(cranial root, 연수근)를 이룬다. 부신경의 뇌뿌리는 대공(foramen magnum)을 통해 두개강으로 올라온 부신경의 척수뿌리(spinal root, 척수근)와 합쳐졌다가 다시 나뉘어 미주신경과 합쳐진다. 특수내장원심성분은 미주신경이 분포하는 모든 근육들에 분포하며, 아래와 같다.

위, 중간, 아래인두수축근(Superior, middle, inferiorpharyngeal constrictor muscles)

① 입천장인두근(Palatopharyngeus muscle)

② 입천장혀근(Palatoglossus muscle)

③ 후두의 내재근육

(5) 일반내장원심성분(General visceral efferent, GVE)-부교감성분

숨뇌에 위치한 미주신경등쪽핵(dorsal motor nucleus of vagus nerve)의 축삭이 기관지목, 심장, 위, 소장 및 좌결장곡까지의 대장의 평활근에 분포한다. 이들은 또한 호흡기계와 소화기계의 분비선에서 분비촉진신경으로 작용한다.

2) 미주신경의 가지

(1) 위신경절에서 일어나는 가지

① 뇌막가지(Meningeal branch, 경막지)

위신경절에서 일어나 후두개와의 뇌경질막에 감각신경으로 분포한다.

② 귓바퀴가지(Auricular branch)

위신경절에서 일어나 바깥귀로 가서 바깥귀길 및 이개의 일부분과 고막의 바깥면에서 감각을 받는다.

(2) 아래신경절에서 일어나는 가지

① 인두가지(Pharyngeal branches)

아래신경절에서 일어난 2~3개의 가지가 혀인두신경의 인두가지, 교감신경의 인두가지와 합쳐져서 인두신경총(pharyngeal plexus)을 형성하는데, 이 신경총에서 일어나는 가지 중 감각신경은 인두점막에 분포하고, 운동신경은 혀인두신경이 분포하는 붓인두근(stylopharyngeus muscle)과 아래턱신경이 분포하는 입천장긴장근(tensor veli palatini muscle)을 제외한 모든 인두 및 물렁입천장의 근육에 분포한다.

② 목동맥가지(Carotid branch, 경동맥지)

아래신경절에서 일어나 목동맥팽대의 벽을 지난다. 이 가지는 혀인두신경의 목동맥팽대가지의 보조신경으로 생각된다.

③ 위후두신경(Superior laryngeal nerve, 상후두신경)

위후두신경은 아래신경절에서 일어나 속목동맥(internal carotid artery, 내경동맥)의 안쪽면을 따라 아래로 향하여 후두의 위쪽까지 주행한다. 후두의 위쪽에 도달하면 위후두신경은 바깥가지(external branch)와 속가지(internal branch) 2가지로 나뉜다. 속가지는 위후두동맥과 함께 방패목뿔막(thyrohyoid membrane, 갑상설골막)을 관통하여 성대주름(vocal fold) 위쪽의 후두, 혀뿌리(root of tongue, 설근), 후두개 등의 점막에 감각신경으로 분포하며, 바깥가지는 아래인두수축근(inferior pharyngeal constrictor muscle, 하인두수축근)의 가쪽면을 따라 내려가면서 아래인두수축근 및 반지방패근(cricothyroid muscle, 윤상갑상근)에 분포한다.

④ 되돌이후두신경(Recurrent laryngeal nerve)

목의 아래부분에서 미주신경에서 갈라져 나온 되돌이후두신경은 다시 위쪽으로 달려 후두에 분포한다. 오른쪽에서는 빗장밑동맥(subclavian artery)을, 왼쪽에서는 대동맥궁을 감아 돌아 올라와 아래인두수축근과 식도 사이를 통해 후두로 진입한다. 되돌이후두신경은 성대주름 아래쪽의 후두점막에 감각신경으로, 그리고 후두의 내재근육에 운동신경으로 분포한다.

(3) 가슴에서 일어나는 가지

① 심장가지(Cardiac branches)

부교감성분이 목에서 미주신경을 떠나 흉곽의 심장신경총으로 간다. 심장가지는 위, 아래 두 개의 가지가 있으며 위목심장가지(superior cervical cardiac branches)는 목의 미주신경 본줄기에서 일어나고, 아래목심장가지는 되돌이신경에서 일어난다. 교감신경과 더불어 대동맥궁의 벽에서 심장신경총(cardiac plexus)을 형성한 후 심장에 분포한다. 부교감성분으로 심장박동을 느리게 하고 심장동맥(coronary artery)을 수축시킨다.

② 허파가지(Pulmonary branches)

미주신경에서 일어난 부교감신경인 허파가지가 흉곽에서 앞뒤로 갈라져 앞허파신경얼기(anterior pulmonary plexus)와 후폐신경총을 형성한다. 폐신경총에서 연접한 후, 기관지나무(tracheal tree)의 수축근(평활근)에 분포한다.

③ 식도신경얼기(Esophageal plexus)

식도신경총은 양쪽의 미주신경이 만나서 그물모양으로 형성된다. 부교감신경섬유가 여기서 신경절세포와 연접을 이룬 다음 식도의 평활근과 분비선에 분포한다.

(4) 배에서 일어나는 가지

배안(abdominal cavity, 복강)에서 일어나는 가지는 전미주신경간(anterior vagal trunk)과 후미주신경간에서 일어난다. 배안의 미주신경은 창자벽의 이차신경절세포와 연접한다. 위가지(gastric branch), 간가지(hepatic branch), 콩팥가지(renal branch), 이자가지(pancreatic branch), 지라가지(splenic branch), 배안가지(celiac branch), 결장가지(colic branch) 등이 일어나 배안장기의 평활근과 분비선에 분포한다.

3) 미주신경 손상 시 나타날 수 있는 임상증상

양쪽 미주신경이 완전히 손상되면 후두근육의 마비로 질식사하게 된다. 식도와 위의 마비로 통증과 구토가 일어날 수 있으며, 구토물이 호흡기계로 넘어가는 일이 흔히 일어난다. 한쪽의 미주신경이 손상된 경우에는 물렁입천장와 인두, 후두에 마비가 일어나 쉰 목소리, 호흡곤란, 연하곤란 등이 일어난다. 또한 손상부위의 감각이 소실되어 구개반사, 기침반사, 목동맥팽대반사 등의 반사가 없어진다. 심장으로 가는 부교감성분(일반내장원심성분, GVE)과 심장에서 들어오는 일반내장구심성분(GVA)의 손상으로 심계항진, 빈맥, 부정맥 등이 나타난다.

숨뇌에 있는 의문핵이 변성되거나 인두가지가 손상된 경우 연하장애, 연구개궁의 하수 및 목젖의 편재가 일어날 수 있으며, 숨뇌에 있는 고립로핵이 변성된 경우 후두개 근처의 미각이 소실된다. 또한, 감각신경성분인 위후두신경의 속가지가 손상된 경우 설근 및 후두개의 감각이 소실되며 후두개 부근의 미각이 소실될 수 있고, 되돌이후두신경이 손상되면 쉰 목소리를 내게 된다. 그 밖에 숨뇌의 미주신경배측핵이 손상되면 가슴 및 배안장기의 평활근 운동 장애와 분비선의 분비 장애가 나타난다.

9. 국소마취를 위한 위, 아래 턱뼈의 해부학

1) 위턱뼈의 해부학

위턱뼈는 아래턱뼈에 비하여 다공성의 해면골 형태를 보이는 경우가 많고, 위턱 치아의 치근부에 덮혀 있는 뼈가 얇아서, 단단한 피질골로 이루어진 아래턱뼈의 치아보다 쉽게 마취가 유도될 수 있다. 절치(incisors)의 치아 뿌리 끝 가까이에 있는 작은 함요를 앞니오목(incisive fossa)이라 하고, 송곳니 치아뿌리를 감싸고 있는 이틀융기(alveolar yokes)는 융기되어 송곳니융기(canine eminence)라 한다. 작은어금니의 치아 뿌리 끝 바로 위에 있는 함요를 송곳니오목(canine fossa)이라 하고 이곳의 뼈가 얇아서 쉽게 마취가 유도될 수 있다.

(1) 눈확아래구멍의 위치

위턱뼈의 얼굴면에는 눈확아래모서리(infraorbital margin) 중앙에서 약 8 mm 아래에 눈확아래구멍(infraorbital foramen)이 있고, 이 구멍으로 눈확아래신경(infraorbital nerve)과 눈확아래혈관(infraorbital vessels)이 통과한다. 위둘째작은어금니의 위쪽에 있다.

2) 아래턱뼈의 해부학

아래턱뼈는 얼굴부위에서 가장 크고 단단한 뼈이다. 아래턱뼈의 볼쪽 피질골은 종종 매우 단단해서 침윤마취에 의해 원하는 효과를 얻는 것이 거의 불가능하다. 아래앞니부위의의 경우 입술측 뼈가 어금니부위의 볼측 피질골보다 얇고 덜 치밀하기 때문에 침윤마취로도 성공율이 높다고 할 수 있다.

아래이틀신경(inferior alveolar nerve) 전달마취를 위한 해부학에서 주로 고려되는 두가지 구조물은 혀돌기(lingula)와 나비아래턱인대(sphenomandibular ligament)이다.

나비아래턱인대는 나비뼈(sphenoid bone)에서 시작하여 넓게 내려와 혀돌기와 턱뼈구멍(mandibular foramen), 그리고 안쪽날개근(medial pterygoid muscle)의 부착부위에 넓게 붙어 있으며 뒤로는 턱뼈가지의 후연까지 이어져 있고, 과두부위에서 붓아래턱인대(stylomandiblar ligament)와 섞이게 된다.[1]

마취액이 나비아래턱인대보다 하방으로 날개아래턱공간(pterygomandibular space) 아래로 주입이 되면 아래이틀신경까지 마취액이 도달하지 않게 된다. 또한 조영제와 단층촬영을 이용한 연구에서 마취제가 관자근과 안쪽날개근에 주입이 될 경우 마취제가 턱뼈구멍까지 도달하지 않는다고 보고되었다.[2]

(1) 턱뼈구멍(Mandibular foramen)

턱뼈구멍의 위치는 상연과 하연의 중앙부위에 위치하고 전후로는 턱뼈가지의 전연과 후연 거리의 후방 2/3 또는 3/4 위치에 존재한다. 전후방적인 아래턱뼈의 위치에 대한 다른 연구에서는 턱뼈구멍이 이와는 다른 위치에 존재한다는 주장도 있다. Hatward 등은 턱뼈가지의 전방 3/4 부위에 존재한다고 하였고, Monheim 등은 턱뼈가지의 중앙에 있다고 하였으며, Hestone 등은 턱뼈가지의 전연에서 55%(44.4%~65.5%) 후방에 존재한다고 하였다. 턱뼈구멍의 높이는 교합면 높이에서 1~19 mm로 다양하다.

혀돌기(lingula)는 거의 턱뼈가지의 중앙에 위치하며, 턱뼈구멍을 보호하듯이 튀어나온 구조물이다. 하지만 이 위치는 사람마다 변이가 많은 것으로 알려져 있다. 일반적으로 턱뼈구멍은 전후방, 상하에서 턱뼈가지의 가운데 위치하는 것으로 알려져 있으나 턱뼈가지의 전연보다는 내사선(internal oblique ridge) 혹은 측두능선(temporal crest)을 기준으로 하는 것이 좋으며, 내사선과 아래턱 후연의 가운데에 있는 것으로 생각하는것이 좋다고 하였다.[3, 4] Bremer의 연구에 따르면 혀돌기 교합면에서 상방 1 mm 이내(16%), 1~5 mm (48%), 9~11 mm (27%), 11~19 mm (4%)에 위치한다고 한다.[5] 이 보고에 따르면 교합평면으로 부터 상방 5 mm에 마취하면 64%(16% + 48%)에서 혀돌기가 마취점으로 부터 하방에 위치하게되고, 교합평면으로 부터 상방 11 mm에 마취를 하면 96%에서 혀돌기가 마취점으로 부터 하방에 위치하게 된다고 한다. 또한 충분한 마취를 얻기 위해서는 신경으로 부터 약 6 mm 정도의 거리에 마취제가 도달해야 한다.

(2) 턱끝구멍(Mental foramen, 이공)

턱끝구멍은 턱뼈몸통의 상하 높이의 중간과 둘째큰어금니의 전방부위에 위치하고 있으며 이곳에서 신경과 동맥, 정맥혈관이 나온다.

아래턱 혀쪽의 뼈는 일반적으로 두껍지만 셋째큰어금니 혀쪽 부위의 뼈는 가끔 덜 치밀하여 골막 상부의 마취가 가능할 수도 있다. 아래턱 어금니부위의 혀쪽에서 약 68% 정도에서 혀구멍(lingual foramen)이 존재하는 경우가 있다. 이 구멍의 기능에 대해서는 잘 알려져 있지 않지만 턱목뿔근신경(mylohyoid nerve)을 통하여 감각신경 섬유가 지나가는 것으로 생각된다.

참고문헌

1. 김명국: 머리 및 목 해부학. 의치학사, 2011.
2. 이상철 등: 구강악안면 국소 및 전신마취학. 둘째판. 군자출판사, 2001.
3. 김희진 등: 맨눈해부학. 첫째판. 현문사, 2007.
4. 고기석 등: Sobotta 사람해부그림. 열네째판. 이퍼블릭, 2008.
5. 이원택, 박경아: 의학신경해부학. 첫째판. 고려의학, 1996.
6. Bennet CR: Monheim's Local Anesthesia and Pain Control in Dental Practice. 7th ed, CV Mosby Co, 1985.
7. Malamed SF: Handbook of Local Anesthesia. 5th ed, St Louis. The Mosby, 2004.
8. Netter FH: Section, V: Cranial nerves, Plate 1-13, Part I Anatomy and physiology, Nervous system. Vol. 1. in the Ciba collection of medical illustrations Edited by Brass A and Dingle RV, CIBA. NJ, 1983.

CHAPTER 07

| Dental Anesthesiology | 국소마취

국소마취제와 혈관수축제

학습목표

1. 이상적인 국소마취제의 성질을 이해하고 나열한다.
2. 치과용 국소마취제를 분류할 수 있어야 한다.
3. 국소마취제의 작용기전을 이해한다.
4. 국소마취제의 물리화학적 임상적 성질을 비교 설명한다.
5. 국소마취제의 효과에 영향을 미치는 요소들을 숙지한다.
6. 국소마취제의 전신적 영향에 대하여 숙지하고 임상에 응용한다.
7. 국소마취제의 선택요건을 숙지해야 한다.
8. 국소마취제에 첨가되는 혈관수축제의 효과를 숙지한다.
9. 혈관수축제의 작용기전을 이해한다.
10. 혈관수축제의 농도를 정확히 숙지하며, 과량투여 시의 독성 효과를 설명한다.
11. 혈관수축제를 선택하는 요소를 이해한다.
12. 국소마취제/혈관수축제와 다른 약물과의 상호작용을 이해한다.
13. 국소마취제의 최대허용량을 정확히 숙지하여 과량투여 시의 독성효과를 설명한다.

1. 국소마취제

국소마취제는 국소적으로 적용하여 중추신경계로 들어가는 구심성 감각신경세포에 의한 감각신경자극의 전기화학적 전달(감각신경전도)을 가역적으로 차단함으로 중추에 작용 없이 제한된 부위의 감각을 일시적으로 소실하게 한다. 치과영역에서는 주로 국소침윤마취, 치조신경 국소차단 마취 및 국부(표면) 마취를 수행한다.

국소마취제는 치과에서 많이 사용되고 있으며 거의 합성 국소마취제이다. 국소마취제의 구조가 변함에 따라 마취제의 작용시간은 물론 독성, 마취제의 효력, 마취의 확산 및 마취심도 등의 다양한 변화가 나타난다.

1860년에 Albert Niemann이 처음 국소마취제로 코카인을 발견하였으며, 1862년 Schraff가 코카인의 혀에 대한 국소마취 효과를 보고하였다. 1842년에 Crawfold Long이 에테르를 사용하여 전신마취를 시행하고 경부 종양을 제거하였으며, 치과의사인 Horace Wells (1984)가 이산화질소(N_2O)를 사용하여 치아를 발거하였다.

1844년에 William Halstead는 처음으로 코카인을 사용하여 하치조신경마취를 시행하였으며, 같은 해에 Carl Koller가 안과 수술에 코카인을 사용하였다. 1890년에 치아 발거를 위하여 치은과 치조골에 코카인을 많이 사용하였는데, 약물이 잘못 사용되었을 때 국소적인 조직의 괴사와 습관성이 발생하기도 하였으며 치명적인 경우도 있었다. 1904~1905년까지 Alfred Einhorn은 프로카인을 합성하기 위하여 벤조산과 염기성 알코올의 에스텔화에 성공하여 염기성 벤조산 에스텔 마취제를 만들었다. 1943년 Lofgren이 처음으로 에스텔형 마취제 단점인 알레르기반응을 보완할 수 있는 현재 많이 사용되고 있는 아미드 형태의 리도카인을 합성하였다.

현재 국내의 치과영역에서 소비되는 국소마취제의 수량은 정확히 파악되지 못하나 캐나다의 경우는 치과의사 일인당 연간 약 1,800개의 국소마취제 cartridge가 주사되며 미국의 경우 매년 3억 개 이상의 cartridge가 소비된다.

1) 이상적인 국소마취제의 특성들

이상적인 국소마취제는 다음의 성질들을 가져야 한다.

① 약물의 작용이 가역적이어야 한다. 예상하는 시간 내에 완전히 가역적이어야 한다.

② 조직에 자극이 없어야 하며, 어떠한 이차적인 국소적 반응도 나타나서는 안 된다.

③ 전신적인 독성이 가능한 적어야 한다.

④ 마취효과가 신속히 발현되어야 한다. 즉시 발현되면 이상적이겠지만, 일반적으로 2~10분 정도 경과되어야 한다. 일반적으로 프로카인은 느리고, Bupivacaine, Tetracaine은 중간 정도이며, 리도카인, Prilocaine, Mepivacaine은 마취가 빠르게 발현된다.

⑤ 치료에 필요한 시간 동안 마취효과가 충분히 지속되어야 한다. 일반적으로 사용되는 마취제를 비교해 보면 Bupivacaine, Tetracaine이 길며, 리도카인, prilocaine, mepivacaine, 그리고 프로카인 순이다.

⑥ 고농도의 마취액을 사용하지 않더라도 완전히 마취가 될 수 있는 충분한 마취효능과 확실성을 가지고 있어야 한다.

⑦ 마취제의 안전성이 높아야 한다. 치사량과 유효량의 비율이 높을수록 안정성은 높다.

⑧ 인체에 투여되었을 때 과민반응이 없어야 한다.

⑨ 마취제가 용액상태에서 안정성이 있어야 하며, 인체 내에서 쉽게 생체대사반응이 일어나야 한다.

⑩ 미리 소독이 되어 있거나 마취액 성분에 변화를 일으키지 않으면서 멸균소독이 가능해야 한다.

⑪ 마취제의 대사작용으로 생긴 부산물에 의한 독작용이 없어야 한다.

⑫ 점막에 대한 침투력이 강해야 한다.

⑬ 마취제 자체에 혈관수축작용이 있거나 혈관수축제를 혼용할 수 있어야 한다.

국소마취제의 특징들은 다음과 같다.

① 모두 합성물이다.

② 아민기를 함유한다(벤조카인 예외).

③ 강산과 함께 염을 형성한다.

④ 수용성 염이다.

⑤ 국소마취제는 이온화된 산보다는 비이온화된 염기형태는 지용성이 크다.

⑥ 투여부위가 알칼리조건일 경우 산성에 비해 비이온화 염기형태가 이온화된 산형태 보다 더 많이 형성되므로 신경세포막(지질 이중막) 침투가 증가된다.

⑦ 마취염은 반드시 산성이며, 비교적 안정성이 있다.

⑧ 에스텔형 국소마취제는 혈장 cholinesterase에 의해 가수분해되며, 아미드형은 주로 간에서 생체전환을 일으킨다.

⑨ 모든 약의 작용은 가역적이다.

⑩ 에피네프린이나 같은 종류의 약제와 혼용하여 사용 가능하다.

⑪ 높은 혈장농도 시 전신적인 독성효과를 나타낼 수 있다.

⑫ 모두 유사한 방법으로 신경전도에 영향을 미친다.

2) 치과용 국소마취제의 분류

에스텔형은 오랫동안 광범위하게 사용되어 왔으며, 지금까지 사용되어 온 거의 모든 국소마취제가 이에 속하고 다음과 같은 구조로 되어 있다.

① 방향족인 소수성군(방향족 핵): 소수성 친지방성을 부여하여 세포막을 통과하는데 필수적인 역할을 한다.

② 에스텔 결합(-COOR-)을 가진 중간고리: 방향족 핵과 친수성 아미노군 사이의 공간적 분리를 만들고, 에스텔형과 아미드형으로 분류하는 근거가 된다.

③ 친수성인 제2급, 제3급 아민군: 산과 결합하여 수용성 염을 만든다. 친수성을 부여하여 작용 부위에 침투한 국소마취제가 세포간질액에 노출 시 침전이 일어나지 않도록 한다.

그림 7-1은 에스텔과 아미드형 국소마취제의 화학구조이다.

친수성 아민 부분이 없는 다른 형태의 에스텔형 국소마취제(예: 프로카인)는 표면마취에 사용되며 물에 거의 용해되지 않는다.

중간고리가 케톤(-COR-)형 국소마취제로 Dyclonine이있다.

최근에 합성되어 널리 사용되는 아미드형 국소마취제는 다음과 같이 구성되어 있다.

① 방향족인 소수성군

② 아미드 결합(-NHCOR-)을 가진 중간고리

③ 친수성 제2급 또는 제3군 아민군-산과 결합하여 수용성 염을 만든다.

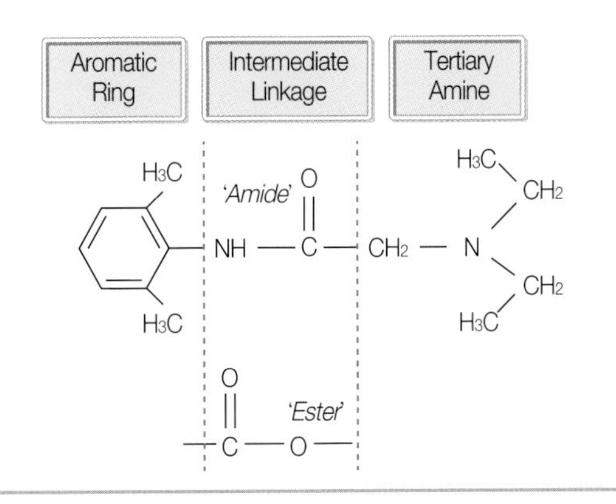

그림 7-1. 국소마취제의 구조

Articaine은 아미드형 국소마취제이나 특이하게 벤젠 환 대신 방향족에 thiophene 환 구조를 가지고 있다.

현재 국내에서 시판되는 국소마취제는 아미드형인 Lidocaine, Mepivacaine, Bupivacine, Prilocaine, Articaine이 있으며 일부 에스텔형인 Procaine과 Tetracaine도 있다. 그러나 국내 치과영역에서는 주사용 국소마취제로 거의 대부분 Lidocaine관련 재제를 사용하고 있다.

국소마취제의 종류와 구조는 다음과 같다(그림 7-2).

Bupivacaine	Etidocaine
Lidocaine	Mepivacine
Ropivacaine	2-Chloroprocaine
Prilocaine	Procaine
Articaine	Tetracaine

그림 7-2. 국소마취제의 종류 및 화학구조

3) 구조- 활성 상관관계

전형적인 국소마취제 분자는 방향족, 중간고리 및 제2급 또는 제3급 아민 말단으로 구성되어 있다. 방향족의잔기(residue)는 소수성, 아민군은 친수성을 가진다.

국소마취제의 소수성은 약물이 작용부위까지 도달하기 위하여 세포막을 통과하는데 필수적이며, 수용성 성질은 작용부위에 침투한 국소마취제가 세포 간질액에 노출되었을 때 침전이 일어나지 않도록 한다. 방향족과 아미노군 사이의 중간부분은 친수성과 소수성 부위 사이의 공간적인 분리를 제공할 뿐 아니라 에스텔(-COO-)형과 아미드(-NHCO-)형으로 국소마취제를 분류하는 근거가 되고 있다. 국소마취제는 또한 효능, 마취유도시간, 작용시간, organic: aqueous distribution coefficient (Q)에 비례하는 속성 등에 따라 분류하기도 한다(표 7-1).

국소마취제의 마취유도시간(onset)과 마취작용시간(duration)은 ① 조직의 pH, ② 약물의 pKa, ③ 약물이 주사기 끝에서 신경까지 확산되는 시간, ④ 약물이 신경으로부터 멀어지게 확산되는 속도, ⑤ 신경의 형태, ⑥ 약물농도, ⑦ 약물의 지용성에 의해 결정된다. 그중 발현속도에 가장 중요한 것으로는 조직의 pH와 약물의 pKa이다.

대부분의 국소마취제는 7.5~9.0의 pKa인 약염기성 약물로 주사용 국소마취제들은 마취제 제형의 제조와 소독 및 수용액에서의 약물의 안전성을 증진시키기 위하여 염산을 첨가시킨 산염형태로 제조된다. 이 같은 산성국소마취제는 주사된 직후 조직액에 의한 완충작용으로 중화되며, 마취제의 양이온을 띠고 있는 산(BNH^+) 형태가 비이온성 염기(BN) 형태로 전환된다. 비이온성 염기형태가 이온성 산형태의 국소마취제보다 소수성(지용성)이기때문에 지질막인 신경세포막을 더 잘 통과한다. 이온성 산형태와 비이온성 염기 형태의 약물 비율은 국소마취제의 pKa와 조직 pH에 영향을 받는다. 이들의 상호관계는 Handerson-Hasselbalch 방정식으로 표현된다.

비이온성 염기 형태(BN)가 신경으로 빨리 침투되기 때문에 높은 pKa치를 갖는 약물의 작용유도시간이 더 느리다. 조직 자체의 산성도도 국소마취제의 작용 발현을 방해할 수 있다. 예를 들면 부종으로 발생하는 산성부산물은 그 조직의 pH를 낮추고, 따라서 염기의 생성률이 떨어지게 되어 국소마취제의 작용 발현이 늦어지게 된다.

표 7-1. 국소마취제의 물리화학적 임상적 성질

국소마취제	pKa	작용발현 시간	상대적인 시간	마취작용 시간	분자량
아미드형					
리도카인	7.8	빠름	2	중간	234
Mepivacaine	7.7	빠름	2	중간	246
Prilocaine	7.8	빠름	2	중간	220
Bupivacaine	8.1	중간	8	길다	288
Etdocaine	7.9	빠름	6	길다	276
Articaine	7.8	빠름	2	중간	284
에스텔형					
프로카인	8.9	중간	1	짧다	236
Propoxycaine	8.9	중간	6	중간	294
Tetracine	8.4	중간	8	길다	264

4) 국소마취의 작용기전

국소마취제는 활동전압의 생성과 전도 모두를 억제하여 말초신경의 전도를 방해함으로써 통증의 느낌을 억제한다. 전기생리학적 연구 결과에 의하면 국소마취제는 신경막의 휴지기 전압에는 영향을 거의 미치지 않고, 신경자극에 대한 활동성 반응들을 억제한다고 제시되어 있다. 국소마취제는 Na^+ 투과성에 대한 흥분을 억제시킴으로써 신경전도를 억제한다.

신경세포막의 휴지기 전압은 에너지를 필요로 하는 세포막 펌프에 의해 주로 Na^+과 K^+ 이온의 세포막 안쪽과 밖의 농도차이를 형성하므로 막전위가 약 -60 mV의 분극상태를 유지하고 있다(Na^+, K^+ 이외에도 Ca^{2+}, Cl^- 등의 이온도 관여한다). 휴지기에는 Na^+의 농도는 신경세포막 밖이 높고 K^+ 농도는 안쪽이 높다. 이러한 상태에서 휴지기 K^+ 채널(leaky or resting K^+ channel)에 의해 K^+ 이온이 확산에 의해 세포 밖으로 나오게 되므로 세포 안쪽과 밖의 -60 mV의 전위차 즉, 분극(휴지기 전압)이 생성된다. 분극상태는 Na^+ 이온은 세포막 투과성이 거의 없어 세포막 밖에 높은 농도로 존재하고 있다. 자극에 의해 세포막이 흥분하면 세포막 전위차의 변화가 생겨 -60 mV의 분극상태에서 40 mV 정도로 되는데 이를 탈분극이라 한다. 탈분극의 전파는 세포막전위차의 변화 즉, -60 mV에서 40 mV (활동전위)로의 변화를 감지할 수 있는 세포막 전위감지개폐 Na^+ 채널(voltage-gated Na^+ channel)이 열리고 그로 인해 세포막 밖의 Na^+ 이온이 확산에 의해 안쪽으로 들어오게 되므로 형성된다. 최초의 탈분극은 구심성 감각신경 말단에서 감각자극이 말단세포막에 존재하는 감각수용체를 통해 세포막 내외의 이온의 변화를 유발하여 분극에서 탈분극이 유발되며 그 후에는 위에서 설명한 전위감지개폐 Na^+ 채널에 의해 탈분극이 중추쪽으로 전파된다. 40 mV의 활동전위는 신경세포막을 통해 빠르게 발생하고 소멸된다. 즉, 활성화된 Na^+ 채널은 빠르게 불활성화되어 Na^+ 이온의 투과성이 소실되고 그와 동시에 전위감지개폐 K^+ 채널의 활성화로 인해 K^+ 이온이 확산에 의해 세포 밖으로 나가기 때문에 재분극이 시작된다. 탈분극/재분극 시 전위감지개폐 Na^+ 채널은 3가지 형태의 구조를 가진다. 전위차를 감지하면 Na^+ 이온이 세포 내로 유입될 수 있는 열린 상태(open state)와 그 후 매우 빠르게 진행되는 불활성화 상태(inactivation state) 그리고 그 후 천천히 원래의 형태로 되돌아가는 닫힘 상태 또는 휴지기(closing or resting state)이다.

국소마취제는 Na^+ 이온의 전도성에 대한 자극영향을 차단하므로 신경 활동전위 생성(신경전도)을 막는다. 국소마취제는 신경전도 속도를 느리게 하여 탈분극 강도와 속도가 점진적으로 감소되게끔 하는 특징을 보인다. 탈분극이 지연되어 전도에 필요한 전위감지개폐 Na^+ 채널을 활성화시킬 수 있는 역치전위에 도달하기 전에 재분극이 시작되면 신경전도는 차단된다.

어떻게 국소마취제가 Na^+ 이온의 전도를 차단할 수 있는 것일까? 현재까지의 연구를 통해 국소마취제는 전위감지개폐 Na^+ 채널을 차단하여 Na^+ 이온의 세포 내 이동을 억제하는 것으로 보고하고 있다. 국소마취제가 전위감지개폐 Na^+ 채널을 차단하는 기전은 현재까지 몇몇의 다른 주장이 있으나 국소마취제에 의한 관찰되는 국소마취 양상(예: 사용의존성차단, 입자이성질체에 의한 차별적인 차단강도, 영구 이온화된 국소마취제에 의한 마취특성 등)을 설명할 수 있으며 또한 생화학, 분자생물학적 증거를 가지고 있는 이론은 국소마취제가 특이적으로 세포막 전위감지개폐 Na^+ 채널을 억제하는 것이다. 즉, 국소마취제가 Na^+ 채널의 단백질 구조 중 특정 분절에 존재하는 특정 아미노산들과 결합하여 이 채널의 기능을 억제하여 Na^+ 이온의 세포 내 유입을 차단한다.

전위감지개폐 Na^+ 채널은 수개의 소단위로 이루어 졌으며 그 중 α 소단위가 가장 큰 것으로 실제 통로를 형성한다. 그림 7-3과 같이 α 소단위는 4개의 같은 도메인(I~IV)으로 구성되어 있고 각각의 도메인은 6개의 나선형분절(S1-S6)을 가지고 세포막을 관통한다. 각 도메인의 S4 분절은 양극전하를 띤 Arginin, Lysine과 같은 아미노산를 함유하고 있다. 양전하를 띤 S4 분절은 세포막 전위가 분극상태(-60 mV)일 때는 양전하/음전하 끄는 힘에 의해 세포질 쪽으로 이동되어 있어 Na^+ 이온통로를 막고 있으

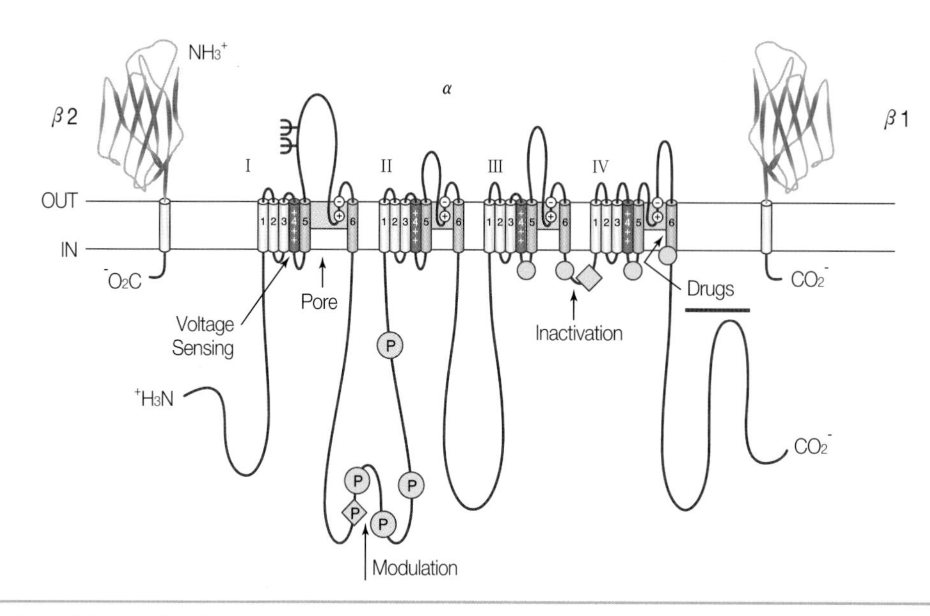

그림 7-3. 전위감지개폐 Na^{+} 채널의 구조

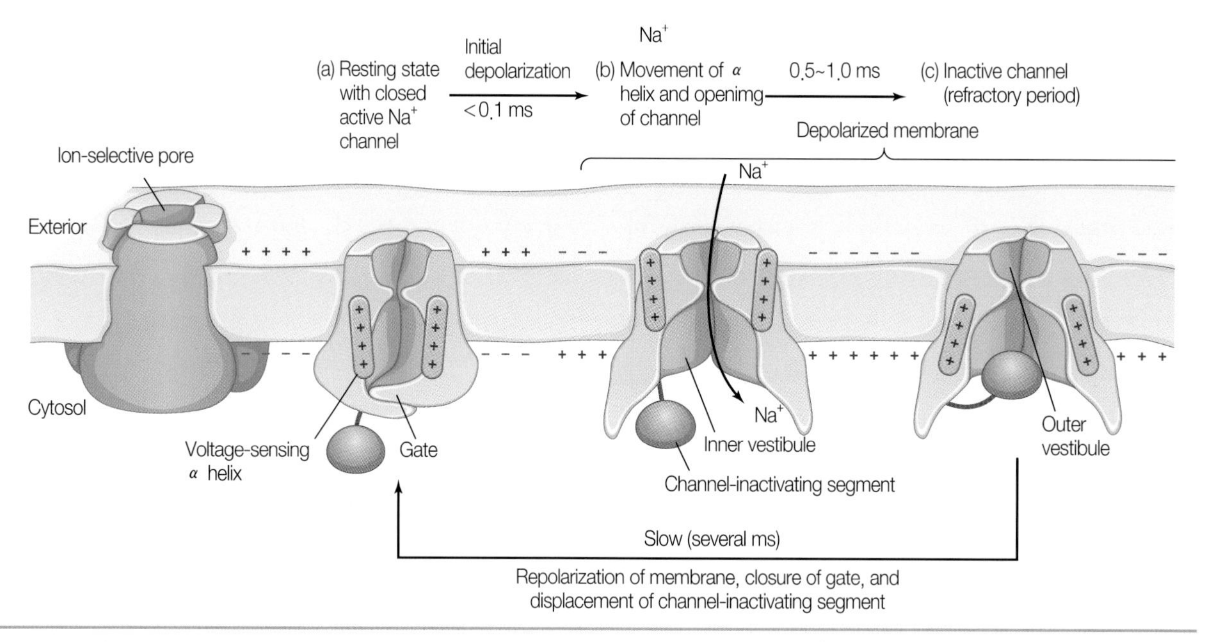

그림 7-4. 전위감지개폐 Na^{+} 채널의 입체구조 및 기능

나 활동전위(40 mV)가 형성되면 양전하/양전하의 미는 힘에 의해 S4분절이 세포막 밖으로 이동하면서 Na^{+} 이온 통로가 열리게 된다(open state). 그런 후 빠르게(1 ms) 도메인 Ⅲ 및 Ⅳ의 세포질 쪽이 닫히며 불활성화되어 더 이상 Na^{+} 이온이 세포 내로 유입되지 못하게 한다(inactivation state). 그 후 천천히 원래의 닫힌 형태의 Na^{+} 채널로 되돌아간다(closing or resting state)(그림 7-4). 현재까지 알려진 바로는 국소마취제는 도메인 Ⅰ, Ⅲ 및 Ⅳ의 S6분절의 아미노산들과 결합하고 S4분절의 이동을 지연시키는 경향이 있다.

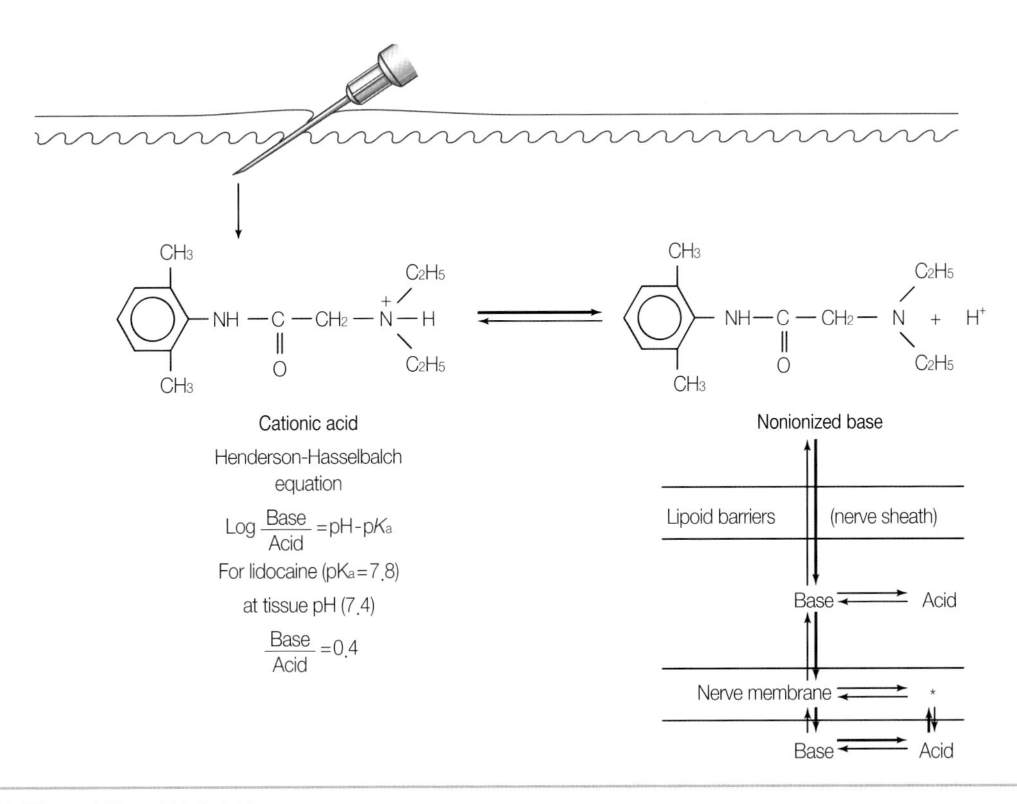

그림 7-5. 신경차단 시 국소마취제의 분포

약 염기성(BNH^+)인 국소마취제에 강산인 염산을 혼합하여 산염의 형태로 제조(BNHCl)함으로써 용액으로 사용한다. 신경초 외측의 점막 하에 주사된 산염상태의 국소마취제는 이온화 산(BNH^+) 형태로 유리되고, 이어서 소수성 비이온화 염기(BN)로 된다. 비이온화 염기(BN) 형태의 국소마취제는 지방으로 구성된 신경초 와 신경세포막을 쉽게 통과할 수 있다. 신경초와 세포막을 통과한 비이온화 염기(BN) 국소마취제는 신경초와 신경세포막 사이의 공간에서 유리 수소이온(H^+)과 평형상태를 유지하기 위해 친수성 이온화 산 형태(BNH^+)로 전환되다. 신경초와 신경세포막 사이의 공간에서 평형상태로 존재하는 친수성 이온화 산(BNH^+) 및 소수성 비이온성 염기(BN) 중 소수성 BN형태가 지질이중막인 신경세포막을 통과하여 세포질에 존재하게 되며 세포질 내에서 친수성 이온화 산(BNH^+)으로 된다. 친수성 BNH^+ 형태가 신경세포막에 존재하는 전위감지개폐 Na^+ 채널의 작용부위에 접근하여 결합하고 그로 인해 위의 기전을 통해 Na^+ 이온통로를 막는다. 그러나 소수성 BN 형태도 소수성 경로를 통하여 전위감지개폐 Na^+ 채널의 작용부위에 접근할 수 있다(그림 7-5).

국소마취제의 작용 부위가 Na^+ 채널 내부에 존재하므로 약물의 접근도가 매우 중요하다. 이러한 점에서 위에서 설명한 바와 같이 친수성 이온화 산(BNH^+) 형태가 작용부위에 도달하기 쉽다. 최근에는 이를 이용하여 영구적으로 전하를 띠는 국소마취제 개발 연구가 관심을 끌고 있다. 리도카인과 같은 일부 국소마취제의 아미노기를 4급 형태(예: QX-314)로 전환시켜 영구적 친수성 양이온형태로 만들었고 세포 내로 투여 시 Na^+ 이온의 완벽한 차단을 유도하였다. 그러나 이러한 경우에는 신경초 나 신경세포막을 통과할 수 없다. 이러한 약물은 국소마취제의 작용 부위가 Na^+ 채널 내부에 존재하므로 약물의 접근도가 매우 중요하다. Na^+ 채널의 친수성 통로를 통해 작용부위로 접근할 수 있으므로 세포 내로 들어오기 위해서는 Na^+ 채널이 열려 있거나 부분적으로 활성화된 상태를 유지해야만 한다. 벤조카인이나 비이온성 리도카인과 같은 소수성 약물들은 세포막 지질막이나 Na^+ 채널의 소수성 부위를 따라 접근할 수도 있다.

일반적으로 국소마취제는 저빈도보다는 고빈도로 탈분극/재분극되어 전도되는 신경을 차단하기 쉽다. 이러한 현상을 사용-의존성(use-dependent) 또는 위상(phasic) 차단이라고 한다. 이 현상은 현재 두 가지로 설명을 한다. 첫째로, 앞서 설명한 것과 같이 세포질 내의 친수성 이온화 산(BNH^+) 형태는 Na^+ 채널이 세포질 쪽으로 열려져 있는 빈도가 높을수록 작용부위에 접근할 확률이 높기 때문에 반복적 신경자극에 의해 작용부위가 국소마취제에 노출될 기회가 많아진다. 둘째로, 이온화나 비이온화 국소마취제는 Na^+ 채널이 열려 있거나 불활성화 상태에 결합하는 것을 선호하며 이 결합은 불활성화 상태의 구조를 안정화시킨다. 만약 자극빈도가 낮다면 각각의 탈분극 후 Na^+ 채널이 불활성상태에서 닫힘 상태로 되돌아가는 시간이 충분하며 완전한 닫힘 상태로 된다. 이러한 경우 국소마취제의 결합이 감소되고 결합된 비이온성 국소마취제는 소수성 경로를 통해 채널외부로 확산된다. 그러나 자극빈도가 높을 경우 탈분극 후 재분극이 완전히 일어나지 않으며 이로 인해 국소마취제의 결합정도가 증가되며 비활성상태의 Na^+ 채널 구조가 축척되므로 더욱 신경전달이 차단된다.

5) 국소마취제의 유도시간 및 작용시간에 영향을 미치는 요소들

(1) 마취액의 pKa

마취유도시간은 약물의 해리상수에 비례한다. 높은 pKa를 가진 마취액은 정상조직 pH (7.3~7.4)에서 비이온성 염기-지용성 형태로 존재하는 분자의 수가 낮은 pKa 약물보다 불충분하므로 상대적으로 유도시간이 늦다. 매우 낮은 pKa를 가진 마취제는 신경초를 통해 분산되는 비이온성 염기의 수는 많으나 신경세포막내 전위감지개폐 Na^+ 채널의 작용 부위에 부착할 수 있는 이온성 산 형태로 해리되기가 어렵기때문에 효과가 낮을 수 있으나 현재 사용되는 국소마취제의 pKa는 7.7~8.9 정도로 이에 해당되지 않는다.

(2) 조직의 pH

감염 부위의 산성부산물은 조직의 pH를 낮추어 비이온성 염기의 생성률이 떨어지게 되어 마취제의 작용발현이 늦어진다. 각 마취제의 pKa는 일정하기 때문에 비이온성 염기와 이온성 산의 상대적인 비율은 용액의 pH에 달려 있다. 정상조직(pH 7.4)에 비하여 감염된 부위(농의 pH5.5~5.6)에서 보이는 낮은 pH는 비온성 염기의 생성이 방해를 받아 적절한 마취를 이루기가 어렵다.

(3) 신경의 종류 및 크기

유수신경은 무수신경보다 더 많은 농도의 마취용액이 필요하고 신경차단에 더 많은 시간이 걸리는데 이는 유수신경이 수초의 차단막으로 보호되어 있어서, 1~2 mm마다 수초가 끊겨있는 란비엘의 결절을 통해서만 도달할 수 있기 때문이다.

신경의 크기와 직경도 중요한 역할을 하는데, 신경섬유의 직경이 클수록 감각파 전도를 막는데 더 큰 농도의 마취액이 필요하다. 이는 단순이 작은 직경을 가진 신경섬유가 더 민감하다고 해석하면 안 된다. 서로 다른 직경을 가진 신경섬유의 민감도 차이는 "임계길이(critical length)"의 차이에 의한다. 즉, 국소마취제에 의해 신경전도가 차단되기 위해서는 일정한 거리 이상의 신경이 노출되어야 한다. 예를 들면, 유수신경에서 활동전위가 전달될 때 란비엘 결절을 따라 도약전도가 일어나므로 신경 흥분파 전달을 중단시키려면 연속으로 3개의 결절이 완전히 차단되어야 한다. 일반적으로 유수섬유의 결절 간 거리는 신경섬유의 직경과 비례하므로, 작은 직경인 신경섬유가 큰 신경보다 전도차단이 쉽게 일어난다.

국소마취제에 대한 민감도는 섬유의 직경뿐만 아니라 해부학적 섬유의 종류에 따라서 결정된다. 앞서 설명한 바와 같이 사용의존성차단에 의해 민감도가 결정된다. 일반적으로 유해자극 감각신경과 교감신경계의 흥분전달은 돌발파가 빠른 형태로 나타나지만 운동신경은 낮은 빈도의 흥분발사 양상을 띤다. 따라서 통증과 온도 감각을 전달하는 섬유가 더 큰 운동섬유와 고유감각섬유가 차단되기 전에 먼저 차단된다.

일반적으로 국소마취제에 감수성이 높은 신경섬유일수록 차단이 빨리 일어나고 회복은 늦다.

(4) 지방용해도 및 수용체 친화력

각각의 국소마취제 약물 자체의 지방용해도는 약물마다 고유하며 일반적으로 큰 차이는 없지만 지방용해도가 클수록 마취유도시간이 빠르다.

국소마취제의 표적단백질인 전위감지개폐 Na^+ 채널 단백질에 존재하는 활성부위에 약물의 친화력이 높을수록 국소마취제의 효과는 더 빠르며 더 오래 지속된다.

(5) 마취액의 농도

신경섬유와 접촉한 마취제의 분자농도에 의존한다. 일반적으로 마취농도가 높을수록 차이는 미미하나 일반적으로 마취유도시간이 빠르다.

마취제에 의해 기능이 상실되는 순서는 통증, 온도감각, 촉감각, 고유감각, 골격근 긴장의 순이다.

열, 냉, 압력인지를 차단하기 위해서는 통증을 멈추는 것보다 더 높은 농도의 마취제가 필요하다.

마취액의 신경섬유에 적절한 농도로 도달하는 것을 방해하는 요소들에는 조직의 pH가 너무 높거나 낮을 경우, 혈액, 조직액으로 과도하게 희석되었을 경우, 마취제가 전신순환계로 너무 빨리 흡수되었을 경우 등이 있다.

마취액이 조직에 주입된 후 희석되므로 주입된 부위에서 원거리에 있는 부위는 마취의 효과가 떨어진다.

(6) 말초신경의 구성

신경주막(perineurium)은 마취액이 신경섬유로 분산하는 데에 대한 주된 차단막이다. 신경주막의 가장 내측막인 주변막은 신경간내에서 확산의 주된 장해물이다. 신경의 중심섬유는 외피, 겉층이 영향을 받은 후에야 영향을 받으므로 고르지 못한 마취를 일으킬 수 있다.

(7) 혈관수축제와의 관계

국소마취제는 혈관확장을 시키므로 약물이 빠르게 작용부위에서 먼 쪽으로 확산되며 그 결과 작용시간이 짧아진다. 이러한 확산은 혈관수축제로 감소할 수 있다. 혈관수축제인 에피네프린은 국소마취제의 작용시간을 증가시킨다. 일반적으로 치조신경국소차단 마취가 국소침윤마취보다 작용시간이 길며, 연조직 마취가 치수마취보다 오래간다. 치과에서 쓰이는 혈관수축제는 진통의 강도를 연장할 뿐 아니라 증가시킨다. 그러나 이는 진정한 효능 때문이 아니라 혈관수축제가 더 오랜 기간 동안 약물이 신경세포막에 존재하는 Na^+ 채널의 활성부위에 접촉하도록 만들기 때문이다. 일반적으로 현재 사용되는 국소마취제의 효능(efficacy)은 거의 차이가 없는 것으로 보고되었다.

6) 국소마취제의 약물동력학

국소마취제의 전신적 순환과 분포, 대사 및 배설을 통한 체외로의 배설 사이의 균형이 약물의 독성 유발 가능성을 결정하는 중요한 인자이기 때문에 국소마취제의 약물동력학적 고려는 필수적이라 할 수 있다. 이 같은 과정은 그림 7-6과 같이 요약될 수 있다.

(1) 흡수

국소마취제가 연조직 내에 축적되면 주위 혈관에 약물작용이 나타나게 된다. 대부분의 국소마취제는 정도에 따라 혈관확장작용을 가지고 있다.

아미드형 국소마취제의 혈관확장작용의 상대적 정도를 비교해 보면 다음과 같다.

① 리도카인 1.0
② Prilocaine 0.5
③ Mepivacaine 0.8
④ Bupivacaine 2.5
⑤ Etidocaine 2.5

에스텔형 국소마취제도 혈관확장작용을 가지고 있으며, 특히 프로카인은 다른 것에 비하여 혈관확장작용이

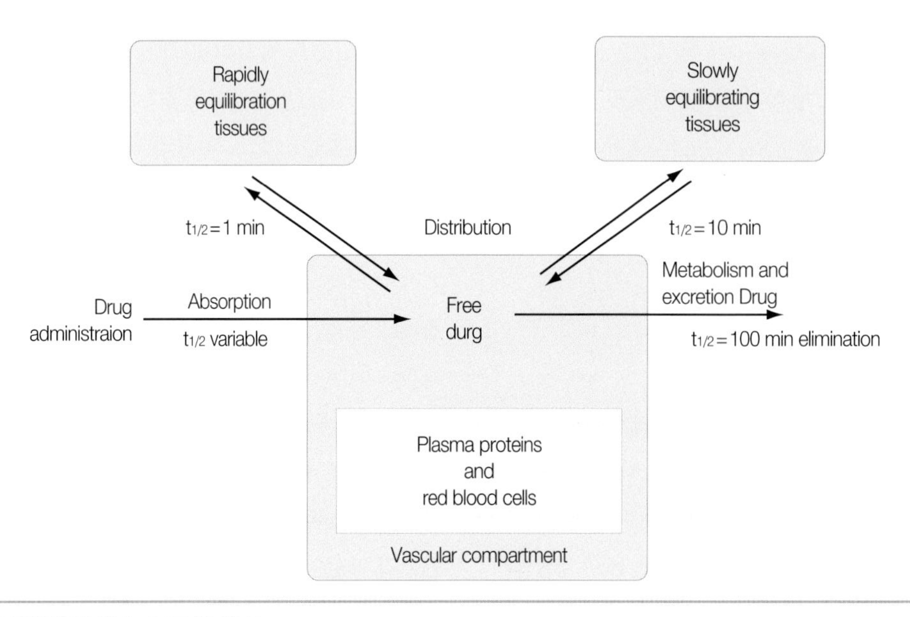

그림 7-6. 국소마취제의 흡수, 분포 및 배설

강하다. Tetracaine, chloroprocain과 propoxycaine은 다양한 정도의 혈관확장 작용을 보인다. 코카인은 오랜 시간 지속되는 강한 혈관수축작용이 있는데, 이는 조직결합부위에 catecholamine, 특히 노르에피네프린의 흡수를 억제함으로써 순환하는 노르에피네프린의 비활성화가 감소되어 결국 장시간의 혈관수축작용이 나타나게 된다.

혈관확장의 임상적인 효과는 혈류로의 국소마취제의 흡수율을 증가시키고 따라서 마취효과의 작용시간이 감소되며 국소마취제의 혈관농도가 증가되어 과량을 투여한 것과 같은 효과를 보이게 된다. 국소마취제의 혈류 내 흡수에 영향을 주는 요소는 다음과 같다.

① 마취제용액 성분 중 혈관수축제의 포함 유무

② 조직의 pH: 조직이 심한 알카리성인 경우 비이온화 소수성 분자(BN)의 형성이 빨라짐으로써 혈관 속으로 직접 확산한다.

③ 주사된 부위의 혈관 분포

④ 마취제가 투여된 경로

- 정맥 내 주사: 1분
- 표면마취: 약 5분, 국소마취제는 점막에 도포한 후 각각의 부위에 따라 다르게 흡수된다. 기관점막의 경우에는 정맥 내 주사만큼 빠르지만, 인후점막은 느리며, 식도 또는 방광점막의 경우에는 인후점막보다 흡수가 더 느리다.
- 구강 내 투여: 구강 내로 투여하는 경우에는 코카인을 제외한 기타 국소마취에는 위장관으로 잘 흡수되지 않는다.

(2) 분포

혈류로 유입된 국소마취제는 부분적으로 혈장단백질인 α1-acid glycoprotein 및 적혈구와 결합한다. 혈장단백과의 결합은 국소마취제 용해도와 비례한다. 결합을 급격히 억제하는 요인으로는 호흡성 산혈증과 다른 종류의 약염기성 약물과의 동시투여가 있다. 혈류로 흡수된 국소마취제 중 비결합성 약물은 신체의 모든 조직으로 확산된다. 뇌, 두부, 간, 신장, 폐, 비장 등 혈관분포가 풍부한 기관은 다른 기관에 비해 국소마취제의 농도가 높아진다. 골격근은 혈관분포가 풍부한 부위는 아니지만 신체의 가장 많은 부분을 차지하고 있으므로 다른 기관에 비하여 국소마취제의 농도가 가장 높다.

혈액이나 혈장 내에 국소마취제의 농도는 독성을 일으키는 원인 중 요소가 되는데, 이에 영향을 미치는 요소들에는 혈류 내로 흡수되는 비율, 혈관 조직으로 분배되는

표 7-2. 국소마취제의 반감기

국소마취제	반감기(분)
Articaine	20
Bupivacaine	210
Prilocaine	96
Mepivacaine	114
Lidocaine	96

비율, 신진대사와 배설기관을 통한 약물의 제거 등이 있다. 후자의 두 가지는 혈액 내 국소마취제의 농도를 감소시키는 작용을 한다.

국소마취제가 혈액 내에서 제거되는 비율은 약물의 반감기로 나타낸다(표 7-2). 반감기는 마취제의 농도가 50% 감소되는데 요구되는 시간이다.

모든 국소마취제는 쉽게 혈관-뇌 경계막을 통과하며, 태반을 쉽게 통과하여 자라는 태아의 순환계로 들어가게 된다.

(3) 생체대사

에스텔형과 아미드형의 국소마취제 사이에는 대사에 큰 차이점이 있다. 독성은 주사부위에서 혈류 내 흡수율, 대사와 주위 조직으로의 흡수에 따른 혈관으로부터의 제거율 사이의 균형에 의해 좌우되기 때문에 국소마취제의 대사는 매우 중요하다.

에스텔형 국소마취제는 주로 혈장의 pseudocholinesterase에 의해 가수분해되어 대사된다. 이와 같은 가수분해 산물은 뇨를 통하여 체외로 배설되기 전에 간에서 생체대사과정을 더 거친다. 아미드형 국소마취제의 대사는 간에서 주로 일어난다. 최초의 반응은 3차 아미노 종단의 N-탈 알킬기 반응이고, 이 결과로 생성되는 2차 아민은 대부분의 경우 간에 존재하는 아미다제에 의해 분해되지만 포합, 수산화, 탈알킬화 등도 일어날 수 있다.

① 에스텔형 국소마취제

에스텔형 국소마취제는 혈장 내의 효소인 pseudocholinesterase에 의하여 가수분해된다. 에스텔형 국소마취제는 종류에 따라 가수분해율의 변화가 많다(표 7-3).

표 7-3. 에스텔형 국소마취제의 가수분해율

국소마취제	가수분해율(μmol/ml/hr)
chloroprocaine	4.7
프로카인	1.1
tetracaine	0.3

가수분해율은 국소마취제의 작용시간과 독작용에 많은 영향을 미친다. Chloroprocaine은 작용시간이 가장 짧고 독작용이 가장 적다. Tetracaine은 작용시간이 가장 길고 독작용이 가장 심하다. 또한, 프로카인은 para aminobenzoic acid (PABA)와 diethylamine alcohol로 가수분해되는데, 전자는 더이상 변화가 없이 뇨로 배설되며 후자는 배설되기 전에 다른 생화학반응을 더 거치게 된다.

에스텔형 국소마취제에 의해 발생하는 과민반응은 일반적으로 프로카인 등과 같이 모화합물에 의해 발생하는 것이 아니고 주 대사산물인 PABA에 의한 경우가 많다.

3,000명 중 1명 정도가 비전형적인 pseudocholinesterase를 가지고 있어 에스텔형 국소마취제 및 succinylcholine 등 화학적으로 연관이 있는 약물의 가수분해가 이루어지지 않음으로써 약물이 오랫동안 잔존하게 되며 독작용도 증가하게 된다.

Succinylcholine은 단시간 작용성 근이완제로 전신마취 시 유도단계에 투여하며, 2~3분 동안 호흡마비를 초래한다. 혈장 내 pseudocholinesterase가 succinylcholine을 가수분해하지 못하므로 호흡마비가 지속되며, 이러한 비전형적인 pseudocholinesterase는 유전적이다. 전신마취를 하기 전에 가족력에 문제점이 있으며 조심스럽게 평가해야 한다. 기왕력 청취 시 비전형적인 pseudocholinesterase가 확실히 있는 환자나 가족의 경우 에스텔형 국소마취제의 사용은 절대금기증이 된다.

절대적 금기증은 독작용이나 치명적인 반응이 발생될 가능성이 많으므로 어떤 상태에서도 사용해서는 안 된다. 약물의 사용에 따라 부작용이 발생될 가능성이 높아지므로 가장 적은 유효량을 투여해야 한다.

② 아미드형 국소마취제

아미드형 국소마취제의 신진대사는 에스텔형보다 복잡하다. 이러한 형태의 국소마취제가 대사되는 주요 장기는 간이다. 리도카인, mepivacaine, etidocaine과 bupivacaine은 완전히 간에서 대사가 이루어진다. 2급아민인 prilocaine은 가수분해되기 전에 탈알킬화가 필요하기 않으므로 절반 정도는 간에서 대사가 이루어지며, 신장에서도 일어난다. 리도카인, mepivacaine, etidocaine과 bupivacaine의 대사율은 거의 비슷하며 prilocaine은 다른 것보다 대사가 빨리 이루어진다. 그러므로 환자의 간기능에 따라 차이가 많이 나타난다. 정상적인 간기능을 가진 환자에서는 주사된 리도카인의 약 70%가 대사되며, 간기능 저하를 가진 환자는 정상적으로 아미드형 국소마취제를 분해할 수 없고 그 결과 혈액 내 국소마취제의 농도가 증가되며 독성도 높아지게 된다. 심한 간기능 저하가 있는 환자에서는 아미드형 국소마취제의 사용은 상대적 금기증이 된다.

신장이나 심장장애가 있는 환자나 이 때문에 장기간 약물을 복용하는 환자는 prilocaine을 다량 투여받을 때, 메트헤모글로빈혈증(methemoglobinemia)이 발생되는데, 이는 prilocaine이 초래하는 것이 아니고 주 대사산물인 ortho-toluidine이 methemoglobin의 형성을 유도하여 메트헤모글로빈혈증이 발생된다.

(4) 배설

에스텔형이나 아미드형 국소마취제 및 대사산물의 주요 배설기관은 신장이다. 투여된 국소마취제 중 일부는 변화되지 않은 채 뇨로 배설되며, 그 양은 국소마취제의 종류에 따라 다르다. 에스텔형의 경우 뇨로 배설되는 모화합물(parent compound)의 양은 매우 적다. 이는 이들이 거의 완전히 혈장 내에서 가수분해되기 때문이다.

프로카인은 2%가 변화되지 않은 상태로 뇨로 배설되며, 90%는 para-aminobenzoic acid 형태로 배설된다.

아미드형은 에스텔형보다 많은 양이 변화하지 않고 뇨로 배설되는데, 이는 생체대사가 보다 복잡하기 때문이다. 리도카인의 10% 미만이 변화되지 않은 채로 배설되며, bupivacaine의 경우 약 16%, mepivacaine이 1~16%로다양한 정도로 변화되지 않은 상태에서 배설된다.

현저한 신장장애가 있는 환자는 국소마취제나 그 대사산물을 혈액으로부터 제거하지 못한다. 이로 인해 약물의 혈중농도가 증가되고 독작용의 가능성이 높아진다. 그러므로 신장질환이 있는 경우 국소마취체의 투여는 상대적 금기증이다. 신투석중에 있는 환자나 만성 사구체신염(glomerulonephritis)과 신우신염(pyelonephritis)이 있는 환자도 마찬가지이다.

7) 국소마취제의 전신적 작용 및 부작용

국소마취제는 일차적으로 말초신경 전도를 억제하기 위하여 사용되지만 이들 약물은 말초신경에만 선택적으로 작용하지 않으며 모든 흥분성 조직에서 흥분파 전달을 차단할 수 있다. 특히 중추신경계와 심혈관계(cardiovascular system)가 예민하다. 그러나 실제로 신경 또는 근육의 활동에 의존하는 장기는 모두 영향을 받을 수 있다. 국소마취제는 Na^+ 채널을 억제하는 기전 이외에 의해서도 여러 조직에 영향을 줄 수 있다. 국소마취제에 의한 전신적 작용의 대부분은 혈액이나 혈장 내 농도와 관련 있다. 농도가 높을수록 임상작용은 더욱 강해진다.

현재 많이 사용되는 국소마취제의 최대용량(표 7-4)에 따른 15 kg 어린이의 용량은 표 7-5와 같다.

(1) 중추신경계

국소마취제는 혈관·뇌의 경계막을 쉽게 통과한다. 중추신경계는 국소마취제에 아주 민감하기 때문에 말초신경의 전도를 차단하지 못하는 낮은 혈중농도에서도 심각한 영향을 받을 수 있다. 따라서 일반적인 치과술식을 시행할 때 국소마취에 의해 도달되는 혈중농도에서도 중추신경계에 대한 효과가 나타날 수 있다. 중추신경계의 세포에 대한 국소마취제의 약물작용은 활성 억제이다.

독성을 나타내는 농도가 낮은 경우에서도 진통효과와 항경련효과가 나타나며 과량이 투여되었을 때 중요한 임상소견으로 전반적인 긴장간대 교호경련(tonic clonic convulsion)을 나타낸다. 과도하게 많은 양을 사용하게 되면 중추억제가 유도되어 전신마취, 호흡장애, 그로 인한 질식으로 사망하게 된다.

표 7-4. 국소마취제(혈관수축제 포함 재제)의 권장최대 용량

약물	최대용량	최대 cartridge 수
Articaine	7 mg/kg (500 mg까지) 5 mg/kg(소아)	7
Bupivacaine	90 mg까지*	10
Lidocaine	7 mg/kg (500 mg까지)	13
Mepivacaine	6.6 mg/kg (400 mg까지)	11 (혈관수축제가 없는 3% 경우 7개)
Prilocaine	6 mg/kg (400 mg까지)	5.5

*FDA에서 16세 이하 어린이에게 사용을 허용하지 않고 있음

표 7-5. 15 kg 소아에 투여할 수 있는 최대 국소마취제 계산 예시

Articaine	최대 용량 5 mg/kg x 15 kg=75 mg 4% articaine=40 mg/ml 75 mg/(40 mg/ml)=1.88 ml 1 cartridge=1.8 ml 따라서 1개 cartridge가 최대
Lidocaine	최대 용량 7 mg/kg x 15 kg=105 mg 2% lidocaine=20 mg/ml 105 mg/(20 mg/ml)=5.25 ml 1 cartridge=1.8 ml 따라서 2.9개 cartridge가 최대
Mepiva-caine	최대 용량 6.6 mg/kg x 15 kg=99 mg 3% mepivacaine=30 mg/ml 99 mg/(30 mg/ml)=3.3 ml 1 cartridge=1.8 ml 따라서 1.8개 cartridge가 최대
Prilocaine	최대용량 6 mg/kg×15 kg=90 mg 4% prilocaine=40 mg/ml 90 mg/(40 mg/ml)=2.25 ml 1 cartridge=1.8 ml 따라서 1.25개 cartridge가 최대

① 항경련 작용

프로카인, 리도카인 및 prilocaine과 같은 국소마취제는 항경련 작용을 나타낸다. 이 같은 작용은 같은 약제의 용량이 발작을 일으킬 수 있을 때보다 현저히 낮을 때 나타난다. 각각의 작용을 나타낼 수 있는 리도카인의 양은 표 7-6과 같다.

프로카인과 리도카인은 대발작과 소발작을 감소시키기 위하여 임상적으로 정맥주사가 사용되어 왔다.

- 항경련 작용의 기전: 발작 환자는 경련을 일으키는 부위에 과흥분피질성 신경단위가 존재하는데 중추신경계에 대해 억제작용을 갖는 국소마취제는 발작을 일으키는 부위에 있는 신경단위(neuron)의 과흥분을 감소시켜 발작역치(seizure threshold)를 높여준다.
- 경련전 징후 및 증상: 혈중 국소마취에의 농도가 증가되면 유해한 중추신경계 작용이 나타난다. 리도카

표 7-6. 용량에 따른 리도카인의 경련 관련 작용

리도카인의 작용	용량(μg/ml)
혈중 내 항경련 농도	0.5~4.0
발작전 징후 및 증상	4.5~7.0
긴장성 발작(tonic seizure)	7.5
간대성 발작(clonic seizure)	7.5

표 7-7. 국소마취제의 독성 임상소견

객관적 징후	주관적 증상
• 뚜렷하지 않은 언어 (slurred speech) • 떨림(shivering) • 근연축 (muscle twitching) • 안면 및 사지의 원거리 • 근육의 경련	• 혀 및 구강주위의 감각마비 • 피부가 따뜻하고 붉어짐 • 편안한 꿈꾸는 것 같은 상태 • 일반적으로 경솔하다. • 현기(dizziness) • 시각장애(초점을 맞출 수 없다) • 이명(tinnitus) • 졸림(drowsiness) • 부위감각상실(disorientation)

인의 경우 건강한 환자에서 4.5~7 g/ml 농도일 때 2차 단계가 관찰된다. 중추신경계 독성의 임상증상은 그 특성이 흥분성이다(표 7-7).

혀와 구강주위의 감각마비는 국소마취제의 중추신경계작용으로 초래되는 것은 아니며, 이것은 약물의 직접적인 국소마취작용으로 발생되는데 이것은 국소적이며 혈관분포가 풍부한 조직에 고농도로 약물이 투여될 때 나타난다.

리도카인과 프로카인은 다른 국소마취제들과 달리 설명된 바와 같은 임상증상이 나타나지 않을 수도 있다. 리도카인과 프로카인은 경미한 진정효과, 즉 졸림과 같은 임상증상들이 초래될 수 있으며 이 효과는 리도카인에서 더욱 뚜렷하다.

진정상태가 자극적인 임상증상 대신에 나타나게 된다. 국소마취제의 투여에 따른 자극성 임상증상이나 진정의 임상적 발현은 혈중 국소마취제의 농도가 높아지고 있는 것을 경고하는 것으로 전반적인 경련이 발생될 가능성이 높다.

② 경련

국소마취제의 혈중농도가 높아짐으로써 근섬유속 연축(fasciculation)과 진전(tremor)이 심해지면서 전반적인 긴장간대교호경련을 포함한 임상증상이 나타난다. 때때로 발작은 전신마취상태와 동일한 중추신경계억제 상태로 이어지며 호흡부전으로 인한 사망으로 이어지기도 한다.

발작의 기간은 혈중 국소마취제 농도에 좌우되는데 혈중 리도카인의 농도가 7.5~10 μg/ml일 때 통상적으로 경련이 초래된다. 국소마취제의 대사가 온전히 계속되기 때문에 한정적이며, 국소마취제의 농도가 낮아지며 발작이 멈춰지게 된다. 그러나 여러 가지 다른 기전이 같이 작용함으로써 불행하게도 경련이 장시간 계속될 수 있다.

국소마취제의 기인된 경련이 계속되는 동안 뇌혈류량과 뇌신진대사가 증가된다. 이처럼 뇌혈류량이 증가됨으로서 뇌로 운반된 국소마취제의 농도가 높아져 발작이 초래된다. 뇌의 신진대사로 인한 산성증(acidosis)이 더욱 심해짐으로써 혈중 국소마취제의 농도가 저하되어도 발작이 계속된다. 농도가 더욱 증가되면 발작이 중지된다.

뇌전도(electroencephalogram, EEG) 전반적인 중추신경계억제로 편평해지며 이때 호흡억제가 나타나며 결국 농도가 계속 높아질 때 호흡마비가 초래된다. 호흡변화는 중추신경계에 대한 국소마취제의 억제작용의 결과로 초래되는 것이다.

- 경련 발현 전과 경련 발현 기전: 국소마취제 흥분성 막(excitable membrane)을 억제하는 작용을 하지만 혈중 국소마취제 농도가 높을 때 기본적인 임상소견은 다양한 중추신경계의 자극과 관계가 있다. 어떻게 중추신경계를 억제하는 약물이 긴장간대교호발작을 포함한 다양한 중추신경계의 자극을 야기하게 되는가?

  뇌피질(cerebral cortex)은 억제신경원(inhibitory neuron)과 촉진신경원(facilitatory neuron)의 두 가지 신경로를 가지고 있다. 정상적인 상태에 는 이들 두 신

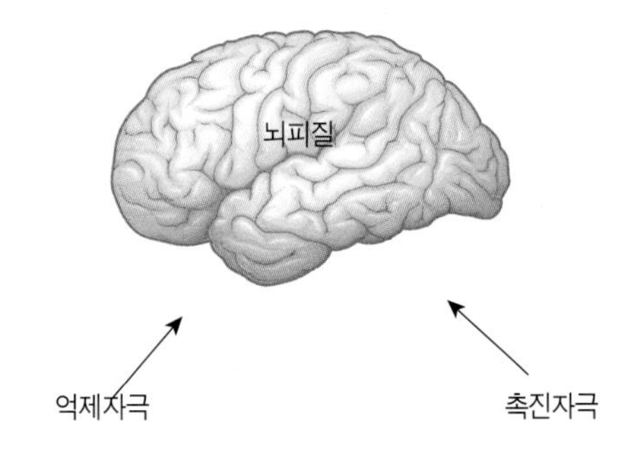

그림 7-7. 뇌피질은 억제자극과 촉진자극을 같이 받게 된다(정상 상태).

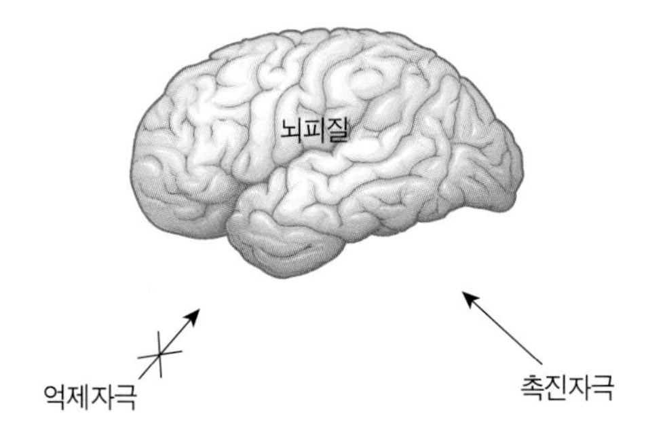

그림 7-8. 균형이 과도한 촉진입력측으로 기울게 된다(국소마취제의 경련발현 전 농도 시).

경로(neural path)가 균형을 유지하고 있다(그림 7-7).

경련 발현 전 농도에서 발현되는 임상증상은 국소마취제가 촉진신경원보다 억제신경원을 보다 심하게 억제함으로써 결과적으로 촉진신경이 활성화된 상태의 임상적 현상이 나타난다(그림 7-8).

경련 농도 시 억제신경원이 완전히 저하되고 반대로 촉진신경원의 기능이 활성화된다(그림 7-9).

농도가 증가되면 억제자극뿐만 아니라 촉진자극도 억제되어 전반적인 중추신경계 억제를 초래하게 된다(그림 7-10).

중추신경계에서 국소마취제가 작용하는 명확한 위치가 알려져 있지는 않으나 억제피질연접(inhibitory cortical synapse)이나 억제피질신경원(inhibitory cortical neuron)에 직접 작용하는 것으로 생각된다.

③ 진통

국소마취제가 중추신경계와 관련되어 나타내는 두 번째 작용이 진통이다. 정맥 내로 투여 시 국소마취제는 통증반응역치(pain reaction threshold)를 증가시키며 그럼으로써 진통효과를 나타낸다.

1940년대와 1950년대 프로카인을 만성 통증과 관절염이 치료를 위하여 정맥 내로 투여하기도 하였다. 이때 체중 1 kg 당 4 mg을 20분 이상 투여하였으며 프로카인의 진통효과와 과량 투여 시의 임상증상 사이의 안전역(safety margin)이 비교적 좁기 때문에 현재에는 거의 사용되지 않는다.

(2) 심혈관계

일부 국소마취제를 심장부정맥치료를 위해 사용되기도 하지만 일반적으로 전신독성을 유발한다. 국소마취제는 심근과 말초혈관에 직접 작용과 자율신경계를 통한 간접적 중추신경계에 의한 상호작용에 의해 나타난다.

① 심근층에 대한 직접 작용

국소마취제는 말초신경에 미치는 영향에서와같이 심근층에서 발생되는 전기생리학적 사상을 변화시킨다. 독성을 나타내지 않는 농도에서는 심장에 대한 전기생리학적 영향이 국소마취제의 종류에 따라 다소 다르게 발현된다. 리도카인은 심실의 활동전위의 기간과 효과불응기를 단축시키지만 프로카인은 반대로 이들을 연장시킨다. 그러나 두 약제 모두 활동전위와 관련된 효과불능기를 증가시켜 전위속도를 느리게 하며, 특히 이소성 심박동조율기(ectopic pacemaker)에서의 심장자동성(cadiac automaticity)을 감소시키는 작용을 한다.

이러한 효과들은 심근의 Na^+ 전도를 억제함으로써 발생하며, 국소마취제의 혈중농도가 증가됨에 따라 여러 시기의 심근 탈분극화의 발생률을 감소시킨다. 휴지막전위의 현저한 변화나 재분극의 현저한 연장은 없었으며 국소마취제의 혈중농도와 관계하여 심근층의 억제가 나타난다.

국소마취제는 심근층의 전기적 흥분을 감소시키며, 전도율 및 수축력을 감소시킨다.

많은 국소마취제가 항부정맥작용(antiarrhythmia action)을 보이지만 프로카인과 리도카인 둘만이 인체에서

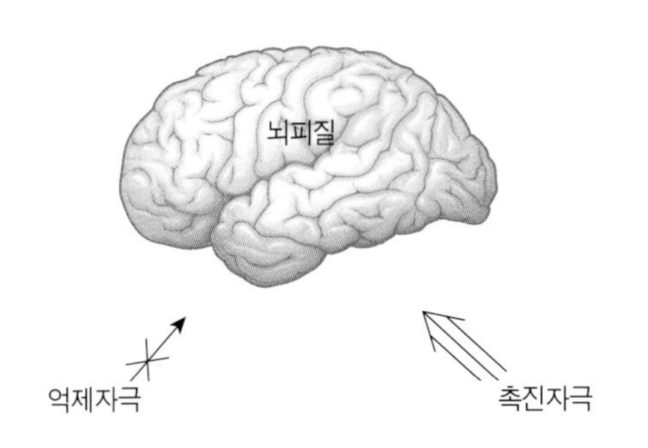

그림 7-9. 억제 없이 순수한 촉진입력만 있는 경우 긴장간대 교호발작이 발생된다(국소마취제 경련 농도 시).

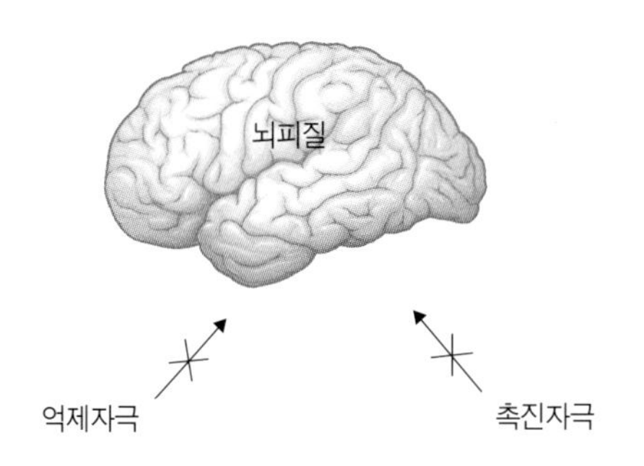

그림 7-10. 억제자극과 촉진자극이 함께 억제되어 전반적인 중추신경계 억제를 보이게 된다(국소마취제 호흡억제 농도 시).

뚜렷한 임상적 확실성을 가지고 있다. 리도카인은 가장 널리 사용되며 가장 광범위하게 연구된 국소마취제이다. 프로카인 amide는 ester기 대신 amide기가 연결된 프로카인분자로서 이 때문에 프로카인보다 더욱 천천히 가수분해 된다. 1 또는 2개의 cartridge (0.5~2 μg/ml)을 구강 내 주사 후 정상적으로 나타난 혈중 리도카인의 농도로는 심장억제작용을 보이지는 않는다.

임상적으로 항부정맥작용을 초래할 수 있는 유효농도는 1.8~5 μg/ml이다. 일반적으로 리도카인을 정맥 내로 분당 25~50 mg으로 50~100 mg을 주사한다. 이 용량은 체중 1 kg 당 1.5 mg에 준한다. 이는 50 μg/kg/min을 계속 정맥주사하는 것과 같다. 혈중국소마취제의 농도가 5 μg/ml 이상일 때 과량 투여 시 임상증상이 나타나게 된다. 임상적으로 리도카인은 심실조기박동(ventricular tachycardia)의 치료에 사용된다.

또한 심실세동(ventricular fibrillation)에 의한 심장정지 시 진전된 심소생술(cardiac life support)을 위한 기본 약제로 사용된다.

국소마취제의 혈중농도가 항부정맥 효과를 나타내기에 필요한 농도를 초과하였을 때 직접 심장에 미치는 작용들은 다음과 같다.

- 심근수축력(myocardial contractility)의 감소
- 심박출량(cardiac output)의 감소
- 순환성 허탈(circulatory collapse)의 발생

사람에 대한 임상보고와 동물실험보고에 따르면 Bupivacaine과 같은 소수성이 큰 국소마취제는 친수성인 약물에 비해 상대적으로 심장독성 즉, 심실부정맥과 심혈관 허탈이 일어나시 쉽고 소생이 더 어려운 것으로 나타났다. 이러한 현상은 이들 약물이 사용-의존성 차단과 관련이 있을 것으로 생각하고 있으며 또한 독성농도에서 Bupivacaine이 K^+과 Ca^{2+} 채널을 억제하는데 이도 부정맥 유발과 관련이 있는 것으로 보고하고 있다.

② 말초혈관에 대한 직접 작용

코카인은 통상적인 용량에서 혈관수축을 보이는 유일한 국소마취제이다. 다른 대부분의 국소마취제는 혈관의 평활근을 이완시켜 말초혈관확장을 나타낸다. 혈관확장이 발생함으로써

- 국소마취제가 축적된 부위에 혈류량을 증가시키며
- 국소적인 혈류가 증가됨에 따라 약물의 흡수율이 증가되며
- 이로 인해 국소적인 마취효과가 감소되고
- 치료부위의 출혈이 증가되며
- 과량 투여 시와 같이 국소마취제의 혈중농도가 증가된다.

국소마취제가 혈압에 미치는 효과는 저혈압이다. 프로카인은 매우 자주 저혈압을 초래하여 리도카인 투여 시 6%에서 저혈압이 나타나는 반면 프로카인을 투여했을 때, 50%에서 저혈압이 나타났음이 한 연구결과에서 보고된 바 있다. 이 같은 작용은 심근의 직접적인 억제와 혈관벽의 평활근의 이완에 의하여 초래된다.

요약하면 국소마취제가 심장혈관계에 작용하여 효과들은 다음과 같다.

- 과량이 아닌 경우 혈압에 변화가 없거나 약간 증가되며, 교감신경의 작용이 강해져서 직접적인 심박출량과 심박동수가 증가된다. 또한 말초혈관의 직접적인 수축이 나타난다.
- 과량에 도달하지는 않았으나 근접되지 않는 경우 혈관의 평활근의 직접적인 이완 효과로 경미한 저혈압이 발생한다.
- 과량인 경우 심한 저혈압이 발생된다.
  - 심근수축력의 감소
  - 심박출량의 감소
  - 말초혈관 저항력의 감소

③ 치명적인 농도인 경우

심장혈관 허탈(cardiovascular collapse)이 발생된다.

- 심한 말초혈관 확장
- 심근수축력의 감소

• 심박동수의 감소, 동성 서맥(sinus bradycardia)

(3) 호흡계

국소마취제는 호흡계에 대하여 이중효과를 가진다. 과량이 아닌 경우 기관지의 평활근을 직접 이완시키며 과량의 국소마취제를 투여한 경우 전반적인 중추신경계 억제로 호흡마비를 초래하게 된다. 일반적으로 과량이 될 때까지 호흡 기능에 대한 영향은 그리 크지 않다.

(4) 기타의 작용

① 신경근 차단(Neuromuscular blockade)

많은 국소마취제는 인체에서 신경근 전달(neuromusculartransmission)을 차단한다. 이는 신경근 접합부에서 골격근 세포막에서 Na^+ 통로를 차단함으로써 Na^+의 확산이 억제되어 나타난다. 이 같은 작용은 정상적으로 약하며 임상적으로도 미약하다. 그러나 경우에 따라 이 미약한 신경근 차단작용이 succinylcholine과 같은 탈극성 근이완제(depolarizing muscle relaxant)나 curare같은 비탈극성 근이완제(non-depolarizing muscle relaxant)의 근이완 작용이 증폭시킬 수 있으므로 주의해야 한다.

② 약물상호작용

일반적으로 국소마취제 자체는(국소마취제제에 함유되어 있는 혈관수축제의 경우는 주의해야 할 약물상호작용이 많다.) 임상적으로 주의해야 할 약물상호작용이 거의 없다. Narcotics, anti-anxiety agents, phenothiazines, barbiturates와 같은 중추신경억제제나 항히스타민제가 국소마취제와 함께 투여되면 특히, 어린이에서 심장과 호흡작용에 잠재적 독성을 보인다. 구강 sedation 시 특히, 주의해야 한다. 국소마취제와 탈극성 근이완제인 succinylcholine은 대사과정이 동일하고 혈장 내의 pseudocholinesterase에 의해 가수분해 된다. 그뿐 아니라 위에서 설명한 바와 같이 국소마취제의 신경근차단이 이 근이완제의 작용을 증가시킬 수 있다. 이들 약물을 같이 사용할 때 무호흡(apnea)이 연장될 수 있다. Barbiturate 등과 같이 간과립체효소(hepatic microsomal enzyme)를 형성하는 약물은 아미드형 국소마취제에 의해 신진대사율이 변화될 수 있어서 간과립체효소의 형성이 증가되며 국소마취제의 대사율이 증가된다.

③ 악성 고열증
(Malignant hyperthermia, Hyperpyrexia)

악성 고열증은 개체의 유전적 변이가 어떤 약에 대한 반응을 변화시키는 약물유전학적 장애이다. 악성 고열증의 급성 임상증상은 빈맥(tachycardia), 빈호흡(tachypnea), 불안정한 혈압, 청색증, 호흡성 및 대사성 산증(acidosis), 108℉ (42℃) 이상의 발열, 근육강직과 심하게는 사망을 초래할 수 있다. 사망률은 63~73%이다. 과거에는 흡입 전신마취제, succinylchoine, 일부 국소마취제에 대해 유전적으로 민감한 환자에게서 유발되는 것으로 알려졌지만, 최근 연구에 따르면 국소마취제에 의한 악성 고열증 발생은 잘못된 보고이며(아직 논란의 여지가 있음) 악성 고열증에 유전적으로 민감한 환자에게 모든 종류의 국소마취제를 사용할 수 있다. 그러나 혈관수축제인 epinephrine과 환자의 스트레스가 미약하지만 악성고혈증 발생과 연관이 있는 것으로 보고되고 있다.

④ Psychological reactions

치과영역에서 국소마취제 관련 사고는 약물 주사로 인한 불안 관련이 가장 일반적이다. 가장 일반적인 것으로는 실신(syncope)이며 이외에도 과호흡, 구토, 오심, 심박수 및 혈압의 변화 등이 있다. 소양증, 부종, 기관지경련과 같은 증상은 종종 알레르기반응으로 오진되기도 한다.

⑤ 알레르기반응

치과임상에서 국소마취제 투여에 의한 알레르기반응에 대한 보고가 일반적으로 있으나 대부분은 정신과적인 원인이다. 아미드형에 대한 진짜 알레르기반응은 거의 일어나지 않으며 에스텔형인 프로카인인 경우는 다소 알레르기반응을 일으킨다. 하나의 에스텔형 국소마취제에 대해 알레르기가 나타나면 일반적으로 다른 에스텔형에도 반응이 나타난다(공동 대사물질인 para-aminobenzoic acid에 대한 알레르기반응이기 때문). 그러나 아미드형인 경우는 한 종류의 아미드형에서 알레르기반응이 나타나도 다른 종류를 사용할 수 있다. 일반적으로 에피네프린은 알레르기반응을 일으키지 않는다. 일부 환자는 국소마취제 cartridge에 함유되어 있는 다른 성분에 의해 알레르기반응을 일으킨다. 과거에는 국소마취제를 바이엘에서 반복적으로 사용하였기 때문에 methylparabens이 보존제로 사용되었다. 이 methylparaben이 알레르기반응을 일으켰으나 현재에는 모두 일회용 cartridge를 사용하므로 이 보존제를 사용하지 않는다. 혈관수축제가 함유되어 있는 국소마취제의 경우는 혈관수축제의 산화방지를 위해 metabisulfite를 반드시 사용해야 하는데 이 sulfites에 대한 알레르기반응이 나타날 수 있다. 항세균제인 설파제는 sulfites에 대한 교차 알레르기반응이 없으므로 설파제에 대해 알레르기반응을 가진 환자에게 산화방지제인 sulfites가 함유되어 있는 혈관수축제를 사용해도 무방하다.

⑥ Methemoglobinemia

methemoglobinemia는 prilocaine에 의해 일어나지만 articaine 또는 표면마취제인 벤조카인에 의해서도 발생할 수 있다. 이들 약물의 대사산물에 의해 발생되며 혈액 내 산소운반능력 저하에 의한 청색증을 보이며 100% 산소 주입에 의해서도 반응을 보이지 않는다. 혈액 내 methemoglobin이 적을 경우에 청색증이 나타나며 아주 많을 경우는 오심, 진정, 발작, 혼수가 나타날 수도 있다. 선천적으로 methemoglobinemia가 있는 환자의 경우는 이들 국소마취제의 투여를 피해야 한다.

⑦ 이상감각(Paresthesia)

발치와 같은 외과 시술 시 혀나 입술의 지속적인 마취위험이 나타나나 비외과적 치과시술 후에도 나타날 수 있다. 주로 일시적으로 일어나며 8주 정도 내에 해결되나 그렇지 않은 경우도 있을 수 있다. 다른 국소마취제에 비해 articaine과 prilocaine 사용 시 이상감각 발생이 통계적으로 유의하게 증가한다는 보고가 있다.

8) 특별환자군

치과 영역에서 국소마취제와 혈관수축제는 산모와 수유모에 안전하나 주사 시 혈관주사가 되지 않도록 유의해야 한다. 미국 FDA에서 가장 안전한 것으로 판단하는 것은 lidocaine과 prilocaine이다(표 7-8).

소아에서의 국소마취제 사용 시 가장 중요한 점은 체내 과량투여가 쉽게 일어날 수 있다는 것이다. 따라서 약물 주사 전에 체중에 따라 최대용량을 계산해야 한다. 소아에는 독성 때문에 낮은 농도의 국소마취제를 사용해야 하는데 일반적으로 에피네프린 1:100,000인 2% 리도카인이 이상적이다. 소수성이 강한 Bupivacaine은 연조직 마취에 있어 작용지속시간이 길기 때문에 사용을 하지 않는 것이 좋다.

국소마취제에 대한 반응에 있어서 노인환자와 일반환자 간의 차이는 없다. 하지만 노인환자의 경우는 간기능장애를 종종 보임으로 최대용량보다 훨씬 아래의 용량을 투여하는 것이 좋다. 또한 특별한 심혈관계문제가 없더라도 혈관수축제의 용량을 감소해야 한다.

표 7-8. 임신 시 국소마취제의 사용

약물	미국 FDA 카테고리
주사용 국소마취제	
Articaine	C
Bupivacaine	C
Lidocaine	B
Mepivacine	C
Prilocaine	B
혈관수축제	
Epinephrine 1:200,000 또는 1:100,000	C (고용량)
Levonordefrin 1:20,000	not ranked
표면국소마취제	
Benzocaine	C
Lidocaine	B

(Category B, No risk in ither studies; Category C, Risk not ruled out)

9) 국소마취제의 종류

구강 내 주사를 위한 국소마취제는 도포용과 주사용으로 나뉘며, 주로 사용되는 주사제의 경우 일회용 cartridge의 형태로 이용된다. 국소마취제의 용매로 발열성이 없는 증류수가 사용되며 여기에 삼투압의 균형을 위해 sodium chloride가 첨가된다. 국소마취용액의 pH는 3.0~6.0 사이이며, 혈관수축제가 첨가되는 경우에는 산도가 증가된다. 이때 pH를 조절하기 위해서 소량의 수산화나트륨 또는 염산이 첨가된다. 혈관수축제의 산화를 방지하기 위해서 메타중아황산나트륨(sodium metabisulfite)나 이와 등가인 항산화제(antioxidant)가 첨가되는데 아황산염(sulfite)에 대한 부작용이 보고되었으며 아황산염에 대한 천식환자나 스테로이드 의존성 천식환자에게는 주의해서 사용해야 한다. 그 외에 항균물질인 methyl paraben이 포함되기도 하는데 일회용 cartridge가 사용되기 시작한 후 그 의미가 없어지고 알레르기 반응도 보고 되고 있어 그 사용이 점차 줄어들고 있다.

(1) 도포국소마취제

상처 난 피부나 점막 표면에 직접 도포하는 마취제로, 조직 표면에 대해서만 효과가 있으며 치과영역에서는 매우 중요한 위치에 있다.

도포국소마취제는 주사침 자입 시에 통증을 거의 없앨 수 있어 국소마취 시행 전이나 창상 부위의 통증을 조절하거나 교정용 밴드 장착 시 통증을 감소시키거나 급성 염증, 궤양이나 창상에 도포하는 등 연조직의 통증을 경감시키기 위해 사용된다. 또한 방사선 촬영 시나 인상채득 시 통증이나 구토를 경험한 적이 있는 환자에게도 효과적으로 이용될 수 있다. 경우에 따라서는 발치 후 건성 발치와의 통증을 경감시키기 위해서도 유용하다.

시판되는 가장 많은 형태는 넓은 표면을 효과적으로 마취할 수 있는 스프레이 형이다. 이러한 형태는 잠재적인 위험성이 있으나 벨브형 분사기를 장착하여 과량 사용의 위험성을 줄일 수 있다. 용액형태는 흡인의 위험성을 없애고 넓은 표면마취에 효과적이다. 점액형태는 열상이나 찰과상의 통증 감소에 효과적이다. 일반적으로 국소마취연고에는 에탄올, 글리세린, 바셀린 광유, 셀룰로우즈 등이 포함된다. 기타 첨가물로는 benzalkonium chloride, 올리브유, dimethylethyl ammonium bromide, eugenol, 멜라틴, hydnoxyquinoline sulfate, pectin과 방향제, 색소 등이 있다.

표 7-9. 표면마취제의 종류

비수용성 표면마취제	Ethyl aminobenzoate (benzocaine, hurricaine)
	Lidocaine base
수용성 표면마취제	Benzyl alcohol
	Tetracaine hydrochloride (cetacaine)
	Lidocaine hydrochloride

표면마취에 이용되는 국소마취제(표 7-9)는 점막 투과성이 뛰어나 쉽게 유리 신경말단에 도달해야 한다. 때론 전달마취나 침윤마취 목적으로 쓰이는 국소마취로 점막을 통과하여 확산되기 위해서 사용되는 마취의 농도가 주사용 마취제보다 높다. 혈관수축제가 첨가될 경우에는 점막 투과성이 감소되므로 도포국소마취제에는 혈관수축제가 첨가되지 않는다. 도포국소마취제가 지용성이거나 넓은 표면에 도포될 경우 빠르게 전신적으로 흡수될 수 있다. 유도시간은 마취제에 따라 다양하여 30초에서 10분의 범위를 갖는다. 표면마취작용시간은 짧고 점막하층에 제한된다. 도포 직후 양치를 하면 마취효과가 사라진다.

① Benzocaine

화학명	ethyl p-aminobenzoate
상품명	Hurricaine, Orabase-O, Americaine, Benzodent

Benzocaine은 diethylamine 말단이 제거된 프로카인 유도체이다. 물에는 거의 녹지 않아 도포된 표면에 비교적 오래 잔류하며 혈류로 흡수도 느리다.

제조회사에 따라 차이가 있으나 6~20% 농도의 겔, 연고, 스프레이가 시판된다. 표면마취 목적으로는 polyethylene glycol base로 20%의 농도가 가장 많이 쓰이며 낮은 농도의 것은 외과적 드레싱에 이용된다. Benzocaine은 종종 chlorobutanol이나 tetracaine과 혼합하여 사용되기도 한다.

20% 농도의 경우 30초 이내에 마취 효과가 발현되나 적절한 마취심도와 강도를 얻기 위해서는 2~3분이 소요된다. 치조점막의 주사전 통증을 감소시키고 혀의 지각마비를 야기하기는 하지만 구개점막의 마취효과는 아주 미미하다. 일단 마취되면 5~15분 이상 지속된다.

장기간 반복 사용했을 때 알레르기를 일으킬 수 있다. 전신적인 부작용이 거의 없기는 하나 소아에서 과량 사용 시 메트헤모글로빈혈증이 종종 보고되며 특히 에어졸 형태의 benzocaine을 흡입했을 때 더 빈번하다.

② Tetracaine hydrochloride

화학명	2-(dimethylamino) ethyl-4butylaminobenzoate chloride
상품명	Pontocaine, Supracaine

Tetracaine은 p-aminobenzoic acid의 에스터형 유도체로 p-아미노군의 수소 중의 하나가 부틸기로 대체되어 지용성과 마취 효력을 증가시켰다. 사실 tetracaine은 치과용 표면마취제 중 가장 강력하다. 0.2~2.0% 농도의 스프레이, 용액, 연고의 형태로 시판된다. 가장 일반적인 형태는 2% tetracaine에 14% benzocaine, 2% buthylaninobenzoate, 0.5 benzalkonium chloride, 0.005% cetyldimethylethyl amino bromide의 혼합용액으로 분무형 스프레이이다.

도포 후 2분 이내에 마취되어 20분에서 1시간 동안 마취효과가 지속된다. Tetracaine이 점막에서 빠르게 흡수되며 특히 호흡기 점막에서는 더욱 흡수 속도가 빠르기 때문에 건강한 성인에서도 1회에 20 mg (2% 용액의 경우 1 ml) 이상 투여해서는 안 된다. 과량 투여한 경우에는 여러 가지 합병증을 야기할 수 있다. Tetracaine은 혈장 pseudocholinestrase에 의해 대사되는데 대사속도는 프로카인보다 늦다.

③ Lidocaine and Licocaine hydrochloride

화학명	2-(diethylamino)-2′, 6′-acetoxylidide (monohydrochloride)
상품명	Xylocaine, Alphacaine, Octocaine

리도카인은 구강 내 표면마취제로 사용되는 유일한 아미드형 국소마취제로 주사로도 사용되는 유일한 국소마취제이다. 치과에서는 2% 또는 5% 겔, 2% 점액, 4% 또는 5% 용액, 5% 연고와 10% 스프레이가 이용된다. 마취효과는 1~2분 이내에 발현되며 5분 이내에 최고효과를 보이고 약 15분간 지속된다. 마취 시 바늘에 의한 통증을 경감시키기 위해 주로 사용되는 5% 연고는 polyethylene과 propylene glycol에 리도카인을 첨가하여 그밖에 방향제로 사카린이나 페퍼민트, 스피아민트가 첨가된다. 5% 연고는 20% benzocaine과 유사한 강도를 가지나 작용시간이 늦어 적절한 통증감소효과를 얻기 위해서는 3분 이상 유지해야 하며, 치조점막에서 효과는 좋으나 구개점막에서는 효과가 거의 없다.

다른 표면마취제와도 다르게 도포 후 천천히 흡수되며 추천되는 최대용량은 리도카인 hydro chloride는 4.5 mg/kg (300 mg)이고, 리도카인 base의 경우는 3.6 mg/kg (250 mg)이다.

(2) 주사용 국소마취제

① 프로카인 hydrochloride

화학명	2-(diethylamino) ethyl p-aminobenzoate monohydrochloride
상품명	Novocaine

P-aminobenzoic acid와 diethylaminoethanol의 에스텔유도체인 프로카인은 최초로 치과 국소마취에 이용된 약물로서 치과영역에 사용되는 주사용 국소마취제 중 가장 독성이 약하다.

통상적인 용량은 혈장 cholinesterase에 의해 가수분해되며 따라서 주사 시 나타나는 독성 반응은 우발적인 혈관 내 주입이 그 원인이며 드물게 혈장 cholinesterase결핍 환자에게서 볼 수 있다. 최근에 치과 국소마취제로 사용되는 프로카인은 2%의 농도만이 쓰이고 있으며, 0.4% propoxycaine과 혼합하여 사용되며 혈관수축제로 1:200,000 levonordefrin이나 norepinephrine bitartate가 첨가된다. Propoxycaine을 첨가함으로써 마취제의 작용속도, 최대효과, 작용시간 및 독성이 증가하게 된다. 다른 종류의 p-aminobenzoic acid 에스텔에 알레르기 반응을 보이는 환자는 프로카인과 propoxycaine에 교차알레르기를 나타낸다. 비록 널리 이용되고 있지는 않지만 프로카인과 propoxycaine의 혼합마취제는 짧은 시술 및 아미드형 마취제에 알레르기 환자에게 적응증이 된다. 이 마취제의 작용유도시간은 주사 후 1~3분이며 현재까지 태아에 대한 영향은 확립되어 있지 않다.

② Propoxycaine hydrochloride

화학명	2-(diethylamimo) ethyl-4-amino-2-propoxybenzoate monohydrochloride
상품명	Ravocaine

Propoxycaine은 임상적으로 프로카인에 비해 약 6배 강한 효능을 가지며 쥐를 통한 실험에서 약 4배 정도 강한 독성을 가진 것으로 알려져 있다.

약물학적 효과, 대사과정, 알레르기 반응은 프로카인과 유사하다. 임상적으로는 프로카인과 혼합해서 사용하는 이외에는 잘 쓰이고 있지 않다.

③ 리도카인 hydrochloride

화학명	2-(diethylamino)-2′, 6′-acetoxylidide monohydrochloride
상품명	Xylocaine, Alphacaine, Lignospan, Octocaine

Xylidine의 aminoethylamide 유도체인 리도카인은 치과영역의 신경 전달마취에 적합한 최초의 아미드형 국소마취제로서 프로카인에 비해 2배 정도의 효능 및 독성을 가진다.

구강 내로 주사되었을 때 프로카인에 비하여 더 깊이 마취되고 작용시간도 더 길며 더 넓은 부위를 마취하게 된다. 결과적으로 치과용 국소마취제 중 가장 많이 쓰이게 되었고 아미드형 국소마취제의 기본적인 형태로 간주되고 있다.

» Cartridge의 구성성분

① 2% 리도카인
- 혈관수축제
- 에피네프린: 1:80,000, 1:100,000 또는 1:200,000
- 노르에피네프린: 1:50,000 또는 1:25,000
- 기타
  - sodium chloride: 6 mg/ml
  - citric acid: 0.2 mg/ml
  - sodium metanbisulfite: 0.5 mg/ml

② 3% 리도카인
- 혈관수축제
- 노르에피네프린: 1:25,000>

리도카인은 현재까지 개발된 국소마취제 중 가장 유용성이 크고 사용 가능한 모든 경로로 주사될 수 있으며 표면마취제로도 매우 효과가 있는 것으로 증명되었다.

임상적으로 사용되는 리도카인은 전신독성이 낮고, 최소의 알레르기 반응을 보이면서 비교적 심도가 깊은 국소마취를 유도한다.

리도카인의 사용량에 관하여 FDA는 혈관수축제가 포함되지 않은 2% 리도카인의 경우 총 15 ml, 1:100,000 에피네프린이 포함된 경우 25 ml까지 1회 허용량을 제한하고 있다.

④ Mepivacaine hydrochloride

화학명	1-methyl-2′, 6′-pipecoloxylidide monohydrochloride
상품명	Carbocaine, Arestocaine, Isocaine, Polocaine, Scandonest

Mepivacaine은 xylidine과 N-methylpipecolic acid로부터 생성되는 아미드형 국소마취제로 그 효능과 독성은

리도카인과 거의 유사하다. Mepivacaine은 리도카인에 비해 혈관확장작용이 훨씬 적어서 짧은 시간이 소요되는 치과시술에 있어서 혈관수축제의 사용 없이 효과적으로 사용될 수 있다.

약간의 차이는 있지만 구강 내 마취에 있어서 2% mepivacaine (1:20,000 에피네프린 포함)은 2% 리도카인 마취용액과 효과가 유사하고, 상악의 골막상마취에는 작용시간이 약간 짧을 뿐 작용유도시간 및 마취효과 등이 거의 같다. 또한 cartridge에 포함된 혈관수축제의 차이 때문에 mepivacaine용액은 에피네프린이 포함된 리도카인보다 심계항진을 일으킬 가능성이 더 희박하고 이에 반해, 혈압을 상승시킬 가능성은 더 높다.

3% mepivacaine용액은 혈관수축제가 포함되지 않은 최초의 국소마취제로서 혈관수축제를 포함하고 있는 다른 국소마취용액에 비해 마취효과는 떨어지지 않고 단지 작용시간에 있어서 약간 짧은 작용시간을 가지고 있으므로 짧은 시간을 요하는 술식에 우선적으로 이용될 수 있다. 또한, 심혈관계에 심각한 영향을 미치지 않는 장점이 있고 아드레날린성 아민과 상호작용을 하는 약물을 복용하는 환자에게 안전하게 투여될 수 있다. 이 마취제는 주사 시 통증이 심하지 않은데 아마도 마취액의 높은 pH에 의한 영향이 어느 정도 관련이 되는 것으로 알려져 있다.

Mepivacaine은 간에서 여러 가지 대사물로 전환되는데 이중에서 aromatic hydroxy compound는 중요한 약물학적 활성을 유지한다. 이런 점으로 볼 때 mepivacaine은 간의 아미다제에 의해 잘 대사되지 않는다는 것을 알 수 있다.

Mepivacaine의 최대 허용량은 혈관수축제의 포함 유무에 관계없으므로 levonordefrin을 포함하고 있는 2% mepivacaine용액은 3% 용액에 비해 약 50% 정도 이상을 사용할 수 있다.

⑤ Prilocaine hydrochloride

화학명	2-(propylamino)-o-propionotoluidine monohydrochloride
상품명	Citanest, Citanest forte

다른 아미드형 마취제와는 달리 prilocaine은 toluidine의 이차적인 아미노유도체이다. 리도카인보다 효능이 떨어지며 말초조직에 주사된 후 독성반응이 상당히 미약한 특징을 가지고 있다. Mepivacaine과 마찬가지로 리도카인보다 혈관확장작용이 적어서 혈관수축제를 포함하지않은 형태로 시간이 적게 소요되는 술식에 사용된다.

>> **Cartridge의 구성성분**

- 4% prilocaine
- 혈관수축제: 포함하지 않을 수도 있으며 1:200,000 에피네프린이 사용된다.
- 기타
  - sodium metabisulfite: 0.5 mg/ml
  - citric acid: 0.2 mg/ml

혈관수축제를 포함하는 prilocaine은 2% 리도카인 마취용액과 효과와 작용유도시간이 유사하다. 혈관수축제가 포함하지 않은 용액은 하치조 전달마취에 사용될 경우 마취활성의 소실 없이 성공적으로 이용될 수 있으나 침윤마취에 사용될 경우 특히 상악에서 작용시간이 짧기 때문에 간단한 술식을 시행할 때 사용될 수 있다.

Prilocaine은 현재 쓰이고 있는 아미드형 국소마취제 중 가장 독성이 약하고 따라서 4%의 비교적 높은 농도로 이용되고 있다. 이 마취제는 xylidine계 마취제에 비해 신체 내에서 분해되는 양이 많고 배설률이 높다. 약물이 순환계로부터 빠르게 제거되기 때문에 주사 후 15분에 최대 혈중농도에 이르고 이는 리도카인이나 mepivacaine 보다 2배 정도 빠르다. Prilocaine의 생체대사는 주로 간에서 이루어지며 혈류로부터 제거되는 시간은 혈류로부터 간으로 약제가 이동되는 시간보다 상당히 빠르다. 이에 간 이외의 신체 다른 부위에서 약제가 분해되며, 신장과 폐에 가장 많이 분해된다.

Prilocaine의 임상적 사용이 제한받는 가장 큰 이유는 대사산물인 o-toluidine에 의해 발생되는 methemoglobinemia 때문이다. O-toluidine의 수산화반응은 혈색소 내에서 Fe^{2+}를 산화시켜 Fe^{3+}로 변화시키며 그 결과 생성되는 methemoglobin은 산소운반능력이 없고 정상 혈색소로부터 조직으로의 산소운반을 방해한다. 임상적으로 methemoglobinemia는 최대사용량인 8 mg/kg를 초과함에 따라 일정하게 증가하여 발생하고 선천성 및 후천성 methemoglobinemia 환자에게 사용될 때도 발생될 수 있다.

⑥ Bupivacaine hydrochloride

화학명	1- butyl-2, 6-pipecoloxylidide monohydrochloride
상품명	Marcaine

Bupivacaine은 mepivacaine과 유사한 화학구조를 가지며 1-butyl기에 1-methyl기가 대체되어서 효능과 독성이 약 4배 정도 증가되었으며, 전달마취 시 작용시간이 상당히 연장되었고 몇몇 약물학적 특징에 변화가 발생하였다.

이 마취제는 주사된 부위에서 강력한 혈관확장작용을 나타내므로 치과용으로는 에피네프린을 함께 포함시켜 사용하며 알레르기반응은 다른 아미드형 국소마취제와 유사하다.

» Cartridge구성성분

- 0.5% bupivacaine
- 혈관수축제: 1:200,000 에피네프린
- 기타
  - sodium chloride: 0.5 mg/ml
  - sodium metabisulfite: 0.5 mg/ml
  - monothioglycerol: 0.001 ml/ml
  - ascorbic acid: 2 mg/ml
  - 60% sodium lactate buffer: 0.0017 ml/ml
  - edetate calcium disodium: 0.1 mg/ml

이 마취제는 리도카인, mepivacaine 및 prilocaine 등에 비해서 발용작용 시간이 약간 느리다. 이는 신체에 pH에서 많은 양이 이온화되기 때문이며, 다른 마취제에 비해 작용시간이 몇 배 더 길다. 따라서 외과술식 시 전달마취에 주로 이용되며, 술후 진통효과가 상악에서 7~8시간, 하악에서 5~6시간 정도 지속되므로 결과적으로 사용을 줄일 수 있다.

Bupivacaine은 흥분빈도가 많은 신경을 우선적으로 차단하는 성질을 가지고 있어서 국소마취 시 운동신경은 기능을 유지시키면서 유해수용기를 차단하여 진통제로서 선택적 효과를 갖는다. 반면에 과량을 사용하면 심부전, 심혈관계 허탈 등의 치명적인 반응을 일으키기도 한다. 그러나 구강 내에 주사할 때에는 다음과 같은 이유로 이러한 치명적인 반응이 나타나지 않는다.

첫째, 이 약물의 최대사용량은 225 mg인데, 치과에서의 허용량은 90 mg으로 훨씬 적고 치과용 cartridge 한 개당 9 mg의 bupivacaine이 포함되어 있으므로 10개의 cartridge를 사용하여도 전신적인 최대 허용량의 40%에 지나지 않는다.

또한, 구강 내 주사 후 혈중농도에 대한 확실한 보고가 아직 없는 상태이나 유사한 다른 마취제의 경우로 미루어 볼 때 최대 혈중 치가 특별히 높을 가능성은 없을 것으로 생각되고 있다.

둘째, 치과용으로 사용되는 마취제는 cartridge를 통해 사용되므로 직접 정맥 내로 주사될 확률이 적고 더구나 여러 개의 cartridge의 마취액이 계속적으로 정맥 내로 직접 주사되어 전신독성을 나타낼 확률은 매우 적다.

마지막으로 bupivacaine는 작용시간이 길기 때문에 소아치과 영역에서는 잘 사용되지 않으나 어린이에게 사용 시 작용시간이 길어 다량 사용과 같은 효과로 전신독성의 우려가 있다. 이러한 전신독성은 혈장 내의 농도가 2 μg/ml일 때 경련이 나타날 수 있다.

⑦ Articaine hydrochloride

화학명	3-propylamino-propionylamino-2-carbomethyloxy-4-methylthiophene monohydrochloride
상품명	Ultracaine D-S, Ultracaine D-S forte, Septanest, Septocaine

Articaine은 prilocaine과 유사한 구조를 가지며 prilocaine의 benzene 성분이 thiophene 고리에 의해 대치되어 있는 구조를 갖는다. 지질용해성은 리도카인에 뒤지

지만 신경차단효능은 더 뛰어나고, 정맥 내로 주사 할 때에는 리도카인보다 독성이 크지만 다른 경로로 투여되면 독성이 약하고 알레르기 반응은 매우 드물다.

>> **Cartridge의 구성성분**

- 4% articaine
- 혈관수축제: 1:100,000 또는 1:200,000 에피네프린
- 기타
  - sodium chloride: 1 mg/ml
  - sodium metabisulfite: 0.5 mg/ml

이 마취제는 혈관확장작용이 강하여 구강 내의 주사 시 혈관수축제와 병용해야 하며, 이러한 처방은 매우 효과적으로 마취작용을 나타낸다. 1:200,000 에피네프린이 포함된 4% articaine은 2% 리도카인과 작용시간이 비슷하고 1:100,000 에피네프린이 포함된 마취액에 대해서는 임상연구결과가 아직 미흡한 상태이다.

Articaine은 조직을 통한 확산이 빠른데 상악의 협측에 침윤마취를 하면 구개측에도 마취효과가 나타나고 하악의 협측을 마취하면 치수가 마취되는 정도이다. 실제적으로 소아에서는 주사 시 통증이 심한 구개측의 주사 없이 상악의 단순발치가 가능하다.

마취제의 대사과정은 아미드형 마취제의 전형적인 대사과정을 거치지 않는다. Thiophene고리와 carbomethoxy측쇄가 간의 아미다제(amidase)의 활성에 대해서는 약물의 아미드 결합부위를 보호하는 대신 에스텔 측쇄가 혈장과 간의 에스테라제(esterase)에 의해 가수분해되며, 이때 생성되는 articainic acid는 약물학적 효과 없이 뇨로 배설된다.

10) 국소마취제의 선택

현재 치과영역에서 사용되는 모든 국소마취제는 거의 같은 효능을 가지고 있다. 약물 선택은 약물의 작용지속 환자의 medical history, 약물상호작용을 고려해야 한다. Mepivacaine이나 Prilocaine은 혈관수축제가 없이 사용할 수 있는데 이 경우는 간단한 시술 특히, 하악신경차단 시와 같이 혈관수축이 덜 중요한 때이다. 또한 심한 허혈성심장질환 또는 최근에 심근경색이 발생한 환자인 경우에도 사용한다. Bupivacaine은 마취를 오랫동안 하는 경우에 사용할 수 있다. 에피네프린이 포함되어 있는 리도케인은 임산부와 소아에 사용이 선호된다. 수년 동안 확실히 신뢰성이 있으며 효과적이고, 허용량을 투여하였을 때 독성이 적은 여러 가지 마취제들이 합성되었다.

현재까지 2% 리도카인(1:100,000 에피네프린 포함)이 지금까지 사용되는 마취제 중에서 가장 우수한 효용성을 가지며, 통상적인 치과마취 시에 리도카인을 대체할 만한 약물은 개발되지 못하였다. 그러나 몇몇 국소마취제들이 가진 특징적인 약물학적 성질은 여러 가지 상황에서 리도카인보다 더 효과적으로 사용되고 있다.

(1) 약물의 작용시간

에피네프린이 포함되어 있는 표준 리도카인 용액은 임상적으로 대부분의 치과시술에 필요한 정도의 마취작용시간을 갖는다. 리도카인과 유사한 작용시간, 작용유도시간 및 마취효과를 가진 다른 마취액으로는 2% mepivacaine (1:20,000 levonordefrin 포함), 4% prilocaine (1:200,000 에피네프린) 그리고 4% articaine (에피네프린 포함) 등이 있다. 상악의 치료와 같이 비교적 짧은 시간이 소요되는 시술 시에는 혈관수축제가 포함되지 않은 3% mepivacaine이나 4% prilocaine이 선호되는데 이는 마취작용시간이 짧기 때문이다. 아주 오래 걸리는 술식이나 술후 장시간의 진통효과가 필요한 경우에는 0.5% bupivacaine (1:200,000 에피네프린 포함)이나 1.5% etidocaine (1:200,000 에피네프린포함) 등이 선택될 수 있다. 특히 작용시간이 긴 마취제가 flurbiprofen과 같은 NSAID 계열의 약물과 병용되어 사용되면 중간정도의 마취작용시간을 가진 약제와 술후 아편양 진통제(예: acetaminophene과 codeine의 병용)를 함께 사용하는 것보다 우수한 술후 진통효과를 얻을 수 있다. 그러나 전자의 경우는 졸림이나 오심 등과 같은 드문 부작용이 나타날 수 있고 다음의 두 가지 사실에 주의해야 한다.

① 긴 작용시간을 가진 마취제로 골막주위침윤마취를

할 때에 치수조직에 미치는 마취작용시간은 리도카인보다 짧다.

② 술전 환자에게 술후 일어나는 상황에 대해 설명하지 않으면 장시간 지속되는 감각이상에 대하여 상당한 불쾌감을 호소한다.

(2) 혈관수축제

때로 혈관수축제의 사용이 제한되는 임상적인 상황이 있다. 이러한 때에는 3% mepivacaine이나 4% prilocaine 등 혈관수축제가 포함되지 않은 마취용액을 이용하면 간단히 해결될 수 있다. 그러나 혈관수축제가 포함되지 않은 마취용액은 마취지속시간이 짧기 때문에 에피네프린의 사용이 절대적으로 금기증이 되는 상황이 아니면 1:200,000과 같은 낮은 농도의 에피네프린이 포함된 마취용액을 사용할 수 있으며 실제적으로 에피네프린의 사용이 절대금기인 환자에게 있어서는 마취제의 성분보다는 장시간을 필요로 하는 술식 자체가 금기증이 될 수 있다.

(3) 마취제 용량

상하악에서 넓은 부위에서 수술할 경우 일회용 cartridge 여러 개가 필요할 수 있고, 이때에는 리도카인이나 mepivacaine 등을 구강 내 사용할 때 허용량 이내에서 성공적으로 시술할 수 있다. 또한 마취지속시간이 길어야 할 필요성이 있을 때에는 etidocaine이 이러한 요구를 만족시킬 수 있다.

한편, 소아의 마취에는 혈관수축제가 포함되지 않은 마취제를 사용하거나 마취제의 용량을 충분히 고려해야 하며 마취작용시간이 비교적 짧아서 마취지속기간 동안 혀, 뺨 또는 구순 등을 씹을 가능성을 줄여준다.

소아에서는 약물의 안전역이 낮기 때문에 동등한 효과를 얻기 위해서는 마취제의 사용량을 감소시킬 수 있도록 혈관수축제가 포함된 마취액을 사용하기도 한다.

(4) 지혈

수술 중 지혈이 요구될 때 아드레날린성 혈관수축제는 상당히 유용하게 사용된다. 수술 시 출혈을 줄이기 위해 술자의 편의에 따라 이미 전신마취가 되어 있는 환자에게 추가적으로 혈관수축제를 포함한 국소마취제를 주사하기도 한다. 일반적으로 출혈량은 마취제 내의 혈관수축제 농도와 반비례한다. 치주수술에서 2% 리도카인(1:50,000 에피네프린 포함)을 사용하면 1:100,000 에피네프린을 포함한 동일한 마취제를 사용했을 때 보다 1/3~1/2 가량 출혈을 감소시킬 수 있다. 국소마취제 자체의 출혈에 대한 영향을 살펴보면 0.5% bupivacaine (1:200,000 에피네프린 포함)을 사용할 때 같은 농도의 혈관수축제를 포함하는 다른 마취제를 사용할 때 보다 출혈이 상당히 많이 되는 것을 볼 수 있다.

수술 중의 지혈효과를 위해서 혈관수축제가 사용되지만 술후에는 출혈 경향의 증가, 술후 통증의 증가 또는 창상치유 지연 등이 있을 수 있다는 점에 유의해야 한다. 아드레날린성 혈관수축제는 조직에 주사되었을 때 국소적인 허혈, 산증 및 염증 매개물의 축적을 일으킴으로써 이와 같은 술후의 반응이 유도된다. 또한 전신적인 반응이 일어날 수 있으므로 지혈을 위해서 혈관수축제를 사용할 때에는 꼭 필요한 용량만을 투여해야 되며 습관적으로 사용해서는 안 된다.

(5) 술후 통증 조절의 필요성

많은 치과치료 후에는 상당한 술후 통증을 야기하므로 이 경우에는 국소마취제가 보조약물로 투여되면 이로써 술후 진통제의 필요성도 줄일 수 있다. Bupivacaine과 etidocaine이 다른 감각이 회복된 후에도 상당한 시간 동안 진통효과를 갖고 있다.

(6) 육체적 및 전신적 상태

환자의 전신적 상태를 고려해야 하는데, 특정 마취제에 알레르기 반응이 있었던 환자라면 반드시 다른 마취제를 선택해야 한다.

아미드형에 부작용 시 에스텔형의 propoxycaine과 프로카인을 사용한다. 혈관수축제의 보존제인 아황산염에 특이 반응 시 혈관수축제가 함유된 마취제의 사용을 제한한다.

악성 고열증의 병력이 있는 환자는 아미드유도체의 사용을 금지한다.

환자의 나이를 포함하여 정신적 상태도 고려해야 한다. 소아나 발육장애자는 마취로 인한 감각상실이나 가려움 때문에 상처를 낼 수 있다. 또한 작용시간이 긴 마취제의 사용을 제한한다.

(7) 비정상적인 약물반응

알레르기나 이와 유사한 반응이 나타나면 마취제의 종류에 대해 고려해 보아야 한다. 병력조사에서 특정 마취제에 알레르기 반응이 있었던 환자라면 반드시 다른 마취제를 선택해야 한다. 에스텔형 마취제인 propoxycaine과 프로카인 용액을 사용해야 하는 경우는 매우 드물며 여러 가지 아미드형 마취제에 알레르기 반응을 보이는 경우에만 사용한다. 또, 혈관수축제의 보존제에 함유된 아황산염에 대하여 이상반응을 보이는 환자에게는 혈관수축제가 함유된 마취제의 사용은 제한해야 한다.

(8) 현재 복용하고 있는 약제

치과치료를 받고자 하는 환자들 중에서 가끔 어떤 마취제나 혈관수축제의 사용에 대해 상대적 금기증이 되는 약제를 복용하고 있는 경우가 있으므로 주의한다. MAO (monoamine oxidase inhibitor)를 복용하고 있는 환자에서는 혈관수축제의 사용을 피해야 한다.

치과의사는 자신이 사용하는 약뿐만 아니라 다른 약제들에 대한 약물의 상호반응을 잘 알아야 한다.

2. 혈관수축제

국소마취제는 주사부위의 혈액순환을 감소시켜서 마취제의 전신적인 흡수를 억제시키기 위하여 혈관수축제를 포함하기도 한다. 임상적으로 효과적인 주사용 국소마취제는 대부분 어느 정도의 혈관확장작용을 가지고 있다. 즉, 조직 내 주사된 후 마취제가 축적된 부위의 혈관이 확장되며, 이 부위의 혈류량이 증가된다. 이에 따라 다음과 같은 반응이 나타나게 된다.

① 국소마취제가 혈류 내로 신속히 흡수되어 주사부위로부터 타부위로 확산이 빨리 될 수 있다.
② 국소마취제의 혈중 농도가 갑자기 높아지기 때문에 과량투여로 인한 합병증이 나타날 수 있다.
③ 국소마취제가 신경에 작용 후 급격히 확산되어 희석되므로 마취작용시간이 감소될 수 있다.
④ 주사부위의 출혈이 증가될 수 있다.

혈관수축제는 혈관을 수축시켜 조직 내 확산을 조절하는 약물로서 국소마취제의 혈관확장작용을 억제하기 위하여 사용된다. 혈관수축제는 다음과 같은 이유에서 국소마취제에 매우 중요한 내용물이다.

① 혈관을 수축시켜 주사부위의 혈류량을 감소시킨다.
② 혈류 내 국소마취제의 흡수가 느려지므로 혈액 내 국소마취제 농도가 낮아진다.
③ 혈액 내 국소마취제 농도가 낮아짐으로써 과량 투여의 위험성이 감소된다.
④ 고농도의 국소마취제가 신경에 오랫동안 남아 있게 되어 약물의 작용시간이 현저히 길어진다.
⑤ 혈관수축제가 주사된 부위의 출혈을 감소시켜줌으로써 심한 출혈이 예상되는 치료 시 효과적으로 사용할 수 있다.

그러나 이러한 혈관수축제를 잘못 사용할 때 몇 가지 문제점이 발생할 수 있는데, 다음과 같은 경우이다.

① 농도가 높은 경우
② 반복적인 투여로 과용량이 사용된 경우
③ 혈관 내로 직접 주입된 경우

국소마취용액에 함유된 혈관수축제의 장점이 일반적으로는 인정되지만, 실제적으로 그 효과는 국소마취제의 종류, 농도 및 주사부위에 따라 다양하다.

국소마취제와 함께 사용되는 혈관수축제는 교감신경물질인 에피네프린과 노르에피네프린 등과 동일하다.

혈관수축제의 작용이 아드레날린성 신경이 자극되었

을 때의 반응과 비슷하기 때문에 교감신경흥분제(sympathomimetric drug, 또는 adrenergic drug)로 분류된다. 이들 약물은 혈관수축작용 외에도 많은 임상작용을 가지고 있으며, 교감신경흥분제는 화학구조와 작용기전에 따라 분류된다.

1) 화학적 구조

화학적 구조에 의한 교감신경흥분제의 종류는 catechol 핵(nucleus)의 유·무와 관계있다. 카테콜은 ortho-dihydroxybenzene(그림 7-11)이다.

방향족환(aromatic ring)의 3번째와 4번째에 OH기(수산기)를 가지고 있는 교감신경흥분제 구조를 카테콜이라 한다. 지방족측쇄(aliphatic side chain)에 아민기가 붙어있을 때, 이를 카테콜아민이라고 한다. 에피네프린, 노르에피네프린과 도파민은 교감신경계의 내인성 카테콜아민이며, isoproterenol과 levonordefrine은 합성 카테콜아민이다.

방향족 분자의 3, 4번 위치에 수산기(hydroxyl group)를 갖고 있지 않은 혈관수축제는 카테콜이라 하지 않으나, 이들 모두 지방족측쇄에 아민기가 붙어 있으므로 아민이다.

치과에서 사용되는 혈관수축제는 모두 화학적으로 합성되어 만들어질 수 있다. 에피네프린에 대한 노르에피네프린의 차이는 질소에 결합족이 없는 것으로 nor는 "Nohne Radical"의 의미이다.

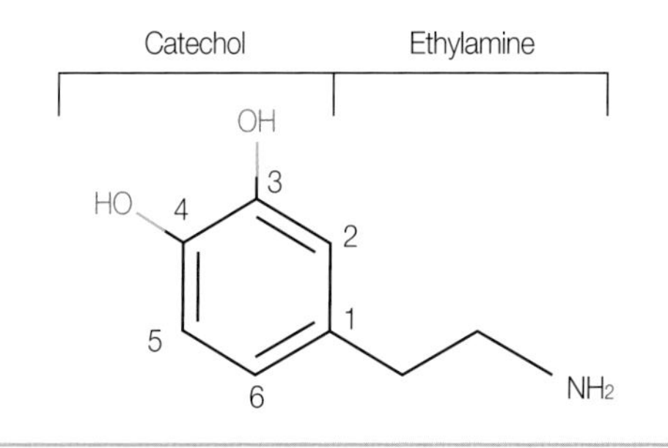

그림 7-11. 카테콜아민 구조

(1) 에피네프린과 노르에피네프린의 생합성

에피네프린과 노르에피네프린은 부신 수질(adrenal medulla)의 크롬친화성 세포와 교감신경 절후신경섬유(sympathetic postganglionic nerve fiber)에서 생합성이 된다. 크롬친화성 세포를 자극하는 절전신경말단에서 분비되는 아세틸콜린은 크롬친화성 세포에서 에피네프린과 노르에피네프린을 합성, 분비시킨다. 교감신경을 절제하면 에피네프린 농도의 뚜렷한 감소는 보이지 않고 노르에피네프린의 농도가 크게 변화하는데, 이는 에피네프린이 크롬 친화성 세포에 국한되어 있으며 아드레날린성 신경원에는 존재하지 않음을 알 수 있게 한다.

(2) 에피네프린과 노르에피네프린의 분비

부신 수질은 조직 1 g 당 약 2~4 mg의 에피네프린과 노르에피네프린을 포함하고 있으며, 이중 에피네프린이 더 많으며 20~30%만이 노르에피네프린이다. 수질 이외에 카테콜아민을 분비하는 조직에서는 노르에피네프린의 분비가 우세하다.

신경절후교감신경은 노르에피네프린 합성뿐만 아니라 교감 자극성 아민과 연관있으며, 다른 곳에서 형성된 노르에피네프린에 반응하기도 한다.

(3) 혈관수축제의 화학구조적 특징

① 혈관수축제와 국소마취제 사이에는 뚜렷한 화학적 관계가 있으며 이러한 동질성은 분자의 중요한 두 부위에 있다. 방향족(aromatic portion)은 모노하이드록실 벤젠 또는 다이하이드록실 벤젠이다. 지방족(aliphatic portion)은 2~3개의 탄소연쇄로 구성되고, 아민기가 첫 번째 또는 α탄소에 붙게 된다.

② 혈관수축제는 모두 교감신경 자극성의 아민이다. 즉 지방족측쇄에 아민을 가지고 있다. 카테콜은 3번째와 4번째 벤젠고리에 아민을 포함하는 경우이며, 카테콜아민은 에피네프린과 노르에피네프린처럼 카테콜과 아민을 둘 다 가지고 있는 경우이다. 카테콜이 아닌 다른 혈관수축제는 벤젠고리에 하나 또는 두개의 수산기가 부족하므로 카테콜이 아니다.

국소마취제와 혈관수축제는 구조적 연관성이 있지만, 혈관수축제의 경우 화학적 구조의 작은 변화에 의해서도 약물의 효과가 상당히 변화하게 된다. 예를 들어 에피네프린에서 m-hydroxyl기를 제거하면 페닐에프린이 되는데, 이 약물은 에피네프린에 비해 혈관수축작용이 약 1/20 정도이고 심장자극효과가 실제적으로 없다.

치과에서 국소마취용액에 가장 많이 이용되는 혈관수축제는 다음의 3군으로 나눌 수 있다.

- pyrocatechin 유도체: 에피네프린과 노르에피네프린 (levophed)
- 벤졸 유도체: levonordefrin (neo-cobefrin)
- 페놀 유도체: phenylephrine (neo-synephrine).

이들의 구조적 형식은 밀접한 동질성이 있다. 다양한 혈관수축기능이 있으며 이에 따른 다양한 부작용도 있다.

(4) 치환(Substitution)

치환은 대개 아미노기, β탄소, 3 페닐 또는 벤젠 고리의 3번과 4번 위치에서 발견된다. 이런 치환은 메틸(CH_3) 또는 하이드록실(OH)기에 의해서 이루어진다. 이 같은 방향족환의 3번과 4번 탄소의 수산화(hydroxylation)로 활동성과 안정성이 나타난다. 예를 들어 phenylephrine은 aromatic ring의 3번 C 위치에 오직 하나의 수산기를 가지고 있어서 가장 안정된 혈압상승제이며, 주로 사용되는 4가지 약물 중 가장 약하다.

마취용액에는 보존제를 첨가해야 한다. 혈관수축제는 용액상태에서 불안정하기 때문에 중아황산나트륨(Sulfites)을 보존제로 사용하게 된다. 이 기전은 보존제인 중아황산나트륨이 혈관수축제와 경쟁적으로 작용하여 cartridge 내의 O_2와 더 쉽게 산화되어 중아황산나트륨이 됨으로써 혈관수축제가 산화되는 것을 방지하게 된다.

2) 작용기전

교감신경흥분성 아민의 작용기전은 3가지 개념으로 나뉜다(표 7-10).

① 직접작용약제: 아드레날린성 수용체에 직접적으로 작용한다.

② 간접작용약제: 아드레날린성 신경 종말지에 노르에피네프린을 유리함으로써 작용한다.

③ 혼합작용약제: 직접적 작용과 간접적 작용을 함께 가진다.

(1) 아드레날린성 수용체(Adrenergic receptors)

아드레날린성 수용체는 인체의 거의 모든 조직에서 발견된다. 이 수용체에 대한 개념은 1948년 Ahlquist에 의하여 제안되었으며 아드레날린성 수용체는 alpha (α)와 beta (β)의 2가지 기본 형태를 가지고 있다(표 7-11, 7-12).

교감신경 흥분제에 의한 α 수용체의 작용은 혈관의 평활근수축 즉 혈관수축, 축동, 내장의 이완 등의 효과를 낸다. α 수용체는 α1과 α2로 나누며 α1은 신경연접 후 흥분성 수용체(post-synaptic excitatory receptor)이고, α2는 신경연접 전 억제성 수용체(presynaptic inhibitory receptor)이다. β 수용체는 평활근의 이완과 기관지확장(bronchodilation) 및 심장 자극(심장박동 및 수축력의 증가)의 작용을 나타낸다. β 수용체는 β1과 β2로 나뉜다. β1 수용체는 심장과 지방조직에서 발견되어 심장자극과 지방용해의 작용을 한다. β2 수용체는 기관지, 혈관계와 자궁에 있으며, 기관지확장(bronchodilation)과 혈관운동억제(vasodepression)작용을 한다.

각각의 교감신경흥분제는 α와 β의 다양한 역할을 하고

표 7-10. 교감신경흥분성 아민의 작용기전

직접작용약제	간접작용약제	혼합작용약제
에피네프린	Tyramine	Metaraminol
노르에피네프린	Amphetamine	Ephedrine
Levonordefrin	Methamphet-amine	Ephedrine
Isoproterenol	Hydroxyzine	
Dopamine		
Methoxamine		
Phenylephrine		

있다. 최근 연구에 의하면 β3 수용체와 α1과 α2의 복합 아형이 발견됨으로써, 아드레날린성 수용체의 분포와 기능은 더욱 복잡화되고 있다.

모든 아드레날린성 수용체는 동일한 부류의 세포막 결합단백질군에 속한다. 각 아드레날린성 수용체는 세포막에 걸쳐있는 일곱 개의 친수성 α-helix의 구조를 가진 하나의 폴리펩타이드로 구성되어 있다. 아드레날린과 같은 혈관수축제들은 혈관평활근에 존재하는 아드레날린성 수용체를 자극하여 혈관수축을 유발한다. 아드레날린성 수용체는 G protein을 통하여 각종 효소와 ion channel과 연계되어 혈관수축제들의 다양한 생체 내 생화학적 반응을 유발한다. α1 수용체가 활성화되면 G protein을 통하여 Ca channel을 열고 phospholipase C라는 효소를 활성화시킨다. 그 결과 Ca을 세포 내로 유입시켜 혈관평활근을 수축시킨다. α1 수용체가 활성화되면 G protein을 통한 Ca channel을 여는 것과 동시에 adenylate cyclase라는 효소를 억제하여 세포 내 cAMP를 농도를 낮추게 한다. 심장세포에 주로 존재하는 β1 수용체는 G protein과 결합하여 adenylate cyclase와 Ca channel을 활성화시켜 심근수축력을 증가시키는 작용을 한다. 골격근과 내장기관으로 혈액을 공급하는 혈관에 많이 분포하고 있는 β2 수용체가 활성화되면 adenylate cyclase를 활성화시키고 혈관이완을 유도된다. 각각의 혈관수축제들은 아드레날린성 수용체에 대한 상대적인 친화력이 다르다.

표 7-11. 아드레날린성 수용체에 대한 혈관수축제의 상대적 친화성

혈관수축제 \ 수용체	α1	α2	β1	β2
에피네프린	+++	+++	+++	+++
노르에피네프린	++	++	++	+
Levonordefrin	+	++	++	+

위 표에서 보는 바와 같이, 나열된 약물 중 에피네프린은 강력한 β2흥분성질을 가지지만, 선택성이 가장 적은 것으로 평가되고 있다.

특정 조직을 통한 혈류의 증가 또는 감소의 유발을 조절하는 두 가지 요인은 에피네프린의 국소농도와 그 조직 내에서의 α와 β2 수용체의 상대적 비율이다. α 수용체 보다 β2 수용체가 에피네프린에 더 민감하므로 저농도의 에피네프린은 β2 수용체를 함유하는 혈관에서 혈관이완을 일으키고, 에피네프린의 농도가 감소하면서 α 수용체로 인한 혈관수축이 사라진 후, β2 수용체로 인한 혈관이완이 지속될 수 있다.

고농도에서는 α 수용체를 통한 반응이 지배적이고, 임상적으로 적용되는 농도에서 주사부위의 혈액순환을 감소시킨다. 더욱이 치은과 치조점막같은 β2 수용체가 존재하지 않는 조직에서는 에피네프린은 최저농도에서도 혈관수축을 일으킨다. 노르에피네프린은 β2효과가 거의 없으므로 혈관수축효과만 나타낸다. levonordefrin은 α 수용

표 7-12. 아드레날린성 수용체의 분류와 그 효과

	α1	α2	β1	β2
효과	혈관평활근수축	노르아드레날린 유리억제	심근수축력강화	혈관평활근 이완
	심근수축력증가	Acetylcholine 유리억제	심박수 증가	위장평활근 긴장저하
	Glycogen 분해	Serotonin 유리억제	방실전도속도 증가	기관지평활근 이완
	요로평활근수축	혈소판응집	위장긴장저하	Glycogen 분해
	중추흥분	지방분해억제	Renin 분비증가	인슐린분해촉진
		인슐린분해억제	지방분해촉진	
		혈관평활근수축		
		성장호르몬분비		

체에 선택적인 작용을 하는 약제로서 저농도에서 대개 혈관수축을 유발하며, 고농도에서는 모든 경우에 있어 혈관수축을 유발한다.

① 노르에피네프린은 α와 β 수용체의 역할을 모두 가지고 있으나 α의 효과가 더 현저하다.
② 에피네프린 역시 α와 β 수용체의 역할을 모두 가지고 있으나 β의 효과가 더 현저하다.
② Isoproterenol은 순수한 β 수용체의 역할을 갖는다.
④ Phenylephrine과 methoxamine은 α 수용체에 주로 작용한다.

적은 양이 혈관을 통하여 흡수될 경우 나타나는 전신작용은 다음과 같다.

일상적인 치과마취 시의 혈중 에피네프린농도는 현저히 상승한다고 알려져 있다. 2% 리도카인 카트리지(1:100,000 에피네프린) 투여 시 혈중 에피네프린의 농도가 2배로 증가한다고 보고되고 있다. 이와 같은 증가는 순수하게 외부에서 투여된 에피네프린에 기인한다. 에피네프린 흡수로 인한 심혈관계에 미치는 효과는 그리 크지 않지만 과량으로 흡수될 경우 아래와 같은 부작용이 나타날 수 있다.

① 빈맥(tachycardia)
② 고혈압(hypertension)
③ 심계항진(palpitation)
④ 두통(headache)
⑤ 진전(tremor)
⑥ 안면창백(pallor)
⑦ 심실세동(ventricular fibrillation)

(2) 부작용

부작용은 치료를 위한 양보다 과량 투여 시 짧은 시간 동안 혈액 내 농도가 높아져 있는 동안 나타난다(표 7-13). 적절한 치료량 투입 시의 변화는 표 7-14와 같다.

기타의 교감신경흥분제는 아드레날린성 신경말단(adrenergic nerve terminal)에 저장되어 있는 카테콜아민, 노르에피네프린을 유리시킴으로써 간접적으로 작용한다.

표 7-13. 과량 투여 시 에피네프린과 노르에피네프린의 비교

	혈압	중추신경계자극	기관확장	심장박동률
에피네프린	+	++	++	++
노르에피네프린	++	+	±	+

표 7-14. 치료량 투입 시 작용의 비교

에피네프린 phenylephrine levonordefrin	노르에피네프린
관상혈관의 조기확장	관상혈류량의 증가
심근의 자극, 심박출량의 증가	특별한 자극은 없다
카테콜라민의 유리	

또한 이들 약물은 α와 β 수용체에 직접적으로 작용하기도 한다. 그러므로 이들 약물의 임상적 작용은 노르에피네프린의 작용과 매우 비슷하다. 이들 약물을 계속적으로 투여 시 먼저 투여한 경우보다 노르에피네프린의 저장이 고갈됨으로써 효과가 저하된다. 이 같은 현상을 속성내성(tachyphylaxis)이라고 한다.

(3) 혈관수축제의 농도

혈관수축제의 농도는 보통 1:1,000 등의 비율로 나타내며, 혈관수축제의 최대용량을 milligram으로 표시한다.

다음의 용어를 완전히 이해해야 한다.

① 1:1,000은 1,000 ml의 용액 속에 1 g (1,000 mg)의 약물이 들어 있음을 의미한다.
② 1,000 mg in 1,000 ml = 1 mg/ml이다. 그러므로 1:1,000의 농도는 1 mg/ml의 용액을 의미한다.
③ 1:10,000의 농도를 만들기 위하여 1:1,000의 용액의 1 ml에 용매, 즉 소독수 9 ml를 추가하면 10,000 = 0.1 mg/ml가 된다.

치과에서 사용되는 여러 가지 혈관수축제 농도의 milliliter에 대한 milligram의 수치를 보면 표 7-15와 같다.

표 7-15. 혈관수축제의 농도와 양의 비교

혈관수축제농도	Milligram per milliter
1:1000	1.0
1:2500	0.4
1:10,000	0.1
1:20,000	0.05
1:30,000	0.033
1:50,000	0.02
1:100,000	0.01
1:200,000	0.005

3) 혈관수축성 카테콜아민의 약물학

국소마취용액에 혈관수축제로 많이 사용되는 교감신경 흥분성 아민의 약물작용에 대하여 보기로 한다. 에피네프린이 가장 효과적이며, 체내에서 분비되는 교감신경 자극물질의 효과와 가장 유사한 약물이다. 우리가 기억해야 하는 것은 치과에서 사용되는 국소마취제에 포함된 혈관수축제의 양으로는 α 수용체에 직접적으로 작용하는 교감신경흥분제에 의한 효과와 같은 전신적 임상증상이 나타나지 않는다. 그러나 혈관수축제를 혈관 내 주사하면 현저한 임상소견을 보인다.

(1) 에피네프린

상품명	Adrenalin

① 화학구조

에피네프린은 산염과 같이 고도의 수용성이다. 약산 용액은 공기에 노출되지 않으면, 비교적 안정성이 있다. 열과 중금속 이온이 있을 때, 산화에 의한 변성 또는 황폐(deterioration)가 촉진된다. 중아황산나트륨이 변성 또는 황폐를 지연시키기 위하여 에피네프린에 첨가되기도 한다. 에피네프린이 포함된 국소마취제의 일반적 보존기간은 18개월이며, 혈관수축제가 포함되어 있지 않은 경우 48개월이고 미국식품의약품국(FDA)에 의하면 최고 보존기간이 12개월로 되어 있다.

② 원천

에피네프린은 합성 화학물도 이용되며, 또한 동물의 부신 피질에서 얻을 수 있다. 부신 피질 분비율의 약 80%가 에피네프린이다. 좌선성(levorotatory)형태와 우선성(dextrorotatory)형태로 존재하며, 전자가 후자보다 약 1.5배 정도 강한 효과를 갖는다.

③ 작용기전

α와 β 아드레날린성 수용체 모두에 직접 작용하며, α와 β효과가 모두 나타난다.

④ 전신적 작용

- 심혈관계: 심근의 β1 수용체를 자극한다. 양성 근변력작용(inotropic, 즉 수축력)과 양성 근변시작용(chronotropic, 즉 수축률)효과가 증가되며, 심박출량과 심박동수가 증가된다.

  10~20 μg/min의 속도로 소량의 에피네프린이 정맥내로 주사되었을 때의 심박동수와 혈압의 변화는 표 7-16과 같다.

  골격근에 분포된 혈관은 α와 β2 수용체를 가지고 있으며, 이 중 β2 수용체가 현저하다. 적은 양을 투여하면 β2의 작용으로 혈관확장이 나타난다. 에피네프린은 α 수용체보다 β 수용체에 감수성이 높다. 과량 투여 시 α 수용체에 작용하여 혈관수축이 나타난다.

  골격근 내의 혈관에서 낮은 농도의 에피네프린은 일

표 7-16. 정맥 내 소량의 에피네프린이 주사되었을 때 심혈관계에 미치는 효과

	심혈관계의 변화
수축기혈압	증가
이완기혈압	감소(다량에서는 증가)
평균 혈압	변화 없음
심박동수	증가
심박출량	증가
말초혈관저항	감소

차적으로 β2 수용체를 자극한다. 이 때문에 혈관확장작용이 나타나고 근육 내로의 혈액유입이 증가하며, 다른 α 수용체로 인한 말초저항효과가 상쇄되어 결과적으로 평균 혈압은 크게 영향 받지 않는다. 평균 혈압의 변화가 없으므로 반사성기전에 의한 심박동수의 감소는 없고 β 수용체에 대한 직접자극으로 인한 심박동수가 증가되며, 다량의 에피네프린이 주입되면 골격근 내의 α 수용체를 직접 자극하여 골격근으로의 혈액유입감소, 전체말초저항의 증가 및 이완기혈압의 상승효과를 나타낸다.

심장과 심혈관계에 대한 에피네프린의 전반적인 작용은 직접적인 자극중의 한가지로써

- 수축기 및 이완기 혈압 상승
- 심박출량(cardiac output) 증가
- 1회 박출량(stroke volume) 증가
- 심박동수 증가
- 근수축력 증대
- 심근 산소 소비 증가

를 일으키며, 이와 같은 작용은 전반적으로 심장의 효율을 감소시킨다.

주작용부위는 동맥세관과 전 모세혈관 괄약근(sphincter)이다. 피부 점막과 신장에 분포되는 혈관은 주로 α 수용체를 가지고 있다. 에피네프린은 이 혈관들에 혈관 수축작용을 나타낸다. 에피네프린의 주입 후 발생하는 관상동맥혈의 증가는 β 수용체의 자극에 의한 소동맥의 확장에 기인하기도 하지만, 대부분은 심장의 작업량과 전반적인 대사량의 증가 때문이다. 심근의 산소요구량을 증가시키며 관상동맥경화증(coronary artherosclerosis)환자에게 있어서 협심증의 위험이 높아진다. 또한, 심장에 대해서 에피네프린은 관상동맥의 확장을 초래하여 관상동맥의 혈류량이 증가하게 한다. 에피네프린의 신장성(renal) 혈압조절기전에 대해서는 그동안 많은 연구가 있어왔다. 에피네프린은 신장의 혈류를 감소시키지만 사구체 여과율에는 영향을 미치지 않는 것으로 알려져 있다. 그러나 다량의 에피네프린은 사구체 여과율에도 영향을 미친다. 뇌혈류는 복잡한 경로를 통해 에피네프린의 영향을 받는데 에피네프린은 뇌혈관을 직접 수축시킴에도 불구하고 일차적으로 전신의 혈압이 상승하기 때문에 뇌혈류량은 크게 변하지 않고 때로는 증가하기도 한다.

- 보조조정기세포: 에피네프린이 β1 수용체를 자극하여 보조조정기세포의 흥분을 증가시켜서 부정맥의 위험이 크다. 심실 빈맥과 조기심실 수축이 발생된다.
- 호흡계: 에피네프린은 β2 수용체를 자극함으로써 기관지 평활근을 확장시킨다. 이러한 기관지확장작용은 정상적인 사람에게 이 약제를 투여하였을 때에는 중요하지 않지만, 히스타민 또는 메타콜린 등의 약물이나 기관지천식에 의해서 기관지가 수축되었을 때는 매우 뚜렷해지며, 특히 기관지천식에 있어서는 오랜 동안 치료제로서 에피네프린이 이용되어 왔다.
- 중추신경계: 통상적인 치료량에서 뚜렷한 중추신경계 자극효과는 없으며, 과량 투여 시 중추신경계자극이 뚜렷이 나타난다. 중추신경계 자극으로 인한 증상들은 불안, 초조, 진전, 두통, 과호흡 등을 들 수 있다. 이들 효과는 에피네프린의 뇌에 대한 직접적인 효과가 아니다. 왜냐하면 교감신경성 혈관수축제는 지용성이 낮기 때문에 중추신경계로의 침투가 어려우며, 또한 에피네프린을 뇌로 직접 투여할 경우에 오히려 진정작용을 유발하기 때문이다. 따라서 교감신경성 혈관수축제의 중추신경계 효과는 심혈관계상태, 대사 및 근신경전도의 변화로 발생하는 말초신경계 수준에서의 변화에 의하여 간접적으로 매개된다.
- 생체대사: 아드레날린성 아민류는 많은 생체대사반응에 영향을 미쳐서 심근과 골격근대사를 위한 영양분의 유용성을 증가시킨다. 특히 에피네프린은 다음에 나열한 기전들의 협력으로 혈당량을 증가시킨다.
  - 간과 다른 조직에서 당분해를 증가시킨다.
  - 젖산과 아미노산으로부터 당신생(gluconeogenesis)을 증가시킨다.

- 여러 조직으로의 당의 흡수를 증가시킨다.
- 고농도에서는 인슐린의 분비를 증가시킨다.

에피네프린과 유사한 약물들은 지방분해와 지방대사에도 영향을 미쳐서 혈중 유리지방산과 케톤체의 양을 증가시킨다. 간과 지방으로의 혈류 증가로 인해 이와 같은 대사의 활성을 야기한다. 명백한 근육활동이 없는 경우에도 에피네프린의 생체대사에 대한 다양한 효과는 산소 소비량을 15~30%까지 증가시킨다. 최근 연구에 의하면 치과진료 시 국소마취제를 투여한 후 혈당 증가의 유발이 밝혀짐으로써 당뇨병 환자인 경우 고혈당에 대한 생체 내의 인슐린분비가 이루어지지 않기 때문에 에피네프린에 반응하여 심각한 고혈당을 유발할 수도 있다. 또한, 에피네프린은 골격근의 Na^+-K^+ ATPase의 활성을 증가시키므로 혈중 칼륨의 농도를 급격히 낮출 수 있다. 이와 같은 효과는 치과진료 시 사용되는 용량으로는 미약하지만 furosemide와 같은 칼륨의 배설을 유발하는 이뇨제를 투여 받고 있는 환자에게는 그 효과가 증폭되어 심장부정맥(cardiac dysrhythmias)의 원인이 되므로 주의해야 한다.

⑤ 작용의 종말과 배출

에피네프린은 주로 아드레날린성 신경에 의하여 재흡수됨으로써 작용이 멈추게 된다. 재흡수되지 않는 에피네프린은 간에 있는 catechol-O-methyl transferase (COMT)와 모노아민산화효소(MAO)에 의하여 혈액 내에서 급속히 불활성화된다. 약 1%의 적은 양만이 변화되지 않은 상태에서 뇨로 배출된다.

⑥ 부작용

에피네프린을 과량 투여 시 중추신경계의 자극과 관련하여 다음의 증상이 나타난다.

- 근심, 공포의 증대
- 긴장
- 불안정
- 심한 두통
- 진전
- 전신쇠약
- 현기증
- 창백
- 호흡곤란
- 심계항진

이외에도 에피네프린이나 노르에피네프린을 다량 사용함으로써 심각한 고혈압, 뇌출혈, 폐부종 및 심실세동을 포함한 부정맥 등 보다 더 심각한 부작용이 발생될 수 있다. 또한 삼환계 항우울제(tricyclic antidepression)나 guanethidine 등 adrenergic neuron에서 아민의 재흡수를 차단하는 약물을 복용하는 환자에서는 에피네프린이나 노르에피네프린에 대한 과장된 반응이 일어날 수 있으므로 주의 깊게 관찰해야 한다.

혈액 내 에피네프린이 증가됨에 따라 심부정맥(cardiac arrhythmia)이 흔히 나타나며, 심실세동(ventricular fibrillation)이 드물기는 하지만 계속하여 나타날 수 있다. 수축기혈압 300 mmHg 이상, 이완기혈압 200 mmHg 이상의 급격한 혈압상승이 발생될 수 있으며, 이로 인한 뇌출혈이 발생될 수 있다.

관상동맥부전증(coronary insufficiency)이 있는 환자에서는 협심증이 초래될 수 있다.

⑦ 임상응용

에피네프린은 임상적으로 다음과 같은 경우 사용된다.

- 급성 과민 반응의 치료
- 급성 천식(asthma) 시의 치료
- 심실세동이 없는 심정지(cardiac arrest) 시의 치료
- 지혈을 위한 혈관수축제의 목적
- 국소마취제 내의 혈관수축제로서 작용시간을 연장하기 위하여
- 동공확대(mydriasis)를 유도하기 위하여

⑧ 치과에서의 이용

- 에피네프린: 에피네프린은 치과에서 가장 많이 이용

표 7-17. 국소마취제에 따라 많이 사용되는 혈관수축제의 농도

국소마취제	혈관수축제의 농도
리도카인	1:50,000
리도카인	1:100,000
Bupivacaine	1:200,000
Etidocaine	1:200,000
Prilocaine	1:200,000

표 7-18. 환자의 상태에 따른 혈관수축제의 용량(에피네프린)

정상의 건강한 환자	현저한 심혈관계 장애환자
0.2 mg (20 ml/1:100,000 농도)	0.04 mg (4 ml/1:100,000 농도)

되며, 가장 강력한 작용을 가진다. 다음과 같은 농도의 약물이 이용된다(표 7-17).

- 통증조절: 효과적인 통증조절을 위한 가장 낮은 농도의 용액을 사용해야 한다.
  리도카인에 1:50,000과 1:100,000의 두 가지 농도가 이용되며, 두 가지 모두 치수 및 연조직의 마취에 효과적이므로 일반적으로 1:100,000이 추천된다. 다음의 용량이 추천되는 최대용량이다(표 7-18).
- 지혈: 출혈을 예방하거나 최소화하기 위하여 에피네프린이 포함된 국소마취제를 사용한다. 1:50,000~1:100,000이 적절한 것으로 생각된다.

(2) 노르에피네프린

상품명	Levophed, Noradrenalin

Levarterenol이 노르에피네프린의 공식 명칭이다.

① 화학구조

치과용 cartridge에는 levanerenol의 산성주석산염(bitartrate) 형태에서 이용된다. 산용액에서 비교적 안정성이 있으며 빛이나 공기에 노출 시 변성 또는 황폐된다. Levarterenol 산성주석산염을 포함한 cartridge의 저장기간은 18개월이며, 중아황산나트륨을 첨가시키면 변성 또는 황폐되는 것을 지연시킬 수 있다.

② 원천

노르에피네프린은 합성 또는 자연에서 모두 얻을 수 있다. 부신피질에서 형성된 카테콜아민의 약 20%를 차지한다. 부신수질의 종양인 갈색세포종(pheochromocytoma)환자에서 노르에피네프린이 부신수질 분비물의 80% 이상을 차지한다. 여기서 좌선성형과 우선성형 모두가 존재하며 전자가 후자의 40배이다. 노르에피네프린 은 합성되어 후신경절 부신신경 종말에 저장된다.

③ 작용기전

노르에피네프린은 에피네프린과 마찬가지로 α1, α2 수용체에 잘 결합하지만, β2 수용체에는 결합하지 않고 심장에서 β1 수용체의 작용을 자극한다.

④ 전신적 작용

- 심혈관계: 노르에피네프린이 10~20 μg/min의 속도로 소량이 정맥 내에 주사될 때, 심혈관계의 변화는 표 7-19에 나타나있다.
  노르에피네프린은 인체에 광범위하게 혈관수축(α 수용체)작용을 가지고 있어서 혈압을 상승시킨다. 이 효과는 압수용체에 의해 조절되는 기전을 통하여 반사성 서맥(reflex bradycardia)을 유도하는데, 이

표 7-19. 정맥 내 소량의 노르에피네프린이 주사되었을 때

	심혈관계의 변화
수축기혈압	증가
이완기혈압	증가
평균혈압	증가
심박동수	약간감소
심박출량	약간감소
말초혈관저항	증가

린 효과는 atropine에 의해 차단된다. 반면에 에피네프린은 이러한 반사성서맥을 보이지 않지만, 다량을 투여하면 이러한 차이는 없어지고 골격근으로의 혈류의 감소를 보이며 전체혈관저항과 이완기 혈압을 상승시키게 된다.

- 보조조정기세포: 노르에피네프린은 보조조정기세포를 자극하며, 이들의 감응성(irritability)을 증가시키며 β1 작용에 의한 심부전증의 발생률이 높아진다.
- 관상동맥: 혈관확장효과로 관상동맥의 혈류량이 증가된다.
- 심박동수: 수축기와 이완기 혈압의 현저한 상승에 따른 경동맥과 대동맥 압수용기 및 미주신경의 반사작용으로 심박동수가 감소된다.
- 혈압: 노르에피네프린의 α 수용체자극으로 수축기 및 이완기 혈압 모두가 상승되며, 이로 인한 말초혈관수축과 동시에 말초혈관의 저항이 증가된다.
  심장과 심혈관계에 대한 노르에피네프린의 전반적인 작용
  - 수축기 혈압상승
  - 이완기 혈압 상승
  - 심박동수 감소
  - 심박출량이 변화되지 않거나 약간 감소
  - 일회 박출량의 증가
  - 총 말초혈관 저항의 증가
- 혈관계: 노르에피네프린의 α 수용체자극에 의하여 피부혈관의 수축이 나타난다. 이로서 전체 말초혈관 저항이 증가되며 수축기 및 이완기 혈압이 상승된다.
- 호흡계 및 중추신경계: 노르에피네프린은 에피네프린과 같이 기관지 평활근을 이완시키지 않으나, α 수용체의 자극효과에 의한 폐세동맥의 혈관수축이 발생되며, 약간의 기도저항이 감소된다. 노르에피네프린은 임상적으로 급성 기관지천식의 치료에 효과적이지 못하다. 중추신경계 에피네프린에서와 같이 노르에피네프린은 치료량에서 중추신경계자극을 보이지 않는다. 노르에피네프린의 중추신경계 자극 효과는 과량 투여시 현저하며, 임상소견은 에피네프린과 유사하나 비교적 드물게 나타나며 그 만큼 심하지 않다.
- 생체대사: 생체대사율이 증가하고 주사부위 조직의 산소소비량이 증가한다. 노르에피네프린도 에피네프린과 같은 기전으로 혈당치를 증가시키지만 그 정도는 약하다.

⑤ 부작용

노르에피네프린의 다량 투여 시 부작용은 에피네프린과 비슷하며 드물고 심하지 않다. 주로 중추신경계자극과 관련되며 혈액 내 농도가 높아지면 출혈성 발작의 위험성이 증가되며, 현저한 혈압의 상승, 두통, 협심증, 심부정맥이 발생된다. 조직 내 혈관주사 시 강력한 α자극효과로 괴사 및 부육(sloughing)이 초래될 수 있다. 구강 내에서 가장 가능성이 높은 부위는 구개부이다. 지혈목적으로 과다한 노르에피네프린의 사용은 피해야 한다.

⑥ 임상응용

국소마취제에 혈관수축제로 사용되며 또한 저혈압환자의 치료제로도 사용된다.

⑦ 치과에서의 이용

Procaine과 혼합한 propoxycaine에 1:30,000으로 이용된다.

⑧ 최대용량

노르에피네프린은 통증조절을 위해서만 사용해야 하며, 지혈목적으로는 사용해서는 안된다. 혈관수축효과는 에피네프린의 60% 정도이나, 노르에피네프린은 1:30,000으로 이용된다(표 7-20).

표 7-20. 환자의 상태에 따른 혈관수축제의 용량(노르에피네프린)

정상의 건강한 환자	현저한 심혈관계 장애환자
0.34 mg (10 ml/1:30,000 농도)	0.14 mg (4 ml/1:30,000 농도)

(3) Levonordefrin

상품명	Neo-cobefin

① 화학구조

Levonordefrin은 약산에서 잘 용해되며 중아황산나트륨을 첨가하면 변성 또는 황폐가 지연된다. Levonordefrin을 함유한 cartridge의 저장기간은 18개월이다.

② 원천

합성 혈관수축제인 levonordefrin은 nordefrin의 용해에 의하여 적합한 활성을 가지는 이성체(異性體, isomer)로 된다. Nordefrin의 우선성 형태는 실제로 화학변화를 일으키지 않는다.

③ 작용기전

Levonordefrin은 β효과는 거의 없으며, α 수용체를 직접 자극함으로써 작용이 나타나나 에피네프린보다 약하다.

④ 전신적 작용

Levonordefrin은 에피네프린보다 약하여 심장이나 중추신경계 자극이 비교적 약하다.

- 심근계: 에피네프린과 같은 작용을 하나 비교적 정도가 약하다.
- 보조조정기세포: 에피네프린과 같으나 작용이 약하다.
- 관상동맥: 에피네프린과 같으나 작용이 약하다.
- 심박동수: 에피네프린과 같으나 작용이 약하다.
- 심혈관계: 에피네프린과 같으나 작용이 약하다.
- 호흡계: 기관지 확장을 보이나 에피네프린보다 약하다.
- 중추신경계: 에피네프린과 같으나 작용이 약하다.
- 생체대사: 에피네프린과 같으나 작용이 약하다.

⑤ 작용의 종말과 배출

Levonordefrine는 COMT와 MAO의 작용에 의하여 배출된다.

⑥ 부작용

에피네프린과 같으나 정도가 약하다. 과량을 투여하면 고혈압, 심실빈맥(ventricular tachycardia) 및 협심증 등이 나타날 수 있다.

⑦ 임상응용

국소마취제의 혈관수축제로 사용된다.

⑧ 치과에서의 응용

Mepivacaine 또는 procaine이 들어 있는 propoxycaine에 1:20,000으로 사용된다.

⑨ 최대용량

Levonordefrin은 혈관수축제의 효과가 에피네프린의 1/2로 보다 높은 농도(1:20,000)가 사용된다. 모든 환자에서 1회 0.5 mg (10 ml/1:20,000)이 사용되며, 이는 에피네프린 1:50,000 또는 1:100,000과 임상적으로 같은 효과를 가진다.

(4) Phenylephrine hydrochloride

상품명	Neo-synephrine

① 화학구조

페닐에프린은 합성 교감신경 흥분성 아민이다.

② 작용기전

직접적으로 α 수용체를 자극한다. 에피네프린보다 약하나 기간은 더 길다. 심장에서 β효과는 거의 없으며, 미약하게 노르에피네프린의 유리에 작용한다.

③ 전신적 작용

- 심근계: 심장에 근변력 효과와 근변 시 효과가 거의 없다.
- 보조조정기: 거의 효과가 없다.
- 관상동맥: 혈관확장으로 혈류량이 증가된다.
- 혈압: α작용으로 수축기 및 이완기 혈압이 상승한다.

- 심박동수: 경동맥-대동맥 압수용기(baroreceptor)와 미주신경의 반사작용으로 서맥(bradycardia)이 발생된다. 과량을 투여하더라도 심부전증은 거의 나타나지 않는다. 전반적으로 phenylephrine의 심혈관계 작용이 나타난다.
  - 수축기 및 이완기 혈압이 상승
  - 반사적 서맥
  - 심박출량이 약간 감소(혈압의 상승과 서맥으로 초래된다.)
  - 강한 혈관수축작용: 대부분의 혈관이 수축, 말초의 저항이 현저히 증가되나 정맥울혈은 심하지 않다.
- 호흡계: 기관지가 확장되나 에피네프린보다 정도가 약하다. 페닐에프린은 급성 천식에는 효과적이지 못하다.
- 중추신경계: 최소의 작용이 미치게 된다.
- 생체대사: 생체대사율(metabolic rate)이 약간 증가되며, 당원분해 등의 다른 작용은 에피네프린과 비슷하다.

④ 작용의 종말과 배출

페닐에프린은 에피네프린으로 수산화(hydroxylation)되며 다음에 metanephrine으로 산화되며 다음은 에피네프린과 같은 방법으로 제거된다.

⑤ 부작용

중추신경계 효과는 페닐에프린이 가장 적다.

두통과 심부정맥이 과량투여 시 나타날 수 있으며 만성적으로 사용할 때 빈맥이 발생된다.

⑥ 임상응용

국소마취제에서 혈관수축제로 사용되며, 저혈압의 치료, 비강의 충혈제거제 및 안약으로 산동(mydriasis)의 목적으로 사용된다.

⑦ 치과에서의 이용

프로카인 4%에 1:2,500 농도로 이용된다.

⑧ 최대용량

페닐에프린은 1:2,500의 농도로 사용되나 에피네프린 효능의 1/20 정도이다. 부작용이 거의 없이 뛰어난 혈관수축작용을 가진다.

- 정상건강환자: 1회 4 mg (10 ml/1:2,500)
- 임상적으로 심한 심혈관 손상을 가진 환자: 1회 1.6 mg (4 ml/1:2,500)

(5) Felypressin

교감신경성 아민류 약물들은 일반적으로 국소마취제에 병용하여 사용되는 혈관수축제로서 안전하고 효력이 좋지만, 몇 가지의 단점도 있다. 심각한 심혈관계효과를 생성할 가능성이 있고, 혈압이 상승되었을 때 주관적인 반응의 장애를 초래할 수 있다. 약물 간 상호작용과 환자의 질병상태는 이들 약물의 사용을 제한하는 요인이 된다. 이같은 이유에서 교감신경성 아민이 아닌 대용제의 개발이 이루어지게 되었고, 그 중 가장 많은 주목을 받는 것이 항이뇨 호르몬 vasopressin의 2-phenylalanine-8-lysine 유도체인 felypressin (octapressin)이다. Felypressin은 교감신경 수용체에 결합하지 않으므로 에피네프린에 비하여 부작용이 적은 약물로 알려지고 있다. 따라서, Felypressin은 심혈관계 및 대사관련 부작용이 적으며 반수치사량(LD_{50})도 에피네프린에 비하여 아주 높다. 이 약물은 혈관 평활근의 직접적인 자극제로서 vasopressin receptor V1에 결합하여 혈관수축을 유발한다. 이 약물은 미세순환계의 정맥부위에 주로 작용하지만, 고용량에서는 모든 부분의 혈관계에 작용한다. 심근에 거의 효과가 없고, 아드레날린성 신경전달에도 영향을 미치지 않으므로 부정맥, 갑상선 기능항진 또는 투여되고 있는 다른 약물과의 상호작용 때문에 에피네프린의 사용이 금지된 경우에 안전하게 투여될 수 있다. 동물실험에 있어 그 안전성이 아주 높음이 입증되었다.

모든 조직에 안정성이 크며, 아드레날린성 아민에 의해 유발되는 국소자극을 일으키지 않고, 전신적 부작용을 거의 일으키지 않는다. 반면, 이 약물은 약간의 항이뇨작용과 oxytocin과 유사한 효과를 나타내므로 임산부에게는 금기이다. 고용량에서는 피부혈관의 수축으로 인하여 안면창백이 유발되며 관상혈관을 통한 혈액의 이동이 억제된다. 그래서 허혈성 심장질환(ischemic heart disease)이 있는 환자에 투여할 경우 그 용량은 0.03 IU/ml 용액(1IU=20 μg)의 1.8 ml cartridge 5개를 초과해서는 안 된다.

상품화되어서 시판되고 있는 영국과 같은 나라에서는 이 약물은 수복치과학에서 3% prilocaine과 혼합하여 국소마취제로서 에피네프린과 거의 필적할 정도로 사용된다. Felypressin은 소동맥을 수축하는 데는 그다지 큰 효과를 내지 않기 때문에 수술부위의 출혈을 억제하는데 아드레날린성 혈관수축제보다는 효력이 떨어진다. 위에 기술한 felypressin의 독특한 성질을 응용한다면, 임상의들에 게 유용한 국소마취보조용 혈관수축제로 사용될 수 있을 것이다.

4) 약물 상호작용

국소마취제에 첨가되어 주사되는 혈관수축제와 삼환계항우울제 또는 β blocker 사이에 현저한 약물상호작용이 일어나기 때문에 임상에서 많은 주의가 요구된다. Imipramine, amitryptyline, doxepine과 같은 삼환계 항우울제는 카테콜아민의 신경세포로의 재흡수를 억제하여 교감신경말단에서 카테콜아민의 농도를 높이게 된다. 따라서, 수축기 혈압의 상승, 부정맥, 신장기증장애 등의 부작용이 현저히 나타날 수 있다. 따라서, 삼환계항울우제를 복용하는 환자의 경우 국소마취제에 첨가하는 에피네프린의 농도는 1:100,000 이하로 사용해야 하며, 국소마취제의 용량도 삼환계 항우울제를 복용하지 않는 정상인의 용량의 1/3로 조정해야 한다. 프로프라노롤과 같은 β blocker는 교감신경계 흥분제에 의한 세동맥의 이완을 억제하는 약물로서, 고혈압, 협심증, 부정맥에 사용되는 약물이다. 이와 같은 β 수용체의 차단은 에피네프린이 가지고 있는 β 수용체에 대한 효과는 억제가 되고 α 수용체에 대한 효과만 나타나므로 현저한 혈압 상승을 유발하게 된다. β blocker를 투여 받고 있는 환자에서, 에피네프린의 경우 0.04 mg 이상, 레보노르데프린 경우 0.2 mg 이상 투여되어서는 안 된다.

실로폰이나 코카인과 같은 중추흥분 향정신성 약물을 남용하는 환자의 경우에도 혈관수축제 사용을 피하는 것이 좋다.

5) 혈관수축제의 선택

현재 4가지의 혈관수축제가 국소마취 시 사용되는데, 에피네프린, 노르에피네프린, levonordefrin 및 페닐에프린 등이다.

국소마취제에 사용하기에 적합한 혈관수축제를 선택하는데 몇 가지 고려사항이 있다.

- 치과시술에 필요한 시간
- 시술 중 또는 시술 후 지혈의 필요성 유무
- 환자의 전신건강 상태

(1) 치과시술에 필요한 시간

국소마취제에 혈관수축제를 첨가함으로써 임상적으로 치수나 연조직의 마취효과를 연장시킬 수 있다. 예를 들어 2% 리도카인으로 치수마취 시 약 10분간 지속된다(표 7-21). 여기서 1:100,000 에피네프린을 첨가하면 60분으로 연장된다. 통증조절을 위하여 충분한 시간을 얻기 위해서는 혈관수축제를 첨가해야 한다.

보통 1회 치료 시 필요한 시간은 약 1시간이다. 일반적인 보존치료를 위하여 치수마취 시는 20~30분이 필요하다. 표 7-21에서 보는 바와 같이 혈관수축제를 사용하지 않고는 충분한 치수마취효과를 얻기가 어렵다.

표 7-21. 혈관수축제를 첨가하지 않은 국소마취제의 마취

국소마취제	농도
2% 리도카인	5~10분
3% mepivacaine	20~30분
4% prilocaine	5분(침윤마취), 60분(전달마취)

(2) 지혈효과

혈관수축제는 치과시술 중 출혈을 최소로 할 수 있어 효과적이지만, 보통 사용되는 혈관수축제는 혈관수축작용이 없어진 후 반발효과(rebounding effect)를 나타내는 좋지 않은 작용을 가지고 있다. 이 때문에 술후 출혈이 더 심해질 수 있다.

α 와 β에 모두 작용하는 에피네프린은 α 수용체에 작용 시 혈관수축작용을 나타낸다. 1:50,000은 물론 1:100,000을 사용할 때에도 에피네프린은 α 수용체에 작용하여 발생된 혈관수축효과가 끝난 후 뚜렷한 β효과를 보인다. 이 때문에 술후 출혈이 심해지며 진행됨에 따라 환자의 심혈관계에 장애를 줄 수 있다. 페닐에프린은 보다 장시간 작용되며 거의 대부분 α를 자극하는 혈관수축제로 뼈는 거의 작용하지 않기 때문에 반발 β효과가 거의 없다.

페닐에프린은 에피네프린과 같은 강한 혈관수축제가 아니기 때문에 지혈효과는 뚜렷하지 않으나, 에피네프린에 비교될 만큼 작용시간이 길어서 술후 출혈이 비교적 적다. 총 출혈량은 페닐에프린 사용 시 비교적 적다.

노르에피네프린은 투여 시 조직의 괴사 및 부육을 초래할 수 있는 강한 α자극제이며, 혈관수축제이다. 노르에피네프린은 장점보다 단점이 많기 때문에 치과임상에서는 혈관수축제로 추천할 수 없다. 노르에피네프린의 단점을 가지지 않는 보다 효과적인 약제를 이용해야 한다. 지혈효과를 위해서는 혈관수축제를 출혈되는 부위에 국소적으로 주사해야 한다. 이때 혈관의 평활근의 α 수용체에 직접 작용한다.

(3) 환자의 전신상태

국소마취제에 혈관수축제 사용에 몇 가지 금기증이 있다. 다음의 전신질환을 가진 환자에서 혈관수축제 사용을 고려해야 한다.

- 고혈압
- 심혈관 질환
- 갑상선항진증

전신질환이 있다고 반드시 금기증이 아니며, 전신질환을 치료하면서 적은 양을 흡인해가면서 천천히 주입한다. 휴식 시 혈압(5분간 휴식 후 측정)을 측정하여 수축기 혈압이 200 mmHg 이상이거나 이완기 혈압이 115 mmHg 이상이면 고혈압이 조절될 때까지 치과치료를 하지 말아야 한다.

다음과 같은 중증의 심혈관계질환을 가진 환자는 치과치료 시 위험할 수 있다.

- 최근 6개월 내 급성 심근경색증(myocardial infarction)
- 급성 협심증(angina)
- 임상증상이 심해지는 경우
- 심부정맥(cardiac arrhythmia)

에피네프린은 임상증상을 보이는 갑상선기능항진증에는 금기이며, 갑상선기능항진증의 임상소견은 아래와 같다.

- 안구돌출증(exophthalmos)
- 다한증(hyperhydrosis)
- 진전(tremor)
- 자극과민성(irritability)
- 신경불안(nervousness)
- 고열
- 열에 내성이 결여
- 심박동수가 증가
- 혈압상승

Halothane, methoxyflurane 또는 ethrane 등을 사용하는 전신마취 환자에게 혈관수축제로 에피네프린을 사용해서는 안 된다. 이러한 전신마취제에 대해 심근은 예민하게 반응하여 조발성 심실수축(premature ventricular contraction)과 심실세동(ventricular fibrillation) 등의 심한 심장반응을 일으킨다.

환자의 전신상태가 개선된 후 혈관수축제가 함유된 국소마취제를 사용한 치과치료를 행한다. 대부분의 국소마취제는 혈관수축제를 포함하고 있고, 또한 혈관수축제의 산화를 예방하기 위한 보존제가 포함되어 있다. 중아황산나트륨이 가장 널리 쓰이는 항산화제이다.

보존제는 거의 18개월 정도 혈관수축제의 보존기간을 연장시킨다. 중아황산나트륨은 혈관수축제가 포함되어 있지 않은 같은 용액보다 현저히 더 산성용액으로 만든다. 산성의 국소마취용액은 부전하염기(uncharged base) 형보다 많은 이온화된 양전하(cationic)분자를 포함하고 있다. 국소마취액의 신경축색원형질(axoplasm) 내로 확산이 더욱 서서히 이루어지고, 그러므로 중아황산나트륨을 포함한 국소마취제를 주사 시 마취효과의 발현이 지연된다.

혈관수축제는 국소마취제의 중요한 첨가제로서 국소마취제의 독작용을 감소시키는 반면, 통증조절의 효과와 기간을 향상시킨다. 현재 혈관수축제를 함유하지 않는 국소마취제로 치과치료 시 충분한 시간을 얻기가 어렵다. 환자의 전신 건강상태나 치료의 시간으로 특별한 금기증이 아니라면 혈관수축제의 포함을 고려해야 한다. 이와 같은 마취제를 사용하는 경우 혈관 내로 주사되지 않도록 조심스럽게 흡인하며, 가능한 적은 양을 서서히 투여해야 한다.

참고문헌

1. 김수관, 김운규: 치과마취학. 조선대학교 출판국, 2004.
2. 이상철, 김여갑, 김경욱, 이두익, 염광원, 정성수, 강정완, 김동옥, 김창환, 김용석: 구강악안면 국소 및 전신마취학(둘째판), 2001.
3. Albright GA: Cardiac arrest following regional anesthesia with etidocaine or bupivacaine. Anesthesiology, 51:285-287, 1979.
4. Arthur GR, Scott DHT, Boyes RN, and Scott DB: Pharmacokinetic and clinical pharmacological studies with mepivacaine and prilocaine. Br J Anaesth, 51:481-485, 1979.
5. Becker DE and Reed KL: Local Anesthetics: Review of Pharmacological Considerations. Anesth Prog, 59:90-102, 2012.
6. Bennett CR: Monheim's local anesthesia and pain control in dental practice. Mosby, 1984.
7. Boulanger Y, Schreier S, Leitch LC, and Smith ICP: Multiple binding sites for local anesthetiec in membranes: Characterization of the sites and their equilibria by dueterium NMR of specifically deuterated procaine and tetracaine. Can J Biochem, 58:986-995, 1980.
8. Butterworth JF, Ⅳ, and Strichartz GR: Molecular mechanisms of local anesthesia: A review. Anesthesiology, 72:711-734, 1990.
9. Cannell H, and Whelpton R: Systemic uptake of prilocaine after injection of various formulations of the drug. Br Dent J, 160:47-49, 1986.
10. Clark M, Brunick A: Nitrous oxide and oxygen sedation. Mosby, 2003.
11. Clarkson CW, and Hondeghem LM: Mechanism for bupivacaine depression of cardiac conduction: Fast block of sodium channels during the action potential with slow recovery from block during diastole. Anesthesiology, 62:396-405, 1985.
12. Courtney KR: Structure-activity relations for frequency-dependent sodium channel block in nerve by local anesthetics. J Pharmacol. Exp. Ther. 213:114-119, 1980.
13. Duranteau J, Pussard E, Edouard A, and Berdeaux A: lidocaine and cardiovascular reflex responese to simulated orthostatic stress in normall volunteers. J Cardiovasc Pharmacol, 18:60-67, 1991.
14. Fink BR: Leaves and needles: The introduction of surgical anesthesia. Anesthesiology, 63:77-83, 1985.
15. Gasser HS, and Erlanger J: The role of fiber size in the establishment of a nerve block by pressure or cocaine. Am J Physiol, 88:584-591, 1929.
16. Hadda SE: procaine: Alfred Einhorn's ideal substitute for cocaine. J Am Dent Assoc, 64:841-845, 1962.
17. Jorfeldt L, Löfström B, Persson B, Wahres J, and Widman B: The effect of local anaesthetics on the central circulation and respiration in man and dog. Acta Anaesthesiol.
18. Klein SW, Sutherland RIL, and Morch JE: Hemodynamic effects of intravenous lidocaine in man. Can Med Assoc J, 99:472-475, 1968.
19. Lindorf HH: Investigation of the vascular effect of newer local anesthetics and vasoconstrictors. Oral Surg. Oral Med. Oral Pathol, 48:292-297, 1979.
20. Luduena FP, Bogado EF, and Tullar BF: Optical isomers of mepivacaine and bupivacaine. Arch. Int. Parmacodyn, 200:395-369, 1972.
21. Malamed SF: Handbook of Local Anesthesia. St Louis, Mosby, 2004.
22. McLure HA and Rubin AP: Review of local anaesthetic agents. Minerva Anestesiol, 71:59-74, 2005.
23. Narahashi T, Moore JW, and Poston RN: Anesthetic blocking of nerve membrane conductances by internal and external applications. Neurobiol J, 1:3-22, 1969.
24. Pateromichelakis S: Circulatory and respiratory effects of lidocaine administered into the rat maxillofacial circulation. J. Oral Maxillofac.Surg, 50:724-727, 1992.
25. Scaramella J, Allen GD, Goble WM, and Donaldson D: lidocaine as a supplement to general anesthesia for extraction of thired molars: Serum level. Anesth. Prog, 26:118-139, 1979.
26. Simpkins H, Panko E, and Tay: The interaction of procaine with the nonmyelinated nerve axon. Can J Biochem, 50:174-476, 1972.
27. Smith GN, and Walton RE: Periodontal ligament injection: Distribution of injected solutions. Oral Surg. Oral Med. Oral Pathol, 55:232-238,

1983.
28. Tanelian DL, and Maclver MB: Analgesic concentrations of lidocaine suppress tonic-A delta and C fiber discharges produced by acute injury. Anesthesiology, 74:937-936, 1991.
29. Wang GK: cocaine-induced closures of single batracholtoxinactivated Na+ channels in planar lipid bilayers. J Gen Physiol, 92:747-765, 1988.
30. Wang GK: Binding affinity and stereoselectivity of local anesehetics in single batracholtoxinactivated Na+ channels. J Gen Physiol, 96:1105-1127, 1990.
31. Haas DA: An Upatate on local anesthetics in dentistry. J Can Dent Assoc, 68:546-551, 2002.
32. Yagiela JA, Dowd FJ, and Neidle EA: Pharmacology and Therapeutics for Dentistry. 5th ed. Elsevier Mosby, 251-270, 2004.
33. Malamel SF: Handbook of local anesthesia. St Louise, Mosby, 2004.
34. Boakes AJ, Laurence DR, Lovel KW, O'Neil R, and Verrill PJ: Adverse reactions to local anaesthetic/vasoconstrictor preparations. BR Dent J, 133:137-140, 1972.
35. Brow G: The influence of adrenaline, noradrenaline vasoconstrictors on the efficiency of lidocaine. J Oral Ther. Pharmacol, 4:398-405, 1968.
36. Cheraskin E, and Prasertsuntarasai T: Use of epinephrine with local anesthesia in hypertensive patients: I. Blood pressure and pulse rate observations in the waiting room. J Am Dent Assoc, 55:7.
37. Yagiela JE: Vasoconstrictor Agents for Local Anesthesia. Anesth Prog 42:116-120, 1995.
38. Hardman JG, Limbird LE: The Pharmacological Basis of Therapeutics 10th ed. P 138, Mcgraw Hill, Medical Publishing Division, 2001.
39. Cecanho RC, De Luca LA, Ranali J: Cardiovascular Effects of Felypressin. Anesth Prog 53:119-125, 2006.
40. Sisk AL: Vasoconstrictors in Local Anesthesia for Dentistry. Anesth Prog 39:187-193, 1992.

| Dental Anesthesiology | 국소마취

치과마취기구 및 재료

학습목표

1. 치과마취기구 및 재료의 종류와 사용법을 학습한다.
2. 치과마취용 주사기의 구조와 사용 시 적응증에 대해 숙지한다.
3. 치과마취용 카트리지의 성분을 이해하고 보관법을 숙지한다.
4. 도포마취제의 종류와 사용법을 숙지한다.
5. 무통증 국소마취법, 컴퓨터 조절 국소마취와 같은 최신의 마취법에 대해 이해한다.
6. 치과마취기구관련 합병증을 학습하여 예방한다.

치과마취시술 중 통증을 경감시키며 완전한 마취효과를 얻기 위하여 사용되는 기구는 편리하고 효율적으로 디자인 되어야 한다. 저질의 부적절한 기구로는 최상의 마취효과를 얻을 수 없으며 이는 최상의 진료를 위해 환자뿐만 아니라 술자에게도 매우 중요한 사항이다.

치과마취 시 사용되는 여러 가지 형태의 많은 기구가 일회용이며 흡인할 수 있는 주사바늘이 바람직하다. 사용되었던 기구의 재사용은 오염의 가능성이 높으며 반복된 소독 등으로 재질이 약화되어 안정성이 저하될 수 있다. 각 기구는 언제나 이용할 수 있도록 소독된 상태에서 잘 보관되어 있어야만 교차감염 등을 피할 수 있다.

국소마취에 있어서 성공여부는 시술부위에 대한 충분한 해부학적 지식 습득과 함께 치과마취기구들의 적절한 사용에 달려있다.

치과마취기구는 국소마취를 위한 기구와 마취 시 발생될 수 있는 합병증에 대한 응급 처치를 위한 기구로 나뉜다.

치과마취기구 및 재료는 다음과 같다.

① 치과용주사기(Dental syringe)
② 주사바늘(Needle)
③ 마취용액이나 연고가 들어가 있는 용기(Cartridge, bottle, tube)
④ 도포마취제(Topical anesthesic agent)
⑤ 보조기구(Auxillary materials)
⑥ 합병증 및 응급치료 시에 사용되는 기구(Complication and emergency tools)

1. 치과용 주사기 Dental syringe

주사기는 국소마취를 위한 3가지 중요 기구 중의 하나로서, cartridge 내의 마취액을 주사바늘을 통하여 환자에게 주사하도록 되어 있다. 많은 형태의 주사기가 사용되지만, 미국치과의사협회(American Dental Association, ADA)에서 정한 기준이 있다.

① 반복된 소독에도 견딜 만큼 내구성이 있어야 한다

(만약 일회용이면 소독된 용기에 밀폐되어 있어야 한다).

② 여러 가지 cartridge와 여러 제조회사의 주사바늘들을 사용할 수 있도록 호환성이 있어야 한다.

③ 가격이 저렴해야 하며, 가볍고 사용이 간편해야 한다.

④ 효과적으로 흡인이 가능하여 cartridge에서 쉽게 관찰할 수 있어야 한다.

일반적으로 재질에 따라 재사용이 가능한 금속재질과 플라스틱의 1회용 주사기로 나뉘며 대부분 금속재질의 주사기를 사용한다.

① 금속제 주사기의 장점

- cartridge를 볼 수 있다.
- 압열멸균기(autoclave)에서 소독이 가능하다.
- 녹(rust)에 잘 견딘다.
- 충격에 강해 오랜 기간 잘 유지하며 사용할 수 있다.

② 금속제 주사기의 단점

- 무게가 무겁다.
- 크기가 비교적 크다.
- 부주의하게 다룰 때 감염의 가능성이 높다.

주사기의 형태와 재질은 다르나 모두 동일한 형태의 cartridge를 사용하며 모두 후방가압형(breech-loading)이다. 흡인(aspirating) 가능여부에 따라 주사기를 구별하기도 한다.

① 흡인이 가능한 주사기(Aspirating type: 전달마취와 침윤마취 모두 가능하다.)

- Conventional metallic aspirating syringe
- Metallic self-aspirating syringe
- Plastic disposable syringe

② 흡인이 어렵거나 불가능한 주사기(Nonaspirating type: 주로 침윤 마취로 사용한다.)

- Conventional metallic nonaspirating syringe
- Ligament injector
- Jet injector
- Computer controlled local anesthetic delivery system

(1) 일반적인 금속제 비흡인 주사기 (Conventional metallic nonaspirating syringe)

국소마취에 주로 사용되는 치과용 주사기로 금속제 주사기는 chrome-plated brass나 stainless-steel로 되어 있다. 비흡인 주사기는 그립부위가 손가락을 끼울 수 있는 고리 형태가 아니라서 주사 시 흡인하기가 어렵다(그림 8-1).

후방가압식 주사기 사용 시 cartridge의 삽입 및 제거 순서는 다음과 같다.

① 피스톤을 뒤로 당기고 마취 cartridge의 plunger 끝을 먼저 주사기에 넣는다. 그리고 피스톤의 갈고리(harpoon)가 꽂히도록 한다. 이때 가볍게 탁 쳐 주어야 cartridge의 파열을 막고 갈고리가 잘 꽂히도록 할 수 있다. 이때 주사기의 몸체를 다른 한 손으로 꽉 쥐고 있어야 한다.

② Cartridge의 격막 중앙이 천공되도록 주사바늘을 연결하고, 피스톤을 밀어내어 1~2방울의 마취액이 떨어지도록 한다. 이렇게 함으로써 cartridge와 주사바늘이 잘 연결되었는지 확인하고 환자에게 실제로 주사할 때, 갑자기 압박을 가함으로써 발생될 수

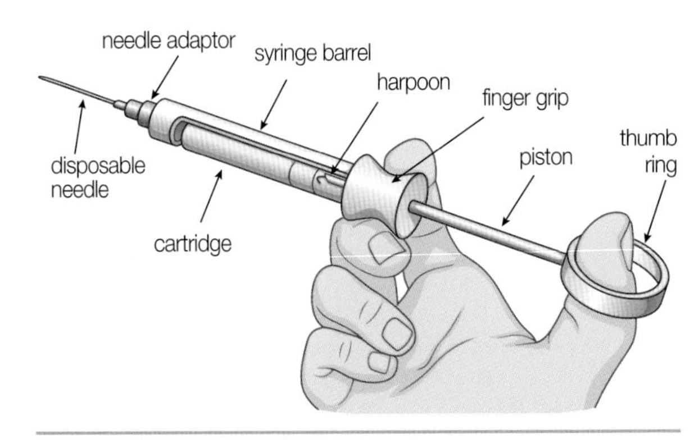

그림 8-1. Side-loading metal cartridge syringe

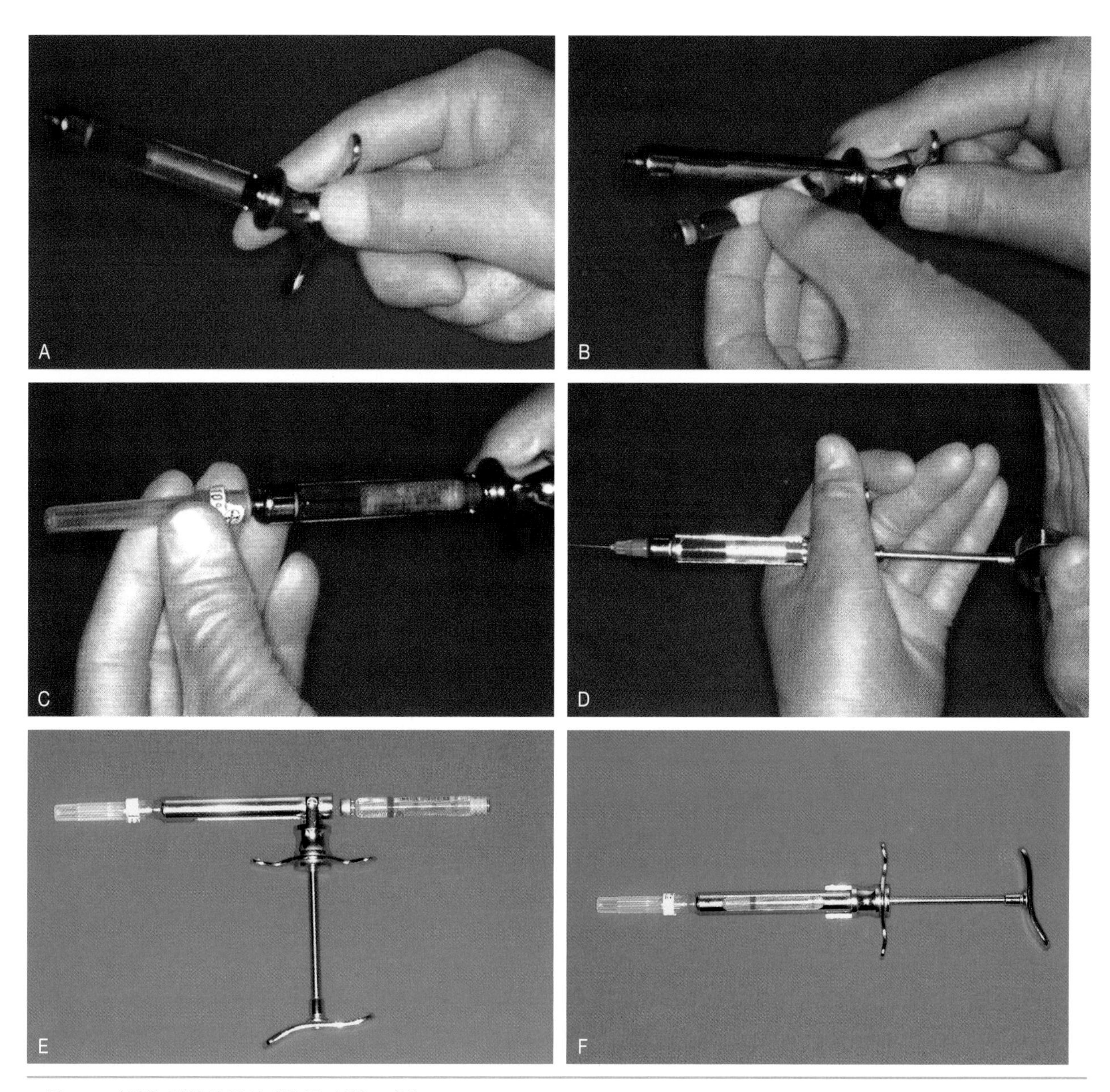

그림 8-2. 자입을 위하여 주사기를 준비하는 과정
(A) 주사기의 피스톤을 뒤로 당긴다. (B) Cartridge를 넣는다. (C) 주사바늘을 연결한다. (D) 피스톤을 가볍게 쳐서 harpoon이 cartridge stopper에 꽂히도록 한다. (E) 후방에서 cartridge를 넣는 형태의 주사기. 약간의 마취액이 나오도록 피스톤을 움직여 stopper가 자유롭게 움직이도록 한다. (F) Cartridge 장착 후 모습

있는 통증을 예방할 수 있다. 이렇게 하여 마취할 준비가 끝난다(그림 8-2).

③ 마취 후 사용한 cartridge를 제거하기 위하여 피스톤을 완전히 뒤로 빼고, cartridge를 꺼낸다. 같은 환자에게 다시 주사를 해야 하는 경우 주사바늘이 휘거나 꺾이지 않았는지 확인하고 두 번째 cartridge를 넣고 주사한다. 이때도 주사바늘이 cartridge의 격막 중심에 오도록 주의 한다. 주사바늘을 빼낼 때 반드시 원래의 뚜껑에 꽂은 후 주사기에서 빼내어 폐기한다.

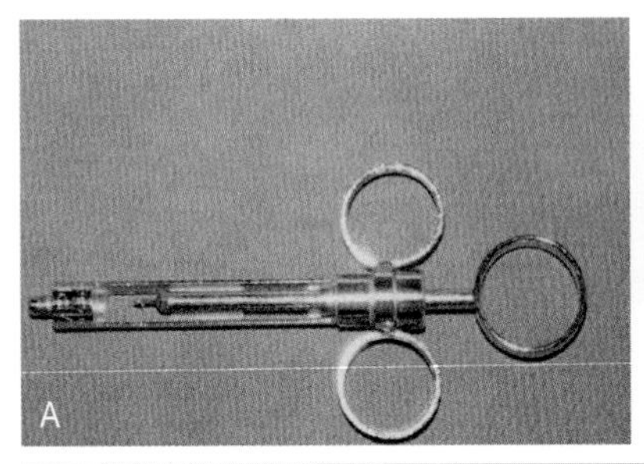

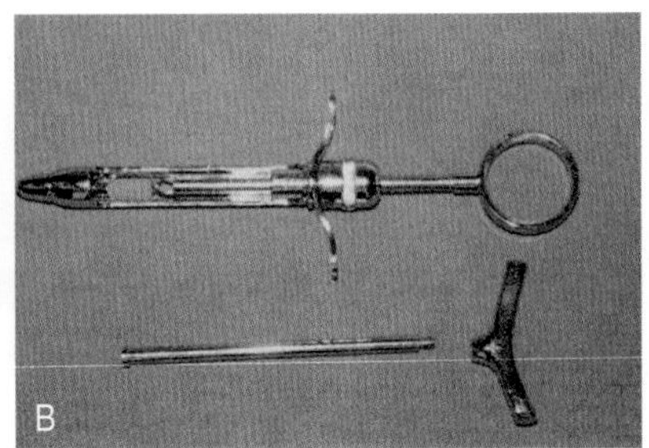

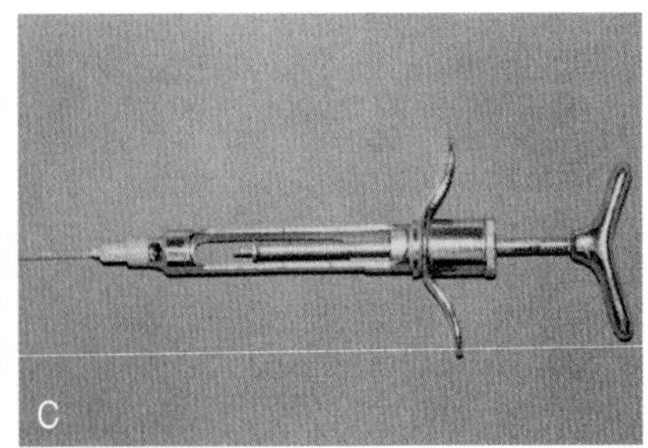

그림 8-3. 3가지 다른 형태의 흡인형 금속주사기

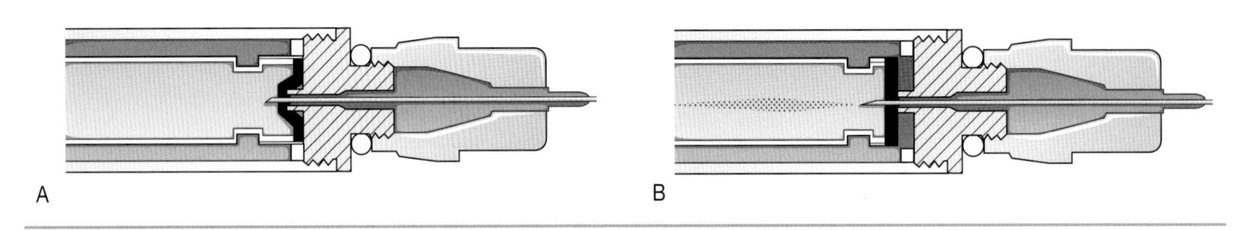

그림 8-4. 자가흡인형(selfaspirating type) 주사기
(A) 엄지고리에 압력을 가하면 고무격막이 신장되면서 음압이 발생, (B) 힘을 빼면 cartridge 내 압력이 감소되면서 자동적으로 흡인된다.

(2) 일반적인 금속제 흡인 주사기 (Conventional metallic aspirating syringe)

치과진료에서 가장 많이 사용되는 형태로 침윤마취와 전달마취 모두 할 수 있다. 한 손으로 흡인할 수 있는 장점이 있다(그림 8-3).

(3) 금속제 자가흡인형 주사기 (Metallic self-aspirating syringe)

마취 시 마취액이 혈관 내로 주사된 가능성이 높고 합병증이 심각한데도 불구하고 마취액 주입 전 흡인의 중요성을 간과하는 경우가 많다.

Cook 연구소에서는 1921년 cartridge syringe를 처음 소개하였다. 36년 후엔 흡인 plunger를 첨가하게 되었다. Malamed는 209명의 치과의사 중 62.3%만이 하치조신경 전달마취(inferior alveolar nerve block anesthesia)시 흡인을 한다고 하였으며, 14.4%가 때때로 흡인을 하며 9.2%가 가끔 흡인을 한다고 하였으며, 13.2%는 전혀 흡인을 하지 않는다고 하였다.

이러한 부주의한 마취를 줄이기 위하여 self-aspirating syringe가 개발되었다(그림 8-4).

흡인 주사기는 제조회사에 따라 재질이 다양하지만, 대부분은 chrome-plated brass나 stainless-steel로 되어 있다. 이 기구는 흡인에 필요한 음압을 얻기 위하여 cartrige의 한쪽 끝에 있는 고무격막(diaphragm)의 탄력성을 이용한다. 적절한 위치에 cartridge를 넣었을 때, cartridge의 격막이 조그만 금속 돌출부에 접촉되어 눌렸다가 펴지는 힘에 의하여 음압이 발생하게 된다.

주사기의 본체(plunger shaft)나 엄지고리(thumb ring)에 압력을 가하여 cartridge가 약간 되돌아 오면서 흡인을 위한 충분한 음압이 생기게 된다. 이 주사기는 cartridge의 plunger 내에 꽂히는 갈고리(harpoon)가 없기 때문에 사용 시 cartridge의 유리관이 파열될 일이 거의 없다. 또한 주사 후 plunger로부터 갈고리를 빼낼 필요가 없어 다른 형태의 주사기에서 갈고리를 빼낼 때 생기는 부작용을 예방할 수 있다. 마취 시 조직 내 주사바늘을 자입한 후 마취액을 주입하기 전에 엄지고리를 눌렀다가 놓는다. 2~3초간 흡인되도록 한 후 다시 눌러서 주사를 놓는다. 주사 놓는 동안 엄지고리를 놓을 때마다 흡인이 계속 된다.

(4) 치주인대주사기(Ligament injector)

치주인대주사는 일반적인 주사기를 사용할 수도 있지만, 이 목적을 위하여 특수한 주사기가 개발되었다(그림 8-5).

이 주사기는 일반적인 국소마취용 cartridge를 사용한다. 권총형 손잡이로 되어 있어서 순간적인 고압으로 마취액을 주입하도록 고안되어 있다.

치근막은 마취액이 확산될 수 있는 공간이 제한되어 있으므로 마취가 필요한 부위까지 마취액이 도달되도록 하기 위해서는 고압이 필요하다.

제작자는 이 주사기 사용 시 30 gauge 주사바늘을 권장한다. 주사바늘이 가늘수록 치근막내로 통증없이 쉽게 자입할 수 있기 때문이다.

아주 적은 양(예를 들어 0.18 ml)만이 주사되므로 흡인할 필요는 없다. 이 기구로 국소마취액을 치근막에 주사했을 때, cartridge에서 상당한 압박감을 느낄 수 있다. 이 정도의 힘으로는 마취 cartridge가 파절될 수 있다. 최근 이 문제점을 개선하기 위해 주사기가 금속이나 플라스틱으로 싸여있는데, 이는 마취 cartridge를 유지해주고 환자를 보호하기 위함이다.

다른 형태로는 지렛대의 원리를 이용한 것으로 pen 형태이다. 환자에게 혐오감을 덜 주며, 구강 내에서 사용하기가 편리하다(그림 8-6).

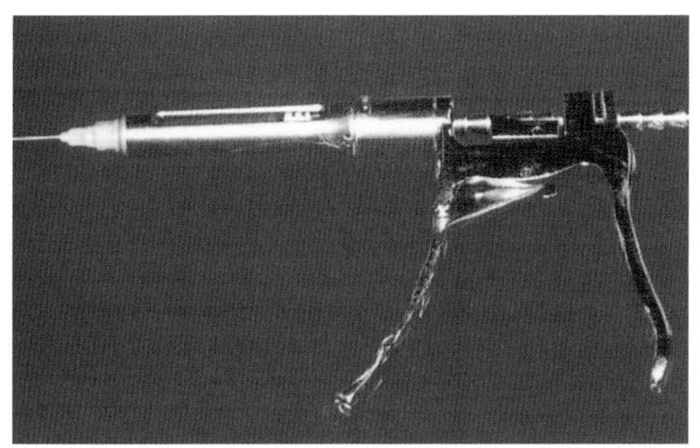
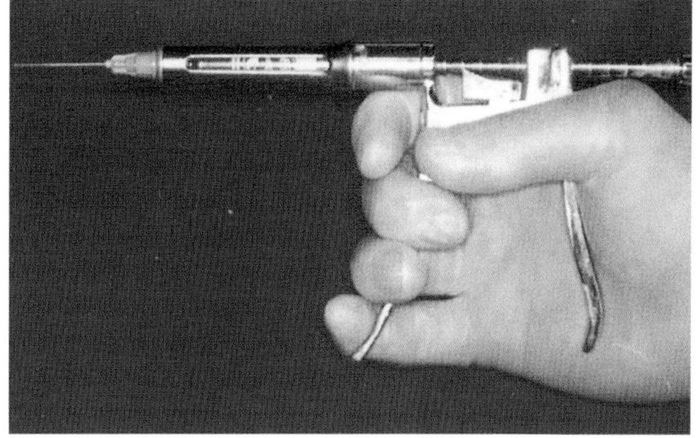

그림 8-5. 권총 손잡이 형태의 치주인대 주사기

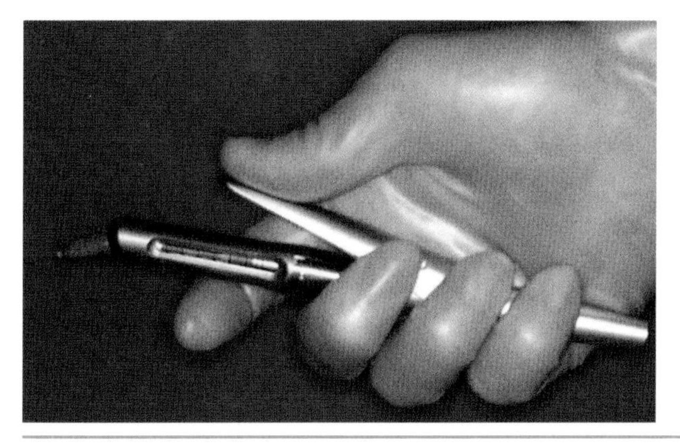
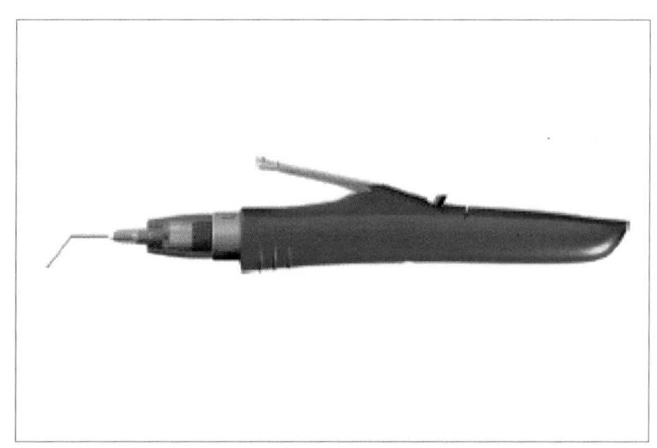

그림 8-6. Pen 형태의 치주인대 주사기

(5) Jet injector

Jet injector도 적응증에 따라 효과적으로 이용할 수 있다. 이중 가장 많이 사용되고 있는 것이 Syrijet (Mizzy Inc.)(그림 8-7)으로, 이 spring-loaded 주사기는 일반적으로 국소마취 시 사용되는 1.8 ml의 cartridge를 사용할 수 있다. 한번 주사 시 1평방 인치당 2,000파운드의 압력으로 0.05~0.2 ml의 마취액이 주사된다. 주사기와 바늘이 하나로 되어 있다. 이 주사기로는 매우 작은 구멍을 통해 마취액이 주입된다. 주사하기 전에 점막을 소독액으로 잘 닦고 2×2 inch 거즈로 건조시킨다. 주사 시 마취액의 양은 주사할 조직의 양에 따라서 조절할 수 있어서 연조직이 풍부할 때 더 많은 양을 사용할 수 있다.

기구의 'head'부분을 마취액이 점막 표면에 직각으로 주사되도록 단단히 위치시킨다. 주사 시 점막이 완전히 건조되어 있지 않으면 연조직에서 미끄러지게 되어 점막에 작은 열상이 초래될 수 있다.

이 기구는 주사바늘 자입 시 도포마취를 위하여 사용할 수 있으며 침윤마취와 비구개신경 전달마취(nasopalatal nerve block anesthesia), 전구개신경 전달마취(anterior palatal nerve block anesthesia) 및 장협신경 전달마취(long buccal nerve block anesthesia) 등의 전달마취시행 시 주사바늘 자입부위를 마취시키는데 이용될 수 있다. 또한 구개부의 점막마취 시에도 효과적으로 사용할 수 있다. Jet injector도 일반적인 주사기와 같은 방법으로 소독한다. 다른 환자에서 사용 시에도 cartridge를 바꾸지 않고 냉멸균법을 시행 후 재사용 할 수 있다.

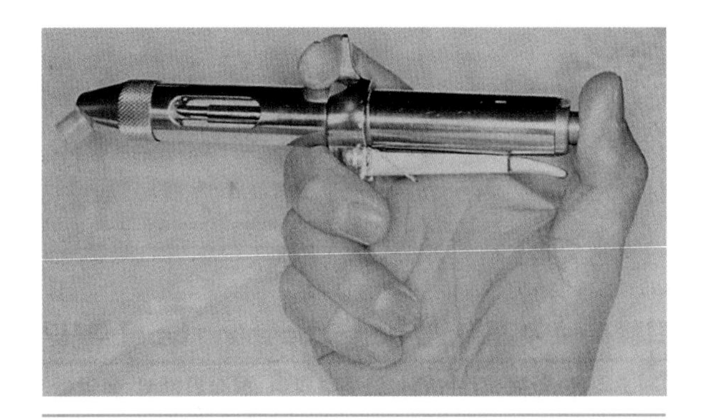

그림 8-7. Jet injector

① Jet injector의 장점

- 주사바늘을 사용하지 않는다.
- 마취용액을 매우 조금 사용한다.
- 도포마취 대신 사용할 수 있다.

② Jet injector의 단점

- 치수마취나 전달마취에 부적합하다.
- 환자에 따라 jet injector의 충격에 놀라기도 한다.
- 가격이 비싸다.

(6) Computer controlled local anesthetic delivery system

마취주사 시의 통증은 마취제의 급속한 주사때문인 경우가 많다. Computer controlled local anesthetic delivery system(그림 8-8)은 마취제의 사용량과 주입속도를 컴퓨터로 제어하여 지속적으로 서서히 주입이 가능하므로 주사 시의 통증을 현저히 줄여 줄 수 있다. 최근에는 보다 작은 gun-type으로 제작되어 시판되기도 한다(그림 8-9)

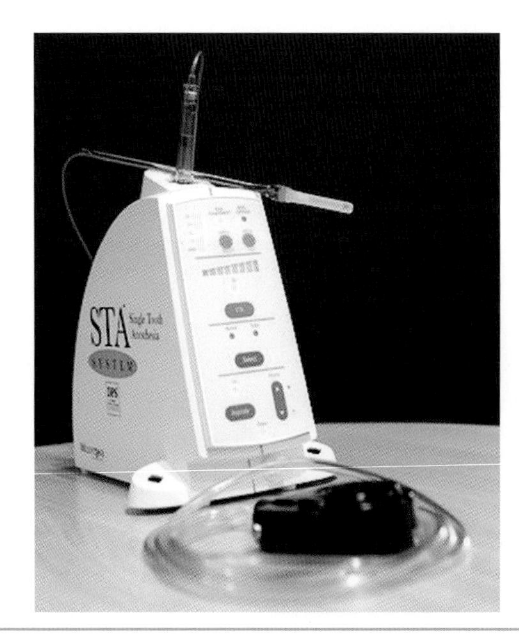

그림 8-8. Computer controlled local anesthetic delivery system

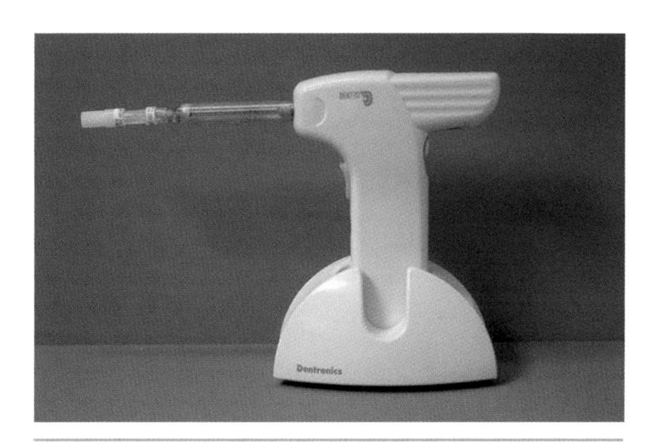

그림 8-9. 보다 더 소형화되어 사용하기 편리하다.

① 장점
- 주사하는 동안 cartridge를 볼 수 있다.
- 흡인이 가능하다.
- 가볍다.
- 1회용이므로 교차감염 등 가능성이 낮다.

② 단점
- 마취비용이 증가한다.
- 충격에 약하다.
- 치수마취 등 큰 압력이 필요한 마취엔 사용하기 힘들다.

(7) 1회용 플라스틱 마취 주사기 (Disposable plastic anesthetic syringe)

외형은 일반적인 금속제 마취주사기와 유사하며 cartridge와 needle을 고정시켜주는 반투명의 plastic outer tube와 갈고리(harpoon)가 있는 plastic piston으로 구성되며 이들을 연결하여 사용한다(그림 8-10). 사용 후 outer tube는 폐기하고 plastic piston부위는 소독하여 재사용하므로 엄밀한 의미에서 1회용은 아니다.

(8) 마취 주사기 사용 시 일반적인 문제점

① 주사하는 동안 마취액이 새는 경우: 이것은 일반적으로 cartridge를 넣을 때 주사바늘이 격막의 중심에 오지 못하여 천공된 부위가 난원형이 되어 압력을 가할 때 마취액이 새게 된다. 또는 주사바늘의 adapter가 주사기와 연결이 불량할 때 그 틈으로 새기도 한다.

② 주사액이 안나오는 경우: cartridge가 잘못 넣어진

Disposable Dental Cartridge Syringe

Neddle Sige :	27 G, 30 G
Length of Neddle :	12 mm~42 mm
The Neddle can be pulled back into the barrel.	
Available Cartridge Size :	1.8 cc
Made of plastic, Sterilized by EO	

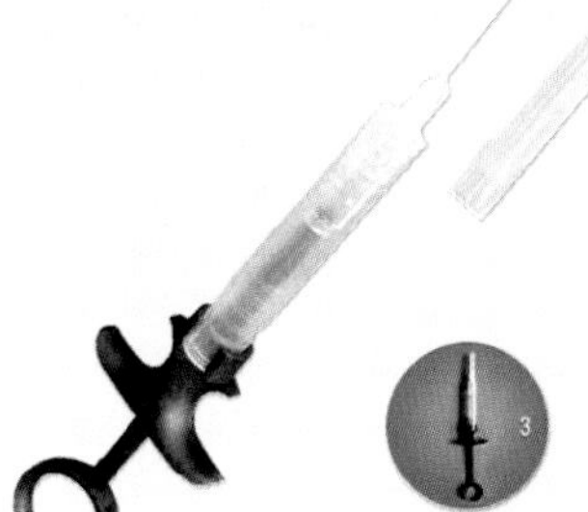

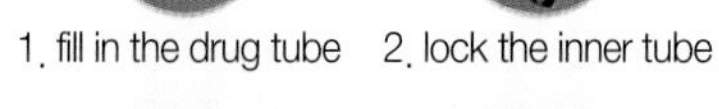

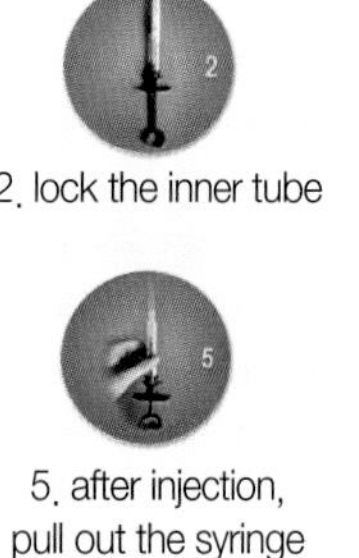
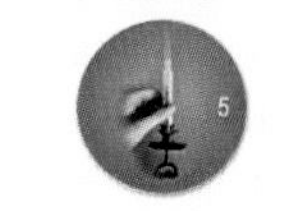

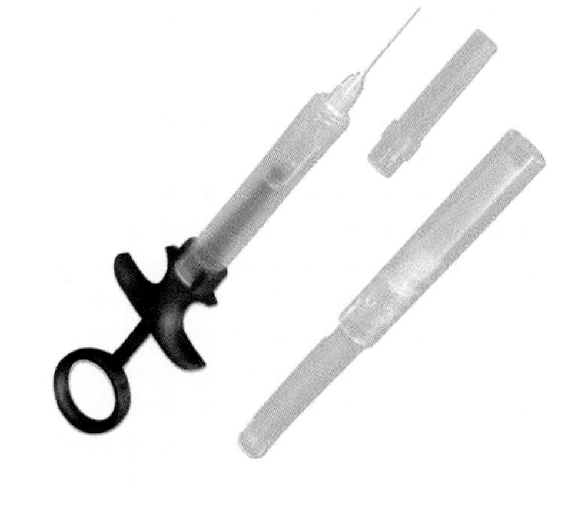

그림 8-10. 플라스틱타입의 마취주사기

상태에서 주사바늘의 syringe end부위가 cartridge의 head부위 금속테두리에 걸려 휘어진 경우에는 주사액이 나올 수 없다. 이 경우에는 새 주사바늘로 교체 후 사용한다.

③ cartridge의 파절: cartridge가 잘못 넣어진 상태에서 사용 시 또는 갈고리가 굽어져 있거나 갈고리를 plunger에 꽂을 때 너무 강한 압력을 가한 경우에 초래된다.

④ 갈고리(harpoon)이 구부러지는 경우: 갈고리는 날카롭고 직선이어야 한다. 굽어진 경우 고무 plunger의 중심에 꽂히지 않아서 plunger가 돌아가거나 cartridge가 파괴될 수 있다.

⑤ 흡인하는 동안 갈고리가 plunger로부터 빠지는 경우: 주로 흡인하기 위하여 피스톤을 과도하게 잡아 당겼을 때 일어난다. 이때는 강한 힘이 필요한 것이 아니라 약간 가볍게 움직여주는 것으로 충분하다.

⑥ 표면의 이물질 축적: 이물질이나 타액, 소독액 등의 축적은 주사기의 기능을 저하시키며 모양에 좋지 않다. 축적물들은 문질러서 닦거나 초음파 세척기 등을 이용하여 깨끗이 할 수 있다.

(9) 마취 주사기의 소독과 관리

금속제 마취 주사기는 1회용이 아니므로 적절히 세척하고 보관해야 한다.

임상적으로는 화학적 소독은 바람직하지 못하다. 글루타알데하이드(gliutaraldehyde)는 멸균은 할 수 있지만 병원성 포자(spore)를 죽이는 데는 최소한 10시간이 걸린다. 주사기를 세척하고 다루고 저장하는데서 오염될 가능성이 많다.

무엇보다도 멸균 전에 주사기를 적절히 처리하는 것이 중요하다. 초음파 세척기로 깨끗이 세척해야 한다. 만일 손으로 세척할 경우 불필요하게 혈액이나 조직 잔사와 직접 닿는 것을 피하기 위해 고무장갑을 착용하는 것이 바람직하다. 주사기는 건조시켜 종이멸균봉투나 헝겊으로 싸서 특수 증기열 멸균기용 인지테이프를 붙인다. 가장 흔히 사용되는 멸균법으로 증기열 멸균법이 있다. 이 소독기는 단단하고 가벼우며 사용이 용이하다. 건조열 멸균기도 유용한데 멸균을 위해서는 시간이 많이 걸린다. 에틸렌 옥사이드 가스(ethylen oxide gas)도 사용되는데, 이는 모든 미생물을 파괴하지만 가스의 농도, 노출시간, 온도 및 습도 등 여러 요소에 영향을 받기 때문에 다른 멸균법보다 멸균과정이 조절하기 힘들다. 게다가 고무 제품이나 플라스틱제품은 잔여 독소를 제거하기 위하여 사용 전 환기시켜야 한다. 그래서 전체 멸균시간과 환기시간을 합쳐 10시간 정도가 걸린다.

2. 주사바늘 Needle

1853년 처음 피하주사바늘이 발명된 이래 많은 변화가 생겼다. 주로 변화한 점은 강하지만 탄력이 있고 무균적으로 포장된 1회용으로 발달하였다. 1회용 주사바늘이 개발된 후 감염의 우려가 줄어들었으며, 적절히 사용할 경우 교차감염도 예방할 수 있다. 주사바늘 끝의 날카로움, 다양한 사단(bevel) 형성 등으로 환자 불편감이 현저히 줄어들었으며, 이로 인해 재사용하는 주사바늘은 더 이상 사용되지 않고 있다. 이같은 1회용 주사기는 stainless-steel로 제작되었다.

주사바늘은 예전에 사용하던 stopper형과 hub형으로 크게 나눌 수 있다(그림 8-11). Stopper형은 cartridge를 이용하는 치과용 주사기에만 사용이 가능하며, 재사용을 전제로 제작된 것으로 근래에는 거의 사용되지 않는다. Hub형은 치과용 주사기는 물론 Leur-Lok glass 주사기나 일반용 주사기에도 사용이 가능하다.

국소마취를 위한 주사바늘은 주로 20~27 gauge로 길이 1/2~4 inch를 많이 사용한다. 국소마취에 사용되는 주사바늘은 사단(bevel), 동체부(shaft), hub, syringe adaptor 및 syringe end의 다섯 부분으로 나뉜다.

주사바늘 첨부(tip)의 형태는 여러 가지로써 short bevel, long bevel과 multibevel 등이 있다(그림 8-12).

Multibevel 형태는 점막이나 피하조직에 최소한의 외상으로 가장 손쉽게 천공을 하도록 고안한 것이다. Aldous

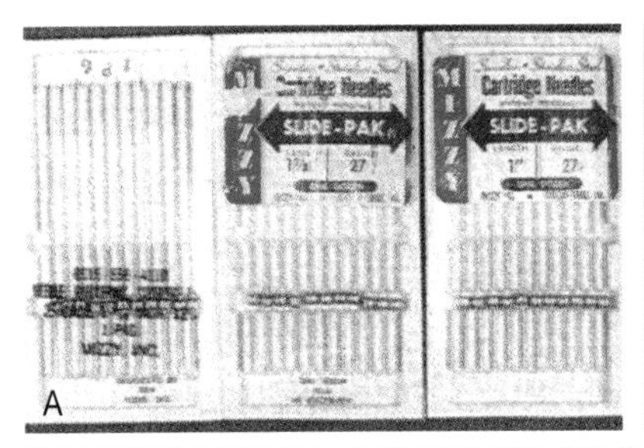

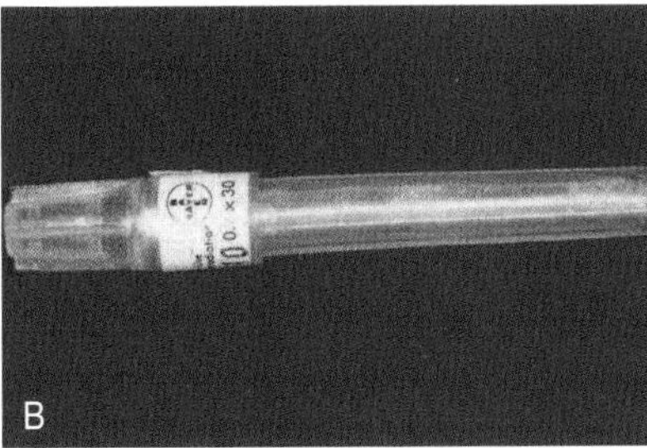

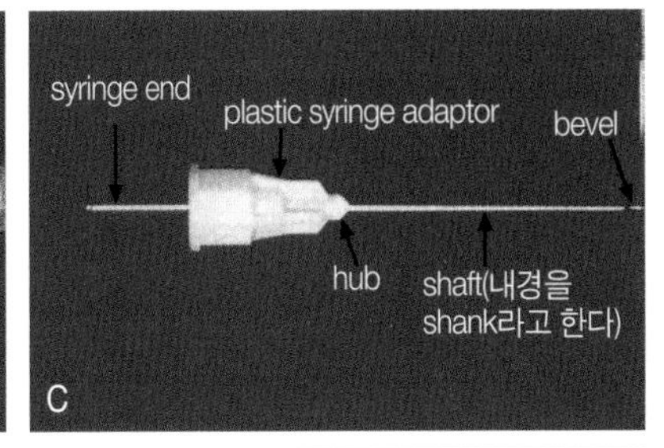

그림 8-11. (A) stopper형, (B, C) hub형 주사바늘의 구조

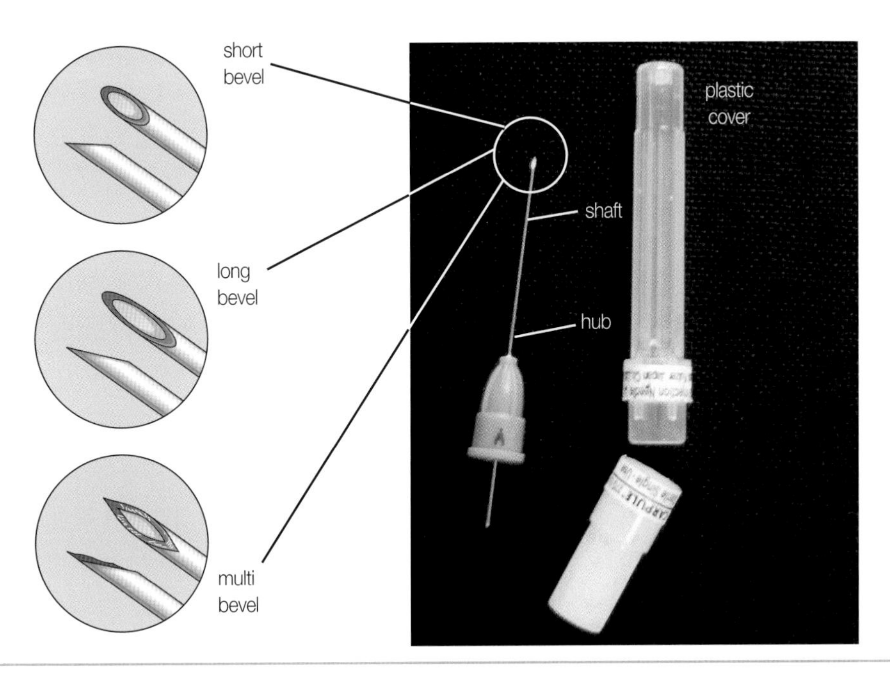

그림 8-12. 일회용 주사바늘의 bevel 형태

에 의하면 주사바늘의 장축에 대하여 사단의 각이 클수록 조직에 자입 시 주사바늘의 굴절이 더 크며, bevel의 첨부가 주사바늘 장축의 중심부에 있는 경우 사단 끝에 첨단부가 있는 주사바늘(bevel-pointed needle)보다 굴절이 적다. Bennett도 주사바늘 자입 시 굴절을 줄이기 위하여 short-bevel 주사바늘이 좋다고 하였다.

Gauge는 shank 내경의 직경을 의미하며, 길이는 hub에서 bevel의 첨부까지의 길이를 말한다. Hub는 주사바늘이 주사기에 부착되는 프라스틱 또는 금속과의 연결 부분이다.

주사바늘의 syringe end는 주사기의 needle adaptor쪽으로 들어가서 cartridge의 고무로 된 격막(diaphragm)을 뚫게 된다. 이 첨단부는 cartridge 속에 들어가게 된다.

주사바늘은 백금(platinum), 내수강(stainless-steel), 이리듐합금(iridioplatinum alloy) 또는 백금루테늄합금(platinum-ruhenium) 등으로 만든다. 열이나 부식에 강했던 기본적인 금속의 합금(nickel chromium, cobalt, molybdenum, tungsten과 steel)을 사용하기도 하였으나, 현재는 stainless-steel 주사바늘이 가장 널리 사용되고 있다.

Stainless steel의 장점은 다음과 같다.

① 주사바늘을 변형 없이 쉽게 자입할 수 있는 강도를 가지고 있다.
② 대단히 예리한 주사바늘을 유지할 수 있다.
③ 각 환자마다 사용 후 버려도 좋을 만큼 값이 싸다.
④ 주사바늘의 길이와 내경 및 형태를 다양하게 만들 수 있다.
⑤ 적절히 사용할 때 파절의 위험이 거의 없다.
⑥ 끓는 물소독이나 증기 소독에도 부식이나 약해짐이 없다.

현재 1회용 주사바늘이 많이 사용되고 있어서 시간이나 부수적 작업을 줄일 수 있을 뿐 아니라 각 환자에서 완전히 소독된 예리한 주사바늘을 사용할 수 있다. 그러나 주사바늘은 감염예방을 위하여 소독 후 반복사용은 금지되어 있다.

주사바늘이 파절되는 경우는 주사바늘을 꺾어서 사용하거나, 주사바늘을 자입 후 급속히 방향 전환을 하는 경우, 치조골 등 단단한 부위에 힘을 가하여 압박하는 경우 또는 반복 사용 시 금속이 약화될 수 있다.

1) Gauge

Gauge는 주사바늘 내경의 직경을 말하며 국소마취 시 주사바늘을 선택하는 중요한 요소가 된다. 숫자가 작을수록 주사바늘의 내경은 더 커져서 30 gauge 주사바늘이 25 gauge 주사바늘 보다 내경이 작다(표 8-1).

표 8-1. Gauge에 따른 주사바늘의 직경

Gauge	Diameter (mm)
20	0.82
21	0.72
22	0.64
23	0.57
24	0.51
25	0.45
27	0.40
30	0.30

주사바늘을 조직 깊숙이 자입하는 경우 23~25 gauge 주사바늘이 좋은데, 그 이유는 다음과 같다.

① 조직 깊이 자입 시 주사바늘의 변형 없이 목적하는 부위로 직접 자입할 수 있는 충분한 강도를 지니고 있다.
② 자입 시 작은 혈관을 천공시킬 가능성이 적다.
③ 자입 후 주사바늘 내경이 크므로 흡인이 용이하다.
④ 주사바늘의 파절이 적으므로 안정성이 좋다.

23~25 gauge 주사바늘의 단점은 굵기 때문에 자입 시 가는 주사바늘에 비하여 통증이 심하다. 그러나 이것은 임상적으로 시술을 적절히 함으로써 통증을 줄일 수 있다. 25 gauge 주사바늘은 사용하더라도 예리한 것을 조심스럽게 사용하면 30 gauge 주사바늘보다 통증이 적고 더 안전하게 자입할 수 있어서 주사바늘의 gauge가 얇을수록 덜 불편하다는 통념과는 반대되는 이론도 있다. 비록 주사바늘이 가늘어도 흡인이 가능하지만, 내경이 작으면 흡인이 방해될 수도 있다. 전달마취 특히 하악공 전달마취 시 처음 자입 후 주사바늘의 방향을 변경할 필요가 있는데 27 내지 30 gauge 등의 너무 가는 주사바늘을 사용 시 주사기를 움직이면 주사바늘끝의 방향이 원하는대로 정확

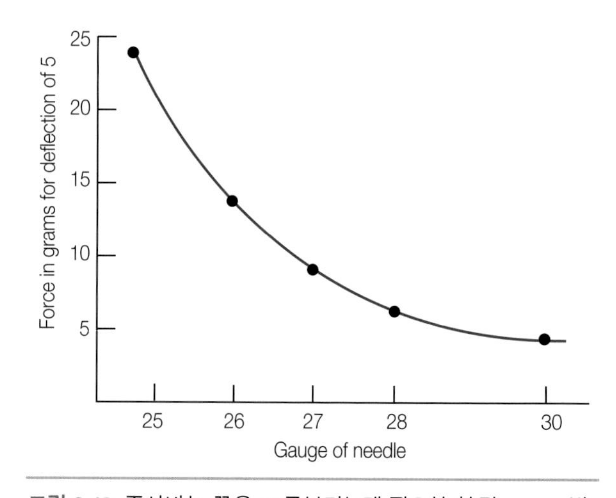

그림 8-13. 주사바늘 끝을 5° 구부리는데 필요한 힘(각 gauge 별)

히 바뀌지 않는다. 그림 8-13은 gauge 숫자가 증가할수록 주사바늘이 쉽게 구부러진다는 것을 보여준다.

2) 길이

주사바늘 선택 시 gauge의 고려는 물론 적절한 길이의 주사바늘을 선택해야 한다. 치과용 주사바늘에는 긴 것(1 5/8 inch)와 짧은 것(1 inch) 2가지가 있다.

원칙적으로 주사바늘을 자입 시 조직 내로 1/2~2/3 이상이 자입되지 않도록 유의해야 한다. 주사바늘이 파절 시 주로 hub부위에서 일어나는데, 파절되었을 경우 조직 밖에서 충분한 길이가 돌출되어 있어야 제거가 용이하며, 조직 밖에 남아있는 부분을 보고 주사바늘의 자입 방향을 알 수 있다.

주사바늘에는 2가지 hub가 있다.

① Cartridge형 주사기에 부착할 수 있는 thread type이 있다. 이것은 주사바늘이 주사기에 끼여지는 부위에 플라스틱 또는 금속의 hub가 있고, 길고 짧은 주사바늘을 바꾸어 사용 할 수 있다.

② Luer-Lok glass 주사기나 일회용 주사기에 사용할 수 있는 Luer-Lok hub가 있다. 이 hub는 구강 외에서 심부에 주사 시나 정맥주사(intravenous injection) 시 이용된다.

이외에 일반적인 금속 주사바늘에 Luer-Lok lip이 달린 연성 카테터, 즉 catheter-over-needle type이 있다(그림 8-14). 통상적인 방법으로 정맥 내에 자입 후 금속 주사 바늘을 제거하여 연성 카테터가 정맥의 내강 내에 남도록 한다. 다음에 카테터를 infusion set의 주사기에 부착 시 조직에 외상을 주지 않고 안전하게 정맥주사할 수 있다. Winged needle은 플라스틱 날개가 달린 short thin-walled needle(그림 8-15)로써 주사바늘의 두께가 얇기 때문에 비슷한 크기의 일반적인 주사바늘에 비하여 내경이 더 크다. 자입하는 동안 날개를 조작하기 편하도록 위쪽으로 접는다. 적은 연결관이 주사바늘에 붙어 있어서 주사기나 정맥주사용 관에 부착하기가 용이하도록 되어 있다.

3) 주사바늘 사용 시 주의점

최근 주사바늘은 미리 소독되어 있으며 대부분 1회용이다. 그러므로 적절히 사용하기만 하면 문제는 거의 없으나 다음의 사항들을 유의해야 한다.

① 주사바늘은 한 환자에서만 사용해야 한다.

② 같은 환자에서 3번 정도 자입한 후에는 바꾸어 주는 것이 바람직하다. 두세 번 자입한 후에는 stainless steel 주사바늘이 무뎌지게 된다. 이 같은 주사바늘은 조직통과 시 손상을 주게 되며, 이에 따라 자입시 및 마취효과가 없어진 후 통증을 초래하게 된다.

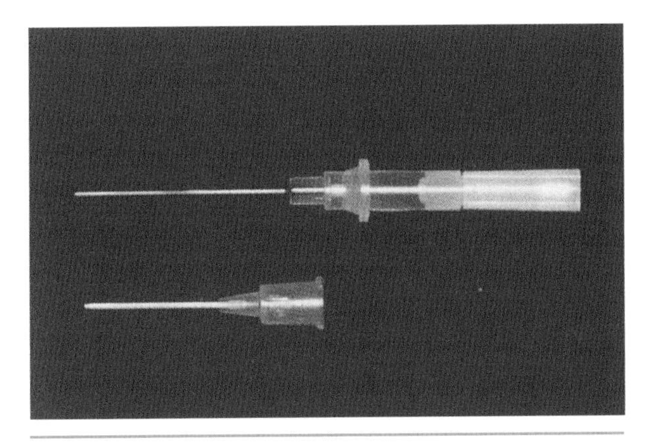

그림 8-14. Catheter-over-needle type 주사바늘

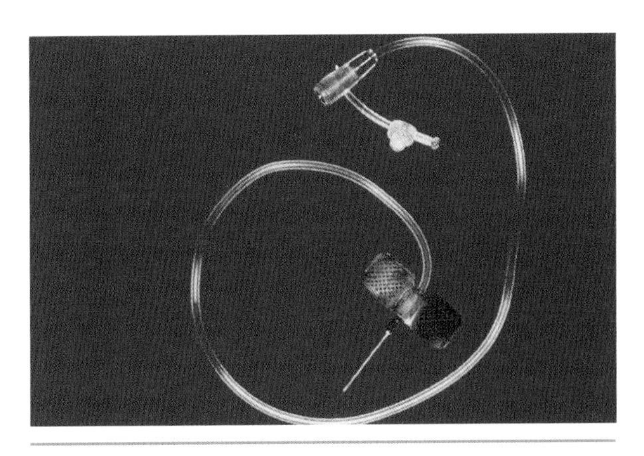

그림 8-15. Winged needle

③ 사용하지 않을 때에는 주사바늘을 덮개로 덮어둔다.

④ 주사바늘을 덮어주지 않은 경우 환자의 구강 내외에서 조작 시 유의하여 술자나 환자에게 손상을 주지 않도록 유의한다.

⑤ 주사바늘을 사용한 후에는 다시 사용하지 못하도록 폐기한다.

⑥ 한번 주사한 후 다시 주사할 때에는 주사바늘을 검사하여 구부러지거나 변형이 없는지 검사한다.

3. Cartridge

일회용 유리 cartridge가 상업적으로 도입됨에 따라 구강악안면영역의 국소마취에 지대한 발전을 가져왔다. 이는 국소마취액을 균일하고 멸균된 상태로 보급할 뿐만 아니라 혈액 흡인 유무에도 상당히 유용하다. Cartridge는 한쪽 끝이 고무마개(rubber stopper)로 막혀 있는 유리관이다(그림 8-16).

이 고무마개는 cartridge 형의 주사기의 피스톤으로 밀어 줌으로서 관내에 압력을 가하는데 이용된다. 다른 한쪽은 고무격막(rubber diaphragm)이 덮여 있는 aluminum cap에 의하여 천공된다. Anesthetic cartridge의 제작은 매우 중요하고 복잡한 과정을 거친다. 모든 과정이 무균적 상태에서 진행되어 안에 들어 있는 용액의 소독액이 완전히 밀폐되어야 하며 압력을 가했을 때 고무마개가 쉽게 미끄러져 마취액이 주사바늘을 통하여 잘 빠져나갈 수 있어야 한다.

국소마취 시 cartridge사용은 여러 장점을 가지고 있다.

- 사용 전에 미리 소독이 되어 있다.
- Cartridge 내의 내용물이 균일하다.
- 적정량의 마취제가 일정량 들어 있다.
- 마취 시 시간을 절약할 수 있다.

Cartridge의 내용물은 효과적인 마취효과를 얻기 위하여 여러 가지 성분으로 구성되어 있다.

이 성분들을 각각의 환자와 치과의사의 필요성에 의하여 여러 가지가 있다.

각 cartridge 속에 다음과 같은 성분이 들어있다.

- 국소마취제(local anesthetics)
- 혈관수축제(vasoconstrictor)
- 중화 황산나트륨(sodium bisulfite, $NaHSO_3$)과 같은 보존제
- 용액의 등장성 유지를 위한 염화나트륨
- 증류수
- 일부 마취액속에 포함된 살균제(bactericidal agent) 및 보존제인 메칠파라벤(methylparaben, $C8H8O_3$)

Cartridge를 장기간 보관하기 위하여 50개씩 진공의 금

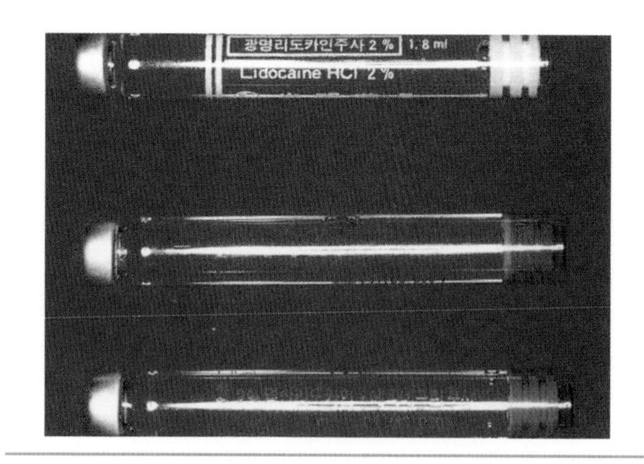

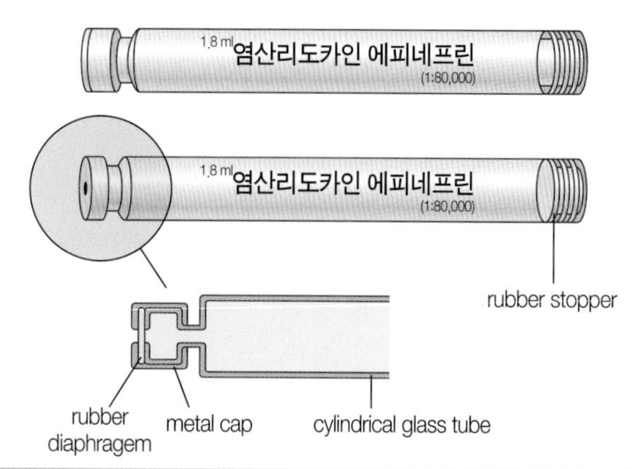

그림 8-16. 치과 국소마취에 사용되는 cartridge (2% lidocaine, 흰색: non-에피네프린, 적색: 1:10만 에피네프린, 녹색: 1:8만 에피네프린)

속통 내 유리관에 마취용액의 내용물을 기록하며, 내용물중의 하나인 혈관수축제의 농도를 표시하기 위하여 색을 달리한 고무마개나 색을 달리한 띠를 붙여 표시한다.

Astra제약회사의 경우 청색, 적색, 녹색의 띠는 각각 에피네프린이 들어 있지 않은 xylocaine, 그리고 1:100,000과 1:50,000의 에피네프린이 각각 들어있는 xylocaine을 나타낸다.

Cartridge 보관용기를 한 번 개봉하면 적당한 시간 내에 cartridge를 모두 사용해야 한다. 혈관수축제가 들어있지 않은 마취액은 약 48개월의 보관기간을 가진다. 용액의 불안정성 때문에 에피네프린과 phenylephrine이 들어있는 용액은 약 18개월 정도로 보관기간이 줄어든다.

Norepinephrine과 levonordephrin이 들어있는 용액의 저장기간을 12개월 정도로 하는 것에는 의심의 여지가 없다. 중아황산나트륨(sodium bisulfite)은 산화(oxidation)되어 sodium bisulfite로 되면서 용액의 pH가 낮아진다.

pH 3인 용액이 pH 5의 용액보다 산도가 100배나 높다는 것을 생각할 때, 이것은 매우 중요하다. 산성이 강한 용액은 주사 시 경미한 불편감이 있으며 더욱이 산성이 강한 용액은 양이온 형태로 존재하기 위하여 마취액이 고농도로 되어야 한다. 이와 같은 이유로 마취액은 지방이 풍부한 신경섬유 내로 확산되는 것이 느리며 이로 인하여 마취의 발현이 느려지게 된다.

Cartridge는 실온이나 약간 낮은 온도에서 보관해야 하며, 보관용기를 열었을 때는 용액의 변화를 촉진시키는 밝은 햇빛에 노출되지 않도록 해야 한다. 최근 이 형태의 변형이 생겼는데 유리가 플라스틱으로 대체된 형태이다. 이는 최근의 약품을 플라스틱 용기에 담는 추세와 관련이 있는 것 같다. 그 장점은 운반이나 사용 중 파손을 막을 수 있다는 점이다. 이러한 점은 치주인대 주사 시 매우 중요한데, 이때는 압력이 높아서 깨질 우려가 있기 때문이다. 반면 두가지 단점이 있는데 플라스틱의 투명도는 유리와는 다르고 마취액이 흐리게 보인다는 점이다. 뿐만 아니라 고무마개도 유리에서처럼 부드럽게 움직이지는 않는다. 최근 윤활유 제제를 써서 개선시키고 있다.

1) Cartridge의 보관

Cartridge가 들어있는 밀폐된 통이나 용기를 개봉한 후에는 cartridge를 원래의 용기에 보관한다. Cartridge 내 마취용액의 소독 상태를 유지하기 위해서는 cartridge 보관통에 넣어 보관하며, 사용할 때는 91% undiluted isopropylalcohol 이나 70% ethyl alcohol 고무로 된 격막을 닦는다. Cartridge를 ethyl alcohol로 고무로 된 살균제용액에 담가서 보관해서는 안된다. 살균제는 cartridge의 금속 뚜껑을 부식시키며, cartridge 내로 신경용해성 소독액이 유입될 수 있다. 이러한 오염된 마취액을 주사 시 신경손상으로 통증이 발생될 수 있으며, 지속적인 신경마비 현상이 나타날 수 있다. 또한 중요한 것은 믿을 수 있는 회사의 제품을 사용해야 한다. 그러므로 치과의사는 마취액의 성질과 순도에 확신을 가질 수 있어야 한다.

2) Cartridge의 문제점

제작회사에서 국소마취용 cartridge의 제작에 온갖 주의를 기울이지만 여러 가지 문제점이 나타나고 있다. cartridge에 생기는 대부분의 손상은 수송과정에서 발생한다. 부식, 파절이나 주요 손상 등 외부 손상이 있는 용기는 환자에게 사용해서는 안된다. 내용물이 정상으로 보여지면 용기를 열어 무작위로 몇 개의 cartridge를 선택하여 주의 깊게 관찰한다. 이때 보일 수 있는 손상은 다음과 같다.

(1) 기포형성

1~2 mm의 작은 기포는 cartridge 내에 정상적으로 생길 수 있다. 이 기포들은 보통 질소가스로서 혈관수축제의 산화를 일으키는 산소가 미입되는 것을 예방하기 위하여 진공상태에서 제작과정 중에 마취액 내에 질소가스가 들어가 기포를 형성한다. 이 기포들은 무해하나 cartridge 한쪽 끝에 있는 plunger가 돌출되어 있든 아니든 간에 마취액의 동결 등으로 커다란 기포가 들어있는 경우 이 용액은 더 이상 소독되어 있는 상태라고 볼 수 없기 때문에 사용해서는 안된다.

(2) 돌출된 plunger

Cartridge 내에 기포가 없는데도 돌출된 plunger는 일반적으로 cartridge를 화학소독액에 오랫동안 두었을 때, 소독액이 cartridge의 고무격막을 통하여 들어가 마취액이 오염되었음을 나타낸다. Shannon과 Wescott는 cartridge를 알코올 용액에 넣었을 때, 24시간 이내에 고무격막을 통하여 알코올이 들어간 것을 확인하였다. 주사 시 작열감을 초래하며, 농도가 높아졌을 때 알코올의 신경용해 작용으로 장기간의 감각마비가 초래될 수 있다. 이러한 cartridge는 폐기해야 한다.

(3) 알루미늄 뚜껑의 부식

Alminum cap의 부식은 하얀가루가 생기는 것으로 알 수 있다. 이런 징후가 있으면 isopropyl이나 에틸 알코올로 닦아서 쓸 수도 있지만 심한 경우 즉시 폐기해야 한다.

이같은 부식은 아질산염 등 녹을 방지하는 제제가 들어 있는 소독액에 cartridge를 넣었을 때 초래된다. Sodium nitrite 등과 같은 항진물질은 국소마취 후 부종을 야기한다. 알루미늄으로 봉합된 cartridge의 소독을 위해서는 91% undilated isopropyl alcohol 또는 70% 에틸 알코올을 이용하는 것이 좋다. 뚜껑이 부식되었을 때는 폐기해야 한다.

(4) 주사기 작열감

주사 시 작열감은 다음 3가지 중 한 원인으로 나타난다.

① 소독액에 오염된 cartridge를 사용 시

② 과열된 cartridge를 사용 시

③ 혈관수축제가 들어가 있는 오래된 cartridge를 사용 시

국소마취액을 주사했을 때, 수초 후 약간의 작열감이 나타난다. 정상적인 반응으로 국소마취제의 pH에 의하여 초래되며 마취효과가 나타나기 전 수초 동안 계속된다. 마취액이 소독액으로 오염되어 있을 때, 더욱 심한 작열감이 나타난다. 작열감 자체는 큰 문제가 아니지만 알코올 등의 소독액이 포함되어 있을 때 감각이상과 조직부종 등 심한 합병증을 초래할 수 있다.

Cartridge의 과열은 cartridge wamer 등을 사용할 때 초래될 수 있다. Cartridge가 차더라도 cartridge wamer를 이용하는 것을 바람직하지 않다. 따라서 실온에서 보관하는 것이 적당하다. 혈관수축제가 들어있는 마취액을 장시간 노출시킬 때나 보존제인 중화황산나트륨이 산화되어 sodium bisulfate로 변화될 때, 이것을 주사하면 작열감이 나타난다. 용액은 수정처럼 맑아야 한다. 변색, 혼탁, 또는 침전 등이 생긴 것은 용액의 화학적 조성이 변한 것을 의미한다. 유효기간은 12~18개월 정도이며, 이는 마취제와 혈관 수축제의 종류에 따라 다르다. 이는 각각의 cartridge에 표기되어 있다. 그러므로 사용기한을 꼭 확인해 보아야 한다.

(5) 밀착된 고무 피스톤

추운 날 cartridge를 폐쇄하고 있는 rubber plunger의 파라핀이 경화되고 단단히 밀착되어 주사 시 힘을 무리하게 가하게 되면 그 결과 마취액이 조직 내로 균일한 압력이 가해지지 않고 갑가지 가해져 마취액이 분출 되듯이 주입된다. 주사 시 심한 통증을 호소하게 된다. 이때 심한 정도에 따라 조직의 열상이나 마취 후 통증을 보일 수 있다. 이것은 cartridge를 실온이나 실온보다 약간 높은 온도에 보관하여 해결할 수 있으나, 원활한 주사를 위해서는 조직 내에 주사바늘을 주입하기 전에 1~2 방울 떨어뜨려 plunger가 자유로이 움직일 수 있도록 한 후 주사하는 것이 좋다.

(6) 주사 시 마취액의 유출

환자의 구강 내에 주사 시 국소마취액이 유출되는 것은 고무격막이 잘못 천공되었을 때 일어날 수 있다. 주사바늘이 cartridge의 고무 격막의 중심을 천공해야 주사바늘 주위가 완전히 폐쇄되게 된다. 만약에 중심에서 벗어나 난원형으로 천공 시 주사하기 위하여 압력을 가할 때, 마취액이 주사바늘 주위로 빠져 나오게 된다. 또는 plunger가 유리관과 완전 밀착되지 못한 경우도 생각할 수 있다.

(7) Cartridge의 파절

Cartridge를 밝은 불빛 아래서 관찰하면 때로 미세한 균열을 관찰 할 수 있다. Cartridge 파절의 가장 큰 원인은 부주의한 취급으로 균열이 생긴 cartridge를 사용하는 경우이다. 균열이 잘 생기는 부위는 aluminum cap이 붙어 있는 cartridge의 좁은 경부와 고무마개 주위의 유리관 부위이다. 다음은 rubber plunger에 주사기의 흡인용 갈고리를 꽂을 때 너무 과도한 힘을 가할 경우 cartridge가 파절될 수 있다(그림 8-17). 이때 환자에게 해를 주지 않지만 술자의 손을 다칠 수 있다. 또한 plunger가 돌출되어 있는 cartridge를 사용하는 경우 cartridge가 파절될 가능성이 많다.

주사기의 harpoon이 구부러진 경우 cartridge의 파절를 초래할 수 있다. 또한 구부러진 주사바늘의 경우 주사 시 cartridge 내의 압력이 증가함으로써 cartridge가 파절될 수 있으므로 저항이 있을 때에는 무리한 힘을 가해서는 안된다. 비록 내부의 마취용액은 멸균상태이지만, 외면은 그렇지 못하다. 사용 전에 cartridge를 멸균할 필요가 있다. 특히 바늘이 천공하는 고무격막 부분은 소독해야 한다. 불행히도 전적으로 만족할 만한 방법은 없는 상태이다. 예를 들면 고압증기멸균 시는 고무가 튀어나오게 된다. 그리고 혈관 수축제가 고온에 민감하여 산화된다. 그래서 일반적으로 알코올 등 소독용액에 놓는 경우가 대부분이다. 그러나 연구에 의하면 알코올 페놀 등 다른 소독액이 고무격막을 통해 마취액 속으로 확산될 수 있다. 이같은 소독액으로 인한 마취액의 오염은 통증, 지연마취, 또는 조직손상 등을 야기시킬 수 있다. 이러한 이유 등으로 더욱 간단한 소독 방법이 추천된다. 격막과 금속마개는 91% isopropyl이나 70% 알코올 등에 적신 거즈로 닦는 방법이 있다. Cartridge heater도 역시 혈관수축제를 손상시킬 수 있기 때문에 사용을 하지 않는 것이 바람직하다.

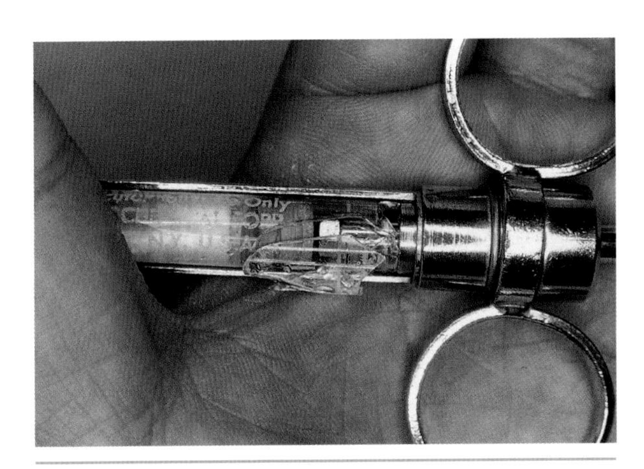

그림 8-17. Cartridge의 stopper에 피스톤의 고리를 꽂기 위하여 힘을 가할 때 힘의 방향과 강도를 잘 조절해야 한다.

Cartridge 사용 시 주의사항은 다음과 같다.

① 한 cartridge는 한 환자에서만 사용하도록 한다.
② cartridge는 실온에서 보관한다.
③ 사용하기 전에 가온을 하지 않는다.
④ 사용기한이 지난 cartridge는 사용하지 않는다.
⑤ Cartridge는 유리관의 균열 등을 잘 검사해야 한다.

4. 도포마취제 Topical anesthesic agent

도포마취제는 점막이나 피부 표면을 통해 마취성분이 흡수가 되어 마취효과를 얻기 때문에 흡수량이 한계가 있고 마취제의 흡수시간도 길다. 단독 사용만으로는 원하는 마취효과를 얻기는 어렵지만 유치발치, 마취 바늘 자입 부위 표면마취, 구내염의 통증관리, 점막의 부분마취, 레이저 등 안면부 미용시술 등에 보조적으로 사용된다.

도포마취제는 플라스틱 불투명한 용기나 튜브에 넣어서 시판되는 연고형태와 유리병에 노즐을 연결하여 스프레이 형태로 분사할 수 있는 액체형태가 있다(그림 8-18).

과일향이 나는 제재 등을 첨가하여 주로 소아에게 많이 사용하는 마취제의 경우 20% benzocaine이 함유되어 있으며 튜브에 들어있는 하얀 연고형태의 마취제는 2.5%의 prilocaine과 2.5% lidocaine이 혼합되어 들어있다. 또, 액상형태의 도포마취제의 경우 4% xylocaine이 들어있다.

도포마취제를 사용하는 방법은 먼저 마취시키고자 하는 점막부위를 건조시키고 거즈나 cotton pellet 등으로

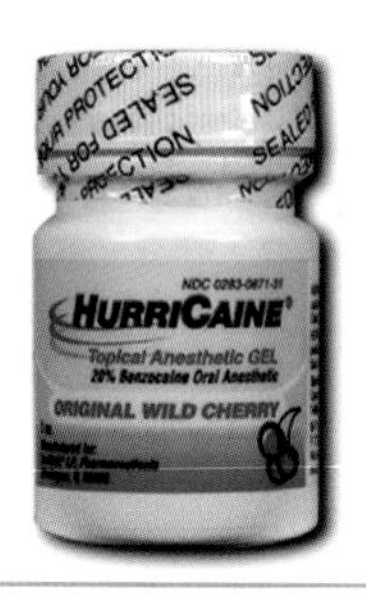

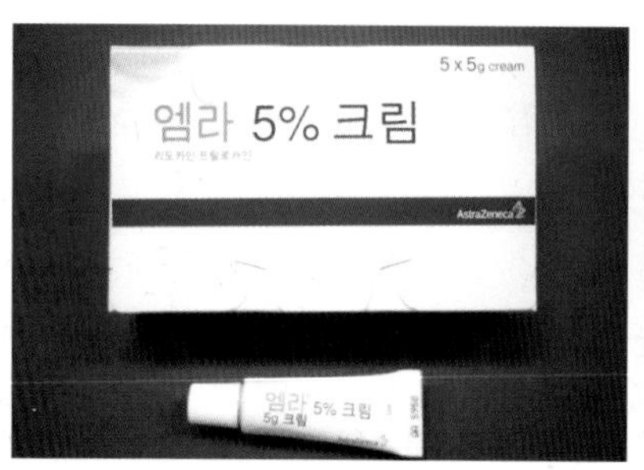

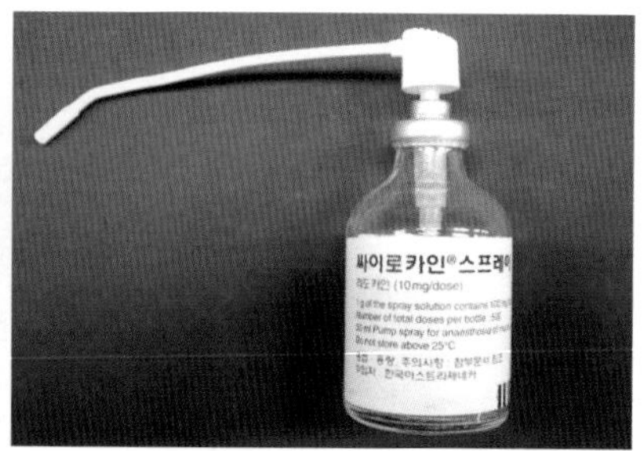

그림 8-18. 다양한 형태로 시판되는 도포 마취제로 제품마다 마취제 성분의 차이가 있다.

타액에 섞이지 않게 격리시킨 후 면봉 등을 이용하여 마취연고를 구강 내 점막부위에 바르면 된다. 스프레이타입은 원하는 점막 부위에 1~2회 분사하면 된다.

점막에 흡수되어 효과를 나타내기까지 3~5분 기다린다. 이때 마취제가 식도나 기도로 넘어가지 않도록 한다.

① 도포마취제의 장점

- 국소 점막 부위에 일시적으로 약한 마취효과가 있어 환자의 마취에 대한 공포를 감소시키는 데 도움이 된다.

② 도포마취제의 단점

- 점막에 도포 후 마취효과를 보기위해서는 3~5분 정도 기다려야 한다.
- 구강 내 적용 시 체온과 타액에 의해 마취제가 흘러내려 마취효과가 감소된다.
- 적절한 마취 효과를 보기위해서는 적용 전에 해당부위의 점막의 건조와 격리가 필요하다.

5. 보조기구

주사바늘, cartridge 및 주사기 이외에 국소마취 시행 시 몇가지 재료가 더 필요하다. 여기에는 국소도포소독제, 면봉, 솜 등이 있다.

면봉은 도포소독제나 도포마취제를 사용 시 이용되며, 자입점을 건조시킬 때에도 이용된다. 또한 소독액이나 도포마취액이나 연고를 도포하는 경우에도 이용된다. 면봉은 소독된 상태를 유지해야 한다.

국소도포소독제는 처음 주사바늘을 자입하기 전 자입점을 소독하기 위하여 사용되며 초래될 수 있는 자입 후의 감염을 줄이기 위하여 사용한다. 일반적으로 사용되는 약제는 betadine (povidone, iodine)과 merthiolate (thimerosol)이다. Tincture of iodine이나 tincture of merthiolate처럼 알코올이 포함되어 있는 약제는 알코올이 조직에 자극을 주므로 사용하지 않는다. 때로 요오드에 과민 반응을 가진 환자도 있다. Malamed가 209명의 치과의사를 대상으로 조사한 바에 의하면, 7.9%가 언제나 국소적인 소독을 행하며 4%가 때로 소독하며 69.7%는 전혀 사용하지 않다고 하였다.

솜은 주사바늘을 자입 전에 자입부위를 씻어내고, 시야를 좋도록 하기 위하여 주위조직을 젖히며 점막을 건조시키는데 이용할 수 있다.

6. 합병증 및 응급치료 시에 사용되는 기구

외래에서 국소마취를 시행하는 중에 여러 가지 합병증과 응급 상황이 생길 수 있으므로 임상의 들은 이에 필요한 모든 장비를 갖추어 놓아야 한다. 만약, 하치조신경의 전달마취 시 주사바늘이 파절되었다면, 즉각 이 파절된 주사바늘을 잡을 수 있는 기구가 의사의 손이 닿을 수 있는 곳에 비치되어 있어야한다. 왜냐하면 급하게 기구를 찾는 동안 환자가 입을 다물게 되면 구강주위 근육의 작용과 조직의 수축으로 인해 부러진 주사바늘 부분이 더 조직 깊숙이 들어가 위험한 상황을 초래할 수 있기 때문이다.

임상의가 진료실에서 심심찮게 당면하게 되는 것으로, 환자의 기절이나 실신이 있는데 이는 주로 과도한 긴장 또는 주사바늘의 삽입이나 마취제 주입 시의 통증 때문에 뇌혈류에 일시적인 허혈상태가 나타나기 때문에 생긴다. 환자의 상태가 경미하다면 누워있는 환자의 머리를 낮게 하고 호흡을 천천히 충분하게 깊이 유도할 수 있다면 불과 수분 내에 회복이 되지만 그 정도가 심한 경우라면 산

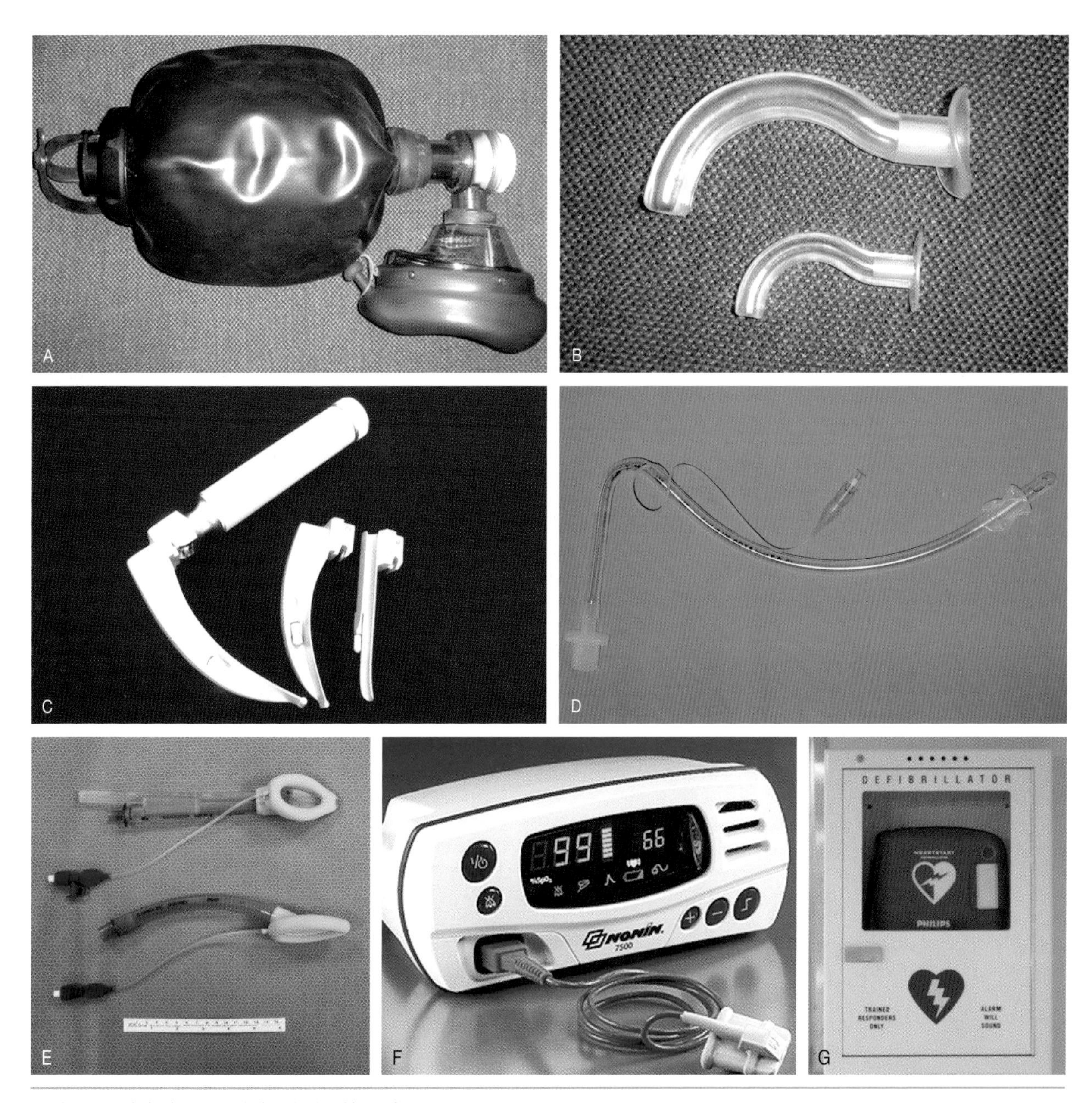

그림 8-19. 여러 가지 응급 처치 시 사용하는 기구
(A) ambu-bag, (B) air way, (C) laryngoscope, (D) 비기관 삽관 튜브, (E) laryngeal tube, (F) pulse oxymeter, (G) 제세동기

그림 8-20. 최근에는 응급 처치시 필요한 장비들이 키트 형태로 되어 있어 사용과 유지 및 관리가 편리하다.

소의 공급은 필수적이다. 그러므로 치과치료실에서는 반드시 산소 공급장비를 갖추어야하며 필요한 상황에서는 즉시 사용될 수 있도록 해야 하겠다. 흔히 있는 일은 아니지만 환자의 급작스런 심정지 시에 신속히 대처할 수 있는 여러 가지 장비 즉, 기도 유지와 산소공급을 위한 구강인후 기도유지기, 경비삽관 튜브, 후두 튜브, ambu bag 및 심장에 전기자극을 주어 심기능을 회복시키는 제세동기 (그림 8-19) 등을 갖추어야 하며 언제든지 이러한 장비를 잘 사용할 수 있도록 평상시에 충분히 숙지하고 있어야겠다. 최근에는 의료인 및 일반인을 상대로 한 응급 처치 요령 및 응급 구조 장비의 사용에 대한 다양한 실습강의가 있고 응급 구조 장비 역시 키트 형태(그림 8-20)로 제공되고 있어 장비의 사용과 유지 및 관리가 용이해졌다.

참고문헌

1. 김여갑:임상구강악안면 감염학, 제2장 구강악안면 감염의 미생물학. 의치학사. 서울.1995.
2. 김여갑, 이상철: 구강악안면 영역의 소수술, 제5장 소수술을 위한 국소마취법과 이에 따른 합병증. 의치학사. 서울. 1994
3. 이상철, 김여갑, 김경욱, 이두익, 염광원, 정성수, 강정완, 김동욱, 김창완, 김용석: 구강악안면 국소 및 전신마취학 둘째판, 군자출판사,2001.
4. Aldous JA: Needle deflection: A factor in the administration of local anesthetics. J Am Dent Asso, 77:602~604,1968
5. Jastak JT, and Yagiela JA: Local Anesthesia of the oral cavity. Ch.6 Anesthetic equipment, WB Saunders, 1995.
6. Jorgensen NB: Sedation, Local and General Anesthesia in Dentistry, Lea& Febiger, Philadelphia,169-194,1980.
7. Malamed SF: Handbook of local anesthesia, 5th ed., St Louis, Mosby, 2004.
8. Meechan JG, Blair GS: Clinical experience in oral surgery with two different automatic aspirating syringes.

CHAPTER 09

| Dental Anesthesiology | 국소마취

국소마취법의 기본원칙

학습목표

1. 치과 국소마취법을 분류하고 작용기전을 숙지한다.
2. 침윤마취와 전달마취의 각각의 장단점과 적응증을 숙지한다.
3. 소아에서의 국소마취법을 이해하고, 임상에 적용할 수 있어야 한다.
4. 고령 환자에서의 국소마취법을 이해하고, 임상에 적용할 수 있어야 한다.
5. 국소마취 시 통증을 줄일 수 있는 방법을 이해하고 임상에 적용할 수 있어야 한다.

성공적으로 국소마취를 하기 위하여 몇 가지 생각해야 할 점이 있다. 먼저 자입 부위를 적절히 처치하고 시술하려고 하는 방법에 적합한 국소마취방법을 선택하고 환자를 적절히 준비해야 한다.

1. 국소마취법의 종류

구강악안면부위의 마취를 위하여 다양한 방법으로 국소마취제를 주입하는데 주입된 마취액이 영향을 미치는 범위에 따라 국소마취법을 분류하게 된다(그림 9-1).

① 전달마취법(conduction anesthesia)
② 침윤마취법(infiltration anesthesia)
③ 도포마취법(topical anesthesia)
또는 표면마취(surface anesthesia)

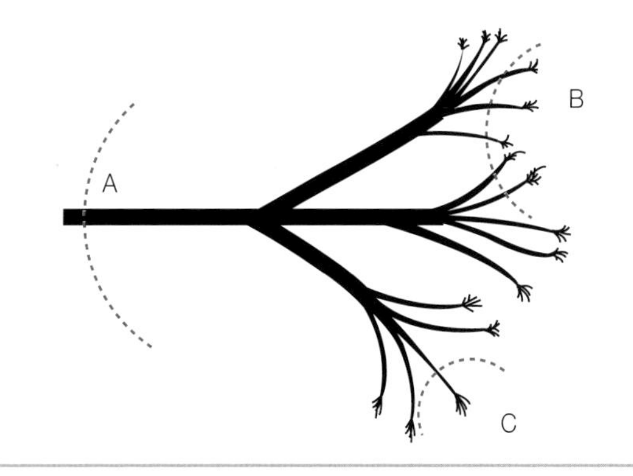

그림 9-1. 마취부위에 따른 국소마취법의 분류
(A) 전달마취법, (B) 침윤마취법, (C) 도포마취법

1) 전달마취법

전달마취법은 신경근간부에 국소마취제를 주입하여 이곳으로부터 말초신경을 마비시키는 마취방법으로 통증의 자극전달로를 차단하여 마취효과를 얻는 방법으로 널리 사용되고 있다. 전달마취법에는 신경간에 직접 약제를 주사하는 방법과 신경간 주위에 주사하는 신경간주위주사법이 있다. 치과치료 시에는 후자의 방법으로 적용한다. 주신경이나 신경말단섬유에의 근접한 부위에 적당량의 마취액을 주입하여 주위조직으로 확산하게 하여 구심성 신경으로 주행하는 자극을 차단한다.

(1) 침윤마취와 비교한 전달마취의 장점

① 소량의 마취제로 침윤마취보다 더 광범위하고 심도 있는 마취를 할 수 있다.

② 마취작용시간이 보다 길다.

③ 감염부위의 침윤마취 시 있을 수 있는 감염의 확산을 피할 수 있으며 마취제의 축적으로 인한 조직변성을 예방할 수 있다.

④ 국소마취제가 수술부위에서 먼 곳에 축적되므로 수술부위의 화학적 독작용을 예방할 수 있다.

⑤ 혈관수축제에 의한 말초신경지에의 국소적인 빈혈증상을 예방하고, 수술부위의 혈액공급을 원활히 하여 해당부위의 감염발생 가능성을 감소시키며 조직의 저항력을 증강시킨다.

⑥ 자입 횟수를 줄임으로써 자입에 대한 외상 및 주사에 대한 공포심을 줄여줄 수 있다.

(2) 침윤마취에 대한 전달마취의 단점

① 지나치게 광범위한 범위에 마취효과가 나타날 수 있다.

② 마비가 장시간 지속될 수 있다.

③ 주사침에 의하여 신경이나 혈관의 손상이 빈번히 발생될 수 있다.

④ 마취액이 혈관 내에 주입될 가능성이 높다.

2) 침윤마취법

침윤마취법은 국소마취제를 침윤시켜 우리가 원하는 부위만큼 마취효과를 얻는 방법이다. 용어의 정의에 의하면 국소마취제의 침윤으로 종말 신경유리 말단부가 영향을 받으며 마취범위가 국소마취제가 축적된 부위에만 한정된다. 침윤마취법은 종종 연조직의 마취나 치은부의 수술 또는 혈관수축제를 혼용하여 지혈효과를 얻기 위하여 사용된다.

(1) 마취액 주입부위에 따른 분류

① 피부내주사법(intracutaneous injection): 상피조직 내 주사하여 극히 표재성의 마취효과를 기대한다.

② 피하주사법(subcutaneous injection): 피하조직 내 주사하여 연조직을 마취하는데 사용된다.

③ 근육 내 주사법(intramuscular injection): 근육 내 분포하는 신경이나 근육을 통과하는 신경 등이 마취된다.

④ 골막하주사법(subperiosteal injection): 골막하에 약제를 주사하여 골면의 소공을 통해 골수 내에 약

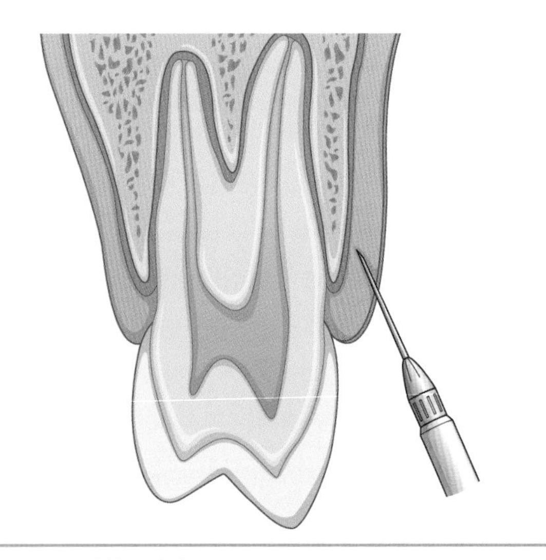

그림 9-2. 점막하주사법

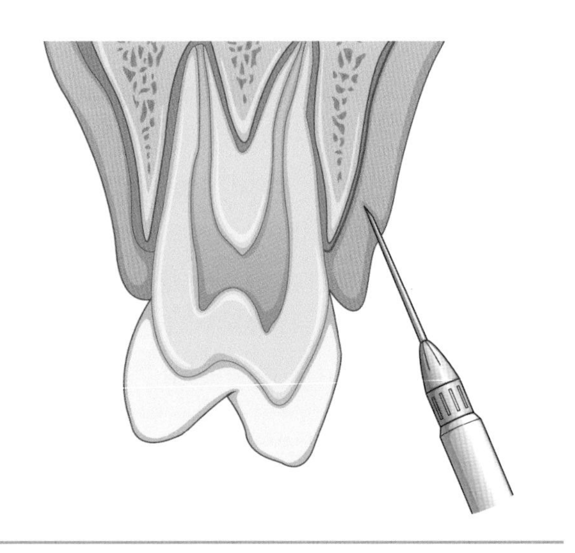

그림 9-3. 골막주위주사법

제를 침투시켜 골수 내 신경을 마취시킨다.

(2) 구강 내 주사부위에 따른 분류

① 점막하주사법(subcutaneous or submucosal injection)
② 골막주위주사법(paraperiosteal injection)
③ 골막하주사법(subperiosteal injection)
④ 골내주사법(intraosseous injection)
⑤ 치조골간 중격내 주사법(interseptal injection)
⑥ 치근막내주사법(intraligamental injection)
⑦ 치간유두주사법(interpapillary injection)
⑧ 치수 내 주사법(intrapulpal injection) 등이 있다.

점막하주사법은 점막의 하방에 국소마취제를 주사하는 방법으로 국소마취제가 축적 및 확산되는 부위에 국한되어 마취효과가 나타나며 구강 내외의 연조직 치료 시 사용된다(그림 9-2).

골막주위주사법은 골막에 근접 또는 접촉시켜 국소마취제를 주입하는 방법으로 상악의 전체 부위와 하악의 전치부에서 주로 이용할 수 있는 방법으로 상악골은 치밀골이 적고 전체적으로 소공이 많아서 이 방법으로 충분한 마취효과를 얻을 수 있는 반면, 하악골은 치밀골이 두껍고 소공이 치간유두부에 산재되어 있어 마취효과를 크게 기대하기 어렵다(그림 9-3).

골막하주사법은 주사침을 골막의 하방으로 자입하고 국소마취제를 주입하는 방법이며, 골막이라는 단단한 방어벽을 뚫고 국소마취제가 골면에 직접 축적되므로 골소공을 통해서 마취제가 주입되어 골수 내 신경종말을 마취시키는 방법이다. 이는 주로 상·하악 전치부 마취 시 이용하며 국소마취제가 치아에 도달하기가 보다 용이하여 마취효과가 증가될 수 있다는 장점은 있으나 주사침이 골면에 접촉해야 하므로 자입 시 급격한 통증이 초래될 수 있으며, 골면에 접촉 시 주사침의 끝이 구부러져 주사침을 빼낼 때 통증과 연조직의 손상을 줄 수 있으며 심하면 주사침이 파절될 수도 있다(그림 9-4).

골내주사법이란 마취하려는 부위의 치밀골을 외과적으로 노출시키고 bur로 구멍을 뚫고 골 내로 주사침을 자입하여 마취하는 방법이지만 최근 이 방법의 통증을 줄이고 복잡한 과정을 줄이기 위하여 그림 9-5에서와 같이 골내주사를 용이하게 할 수 있는 기구가 개발되어 사용되고 있다.

자입점은 마취하려는 치아의 인접부위나 2개의 치아인 경우 그 중간점으로 치은을 먼저 마취한 다음 골내 주사를 시행한다.

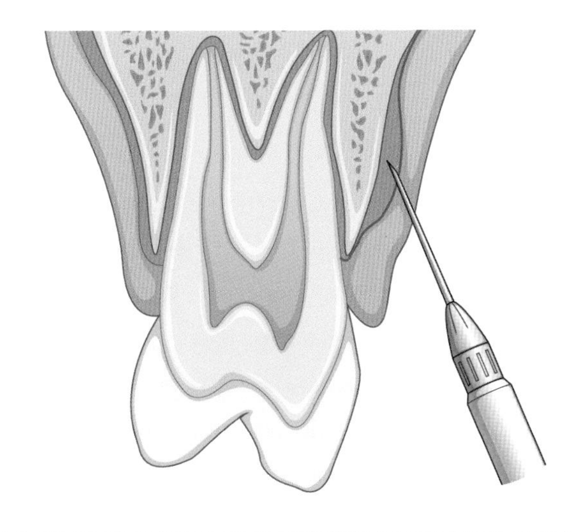

그림 9-4. 골막하주사법

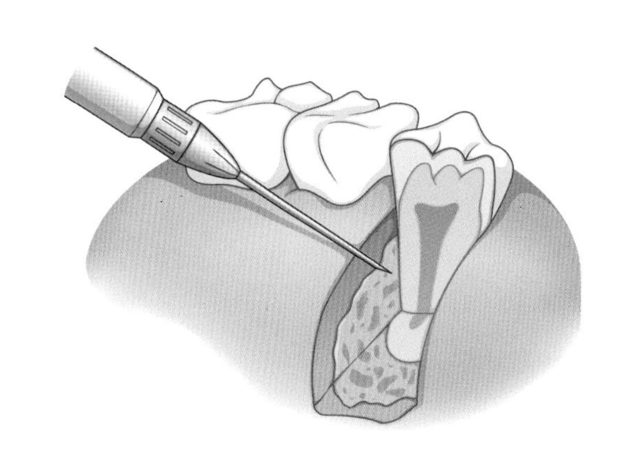

그림 9-5. 골내주사법

골내주사법은 정중부나 이공(mental foramen)에 근접한 부위 또는 상악동이 천공될 우려가 있는 경우는 사용하지 않는다. 국소마취제가 축적된 인접치와 주위 지지조직이 마취되며, 다수 치아를 마취하려는 경우에는 여러 차례 마취해야 한다. 이 방식은 전달마취에도 불구하고 마취효력이 떨어질 경우에 이용하거나 마취부위인 구강 점막, 골막주위에서의 감염증이 심할 시 적용할 수 있다.

치조골간 중격 내 주사법은 어린이나 청소년의 다공성 치간 치조골벽에서 효과적인 방법으로 치아 사이의 치은연 2~4 mm 하방 부위에서 치은에 직각으로 주사한다(그림 9-6).

자입점은 치주질환으로 인한 치조골의 흡수정도에 따라 결정된다. 27 gauge의 짧은 주사침을 이용하여 골면에 접촉되도록 자입한 후 치조골간 중격 내로 1~2 mm 밀어 넣고 0.2~0.4 ml의 국소마취제를 천천히 주입한다.

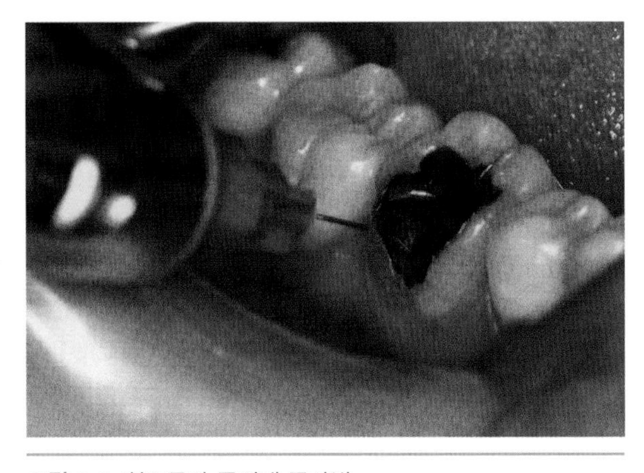

그림 9-6. 치조골간 중격내 주사법

마취되는 부위는 자입점에 인접된 치아로 국한된다. 마취제의 확산이 가능하지만 만족할 만한 마취효과는 직접 인접된 치아의 치수, 주위 치조골, 치은 및 치주조직에 나타난다.

치근막내주사법은 치조골과 치근 사이의 치근막내에 27 gauge의 짧은 주사침을 조심스럽게 집어넣고 0.2 ml 정도의 국소마취제를 주사한다(그림 9-7). 마취제 주입 시 심한 통증과 함께 저항을 느낄 수 있으며, 심하게 압박을 가함으로써 세균이 압입될 수도 있으므로 주의해야 한다. 또한 점막에 국소적 빈혈이 나타날 수 있다. 마취효과가 즉시 발현된다. 치근막내주사법은 비교적 적은 양의 마취제를 사용하며 제한된 부위만 마취할 수 있으며 다른 마취방법을 사용 후 필요에 따라 부가적으로 이용할 수 있다.

치근막내주사 시 다근치의 경우 각각 마취해야 하는 경우가 있으나 치조골간 중격내 마취의 경우와 마찬가지로 인접치 및 치수, 치주조직, 주위 치조골 및 치은 등의 주위 지지조직이 마취된다.

치간유두주사법은 치간유두부에 마취액을 주입하는 간단한 방법(그림 9-8)으로 다수 치아의 치간유두를 마취하기 위해서는 여러 차례 주사해야 한다. 보존치료를 위

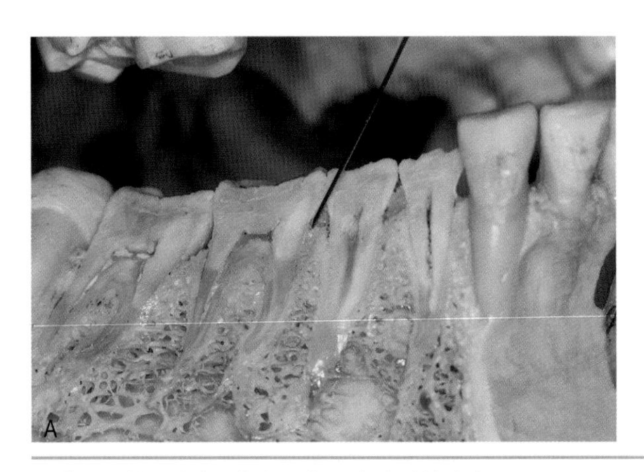

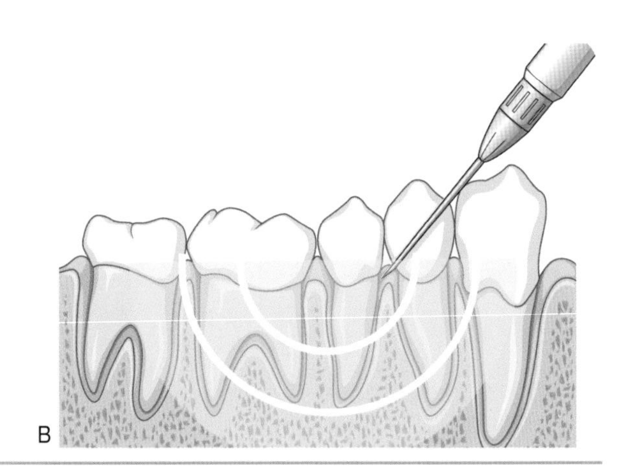

그림 9-7. 치근막내주사법(A)과 주사 시 마취범위(B)

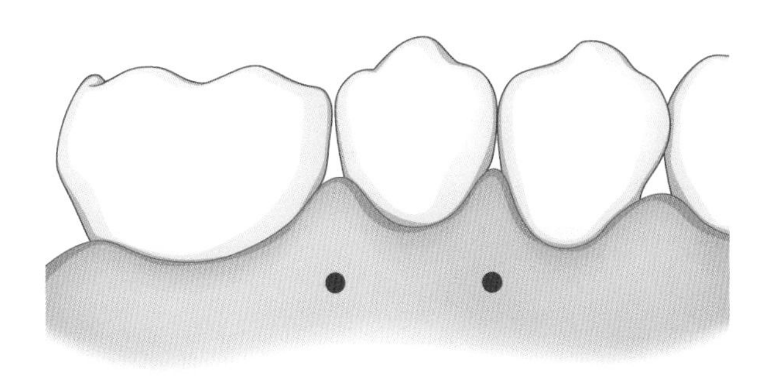

그림 9-8. 치간유두주사법 시 자입점

하여 rubber dam clamp을 장착 시 유용하게 사용할 수 있으며 특히 치주치료 시 사용할 수 있다.

치수 내 주사법은 근관치료 시 통증을 해소하기 위하여 사용된다. 주사침을 치수가 노출된 부위를 통하여 치수강 내로 자입하고 마취액을 주입한다(그림 9-9).

치수강의 개구부가 좁을수록 국소마취제가 치수강내에서 빠져나오지 못하고 축적될 수 있어서 적은 양의 국소마취제로 충분한 마취효과를 얻을 수 있다.

한편 치수내 마취 시 마취제의 효과도 있지만, 압력에 의한 통증 완화 효과도 높아서 때로 근관치료를 할 때 생리식염수를 주사하여도 같은 효과를 얻을 수 있다고 한다. 치수내 마취는 다른 마취를 한 후 필요에 따라 부가적으로 사용할 수 있는데 해당 치아의 치수와 주위 치주조직이 마취된다.

침윤마취법의 장점은 ① 특별한 기구가 필요 없으며 ② 시술방법이 비교적 간단하며 ③ 별도의 숙달된 보조원이 필요없으며 ④ 시술시간이 짧고 ⑤ 치료비가 비교적 싸다는 점 등이 있다.

3) 도포마취법

도포마취법은 침윤마취나 전달마취의 보조수단으로 적용하여 주사침의 자입점 부위의 점막에 국소마취제를 도포 또는 분무한 다음 짧은 시간 내에 흡수되어 신경종말을 둔화시켜서 자입 시의 통증이 완화되도록 한다. 대부분의 예리한 주사침을 이용하여 국소마취제를 서서히 주입함으로써 통증을 줄일 수 있으나 도포마취를 함으로써 통증은 물론 정신적인 면에서도 자입 시의 공포감을 해소시켜 줄 수 있다. 도포마취에 사용되는 약제로는 예전에는 강력한 마취효과와 국소적인 혈관수축작용이 있는 cocaine을 사용하였으나 현재는 독성이 강하고 급성중독의 위험이 높기 때문에 사용하지 않고 있다. Procaine은 마취효과가 약하며, 도포마취에는 사용하지 않고 있다. 현재 독성이 적고, 도포마취 효과가 강한 리도카인은 주로 사용되고 있으며, mepivacaine과 tetracaine 등이 사용되고 있다. 도포마취제는 액상, 연고, 젤리 형태 및 스펀지에 포화시켜 점막표면에 직접 작용하도록 하고 있다.

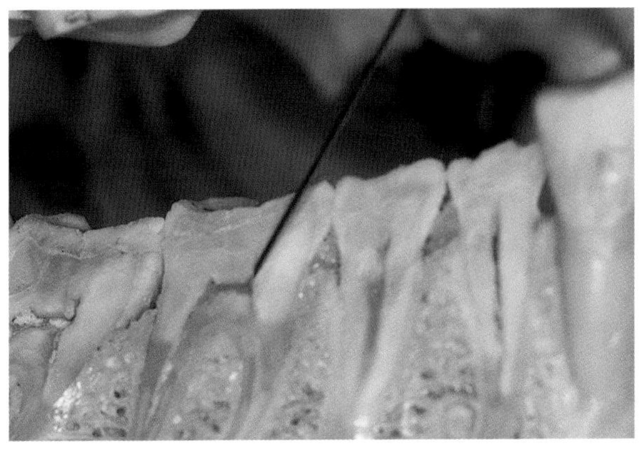

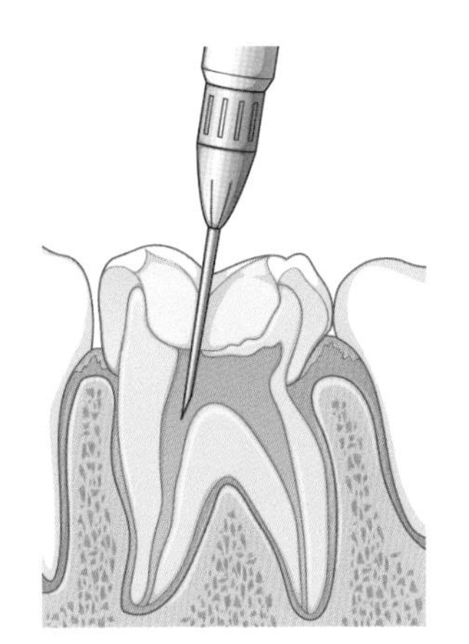

그림 9-9. 치수 내 주사법

분무방법으로 lidocaine 10%, 또는 carbocaine 5% 등을 사용하며, 도포를 위하여 tetracaine 6% 또는 lidocaine 5% 등을 사용한다.

도포마취의 적용범위는 ① 침윤마취와 전달마취 시 자입점, ② 표재성 점막하농양 절개 등 점막표면의 외과적 처치, ③ 점막표면의 궤양 등의 경우 통증완화(건치와 포함), ④ 인상채득이나 X-선 필름 삽입 시 점막표면의 지각둔화, ⑤ 기관 내 삽관 시 반사제거 등이 있다.

사용방법은 ① 마취하려는 국소부위의 점막 또는 피부를 건조시키고, ② 충분한 효과를 얻을 수 있는 필요한 최소량을 분무 또는 면봉에 묻혀 도포한다(그림 9-10).

도포마취할 경우 고려할 내용은 마취의 심도 면에서 점막표면의 마취효과는 충분하지만 골막까지 마취되지는 않는다는 점을 알아야 하며, 구강점막 및 인두점막에서의 흡수가 매우 빠르기 때문에 광범위하게 다량의 국소마취제를 분무하지 않도록 주의해야 하며, 적당한 마취 효과를 얻을 수 있도록 국소마취제의 도포 후 약 2분이 지난 후 시술하며 지속효과는 약 10분 정도이다.

중요한 점은 사용되는 국소마취제에 특이체질이 있는 환자에서는 분무나 도포에 의한 도포마취 시에도 쇼크(shock)를 일으킬 수 있다는 것이다. 따라서 언제나 작은 수술은 있지만 작은 마취는 없다는 사실을 잊지 말고 이에 대비한 구급약품을 준비해야 한다.

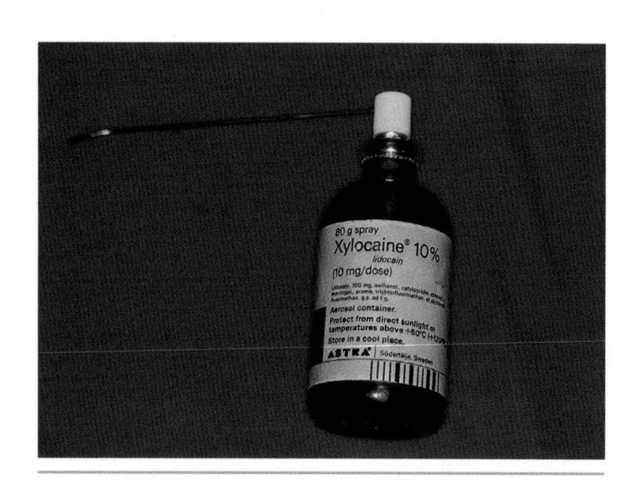

그림 9-10. 도포마취를 위한 분무용 국소마취제

4) 도포마취제 종류

(1) Benzocaine

물에 대한 용해도가 낮고 심혈관계로 흡수가 잘 되지 않으며 과용량으로 인한 전신독성은 거의 없다. 도포부위에 오래 남아 장시간 마취효과를 나타내며 분무제, 젤, 연고, 용액형태로 사용가능하다.

(2) Tetracaine

0.2~1.0% 용량으로 젤, 분무, 연고형태로 적용

(3) Cocaine Hydrochloride

전적으로 도포용으로만 사용. 마취발현은 1분 이내이고, 간 및 혈장에서 대사된다. 2~10% 범위농도에서 사용하며 과용량 시 빈맥, 빠른호흡 등을 보인다.

(4) Dyclonine Hydrochloride

0.5~1% 용액형태로 사용하며 효능은 cocaine과 동일하다. 최대권장량은 200 mg이다.

5) 치과 국소마취의 적용

(1) 치과 국소마취의 적응증

① 치아의 발거 및 치조골성형술

② 골막하농양과 같은 국소적인 감염이 있는 경우의 절개 및 배농

③ 치근단절제술

④ 보존적 치료

- 치아의 분리
- 와동 형성 및 지대치 형성
- 보철물의 접착
- 치수치료

⑤ 치주질환의 외과적 처치

⑥ 낭종과 농양의 외과적 처치

⑦ X-선 촬영 시 필름 접촉으로 인한 구토의 방지(특히 구개부위)

⑧ 삼차신경통(trigeminal neuralgia)의 치료

⑨ 반응성 인두 경련을 예방하기 위해 인두 부위에 분무
⑩ 보철물을 장착한 환자의 통점의 치료 시 또는 주사 침 자입 시에 통증을 줄이기 위해 사용될 수 있다.

(2) 치과 국소마취의 금기증

① 환자가 국소마취에 대한 공포로 거부하는 경우
② 국소마취제의 주입 시 기존 감염이 인접조직으로 확산될 가능성이 있는 경우
③ 국소마취제에 과민반응이 있는 환자
④ 환자가 어려서 말로 설명하여 협조를 얻기가 어려운 경우
⑤ 정신장애로 환자의 협조를 얻기 힘든 경우
⑥ 악골골절이나 커다란 종양제거술과 같이 국소마취로 할 수 없는 대수술
⑦ 개구상태가 충분치 않을 경우나 구외법으로 마취가 곤란한 경우

- 악관절의 강직(ankylosis)
- 아관긴급(trismus)
- 골절의 정복, 아관긴급을 야기하는 골절, 관상돌기(coronoid process)의 골절, 과두돌기(condylar process)의 골절
- 하악 제3대구치의 급성 화농성 치관주위염 등으로 직접 주사가 어려운 경우 등이 있다.

(3) 국소마취의 전신마취에 대한 장점

① 환자가 의식이 있는 상태에서 치료를 받음으로써 협조를 얻을 수 있다.
② 정상적인 생리기전에 장애가 적다.
③ 이병률(morbidity)이 낮다.
④ 환자가 치료 후에 보호자의 도움 없이 움직일 수 있다.
⑤ 특별히 교육받은 보조원이 필요 없다.
⑥ 기술을 배우기가 쉽다.
⑦ 실패율이 비교적 적다.
⑧ 환자에게 과도한 치료비의 부담을 주지 않는다.
⑨ 치료 전에 금식을 할 필요가 없다.

2. 주사를 위한 일반적 준비

국소마취를 안전하고 효과적으로 그리고 무리 없이 하기 위해서는 환자에게 자신을 잘 치료해 줄 수 있다는 믿음을 주어야 한다. 이를 위하여 자신감을 가지고 환자를 대하며 주사부위의 조직에 대한 적절한 처치를 하고 조직의 손상을 주지 않도록 주사를 놓아야 한다.

1) 환자의 준비

대부분의 환자는 주사를 싫어하고 심한 공포심을 가지고 있다. 특히 구강 내 주사에 대해서는 더욱 심하다. 구강 내에는 감각신경이 많이 분포되어 있어 생리적으로 통증성 자극에 더욱 예민할 뿐만 아니라 안면부는 표정을 짓는 중요한 부분으로 정신적으로 중요한 의미를 가지고 있다. 그래서 많은 환자들이 자신들의 다른 부위에 주사 맞는 것은 쉽게 수긍하면서도 구강 내 주사 맞는 것에 대해서는 심한 거부감을 보인다.

구강 내 주사 시 환자의 모든 공포심을 없앨 수 있는 방법은 없지만 최소로 줄여줄 수는 있다. 가장 중요한 것은 환자를 편안하게 해주어야 한다. 환자를 수직으로 앉히기 보다는 눕혀서 시술하는 것이 편하기도 하고 마취 도중 발생될 수 있는 기절 등의 합병증을 줄일 수 있을 뿐만 아니라 신속히 대처할 수 있다. 임상의는 마취 시 자세, 말하기 및 술식을 부드럽게 하며, 가능하면 긍정적인 단어를 사용하도록 한다. 주사침, 바늘, 아프다 등의 단어를 사용하지 말고, 마취기구 등을 미리 준비하여 말을 하지 않도록 하거나 필요한 것이 있을 때 신호를 보낼 수도 있으며 "괜찮으시죠?", "잘 하시는군요" 등 긍정적인 말을 하여 분위기를 부드럽게 해주어야 한다(그림 9-11).

때로 환자의 근심을 덜어주고 통증을 감소시켜줄 수 있는 안정제(sedation agent)를 사용할 수 있다. 아산화질소(N_2O)와 산소를 이용한 흡입진정을 시키거나 diazepam 또는 midazolam 등의 benzodiazepine을 정맥 주사하여 안정효과를 얻을 수 있다. 또한 안정성이 높고 간단하게 benzodiazepine, chloral hydrate, barbiturate계

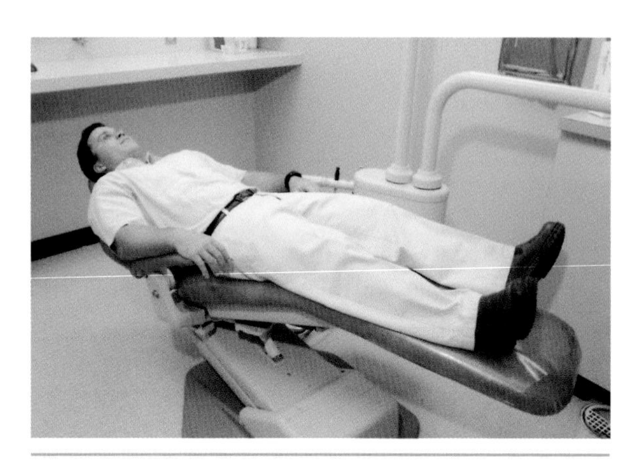

그림 9-11. 국소마취를 위한 환자의 누운 자세

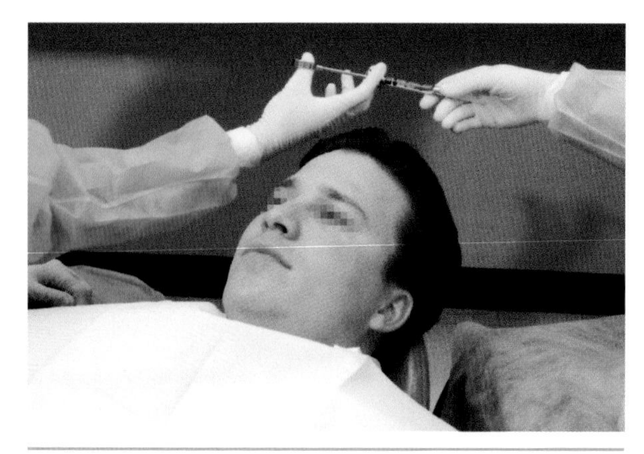

그림 9-12. 국소마취를 위한 술자와 보조자의 위치

및 항히스타민성 안정제를 경구 투여할 수 있다. 이에 대해서는 별도의 장에서 자세히 다루어진다.

2) 마취할 부위 조직의 처치

구강 내로 국소마취제를 주사하기 위한 조직의 처치는 도포마취, 물리적 세척 및 주사부위의 조작 등이 있다. 도포마취는 앞서 설명한 바와 같이 국소마취의 한 방법으로 구강점막에 사용 시 좋은 표면마취 효과를 얻을 수 있어서 주사침 자입 시 통증을 줄여준다. 부착치은 부위에서는 어느 정도 마취효과가 기대되지만, 구개점막은 각화상피(cornified epithelium)로 구성되어 도포마취제의 침투효과가 극히 미흡하다. 도포마취 후 마취효과를 크게 얻지 못하는 경우가 있는데, 이는 마취발현시간이 서로 다르기 때문이므로 30초 내지 수분까지 기다렸다가 다음 단계로 넘어가야 한다.

물리적 세척을 위하여 국소적으로 소독제를 사용하여 구강 내 상주세균에 의한 주사침 자입 부위의 오염을 줄여주어야 한다. 또한 자입부위의 소독뿐만 아니라 사용될 주사기와 국소마취제가 오염되지 않도록 해야 하며, 주사침과 주사기 그리고 국소마취제가 들어 있는 cartridge는 한 환자에서만 사용하고 남아 있는 마취제는 폐기해야 한다. 특히 급성 농양이 있는 부위에는 직접 주사침을 자입하지 않도록 한다.

주사침을 자입하기 직전에 소독된 거즈로 주사침 자입 부위의 잔존 찌꺼기, 타액 또는 잔존된 도포마취제 등을 제거하고, 조직을 잡아 당겨 팽팽하게 하고 환자의 머리를 안정되게 고정한 다음 주사침을 자입한다.

3) 안정성 있는 주사기의 파지법

마취액을 효과적으로 주입하기 위하여 정해진 해부학적 부위에 주사침을 정확히 자입하고, 국소마취제를 주입해야 한다. 이를 위하여 크기가 크고 무거운 주사기를 적절히 잡고, 안정성을 주어 주사침이 흔들리지 않도록 해야 한다.

4) 술자의 위치

환자의 위치와 아울러 술자의 위치가 중요하다. 술자의 위치가 불편할 때 피로가 빨리 오고, 적절히 시술할 수도 없어서 치료결과도 좋지 않게 된다. 때로 급만성의 근육 및 골격계의 긴장 및 손상이 초래될 수 있다. 그러므로 편안하게 앉은 자세가 매우 중요하다. 술자와 환자의 적절한 자세를 유지하기 위하여 환자의 머리를 술자에게 돌리게 하고 시술부위에 접근이 용이하도록 치료용 의자를 조절한다. 마취하는 동안 술자의 팔이 환자의 가슴이나 어깨에 놓이지 않도록 한다. 시술 시 환자가 움직일 경우 술자의 손이 움직이게 되어 불의에 주위조직의 손상을 줄 수 있으며 또한 술자가 남자이고 환자가 여자일 때 또 다른 문제점이 발생되지 않도록 유의해야 한다(그림 9-12).

5) 주사

(1) 치과 국소마취 술식의 일반적 원칙

① 환자를 편안하게 누운 자세를 취하도록 한다.

② 술자는 환자의 구강 내로 접근이 용이하도록 편하고 안정된 자세를 취한다.

③ 필요에 따라 도포마취를 시행하고 국소마취제 종류에 따라 마취효과가 나타날 때까지 30초 내지 수 분 동안 기다린다.

④ 마취부위가 잘 보이도록 상·하순이나 뺨을 젖히고 주사침 자입 시 손상이 최소가 되도록 한다.

⑤ 제1주사침 자입점을 통점이 적은 부위를 선택하고 제2자입점은 제1자입점으로 마취된 인접 부위에서 자입한다.

⑥ 소독된 거즈로 주사침 자입부위를 건조시킨다.

⑦ 통증을 줄일 수 있도록 상·하순을 당기거나 흔들어 주면서 주사침을 자입한다.

⑧ 주사침을 조심스럽게 천천히 자입한다. 주사기를 잡은 손이 안정성이 있도록 안정된 자세로 시술하며 환자의 상체에 술자의 팔이 놓이지 않도록 한다.

⑨ 국소마취제를 주입 전에 먼저 흡인을 해본다. 만약 혈액이 흡인되면 주사침을 조심스럽게 이동하여 흡인되지 않도록 한다.

⑩ 국소마취제는 1분 동안에 1.8 ml (1 ample)를 주입하는 정도로 서서히 시술한다.

⑪ 마취제의 주입이 끝난 다음 주사침을 자입한 방향을 따라 천천히 빼낸다.

⑫ 주사부위를 손가락으로 꼭 눌러주어 통증을 줄여준다.

사용된 국소마취제의 종류에 따라 마취효과가 발현되기까지 수 초 또는 10분 이상 시간이 필요한데 대부분 5분 이내에 나타난다.

(2) 국소마취 시 고려해야 할 사항

① 마취하려는 부위

② 필요한 마취의 심도

③ 시술에 필요한 마취작용시간

④ 마취부위의 감염 여부

⑤ 환자의 연령 및 전신 상태

⑥ 수술부위 지혈효과의 필요 유무

위와 같은 사항을 고려하되 임상적으로 첫째, 가장 간단하게 할 수 있는 방법 둘째, 가장 조직에 손상을 적게 줄 수 있는 방법 및 셋째, 가장 적은 양의 국소마취제를 주입하여 충분한 효과를 얻을 수 있는 방법을 선택한다.

3. 어린이 국소마취법

어린이는 작은 어른이 아니므로 정신적으로 어른과 다른 방법이 필요할 뿐만 아니라 해부학적으로도 크기나 비율 면에서 중요한 다른 점이 있기 때문에 마취 시 이를 고려해야 한다(그림 9-13).

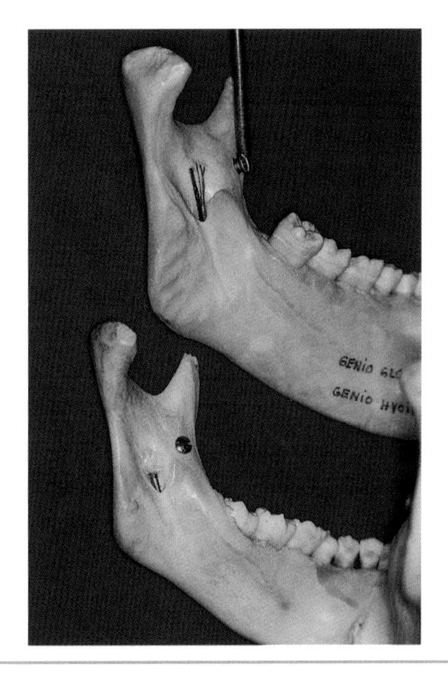

그림 9-13. 성인과 어린이에서의 해부학적 차이

1) 어린이의 행동과 치료 시 고려점

흔히 어린이들은 주사침과 주사 맞는 것에 대하여 설명할 수 없는 공포심을 가지고 있다. 공포심의 정도는 어린이의 나이, 정서적인 성숙도, 가정환경, 지적수준 및 치과치료의 경험에 따라 차이가 있다.

어린이가 그 나이에 맞는 두려움을 표현하며, 임상의의 말을 잘 따르면 마취 후 "느낌이 둔해진다"거나 "치아를 잠재운다"거나 하는 말로 설명을 해 줄 수 있다.

어른에 비하여 어린이에게는 술자가 잘 참고 부드럽게 대해주는 것이 절대적으로 필요하다. 어른 중에도 병적인 공포심을 갖고 있는 환자가 있는데, 어린이에서도 비슷한 경우가 있다. 특히 어린이가 거칠거나 참을성이 전혀 없는 경우에 당황하게 된다.

① 아프지 않다고 거짓말을 하지도 말고, 너무 심하게 과장하지 않는다.
② 어린이의 수준에 맞추어 이해할 수 있는 말로 설명해준다. 예를 들어 주사 놓을 때 모기에 물릴 때나 꼬집을 때만큼 따끔하다고 이야기해 줄 수 있다.
③ 공포심이 많은 어린이의 치료는 계획된 순서에 의하여 진행하되 유연성을 가지고 반복하여 질문하면서 지연작전을 쓴다.
④ 필요에 따라 도포마취를 한다.
⑤ 가능하면 어린이에게 주사침을 보이지 않도록 한다.
⑥ 조심스럽게 주사침을 자입하고, 서서히 마취제를 주입한다.
⑦ 주사 시 어린이의 머리를 잘 고정하여 갑자기 움직이지 못하도록 한다.
⑧ 어린이는 구개마취 시 통증이 심하므로 가능하면 도포마취나 jet injection 등 다른 방법을 찾아본다.
⑨ 필요시 외래진정약물을 병용하여 어린이의 공포심을 줄여줄 수 있다.

위의 방법이 모든 어린이에서 전부는 아니라도 효과적으로 응용될 수 있다. 극심한 공포심 등으로 어쩔 수 없는 경우 경구 또는 비경구로 안정제를 투여하거나 흡입진정 등을 행한다.

2) 해부학적 및 신체적 고려사항

어린이는 어른에 비하여 비율적으로 하악골 자체가 작으므로 같은 마취효과를 얻기 위하여 마취액이 보다 적은 양이어도 가능하다. 예를 들어 어른에서 하치조신경과 혀신경을 전달마취하기 위하여 1.8 ml가 필요하다면 어린이에게는 1.0 ml 정도면 가능하다. 골막하침윤마취 시에도 어린이의 치조골은 얇고 다공성이어서 마취제의 침투가 용이하므로 적은 양이 필요할 뿐만 아니라 하악 구치부에서도 침윤마취로 충분한 마취효과를 얻을 수 있다.

하악소설(mandibular lingula)과 하악공(mandibular foramen)의 위치에 변화가 많다. 같은 어린이라도 신체성장 정도에 따라서 차이가 많다. 2~5세의 어린이에서 하악

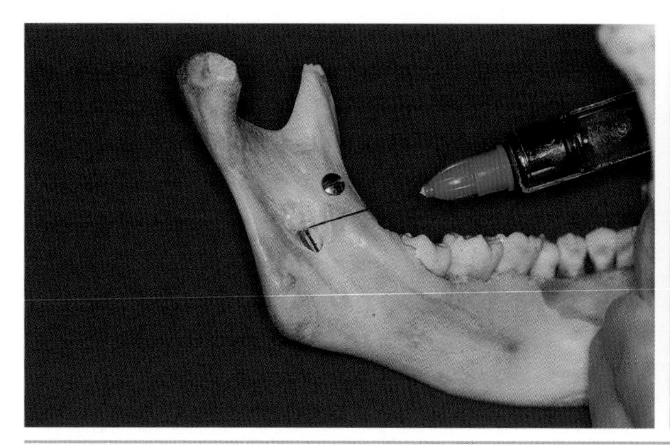
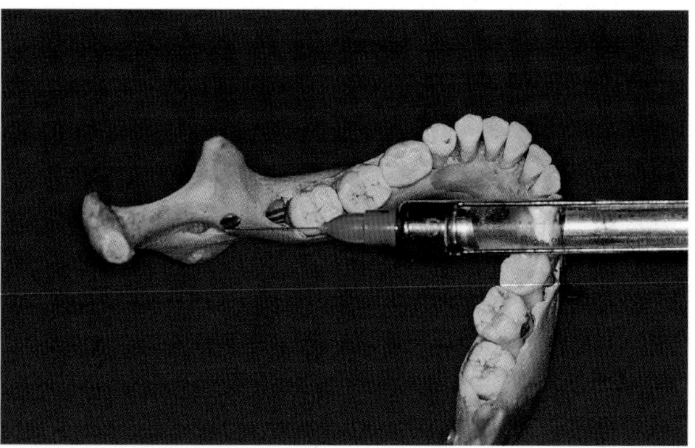

그림 9-14. 어린이 국소마취법(하치조신경 전달마취)

소설은 교합면과 같은 높이에 있으나 성장하는 동안 교합면상에서 상방 및 후방으로 이동된다.

'10세 이상 연령이 되면 하악소설은 교합면 1 cm 상방 관상절흔(coronoid notch)의 가장 깊은 부위에 놓이게 된다. 하치조신경 전달마취 시 이를 고려해야 한다. 특히 어린이에서 마취 시 1 inch의 짧은 주사침을 이용하여 15 mm 정도 자입한다(그림 9-14).

긴 주사침에 비하여 짧은 주사침의 사용이 특별히 중요한 것은 아니지만, 술자가 기구를 조작하기가 용이하고 어린이에게 주사침의 불안감을 감소시켜줄 수 있다.

3) 국소마취 술식

(1) 상악마취

모든 유치와 영구 대구치는 협점막 이행부에 골막 상방 침윤마취로 마취할수 있다. 어린이는 침윤마취의 효과 때문에 후상치조신경 전달마취가 대개는 필요하지 않다. 그러나 몇몇 사람에서는 어린이 협골돌기가 치조골에 더 가까이 위치하여 효과적인 국소마취가 어려울 때가 있다. 이런 경우에는 후상치조신경 전달마취가 유용하다. 일반적으로 사분악에서 여러 개 치아가 수복될 필요성이 적으므로 어린이에서는 후상치조신경이나 전상치조신경 전달마취를 위한 적응증은 거의 없다. 어린이 경우 비구개와 대구개신경 전달마취를 통해 구개부 마취를 시행할수 있다. 대구개신경 전달마취의 술식은 다음과 같다. 술자는 정중선에서 맹출하는 최후방 구치의 치은연으로부터 이어지는 선을 확인한다. 구강의 반대측에서 이 선의 이등분 선상의 후방 구치 원심부에 주사바늘을 삽입한다. 만일 유치열만 존재한다면 주사바늘을 대략 제2유구치의 원심면에서 후방으로 10 mm 정도 삽입하여 정중선을 향하는 선을 이등분한다.

치간유두내 마취 또한 어린이에서 구개마취를 얻는데 쓰일 수 있다. 협측마취가 효과적인데 주사바늘(27게이지, 짧은)을 치간골 바로 상방의 협측 유두 내로 수평하게 삽입한다. 주사바늘이 구개측을 향하여 전진하면서 국소마취액을 주사한다. 이것은 연조직 허혈을 야기할 수 있다.

(2) 하악마취

골막 상방 침윤마취는 하악 유치의 통증을 조절하는데 효과적이다. Sharaf는 80명 어린이(3~9세)에서 제2유구치에서 치수절단을 시행할 경우를 제외한 모든 상황에서 하악골의 협측 침윤마취가 하치조신경 전달마취만큼 효과적이라고 보고했다. 이는 어린이의 경우 하악의 골밀도가 낮기 때문이다. 어린이 나이가 증가할수록 하악침윤마취의 성공률은 하악유구치에서 감소한다. 하악골막상방 침윤마취법은 주사바늘 끝이 협점막에서 치아의 근단쪽을 향한 후 대략 1/4~1/3(0.45~0.6 ml) 카트리지 양만큼 마취액을 천천히 침투시킨다.

하치조신경 전달마취는 하악공 위치 때문에 어른보다 성공률이 더 높다. 어린이에서 하악공은 교합면보다 후하방에 놓여 있다. Benham은 하악공이 어린이 경우에는 교합면 높이에 있고, 어른의 경우에는 교합면 상방으로 평균 7.4 mm에 있다고 주장했다

하치조신경 전달마취 술식은 성인과 어린이에서 근본적으로 동일하다. 차이는 반대측 제1소구치에서 접근하고 평균적으로 15 mm 정도의 주사바늘을 자입하며 일반적으로 어린이에서는 하악공보다 다소 아래에서 접근하는 것이 좋으며 협조적인 아이에서 성공률은 90~95% 정도이다.

하치조신경을 덮고 있는 연조직 두께가 다른 부위보다 다소 얇기 때문에(약 15 mm) 보통 25~27 게이지의 짧은 주사바늘이 어린이 환자에게 하치조신경 전달마취 시 권장된다.

대구치 협측조직에 마취가 필요한 경우 협신경마취를 시행한다. 악궁 최후방치아의 협원심측에 주사바늘을 위치시키고 약 0.3 ml의 마취액을 주사한다

어린이들에서도 Akinosi와 Gow-Gates 하악신경 전달마취법을 적용할수 있다. Akinosi는 짧은 주사바늘을 사용할 것을 주장하였지만 성장기 어린이에서는 이 방법이 효과적이지는 못하다고 하였다. Gow-Gates 전달마취법은 어린이에게서도 성공적으로 사용될수 있으나 소아치과영역에서는 거의 필요없는 술식이다.

절치신경 전달마취로 사분악의 5개 유치에 대한 치수를 마취시킬 수 있다. 이공 밖에서 마취액을 주입하고 성

공률을 높이기 위해 2분 동안 손가락으로 누른다. 이공은 보통 유구치 사이에 위치하게 된다. 0.45 ml를 주입하는 것이 추천된다. 치주인대마취법 또한 소아치과영역에서 많이 사용된다. 적절한 심도와 마취시간을 제공할 수 있어서 독립된 치아우식증 어린이치료에 유용하다.

4. 고령환자 국소마취법

1) 노화 시 구강생리

(1) 감각의 변화

연령증가에 따라 시각 및 청각이 감퇴되고 구강의 미각 또한 감퇴된다. 미각 역치가 상승하여 음식의 맛을 인식하는 능력이 저하되고 이는 후각의 감퇴와도 밀접하게 연관된다.

(2) 타액선 기능의 변화

구강 내 수분을 공급하는 타액이 정상적 구강생리 유지에 중요한 기능을 하는데 노화에 따라 타액분비량이 감소한다. 단, 건강하고 약을 복용하지 않은 사람에서는 대 타액선보다는 소 타액선의 분비량이 감소한다고 알려진다.

(3) 치아의 변화

① 노화가 치주질환 및 충치이환율을 높여 무치악 상태를 유발시킬 수 있다. 노인 치아우식증은 남자에서 63%, 여자에서 53%를 경험하며 치주질환 유병률은 47% 이상에서 나타난다.

② 노인에서도 잔존치아를 보존해서 외모와 자신감을 가지려 하는 것은 당연하며 구강위생관리를 잘 하는 노령 환자일수록 치과치료에 적극적이며 우울증 등의 정신질환율이 낮다.

(4) 근골격계의 변화

① 골 대사작용이 증령에 따라 감소하며 골밀도 감소는 골다공증이나 골연화증으로 나타난다. 이러한 골손실의 영향인자로는 활동저하, 에스트로젠 결핍, 영양결핍, 노인성 신체변화 등이 있다.

② 악골에서의 변화는 주로 치조골에서 나타나며 치아상실시 가장 먼저 축소, 상실된다. 기저골에서의 골개조 정도는 적당한 자극이 필요하며 건강한 치아

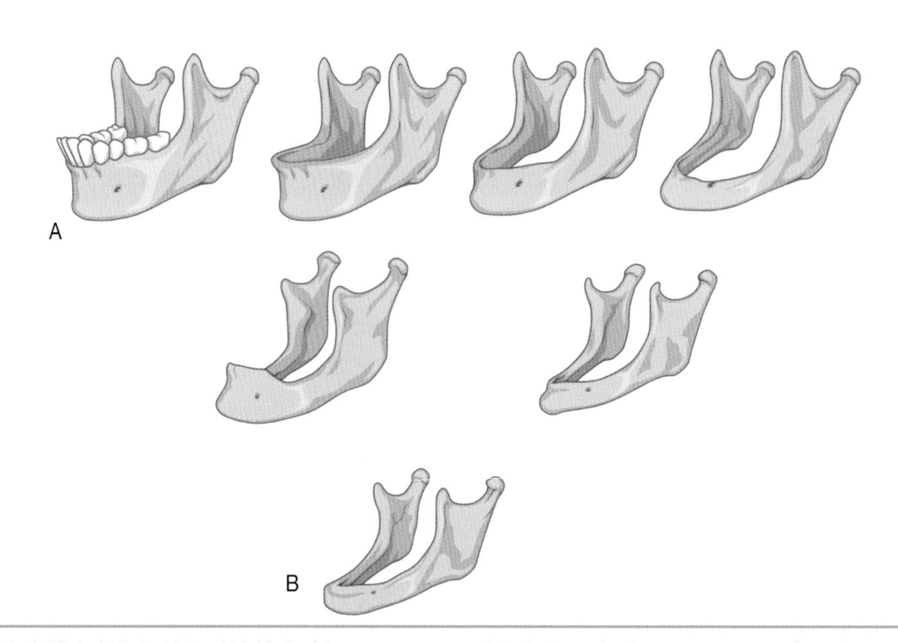

그림 9-15. 하악골의 치아상실 후 악골 변화 형태(인용: Fonseca text: 악골재건술, 제2판, 1995, Sauders 출판사)

주위 조직이 남아 있을 때 가능하다. 따라서 치아상실은 시간이 지나면 기저골까지 골의 형태가 변화하게 된다. 무치악환자에서 25년간의 골손실을 추적 결과 골손실은 지속적이며, 특히 하악에서 4배 이상 빠르게 나타나는 것으로 보고된다(그림 9-15).

③ 연령증가에 따라 근육의 크기와 질량도 감소하며 Ⅱ형 근섬유의 운동단위의 수가 감소하며 근력이 떨어지고 건과 인대의 수분함량도 감소하게 된다. 이에 65세 이상의 노인에서 골관절염이 손 관절에서 종종 나타난다.

(5) 저작 및 연하 기능의 변화

① 구강 내에서 분쇄된 음식물은 타액과 섞여서 후방의 인두부에 다다르고 정교한 연하과정을 거쳐 식도로 넘어간다. 이때 연하와 관련된 후두개 운동, 식도괄약근의 열림, 후두 수축작용이 노화와 관련하여 기능이 떨어지게 되며 이에 음식물 흡입 등으로 인한 폐렴이나 급한 음식섭취 등이 병발된다.

② 저작근력이나 무치악 상태는 더욱 음식물을 저작하는 기능을 저하시켜 연하과정이 지연되고 연하횟수도 감소시켜서 전신건강에도 영향을 미치게 된다.

2) 고령 외래환자를 위한 검사법

(1) 신경학적 장애 의심환자에 대한 검사법

① 치매(Dementia): Mini-mental state examination (MMSE), Short portable mental Status questionnaire (SPMSQ), MRI

② 우울증(Depression): GDI (Goldberg depression index)

③ 척추협착증(Spinal stenosis): MRI, CT

(2) 시력, 청각장애 의심환자에 대한 검사법

① 시력장애(Eye disease): Visual acuity

② 녹내장(Glaucoma): Intraocular pressure

③ 백내장(Cataracts): Slit lamp examination

④ 청각상실(Hearing loss): Screening audiometry

(3) 배뇨장애(Urinary incontinence)에 대한 검사법

① Voiding record

② Office urodynamics

(4) 영양(Nutrition) 문제점에 대한 검사법

① Albumin

② 인체계측(Anthropometrics)

③ Total lymphocyte count

(5) 골격근장애 의심환자에 대한 검사법

① 골연화증(Osteopenica): PTH, Ca, Alk phos, Bone densitometry

② 관절염(Arthritis): Rheumatoid factor, Arthrocentesis, ANA

③ Paget's disease: Urinary hydroxyproline, Bone scan

(6) 심폐기능장애 환자에 대한 검사법

① 관상동맥질환(Coronary disease): Exercise stress test, Dipyridamole scintigraphy

② 부정맥(Arrhythmia): Holter monitor

③ 말초혈관장애(Peripheral vascular disorder): Non-invasive vascular study

④ 좌측 심실 증대(Left ventricular hypertrophy): Echocardiography

⑤ 폐쇄성 폐질환(Chronic obstructive pulmonary disease): Spirometry, Arterial blood gases

(7) 내분비/대사성 장애 환자에 대한 검사법

① 당뇨병(Diabetes mellitus): Fasting glucose, 경구포도당 내성검사(OGTT), Fructosamine

② 갑상선 저하(Hypothyroidism): TSH

③ Thyroid disease: T3, T4

(8) 악성 종양 의심환자에 대한 검사법

① Breast cancer: Mammography
② Prostatic cancer: 전립선 특이항체 검사(PSA), Prostatic acid phosphatase
③ Colorectal cancer: 종양배아항원검사(CEA)
④ Rectal cancer: Proctoscopy, Sigmoidoscopy

3) 고령 환자의 치료불안감에 대한 전 처치

(1) 불안감을 야기하는 의학적 상태

① 갑상선 항진(Hyperthyroidism)
② 영양결핍(Nutritional deficiency)
③ 대사성장애 병변(Secreting tumors: Pheochromocytoma, carcinoid)
④ 저혈당증(Hypoglycemia)
⑤ 신경 질환(Neurologic disease)
⑥ 폐질환(Pulmonary disease: Hypoxia)
⑦ 심혈관 질환(Cardiovascular disease)

(2) 노령환자에서의 사용 가능한 항불안제 (Benzodiazepine)

① Alparzolam (Xanax): 0.25 mg, qid
② Chlordiaepoxide (Librium): 5 mg, qid
③ Diazepam (Valium): 2 mg, qid
④ Lorazepam (Ativan): 0.5 mg, qid
⑤ Oxazepam (Serax): 10 mg, qid
⑥ Prazepam (Centrax): 5 mg, qid

4) 국소마취 주사 시 고려해야 할 사항

노인환자에서 국소마취 및 수술 시 건강한 젊은 성인과는 다르게 육체적, 심리적, 정서적 상태에 맞는 치료법을 선택하고 약물의 양을 정하는 것이 필수적이다. 또한 주사 전 환자가 가진 내과적 질병에 대해 철저한 평가를 하며 보호자와의 긴밀한 의사소통이 중요하다.

① 마취를 포함한 전체 치료시간은 가능한 짧게 해야 하며 국소마취든 전신마취든 꼭 필수적인 수술상황이 아니라면 최대 2시간을 넘지 않도록 해야 한다.
② 노령환자는 신체기능이 떨어져 있음은 물론이고 내과질환에 대한 여러 약제를 복용하고 있는 경우가 많으므로 항상 기본적인 생징후를 측정하고 마취 전 철저히 건강상태를 확인해야 한다. 치료 당일은 오전 중에 잡도록 하고 불안감이 심한 환자에서는 항불안 약제를 복용시키고 정신안정을 회복한 후 국소마취를 서서히 시행해야 한다.
③ 심혈관 질환, 고혈압 등을 고려해서 저용량의 혈관수축제가 들어 있는 국소마취제(1:200,000, 1:400,000)를 사용하는 것이 좋고 신 기능과 간 기능이 약화되어 있으므로 약제의 종류와 투약량을 적절히 조절해야 한다.
④ 치조골은 무치악시 심하게 퇴축되어 하치조 신경의 위치가 변화가 심하다. 따라서 하치조신경 전달마취 시는 유치악 환자와 달리 하악 소설이 무치악 교합면 상에서보다 상, 후방에 위치하고 있는 점을 인식하고 주사침을 15~20 mm 정도 자입해서 흡인여부를 확인 후 마취한다.
⑤ 상악구치부 마취 시 상악동의 함기화(pneumatization)가 더욱 진행되어 점막이 얇아져 있고 혈관도 약해져 있음을 인지하고 국소마취 주사 시 쉽게 손상 받아 점막 하 출혈이 심하게 발생할 수 있어 주사침을 너무 깊이 상악결절 후 상방으로 위치하지 않도록 주의를 요한다.

5. 국소마취 시 통증을 줄이는 방법

1) 술전, 술중 통증 조절(비외상성 자입법)

① 소독된 예리한 주사바늘을 사용한다.
25 게이지 이하의 주사바늘을 사용 시 도포마취제를 사용하지 않아도 자입통증 없이 마취를 할 수 있다. 25, 27, 30 게이지 주사바늘은 통증이 없었으나 23 게이지 주사바늘은 초기 자입 시 통증이 증가했

다고 보고되었다.

② 주사액을 따뜻이 데워서 실온 22도에서 사용하면 통증이 덜하다.

③ 환자의 자세는 생리적으로 안정된 자세를 취하여 앙와위자세를 취해서 혈압의 변화를 없도록 한다.

④ 마취부위를 건조시키고 소독하여 적절한 시야확보와 세균감염되지 않게 한다.

⑤ 도포마취제를 사용한다.

주사바늘이 침투할 부위에만 면봉에 발라서 최소 1분간 적용 후 주사바늘을 자입한다.

⑥ 환자와 대화하라

도포마취제를 바르고 환자에게 대화하면서 환자의 불안감을 경감시키도록 노력한다.

⑦ 술자의 시술하는 손을 잘 지지하도록 해야 불필요한 손상없이 환자의 구강 내 조직에 주사바늘을 자입할 수 있다.

⑧ 주사하는 부위의 조직을 팽팽하게 당겨라

주사바늘이 자입될 조직을 주사기를 든 손의 반대편 손으로 당겨서 주사바늘 자입 시 통증을 줄이도록 한다.

⑨ 주사기를 환자의 시선에서 벗어나게 한다.

주사기는 보조원에게서 건네받을 때 머리 뒤쪽 등에서 받아 환자가 불안하게 느끼지 않게 한다.

⑩ 천천히 주사바늘을 밀어 넣는다.

목표지점을 향해 주사바늘이 삽입되는 동안 국소마취제를 주사할 필요가 없고 마취액의 한 앰플 1/8 정도를 연조직 지나갈 때 사용하여 마취됨을 확인 후 2~3초 후에 다시 밀어 넣어 사용하기도 한다.

⑪ 골막 닿기전에 마취액을 몇 방울을 주입한다.

주사바늘이 골막에 접촉시키는 주사법인 하치조신경, Gow-Gates법, 전상치조신경 전달마취법에서는 골 접촉 직전에 몇방울의 마취액을 침착하면 통증이 덜하다.

⑫ 흡인 후 천천히 국소마취액을 주입한다.

혈관 내 주사가능성을 피하기 위해 반드시 흡인하고 최소한 2번 이상 바늘 사면을 바꾸어 가면서 흡인점검하고 1분에 1 ml 속도로 천천히 주입해야 통증이 덜하다.

⑬ 주사기를 천천히 빼라

마취액의 주입이 끝난 후 주사바늘을 천천히 빼야 덜 아프다.

⑭ 주사 후 환자 상태를 관찰하라

주사액 주입 후 환자곁에서 환자의 이상유무를 반드시 확인해야 한다. 보통 응급 상황은 국소마취 직후 5분 내에 55%가 발생된다고 한다.

2) 술후 통증 조절

(1) 통증조절에 필요한 시간 및 술후 통증조절의 필요성

치아치수와 주변 연조직 마취의 지속시간이 국소마취제 종류에 따라 다르므로 장시간 마취가 필요시 0.5% Bupivacaine (1:200,000 에피네피린) 등을 주사하여 2% Lidocaine (1:100,000 에피네피린)의 치수마취 60분, 연조직마취 180~300분보다 지속시간이 연장(치수마취 90분 이상, 연조직 마취 240~720분 이상)하여 환자 시술시간이나 술후 통증제어시간을 연장시킨다(표 19-1).

표 19-1. 적용가능한 치과국소마취제들의 치수 및 연조직 마취의 지속시간

마취시간(분: 대략적인 수치)

Drug formulation	치수	연조직
Mepivacaine 3%(침윤마취)	5-10	90-120
Prilocaine 4%(침윤마취)	10-15	60-120
Prilocaine 4%(신경차단)	40-60	120-240
Articaine 4% + epinephrine 1:200,000	45-60	180-240
Lidocaine 2% + epinephrine 1:50,000	60	180-300
Lidocaine 2% + epinephrine 1:100,000	60	180-300
Mepivacaine 2% + levonordefrin 1:20,000	60	180-300
Articaine 4% + epinephrine 1:100,000	60-75	180-300
Articaine 4% + epinephrine 1:200,000	60-90	180-480
Bupivacaine 0.5% + epinephrine 1:200,000	>90	240-720

(2) 혈관수축제

때로 혈관수축제 사용이 제한되는 임상적 상황 시 3% mepivacaine이나 4% prilocaine 등 혈관수축제가 포함되지 않은 마취용액을 이용하면 되나, 마취지속시간이 짧기 때문에 에피네피린 사용이 절대금기증이 아니라면 1:200,000과 같은 낮은 농도의 에피네피린이 포함된 마취용액을 사용할 수 있다.

(3) 일반적인 치과치료를 위한 다양한 국소마취제의 준비

① 단시간 치수마취(약 30분)

② 중등도 시간의 치수마취(약 60분)

③ 장시간 치수마취(약 90분 이상)

④ 도포마취제

⑤ 국소마취 작용시간이 긴 국소마취제 등

(4) 임상에 적용하는 치과국소마취제의 종류

① 1:50,000 Epinephrine이 포함된 2% lidocaine

② 1:100,000 Epinephrine이 포함된 2% lidocaine

③ Prilocaine HCl

④ Articaine HCl

⑤ Bupivacaine HCl

⑥ Etidocaine HCl

보통 중등도의 작용시간을 가진 articaine, lidocaine, mepivacaine이나 prilocaine을 혈관수축제와 함께 사용하고 시술이 끝날 때 쯤 작용시간이 긴 국소마취제를 사용한다. 따라서 lidocaine보다는 술후 통증조절에는 0.5% bupivacaine (1:200,000 에피네피린), 1.5% etidocaine (1:200,000 에피네피린)이 더 효과적이라고 알려진다. bupivacaine이 etidocaine보다는 더욱 효과적이고 술후 진통제가 덜 필요하다.

참고문헌

1. 이상철, 김여갑, 김경욱, 이두익, 염광원, 정성수, 강정완, 김동옥, 김창환, 김용석: 구강악안면국소 및 전신마취학. 둘째판. 군자출판사, 2001.
2. 한경수, 김수남, 이승우, 이광희, 김형섭, 조혜원, 김강주, 이홍수, 민승기, 김형룡, 오승환, 이종섭: 노인 치과학. 대학사, 1999.
3. Kim S, Edwall L, Trowbridge H, and Chien S: Effects of local anesthetics on pulpal blood flow in dogs. J Dent Res, 63:650-652, 1984.
4. Benham NR: The cephalometric position of the mandibular foramen with age, J Dent Child 43: 233-237, 1976.
5. Danielsson K, Evers H, Holmlund A, et al: Long-acting local anaesthetics in oral surgery, Int J Oral Maxillofac Surg 15: 119-126, 1986.
6. Malamed SF: Handbook of Local Anesthesia. 5th ed. St Louis, Mosby, 2004.
7. McCullough PK: Evaluation and management of anxiety in the older adult, 47: 35-47, 1992.
8. Ochs M: Selecting routine outpatients tests for older patients, Geriatrics, 46: 39-50,1991.
9. Pashley DH: Systemic effects of intraligamentary injections. J Endod., 12:501-504, 1986.
10. Rawson RD, and Orr DL: Vascular penetration following intraligamental injection. J Oral Maxillofac. Surg, 43:600-604, 1985.
11. Linden ET, Abrams H, Matheny J, et al: A comparison of postoperative pain experience following periodontal surgery using two local anesthetic agents, J periodontal 57: 637-642, 1986.
12. Sharaf AA: Evaluation of mandibular infiltration versus block anesthesia in pediatric dentistry, ASDC J Dent Child 64: 276-281, 1997
13. Smith GH, and Pashley DH: Periodontal ligamental injection: Evaluation of systemic effects. Oral Surg. Oral Med. Oral Pathol, 56:571-574, 1983.
14. Smith GN, and Walton RE: Periodontal ligament injection: Distribution of injected solutions. Oral Surg. Oral Med. Oral Pathol, 55:232-238, 1983.
15. Stanley F.Malamed: Handbook of Local Anesthesia, 6th edition, Elsevier Inc, 2013.

CHAPTER 10

| Dental Anesthesiology | 국소마취

상악신경마취법

학습목표

1. 상악에서 사용되는 마취법을 분류한다.
2. 상악에서 사용되는 각 신경 전달마취법의 술식과 이에 관련된 내용을 숙지한다.

상악에서 국소마취법은 주로 삼차신경의 상악분지를 마취하는 술식을 말하며, 상악의 치아 또는 치주치료에서부터 상악동이식술 또는 구개부 연조직이식술 및 낭종적출술 등 다양한 시술 시에 사용된다. 상악의 침윤마취법은 일반적인 치과치료에서 가장 많이 사용되는 마취법이며, 그 외 환자의 상태, 시술 범위와 목적, 치료 시간에 따라 각각의 전달마취법이 이용된다. 상악 부위에서 사용되는 국소마취법은 다음과 같다(표 10-1).

① 침윤마취법
② 전상치조신경 전달마취법(anterior superior alveolar nerve block anesthesia)
③ 중상치조신경 전달마취법(middle superior alveolar nerve block anesthesia)
④ 후상치조신경 전달마취법(posterior superior alveolar nerve block anesthesia)
⑤ 안와하신경 전달마취법(infraorbital nerve block anesthesia)
⑥ 비구개신경 전달마취법(nasopalatine nerve block anesthesia)
⑦ 대구개신경 전달마취법(greater palatine nerve block anesthesia)
⑧ 상악신경 전달마취법(maxillary nerve block anesthesia)

1. 골막주위마취법

침윤마취법인 골막주위마취법은 기술적 접근이 매우 용이하며 성공률 또한 높아서 상악에서 사용되는 국소마취법 중 가장 빈번히 사용되는 술식이다(그림 10-1). 하지만, 광범위한 치료 시에는 다수의 주사바늘 주입과 과량의 국소마취제 사용의 위험이 있어 추천되지 않는다.

1) 해부학적 고려점

상악골은 하악골에 비해 치밀골이 적고 다공성의 특징을 갖고 있으며, 주입된 국소마취제는 ① 치조골연을 넘어 치근막을 통하여, ② 치조골의 골소공을 통하여, ③ 병적으로 형성된 치조골의 결손부를 통하여 치근단공까지 도달하게 된다(그림 10-2). 하지만, 골종(osteoma)같이 치아 근첨 부위를 덮고 있는 치밀골에 의해 때때로 실패할 수 있다.

표 10-1. 상악 치아의 마취에 쓰이는 국소마취법

치아	치수마취	협측점막마취	구개측점막마취
절치 및 견치	침윤마취	침윤마취	침윤마취
	전상치조신경 전달마취	전상치조신경 전달마취	비구개신경 전달마취
	안와하신경 전달마취	안와하신경 전달마취	상악신경 전달마취
	상악신경 전달마취	상악신경 전달마취	
소구치	침윤마취	침윤마취	침윤마취
	중상치조신경 전달마취	중상치조신경 전달마취	대구개신경 전달마취
	안와하신경 전달마취	안와하신경 전달마취	상악신경 전달마취
	상악신경 전달마취	상악신경 전달마취	
대구치	침윤마취	침윤마취	침윤마취
	후상치조신경 전달마취	후상치조신경 전달마취	대구개신경 전달마취
	상악신경 전달마취	상악신경 전달마취	상악신경 전달마취

Malamed SF: Handbook of local anesthesia 4th ed. P 191, Mosby, 1997.

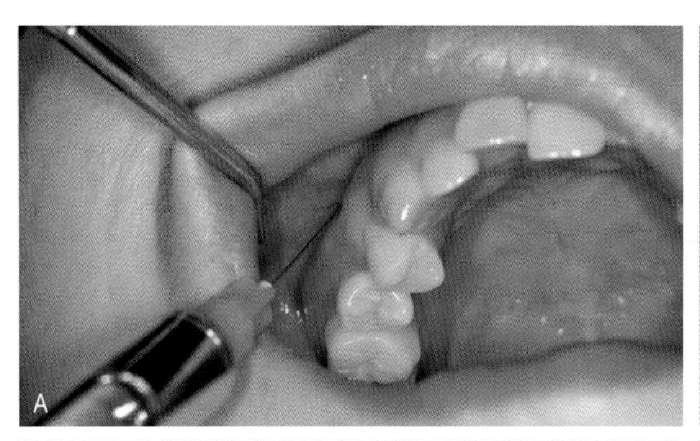

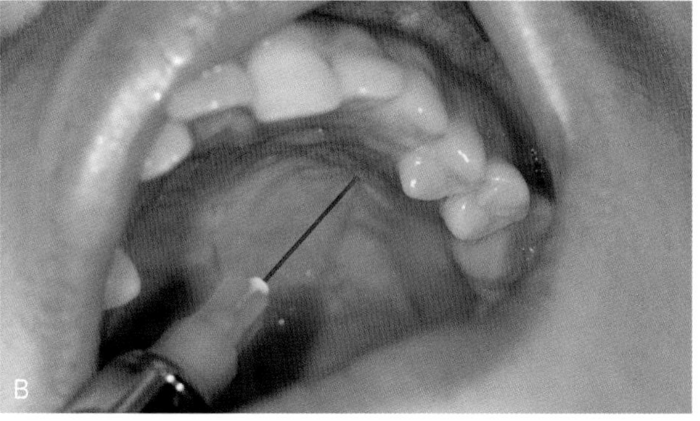

그림 10-1. 골막주위마취법. (A) 협측점막에서 접근법, (B) 구개측점막에서 접근법

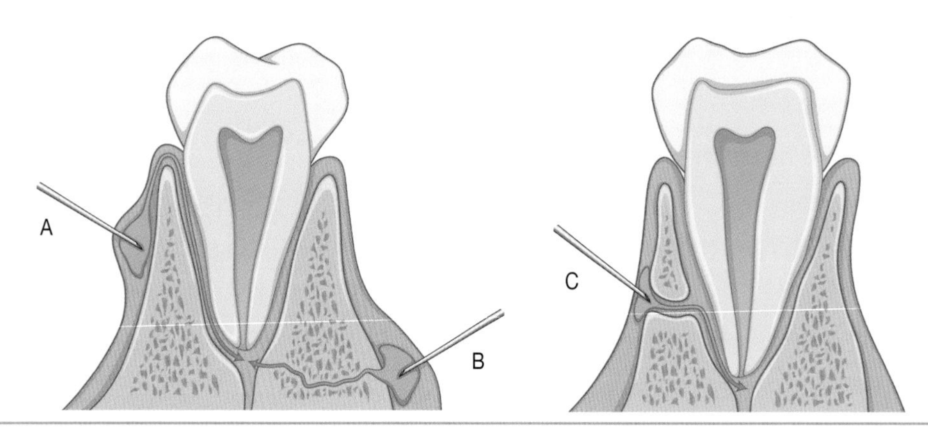

그림 10-2. 주입된 국소마취제의 확산 경로

(A) 치조골연을 넘어서 치근막을 따라 (B) 치조골 내에 해부학적으로 있는 골소공을 통하여 (C) 병적 치조골 결손부를 통하여

표 10-2. 상악 치아의 전장 및 치근의 길이

치아	전장(mm)	치근의 길이(mm)
중절치	24.0	12.4
측절치	22.5	13.5
견치	27.0	17.0
제1소구치	22.5	13.8
제2소구치	21.5	13.0
제1대구치	20.5	12.8
제2대구치	19.5	12.0

Du Brul E L: Sicher and Du Brul's Oral Anatomy. 8th ed. 1988.

가장 좋은 마취 효과를 얻기 위해서는 자입된 주사침 끝을 치근단공에 근접시켜야 하며, 치아의 종류 및 방사선 사진을 참고하여 마취 전 치근단공의 위치를 예측하는 것이 도움이 된다(표 10-2).

2) 마취방법

① 25 또는 27 게이지의 짧은 주사침을 준비한다.

② 보조손 또는 기구로 환자의 입술이나 뺨을 견인하여 주사침의 자입 부위를 확보한다. 자입점은 시술할 치아의 치근첨 부위 협측 치은구 또는 구개부 점막이다.

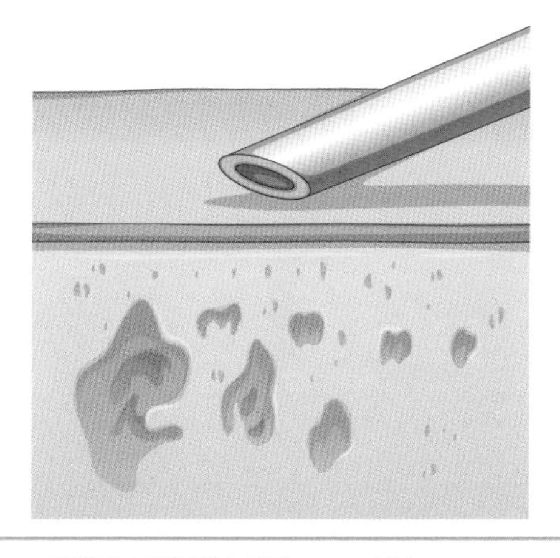

그림 10-3. 자입시 주사침의 사면(bevel) 방향

③ 자입부위의 점막을 마른 거즈로 닦아 건조시키고 도포마취를 한다.

④ 주사침의 사면을 골면과 마주보게 한 후, 예상되는 치근단첨을 향하여 자입점에서 약 3~4 mm 정도 자입한다(그림 10-3).

⑤ 주사침이 치조골과 접촉한 경우에는 후방으로 조금 빼낸다.

⑥ 주사기를 흡인 확인한 후, 국소마취제를 서서히 주입한다. 국소마취제는 필요에 따라 0.5~1.0 ml 주입한다.

⑦ 주사침을 천천히 빼내고 약 3~5분 경과 후, 환자에게 감각 상실 여부를 시험하고 나서 치료를 시작한다.

3) 마취되는 부위 및 증상

국소마취제가 주입된 해당 치아의 치수와 협측 또는 구개측 치은이 마취된다. 주입된 국소마취제의 양과 확산 정도에 따라 인접치아, 치주조직 및 비부와 드물게 안면부위까지 마취될 수 있다. 마취 후에 환자는 국소마취제가 축적된 부위의 둔감 및 기구 조작 시 감각을 느끼지 못한다.

4) 마취의 실패 및 합병증

주사침 끝이 골에서 너무 멀리 위치할 경우, 연조직에 대한 마취 효과는 좋으나 치수에 대한 마취효과는 미미할 수 있다. 한편 주사바늘 끝이 골막 하방으로 자입될 경우, 환자는 심한 통증을 호소할 수 있다.

2. 전상치조신경 전달마취법

상악 절치와 견치 치수 및 해당치아의 치조골과 순측 연조직을 마취하기 위해 사용된다. 접근이 용이하며 기술적으로 쉬운 마취법으로 상악 견치의 침윤마취법과 유사하나 주입되는 마취제의 양이 좀 더 많다.

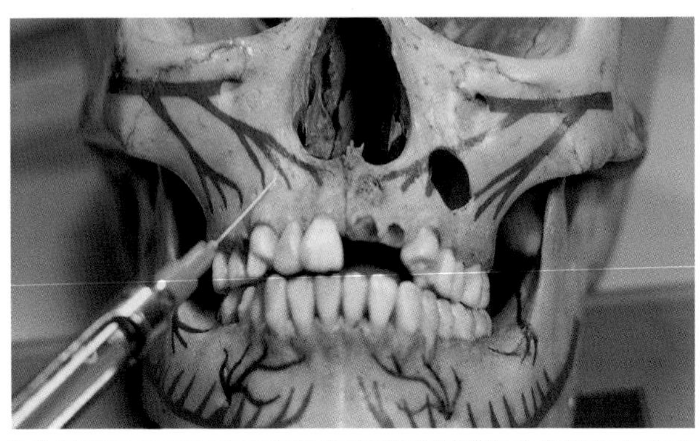

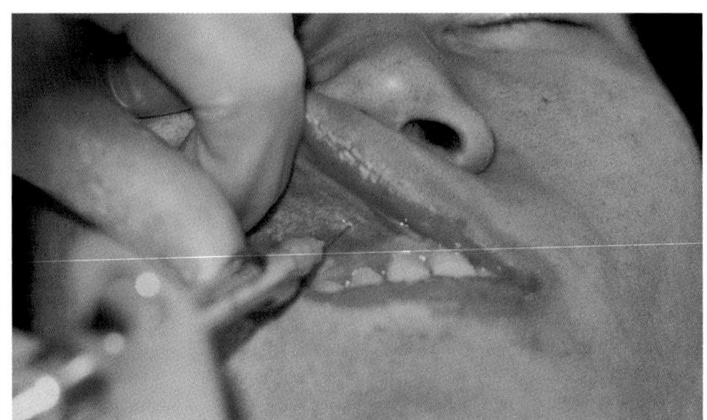

그림 10-4. 전상치조신경 전달마취법. 상악 견치의 치근단부에 주사침을 자입한다.

1) 해부학적 고려점

전상치조신경이 안와하관의 전방부에서 상악의 작은 관을 통하여 전하방으로 주행하고 상악의 견치와(canine fossa)에서 분지되므로 상악 견치의 치근단 주위에 주사침을 자입한다.

2) 마취방법

① 보조손 또는 기구로 환자의 입술을 견인하여 주사침의 자입 부위를 확보한다. 자입점은 상악 견치의 치근첨 부위 협측 점막이다.

② 자입부위의 점막을 마른 거즈로 닦아 건조시키고 도포마취를 한다.

③ 주사침의 사면을 골면과 마주보게 한 후, 견치의 치근단을 향하여 주사침을 자입한다(그림 10-4).

④ 골막을 관통시키지 않으면서 주사기를 흡인 확인한 후, 1.0~1.5 ml의 국소마취제를 서서히 주입하고 주사침을 뺀다.

⑤ 환자에게 해당 마취 부위의 감각 상실 여부를 시험하고 나서 치료를 시작한다.

3) 마취되는 부위 및 증상

마취한 전상치조신경과 같은 측의 절치와 견치가 마취되며, 상악 견치보다 후방에서 주사 시 제1, 2소구치 부위도 마취될 수 있다. 때로 견치의 치근단에서 상방으로 안와하공에 근접하여 마취 시 안와하신경의 원심측에서 마취효과가 나타날 수 있다.

일반적으로 치아, 인접한 순측 연조직 및 상순에 감각 소실이 나타나지만 주입된 국소마취제의 양이나 확산정도에 따라 상순의 마취가 불완전할 수도 있다. 상순의 확실한 마취가 필요하다면 안와하신경마취를 해야 한다.

4) 마취의 실패 및 합병증

마취 후에도 가끔 중절치 부위에서 환자가 통증을 호소하는 경우가 있는데, 이는 반대측의 전상치조신경이 교

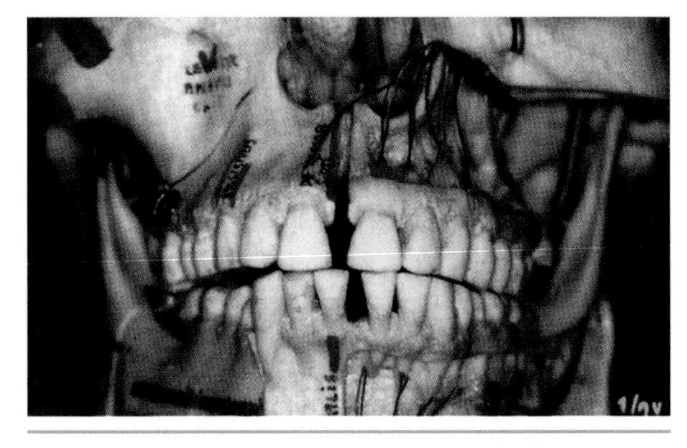

그림 10-5. 상악 중절치 부위에서 좌우측 전상치조신경의 교차분포

차분포하기 때문이다(그림 10-5). 이때는 추가적인 중절치 침윤마취가 필요하다.

때때로 너무 많은 양의 마취제가 주입되거나 자입부가 비부에 매우 근접하였을 경우에 비외측부, 비익부가 마취되어 환자의 불쾌감이 증가할 수 있으므로 주의해야 한다.

3. 중상치조신경 전달마취법

중상치조신경 전달마취법은 상악 제1, 2소구치, 상악 제1대구치의 근심협측치근의 치수 및 주위 협측 치주 조직 및 치조골 마취 시에 사용된다.

1) 해부학적 고려점

중상치조신경은 전하방으로 주행하다가 상악 제2소구치의 치근단 상방부에서 분지하므로 이 부위에 마취제를 주입해야 한다(그림 10-6). 하지만, 전체 환자 중 40%에서만 중상치조신경이 존재한다고 하며, 이 신경이 없는 경우는 전상치조신경과 후상치조신경이 그 기능을 대신한다.

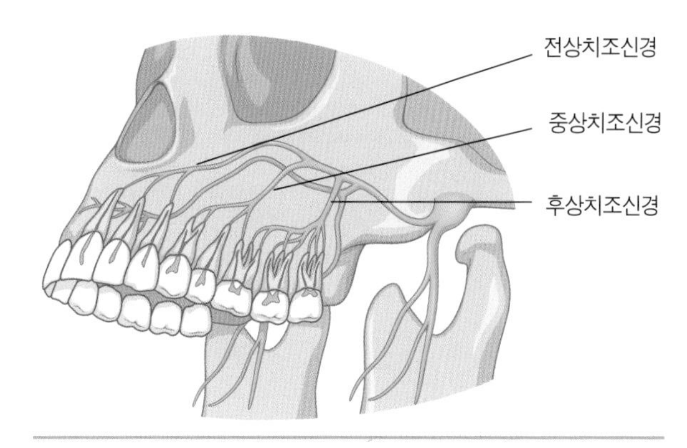

그림 10-6. 중상치조신경과 주위신경과의 상호작용

2) 마취방법

① 마취 전 술자의 위치를 바로 한다(그림 10-7). 우측 중상치조신경 전달마취 시에는 환자를 향해 10시 방향에서 자세를 잡는다. 좌측 중상치조신경 전달마취 시에는 8~9시 방향에서 자세를 잡는다.

② 구각부와 뺨을 견인한 후, 상악 제2소구치 상방 협측 전정부의 자입점을 확인한다. 점막을 건조시키고 도포마취를 최소 1분간 시행한다.

③ 자입 시 통증을 줄여줄 수 있도록 자입점 주위 점막을 팽팽하게 잡아당긴다.

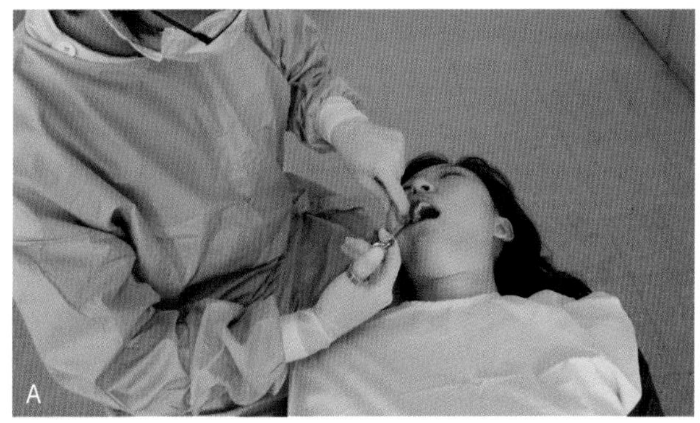

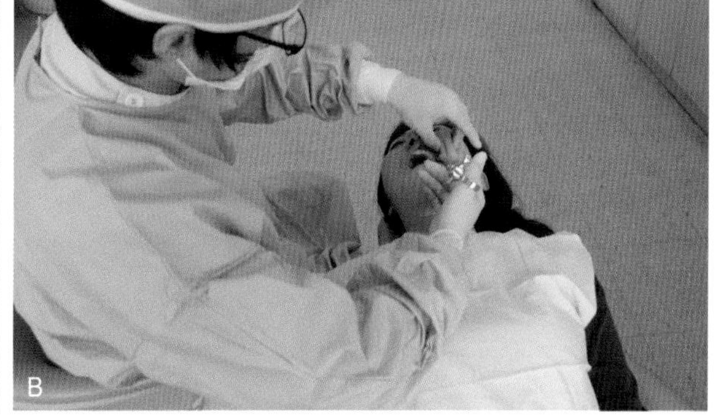

그림 10-7. 중상치조신경 전달마취를 위한 술자의 위치
(A) 우측 중상치조신경 전달마취, (B) 좌측 중상치조신경 전달마취

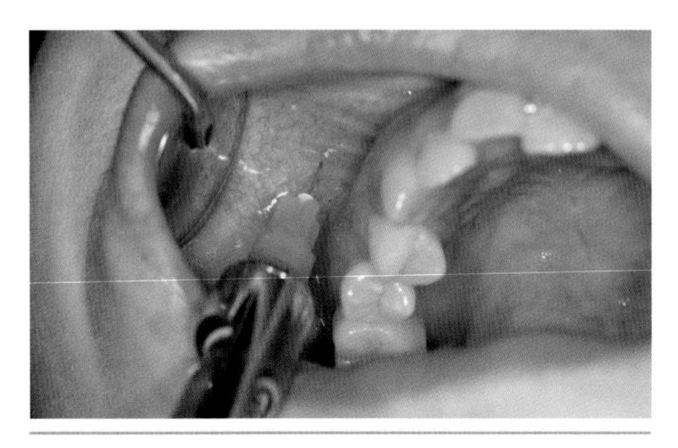

그림 10-8. 중상치조신경 전달마취법
상악 제2소구치 치근단 상방에 주사침을 위치시킨다.

④ 주사바늘의 사면이 골면을 향하게 하여 제2소구치의 치근단부 상방을 향하여 자입을 진행한다(그림 10-8).

⑤ 흡인 후, 1.0~1.5 ml의 주사제를 천천히 주입하고 주사침을 빼낸다. 환자에게 해당 마취 부위의 감각 상실 여부를 시험한다.

3) 마취되는 부위 및 증상

상순의 구각부, 인접 협점막과 소구치부위가 마취되며, 소구치부위의 보존적 치료 시 이것으로 충분하나 외과적 처치 시 구개부 마취가 보조적으로 필요하다.

상악 제1, 2소구치 및 제1대구치 및 인접 지지조직이 둔감해지고 기구조작 시 통증을 느끼지 못하나 상악 제1대구치의 경우 원심 협측과 구개측 치근에 분포된 후상치조신경의 영향으로 통증을 느낄 수 있다.

4) 마취의 실패 및 합병증

마취액이 상악 제2소구치의 근단보다 상방에 침착되지 않았거나 골막에서 너무 멀리 떨어진 연조직 내에 마취액이 침착된 경우에는 치아에 대한 마취 효과가 감소한다.

합병증은 매우 드물며 가끔 협부 조직의 혈관 손상에 의한 혈종이 생길 수 있지만 압박 지혈 시 크게 문제되지 않는다.

4. 후상치조신경 전달마취법

상악 전방부위의 마취방법들과 달리 상악 대구치부의 마취는 후상치조신경 전달마취법을 사용함으로써 쉽게 얻을 수 있다. 하지만, 신경의 해부학적 위치상 잠재적 혈종 형성같은 합병증 발생 가능성이 높으므로 술기에 대한 정확한 이해가 필요하다.

1) 해부학적 고려점

후상치조신경은 익돌구개와(pterygopalatine fossa)에서 나와 외측하방으로 지나 상악결절의 후방 외측벽에 있는 소공을 통하여 상악골 속으로 들어간다. 골내에서 후상치조신경은 상치총(superior dental plexus)을 형성하며 상악 제1대구치 근심협근을 제외한 상악 대구치부와 인접 치조골 및 지지조직으로 분포된다(그림 10-9).

익돌구개와에는 정맥혈관들이 모여 있는 익돌정맥총(pterygoid venous plexus)이 있으며, 주사침 자입이 너무 원심측으로 되면 이 부위에 손상을 일으켜 혈종이 야기될 수 있다. 따라서 주사침이 자입 될 깊이를 결정하기 위해서 환자의 두개골 크기를 고려해야 한다. 즉, 평균적인 크기의 두개골보다 작은 두개골의 환자에 있어서 평균 깊이의 자입은 혈종을 야기하기 쉽다.

2) 마취방법

① 혈종 발생 예방을 위하여 되도록 25 게이지의 짧은 주사침을 준비한다.

② 술자는 중상치조신경 전달마취 때와 비슷한 자세로 위치를 잡는다.

③ 빰을 견인한 후, 상악 제2대구치와 제3대구치 사이의 상방 협측 전정부의 자입점을 확인한다. 점막을 건조시키고 도포마취를 시행한다.

④ 자입점 주위 점막을 팽팽하게 잡아당기면서 주사침을 천천히 내측 후상방으로 한 동작에 약 1.5 cm 깊이로 자입한다. 주사침의 각도는 교합평면을 기준으

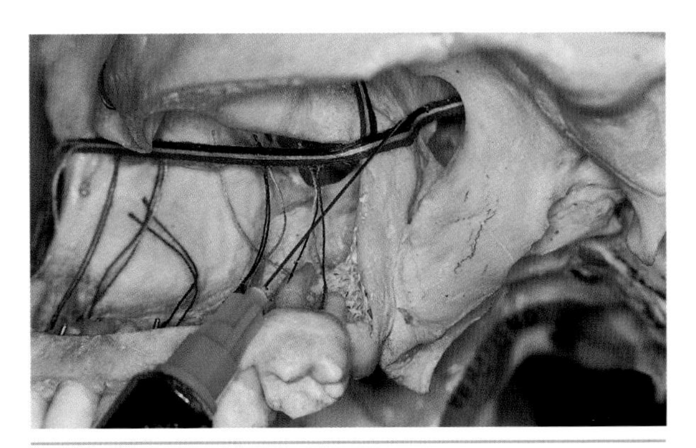

그림 10-9. 후상치조신경의 주행방향과 자입된 주사침의 위치 관계

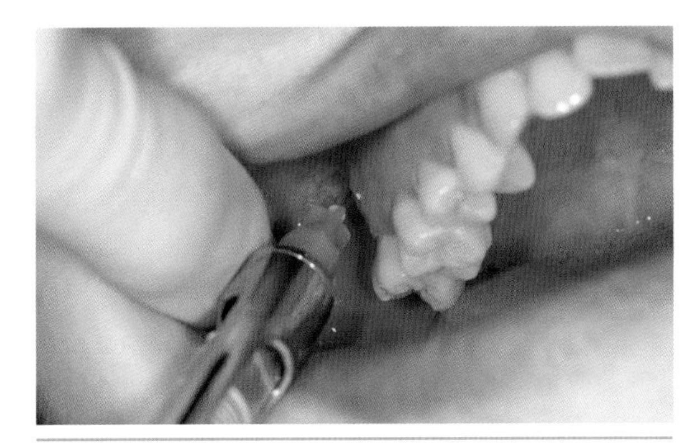

그림 10-10. 후상치조신경 전달마취법
주사침의 방향과 각도에 주의한다.

로 45° 상방, 정중선을 향하여 45° 내측, 상악 제2대 구치 장축에 45° 후방이다(그림 10-10).

⑤ 반드시 흡인 확인한 후, 1.0~1.8 ml의 국소마취제를 천천히 주입하고 조심스럽게 주사침을 빼낸다.

⑥ 3~5분 경과 후, 치료를 시작한다.

3) 마취되는 부위 및 증상

상악 대구치, 인접한 연조직, 치주인대와 치조골 등이 마취된다(그림 10-11). 그러나 제1대구치의 근심협근 마취를 위하여 중상치조신경의 마취가 부가적으로 필요하다.

4) 마취의 실패 및 합병증

혈종 발생의 예방을 위해 주사침을 충분히 자입하지 않거나 너무 외측방으로 자입하였을 경우, 후상치조신경과 멀리 떨어진 부위에 마취액이 침착되어 마취가 실패할 수 있다.

혈종은 주사침이 너무 후방으로 자입되어 익돌정맥총으로 들어갔을 때 발생하며 수 분 내에 협측 점막의 부종으로 나타난다. 드물지만, 후상치조신경의 측면에 위치한 삼차신경의 하악 분지가 마취되는 경우에는 환자들이 혀와 하순의 마비를 호소하기도 한다.

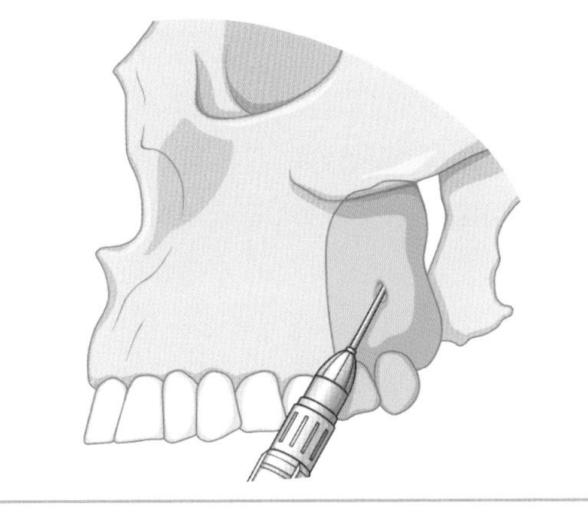

그림 10-11. 후상치조신경 전달마취법 시 마취되는 부위

5. 안와하신경 전달마취법

안와하신경 전달마취 시 전상치조신경, 중상치조신경, 그 외 안와하신경의 종말분지가 마취된다. 안와하신경 전달마취법은 일반적으로 보통의 치과치료 시에는 거의 사용되지 않으며, 주로 상악 전치부의 복합적 치료 시 여러 번 주사 놓는 것을 피하기 위해 사용되거나 치료부위의 치근단 감염 등으로 골막주위마취법으로 마취효과가 불명확할 때 사용할 수 있다. 특히, 최근에는 비순구의 증강술(augmentation) 또는 필러(filler) 술식을 위해 사용되기도 한다.

1) 해부학적 고려점

안와하신경 전달마취 시 자입점은 안와하공(infraorbital foramen)이며 그렇기 때문에 안와하공의 위치를 정확히 인지하는 것이 마취 성공률을 높이는 방법이다. 안와하공의 위치를 찾기 위하여 구강외의 몇 가지 해부학적 구조물을 참고로 한다. 환자에게 정면을 쳐다보도록 한 자세에서 동공(pupil), 안와하절흔(infraorbital notch), 안와하공 및 구각부가 일직선상에 놓이게 되며, 이 선상의 안와하연에서 보통 5~10 mm 하방으로 안와하공이 위치한다(그림 10-12).

2) 마취방법

안와하신경 전달마취법은 기본적으로 3가지 방법이 있다. 두 가지는 구내 접근법이며, 다른 한 가지는 구외 접근법으로 안와하공 직상방의 피부를 통하여 마취하는 방법이다. 구내 접근법에 비하여 구외 접근법은 피부를 소독해야 하며 도포마취의 효과가 불투명하다. 또한, 바로 눈앞에서 주사침을 자입해야 하므로 환자의 공포심이 증가될 수 있어 특별한 경우가 아니면 잘 사용되지 않는다(그림 10-13).

(1) 구강 내 수직접근법

① 어린이나 안면골이 작은 성인을 제외하고 25게이지의 긴 주사바늘이 추천된다.

② 안와하공의 위치를 촉지, 확인한다(그림 10-14). 그 부위에 보조손의 검지 또는 중지를 대고 엄지손가락으로 환자의 상순과 뺨을 견인한다(그림 10-15).

③ 상악 제2소구치의 협측 전정부의 자입점을 확인하고 점막 건조 후, 도포마취를 시행한다.

④ 상악 제2소구치의 장축을 따라 수직으로 안와하공에 도달할 때가지 연조직을 따라서 서서히 자입한다. 주사침의 자입 깊이는 1.5 cm이며, 안와하공을 촉지하고 있는 검지 또는 중지로 주사침이 안와하연 상방으로 넘어가지 않도록 한다(그림 10-15).

⑤ 흡인하여 혈액의 유입여부를 확인한 후, 0.9~1.2 ml의 국소마취제를 주입한다. 마취 후 적어도 1분 동안은 자입부의 손가락으로 압력을 가해 안와하공으로의 마취제 확산을 증가시키도록 한다.

(2) 구강 내 정중부접근법

① 안와하공의 위치를 촉지, 확인한다. 그 부위에 보조손의 검지 또는 중지를 대고 엄지손가락으로 환자의 상순과 뺨을 견인한다.

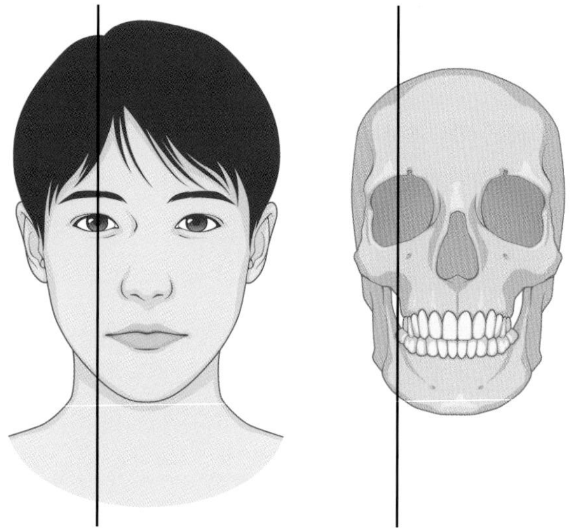

그림 10-12. 안와하공의 해부학적 위치

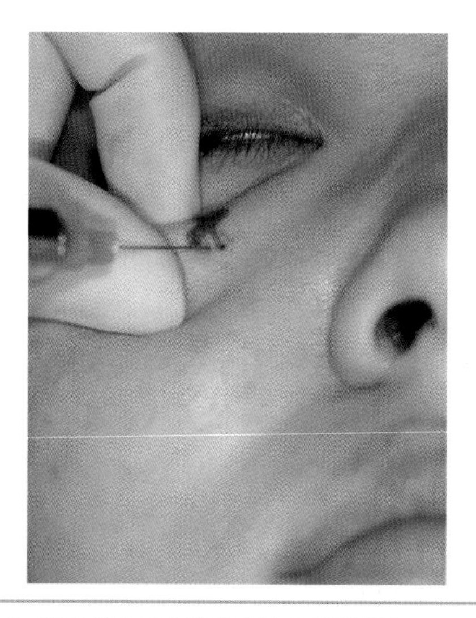

그림 10-13. 안와하공신경 전달마취 구외접근법

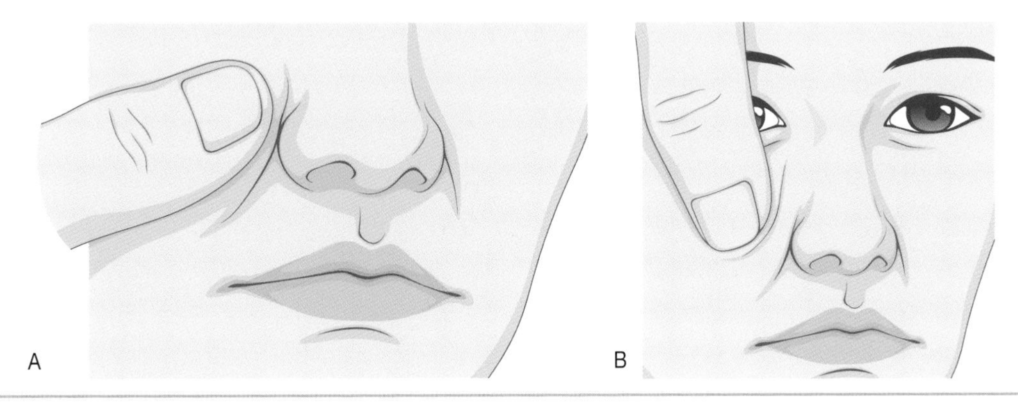

그림 10-14. 안와하공의 촉지법
(A) 환자의 전방에서 촉지하는 경우, (B) 환자의 후방에서 촉지하는 경우

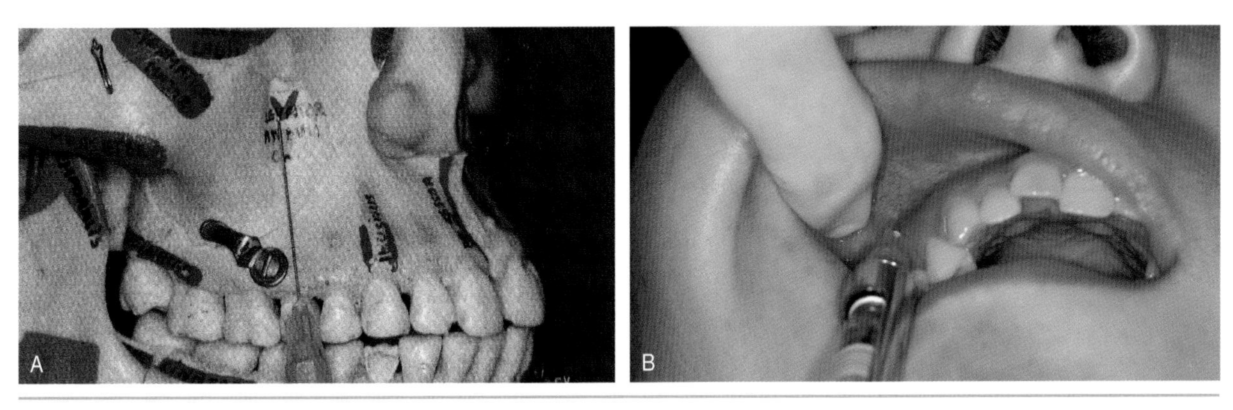

그림 10-15. 구강 내 수직접근 안와하신경 전달마취법
(A) 상악 제2소구치의 치아 장축을 따라 수직으로 접근한다. (B) 술자의 위치에 따라 엄지 또는 검지를 안와하공 부위에 대고, 다른 손가락으로 상순을 젖힌 다음 주사침을 자입한다.

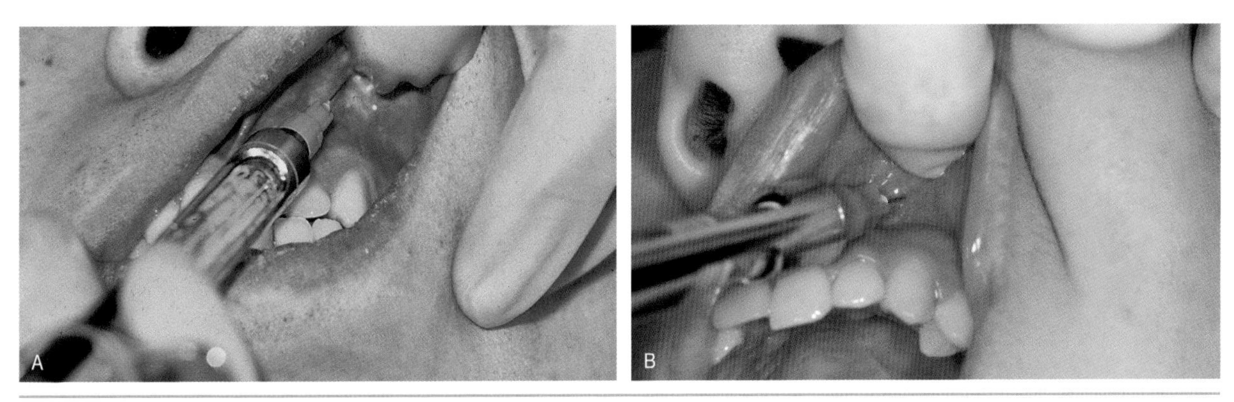

그림 10-16. 구강 내 정중부접근 안와하신경 전달마취법
(A) 상악 중절치 부위에서 사선으로 접근한다. (B) 자입점은 상악 측절치와 견치 사이의 전정부 점막이다.

② 상악 측절치와 견치 사이의 협측 전정부 자입점을 확인하고 점막 건조 후, 도포마취를 시행한다.

③ 마취하려는 쪽의 중절치의 근심 절단면에서 원심치경부를 지나는 사선 방향으로 주사침을 자입하여 안와하공 부위까지 밀어 넣는다(그림 10-16).

④ 흡인 확인한 후, 0.9~1.2 ml의 국소마취제를 천천히 주입한다.

3) 마취되는 부위 및 증상

안와하공 전달마취를 하였을 때, 마취한 쪽의 중절치, 측절치와 견치, 이 부위의 순측 치주조직과 상순, 전방 협측, 하안검 및 코의 측부가 마취된다. 때로 소구치와 제1대구치의 근심협근부위까지 마취되기도 한다(그림 10-17). 전치부에서 시술 시 반대 측 전상치조신경이 교차분포되므로 전치부에 부가적인 침윤마취가 필요할 수도 있다.

4) 마취의 실패 및 합병증

모든 마취의 실패는 정확한 안와하공 부위에 마취제를 주입하지 못한 경우 발생된다. 술자의 해부학적 이해와 숙련도에 따라 성공률이 상반된다.

간혹 혈종이 발생하기도 하나 드물며, 보조손에 의한 촉지와 자입 깊이를 준수한다면 주사침에 의한 안구손상은 거의 일어나지 않는다.

6. 비구개신경 전달마취법

비구개신경 전달마취는 마취액을 최소로 사용하면서 넓은 부위의 구개측 연조직 마취를 원할 경우 사용되며, 구개측 자입 횟수를 최소화하면서 상악 전치부 구개측의 통증 조절을 위한 매우 유용한 마취법이다. 하지만, 경구개 조직은 두꺼우며 치밀한 조직으로 대부분 환자의 경우, 국소마취에 따른 심한 통증을 경험하게 된다. 따라서 주사침의 자입 시 통증을 경감시키기 위해 도포마취를 시행할 뿐만 아니라, 자입점 주위 조직을 손이나 면봉 같은 기구로 압박을 하면서 주사침을 자입하고 마취제를 주입하도록 해야 한다.

1) 해부학적 고려점

양측의 비구개신경이 비중격을 따라 내려와서 절치관(incisive canal)으로 들어간 다음 전구개(anterior palate)의 절치공(incisive foramen)으로 빠져나온다. 일반적으로 절치공은 좌우측 중절치의 치조골간 중격 하단에서 10 mm 정도 후방부위로 정중선과 양측 견치를 연결한 선이 만나는 부위에 있으며, 절치유두(incisive papilla)로 인해 쉽게 인지할 수 있다(그림 10-18).

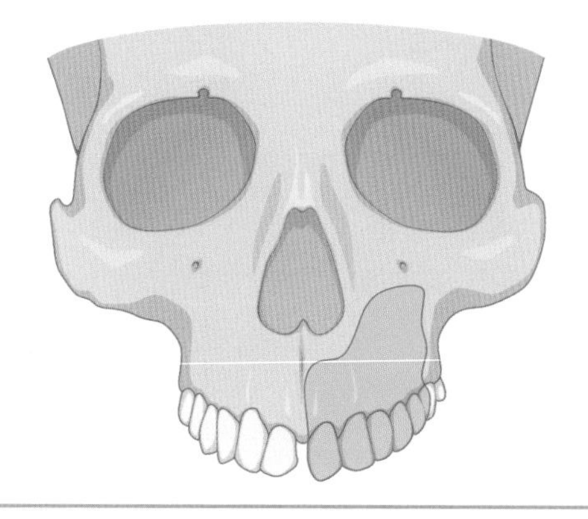

그림 10-17. 안와하신경 전달마취 시 마취되는 부위

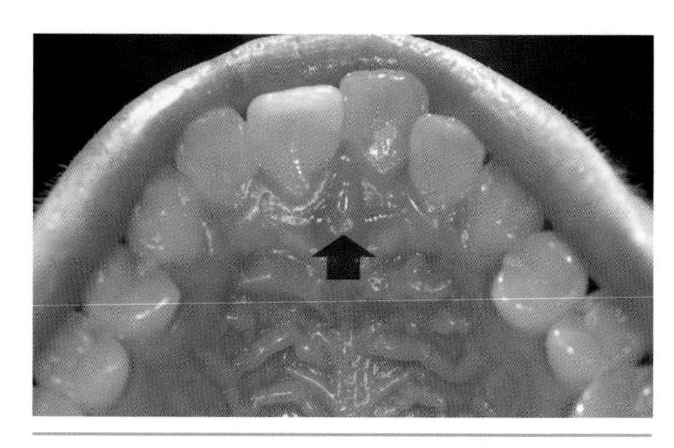

그림 10-18. 절치공(incisive foramen)의 해부학적 위치

2) 마취방법

① 27 게이지의 짧은 주사침을 준비한다.

② 절치공을 덮고 있는 절치유두를 잘 볼 수 있도록 가능한 환자의 입을 크게 벌리도록 한다.

③ 절치유두를 확인한 후, 점막을 건조시키고 도포마취제를 약 2분간 적용한다.

④ 통증 경감을 위해 절치 유두부를 보조손의 손가락으로 누르거나 면봉으로 압박한다. 압박은 주위 신경의 감각을 둔화시킨다(그림 10-19).

⑤ 압박부 주변으로 허혈(구개측 점막의 색이 하얗게 변하는 것)이 생기면 주사침을 절치유두 측방에서 자입한다. 술자의 위치 또는 편의에 따라 주사침을 구부려서 접근, 자입할 수도 있다(그림 10-20).

⑥ 3~5 mm 정도 구개측 치조골과 접촉될 때까지 천천히 주사침을 밀어 넣고 흡인 확인한다.

⑦ 아주 서서히(최소 15~30초) 0.4~0.5 ml 국소마취제를 주사한다. 천천히 약물을 주입하는 것이 국소마취에 의한 통증을 경감시키는 가장 좋은 방법이라는 것을 기억해야 한다.

⑧ 주사침을 제거하고 2~3분 가량 후, 환자에게 감각상실 여부를 시험하고 나서 치료를 시작한다.

3) 마취되는 부위 및 증상

비구개신경 전달마취 시 상악 좌, 우 중절치와 측절치 및 견치 부위의 구개치은과 구개면 전방부의 골점막이 마

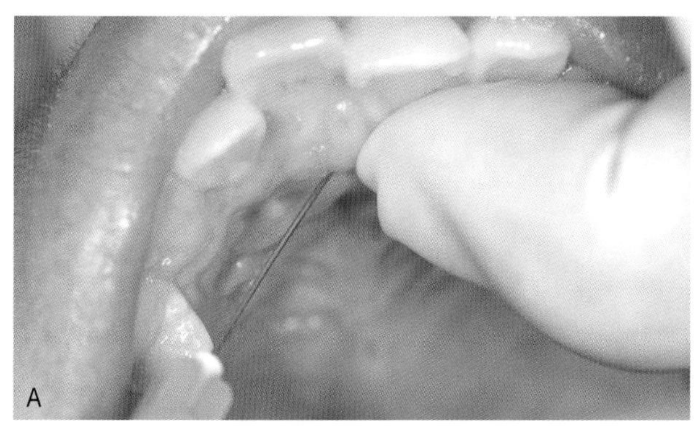

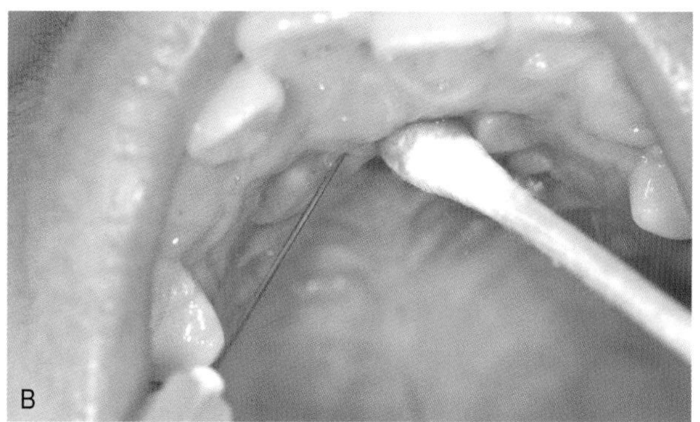

그림 10-19. 경구개 마취 시 압박에 의한 통증 경감법
(A) 보조손의 손가락으로 압박, (B) 면봉 같은 기구로 압박

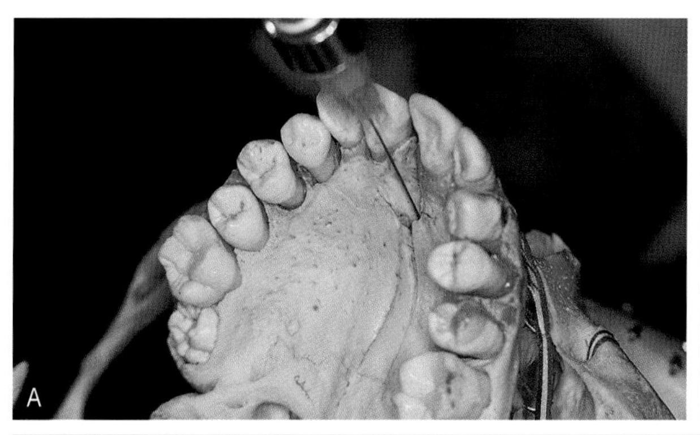

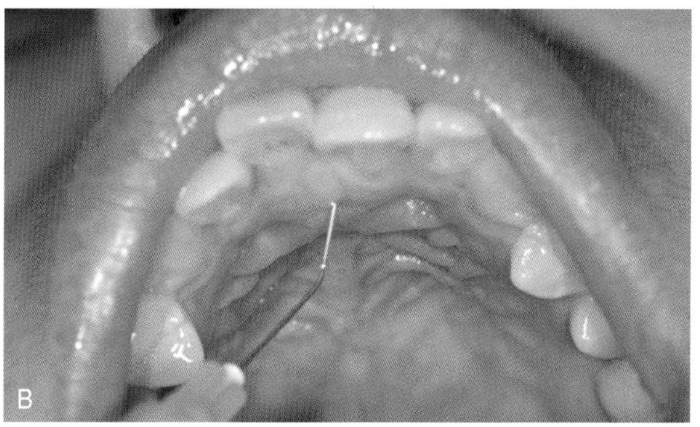

그림 10-20. 비구개신경 전달마취법
(A) 절치유두의 측면에서 절치공을 향하여 주사침을 자입한다. (B) 주사침을 구부려서 접근할 수도 있다.

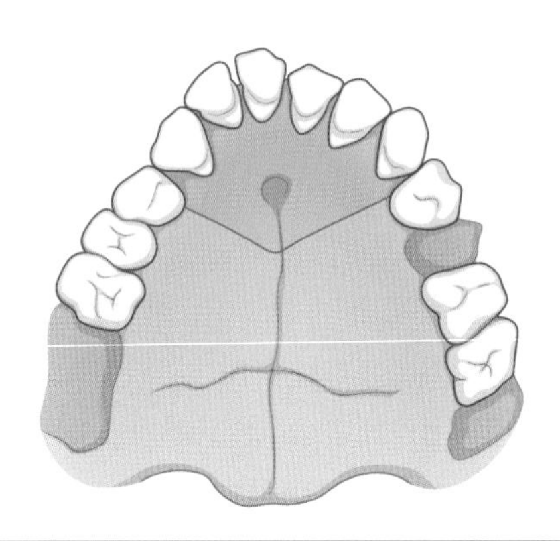

그림 10-21. 비구개신경 전달마취 시 마취되는 부위

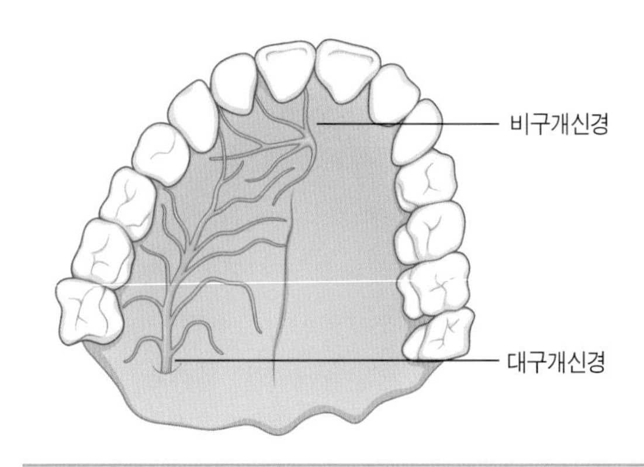

그림 10-22. 상악 소구치부에서 비구개신경과 대구개신경의 교차 분포

취된다(그림 10-21). 하지만 때때로 견치 및 소구치 부위에서 대구개신경(greater palatine nerve)이 교차, 이중 분포되어 환자가 감각을 인지할 수 있으므로 시술 시 추가적인 침윤마취가 필요하다(그림 10-22).

4) 마취의 실패 및 합병증

술자의 숙련도와 큰 상관없이 성공률이 매우 높은 술식이다. 하지만, 절치공의 위치를 정확히 찾지 못하거나 주사침이 절치공을 지나 비강으로 관통되었을 경우 마취가 실패할 수 있으며, 특히 비강내로 마취액이 주입되었을 경우, 환자는 심한 불쾌감을 호소할 수 있다(그림 10-23). 드물지만 너무 많은 양의 국소마취제 주사 시 압력에 의해 통증을 수반한 구개점막의 조직괴사가 초래될 수 있다.

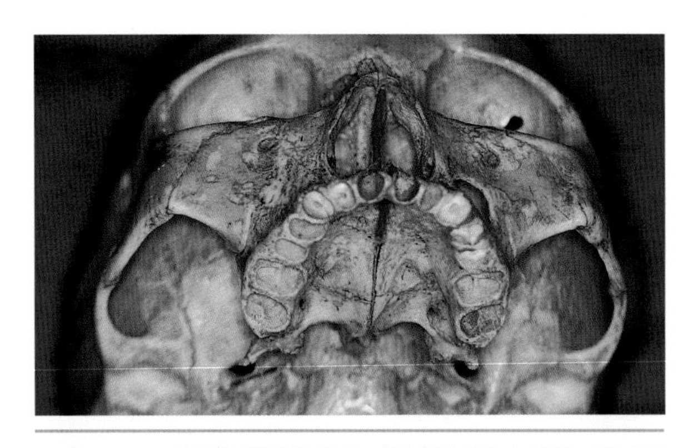

그림 10-23. 비구개신경관을 통한 비강과 절치공의 연결: 비구개신경관 내로 너무 깊이 주사침을 자입 시 비강으로 관통될 수 있다.

7. 대구개신경 전달마취법

대구개신경 전달마취법은 경구개의 후방 ⅔부위의 골점막을 마취하는 방법으로 상악 소구치부 및 대구치부의 구개측 연조직 치료 시 사용된다. 앞서 설명한대로 상악 견치 및 일부 소구치부에서 비구개신경이 교차 분포되어 있으므로 이 부위의 시술 시 이들 모두를 전달마취하거나 해당부위에 침윤마취를 한 번 더 해야 한다(그림 10-22).

1) 해부학적 고려점

대구개신경은 대구개공(greater palatine foramen)을 통하여 경구개로 나오기 때문에 대구개신경 전달마취가 성공하기 위해서는 대구개공의 위치를 확인하는 것이 중요하다. 대구개공은 상악 제2대구치와 3대구치 사이의 치은연으로부터 구개정중선 방향으로 약 10 mm 떨어진 쪽에 위치하며, 그 후방에 소구개공이 위치한다(그림 10-24). 때로 면봉으로 대구개공의 위치를 확인할 수 있는데

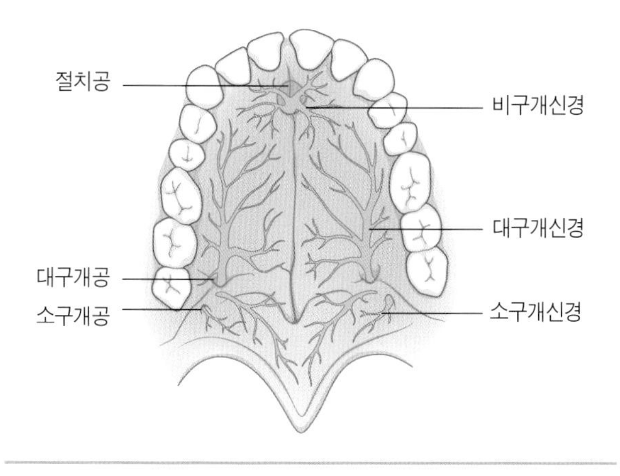

그림 10-24. 절치공, 대구개공 및 소구개공의 해부학적 위치

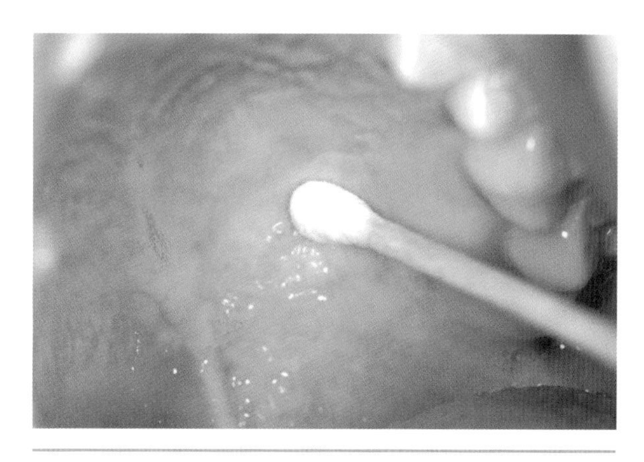

그림 10-25. 면봉을 이용한 대구개공 인지법

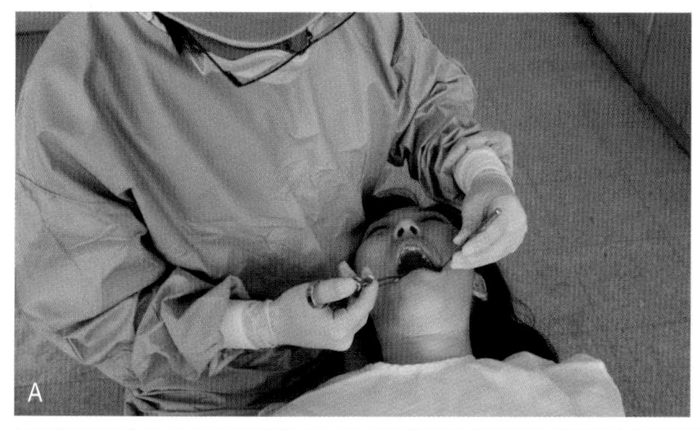

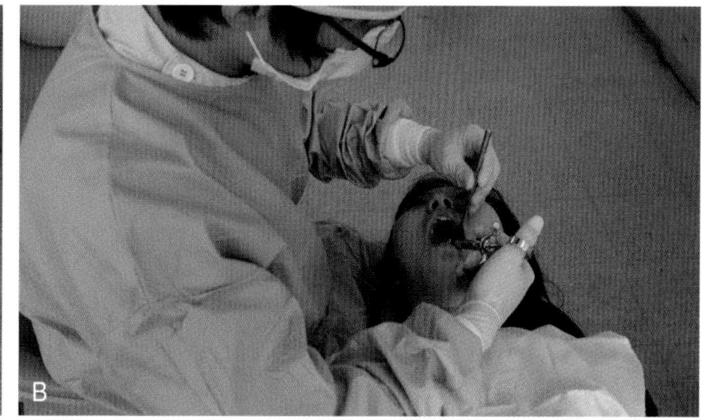

그림 10-26. 대구개신경 전달마취 시 술자의 위치
(A) 환자의 좌측 대구개신경 전달마취 시 (B) 환자의 우측 대구개신경 전달마취 시

면봉에 의한 경구개 조직 압박 시 대구개공에 의해 생긴 함몰부를 인지하게 된다(그림 10-25).

2) 마취방법

① 25 게이지도 가능하나 27 게이지의 짧은 주사침이 추천된다.
② 환자의 좌측 대구개신경 전달마취 시에 술자는 환자를 마주보고 9~10시 방향에 앉는다. 반면, 우측 대구개신경 전달마취 시에는 환자의 7~8시 방향에서 자세를 잡는다(그림 10-26). 때때로 접근성을 좋게 하기 위해 주사침을 구부려 자입할 수도 있다.
③ 비구개신경 전달마취법과 마찬가지로 도포마취 후, 압박법을 사용하여 주사침 자입 시 통증을 경감시킨다.
④ 자입점은 마취액이 후방으로 유입되어 소구개공이 마취되는 것을 예방하기 위하여 대구개공보다 전방, 1~2 mm 부위에 정하며, 주사침을 자입부에 직각이 되게 하여 전진시킨다(그림 10-27).
⑤ 자입 깊이는 10 mm 이하이며, 흡인 확인한 후 0.25~0.5 ml의 국소마취제를 아주 서서히 주입한다.
⑥ 주사침을 제거하고 2~3분 가량 후 치료를 시작한다.

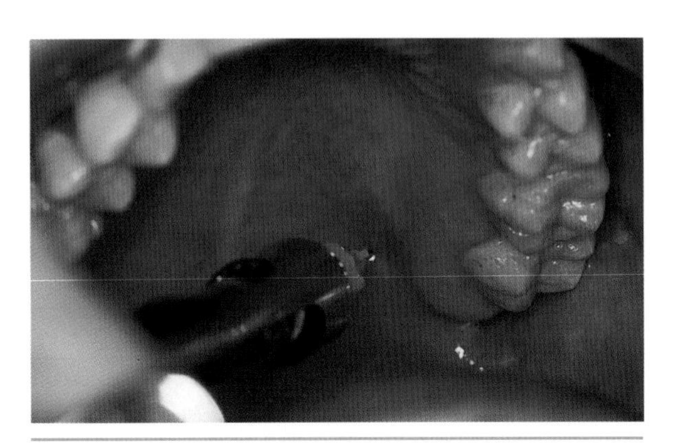

그림 10-27. 대구개신경 전달마취법

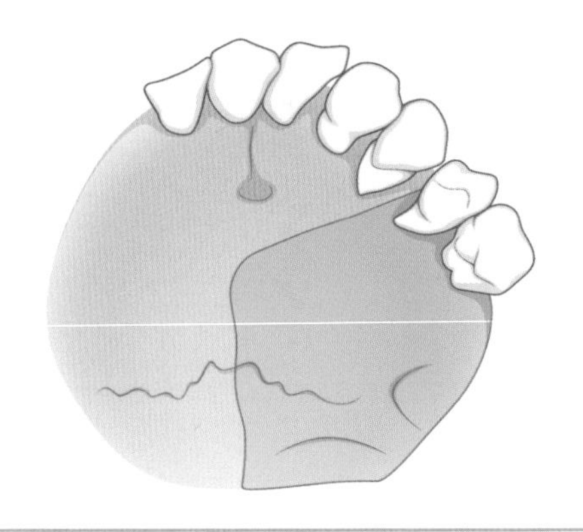

그림 10-28. 대구개신경 전달마취 시 마취되는 부위

3) 마취되는 부위 및 증상

마취된 대구개신경쪽의 상악 구치부 구개점막의 치은연에서 정중부까지 마취된다(그림 10-28). 환자가 구개측 후방의 마취된 부위에 혀를 대었을 때 둔감을 나타내며 기구조작 시 통증이 없다.

4) 마취의 실패 및 합병증

대구개신경 전달마취는 대구개공의 위치를 정확히 인지한 후 시행한다면 성공률이 매우 높은 술식이다.

심각한 합병증은 없으나, 대구개공의 위치가 소구개공과 연구개와 가깝기 때문에 이 부위에 마취액이 침착될 경우, 목젖 및 편도까지 마취될 수 있으며 환자들은 저작과 연하 시 큰 불편감을 호소할 수 있다.

8. 상악신경 전달마취법

상악신경 전달마취는 삼차신경의 두 번째 분지인 상악신경이 여러 갈래로 나누어지기 전에 마취액을 주입하여 상악의 절반을 마취하게 되며, 상악 마취법 중 가장 광범위한 마취 효과를 얻게 된다. 이러한 이유로 보존적 치료 같은 일반적인 치과치료 시에는 거의 사용되지 않으며, 상악에 심한 감염성 질환이 있거나 광범위한 외과적 처치가 요구될 때, 또는 삼차신경통의 진단이나 치료목적으로 사용된다.

1) 해부학적 고려점

상악신경 전달마취의 핵심은 국소마취제를 익돌상악와(pterygomaxillary fossa)내에 주입하는 것이다. 익돌상악와에는 안와하신경, 후상치조신경과 구개신경(palatine nerve)과 비신경(nasal nerve)으로 나뉘는 익돌구개신경근(pterygopalatine nerve root)을 포함하여 주 감각신경 분지를 내보내는 상악신경의 주근간이 들어 있다.

익돌구개관접근법을 사용할 때에는 대구개공의 위치와 익돌구개관의 모양이 중요 변수이다. 대구개공은 환자의 90% 정도에서 전후방으로 볼 때, 상악 제2대구치의 원

표 10-3. 익돌구개관과 구개골이 시상면에서 이루는 각

각도(°)	환자수(%)
<35	24(12.1)
35~42.5	53(26.6)
45~47.5	34(17.1)
50~57.5	63(31.3)
>57.5	25(12.6)

Malamed SF, Triger N: Intraoral maxillary nerve block. An anatomical and clinical study. Anesth Prog 30: 44-48, 1983.

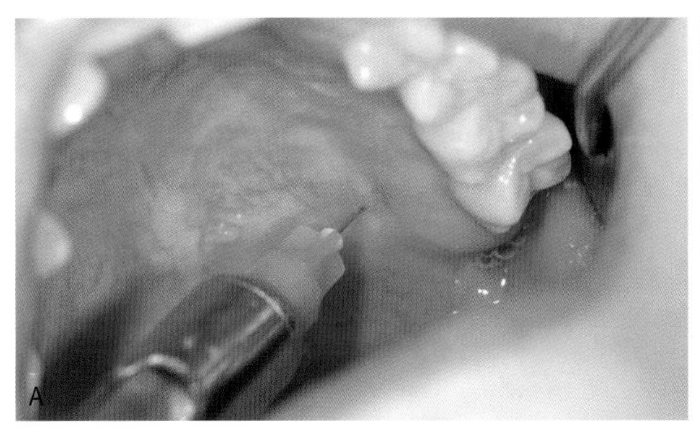
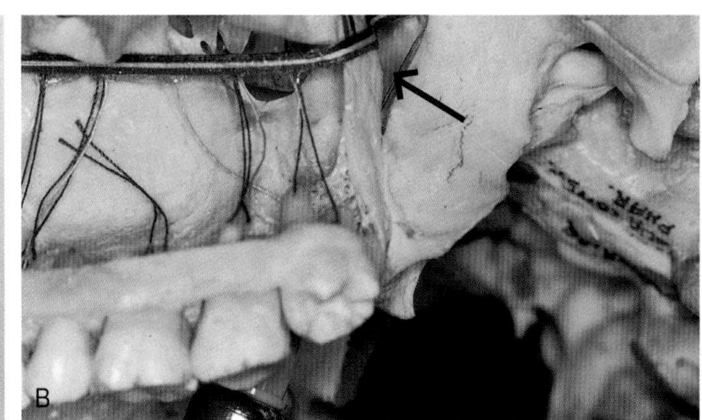

그림 10-29. 익돌구개관접근 상악신경 전달마취법
(A) 대구개공에 주사침 자입, (B) 익돌구개관을 관통하는 주사침

심면과 제3대구치의 근심면 사이에 있으며 나머지 환자에서는 대부분 제3대구치의 원심측에 위치한다. 익돌구개관과 구개골이 시상면에서 이루는 각도는 환자에 따라 다양한 차이가 있는데, 환자의 75%는 35~55°로 비교적 차이가 적으나 전체적으로 20~70°의 큰 차이를 보이고 있다(표 10-3).

2) 마취방법

상악신경 전달마취법은 다음의 3가지 방법이 있다.

① 익돌구개관(pterygopalatine canal) 접근법
② 상악결절상방(high tuberosity) 접근법
③ 구외마취법

이 중 상악신경의 전달마취를 위하여 익돌구개관접근법이 흔히 사용되고 있으며, 익돌구개관의 접근이 어려운 경우 심부상악결절접근법을 사용할 수 있으나 혈종 형성의 가능성이 높다.

(1) 익돌구개관접근법

① 주사침 파절을 예방하기 위해 25 게이지의 긴 주사바늘을 준비한다.
② 술자의 위치는 대구개신경 전달마취법과 유사하다.
③ 면봉에 의한 경구개 조직 압박 시 대구개공에 의해 생긴 함몰부를 인지하여 도포 마취를 시행한다(그림 10-25).
④ 자입점은 대구개공의 직상방이며, 익돌구개관의 통과를 용이하게 하기 위해 주사침을 약 35~45°로 기울인 후 자입한다(표 10-3). 매우 천천히 익돌구개관을 따라 주사침을 안으로 약 30 mm 정도까지 전진시킨다(그림 10-29).
⑤ 전진 시 저항이 느껴질 경우에는 무리하게 힘을 주지 말고 주사침을 살짝 후퇴시킨 후에 다른 방향으로 자입을 시도한다. 만약 장해물에 의해 주사침이 원하는 자입 깊이까지 도달되지 않을 경우에는 다른 마취 접근법을 시행해야 한다.
⑥ 흡인 확인한 후 최소 1분 동안 1.8 ml의 국소마취제를 느리게 주입한다.
⑦ 주사기를 빼고 3~5분 후 환자에게 감각 상실 여부를 시험하고 나서 치료를 시작한다.

(2) 상악결절상방접근법

주사침을 3.0 cm 정도 깊이 자입한다는 것 외에는 후상치조신경 전달마취법과 비슷하다.

① 25 게이지의 긴 주사바늘이 추천된다.
② 술자의 위치는 후상치조신경 전달마취법과 유사하다.
③ 뺨을 견인한 후, 상악 제2대구치와 제3대구치 사이

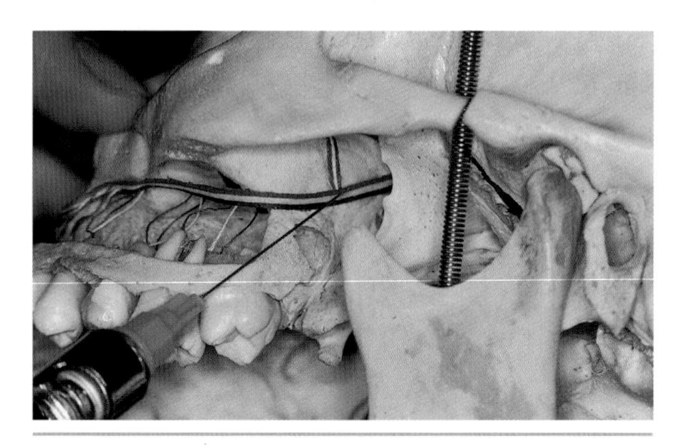

그림 10-30. 상악결절상방접근 상악신경 전달마취법

의 상방 협측 전정부의 자입점을 확인한다. 점막을 건조시키고 도포마취를 시행한다.

④ 자입점 주위 점막을 팽팽하게 잡아당기면서 주사침을 천천히 내측 후상방으로 한 동작에 약 3.0 cm 깊이로 자입한다. 주사침의 각도는 교합평면을 기준으로 45° 상방, 정중선을 향하여 45° 내측, 상악 제2대구치 장축에 45° 후방이다(그림 10-30).

⑤ 반드시 2회 이상 흡인 확인한 후, 1.8 ml의 국소마취제를 천천히 주입하고 조심스럽게 주사침을 빼낸다.

⑥ 3~5분 경과 후, 치료를 시작한다.

(3) 구외접근법

주로 삼차신경통의 진단이나 치료를 위해 사용되는 접근 방법이다.

① 관골궁(zygomatic arch)의 중간지점을 촉지하여 그 하방의 관골하연 함몰부위에 자입점을 표시한다.

② 자입점 주위의 피부를 베타딘 솜으로 소독한다.

③ 23 게이지, 8 cm 길이의 주사침을 사용하며, 주사침의 4.5 cm 부위에 표식(소독된 고무판을 끼우거나 펜으로 표시함)을 해둔다.

④ 자입점에 수직으로 주사침을 자입한 후, 외측 익상판에 닿을 때까지 아주 서서히 앞으로 진행시킨다. 단, 주사침 표식부위보다 더 깊이 넣어서는 안 된다(그림 10-31).

⑤ 외측 익상판에 닿은 후, 주사침을 조금 빼내고 약간 전상방으로 주사침의 표식부위까지 밀어 넣는다.

⑥ 2회 이상 흡인하여 혈관 내 천공여부를 확인하고 2 ml의 국소마취제를 주입한다.

3) 마취되는 부위 및 증상

상악신경과 그 분지가 모두 마취되므로 구강 내의 경우 마취한 쪽의 전 상악이 마취되나(그림 10-32), 상악 중절

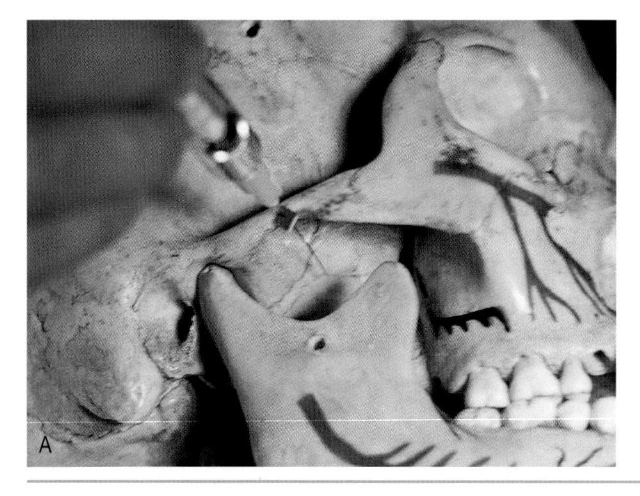

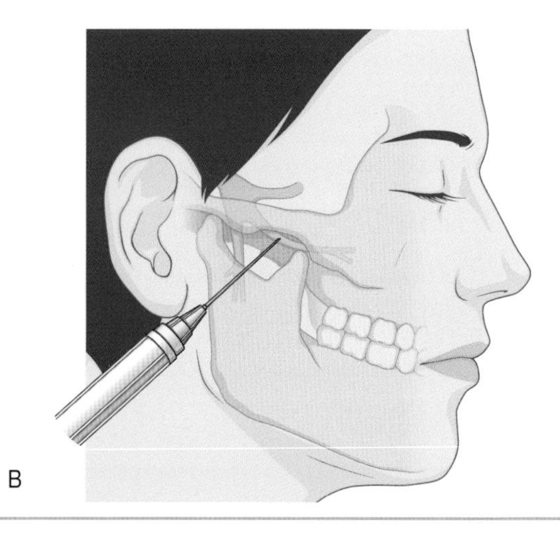

그림 10-31. 구외접근 상악신경 전달마취법

(A) 관골절흔의 하방에서 피부와 직각으로 주사침을 자입하여 외측 익상판에 접촉하도록 한 후, (B) 주사침을 조금 빼서 전상방으로 자입한다.

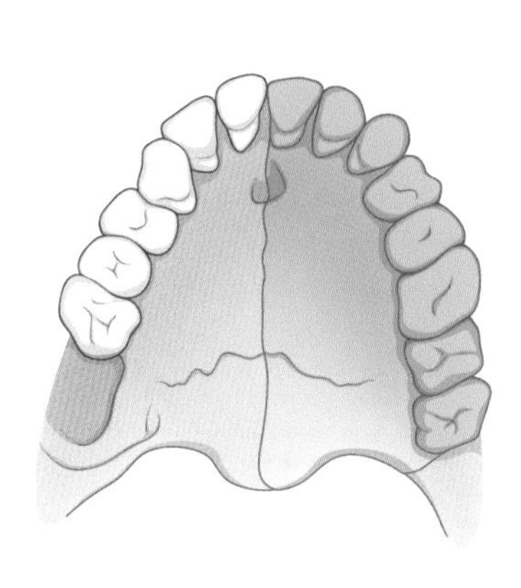
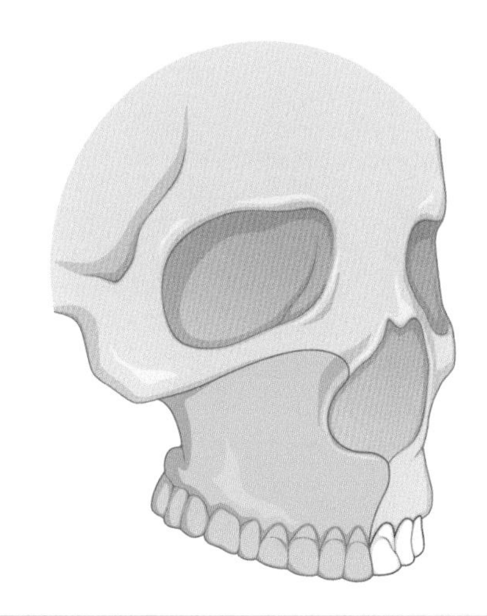

그림 10-32. 상악신경 전달마취 시 마취되는 부위

치부위는 반대측의 상악신경이 교차분포되므로 통증을 느낄 수 있다. 이 부위의 완전한 마취를 위하여 골막주위 마취나 비구개신경전달 마취 등의 부가적인 마취가 필요하다.

환자는 상순, 뺨과 안와하부 그리고 관골부위의 피부를 포함하여 중안면부의 둔감을 느낀다. 또한 연구개와 인두부위의 마취로 연하장애가 나타난다. 또한 자율신경의 차단으로 코막힘과 눈물샘분비의 억제 등이 초래될 수 있다.

4) 마취의 실패 및 합병증

익돌구개관접근법 시 대구개공의 위치를 잘 찾지 못하거나 익돌구개관내 골성 장해물에 의해 주사침의 자입이 부족한 경우, 마취가 실패한다. 때로는 너무 깊이 자입되어 안구까지 관통되는 경우도 있으며, 이때는 복시(diplopia), 안구돌출, 산동(mydriasis) 및 안근마비 등이 발생될 수 있다.

상악결절상방접근법 시에는 익돌정맥총 또는 상악 동맥이 손상될 수 있으며, 그에 따른 혈종이 발생하기도 한다.

참고문헌

1. 김여갑, 이상철.: 구강악안면영역의 소수술. 의치학사, 서울, 1994.
2. 이상철, 김여갑, 김경욱, 이두익, 염광원, 정성수, 강정완, 김동욱, 김창환, 김용석: 구강악안면 국소 및 전신마취학, 둘째판, 군자출판사, 2001.
3. Du Brul EL: Sicher and Du Brul's Oral Anatomy, 8th ed. St Louis. Ishiyaku EuroAmerica Inc, 1988.
4. Malamed SF: Handbook of Local Anesthesia. 5th ed. St Louis. Mosby, 2004.
5. Malamed SF, and Trieger N: Intraoral maxillary nerve block: An anatomical and clinical study. Anesth Prog, 30:44-48, 1983.
6. Mercuri LG: Intraoral second division nerve block. Oral Surg. Oral Med Oral Pathol, 47:109-113, 1976.
7. Roberts DH, and Sowray JH: Local Analgesia in Dentistry. 2nd ed. Bristol. England. John Wright & Sons Ltd, 1979.

CHAPTER

11

| Dental Anesthesiology | 국소마취

하악신경마취법

학습목표

1. 하악에서 사용되는 마취법을 분류한다.
2. 하악에서 사용되는 각 신경 전달마취법의 술식과 이에 관련된 내용을 숙지한다.

치과 임상에서 치아와 잇몸의 마취는 침윤마취(infiltration) 혹은 국소 전달마취(regional nerve block)를 통해 이루어진다.

상악골의 치조골은 다공성이어서 침윤마취만으로도 치아 및 주위 치주조직에 충분한 마취효과를 얻을 수 있지만, 하악골은 전치부를 제외하고는 단단한 치밀골로 되어 있어서, 다음과 같이 각각의 신경에 대한 전달마취가 필요하다(그림 11-1, 11-2).

① 하치조신경(inferior alveolar nerve)
- 악설골신경(mylohyoid nerve)
- 이신경(mental nerve)
- 절치신경(incisive nerve)

② 협신경(buccal nerve)

③ 설신경(lingual nerve)

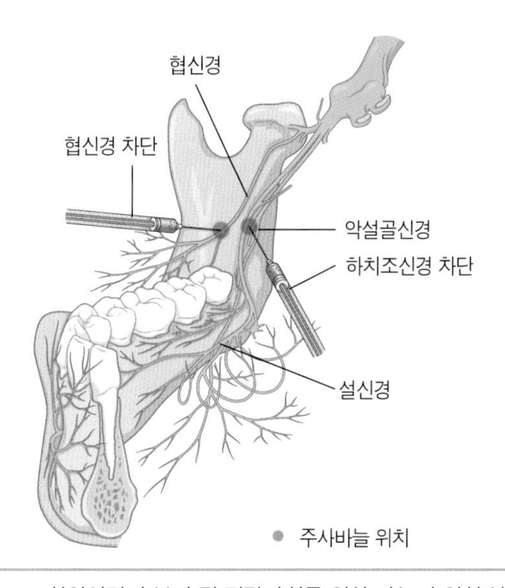

그림 11-1. 하악신경의 분지 및 전달마취를 위한 바늘의 위치(설측)

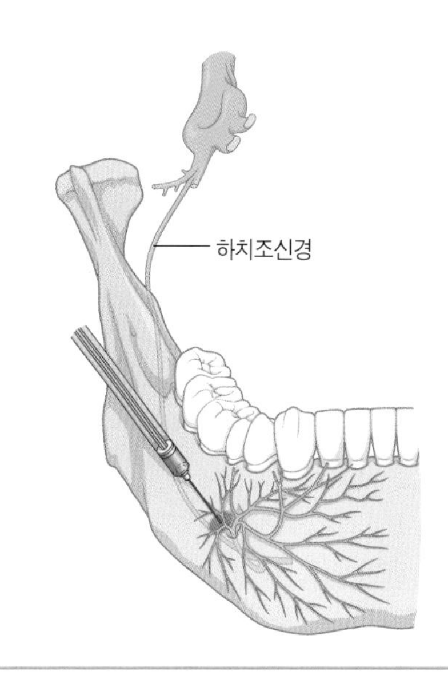

그림 11-2. 하악신경의 분지 및 전달마취를 위한 바늘의 위치(협측)

1. 골막주위마취법

하악에서 골막주위마취법은 성인의 경우에서는 전치부나 연조직 수술 등 매우 제한적으로 사용되며 성인 보다는 주로 어린이나 청소년에서 효과적이다. 성인, 특히 노인층에서는 치밀골이 매우 단단하여 이 방법을 포함한 침윤마취에 의한 마취효과를 기대하기는 어렵다.

하악 전치부에서는 하치조신경의 분지인 절치신경과 이신경이 분포되어 있어 치아, 치주조직과 순측 치은을 마취시켜 보존적 치료가 가능하며, 치아 발거나 설측 치은을 포함한 부위의 외과적 처치 시에는 설신경의 전달마취와 함께 시행되어야 한다. 또한 이신경 또는 하치조신경 등에 전달마취를 하더라도 하악 전치부에는 반대측의 같은 이름의 신경들이 교차 분포되어 있으므로 부가적인 침윤마취가 필요하다.

1) 해부학적 고려점

치료하고자 하는 치아의 치근단을 덮고 있는 골막에 근접하여 국소마취제를 주입한다. 두 개의 치아를 마취하기 위해서는 양측 치아의 치근단 사이에 주사바늘을 자입한다.

2) 마취방법

① 일반적인 방법에 의하여 자입부위를 소독하고 구강내를 세척한다.

② 하순을 젖혀서 시야를 확보하고, 자입점 주위의 조직을 팽팽하게 하여 주사침 자입 시 통증을 줄여 준다.

③ 점막을 건조시키고 도포마취한 다음 주사침을 목표부위로 한번에 빠르게 자입한다(그림 11-3). 자입 시 주사바늘의 각도는 경사면이 골면을 향하도록 하며 치아의 장축에 평행이 되도록 한다. 자입 깊이는 수 mm로서 너무 깊이 넣으면 이근(mentalis muscle) 속으로 들어가 마취효과가 감소될 뿐만 아니라 통증을 증가시킬 수 있다.

④ 25~27 gauge의 주사침을 사용하며 주사바늘이 혈관 속에 들어갔는지 확인하기 위하여 흡인을 시행하여 혈액이 안 나오면 마취액을 천천히 주입한다.

⑤ 마취액의 주입이 끝나면 주사바늘을 서서히 빼고 약 2~3분 정도 기다려 마취효과가 완전히 나타난 후 치료를 시행한다.

3) 마취되는 부위

골막주위 마취 시 마취액이 주입된 부위에 국한되어 마취된다. 연조직의 경우 치은, 인접 순측 점막 및 하순의 일부가 마취된다

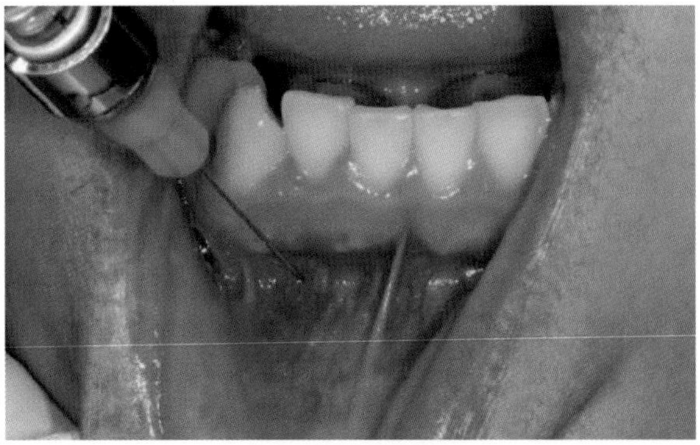

그림 11-3. 마취하려는 치아의 치근단 쪽으로 자입한다.

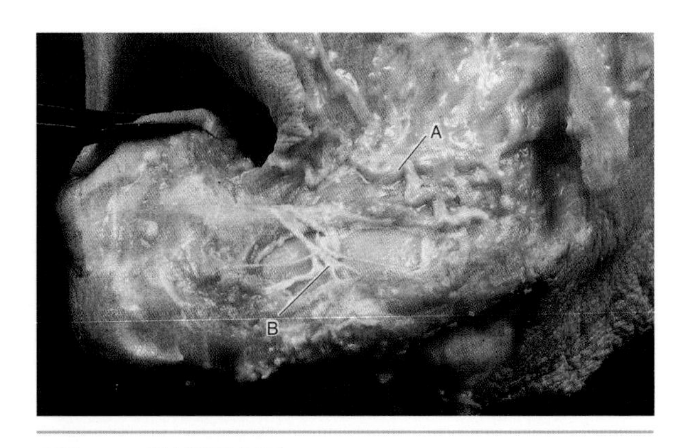

그림 11-4. 이신경의 분포
이공을 나온 이신경은 하순지, 이지, 구각지가 되어 입체적으로 분포한다. (A) 안면동맥, (B) 이신경

2. 이신경 및 절치신경 전달마취법

이신경(mental nerve)은 하치조신경의 종말가지로 하악 소구치의 치근단 근처에 위치한 이공(mental foramen)을 통해 나와 전치 및 견치 때로는 소구치부까지 순측 점막과 치은 및 하순에 분포한다(그림 11-4). 하치조신경의 다른 분지인 절치신경(incisive nerve)은 하악골 내에서 전방으로 주행하여 치수, 치주인대 및 치조골 내에 분포된다. 이신경은 접근이 쉬워 마취가 용이하지만 절치신경은 골 내에 있을 뿐만 아니라, 이공이 작고 주사침을 자입하기가 어려워 충분한 마취효과를 얻기 어려운 경우가 있다. 이신경 전달마취는 대개 열상이나 조직생검과 같은 협측 연조직 부위의 진료 시 사용된다.

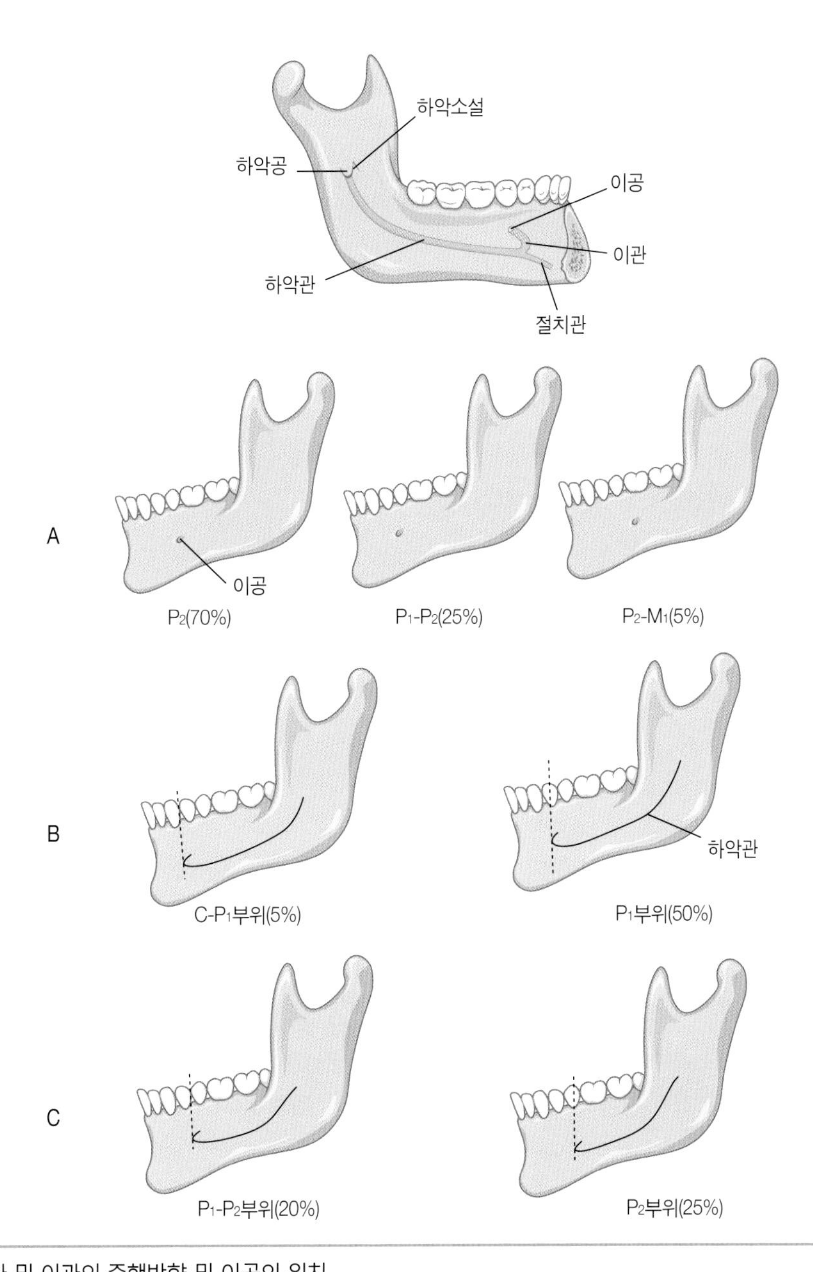

그림 11-5. 하악관 및 이관의 주행방향 및 이공의 위치
이공의 위치: 제2소구치 직하방이 제일 많으며, 다음으로 제1, 제2소구치 사이에 있다. (B) 하악관이 전방으로 주행하다가 소구치부에서 외후상방으로 굽어지게 되며 하악관의 굴곡 부위에는 제1소구치 부위에서 가장 많다

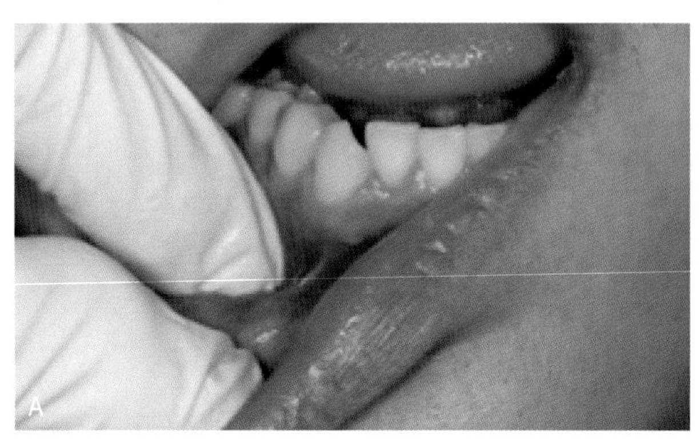

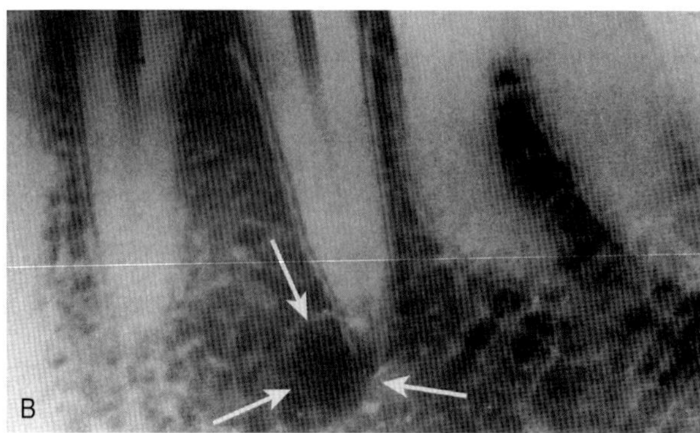

그림 11-6. (A) 이공은 술자의 손가락으로 골이 불규칙하며 다소 굴곡이 있는 곳까지 앞쪽으로 촉진함으로써 위치를 알 수 있다. (B) 방사선 사진으로 이공의 위치를 파악할 수 있다.

1) 해부학적 고려점

이신경과 절치신경마취 시 자입점은 이공으로 그 위치에는 약간의 변이가 있으나 일반적으로 하악 제2소구치 치근단 직하방이나 바로 전, 후방에 있다(그림 11-5). 절치신경을 마취하기 위해서는 주사침을 이공 내로 집어넣거나 이공 직상방에 국소마취제를 주입하도록 해야 한다. 이공은 전방으로 주행하던 하악관에서 후외상방으로 열려 있으며, 골의 불규칙한 면과 오목한 면을 손가락으로 조심스럽게 촉진해 확인할 수 있고 방사선사진으로 찾을 수도 있다(그림 11-6).

2) 마취방법

(1) 구내마취법

① 환자의 앞이나 뒤에서 마취할 수 있으나 뒤에서 주사하는 경우 주사기가 환자의 시야에 있어 공포심을 유발할 수 있다. 점막을 건조시키고 도포 마취한 다음, 치조골 협면 이공의 후방 1 cm 정도 외측에서 전정부로 주사침을 자입한다. 이때 아랫입술과 협측 연조직을 측방으로 당겨서 조직을 평행하게 하면 통증과 외상을 줄일 수 있다.

② 점막 하에서 0.25 ml의 국소마취제를 주입하고, 잠시 후 협측 치조골에 접촉될 때까지 1 cm 정도 전내하방으로 자입한다.

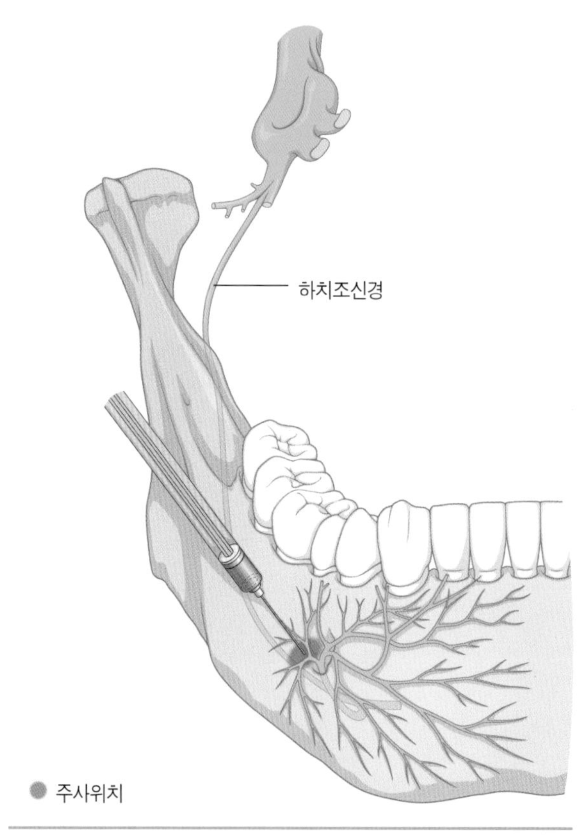

그림 11-7. 이공 상방에 직접 주사침을 자입하거나 이공의 개구 방향을 따라 전내하방으로 주사침을 넣은 후 국소마취제를 주입하여 이신경과 절치신경을 마취한다.

③ 주사침으로 탐침하여 이공에 닿을 때까지 자입한다(그림 11-7). 이때 주사침의 사단(bevel)이 골면을 향

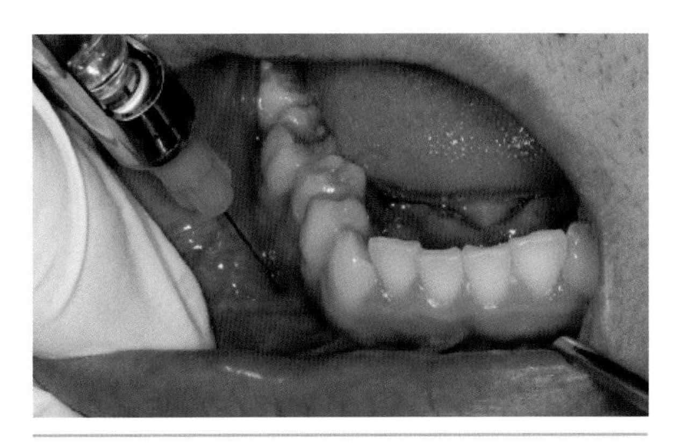

그림 11-8. 이신경 전달마취 시 주사바늘의 자입 위치

하도록 한다. 흡인하여 본 다음 국소마취제를 천천히 주입한다(그림 11-8).

④ 반대측에서 교차분포된 신경을 마취하기 위하여 전치부에서 골막주위마취를 행한다.

(2) 구외마취법

① 하치조신경 전달마취를 할 수 없는 경우에 이공 전방 부위의 하악 치아와 순부 또는 협부 주위조직이나 하순의 마취가 필요한 경우 시행할 수 있다.

② 환자가 입을 다물고 있는 상태에서 상안와절흔(supraorbital notch)과 하안와절흔(infraorbital notch)을 촉지한 다음 동공(pupil)과 함께 연결한 가상선이 이공(mental foramen)을 지나는 수직선이 된다(그림 11-9). 일반적으로 이 수직선과 하악 소구치 부위의 치은연과 하악골 하연의 중간점이 만나는 부위에 이공이 있다(그림 11-10).

③ 이 부위의 피부에 표시를 하고 충분한 소독을 한 후, 2 inch, 25~27 게이지의 주사침을 사용하여 자입한다.

④ 그 후 탐침하여 이공을 찾은 다음 전내하방으로 넣고 흡입한 후 1 ml 정도의 국소마취제를 주입한다.

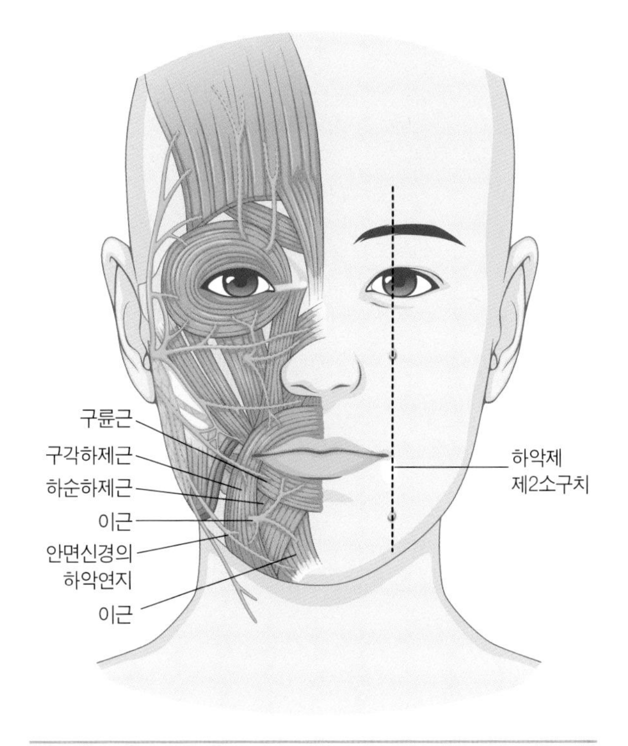

그림 11-9. 이공은 동공중앙부와 안와하공을 지나는 수직선을 따라 하악 제2소구치 아래로 하악체의 중간 정도에 위치한다.

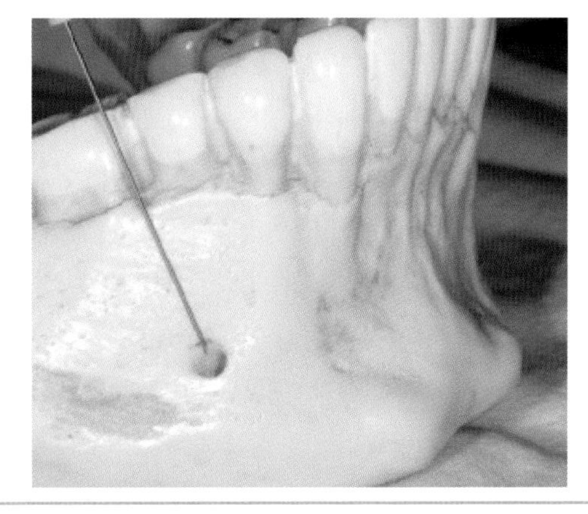

그림 11-10. 일반적으로 치은연과 하악하연의 중간부위에 이공이 있다.

3) 마취되는 부위

이신경과 절치신경이 완전히 마취되면 하악 중절치, 측절치, 견치 및 경우에 따라 제1, 2소구치의 치수 및 주위 지지조직이 마취된다. 연조직은 상기 치아들의 순, 협측 치은과 점막 그리고 정중부 하순까지 마취된다(그림 11-11).

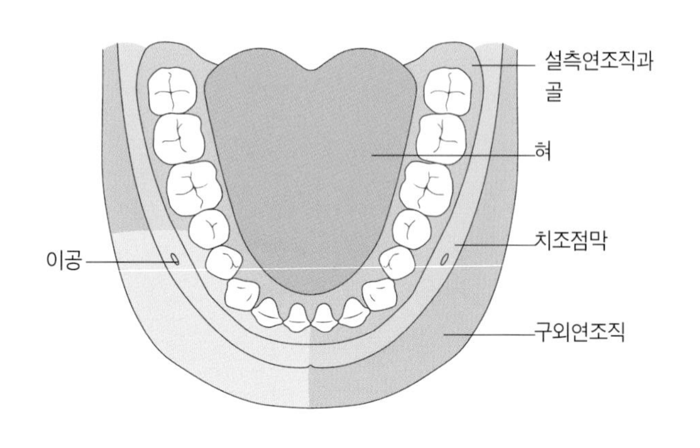

그림 11-11. 이신경 전달마취에 의해 마취되는 부위(노란색)

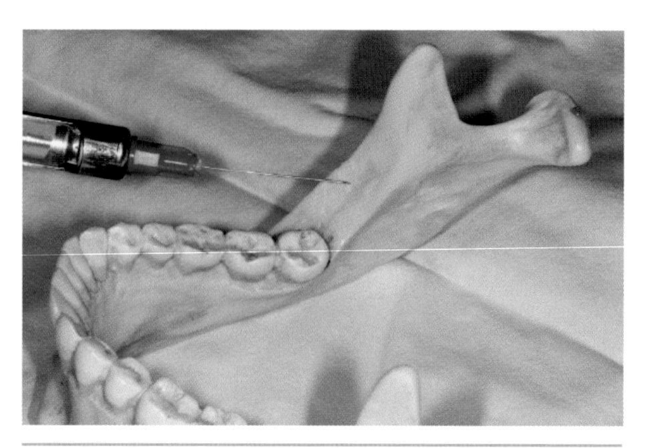

그림 11-12. 협신경의 분지와 전달마취를 위한 바늘의 위치

4) 마취 후 나타나는 증상

마취한 쪽 하순의 얼얼함과 둔감을 느끼며 해당 부위에서 기구조작 시 통증이 없다. 발생 빈도는 적으나 가끔 주사부위의 혈종을 볼 수 있다.

3. 협신경 전달마취법

협신경 전달마취는 장협신경마취라고도 불리며 하악대구치에 인접한 협측 연조직 및 뺨 부위의 마취효과를 얻을 수 있는 술식이다. 이 마취법은 협측 치은과 점막 치료 시 필요하지만, 임상적으로 치아의 보존치료 시 치은자극으로 있을 수 있는 불편감을 해소하고, 후구치에 분포될 수 있는 부수적인 종말지의 마취를 위해서도 사용되고 있다. 협신경 전달마취법은 협신경 자체가 표재성으로 연조직 내에 분포되어 있어서 즉각적인 접근이 가능하기 때문에 성공률이 매우 높다.

1) 해부학적 고려점

협신경은 하악신경의 전방분지로 측두하와에서 외측익돌근의 상두와 하두사이를 지나 전방으로 주행하여, 교근(masseter muscle)의 전방 경계부위까지 내려와 하악 제3대구치와 비슷한 교합면 높이에서 일부는 협근을 뚫고 가서 하악구치 후방의 협측 치은 및 주위점막을 지배하고, 나머지는 전방으로 계속 주행하여 뺨의 피부를 지배한다.

협근의 주행경로를 따라 어느 부위든지 마취액을 주입하면 그 원심부위가 마취된다. 협신경 전달마취 시 주로 하악골 상행지의 전연, 이하선(parotid gland)의 Stensen's duct 하방 1 cm 정도의 협부 점막 하 또는 협측 전정부에 주사침을 자입한다(그림 11-12).

2) 마취방법

효과적인 협신경 전달마취를 위하여 일반적으로 외사선의 직내방에 주사하는 방법과 전정부에 주사하는 방법이 제안된다.

(1) 외사선의 직내방에 주사하는 방법

① 협측 지방구(buccal fat pad)와 뺨을 엄지나 둘째손가락으로 젖혀 자입점 부위를 노출시킨 후 점막을 건조시키고, 주사 시 동통을 적게 하기 위하여 하악 제3대구치 후방 협측을 도포마취한다.
② 25~27 게이지 주사침을 이용하여 교합면 상에서 최후방구치의 후외측에 주사 바늘의 경사면을 골면으

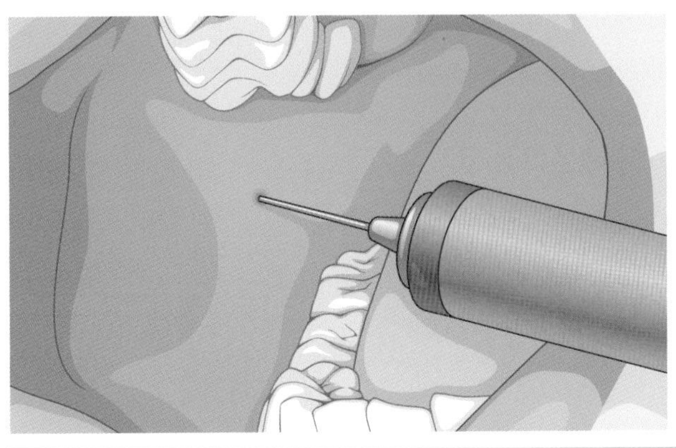

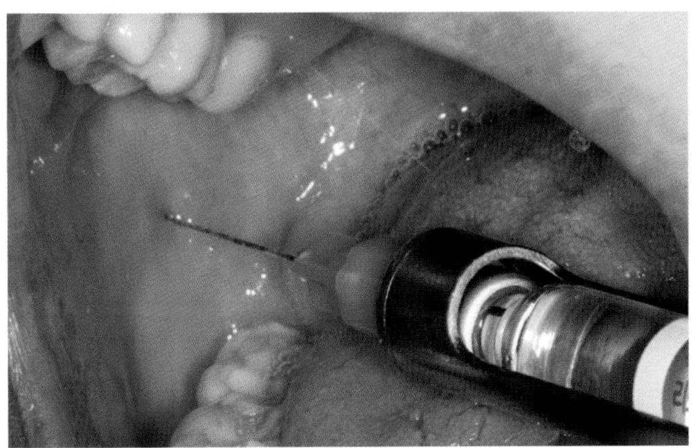

그림 11-13. 하악골상행지의 전연 외사선의 직내방에서 마취하는 방법

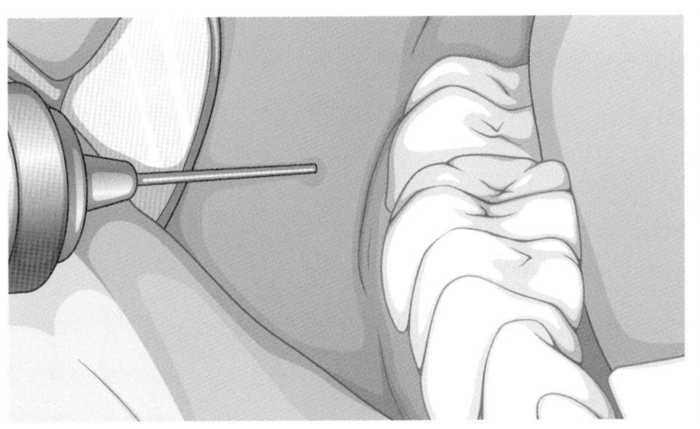

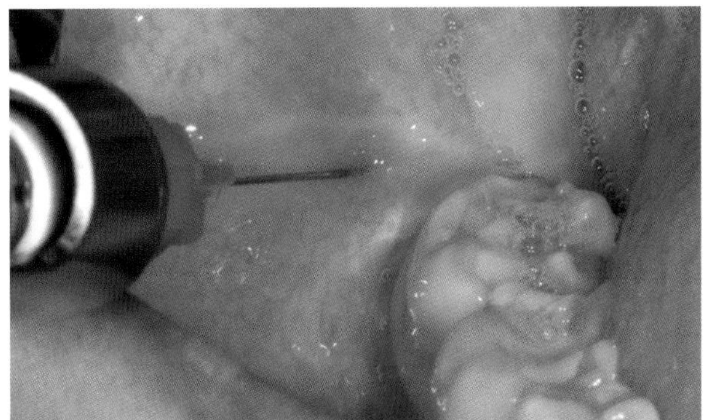

그림 11-14. 치료하려는 치아의 직후방의 전정부에서 마취하는 방법

로 향하게 하여 최후방 구치의 후방협측 골면에 닿도록 주사침을 자입한다(그림 11-13).

③ 주사 바늘을 약간 후퇴하여 마취액을 흡인하여 본 다음 천천히 주입한다.

(2) 전정부에 주사하는 방법

① 치료하려는 치아 직후방 전정부에 점막하주사를 시행한다(그림 11-14).

② 이 경우 협신경의 종말지가 마취되며 마취부위는 자입한 부위의 원심에 국한된다.

설측연조직과 골
혀
치조점막
이공
구외연조직

그림 11-15. 협신경 전달마취 시 마취되는 부위(노란색)

3) 마취되는 부위

하악 대구치부의 주위 지지조직과 협점막이 마취된다. 전정부에 주입 시 그 원심부위로 마취범위가 제한된다(그림 11-15).

4. 하치조신경 전달마취법

하치조신경(inferior alveolar nerve)은 하악에서 주 근간이 되는 신경으로 하치조신경 전달마취법이 하악의 전달마취법 중 가장 많이 사용되는 방법이며, 하악신경 전달마취법(mandibular nerve block anesthesia)이라고도 한다. 전달마취법 중 실패율이 높은 것 중의 하나로 이를 보완하고 환자의 주어진 상태에 따라 이용할 수 있도록 변형된 방법들이 많이 소개되고 있다.

1) 해부학적 고려점

하치조신경 전달마취 시 마취부위가 하치조신경이 지나는 익돌하악간극(pterygomandibular space)이므로 이에 대한 충분한 이해가 필요하다.

익돌하악간극의 해부학적 구조는 다음과 같다.

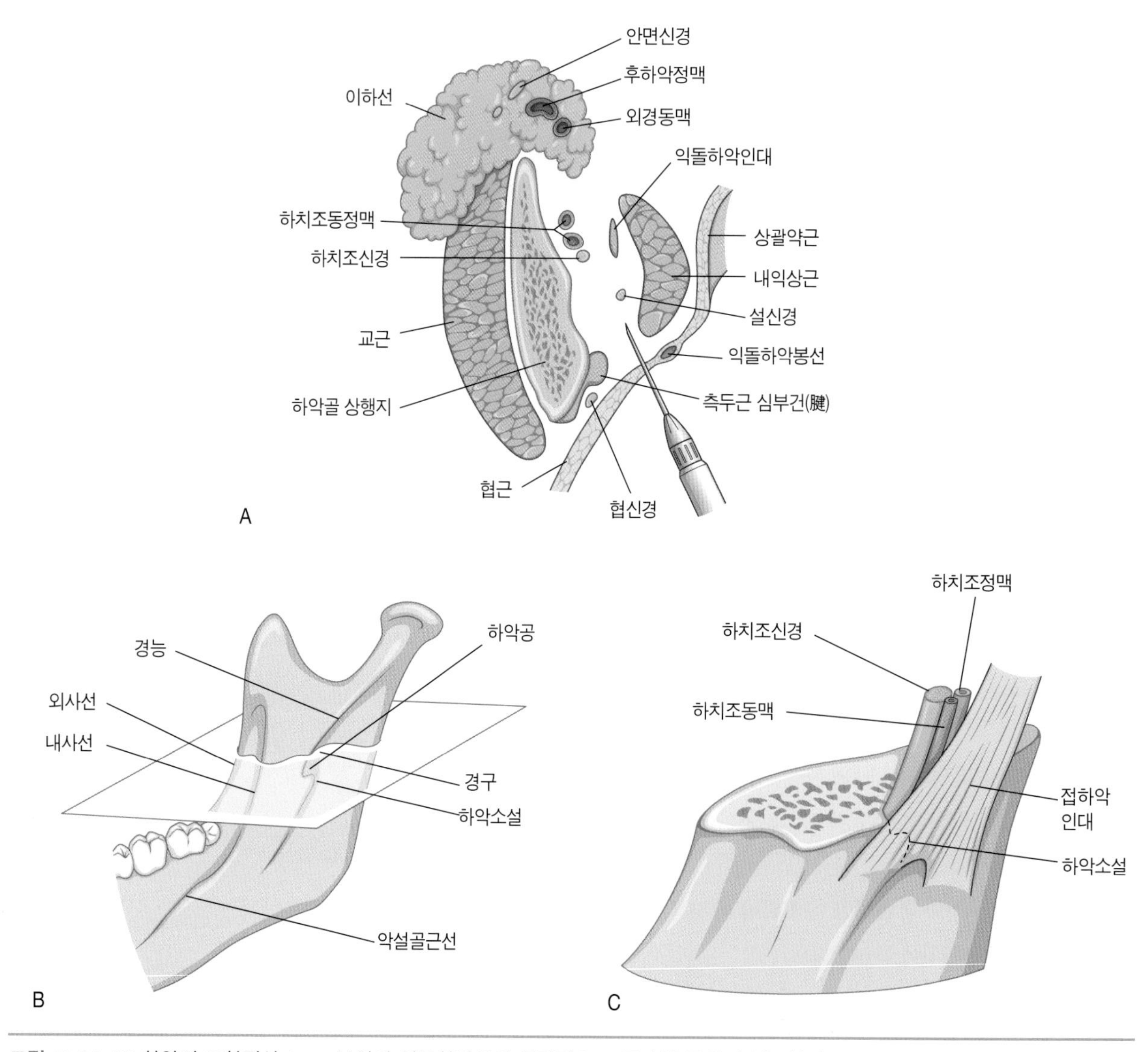

그림 11-16. (A) 하악의 교합면상 1 cm 부위의 익돌하악극의 횡단면으로 주사침 주위의 해부학적 구조, (B) 하악지를 하악공 높이에서 수평면으로 횡단시키면 (C)의 그림과 같이 된다. (C) 하치조동정맥과 하치조신경부위를 확대한 해부학적 위치관계로 접형하악인대 내외측에 마취액이 주입되면 마취가 잘 안 된다.

① 내측: 내측익돌근(medial pterygoid muscle)
② 외측: 하악골 상행지
③ 상방: 외측익돌근(lateral pterygoid muscle)
④ 후방: 이하선(parotid gland)이 있으며, 이하선을 둘러싸고 있는 이하간극(parotid space) 속에는 외경동맥(external carotid artery), 후하악정맥(retromandibular vein)과 안면신경(facial nerve)이 들어 있다.
⑤ 전방: 구강점막, 점막 하 결체조직 및 얇은 협근(buccinator muscle)으로 덮여 있어 구강 내로 노출되어 있다.

익돌하악간극 속에는 하치조신경, 설신경, 하치조동맥(inferior alveolar artery) 및 정맥 그리고 접형하악인대(sphenomandibular ligament)가 있으며 나머지 부분은 주로 소성 결체조직과 지방으로 차 있다(그림 11-16).

하치조신경과 설신경은 하악신경이 타원구멍(난원공, foramen ovale) 바로 하방에서 갈라져나와 내측익돌근과 외측익돌근의 사이를 지나 익돌하악간극으로 들어간 후 설신경은 하치조신경의 전내방에 위치하며, 익돌하악간극내에서 최전하방에 도달할 때까지 외하방으로 주행하여 구강저에 분포된다.

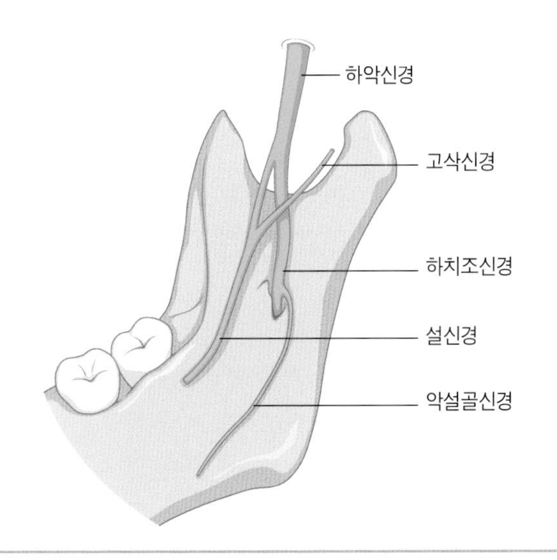

그림 11-17. 하치조신경은 하악공으로 들아가기 전 악설골신경의 분지를 낸다.

하치조신경은 하악소설(mandibular lingula)의 직후방에 도달할 때까지 S자 모양으로 외측 하방으로 주행하여, 하치조동맥 및 정맥과 함께 하악공(mandibular foramen) 내로 들어간다.

하악소설에는 접형골의 각극(angular spine)에서 기시된 접형하악인대가 부착되어 있고, 하치조신경의 외하방적인 주행과 유사하게 접근해 있다. 하치조신경은 하악공으로 들어가기 전에 악설골신경(mylohyoid nerve)의 분지를 내며, 이 신경은 접형하악인대를 하방으로 관통하고, 하전방으로 하악골 내측의 악설골구(mylohyoid groove)를 따라 주행한다(그림 11-17).

2) 마취방법

하치조신경을 마취하는데 몇 가지 방법이 있다. 이 중 가장 많이 이용되는 일반적인 방법이 하치조신경 전달마취법이다. 그러나 실제로 하치조신경 전달마취 시 하치조신경만 마취되는 것은 아니고 익돌하악간극 속에서 마취제가 확산되어 전내측에 있는 설신경도 함께 마취되므로 하나의 신경만 마취되는 것 같은 용어를 쓰는 것은 맞지 않는다 하여 하악신경 전달마취법이라고 하기도 한다. 이때 앞서 설명한 바와 같이 협신경은 별도의 마취를 해야 한다. 두 번째로 Gow-Gates 하악 전달마취법이 있다. 하치조신경과 설신경을 함께 마취할 뿐만 아니라 협신경도 함께 마취할 수 있는 방법이다. 이 방법은 과두돌기 경부 직하방 내측, 즉 하악소설에서 2 cm 정도 상방에 국소마취제를 주사하는 방법으로 상부신경 전달마취법(high nerve block technique)이라고도 한다. 세 번째로 1964년 Vazirami와 1977년 Akinosi가 제시한 방법으로 환자의 감염, 혈종 또는 종양 등으로 입을 벌릴 수 없을 때 하치조신경을 마취하는 방법이다. 네 번째로 구강외로 하치조신경을 마취하는 방법이 있다.

(1) 일반적인 하치조신경 전달마취법

치과치료 시 하악 후구치부위에서부터 정중부까지의 통증을 방지하기 위해 사용된다. 하악 대구치부 협점막이나 정중부의 순측 연조직과 설측부를 마취하기 위하여 별도의 마취가 필요하다.

① 해부학적 고려점

주사침이 하악소설의 직후방 하악구(mandibular sulcus)까지 도달해야 한다. 이 함몰부위에 있는 하악공으로 하치조신경과 하치조 동, 정맥이 함께 들어간다. 한편 앞서 설명한 바와 같이 하악골 속으로 들어가지 않고, 하방으로 주행하여 구강저로 분포되는 설신경이 하치조신경의 전내방에 있으므로 설신경을 마취하기 위해서는 하악공 주위에서 국소마취제를 주입하여 하치조신경을 마취한 다음 1 cm 정도 주사침을 빼내고 다시 국소마취제를 주입한다(그림 11-18, 11-19).

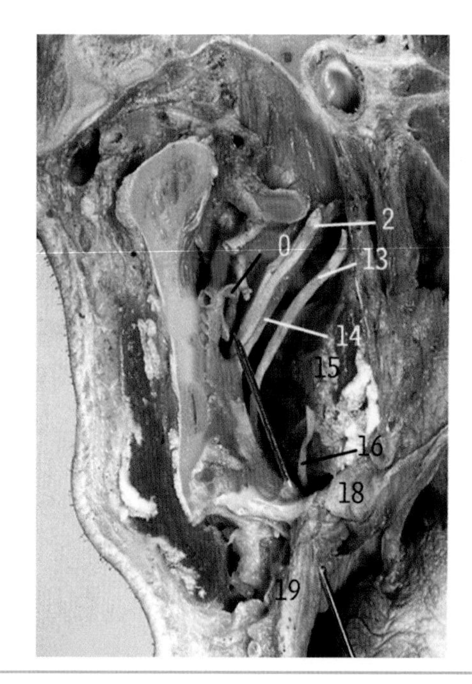

그림 11-18. 위에서 본 오른쪽 측두와 하방의 가로 단면에서, 주사바늘의 길을 보여준다.

② 마취방법

- 일반적인 하치조신경 전달마취법도 몇 가지가 있는데 하악공의 직상방을 향하여 일직선으로 주사침을 자입하는 방법을 많이 사용한다. 이때 해부학적으로 하악지의 앞쪽 경계인 외사선과 익돌하악봉선(pterygomandibular raphe) 위에 존재하는 점막 능선을 입을 벌렸을 때 확인하고, 주사기를 잡지 않은 반대측 손의 엄지손가락을 구강 내로 넣고 뺨과 소성 결체조직 및 협측 지방구를 외측으로 젖히고 나머지 손가락으로 하악골 상행지의 후연을 단단히 잡는다. 이때 엄지손가락은 교합면에 평행되게 하면서 관상절흔의 가장 함몰된 부위에 갖다 놓는다(그림 11-20).
- 자입점은 수평적으로 관상돌기 절흔의 후방으로부터 익돌하악봉선부위 점막능선의 가장 깊은 곳의 전후방 거리의 3/4 지점과 수직적으로 엄지손가락의 손톱을 2등분하는 높이 또는 하악 교합면에 1 cm 상방점이 만나는 점으로 결정되고, 주사 전에 건조시키고 도포마취한다.
- 자입점을 결정한 다음 마취하려는 측의 반대측 하악

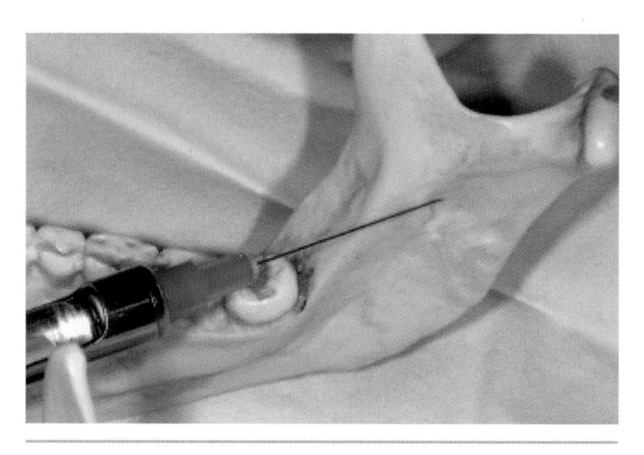

그림 11-19. 하악골, 주사바늘을 좌측 소구치부위에서 비스듬히 우측 하악공으로 가상의 선을 그리며 접근한다.

소구치부위에서 주사기를 대고 점막, 협근, 익돌하악간극 내의 소성 결체조직을 지나 하악골 상행지 내면에 도달할 때까지 2~2.5 cm 정도 주사침을 자입한다.
- 주사침의 자입방법은 여러가지가 있지만 일반적으로 3가지 방법이 사용되고 있다. 직달법, 2진법 및 3진법

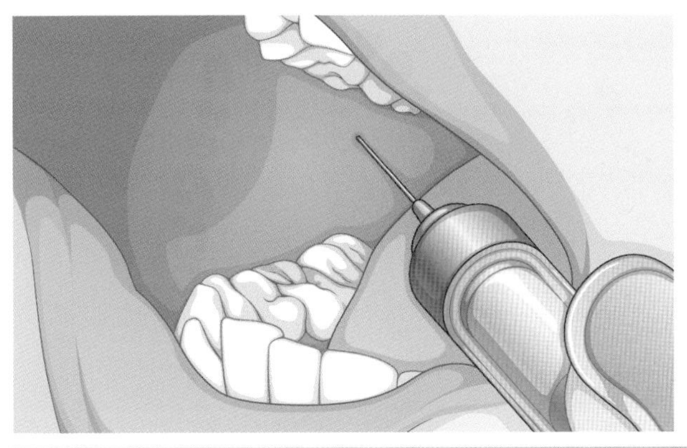
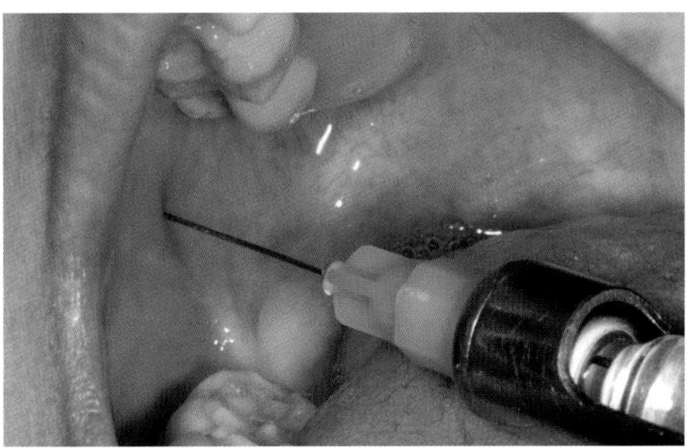

그림 11-20. 엄지손가락의 손톱을 2등분하는 높이에서 자입점을 결정한다. 자입점을 정하고 익돌하악극 내로 2~2.5 cm 정도 주사침을 자입한다.

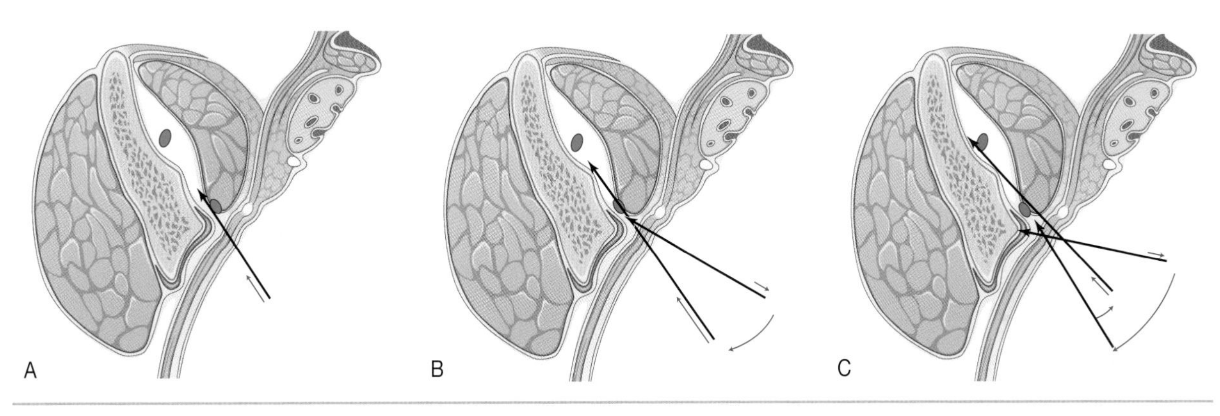

그림 11-21. 하치조신경 전달마취법. (A) 직달법, (B) 2진법, (C) 3진법

이다(그림 11-21). 직달법은 익돌하악간극 내에 하악골 전방에 마취액을 주사하는 방법이며, 2진법은 가장 많이 사용되고 있는 방법으로 하악 소설의 전방의 하악지 내면에 주사침을 가볍게 접촉시킨 후 하악지 내면을 따라 서서히 자입하는 방법이다. 3진법은 2진법에 따라 주사침을 자입 후 하악공에 접근하기 위하여 그림에서와같이 골면을 따라 다시 한 번 자입 각도를 바꾸는 방법이다. 조직 내에서 주사침의 방향을 여러 번 바꿔야 하므로 주사침 파절의 위험이 있다.

- 이 때 1 5/8 inch, 25~27 게이지의 긴 주사침을 사용하며, 꼭 골에 주사바늘이 접촉되어야 하고, 골의 저항이 느껴질 때까지 주사바늘을 천천히 자입해야 한다. 골면에 접촉 시 조금 뺀 다음 흡인하여 보고 1.0~1.5 ml의 국소마취제를 주입한다(그림 11-22).
- 주사침 자입 시 상행지의 이개 정도에 따라 골과 접촉하지 않는 경우가 있는데, 이때도 2.5 cm 이상 자입하지 않는다. 너무 깊이 자입 시 이하극(parotid space) 내로 마취액이 주입되어 일시적인 안면신경 마비가 초래될 수 있다. 주사침이 너무 높고 깊이 자입된 경우 이측두신경(auriculotemporal nerve)이 마취되어 귀부위의 둔감이 나타나며 외익상근의 부착점에 국소마취제가 주입되어 마취가 되지 않은 채

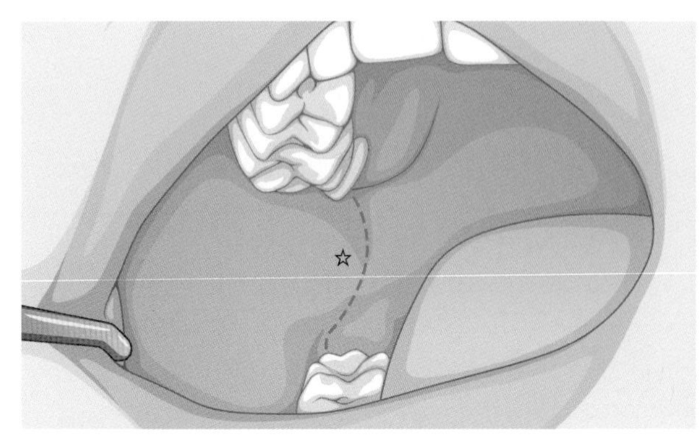

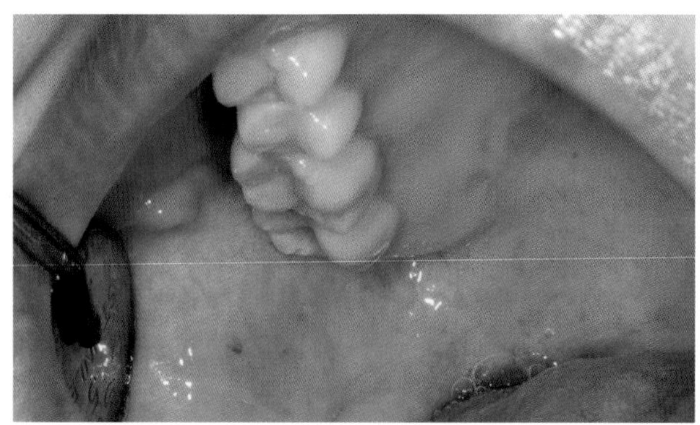

그림 11-22. 익돌구개봉선과 하치조신경 전달마취 시 주사침 자입점(☆)을 보여준다.

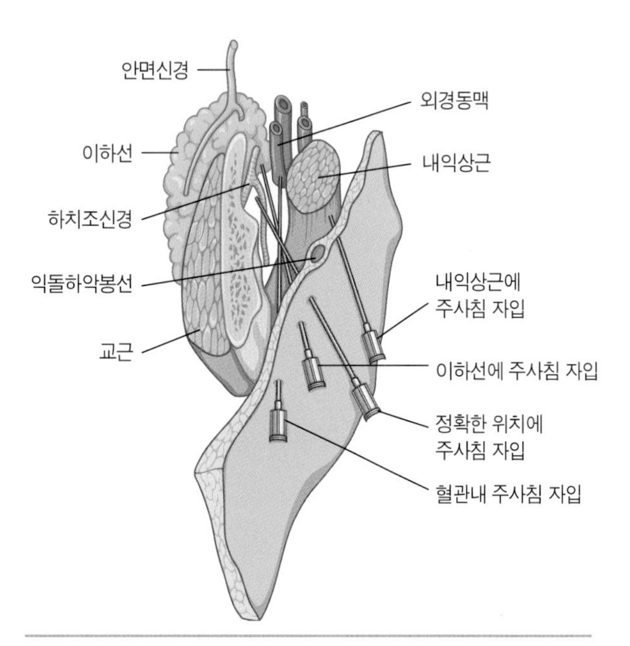

그림 11-23. 하치조신경전달 마취 시 주사침의 위치에 따라 여러가지 합병증이 초래될 수 있으므로 주입 시 주의해야 한다.

통증과 개구장애를 보인다. 때로 주사침이 하악골의 S상 절흔(sigmoid notch)을 지나 교근에 자입된 경우 교근의 부종과 개구장애를 초래할 수 있다. 너무 높이 내측으로 자입되었을 때 내익상근 주위를 둘러싸고 있는 익돌정맥총(pterygoid venous plexus)에 손상을 줄 경우 익돌하악극에 급격히 혈종을 형성할 수 있다. 또한 익돌하악인대에 주사침이 자입되어 통증과 종창을 초래하기도 한다. 이외에 인두의 상괄약근(superior constrictor muscle)에 주사 시 식도 부위의 둔감으로 구토를 하기도 한다. 너무 외측으로 자입 시 충분한 깊이로 들어가기 전에 측두골능과 접촉되어 마취가 실패할 수도 있다. 이때는 주사침을 조금 빼낸 다음 다시 올바른 방향으로 주사침을 자입한다(그림 11-23).

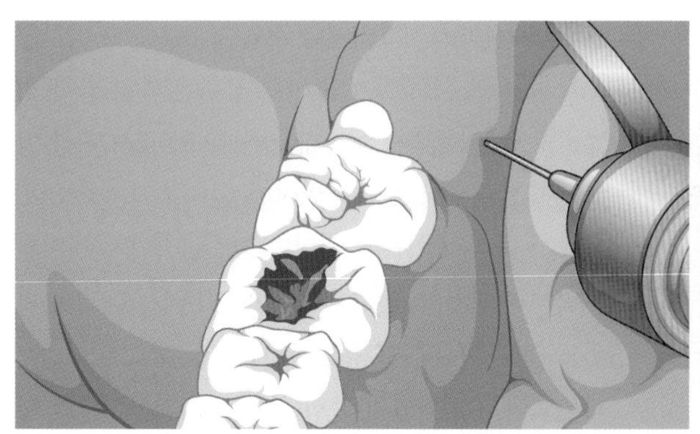

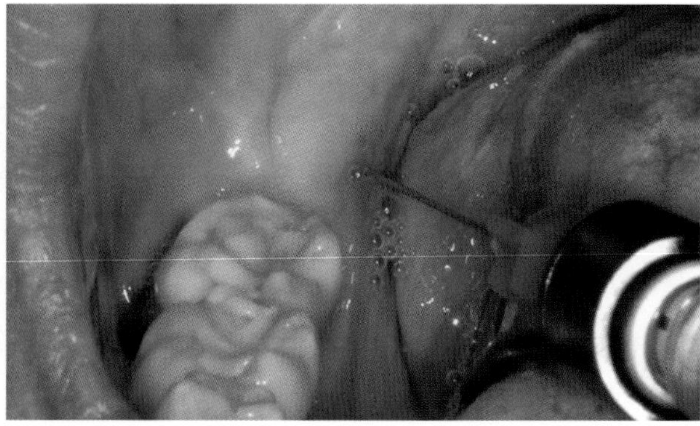

그림 11-24. 하신경 중간에서 마취 시 국소마취제를 주입한 전방 부위가 마취된다.

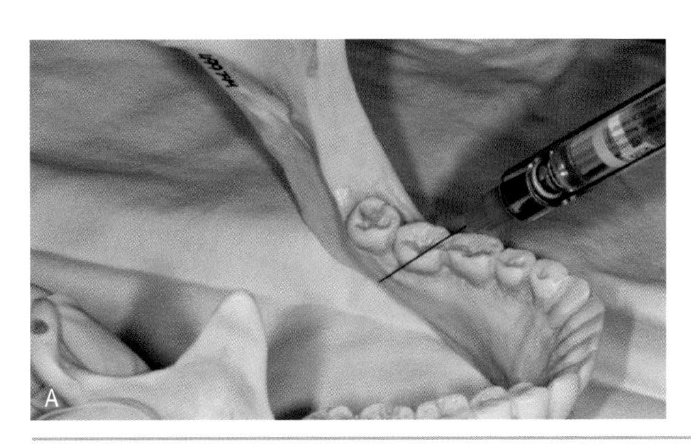

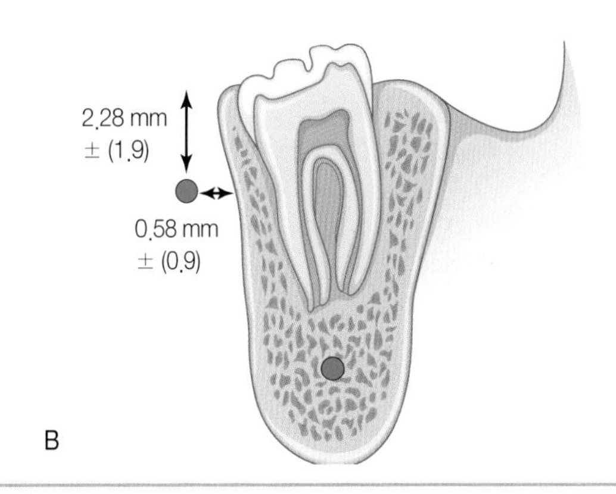

그림 11-25. (A) 설신경의 주행과 전달마취부위, (B) 하악지치 설측의 설신경 주행부위

• 설신경은 하악공 주위에 국소마취제를 주사한 다음, 1/2 정도 빼고 0.3~0.5 ml 부가적으로 국소마취제를 주입하면 하치조신경과 함께 마취가 되며, 또는 하악 후구치 설측 점막에 0.3~0.5 ml의 마취제를 주사하여 마취할 수 있으나 이 방법은 하치조신경을 마취하지 않거나 설측 연조직부위만 마취가 필요할 때 사용할 수 있다(그림 11-24, 11-25).

3) 마취되는 부위

하치조신경이 충분히 마취되면 마취한 쪽의 하악 대구치, 소구치, 견치와 전치의 치수와 치주조직 및 정중부까지의 주위 지지조직이 마취되며, 이신경(mental nerve)이 분포되어 있는 협측 및 순측 연조직과 설신경이 분포되어 있는 혀의 전방 2/3 부위, 구강저 설측 치은이 함께 마취된다(그림 11-26).

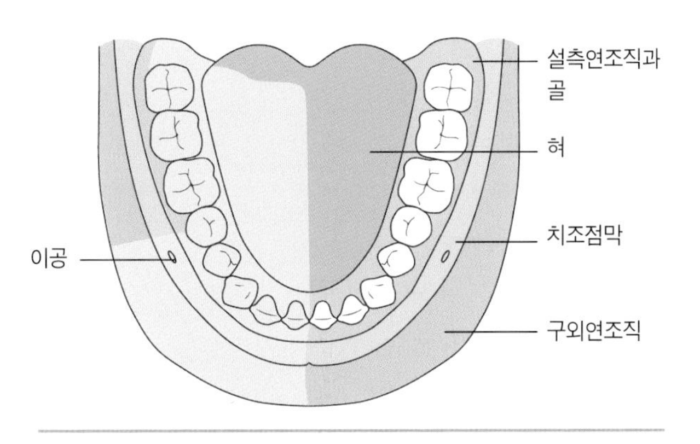

그림 11-26. 하치조신경전달 마취 시 마취되는 부위(노란색)

그러나 하악 중절치 부위는 반대측의 신경이 교차분포되므로 골막주위마취 등의 침윤마취가 필요하며, 하악 구치부에서는 협측 연조직의 마취를 위하여 협신경의 마취가 부가적으로 필요하다. 한 번에 마취하기 위하여 Gow-Gates 하악신경 전달마취법을 사용할 수 있다.

(2) Gow-Gates 하악신경 전달마취법

하악치아나 연조직에 대한 성공적인 마취는 상악의 경우보다 훨씬 어렵다. 전통적인 하치조신경 전달마취법의 실패율이 20%를 넘어 마취 실패가 자주 일어난다. 1873년에 오스트리아의 George Albert Edwards Gow-Gates는 하악마취를 위한 새로운 방법을 제시하였다. 그는 약 30년간 이 방법을 이용하였는데 약 99%의 매우 높은 성공률을 보였다.

Gow-Gates 법은 하악신경 분지 전체의 감각을 마취시키는 방법으로 진정한 의미에서의 하악신경마취법이라고 할 수 있다. 상부하악 전달마취법(high mandibular block anesthesia)이라고도 하는데 하악공 직상방에 주사하는 일반적인 하치조신경절단마취법에 비해 보다 상부인 과두돌기 경부 내측에 주사침을 자입한다(그림 11-27, 11-28).

Gow-Gates 하악신경 전달마취법은 전통적인 하치조신경 전달마취에 비해 여러 가지 장점을 가진다. Gow-Gates 법을 이용할 경우 하치조신경, 설신경, 이신경, 절치신경,

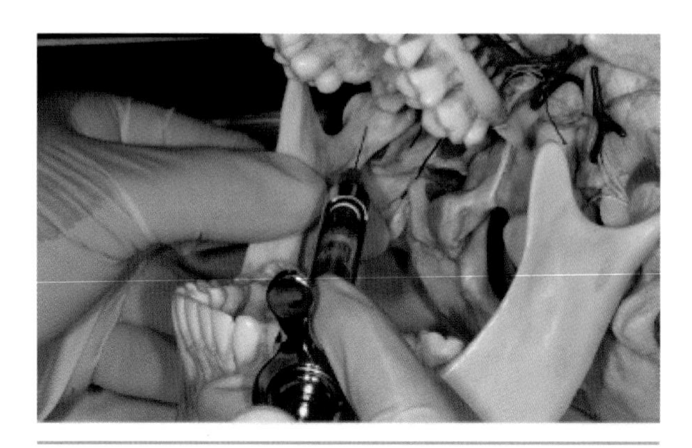

그림 11-27. Gow-Gates 하악신경 전달마취 시 주사기의 위치

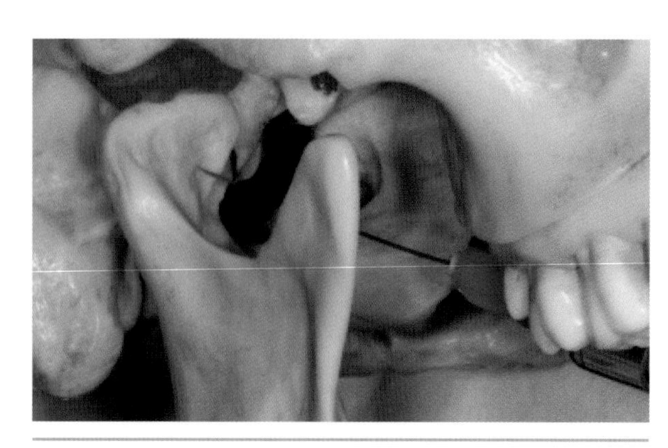

그림 11-28. Gow-Gates 하악신경 전달마취 시 주사기의 자입점

이측두신경, 협신경을 포함한 모든 신경이 한 번의 자입으로 마취가 가능하며 하악치아로 가는 부신경까지도 마취가 이뤄진다. 또한 제대로 된 술식에서 95% 이상의 높은 성공률을 나타내며 혈액의 흡인 가능성이 낮다(약 2%로 전통적인 하치조신경 전달마취의 10~15%에 비해 낮은 비율).

한편 단점으로는 신경의 크기가 크고, 자입부위에서 신경까지의 거리가 멀어서(5~10 mm) 마취 유도시간이 하치조신경 전달마취(3~5분)에 비해 다소 길다(5~7분). 또한 마취술식이 일반적인 방법에 비하여 숙달하기 어려우며, 과두돌기 경부의 해부학적 구조로 인해 국소마취제가 더 많이 필요해 이로 인한 독작용이 발생될 수 있고, 개구장애가 있는 경우에는 적용하기가 어렵다.

① 해부학적 고려점

주사침의 첨부는 외측 익돌근 기시부의 하방인 하악과두 경부에 위치한 익돌하악공간의 상부에 위치한다. 이때 주사침은 하치조신경, 설신경 및 협신경의 줄기로부터 적어도 5~10 mm 정도 멀리 떨어져 있지만, 이 부위에는 경계를 구분하는 근막이 없기 때문에 주사된 국소마취제는 내측 전하방으로 쉽게 확산된다. 익돌하악간극의 부피가 2 ml 정도로서 평균적으로 1.8 ml의 cartridge 하나면 이 부위를 채울 수 있다.

② 마취방법

- 환자에게 최대로 입을 벌리게 하고 엄지로 하악지 전연을 촉지하며, 검지를 이주(tragus)에 위치시킨다. 이때 검지로 과두의 외측면 위치를 확인할 수 있다. 거즈로 구강점막을 건조시키고 도포마취한 후에 일반적인 하치조신경 전달마취 시 보다 외측상방으로 측두근의 심부 건의 내측에서 주사침을 자입한다. 이때 25 게이지의 긴 주사바늘이 추천된다.
- 정상적으로 상악 제2대구치의 근심 설측 교두의 높이에서 약간 원심부위에 근접한 협점막에 자입점을 정한다(그림 11-29).
- 주사침을 자입한 후 구각부와 이주간 절흔을 연결하는 가상선에 평행하게 과두돌기 경부의 내측으로 2.5 cm 정도 자입한다(그림 11-30).
- 주사침이 하악과두경 골면에 닿으면 약간 빼고 자입점 주위에 상악동맥과 그 분지 및 익돌정맥총 등이 지나고 있으므로 흡인하여 본 다음 1.8 ml의 국소마취제를 주입한다. 이때 주사바늘이 골면에 닿지 않으면 천천히 주사바늘을 빼고 다시 시도한다. 주로 주사바늘의 내측편향이 골접촉 실패의 주요원인이다.
- 주사기를 약간 원심으로 이동하여 주사바늘이 전방으로 각도가 바뀌게 하고 골면 접촉이 느껴지도록 다시 자입한다(그림 11-31). 주사바늘이 골면에 닿지 못하는 두 번째 이유는 환자가 입을 약간 폐구할 경우이다. 환자가 입을 살짝 다물 경우 연조직의 두께

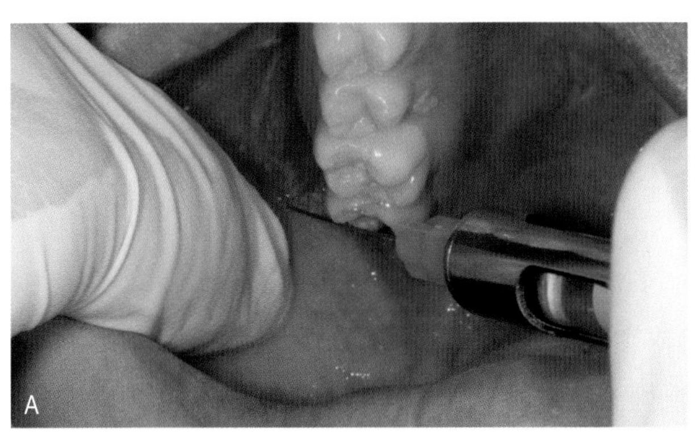

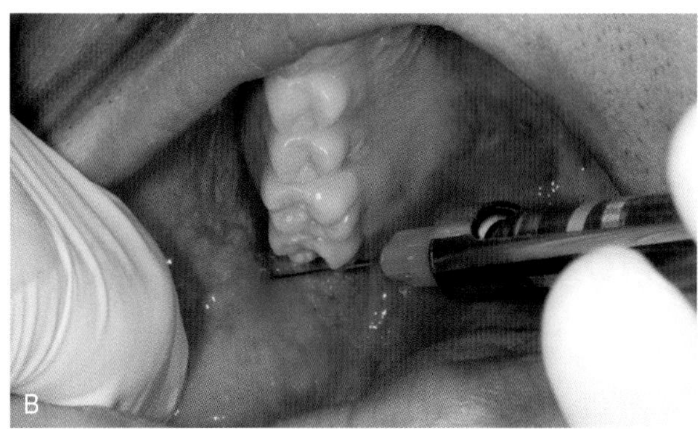

그림 11-29. Gow-Gates 법의 구내 기준점. 주사바늘의 끝은 상악 제2대구치의 근심 설측교두 직하방에 위치된다.
(A) 이후 대구치에서 약간 원심으로 이동하게 되며, (B) 전에 설정한 높이를 유지한다. 이것이 Gow-Gates 전달마취의 자입 부위이다.

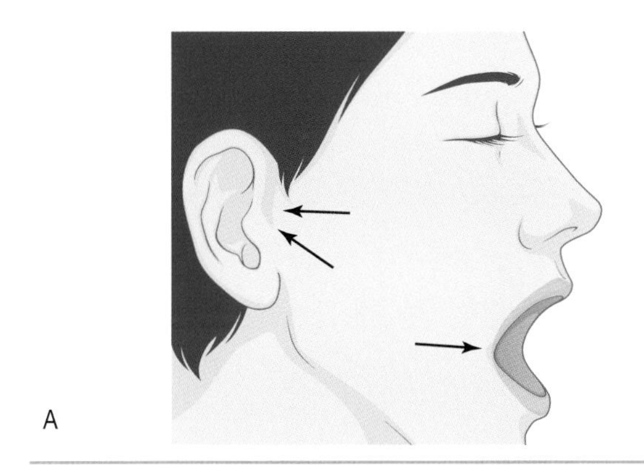

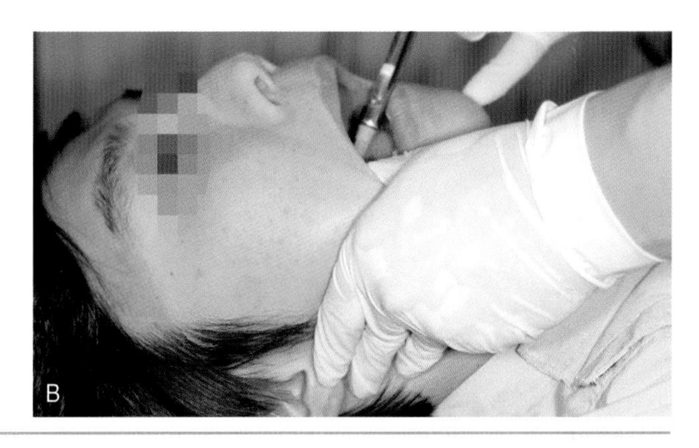

그림 11-30. 기준점인 구각부와 이주간절흔을 연결하는 가상선(A)과 평행하게 과두돌기 경부 내측으로 향하여 주사침을 자입한다(B).

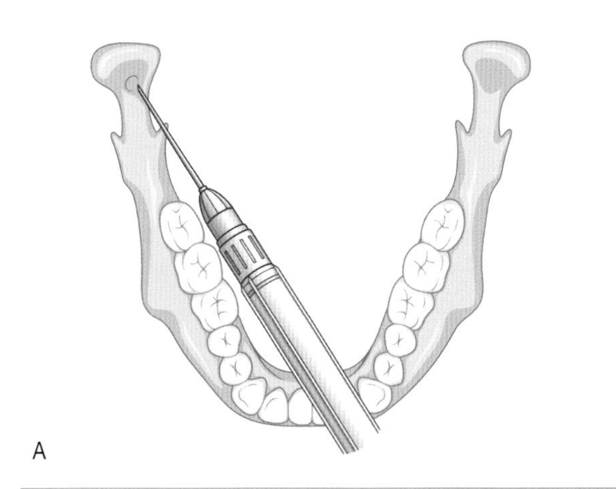

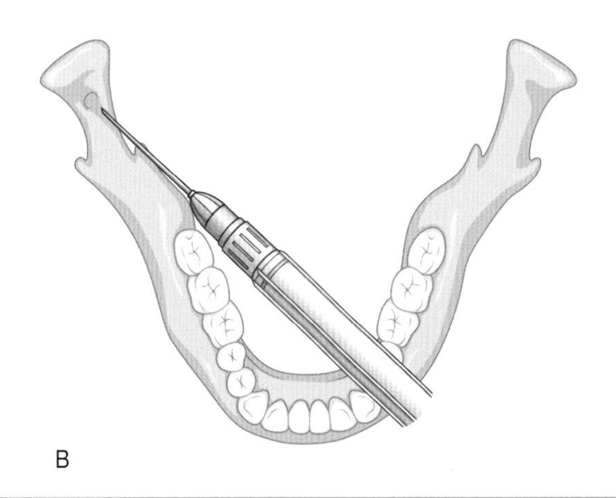

그림 11-31. Gow-Gates 하악신경 전달마취 시 주사기의 각도
하악골 상행지의 이개가 적을 때 반대측 견치에서 자입, (B) 하악골 상행지의 이개가 클 때 반대측 소구치 부위에서 자입

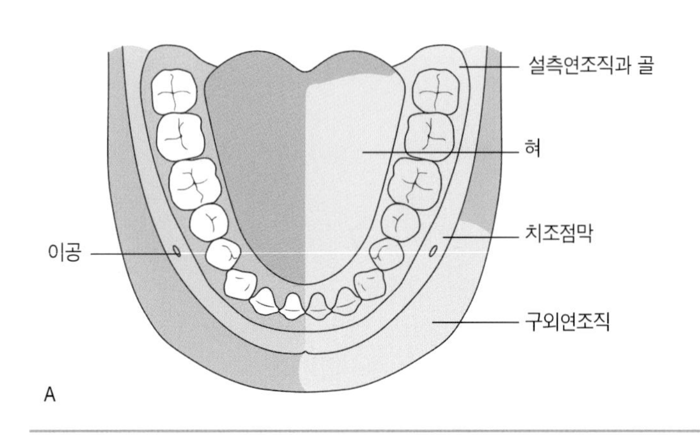

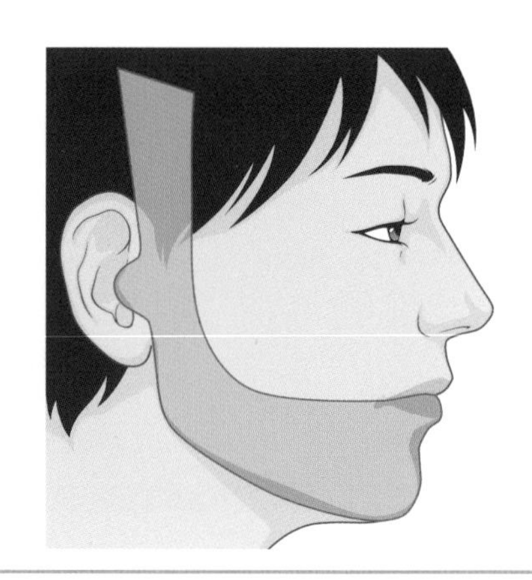

그림 11-32. Gow-Gates 하악신경 전달마취 시 마취되는 부위(노란색)

가 두꺼워지며, 과두가 원심으로 이동하게 되어 주사바늘의 과두 경부 도달이 어려워진다.

- 주입된 국소마취제가 곧게 펴진 상태의 신경주위에 잘 확산될 수 있도록 20~30초 동안 입을 벌리고 있게 한다.
- 신경간의 굵기가 굵고 자입부위와의 거리가 떨어져 있으므로 5~7분 정도 시간이 경과되어야 충분한 마취효과가 기대되며 마취는 하악골 상행지에서부터 대구치, 소구치 및 전치의 순으로 서서히 앞쪽으로 진행된다. 주사바늘이 골면에 닿아야 하며, 그 이상 자입되지 않도록 해야 하고 골접촉이 되지 않는다면 마취액을 주입해서는 안 된다.

③ 마취되는 부위

마취한 쪽의 하치조신경, 설신경 및 협신경이 모두 마취되어 구강저, 혀의 전방 2/3부위, 협측 및 설측 연조직과 골막, 모든 치아와 주위 지지조직이 마취된다(그림 11-32A). 피부에서는 협신경과 이측두신경(auriculotemporal nerve) 등이 마취되어 측두부, 관골부위, 뺨의 후방부 및 외이부의 일부 감각이 소실된다(그림 11-32B).

3) 하치조신경 전달마취 시 실패원인

하치조신경 전달마취 시 시술하려는 부위의 주위 연조직과 인접치들이 마취되어도 한두 개 치아가 마취되지 않는 경우가 있다. 하치조신경 전달마취 시 일반적으로 악설

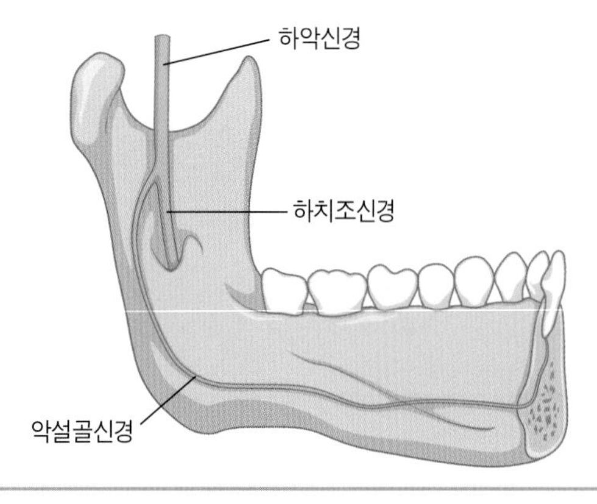

그림 11-33. 악설골신경의 변형된 주행경로

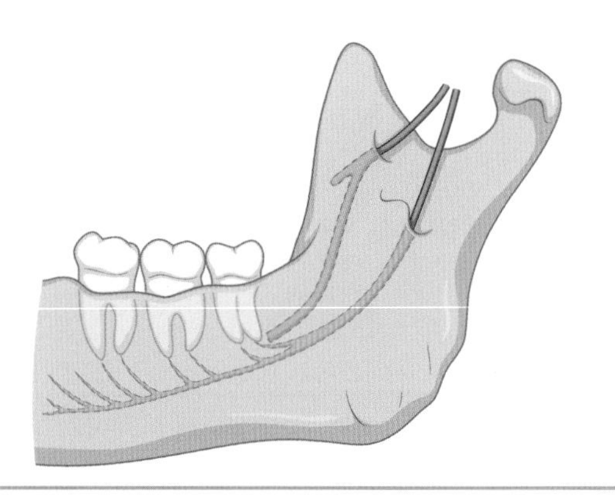

그림 11-34. 하악 제3대구치 부위의 변형된 신경분포

골신경(mylohyoid nerve)이 함께 마취되지만, 때로 하악공 상방 2.5 cm 정도 부위에서 분지되어 골내로 들어감으로써 마취되지 않는 경우가 있다. 이 경우 하악치아와 턱 부위의 연조직의 마취가 불완전하게 될 수 있다(그림 11-33). 또는 하치조신경에서 하악공에 들어가기 전에 분지를 내어 별개의 소공을 통하여 전하방으로 주행하여 대구치 부위, 특히 제3대구치로 분포되는 경우가 있다(그림 11-34). 이 같은 변형을 임상적으로 확인할 수는 없지만, 하악 대구치부의 전달마취 시 실패의 원인으로 생각할 수 있다.

또한 하치조신경과 인접된 혈관에 국소마취제를 주입하는 경우 마취가 실패할 수 있을 뿐만 아니라, 국소마취제에 의한 독작용이 초래될 수 있다. 따라서 반드시 흡인하여 주사침의 혈관 내 자입여부를 확인하고 주입해야 한다. 국소마취제에서 설명한 바와 같이 염증이 있는 부위에 마취할 때도 충분한 마취효과를 기대하기 어렵다.

5. 폐구 상태에서의 하악신경 전달마취법

1977년 Joseph Akinosi는 폐구상태에서의 하악신경 전달마취법을 소개하였다. 이 방법은 하악마취 시 언제든지 사용될 수 있으나 주로 하악구치의 심한 염증이 있거나 저작근의 경련(아관긴급)이 일어났을 때처럼 다른 하악마취방법을 사용할 수 없을 정도로 하악의 개구제한이 있는 경우에 주로 사용된다.

개구 상태에서 마취하는 일반적인 방법에 비하여 기준점을 찾기 쉽고 술식을 숙달하기 용이하며, 하치조신경, 설신경 및 협신경이 함께 마취되고 위에서 설명한 바와 같이 개구장애가 있거나 협조를 하지 않는 환자에서 사용할 수 있다는 장점이 있다. 단점은 시술부위가 좁고 골을 접촉하지 않아 주사침의 자입 깊이를 직접 확인하기 어려우며, 자입방향이 만곡될 우려가 있다.

1) 해부학적 고려점

주사침이 익돌하악간극의 상부에 자입되는데, Gow-Gates 하악신경 전달마취법에 비하여 약간 낮으며 보다 내측에 위치한다. Gow-Gates 하악신경 전달마취법보다 신경분지에 보다 접근되며 일반적으로 자입하는 동안 골과의 접촉이 없다.

2) 마취방법

① 환자의 치아를 살짝 다물게 하거나 무치악일 경우에는 악골을 편안한 상태의 폐구 안정위로 위치시킨다.
② 둘째손가락으로 입술을 젖히고 하악 상행지 전연과 관상골기 전연을 촉진하면서, 상악의 전정부 또는 치은 점막 경계부의 높이에서 교합면과 평행되게 주

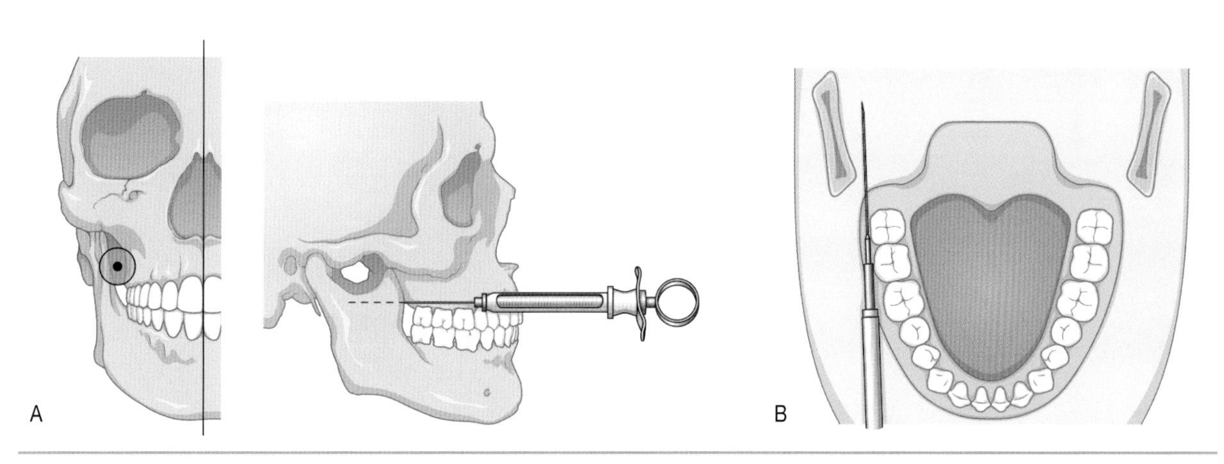

그림 11-35. (A) 폐구 전달마취에서의 주사바늘의 자입점. (B) 주사기를 잡고 상악 제3대구치 상방의 치은점막 경계부위에서 자입한다.

사침을 자입한다. 이때 주사침을 과두돌기를 향하여 약간 후외방으로 향하도록 한다(그림 11-35).

③ 주사침의 사면을 하악지의 반대방향으로 향하게 하고 하악골 상행지의 전연과 후연의 중간부위 정도 약 2.5 cm 가량 자입한다.

④ 공간이 좁아서 주사침이 들어가는 것을 잘 볼 수 없기 때문에 임상적으로 상악 제2대구치를 기준으로 하여 1 5/8 inch, 25~27 게이지 주사침의 hub가 상악 대구치에 도달할 때까지 자입한다.

⑤ 흡인하여 본 다음 1.8 ml의 국소마취제를 천천히 주입한다. 5분 정도 지나면 마취효과가 발현된다.

3) 마취되는 부위

마취부위는 Gow-Gates 하악신경 전달마취의 경우와 비슷하다. 하치조신경, 설신경과 협신경이 마취되어 이들 신경이 분포되는 이미 설명한 바와 같은 부위가 마취된다.

6. 하치조신경의 구외 전달마취법

① 구강 내로 하치조신경마취가 불가능한 경우 구강 외로 마취를 시행할 수 있다. 이때 주사침의 자입방향과 깊이 결정에 유의해야 한다.

② 먼저 구강 내로 관상절흔(coronoid notch)을 촉지하여 하악골 상행지의 전연을 확인한다.

③ 외과용 연필로 하악 하연과 평행하게 관상절흔의 가장 깊은 점을 지나는 수평선을 긋는다.

④ 하악골 상행지의 전연과 후연의 중간점 약간 후방에서 후연과 평행하게 하악 하연까지 수직선을 긋는다.

⑤ 하악 하연과 만나는 점에서 미리 그어 놓은 수평선까지 거리를 측정하여 주사침에 소독된 고무조각으로 표시를 하고 위의 하악 하연과 수직선이 만나는 점에서 측정된 깊이만큼 주사침을 자입한 후 흡인하고 1.0~1.8 ml의 국소마취제를 주입한다(그림 11-36).

7. 하악신경의 구외 전달마취법

① 한번의 마취로써 하악신경(mandibular nerve)의 모든 가지에 마취를 하려 하거나 감염이나 외상으로 구강 내 접근이 불가능할 경우에 구강 외에서 하악신경을 마취할 수 있다.

② 먼저 관골궁을 포함한 안면의 외측부 피부를 소독한 다음 관골궁의 중간점에서 피부의 함몰된 부위를 찾아서 자입점을 정한다.

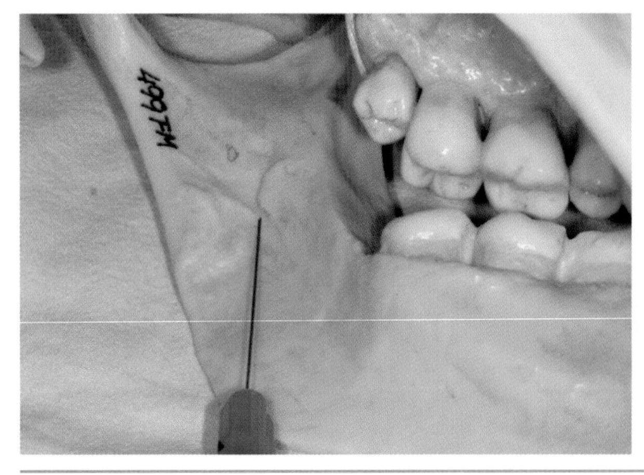
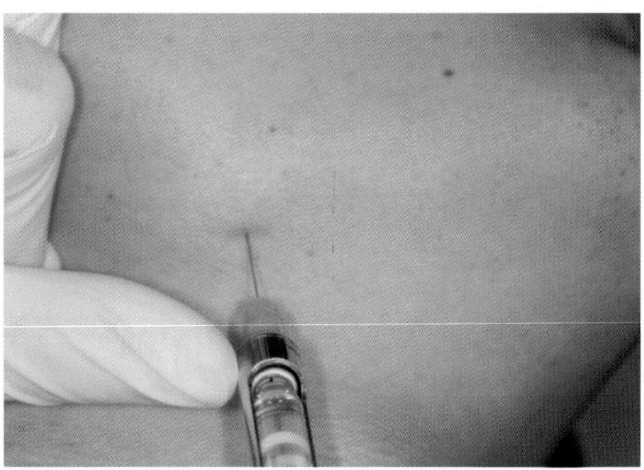

그림 11-36. 하치조신경의 구외 전달마취법

③ 주사바늘의 약 5 cm 정도에 자입 깊이를 표시한 후 피부에 직각으로 자입하면 외익상판과 닿게 되며, 이때 주사바늘을 약간 후퇴시킨 다음 후상방으로 주사침에 표시된 깊이까지 자입하여 외익상판의 후방을 지나도록 한다(그림 11-37).

④ 흡인한 다음 2~3 ml의 국소마취제를 주입한다.

⑤ 하악신경마취 시 마취한 쪽의 하악 전 치아 및 주위 지지조직, 협부, 구강저, 혀의 전방 2/3 그리고 측두부, 이개부, 외이도, 악관절과 타액선 등이 마취된다.

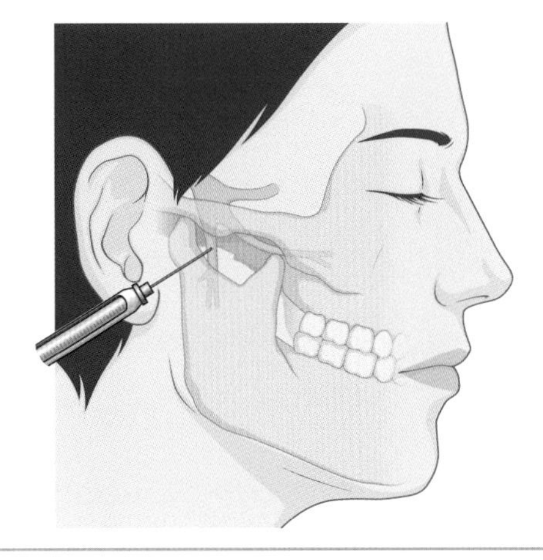

그림 11-37. 하악절흔을 통하여 측면 접근을 이용한 구외하악신경 전달마취

참고문헌

1. 대한치과마취과학회: 치과마취과학. 첫째판. 군자출판사, 2005.
2. 김명국: 두경부 임상 해부학. 의치학사, 1999.
3. 김여갑, 이상철: 구강악안면영역의 소수술. 의치학사, 1994.
4. 이상철, 김여갑, 김경욱, 이두익, 염광원, 정성수, 강정완, 김동옥, 김창환, 김용석: 구강악안면 국소 및 전신마취학. 둘째판. 군자출판사, 2001.
5. 김규식, 김명진: 치과 국소마취학. 지성출판사, 1991.
6. 이종호, 김명진 역: 칼라그래픽스 하치조신경마비(野間弘康외 17명). 나래출판사, 2006.
7. Logan BM: McMinn's Color Atlas of Head and Neck kiatomy. 3rd ed, CV Mosby, 2003.
8. Akinosi JO: A new approach to the mandibular nerve block. Br J Oral Surg, 15:83-87, 1977.
9. Clarke J, and Holmes G: Local anesthesia of the mandibular molar teeth: A new technique. Dent Pract, 1 0(2):36-38, 1959.
10. Du Brul EL: Sicher and Du Brur s: Oral Anatomy, 8th ed, St Louis, lshiyaku Euroknehca Inc, 1988.
    Gow-Gates GAE:Mandibular conduction anesthesia: A new technique using extraoral landmarks. Oral Surg, Oral Med, Oral Pathol, 36:321 -330, 1973.
11. Gow-Gates GAE Watson JE: The Gow-Gates mandibular block: Further understanding. Anesth, Prog, 24:183-189, 1977.
12. Kiesselbach, JE, Chan berlain JO: Clinical and anatomical observations on the relationship of lingual nerve to the mandibular third molar region. J Oral Maxillofac Surg, 42:565-567, 1984.
13. Malamed SF: Handbook of Local Anesthesia. 5th ed, St Louis, Mosby, 2004.
14. Vazirani SJ: Closed mouth mandibular nerve block: A new technique. Dent Dig, 66:10-13, 1977.

CHAPTER

12

| Dental Anesthesiology | 국소마취

국소마취 합병증의 이해와 대처

학습목표

1. 국소마취 시 발생 가능한 국소적 합병증의 원인, 문제점, 치료법과 예방법에 대하여 숙지한다.
2. 국소마취제 흡수와 주사에 따른 전신적 합병증의 원인, 문제점, 치료법 및 예방법에 대하여 숙지한다.

국소마취의 합병증 또는 병발증(anesthetic complications)이란 국소마취 시행 중 또는 시행 후에 통상적으로 예상되는 상황에서 벗어난 모든 상태로 정의할 수 있다.

이러한 합병증은 다음과 같이 분류된다.

① 일차성 또는 이차성 합병증

② 경증 또는 중증 합병증

③ 일시적 또는 영구적 합병증

국소마취 합병증이란 국소마취를 시행하는 도중이나 후에 정상적으로 예상되었던 현상 외의 변화가 나타나는 경우를 말한다. 마취효과는 주사침을 조직 내에 자입한 다음 국소마취제를 주입하여 해당 신경이 분포되는 부위의 통증이 소실되면서 얻어진다. 이때, 주사침 자입이나 주입된 국소마취제에 의한 부작용이 없어야 한다. 합병증은 일차성과 이차성, 경증과 중증 또는 일시적과 영구적 합병증으로 나뉘는데, 서로 혼합하여 분류할 수 있다. 즉, 일차성으로 경증의 일시적 합병증이라든지, 이차성으로 중증의 영구적 합병증 등으로 분류할 수 있다. 다행히 국소마취 시의 대부분의 합병증은 일차성 경증의 일시적 합병증이거나 이차성 경증의 일시적 합병증이다. 일차성 이란 주사침의 자입 또는 마취액 주입 동안 합병증이 발생되는 경우이고, 이차성은 주사침의 자입이나 마취액의 주입 후 시간이 경과한 후에 발생하는 경우를 말한다. 경증이란 정상적으로 기대했던 증상보다 약간 다른 변이가 나타난 상태로 이를 위한 특별한 처치가 필요없는 경우이며, 중증은 현저한 증상이 발생되어 이를 위한 처치가 요구되는 상태이다. 일시적 합병증은 합병증이 발생한 당시 증상이 심한 상태일지라도 후에까지 영향을 미치지 않는 경우이며, 영구적 합병증은 경증이라도 후에 영향이 남는 경우를 말한다.

최대허용치 이내로 조심스럽게 사용한 국소마취제는 일반적으로 안전하며 심한 전신적 반응이 일어났다고 해도 대부분은 일시적인 증상만을 나타낸다.

본 장에서는 합병증의 빈도, 전신적 효과 및 국소적 영향에 대하여 살펴보고자 한다.

국소마취의 합병증은 일반적으로 다음과 같이 크게 분류된다. 즉 ① 마취액의 흡수에 의한 합병증 ② 주사침 자입에 의한 합병증 ③ 혈관수축제에 의한 합병증이다.

첫 번째, 마취액 흡수에 의한 합병증은 다음과 같이 세분할 수 있다.

① 독성(toxicity)

② 알러지와 아나필락시스양 반응(anaphylactoid reaction)
③ 특이체질(idiosyncrasy)
④ 마취액에 의한 국소적 반응(local reaction)

두 번째, 주사침 자입에 의한 합병증은 다음과 같이 세분된다.
① 실신
② 혈종
③ 주사 시 통증
④ 개구장애
⑤ 감염
⑥ 부종
⑦ 이상감각
⑧ 안면신경마비
⑨ 주사침 파절
⑩ cartridge 파절
⑪ 입술이나 혀 등 연조직 손상
⑫ 신경학적 증상

치과에서 발생할 수 있는 국소마취의 모든 합병증을 열거하고 설명하는 것은 그 범위가 너무 크므로, 본 장에서는 치과의사가 비교적 자주 접할 수 있는 합병증만을 설명하였다.

1. 마취액 흡수에 의한 합병증

마취액 흡수에 따른 합병증을 이해하기 위해서는 국소마취제의 흡수와 재분포, 대사 및 제거 과정을 이해해야 한다. 인체 조직 내로 주입된 국소마취제는 목표로 한 신경분포 부위에 마취효과를 나타내면서 체액에 의해 희석되거나 순환계 속으로 흡수되어 심장, 폐, 뇌 등 혈행이 많은 부위에 재분포되고 간에서 대사과정을 거치면서 신장으로 배설되는 과정을 밟는다. 따라서 이러한 정상적인 과정에서는 혈중의 농도 과잉은 거의 발생되지 않지만(그림 12-1), 국소마취제가 혈관 내로 주입되거나 혈행 분포가 많은 조직에 짧은 시간에 급격히 투여된 경우, 또는 간이나 신장질환 등의 전신질환으로 생체대사나 제거가 지연되는 경우에는 혈중 국소마취제의 용량과잉으로 독성 합병증이 발현될 수 있다. 혈행 내 국소마취제의 용량 수준은 인체 전체를 통해서 순환계 내부로 흡수되고 혈장으로 운반된 양을 말한다(단위 μg/ml). 표 12-1은 혈중 리도카인의 농도 증가에 따른 임상소견을 나타낸다.

40~160 mg의 국소마취제(리도카인)를 구강 내 주사할 경우 약 0.5~2.0 μg/ml의 혈중농도를 유지하지만, 약제에 대한 반응은 개인차가 크다는 것을 인식해야 한다.

또한 국소마취액의 흡수과정에서는 알러지나 아나필락시스양 반응, 특이체질 등도 임상에서 문제가 된다.

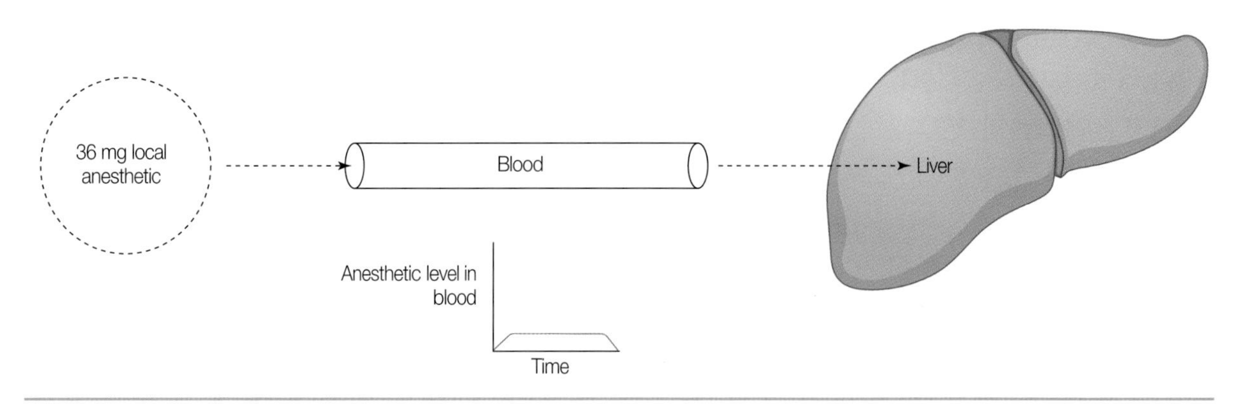

그림 12-1. 정상적인 상태에서는 주사 부위로부터 혈관계로 국소마취제가 계속 흡수되고, 간과 콩팥에 의해 혈류 속의 국소마취제가 지속적으로 제거되어 국소마취제의 혈중농도는 낮게 유지된다.

표 12-1. **국소마취제의 혈중농도에 따른 중추신경계, 심혈관계의 변화**

리도카인 농도(μg/ml)	중추신경계
0.5~4.0	항경련기
4.5~7.0	전경련기
7.0~7.5	경련기
>7.5	중추신경 억제
리도카인 농도(μg/ml)	**심혈관계**
0.5~2.0	정상 심혈관 기능
1.5~5.0	항부정맥 효과
5.0~10.0	심근기능 저하, 말초혈관 확장
>10.0	심근기능 억제, 심장마비

1) 독성

독성(toxicity)이란 약물의 과량투여로 인해 발현되는 증상들을 말한다. 중추신경계, 호흡계, 순환계에 부작용을 나타낼 수 있는 농도의 약물이 혈류 내로 투여됨으로써 합병증이 발생한다. 독성을 나타내는 혈중치는 개인에 따라 혹은 같은 개인이라도 시간에 따라 다를 수 있다.

독성 증상을 야기할 수 있는 혈중농도는 다음과 같은 요인에 영향을 받는다.

① 주입 시 환자의 전신적인 건강상태
② 주입 속도
③ 혈관 내 주사와 같은 잘못된 약물 투여경로
④ 투여된 약물의 양
⑤ 환자 나이

충분한 마취를 얻을 수 있는 한도 내에서 최소의 농도와 최소량을 투여하는 것이 가장 이상적이다. 마취는 느린 속도로 천천히 주입하는 것이 좋으며, 1개의 치과용 cartridge를 1분 이상 걸려 투여하는 것이 바람직하다. 술자는 안전하게 투여할 수 있는 약물의 용량에 대해 정확히 알고 있어야 하고, 주사하는 부위의 혈관분포와 같은 해부학에 대해서 충분히 숙지해야 한다. 또한 모든 주사용 국소마취제는 혈관확장 효과가 있어 혈관수축제를 포함하지 않는 마취제의 경우 흡수는 더욱 빨라진다.

과량의 약물을 사용함으로써 생기는 전신 독성은 구강 내 국소마취로는 비교적 드물다. 하치조신경 전달마취 시 통상 2 ml 정도면 마취가 충분하지만 마취부위가 넓거나 다른 이유로 많은 양의 마취제를 사용하게 될 경우에는 독성이 있을 수 있으므로 국소마취제의 최대 허용량을 잘 알아야 한다(표 12-2). 이 수치는 절대적인 것이 아니며, 환자 건강상태, 약제의 흡수, 분배 및 배설에 따라 변

표 12-2. **국소마취제의 최대허용량**

약 물	최대허용량	
	(mg/kg)	(mg)
2% Lidocaine hydrochloride; 1:100,000 epinephrine	7.0	500
2% Lidocaine	4.5	300
2% Mepivacaine hydrochloride; 1:20,000 levonordefrin	6.6	400
3% Mepivacaine hydrochloride	6.6	400
4% Prilocaine hydrochloride; 1:200,000 epinephrine	8.0	600
4% Prilocaine hydrochloride	8.0	600
0.5% Bupivacaine hydrochloride; 1:200,000 epinephrine	-	90
4% Articaine hydrochloride; 1:100,000 epinephrine	7.0(성인) 5.0(어린이)	-
0.4% Propoxycaine/2% Procaine hydrochloride; 1:200,000 levonordefrin	6.6	-
1.5% Etidocaine hydrochloride; 1:200,000 epinephrine	8.0	400

표 12-3. 어린이에서 국소마취를 위한 용량 산정

- 3% Mepivacaine 3 cartridge (혈관수축제 불포함)
- 각 cartridge = 1.8 ml
- 3% 용액 = 30 mg/ml 또는 54 mg/1.8 ml
- 20 kg 어린이
- 최대허용량 = 6.6 mg/kg
- 산정용량: 3 cartridge × 1.8 ml × 30 mg/ml = 162 mg
- 20 kg 어린이의 최대허용량: 6.6 mg/kg × 20 kg = 132 mg (2.4 cartridge)

이가 많으므로 허용 범위 내의 용량일지라도 독성을 나타낼 수 있다.

위의 요소 외에도 많이 사용되는 국소마취제에는 고농도의 혈관수축제가 포함되어 있어서 독작용이 증가될 수 있다. 치과에서 진정한 의미의 과량의 국소마취는 어린이에서 초래될 수 있다(표 12-3). 성인에서 3% Mepivacaine을 3 cartridge 사용 시 최대 허용범위 내에 들어갈 수 있지만 어린이에서는 최대허용량을 초과하게 된다. 당연한 이야기이지만 성인에서 적정량이 어린이에게는 과량이 될 수 있다는 것을 염두에 두어야 한다.

독성 반응은 약제의 혈장 내 농도에 의존한다. 리도카인의 경우 이러한 효과는 혈장 역가가 5 μg/ml에 이르면 시작되게 되는데 가장 많이 영향을 받는 기관은 중추신경계와 심혈관계이다.

(1) 중추신경계에 대한 독성

치과에서 사용되는 국소마취제는 억제중추(inhibitory center)를 억제하여 중추신경계의 흥분 증상을 야기할 수 있다. 정상적인 상태의 뇌 속에는 억제와 흥분중추가 균형을 이루고 있으나, 억제중추의 저하는 상대적으로 중추신경의 흥분상태를 야기하게 된다. 중추신경계에서 이러한 작용이 일어나는 정확한 위치는 아직 분명치는 않으나, 피질하부(subcortical area)로 추정되고 있으며 변연계의 일부인 소뇌편도(amygdala)가 이러한 작용의 근원지로 알려져 있다. 경련을 일으키는 농도가 되면 간질양 뇌파 활동이 변연계에서 나와 대뇌 피질을 통해 확산되어 긴장성 발작이나 간대성 발작을 일으키게 된다. 약제의 농도가 더 높아지면 심각한 중추신경계 저하가 일어나고 치사량이 되면 호흡곤란으로 사망하게 된다. 과도한 반응은 약제투여 후 몇 분에서 1시간 이상 경과 후 나타날 수 있는데 발현이 천천히 일어날수록 반응도 미약하다. 독성의 정도는 혈장 내 농도와 비례하여 주사 후 15~60분에 최고조에 이른다. 독성 이하 용량의 국소마취제는 항경련 효과를 보여 프로카인과 리도카인은 0.05~4 μg/ml의 혈중농도에서 항경련제로 사용된다.

국소마취제의 혈중치가 4.0~7.0 μg/ml까지 증가되면 중추신경계의 흥분증상이 뚜렷하게 나타나게 되는데, 말이 많아지고, 정신이 분명하지 않으며, 걱정, 이명, 방향성 소실, 구강 주위의 지각둔화(circumoral numbness) 등의 증상이 나타난다. 중추신경계 흥분의 명확한 징후가 있은 후 뒤따라 그에 상응하는 중추신경계 억제 시기가 오며 이때 환자는 기면(lethargy), 반응소실(unresponsiveness), 사지운동 소실, 수면(sleepiness), 졸림(drowsiness), 근쇠약(muscular weakness) 등의 증상을 보일 수 있다.

프로카인이나 리도카인 투여 시에 이러한 흥분상태 없이 중추신경계의 억제 증상을 나타낼 수 있다. 약물 투여 후 이러한 흥분이나 또는 진정과 졸음상태가 오면 술자는 바로 환자의 국소마취제 혈중농도가 높음을 인지해야 하고, 또 뒤이어 나타날 수 있는 전신경련의 가능성에 주의해야 한다. 만약 국소마취제의 혈중치가 7.5~10.0 μg/ml까지 증가될 경우 전신적으로 긴장간대발작이 발생된다.

건강이 좋지 않은 사람은 가벼운 중추신경계의 흥분이나 억제도 견디지 못하므로, 이러한 환자에서 독성 발현의 예방은 매우 중요하다.

(2) 심혈관계에 대한 독성

국소마취제의 중추신경계에 대한 흥분과 억제의 이중적인 작용에 비하여 심혈관계에 대한 직접적인 작용은 억제 작용만을 일으킨다. 대부분의 국소마취제가 심장혈관계에 미치는 효과는 현저한 중추신경계 장애를 일으킬 정도의 농도라 할지라도 아주 미약하여 거의 위험하지 않다. 예를 들어 리도카인에 의한 심근억제는 혈장 내 농도가 경련 정도가 될 때까지는 그다지 심각하지 않다. 독성반응의 초기에 보이는 흥분효과는 중추신경계에 기인된 효과이며 고농도에서는 심근을 직접 억제하고 퍼킨지(Purkinje) 섬유를 통한 감각파 전도 비율을 느리게 하며 불응기(refractory period)를 연장시킨다. 비교적 적은 용량의 국소마취제는 항부정맥 치료제로 사용된다. 혈중농도 1.5~5.0 μg/ml의 리도카인은 부정맥 교정을 위하여 종종 투여되는데, 이는 ectopic pacemaker를 억제하고 심실성 부정맥을 조절한다. 혈중농도 5.0 μg/ml 이상에서 심장기능의 억제효과는 용량과 비례하는 양상을 나타낸다. 심전도상에서 전도저하, 서맥을 보이며 심근기능의 직접적 억제에 의한 심박출량 감소를 나타낸다. 말초혈관확장도 보이는데 혈중농도 10 μg/ml 이상에서는 심각한 심혈관의 허탈이 일어나며 심한 말초혈관의 확장과 수축부전(asystole)이 일어난다.

(3) 독성반응의 처치

대부분의 경우에 독성 발현은 즉시 나타나며 정도가 심하지 않고 일시적이어서 특별한 치료가 요구되지 않는다. 그러나 만약 환자가 갑자기 말이 많아지고 신경과민 반응을 보이거나 걱정을 하게 되면, 술자는 국소마취제에 의한 반응인지 확인해야 한다. 이 경우 흥분상태에 따라 가벼운 억제상태 즉 졸림, 수면이 오게 되지만 이는 특별한 처치 없이 수분 내에 회복된다.

경증에 비하여 중증일 경우에는 초기에 전신적인 긴장간대발작을 보이므로 이에 대한 주의 및 처치가 요구된다. 국소마취제 주입 이후 짧은 시간(10~15초) 내에 발작이 나타나면 혈관 내로 국소마취제가 주입되었을 가능성을 의심할 수 있으며 주입 후 2~5분 후에 나타나거나 초기에는 경증이나 갑자기 중증으로 진행되는 흥분상태에서 나타나는 발작은 마취액의 급격한 흡수에 의한 것으로 볼 수 있다.

이러한 경우 모든 치과치료를 중단하고 추가 손상을 예방하기 위한 조치를 취해야 한다. 팔과 다리를 고정하고 단단하지만 아주 딱딱하지 않은 설압자, 면수건, 고무 개구기를 치아 사이에 물려 혀, 입술, 구강 내 연조직 등의 손상을 방지하고 기도를 막을 수 있는 타액, 구토물 등을 흡인기로 제거한다. 다행히 국소마취제에 의해 야기되는 경련은 진행 기간이 짧으므로, 그동안만 환자를 잘 보호해 주면 된다.

중추신경계 억제기에는 더욱 주의해야 하며 더 많은 노력과 관심을 기울여 환자처치에 임해야 한다. 심폐소생술의 초기 대처가 시행되어야 하며, 의식이 없는 경우 빠른 시간 내에 환자의 맥을 확인하고, 맥이 없는 경우 즉시 심폐소생술을 시작하며(가슴압박), 의식이 없으나 맥이 있는 경우 환자 스스로가 기도를 유지할 수 없으므로 머리를 최대로 젖히고(head tilt and chin lift) 흡인기로 기도를 깨끗이 유지해 주어야 한다. 그 후 호흡계 상태를 평가하고 필요하면 인공호흡을 시행한다. 환자의 자세는 반횡와(semirecumbent position)로 하는데 이 자세는 흡인을 막아주면서 신체의 상·하부로부터 정맥순환을 돕고 심혈관계를 지지해 준다.

표 12-4는 독성 발생 시 임상소견을 요약한 것이며, 중추신경계 흥분과 억제에 대한 약물처치는 다음과 같다.

① 중추신경계 흥분에 대한 약물처치

독성 반응 자체가 급발성이고 일시적이어서 대부분의 독성에 대해 약물처치가 요구되지는 않는다. 그러나, 경우에 따라 정맥주사로 약물을 투여하는 것이 간편하고 확실한 결과를 얻을 수 있다. 예를 들어 발작 전 징후를 발견하는 경우 즉시 다이아제팜 등의 약물을 정맥 주사하여

표 12-4. 국소마취제에 대한 독성 반응 시 치료법

반응의 정도	임상소견	치 료
경도	진정, 졸림	필요 없음
경도	일시적인 불안	시술을 멈추고 환자를 안심시킴
중등도	불쾌감, 불안, 메스꺼움, 혼란, 감각이상, 떨림	시술을 멈추고 환자를 안심시킴. 생징후를 관찰함 안정을 위하여 diazepam 5~10 mg 또는 midazolam 2~5 mg을 정맥주사
중등도에서 고도	방향감각 소실, 반의식 또는 의식소실, 경련	환자를 움직이지 못하게 묶고 생징후를 관찰함 기도를 확보하고 산소를 공급하며 경련이 끝날 때까지 diazepam 2~5 mg 또는 midazolam 2 mg을 정맥주사
고도	호흡과 심혈관계의 정지	심폐소생술

전신적인 발작을 방지할 수 있다. 또 어떤 경우에서는 국소마취제를 주사하기 전에 미리 정맥 내 투여 경로를 확보하여 독성반응의 흥분상태 처치를 위해 몇 가지 약물과 치료를 이용할 수 있다.

중추신경계 흥분상태 시 경련을 방지하기 위해 pentobarbital을 50~100 μg/ml 정맥주사 할 수 있다. 이러할 경우 이 약물을 독성징후가 나타나는 초기에 투여해야 하는데, 그렇지 않을 경우 흥분상태 후에 보이는 억제상태를 더욱 심화시킬 수 있기 때문이다.

Diazepam (Valium) 역시 자주 사용되며 발작의 예방뿐만 아니라 조절에도 이용할 수 있다. Barbiturate와는 달리 흥분 후의 억제상태를 심화시키지 않고 발작의 예방과 조절에 5~10 mg을 정맥주사하면 흥분 후의 억제상태는 예측할 수 있는 범위 내에 있다. 국소마취제에 의한 발작은 일시적이므로 신경근차단제인 succinylcholine 등은 거의 사용되지 않는다.

② 중추신경계 억제에 대한 약물처치

중추신경계 억제에 대한 주요 응급 처치는 다음과 같다. 맥이 있는 경우 머리를 최대로 뒤로 젖혀 기도를 확보하고, 필요시 인공호흡에 의해 호흡을 유지하며 Trendelenburg위치로 자세를 바꿔 중력이 정맥 순환을 보조할 수 있게 하여 혈액순환을 도와준다. 경도 혹은 중등도의 흥분 후의 억제상태에서는 자세 전환만으로 충분하나 심한 중추신경계의 억제상태에는 자세 전환과 약물처치가 모두 필요하다. 원칙적으로 국소마취제 독성 반응으로 중추신경계가 억제상태가 된 경우에는 의식이나 호흡의 회복을 위한 약물처치는 일반적으로 필요하지 않다. 흥분제나 마약성 길항제도 가급적이면 사용하지 않는 것이 좋다.

그러나 심혈관계의 억제에 대한 처치로는 약물이 사용될 수 있다. 저하된 혈압을 상승시키기 위해 혈압상승제를 정주한다. 모세혈관의 확장은 상대적인 체액감소를 초래하고 사지 말단부나 내부장기에 혈액이 모여 있게 하여 심장으로의 정맥순환을 감소시킴으로써 전체적으로 심박출량의 감소와 혈압의 저하를 나타낸다. 이러한 상대적 체액감소는 자세 전환과 5% dextrose 또는 Hartman 용액 등의 수액을 투여하여 교정할 수 있는데, 정상 성인일 경우 250~500 ml를 신속히 투여하면 상대적인 체액 감소를 극복하여 혈액순환을 유지할 수 있다. 만약 확실한 약물처치가 필요하다면 다양한 혈압상승제를 보존 용량으로 사용할 수 있는데 phenylephrine 등이 흔히 이용된다.

저혈압 다음으로 고려해야 하는 것이 서맥이다. 박동수가 40~50회/분으로 저하되면 atropine 0.5 mg을 정맥주사 또는 근육주사 한다. 만약 환자가 약물처치가 요구될 정도의 심한 독성반응을 보일 때는 종합병원에서 처치를 받을 수 있도록 조치해야 한다.

(4) 독성의 예방

독성반응을 예방하기 위해서는 다음의 기본적인 사항들을 지켜야 한다.

① 국소마취제 주사 전에 환자를 철저히 검사한다.
② 국소마취제를 주의 깊게 선택한다.
③ 최소한의 용량을 사용한다.
④ 마취액을 천천히 주사한다.
⑤ 주사 전에 반드시 흡인을 시행한다.
⑥ 금기증이 없는 한 혈관수축제가 포함된 국소마취제를 사용한다.

(5) 국소마취제의 혈관 내 주사

특히 국소마취 시행 중 혈관 내 주입은 단시간에 혈중 국소마취제 농도의 현저한 증가를 보이므로 국소마취제 주입 전 반드시 흡인을 하여 혈관 내로의 국소마취제 주입을 방지해야 한다.

그림 12-2는 주사침이 혈관 내강 내부에 위치되었는데도 흡인검사(aspiration test)가 음성(-)인 이유를 보여준다. 따라서 국소마취 용액의 주입 전에 주사침의 bevel 방향을 달리 위치시켜 2회 이상 흡인 검사를 시행하여 이런 문제점을 해결한다. 즉, 주사침 자입 후 한번 흡인검사를 한 후에 주사침 bevel을 45° 돌려서 또 다시 흡인검사를 한다. 표 12-5에 구강 내 국소마취 시 양성흡인율을 열거하였다. 마취방법과 보고자에 따라 다양하지만 대부분 흡인율이 높았으며, 성인에 비하여 청소년층에서 흡인율이 높게 나타나고 있다. Gow-Gates 등의 보고에서 1.6%로 매우 낮았던 Gow-Gates 하악신경 전달마취법도 Robertson과 Levy 등의 보고에서와 같이 7.7~17%로 흡인율이 매우 높은 것을 볼 수 있다. 그러나 흡인이 되지 않는다는 것이 반드시 혈관 내로 주입되지 않은 것이라고 보장할 수 없다. 혈액의 점도가 높거나 혈관 허탈에 의해 주사바늘이 막힐 경우 혈액이 흡인되지 않을 수 있다. 그러므로 흡인의 가능성이 높은 전달마취에서 마취액의 주입은 가급적 천천히 시행되어야 한다.

① 국소마취제의 정맥 내 주사

심부정맥을 치료하기 위하여 리도카인을 정맥 내 주사하는 경우도 있다. Cartridge 한 개에 들어있는 리도카인의 2~3배 되는 양을 2분 동안에 정맥주사 하여도 합병증이 없을 수 있지만, 급히 주사를 할 경우 경련이 발생할 수도 있다. 부정맥을 치료하기 위하여 정맥 내로 리도카인

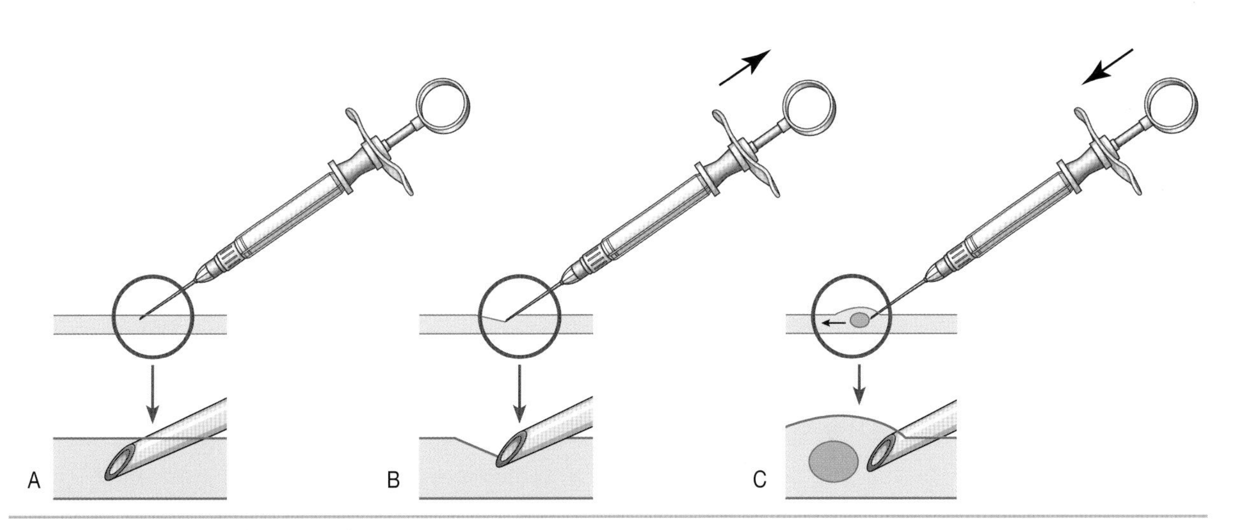

그림 12-2. 국소마취제의 혈관 내 주입
(A) 주사침이 혈관 내강 안에 삽입된 모습, (B) 흡인시험 시 음압이 혈관벽을 당기므로 주사침이 혈관 내부에 위치되어도 혈액이 흡인되지 않을 수 있다. (C) 국소마취제가 혈관 내로 주입되는 모습

표 12-5. 상악과 하악에서 국소마취 시의 혈액 흡인율

	주사 부위	해당부위의 혈관	혈액 흡인율(%)
상악	골막주위주사법	상악동맥과 정맥의 분지	1.9
	후상치조신경 전달마취법	후상치조동맥과 정맥, 익상정맥총	3.9
	구개부마취법	대구개혈관과 비구개혈관	1.2
	상악신경 전달마취법	익돌구개관 접근법시 대구개동맥과 정맥, 심부상악결절 접근법시 후상치조동맥과 정맥, 익돌정맥총, 상악동맥	14.3
하악	하치조신경 전달마취법	하치조동맥과 정맥	7.9~15
	이신경 전달마취법	이혈관(mental vessel)	7.0

을 주사 시 발작이 발생될 수 있는 비율은 0.6% 정도라고 한다. 물론 에피네프린 등의 혈관수축제가 포함되어 있으면 독작용은 증가될 수 있다. 특히 민감한 환자에서 빠른 정맥 내 주사는 치명적일 수 있다.

② 국소마취제의 동맥 내 주사

동맥 내로 소량의 국소마취제가 주사되더라도 중증의 신경중독증이 초래될 수 있다. 외경동맥에서 분지되어 말단 모세혈관으로 보내지는 동맥혈류를 이해하면 오히려 정맥 내 주사 시보다 독작용이 감소되어야 할 것 같지만 동맥 내로 급속히 주사되었을 때 국소마취제가 혈관 내에서 역류하여 외경동맥을 지나 내경동맥으로 들어가서 일시적이지만 고농도의 국소마취제가 중추신경단위에 영향을 미치게 된다. 이 경우 과민성 합병증 또는 의원성 합병증이 병발될 수 있으며 실제로 국소마취로 인한 사망이 보고된 예도 있다. 그러므로 어느 부위에서 국소마취를 하더라도 반드시 흡인검사를 해야 하며, 때로 주사침이 혈관 내 자입 되었더라도 혈관의 내벽이 주사침의 사단에 묻혀서 혈액이 흡인되지 않는 경우가 있으므로 흡인 시 주사침을 약간 움직여 보면서 검사할 필요가 있다(그림 12-2).

③ 혈관 내 주사 시 치료법

국소마취제의 혈관 내 주입 시 부작용은 즉시 또는 1~2분 후 발현될 수 있다. 실제의 혈관 내 독성은 단시간 내 나타나므로 거의 30분을 넘기는 경우는 드물다. 국소마취제의 지방용해성때문에 혈관이 풍부한 뇌에 금방 들어가 몇 분 후면 약제는 중추신경계를 떠나 근육이나 지방에서 흡수되어 혈장 내 농도는 아주 짧은 시간 내에 독성을 나타내지 못할 정도로 떨어진다. 혈관 내 주입 시 치료방법은 국소마취제를 과량 투여한 경우와 비슷하나(표 12-4) 간질 발작을 예방하기 위한 약물투여가 필요 없다는 점이 다른 데, 이는 몇 분 내에 경련이 저절로 가라앉기 때문이다. 그러나 경련이 지속된다면 항경련제를 투여해야 한다.

(6) 혈관수축제의 영향

에피네프린이나 다른 혈관수축제는 부작용을 거의 일으키지 않으며, 있더라도 미약하고 짧은 기간 나타난다. 환자는 무력감, 메스꺼움, 또는 신경과민 증상 등을 느끼게 된다. 심혈관계 반응으로 빈맥 또는 서맥과 함께 경미한 고혈압과 때로 조기 심실박동 등이 나타난다. 두근거림이나 강한 심박동을 느낄 수 있고 심한 고혈압 반응을 나타내는 경우 두통을 호소할 수도 있다.

과민한 환자에서는 에피네프린과 같은 약제가 심한 빈맥이나 고혈압을 일으키며 위험한 심부정맥을 유발할 수도 있는데 환자를 너무 깊게 진정시켰거나 전신마취를 할 경우에 나타날 수 있다. 호흡기능 회복에 주의를 하지 않으면 동맥혈 내 이산화탄소가 증가되고 심장이 catecholamine에 매우 예민하게 반응할 수 있다.

전신적으로 혈관수축제에 대한 반응이 경미한 경우 환자를 진정시키며, 시술을 중단하고 환자를 앙와위로 눕히고 때로 diazepam과 같은 진정제를 사용하는 것도 도움이 된다. 에피네프린은 빨리 대사되기 때문에 혈관 내 주사에 의한 반응은 5분 이상 지속되지 않으며 단순한 과량투여의 경우 매우 짧게 일어난다. 드물게 심근경색이나 뇌혈관 이상과 같은 생명에 지장을 주는 합병증이 발생되었을 때는 필요에 따라 심폐소생술과 입원치료를 한다.

2) 알러지와 아나필락시스 반응

약물 알러지란 신체의 반응에 의해 항원물질로 감지된 약물이나 화학물질에 의해 일어나는 알러지 반응의 특수한 형태이다. 단백질을 포함하여 어떤 약물이 주입되었을 때 세망내피계(reticuloendothelial system)를 자극하여 항체를 생산한다. 항체는 항체생산의 원인이 되는 물질 즉 항원을 파괴하거나 중화시킨다. 때로는 순환하는 항체가 항원을 파괴하거나 중화하지 않으며 그 결과 항원이 고정된 항체와 결합하여 히스타민이나 히스타민과 유사한 물질을 유리한다.

유리된 히스타민이나 히스타민과 유사한 물질은 해당 부위의 모세혈관에 작용하여 투과성을 증가시키고 혈장을 인접조직으로 혈관 외 유출(extravasation)시켜서 담마진(urticaria)이나 혈관, 신경 부종을 유발한다. 또 세기관지(bronchiole)의 평활근을 수축시켜 천식과 유사한 상태를 유발한다. 또한 세동맥 등 미세순환계의 혈관 확장으로 영향을 받은 부위에 혈액을 축적시킨다.

국소마취와 관련된 과민 반응은 리도케인과 Mepivacaine 등의 아미드 계열의 국소마취제가 개발된 1948년 이후 그 발생비율의 감소를 보여 왔으나, 국소마취 시술의 현저한 증가로 과민반응 역시 증가하는 양상이며, 신경성에 기인한 아미드 계열의 과민반응도 보고되고 있다. 알러지 반응은 항원에 노출된 후 48시간 이상 지나서 발생되는 경도의 지연반응으로부터, 즉각적이고 생명을 위협하는 즉시형 반응까지 다양한 임상소견을 나타낸다. 아미드나 보존제에 대한 알러지 반응은 과민증이 가장 일반적인 것으로 과민증의 가장 흔한 증상인 피부의 발적, 가려움, 또는 두드러기가 관찰되며(그림 12-3), 주사부위의 부종이나 맥관신경증성 부종의 형태로도 발생된다. 평활근의 수축은 기관지 협착, 복부경련과 메스꺼움을 일으킬 수 있다. 기관지경축과 후두부종 등의 호흡기 장애와 쇼크로 사망에 이를 수도 있다. 이러한 과민반응은 국소마취제의 주입 즉시 나타나지만 피부반응과 저혈압은 1시간 정도 지나서 나타날 수도 있는데 이러한 지연반응은 국소마취제의 대사산물이 원인임을 의미한다.

과민반응은 Coombs와 Gell의 분류대로 네 가지 형태

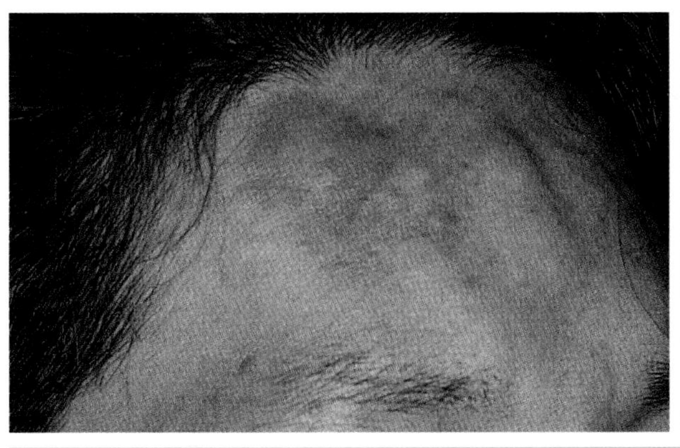
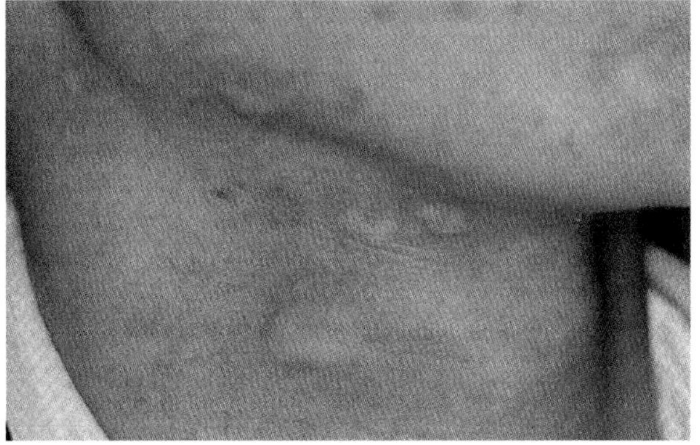

그림 12-3. 리도카인 침윤마취 후 유발된 안면피부 담마진(두드러기)

표 12-6. **알러지 질환의 분류**

형	기전	작용시간	주요 항체 또는 세포	임상 증상 및 질환
즉시형	아나필락시스 반응	수초~수분	IgG	아나필락시, 비염, 담마진, 맥관신경성부종
	세포독성 장애	수초~수분	IgG, IgM	용혈성 빈혈, 재생불량성 빈혈, 혈소판 감소증, 수혈반응
	면역복합체반응	6~8시간	IgG, Complement	혈청병, 홍반성 낭창(SLE), 막성 사구체 신염
지연형	세포성 면역반응	48시간	감작 임파구	접촉성 피부염, 만성 감염, 조직이식 거부, 결핵

로 나타나고 치과시술에서 볼 수 있는 형태는 I형의 아나필락시스 반응과 지연성 반응이다(표 12-6).

기타의 알러지 반응으로 면역반응에 의한 박리성 피부염, 혈소판 감소성 자반병, 표피진 에스터기를 가진 국소마취제와 methyl paraben을 포함하고 있는 도포마취제에서 흔히 발생하는 알러지 반응은 지연성 피부반응으로 프로카인 등 에스터기가 포함된 국소마취제를 매일 사용하는 임상의가 많이 겪는다.

알러지에 관해 가장 흥미 있는 것은 보존제인 메틸파라벤(methyl paraben)이다. 메틸파라벤은 수많은 약제, 음식물, 화장품에 포함되어 있다. 이런 메틸파라벤의 사용 증가로 이들에 대한 감작반응이 증가하고 있다. 물론 메틸파라벤과 같은 보존제 이외의 성분에도 알러지 반응이 있을 수는 있지만 매우 드물다. 또한 도포마취를 위하여 사용되는 benzocaine이나 tetracaine과 같은 에스터기를 포함한 국소마취제를 사용 시, 구강 내 접촉성 알러지 반응이 나타날 수 있다. 미국 FDA (Food and Drug Administration)에서는 치과 cartridge와 같은 단위형 용기는 메틸파라벤을 포함할 필요가 없다고 밝히고, 이 약제가 들어있지 않은 포장형태만 인정하고 있다. 이러한 인정 기준으로 아미드형 국소마취제의 알러지 발생률이 감소되고 있다.

(1) 알러지 징후와 증상

알러지 반응의 징후와 증상은 경증부터 중증까지 있으며, 즉발성이나 지연성으로 올 수 있다.

① 즉발성 반응

일반적으로 알러지 유발물질에 노출된 후 증상이 빨리 나타날수록 심각한 반응을 나타내며, 증상의 정도가 급속히 심해질수록 더욱 심각한 결과가 초래되어 생명을 위협하는 상황까지 유발될 수 있다.

즉발성 반응이란, 알러지 유발물질에 노출된 후 수 초 내지 수 시간 내에 발생하는 반응이며, 영향을 미치는 주요 부위는 피부, 점막, 호흡계, 심혈관계, 미세순환계 등이다. 즉발성 반응은 세포독성 반응형, 면역복합형, 아나필락시스형으로 구분되며, 치과 임상에서 가장 큰 문제가 되는 아나필락시스 반응은 피부나 점막, 호흡계, 위장관계, 심혈관계, 특히 미세순환계에 영향을 미친다. 이 중 한 종류에만 발생하면 이를 국소성 아나필락시스라 하며, 여러 종류가 포함되면 전신성 아나필락시스라고 한다.

가장 흔한 즉발성 아나필락시스 반응은 피부와 미세혈관에서 일어나는 담마진이나 맥관성 부종이다. 담마진이란 피부에 편평하게 융기된 반점으로 심한 가려움을 동반한다(그림 12-3). 맥관성 부종은 연조직의 부종으로 손, 얼굴, 입술, 혀, 인두 및 후두에서 발생되며 심한 경우 기도폐쇄를 일으킬 수 있다.

두 번째로 흔한 즉발성 아나필락시스 반응은 호흡계에

표 12-7. 국소마취제에 의한 알러지 반응의 치료

반 응	임상소견	치 료
국소적 피부반응	국소적 발적, 부종, 소양증	일반적으로 약물 투여 불필요하나 때로 diphenylhydramine 25~50 mg의 항히스타민제 투여
전반적 피부반응	소양증, 두드러기, 큰 발적 눈꺼풀과 입술의 맥관성 부종	diphenylhydramine 투여, 관찰, 전문의에게 의뢰
호흡곤란	기관지 협착, 후두부종 호흡곤란	에피네프린을 1:1000 용액의 0.3~0.5 ml (0.3~0.5 mg) 근육주사, 산소공급, 기도확보, 필요하면 응급조치 및 입원, 전신적 약물치료(diphenylhydramine 50 mg 근육주사 또는 정맥주사)
과민성 쇼크	위의 증상 외에 저혈압, 심장관계 허탈	에피네프린 1:1000 용액 0.3 ml를 피하주사, 산소공급, 심폐소생술과 응급조치 및 입원 전신적 약물치료

서 일어난다. 천식성 반응은 하부의 기관지(tracheobronchial tree)에 발생하여 씨근거리는 소리와 함께 지연된 호기를 보이는 호흡계장애를 초래한다.

② 지연성 반응

지연성 반응은 해당 알러지 유발물질에 노출된 지 48시간 이후에 발생되는 반응으로 심각하다기보다는 환자를 몹시 괴롭게 한다. 흔히 주사 부위의 부종이나 관절통, 압통, 권태감으로 발현된다.

(2) 알러지의 치료

일단 알러지 반응이 발생할 때는 그것이 경증이든 중증이든 치과의사는 환자의 생명과 안전을 위하여 즉시 치료를 할 수 있어야 한다. 그리고 알러지의 치료 후에도 계속적인 관리를 위해 피부과, 내과 등의 관련 의학과와 협진을 하는 것이 바람직하다.

국소마취제에 의한 알러지 반응의 치료는 다음과 같이 요약할 수 있다. 표 12-7의 분류가 임상에서 실제로 나타나는 임상소견과 반드시 일치하지는 않지만 정리하는데 도움이 되리라 생각한다. 예를 들어 경미한 피부 반응 시에도 기관지 협착이나 저혈압 등이 발생될 수도 있다.

① 국소적 즉발성 반응의 처치

피부나 점막에 작용하여 담마진, 소양증(pruritis), 맥관성 부종, 결막염(conjunctivitis) 등을 야기하는 경증의 국소적 반응에는 항히스타민제를 투여하는데, diphenhydramine (Benadryl)을 매 3~4시간 간격으로 50 mg씩 경구로 투여한다.

더욱 심각한 국소적 반응에는 diphenhydramine 25~50 mg을 정맥주사 혹은 근육주사한다. 심한 국소적 반응을 보이고 상기도 부종 혹은 호흡장애가 있을 때는 에피네프린 0.3~0.5 mg (0.3~0.5 ml, 1:1,000 adrenaline)을 피하 혹은 근육주사 한다. Corticosteroid (예를 들어 dexamethasone 4~8 mg 정맥주사)는 부종 및 혈관투과성 감소에 효과적이다.

호흡계나 심혈관계를 포함하는 응급 상황 시에는 100% 산소를 투여하는 것이 좋다. 항히스타민제를 투여한 후 약 1시간 정도는 치과에서 대기하여 반응의 재발여부를 살펴야 한다. 항히스타민제는 가벼운 진정작용이 있기 때문에 귀가 시에는 보호자가 항상 동반해야 한다.

드물지만 상기도 부종으로 호흡이 곤란한 경우 약물뿐 아니라 기계적인 호흡 보조처치가 요구된다. 윤상갑상막(cricothyroid membrane)에서 기도로 구멍을 만들어 주는 윤상갑상연골절개술(cricothyroidotomy)(그림 12-4, 12-5)의 간단한 처치로 생명을 구할 수 있다. 이 방법은 기도에 이물질이 있을 때 시도하는 방법으로 이물질이나 부종이 성대의 위치나 혹은 그 상방에 있을 때 유효하다. 즉 폐쇄부위의 하방에서 윤상갑상막을 통한 기도의 개방으로 생명을 구할 수 있다. 윤상갑상연골절개술의 방법은 다음과 같다.

- 환자의 고개를 뒤로 젖히고 갑상융기, 즉 Adam's apple을 촉진한다.
- 촉진하는 손가락을 갑상연골을 따라 밑으로 움직여 작은 함몰부에 손끝을 위치시킨다.
- 이 위치에서 손끝은 견고한 연골환, 즉 윤상연골 위에 위치된다.
- 이 함몰부, 즉 윤상갑상막에 새로운 기도를 확보할 곳을 표시한다.
- 이 부위에서 기도를 형성하고 유지시킬 적당한 기구를 이용하여 새로운 기도를 만든다. 수술도를 이용하여 수직 또는 수평절개를 한 다음 유지를 위하여 90° 회전시킨다. 크기가 큰 14~16 gauge 정맥주사용 주사침을 이용할 때는 수술도가 필요 없다.

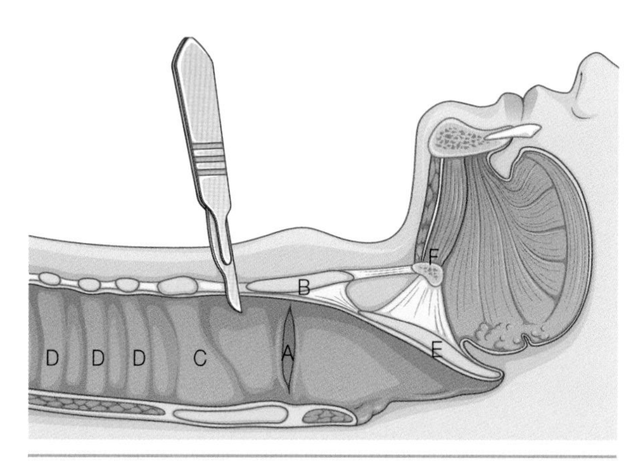

그림 12-4. 윤상갑상연골절개술과 관련된 해부학적 구조물
(A) 성대, (B) 갑상연골, (C) 윤상연골, (D) 기관륜, (E) 후두개연골, (F) 설골

② 천식 발작의 처치

치과치료 도중에 발생된 천식발작은 환자 자신에 의해 가장 잘 처치될 수 있다. 천식 환자는 분무용 기관지확장제를 소지하고 다니는 경우가 많으므로 본인 스스로 처치할 수 있는지를 확인하고 치과진료에 임하도록 한다. 다만 천식환자인 경우 진료 자세는 앙아위보다는 기도내분비물의 배출이 용이한 앉은 자세로 환자를 위치시키고 보존치료 시에도 러버댐을 사용하지 않는 것이 바람직하다.

기관지수축을 해소하는 가장 신속하고 효과적인 약물은 isoproterenol이나 에피네프린을 포함한 분무제이다. 천식발작 자체는 호흡작용 자체에 영향을 주지 않으므로 이들 약물은 직접 기관지의 평활근에 작용하여 심도 있고 즉각적인 이완작용을 한다. 분무제로 발작을 처치할 수 없을 경우에는 1:1,000 에피네프린을 0.3~0.5 ml 정맥 혹은 피하주사한다.

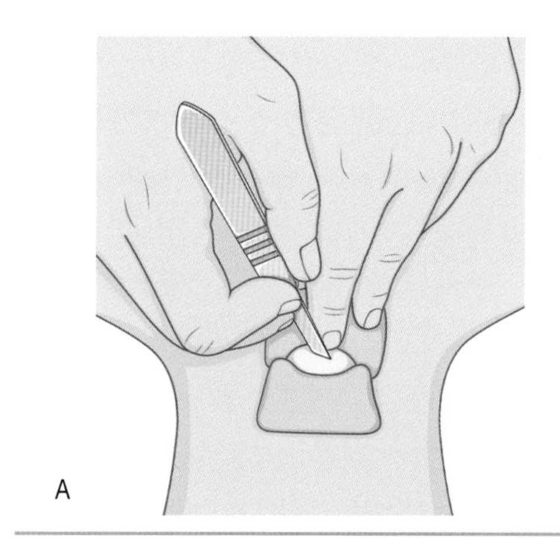

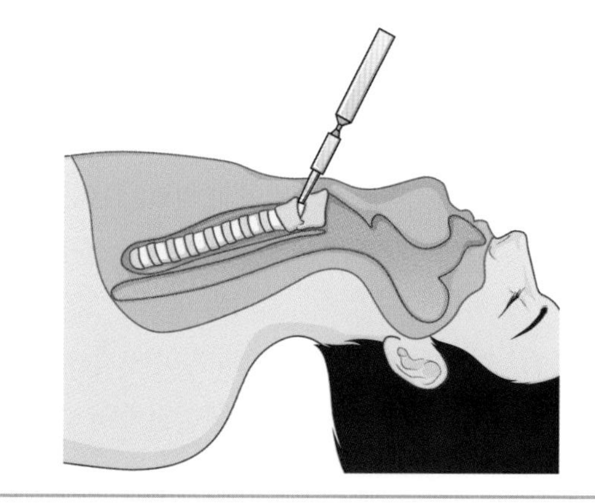

그림 12-5. 갑상연골과 윤상연골 상부에 손가락을 놓고, (A) 기관을 향해 수평 절개하는 모습, (B) 윤상갑상연골절개술이 완료된 모습

③ 전신적 즉발성 반응의 처치

전신적인 아나필락시스양 반응은 치과에서 발생할 수 있는 가장 긴박한 응급 상황이다. 이 반응은 약물투여 중 또는 직후에 급작스럽게 발생되는 특징을 보인다. 뚜렷한 증상으로 급작스럽고 완전한 허탈, 의식소실, 감지할 수 없을 정도로 약한 맥박과 호흡 등이 나타난다. 환자는 급속히 청색 또는 회색으로 변하는데, 적절하고 신속한 치료가 이루어지지 않으면 생명이 위험할 수 있다.

기도유지와 인공호흡을 시켜서 즉시 호흡을 회복시켜 주어야 하며, 혈액순환 유지를 위하여 환자의 자세를 Trendelenburg 위치로 전환하여 정맥순환이 원활히 이루어지도록 도와준다. 또한 정맥 내 수액(5% dextrose, lactated Ringer's solution)과 혈압상승제, corticosteroid 등을 주사한다.

저혈압의 개선을 위해 에페드린(ephedrine) 5~15 mg과 dexamethasone 4~12 mg을 정맥주사한다. 맥박을 감지할 수 없는 경우, 즉시 심장압박을 시행해야 한다.

(3) 알러지의 예방

국소마취 시술과 관련된 과민반응을 예방하기 위해서는 환자에 대한 철저한 병력 문진이 필요하다. 과거에 페니실린이나 아스피린, 코데인 혹은 다른 약제에 의해 과민반응을 경험한 병력이 있는 환자나 기관지천식, 고초열(hay fever), 알러지성 축농증, 기타 알러지 혹은 담마진 등의 기왕력이 있거나 경험했거나 현재 병을 가지고 있는 환자는 특히 주의해야 한다.

과거에 치과진료 시 국소마취에 과민반응을 경험한 적이 있는지의 여부를 확인해야 한다. 국소마취제의 과민반응에 대한 검사로 치과외래에서 우선 선택할 수 있는 방법은 피부반응 검사이다. 약물 0.1 mg을 피내 주사하여 반응을 보는 검사법이 가장 신빙성이 높으며, 피부표면에 도포하는 방법에 비해 약 100배 이상 민감하게 반응한다. 피부반응검사는 혈관수축제나 보존제가 함유되지 않은 국소마취제를 가지고 해야 하며 메틸파라벤은 별도로 검사해야 한다. 피부반응검사에 대한 반응의 정도에 따라 등급을 나누는데 반응이 없는 경우(-), 홍반(erythema)이 나타나는 경우(+), 중앙부에 소양감을 수반하는 편평한 부종성 구진, 즉 구반(central wheal)이 나타나면서 중등도의 홍반이 형성되는 경우(++), 작은 위종을 형성하면서 넓게 확산되는 홍반(+++), 그리고 커다란 구반과 위종을 수반하는 광범위한 홍반을 보이는 경우(++++)로 구분된다.

다른 방법으로 알러지 반응검사 시 비강점막에 직접 약제를 떨어 뜨려 반응을 보는 방법이 있는데 이는 피내주사에 의한 검사에 비해 정확성이 떨어진다.

3) 특이체질

특이체질(Idiosyncrasy)이란 독성반응이나 알러지 반응으로 분류될 수 없는 특이한 반응에 대한 용어로서 이는 어떤 알려진 약리학적 또는 생화학적 기전으로 설명할 수 없는 부작용이다.

국소마취제에 의한 특이체질 환자에서 발생되는 응급상황을 열거하고 설명하기는 어렵다. 여기서는 독성이나 알러지 반응으로 볼 수 없는 특이한 증상이 발현될 때, 그것을 특이체질적 반응으로 분류한다. 이러한 반응은 약물의 종류에는 관계없고 같은 환자라도 시간에 따라 다르게 나타날 수 있다.

(1) 약물유전성 장애에 의한 특이체질 사례

예를 들면 아미드형 국소마취제 투여 후 발생하는 악성 고열증(malignant hyperthermia)이 있다. 이는 근육의 근소포체(sarcoplasmic reticulum)에서 칼슘이온을 과도하게 유리시킴으로써 대사성, 호흡성 산성증을 급격히 유발시키는 특징을 보이는 부작용이다. 빈맥, 불안정한 혈압, 청색증, 고열 및 근육 강직이 나타나며 사망률도 75%까지 보고되고 있다.

이 합병증은 특정한 약제의 복용과 상관없이 스트레스를 받는 상황에서 유발될 수 있다. Dantrolene sodium을 예방적으로 투여하면 이와 같은 합병증의 발생을 예방할 수 있으며, 또한 발생 시 치료목적으로도 사용할 수 있다. 그러나 이런 악성 고열증이 국소마취 시 특이체질성 반응으로 나타날 것이라고 예측하는 것은 불가능하다.

(2) 처치

특이체질적 반응으로 야기된 응급 상황에 대한 처치는 나타나는 증상에 따라 대처해야 하므로 미리 대비하는 것은 불가능하다. 먼저 환자의 기도를 확보하고, 산소를 투여하며 혈액순환을 보조하고 자세를 전환시킨다. 또한 필요시 약물이나 수액을 공급한다. 그리고 경련성 발작이나 의식상실 및 유사한 상황에 의해 환자가 손상을 받지 않도록 주의해야 한다.

(3) 예방

마취 전 혹은 시술 전 환자의 평가가 매우 중요한데 이는 특이체질의 경향이 있는 환자를 미리 발견하고, 주의를 기울임으로써 합병증을 예방하거나 감소시킬 수 있다. 또한 감정적 요소가 큰 작용을 하므로 정신과적 치료가 도움이 될 수 있으며, 약물투여도 효과적이다.

4) 실신

실신(syncope, Fainting)은 국소마취 시 치과진료에서 가장 빈번히 발생되는 합병증이다. 이는 신경성 쇼크(neurogenic shock)의 일종으로 말초혈관의 확장과 연루된 혈압저하로 인해 대뇌허혈(cerebral ischemia)이 생겨 발생된다.

뇌의 기능을 유지하기 위해서는 지속적인 에너지를 필요로 하는데 그 에너지원으로 가장 중요한 것은 포도당과 산소이며 이들은 혈액을 통하여 공급된다. 따라서 저혈당증, 저산소증 및 뇌혈류량의 감소 등에서는 모두 뇌기능장애를 유발하여 의식상실 및 전신무력을 나타낼 수 있는데, 저산소증과 저혈당증은 실신처럼 빨리 회복되기 어렵고 또한 그 병인이 비교적 확실하기 때문에 엄격한 의미의 실신은 뇌혈류량의 감소에 의한 뇌기능장애만을 의미하는 경향이 있다.

실신이 발생되는 가장 큰 요인은 정신적 스트레스로서 공포, 불안, 통증, 슬픔, 피로, 공복, 수술 시 자극 등이 있을 수 있다.

(1) 전구증상

실신이 있기 전 환자는 전구증상을 느끼므로 주의 깊게 관찰하면 미리 적절한 대처를 할 수 있다. 전구증상은 실신이 오기 전 수초에서 수분 전부터 나타나는데 답답하고 불쾌한 느낌과 몸이 나른해지며 상복부가 답답하고 오심, 구토 등의 증상과 함께 식은땀이 나고 창백해지며 사지가 차가워지고 어지러운 증상이 있다. 이러한 경우 술자는 빨리 치료를 중단하고 예방조치를 취해야 한다. 점차 증상이 심화되면 환자는 낮고 빠른 호흡, 약한 서맥(bradycardia), 저혈압, 심한 말초청색증을 나타내면서 수초 혹은 수분간의 의식혼란, 즉 실신이 초래될 수 있다.

(2) 실신의 기전

단순한 기절은 혈관감압성실신(vasodepressor syncope), 혈관미주신경성실신(vasovagal syncope), 신경성실신 또는 심리성실신 등의 용어로 불리고 있다.

임상에서 가장 흔히 볼 수 있는 혈관감압성성실신(vasodepressor syncope)은 주사침을 자입하는 순간 정신적인 스트레스나 통증이나 수술에 대한 공포감 때문에 나타날 수 있다. 이것은 주로 젊고 건강한 사람에게서 빈발 하는데 정확한 기전은 아직 잘 알려져 있지 않지만 공포감이나 압박감에 도전하거나 피하려는 무의식적 방어기전이 붕괴되기 때문에 나타나는 현상이라고 하는 학설이 유력하다. 즉 정신적 스트레스에 대한 중추신경의 비적응성 급성반응으로 부교감신경 지배성의 혈관미주신경 반응(vasovagal reflex)인 혈관운동 억제작용이 초래되어 운동근육 및 내장기관에 혈관이 확장되어 울혈된다. 따라서 심장으로 되돌아오는 혈액의 양이 감소되고 동맥혈압이 떨어지게 된다. 혈관미주신경 반응이 더욱 심해지면 서맥과 심박출량이 줄어들고 결국 중추신경계에 혈류 및 글리코겐의 공급이 감소됨으로써 실신을 심화시키게 된다(표 12-8).

이러한 혈관운동 억제성 실신은 환자의 자세에 따라 발생되는 면이 있어 체위성 실신(orthostatic syncope)이란 용어를 사용하기도 하는데 그 이유는 누워있을 때와 앉

표 12-8. 실신의 원인

실신 원인	유발 요소	전구증상
체위성 저혈압(postural hypotension)	기립자세	-
기립성 저혈압(orthostatic hypotension)	체액량 고갈	-
혈관감압증후군(vasodepressor syndrome)	정신적 스트레스	-
부정맥(dysrhythmia)	운동	두근거림, 빈맥, 서맥
경동맥동성 기능항진경동맥동 촉진 (carotid sinus hyperactivity)	-	
뇌혈관성 질환	운동	신경과적 이상
대동맥판 협착증(aortic stenosis)	운동	-
과호흡, 저혈당증	정신적 스트레스 굶었거나 저혈당증	호흡곤란, 어지러움
해소성 실신(tussive syncope)	기침 발작	-

표 12-9. 혈관수축기전 결핍에 기인한 실신의 원인

1. 약물에 의한 기립성 저혈압 • 혈압강하제 • 이뇨제 • 항우울제
2. 체위적응 장애 만성질환이 있거나 고령으로 침대에 오래 누워있을 경우
3. 혈액량의 감소 출혈, 탈수, Addison's disease
4. 신경계의 질환 당뇨성 말초신경병 후천성 자율신경 부전증
5. 교감신경 절제 수술 후
6. 심혈관 질환(정맥류, 부정맥, 심근경색증 등)

아 있을 때의 뇌로의 혈행공급이 차이가 있기 때문이다. 특히 표 12-9에 정리된 경우와 같은 환자에서 실신의 가능성이 높으므로 주의가 필요하다.

(3) 치료

실신이 발생된 상황에 처하게 되면 우선 머리를 낮게 하기 위해 수평위로 치과치료 의자를 조절하며 다리를 높이고 넥타이나 허리띠를 느슨하게 하여 뇌의 혈액순환에 도움이 되도록 한다(그림 12-6). 기도유지에 문제가 있으면 환자의 턱을 높이고, 머리를 뒤로 젖혀서 기도가 열리게 유도하며 구강 내 타액, 거즈 등 이물질을 제거하고 흡인기로 흡인한다. 환자의 이름을 크게 부르거나, 혹은 자극성 방향제인 암모니아 캡슐을 환자의 코 근처에 가까이 하여 냄새를 맡게 하거나 수건으로 이마나 얼굴을 닦는

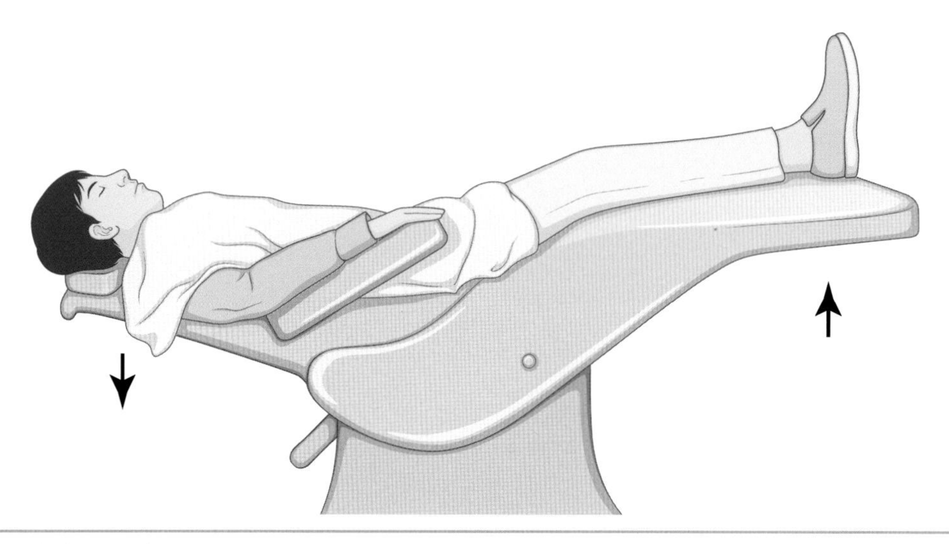

그림 12-6. 실신 시 머리를 낮추고 다리를 올린 전환 자세

등 소위 자극요법을 시행하여 경증 실신은 깨울 수 있다. 환자에게 심호흡을 몇 차례 시키는 것은 실신을 미리 예방할 수 있는 좋은 방법이며 실신에서 깨어나는 환자에게도 필요하다. 그러나 맥박, 호흡 등 생징후에 개선이 없고 의식이 회복되는 징후가 30~45초 이내에 나타나지 않을 때는 단순한 실신이라고 볼 수 없으며 심폐소생술에 대비하기 위해 환자를 수평위로 하고 산소 등 구급소생을 위한 응급세트의 준비를 완료해야 하며 필요시 종합병원에 연락하여 미리 도움을 구한다.

실신이 우선 치료되었다고 하여도 차후의 재발방지와 정확한 원인규명을 위해 관련의학과(주로 내과, 신경과)로 환자를 의뢰하여 전신적인 문제점에 관한 자문을 구하는 것도 중요한 처치법이다.

(4) 예방

실신의 예방은 그 원인에 따라 달라진다. 혈관감압성실신(vasodepressor syncope)은 젊고 건강한 사람에게서 나타나며, 생활에 큰 장애가 없는 경우가 대부분이다. 그러나 따뜻한 방과 같이 혈관이 이완되기 쉬운 상황에서 갑작스런 정신적인 충격이나 압박감, 피곤, 공복 등이 중복되면 쉽게 발생하는 경향이 있기 때문에 이런 상황을 피하도록 하는 것이 중요하며, 때에 따라서는 자극에 반복적으로 노출시켜 실신을 일으키는 상황에 익숙하도록 하는 것도 하나의 방법이 될 수 있다. 또한 표 12-9에 열거된 대로 결핍에 기인된 실신의 원인들과 실신과 관련된 심장질환 등을 미리 확인 하는 것도 예방에 필요하다. 기립성 저혈압에서는 환자가 갑자기 일어나지 않도록 주의시켜야 하며, 증상이 경할 경우에는 다리부터 운동을 하면서 천천히 일어나게 한다. 또한 치과마취나 진료 중 환자의 체위를 앉힌 자세(sitting position)보다는 눕힌 자세(supine position)를 취하는 것이 좋으며, 불안과 공포 등 정신적인 스트레스를 감소시키기 위해 진정제 투여, 진료환경의 안정감 및 술자에 대한 환자의 신뢰감을 형성하는 것이 필요하다.

2. 주사침 자입에 관련된 합병증

국소마취 중 혹은 후에 마취액 이외의 원인으로 합병증이 발생될 수 있다. 이러한 합병증은 대개 주사침 자입에 의한 합병증과 기술적 원인에 의한 합병증이다.

1) 마취액에 의한 국소적 반응

앞에 설명한 합병증들은 대부분 국소마취제로 인한 전신적인 반응에 관한 것이었으나 국소마취제에 의하여 국

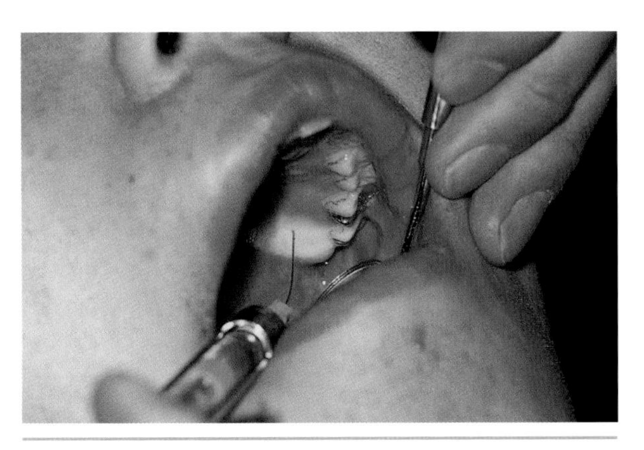

그림 12-7. 구개점막에 침윤마취 시 국소적 빈혈이 나타난 모습

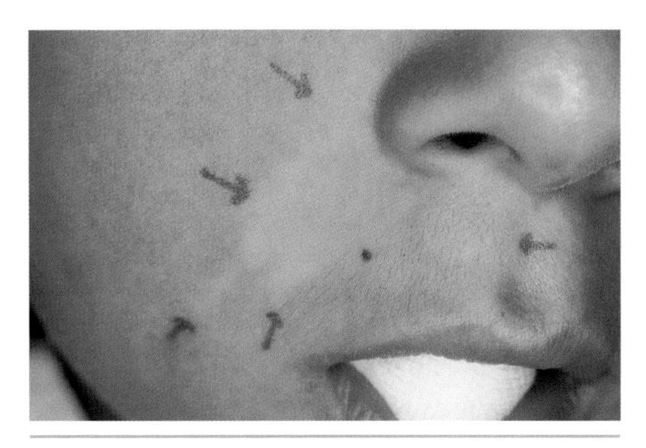

그림 12-8. 상악 전치부 침윤마취 시 상방의 피부가 변색된 모습

소적인 조직반응이 나타날 수도 있다.

현재에는 다양한 국소마취제 제작자들이 고도의 무균적인 기술로 제조하므로 오염된 마취액에 의한 감염은 거의 없다. 치과의사는 믿을만한 제작자에 의해 만들어진 마취액 cartridge를 선택하여 사용하는 것이 중요하다. 무균상태의 cartridge를 단 한번만 사용해야 하며, 한 환자에게 사용하고 남은 용액을 다른 환자에게 사용하는 것은 교차 감염을 초래할 수 있으므로 사용해서는 안 된다.

Cartridge는 가능한 한 무균상태로 보관해야 하며 특히 고무와 금속으로 된 끝 부분이 오염되지 않도록 주의해야 한다. 알코올용액 내에 국소마취 cartridge를 보관할 경우 모든 cartridge는 어느 정도 반투과성이기 때문에 알코올이 마취 cartridge 내로 들어갈 수 있다. 알코올이 들어간 마취액을 주사하면 마취효과 지연이나 국소적인 자극을 야기할 수 있다. 심할 경우에는 neurolysis를 일으켜 마비를 일으킬 수 있다. 시중에 유통되는 모든 보관액에서 세균이 번식할 수 있기 때문에 마취액이나 cartridge의 오염을 유발할 수 있다. 그러므로 일단 원래의 포장용기가 개봉되면 건조된 상태에서 원래의 용기에 담아 이용하거나 아니면 뚜껑을 닫을 수 있는 멸균된 적절한 용기를 이용하여 보관하는 것이 좋다. 술자는 손세척을 잘 한 후 cartridge의 뒤쪽 꼭지부분만을 만져야 한다. 주사기에 넣기 전 cartridge의 고무판 부위를 알코올 솜으로 닦은 후 사용한다.

국소마취제 주입 후 조직이 괴사되는 경우도 있는데, 이는 주로 혈관수축제에 의한 국소적 허혈로 인한 것이다. 혈관수축제가 주사 부위의 조직에 산소공급을 줄여 대사작용에 의한 산성 부산물이 증가되고 국소마취제가 낮은 pH를 갖고 있어 조직의 산성화를 촉진한다. 국소적인 빈혈 자체가 진정한 조직 손상을 일으키는 것은 아니지만 혈관수축제가 포함되어 있지 않은 약제보다는 포함되어 있는 약제에서 주사 후 불편감을 호소하는 경우가 많다.

궤양이 가장 많이 생기는 부위는 구개부로 국소마취제의 효과와 혈관의 수축으로 인한 혈액공급의 감소 등 복합적인 조직의 빈혈이 야기되는데, 이러한 병소는 대개 2주 내에 완치되지만 드물게 영양성 궤양(trophic ulcer)이 몇 달간 지속되기도 한다. 점막이 창백해지는 것(그림 12-7)은 혈관수축제가 들어 있는 국소마취제를 점막 하에 주사 시 예상할 수 있으며, 때로 주사부위에 인접한 피부가 창백해지는 경우가 있는데(그림 12-8) 이것은 전신적으로 약제가 흡수되면서 사라진다.

2) 혈종

혈종(Hematoma)이란 혈관이 손상되어 혈액이 주위 조직으로 흘러 나오는 것을 말한다. 이는 혈관이 발달된 구강주위조직 국소마취 시 종종 발생되는 합병증이다.

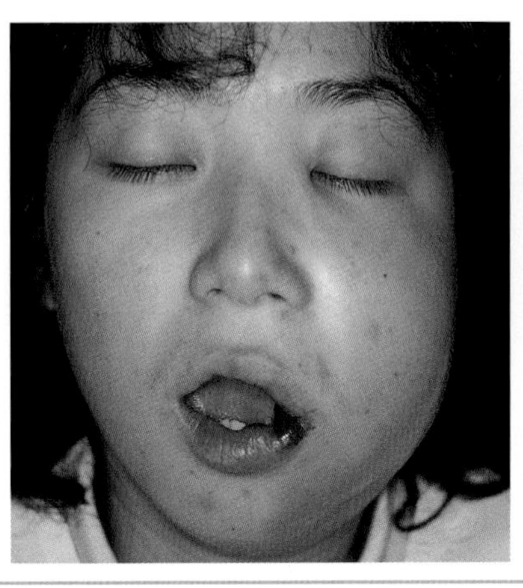
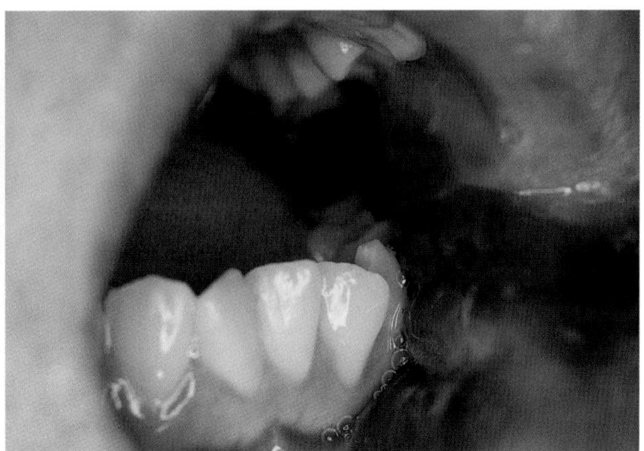

그림 12-9. 우측 후상치조신경 전달마취 시 발생된 혈종

국소마취를 시행하는 동안 혈관의 부주의한 손상 또는 2차적인 혈액응고 등에 문제가 있을 때 혈종이 형성될 수 있다. 동맥손상 시 혈종형성이 빠른 반면 정맥손상은 혈종의 정도가 미미한 편이다.

혈종의 발달을 결정짓는 요소로는 손상혈관 주위조직의 밀도이다. 경구개부는 골에 부착된 연조직의 밀도 때문에 국소마취제의 구개측 주입 후 혈종이 거의 생기지 않는 반면, 익돌하악극(pterygomandibular space)이나 협극(buccal space) 같은 부위에서 심한 혈종이 발생될 수 있다. 특히 후상치조신경 전달마취, 안와하신경 전달마취, 하치조신경의 전달마취를 시술하는 과정에서 상악동맥(maxillary artery)의 분지인 후상치조동맥, 안와하동맥, 하행구개동맥(descending palatine a.), 하치조동맥의 손상가능성이 높다(그림 12-9).

익돌정맥총(pterygovenous plexus)과 같은 부위의 손상 시 동맥손상과 비교할 만한 혈종이 초래될 수 있으며, 안와하정맥총의 손상으로 안와주변의 착색을 관찰할 수 있다. 혈종의 혈액성분 파괴로 나타나는 피부착색은 혈관손상 후 약 24시간 경과되어야 관찰되며 드물게 나타난다.

(1) 문제점

혈종이 환자를 당혹스럽게 만들지만 심각한 문제를 야기하는 경우는 드물다. 혈종으로 가능한 합병증은 개구장애와 통증이다. 혈종부위의 변색과 종창은 일반적으로 며칠 내 가라앉게 된다.

(2) 처치

① 즉각적인 처치

국소마취 주입 동안이나 주입 직후 혈종에 의한 종창이 분명히 나타나면 우선 출혈부에 직접적인 압박을 가한다. 대부분의 안면 피부와 악골 사이에 있는 혈관에서 출혈이 초래되므로 대게 이 부위를 압박해 준다. 전달마취 부위별 고려사항은 다음과 같다.

- 하치조신경 전달마취: 임상소견으로 구강 내 조직의 변색과 종창이 나타날 수 있다. 압박부위는 하악지 내측면의 익돌하악극 부위이다.
- 안와하신경 전달마취: 혈종발생 시 하안검 하방에 피부 변색이 나타나며 이 경우 안와하연 하부에있는 상부의 피부를 직접 압박해야 한다.
- 후상치조신경 전달마취: 측두하극(infratemporal-space)이 있어서 많은 혈액을 축적할 수 있어 혈종이 심하게 발행될 수 있다. 안면의 편측에 종창이 보이고, 협부의 하전방으로 진행될 때까지는 혈종의 인식이 어렵다. 후상치조동맥, 안면동맥, 익돌정맥총 등이 악결절의 후, 상, 내측에 있기 때문에 외부 피부 압박지혈을 강하게 해주고 구강 내로도 손가락으로 협

부 이행구를 내상방으로 압박하는 것도 도움이 된다.

② 추가적인 처치

출혈이 멈추면 혈종 형성 부위에 즉시 얼음찜질을 해준다. 이는 혈관수축효과와 진통 및 혈종형성을 감소시키는 데 도움을 준다. 환자의 진료기록부에 혈종의 내용을 기재하고 퇴원 시 환자에게 통증과 관련근육의 운동제한이 있을 것임을 알려준다. 만약 통증과 개구제한이 있다면 아스피린 등 진통제를 처방하고 얼음 등을 이용한 냉찜질의 중요성을 설명해준다. 3일째부터는 온찜질을 하면 혈관확장 효과가 있어 종창을 감소시키는 데 도움이 된다. 혈종의 감염은 농양으로 진행될 수 있으므로 이를 예방하기 위해 항생제를 처방한다. 감염되지 않은 혈종은 통상적으로 7~14일 이내 흡수되며 이때 피부착색도 서서히 사라진다.

(3) 예방

① 국소마취제 주입부의 해부학 구조를 이해하고 특히 후상치조신경 전달마취와 하치조신경 전달마취 시 혈종형성 가능성이 높음을 알고 대비한다.

② 후상치조신경 전달마취 시 너무 깊이 주사침을 자입하지 않도록 주의한다.

③ 조직 내 주사침 자입 횟수를 줄인다.

3) 주사 시 통증

주사 중에 통증을 유발시키는 요인에는 주사침의 예리한 정도, 국소마취제의 온도, 약물의 삼투압, 국소마취제의 변질 또는 오염 여부와 주사침에 의한 직접적인 신경손상을 들 수 있으며 조직의 탄력에 저항을 줄 만큼 과량의 약물을 주입하는 경우 또는 주입속도가 너무 빠른 경우에도 통증을 초래할 수 있다. 이와 같은 통증은 마취효과가 사라진 후에도 계속되는 경우가 있다. 주사 후에 통증을 유발시키는 요인으로는 주사부위의 감염과 혈종 등이 있다.

주사 시 통증의 원인은 다음과 같다.

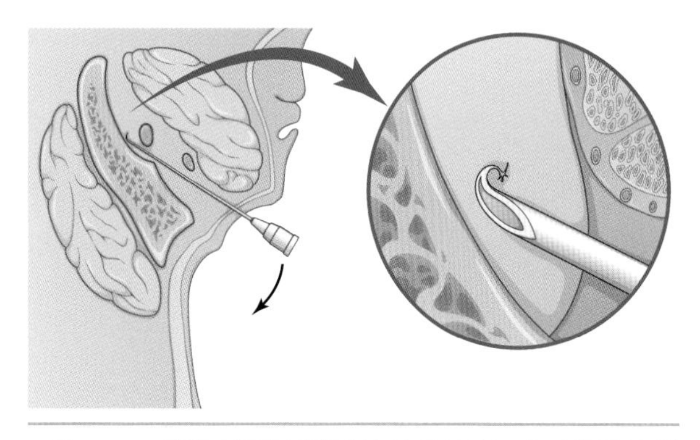

그림 12-10. 하치조신경 전달마취 시 주사바늘이 뼈에 닿아 끝이 휘어진 모습(barbed needle)

① 조심스럽지 않은 주입

② 똑같은 주사침을 여러 번 사용해서 끝이 예리하지 않은 경우

③ 너무 빠른 주입속도

④ 바늘 끝이 휘어진(barb) 주사침 사용 주입 시 뼈에 닿은 주사침은 낚시바늘 같은 미늘(가시)을 만들어 주사침 자입 시 또는 주사침을 빼낼 때 통증을 야기할 수 있다(그림 12-10).

(1) 문제점

주입 시 통증은 환자의 불안을 증가시키고, 환자가 갑자기 움직여서 주사침의 파절이나 다른 조직의 손상을 초래할 수도 있다.

(2) 처치

어떤 처치가 요구되는 것은 아니지만, 또 다른 주입 시 통증이 재발되지 않도록 한다. 감염 및 혈종으로 인한 술후 통증은 이들의 적합한 처치가 이루어지면 소실되며, 비교적 민감한 골막이 외상을 받아 술후 통증을 야기시킬 수 있으나 대부분의 경우 수일 경과 후 곧 회복된다.

(3) 예방

화학적 자극에 의한 통증을 예방하기 위하여 약물의 유효기간 확인과 육안적 관찰에 의한 변질여부를 알아보고 한 환자에서 사용하고 마취액이 남아있는 cartridge를 다른 환자에게 이용해서는 안 되며 통상적인 치과 국소마취 술식에는 항상 1회용 주사침을 사용한다. 같은 환자의 경우라 할지라도 여러 번 자입해야 할 경우는 주사침을 새것으로 바꾸어 시술하며 사용 후에는 항상 덮개를 끼워 막아둔다.

① 주사침 자입 시 해부학적으로나 심리적으로 주의 깊게 적절한 기술을 사용해야 한다.
② 예리한 주사침을 사용하도록 한다. 연조직에 사용할 경우에도 세 번 정도 찌르고 주사바늘을 바꾸며, 뼈에 주사침이 닿았을 경우에는 반드시 주사침을 바꾼다.
③ 주사침 자입에 앞서 필요에 따라 도포마취제를 사용하도록 한다.
④ 무균의 국소마취제를 사용하도록 한다.
⑤ 마취제를 천천히 주입한다.
⑥ 국소마취 용액의 적정 온도 유지: 너무 뜨거운 용액은 찬 용액보다 더 큰 통증을 야기할 수 있다.

4) 개구장애

개구장애는 삼차신경 하악지의 운동신경 기능장애 특히 저작운동의 경련으로 입을 못 벌리는 것을 말한다. 근육 경련으로 개구제한을 보이는 개구장애, 즉 아관긴급(trismus) 상태는 주로 내측익돌근에 주사 시 근섬유의 외상, 감염이나 혈종 등이 발생되어 나타난다.

근섬유의 감염이나 근육 내 혈종은 조직에 자극을 주어근 운동의 기능저하를 가져오며 알코올이나 다른 소독약물 속에 보관되었던 마취제를 사용한 경우 조직 내에 이러한 화학자극제의 침투가 개구장애를 유발하기도 한다(그림 12-11). 또는 저작근의 손상이나 측두하극에서의 혈관손상이 가장 흔한 원인이다.

(1) 문제점

마취 후 개구제한의 양이 적을지라도 시간 경과에 따라 더 심한 개구제한으로 진행될 우려도 있다. 합병증 발생가능성이 가장 큰 마취법은 하치조신경이나 후상치조신경의 전달마취이다. 개구장애의 급성기에는 발치 등 치과진료 술식과 관련된 출혈에 의해 형성된 통증이 근육경련과 운동제한을 야기할 가능성도 있다.

(2) 처치

대부분의 증례에서 후상치조신경이나 하치조신경 전달마취를 시행한 다음날 개구 시 통증과 불편감을 호소하는 경우가 많다. 불편감과 기능장애는 다양하지만 대부분 경미하다.

온습찜질이 효과적이며, 투열요법(diathermy), 소염진통제의 투여, 필요시 근육경련 완화를 위한 근이완제 투여나 항생제 투여가 필요할 수 있다. 또한 하악의 운동 기능개선을 위하여 3~4시간마다 5분간 하악의 개폐구운동과 측방운동 등 물리치료에 대해 교육하여 시행토록 한다. 이 방법으로 대부분의 환자들은 48시간 내 증상이 개선된다.

만약 48시간이 경과해도 통증과 기능장애가 개선되지 않으면 감염 가능성을 생각하여 약 1주일간 항생제 투여를 고려해야 한다. 그래도 개구장애가 개선되지 않는다면 재평가와 치료를 위해 구강악안면외과의사에게 의뢰하는 것을 고려한다.

(3) 예방

① 예리하고 소독된 1회용 주사침을 사용한다.
② 국소마취제 cartridge를 적절하게 관리한다.

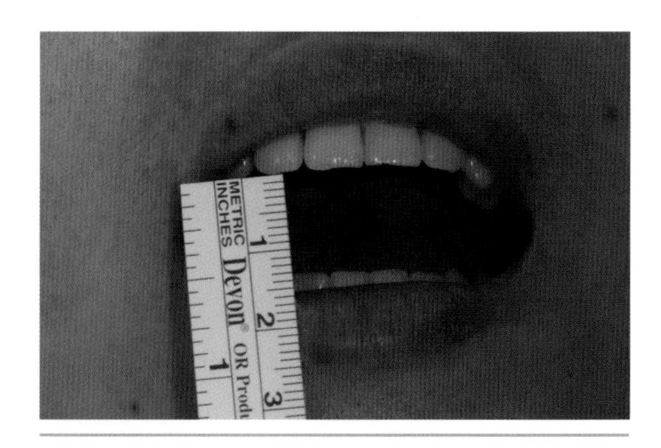

그림 12-11. 개구장애

③ 주사침 자입 직전 주사부위를 세척하고 소독한다.
④ 손상이 적은 주입방법을 선택하여 실행한다.
⑤ 가능한 한 주사침을 여러 번 자입하지 않도록 유의한다.
⑥ 마취에 필요한 최소량의 국소마취제를 주사한다.

5) 감염

소독된 1회용 주사침의 사용이 보편화되어 치과에서 국소마취 주입 후 감염은 매우 드물어졌다. 가장 큰 원인은 주사침의 오염으로 주사침이 구강점막을 뚫을 때 발생된다. 마취기구들의 부적절한 관리와 주사침 자입부위 소독이 제대로 되지 않았을 때 감염이 생길 수 있다.

(1) 문제점

오염된 주사침이나 주사용액을 심부조직 내 주입할 때 감염이 초래될 수 있다. 감염이 심해지면 개구장애를 유발할 수도 있어 조기발견과 치료가 중요하다. 감염은 고열, 종창, 개구장애, 연하곤란 등 특징적인 소견을 보이며 감염이 확산되면 패혈증 및 흉부와 뇌로 전파되어 생명에 위협을 줄 수도 있다.

(2) 처치

국소마취 자체는 대개 경도의 감염을 유발하므로 즉각적인 증상은 없으나, 하루 이상 지나서 통증과 기능장애가 따른다. 감염증상이 나타나면 즉각적인 치료로 개구장애 시 치료처럼 온습찜질을 시행하고, 소염진통제를 처방하고, 필요시 항생제나 근이완제 처방 및 물리치료를 시행한다. 이런 치료를 3일 정도 시행해도 개구장애의 개선이 없으면 중등도의 감염 가능성을 생각해서 항생제를 투여한다.

(3) 예방

① 1회용 주사침을 사용한다.
② 주사침과 마취 cartridge의 적절한 관리해야 한다. 한 번 사용 후 사용치 않는 주사침은 반드시 뚜껑을 덮어두고 하나의 주사침으로 여러 번 자입하지 않도록 한다.
③ 국소마취제의 cartridge를 적절히 다루고 관리한다.
④ 주사침 자입 예정 부위를 건조시키고 표면을 소독한다.

6) 부종

부종(Edema)은 조직의 종창으로 임상적 증후군이 아니라 어떤 장애의 임상적 징후로 표시된다.

부종의 원인은 다음과 같다.

① 주사침 자입 동안의 외상으로 초래될 수 있다.
② 마취와 관련하여 감염 시 발행될 수 있다.
③ 알러지 환자에서 도포마취 시 혈관신경부종(angioneurotic edema)이 발생될 수 있다.
④ 혈관주위 연조직 속으로 혈액의 삼출 시 종창이 야기될 수 있다.
⑤ 알코올 또는 차가운 마취액 등 유해자극성 마취액을 사용하면 부종이 초래될 수 있다.

(1) 문제점

대부분의 부종은 자입부의 통증과 기능장애를 초래해서 환자를 당혹케 하지만 기도폐쇄 같은 심각한 문제를 일으키는 경우는 드물다. 알러지가 있는 환자에서 혈관신경부종에 의해 형성된 종창은 기도 폐쇄를 야기할 수도있다.

(2) 처치

부종의 치료는 가능한 한 빨리 종창을 감소시키는 것이며 통증이 있을 때는 진통제 처방이 필요할 수 있다. 외상성 자입이나 유해자극성 국소마취제의 주입에 의해 형성된 부종은 흔히 경미하고 치료 없이도 1~3일 이내에 완화 또는 없어진다.

출혈에 따른 부종은 7~14일 동안 서서히 없어지는데, 만약 청색의 변색을 보이며 출혈의 징후가 분명하면 앞에서 언급된 혈종의 치료를 시도해야 한다. 감염에 의해 형성된 부종은 저절로 용해되지 않고 더 심하게 진행된다.

따라서 동통, 하악기능장애, 부종 등의 감염의 증상과 징후(통증, 하악기능장애, 부종)가 3일 이내에 완화되지 않으면 항생제를 투여하는 것이 좋다.

알러지에 의해 형성된 부종이 생명에 가장 위협을 준다. 부종의 정도와 부종의 위치가 매우 중요하다. 만약 종창이 협측 연조직이고 기도를 침범한 것이 아니면 치료는 항히스타민 제제의 근주 또는 경구 투여 후에 부종의 정확한 원인을 찾기 위해 내과나 피부과의 자문을 구한다. 만약 부종이 호흡을 위협하면 그 치료는 다음의 순서대로 행한다.

① 에피네프린 0.3 mg을 피하, 근육 또는 정맥내 주사
② 항스타민제를 근육 또는 정맥주사
③ corticosteroid를 투여
④ 환자의 의식이 없으면 앙와위치로 전환시키고
⑤ 필요에 따라 기본적 심폐소생술을 시행한다.
⑥ 전체적인 기도폐쇄가 발생되면 윤상갑상연골 절개술(cricothyroidotomy)을 시행한다.

(3) 예방

① 국소마취에 이용되는 기구 및 약제들을 적절히 관리하고 취급한다.
② 비외상성 국소마취기술을 습득해야 한다.
③ 국소마취제 투여에 앞서 환자의 전신 평가를 철저히 한다.

7) 이상감각증

감각신경의 손상으로 지각마비가 나타나는데 이는 주사침에 의한 신경섬유의 손상, 소독액의 오염에 의한 화학적 손상, 국소마취제가 신경다발 내부구조 내로 침윤되는 경우 그리고 신경섬유 주변의 혈종으로 신경이 압박을 받아 일어날 수 있다.

드물게 적은 양의 마취제를 사용했더라도 예상한 경우보다 장시간 마취되는 경우가 있는데 이때는 특별한 처치를 필요로 하지 않으나, 오랫동안 무감각증, 따끔거리거나 가려운 지각이상, 해롭지 않은 자극에 아픔을 느끼는 이감각증, 그리고 해로운 자극에 매우 예민한 지각과민 등에 유의해야 한다.

주사침 자입 시 직접적인 신경손상은 대부분 심부로 주사침을 자입해야 하는 하치조신경 전달마취 시 초래되며, 드물게 대구개관을 통한 상악신경 전달마취 시에도 발생될 수 있으며 이 외에도 신경이 지나는 구멍 안으로 주사침을 삽입하는 경우 다른 곳에서도 초래될 수 있다(그림 12-12). 예를 들어 그림 12-12에서와 같이 치근단 낭종을 수술 시 추가적으로 마취하는 경우 하악관 내로 주사침이 자입되어 해당 신경이 분포되는 부위에 감각이상을 초래할 수 있다.

신경손상의 빈도는 적지만 주사침에 의한 손상을 피할 수 없으므로 외상성 신경손상에 유의해야 한다. 국소마취 시 작은 바늘을 사용하므로 완전히 신경을 절단하는 경우는 거의 없으나 섬유의 일부에 손상을 줄 수 있으며 드물게 주입된 국소마취제에 의한 압력이나 화학적인 자극, 신경초 내의 출혈 등으로 손상을 받을 수 있다. 손상의 기전이야 어떻든 주사침으로 인한 신경손상은 일부의 감각소실만을 일으킬 수 있다.

신경손상은 몇 주 혹은 몇 달 내에 저절로 회복되며 그 신경분포지역 모두를 포함하지는 않는다. 신경관을 바늘로 찌른 경우 그 신경의 말단 분지까지 전기충격과 같은 느낌을 받게 되는데 이런 경우 약간 바늘을 빼고 다른 방향으로 주사침을 자입 후 국소마취제를 주입하는 것이 좋다. 마취 후 신경증이 나타난 환자에게는 그 이유를 설명한다. 정기적인 관찰이 필요하며 완전한 감각마비나 3개월 내에 재생의 기미가 보이지 않는 경우에 외과적 검사나 재생술을 시행한다.

과거에는 주로 오염된 마취제에 의한 신경손상이었으나 현재는 일회용 cartridge를 소독약에 보관하는 경우 알코올이나 다른 화학제가 cartridge의 고무막을 통하여 스며들어가서 이것을 사용 시 오랜 기간 마취가 될 뿐만 아니라 국소적 통증과 부종을 일으킬 수 있다. 따라서 건조된 보관용 통에 cartridge를 보관하는 것이 바람직하다.

Pogrel 등은 치과치료 시 삼차신경(하치조신경 또는 설신경)에 손상 받은 163명의 환자 중 손상 원인을 보면 하

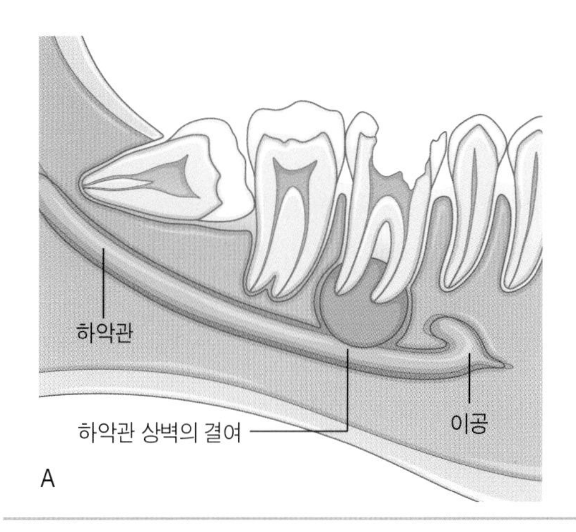

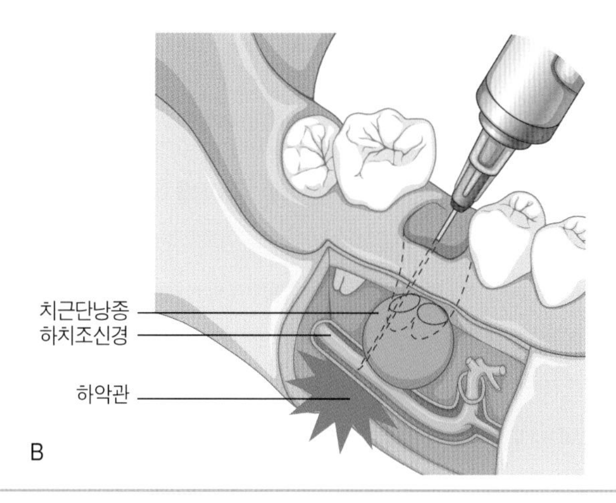

그림 12-12. 하악대구치에 발생된 치근단낭종의 수술을 위하여 추가 마취 시 하치조신경의 손상이 우려된다.

악 제3대구치 발치(87명)가 가장 많았으며, 다음이 하치조신경마취(34명)였으며, 근관치료, 치주치료 순이었다고 하였다.

(1) 문제점

지속적인 무감각증의 경우 환자가 저작 시 입술이나 협점막 주위 조직을 물거나 온도자극이나 화학적 자극이 가해져도 인지하지 못하는 문제점을 초래할 수 있다.

(2) 처치

대부분의 이상감각증은 치료없이도 점차 정상적으로 회복된다. 단지 신경손상이 심각하다면 이상감각증은 영구적으로 남아있을 수도 있다. 그러나 대부분의 이상감각증은 매우 경미하고 관련 신경 부위의 대부분 감각기능은 유지되어 약간의 손상 가능성만 있다. 주로 하치조신경 전달마취와 설신경 전달마취 시 많이 발생된다. McCarthy 등은 지속적인 감각기능 감소가 있는 환자를 관리할 때 다음의 순서에 입각해서 시행할 것을 추천한다.

① 환자를 안심시킨다. 국소마취 후 이상감각증은 있을 수 있는 일이며 대부분 정상적으로 치유된다고 설명한다.

② 구강검사 및 전신검사를 시행한다. 여러 가지 검사방법이 있지만 여기서는 간략하게 치과의원에서 일반적으로 사용할 수 있는 지각검사법을 설명하기로 한다(그림 12-13).

그림 12-13에서와 같이 촉각검사, 2점식별검사, 통각검사 등 3가지 검사를 시행한다. 어느 검사나 검사부위를 결정한 후 정상 측과 대조해 검사하는 것이 좋다.

- 촉각검사: 지각마비가 있다고 판단되는 부위의 중심

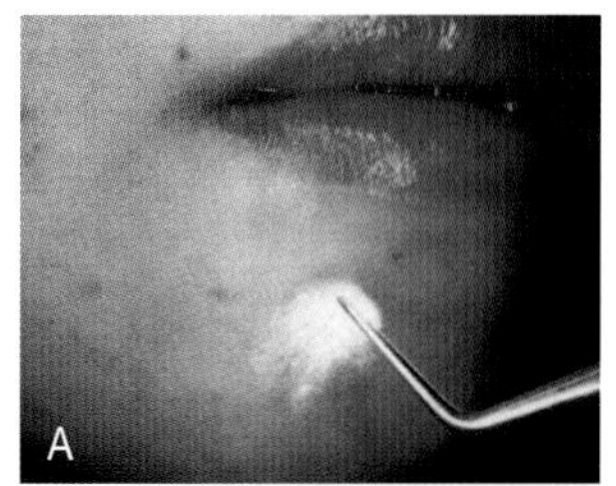

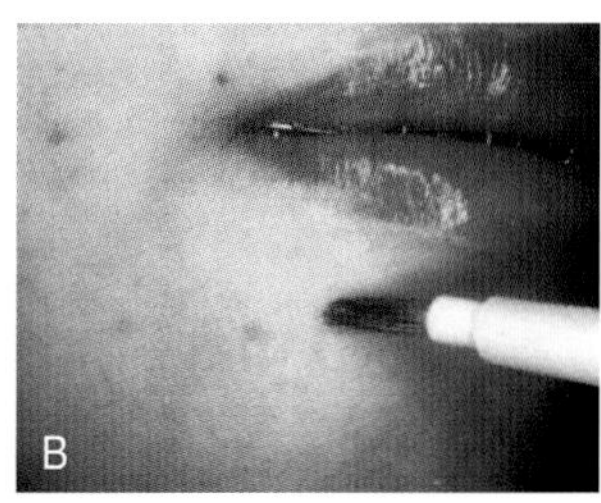

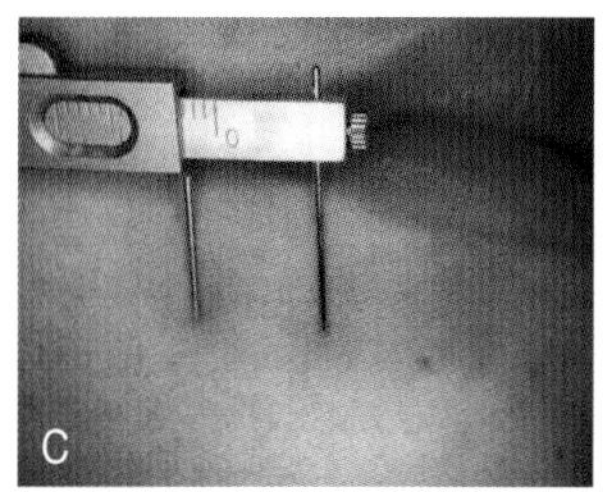

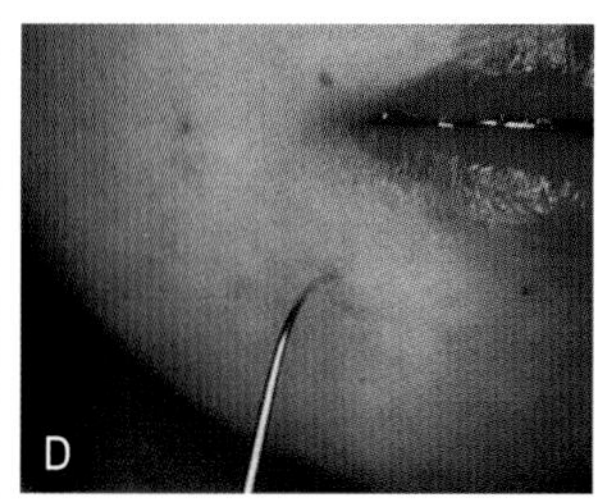

그림 12-13. 치과의원에서의 지각검사. (A) 솜을 이용한 촉각검사, (B) 붓을 이용한 촉각검사, (C) 2점식별검사, (D) 치과용 탐침에 의한 통각검사

부에 솜 또는 붓을 피부에 대고 정상측과 비교하여 촉각이 있는지 없는지를 검사한다.
- 2점식별검사: 컴퍼스의 두 곳 또는 한 곳을 접촉시킨다고 설명 후 두 접촉점 사이를 거리에 바꾸면서 환자가 인지하는 상태를 기록한다. 두점간의 거리는 0 mm부터 시작하고 조금씩 늘리면서 식별할 수 있는 거리를 알아본 다음 두 거리간의 평균치를 산출한다.
- 통각검사: 탐침의 무게만으로 가볍게 자극하여 느낌의 강도를 측정한다. 정상측과 비교하는 것이 좋다.

3가지 검사의 순서는 촉각, 2점식별검사, 통각검사 순서로 하는 것이 좋다.

검사의 결과에 따라
- 이상감각증의 정도와 범위를 확인한다.
- 정상적으로 수 일에서 3개월 정도에 회복되지만 전신상태와 국소적 원인에 따라서 1년 이상 지속될 가능성도 있음을 설명한다.
- 시간을 두고 기다리는 것이 중요하다.
- 2개월마다 감각기능의 감소와 회복되는 정도를 관찰한다.
- 주기적으로 감각이상이 나타나는 부위를 진료기록부에 표시하거나 사진을 찍어 시간경과에 따른 회복 정도를 관찰한다.
- 환자와의 신뢰관계를 형성하기 어려운 경우에는 관련 전문의에게 자문을 구한다.

(3) 예방

올바른 주사방법과 환자관리의 지침을 엄격히 준수하고 cartridge의 관리를 철저히 한다.

8) 안면신경마비

제7뇌신경인 안면신경의 운동 신경은 안면표정근에 분포되어 있는데, 때로 국소마취제가 이 신경에 근접하였을 경우 안면신경마비가 초래될 수 있다. 주로 안면신경의 분지들이 분포하는 이하선 심엽 속으로 주입되었을 때 발생된다. 이 증상은 장기적인 현상보다는 2~3시간 정도 지속되는 일시적 현상이다. 환자는 마비된 안면신경분지와 근육의 위치에 따라 안모의 변형을 보이게 되며 대개 입술동작, 웃는 모습이 어색하며 눈을 감을 수 없다(그림 12-14).

일시적인 안면신경마비는 흔히 하치조신경 전달마취

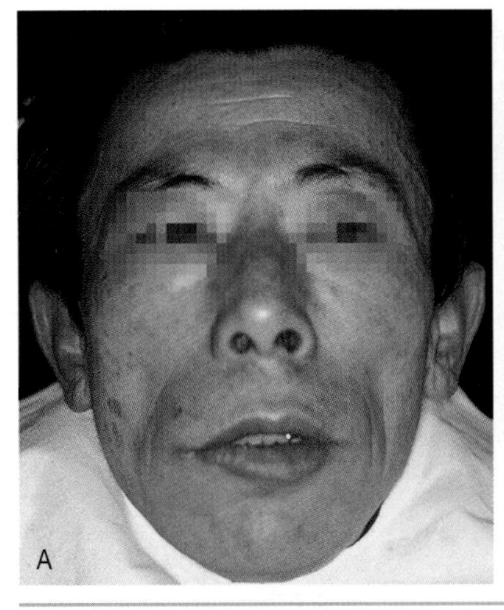

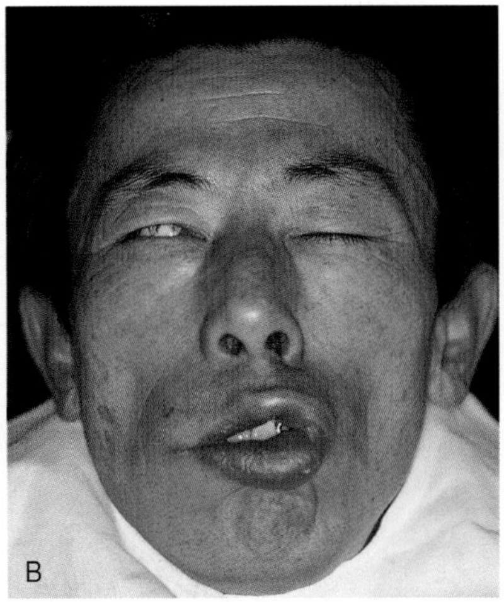

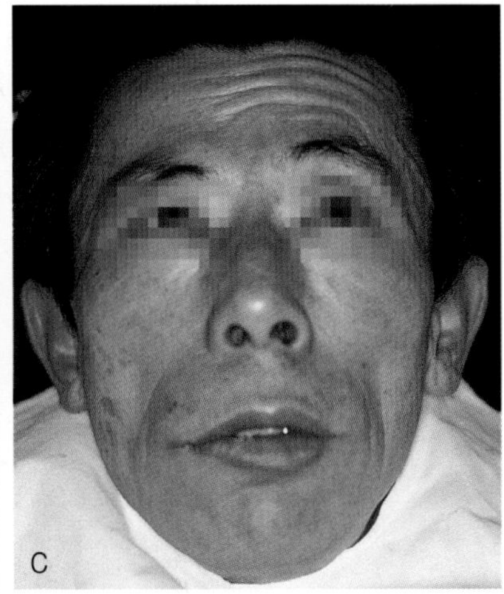

그림 12-14. 하치조신경 전달마취 후 발생된 안면신경마비
(A) 안정된 모습에서도 우측 마취한 쪽의 입술에 긴장감이 소실된다. (B) 마취한 쪽의 눈이 감기지 않으며 입술을 모을 때 입술의 변형을 보인다. (C) 마취한 쪽의 이마에 주름이 잡히지 않는다.

시 주사침을 너무 후방으로 주입해서 국소마취제가 이하선의 피낭 내부로 유입되어 발생된다. 그 외에도 안면신경마비를 야기하는 원인들이 다양하지만 여기서는 마취와 관련된 사항만을 다루기로 한다.

(1) 문제점

국소마취용액의 주입에 의해 형성된 안면표정근의 운동기능 상실은 일시적이다. 이는 주사된 양과 안면신경과의 근접도 등에 따라 수 시간 지속될 수 있다.

마비가 진행되는 동안 환자는 편측성 마비를 보이고 안면표정근을 정상적으로 사용할 수 없어서 마취한 쪽의 눈이 감기지 않고, 이마의 주름이 잡히지 않으며 입술을 오무릴 때 변형이 나타날 수 있다. 이 합병증의 주요한 점은 심미적 안모변형이 있지만 즉각적 치료 없이 국소마취 약물작용이 끝날 때까지 기다릴 수밖에 없다는 것이다.

(2) 치료

국소마취제가 이하선 내 축적된 후 수초에서 수분이내에 환자는 관련 안면근육의 약화를 느끼게 되는 반면 하치조신경의 마취효과는 얻기 어렵다. 이 경우 다음과 같이 치료할 수 있다.

① 환자를 안심시킨다. 이런 상황은 일시적이며 국소마취가 원인이라면 저절로 괜찮아질 것이라고 설명한다.

② 환자로 하여금 각막의 윤활을 위해 주기적으로 위 눈꺼풀을 손으로 문질러 눈을 감겨주고 안대를 사용하도록 알려준다.

③ 안면근의 운동이 회복될 때까지 콘택트렌즈를 사용하지 않는다.

④ 진료기록부에 이 상황을 기록하고 가능한 한 수시로 재내원시켜 안면신경의 기능회복을 확인한다.

⑤ 단시일 내 호전이 되지 않으면 안면신경마비의 원인이 국소마취에만 있는 것이 아니므로 전신건강 상태를 평가할 수 있도록 관련 의학과에 자문을 구할 필요도 있다. 안면신경마비의 원인은 다양하므로 이를 종합적으로 고려하여 진료에 임해야 한다.

(3) 예방

하치조신경 전달마취의 기본기술을 철저히 지킨다. 국소마취 시 주사침을 너무 깊숙이 자입(2.5 cm 이상) 되지 않도록 주사침의 길이를 사전에 확인한다.

9) 주사침 파절

1회용 주사침이 보급된 이래 조직내부에서 주사침이 파절되는 경우는 매우 드물다. 그러나 아직도 주사침의 파절에 관한 보고가 있다(그림 12-15).

주요 원인은 주사침이 근육을 관통하거나 골막에 접촉

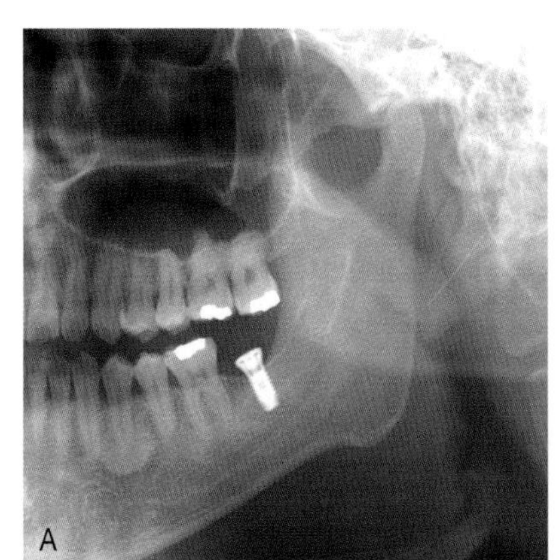

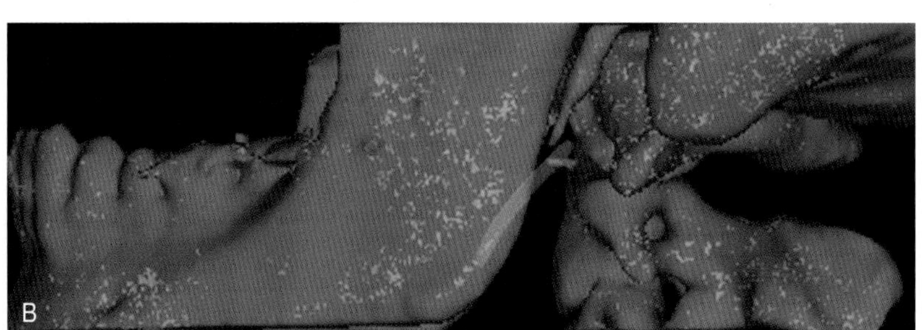

그림 12-15. 하치조신경 전달마취 시 조직에서 파절된 주사침. (A) 파절된 주사침, (B) 삼차원 CT로 촬영한 파절된 주사침(붉은색)

할 때 환자가 갑작스럽게 움직여서 발생된다. 또한 조직 내로 주사침을 정확히 자입시키려고 주사침의 방향을 바꿀 경우 파절의 위험이 있다.

(1) 문제점

주사침 파절 자체는 심각한 문제가 아니다. 만약 부러진 주사침이 쉽게 제거될 수 있으면 아무런 문제도 없다. 조직 내부에서 파절되어 쉽게 제거될 수 없는 주사침도 대부분 조직 내에서 이동하지는 않는다. 시간경과에 따라 이들 주사침은 대부분 반흔조직으로 둘러싸여 감염되는 경우가 극히 적으므로 나중에 제거를 시도할 수 있다(그림 12-16).

(2) 처치

① 주사침이 파절 되었다면, 우선 당황하지 말고 침착한 태도를 취한다. 그리고 환자가 입을 벌린 채 움직이지 않게 하고 파절침이 보이면 지혈겸자나 핀셋으로 제거한다.

② 주사침의 위치를 찾지 못하여 쉽게 제거할 수 없다면 우선 차분하게 환자에게 공포와 불안을 경감시킬 수 있도록 설명을 하고 방사선검사나 임상검사를 하여 주사침이 깊이 위치되어 있지 않으면 제거를 시도한다. 파절된 주사침이 조직 깊숙이 들어가 보이지 않을 때는 탐침이나 촉진은 피한다.

③ 제거를 시도했는데 실패했다면 구강악안면외과 의사에게 의뢰하여 후처치를 시행한다.

(3) 예방

국소마취 시 연조직 관통에 요구되는 주사침의 크기를 너무 작은 것보다는 다소 굵은 크기의 주사침을 사용한다. 예를 들어 하치조신경의 전달마취의 경우 25 혹은 27 gauge 주사침을 사용한다.

또한 주사침 자입 전 주사침을 구부리는 것을 피하며, 주사침의 중심추(hub)까지 조직 내부로 자입하지 않도록 한다. 주사침의 주신(shank)이 중심추와 만나는 지점이 가장 취약해서 파절의 우려가 있기 때문이다. 마취방법에 따라 적절한 길이의 주사침을 선택하고 일단 주사침이 조직 내로 주입되면 주사침의 방향을 바꾸지 않도록 한다.

10) Cartridge 파절

드물게 cartridge 장착과정이나 국소마취 시행도중 유리로 된 cartridge가 파절되는 경우가 있다. 국소마취 주사기에 cartridge를 장착할 때 무리하게 힘을 주거나 고무마개에 고리(harpoon)를 끼우기 위해 피스톤을 탁 치는 과정에서 방향이 틀리거나 과도한 힘이 가해지면 cartridge가 파절될 수 있다(그림 12-17). 또한 하치조신경 전달마취 중에 환자가 갑자기 치아를 깨무는 경우도 파절이 생길 수 있다.

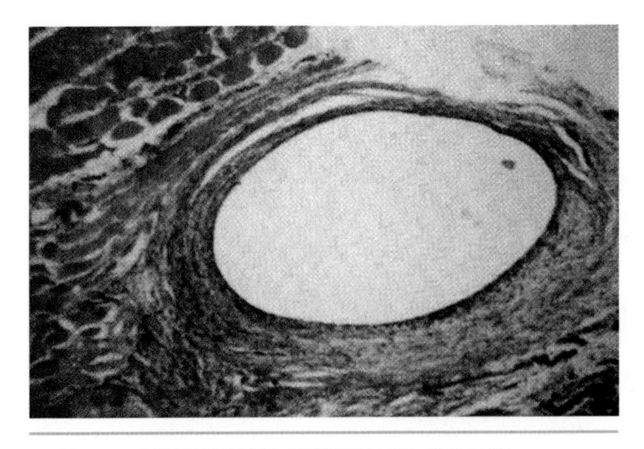

그림 12-16. 파절된 주사침 주위에 형성된 섬유성 막

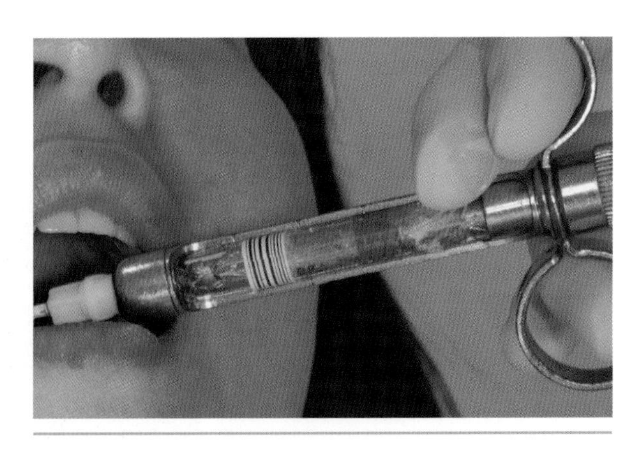

그림 12-17. 파절된 cartridge

(1) 문제점

Cartridge가 유리로 되어 있어 술자의 손을 다칠 수도 있고 환자의 구강 내에서 파절된 경우 구강점막 손상이나 기도나 식도로의 흡인 가능성이 있다.

(2) 처치

파절된 cartridge 잔해 파편들을 구강 내에서 또는 주사기에서 빨리 제거한다.

(3) 예방

Cartridge를 주사기에 안정되게 장착하고 치주인대 내 국소마취제 주입 같은 무리한 압력이 가는 술식을 피한다. 또한 하치조신경 전달마취의 경우 주사 중 마취주사기를 깨물 우려가 높은 소아나 장애자 등에서는 주사기의 금속부분이 cartridge와 치아 사이에 오도록 한다.

11) 입술과 혀의 손상

가끔 환자는 마취된 부위를 물거나, 씹거나, 긁거나, 만짐으로써 스스로 상처를 입힌다. 가장 위험한 부위는 설신경, 협신경 및 하치조신경이 분포되는 혀, 협점막, 및 하순 부위 등이다(그림 12-18). 어린이들은 특히 마취된 부위에 통증을 느끼지 못하므로 껌을 씹듯이 계속 씹어 큰 상처를 줄 수 있으므로 이것을 못하도록 부모와 어린이에게 주의를 주어야 한다. 마취효과가 소실될 때까지 치아 사이에 거즈를 물고 있게 하여 손상을 예방할 수 있다.

(1) 문제점

구순과 설손상은 마취효과가 떨어졌을 때 종창과 심한 통증을 야기한다. 다행히 대부분의 경우 감염은 드물다.

(2) 처치

대증적인 치료로서 통증이 있다면 진통제를 처방하고 감염 가능성이 있으면 항생제를 처방한다.

종창이 있으면 감소에 도움이 되게 미지근한 생리식염수로 세척하고 유해자극을 최소화하기 위해 구강 외의 경우 바셀린이나 캄비손 연고, 설부 등 구강 내에는 오라메디 연고 등을 도포한다.

(3) 예방

만약 치과진료 시간이 짧다면 적정 시간 마취효과가 있는 국소마취제를 선택한다. 치과진료를 마친 후 귀가 시에도 마취효과가 남아 있다면 시술부 반대측으로 식사할 것과 시술부로는 저작을 하지 말 것 등의 주의사항을 알려준다. 이것을 돕기 위하여 환자의 상순과 하순 사이에 솜뭉치나 거즈를 물고 있게 하면서 주의사항을 지시한다.

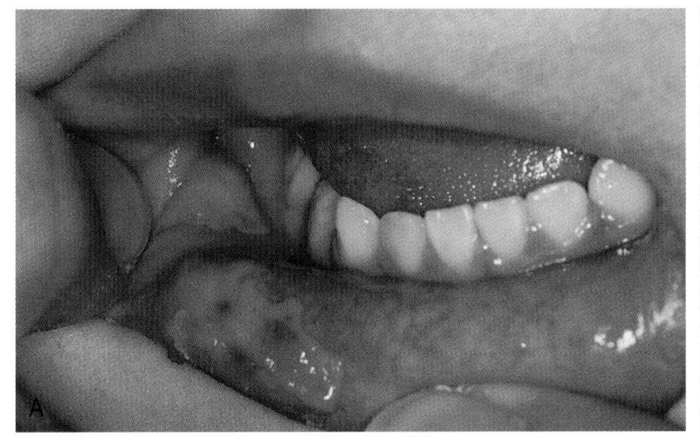

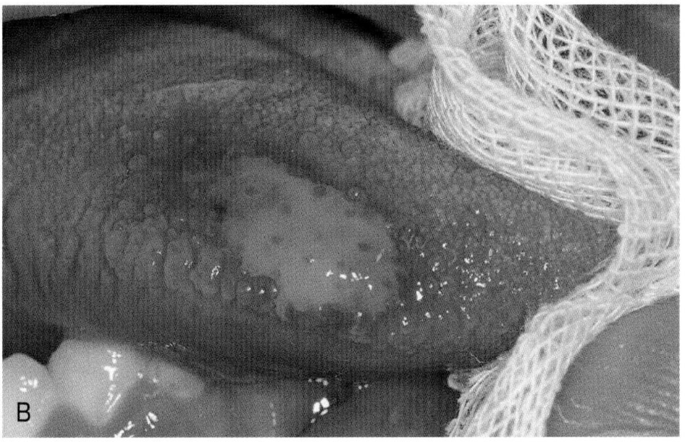

그림 12-18. 어린이에서 하치조신경 전달마취 후 입술과 혀를 깨물어서 발생된 상처(교상) (A) 하순, (B) 설(혀)

12) 특이한 신경학적 증상

주사침 자입과 마취액 주입 시 과학적으로 설명할 수 없는 특이한 신경학적 증상이 나타날 수 있다. 즉 완전 안면마비, 사시(crossed eyes), 근쇠약(muscular weakness), 일시적 실명(temporary blindness) 등 예상치 못한 증상을 보일 수 있다. 특히 시력장애는 안와주변에 분포하는 혈관 내에 국소마취제가 유입되어 자극된 혈관의 경련에 의해 일과성 시력상실 또는 시력저하를 보인다고 설명하지만, 그 뚜렷한 기전은 밝혀지지 않고 있다. 다만 하악신경의 전달마취 과정에서 상악동맥(maxillary artery)의 분지인 중경뇌막지(middle meningeal artery)가 자극을 받아 발생되며 시력장애는 편측성 또는 양측성으로 온다는 학설이 제시될 뿐이다.

상악신경 전달마취 과정에서 국소마취제가 안와 내로 유입되어 안구근육이 마비되어 사시나 복시가 야기될 수 있다. 보통 시력장애는 30분 이내에, 안구근육 마비로 인한 합병증은 3시간 이내에 회복된다고 알려져 있으나 그 후에도 관련의학과(안과, 내과, 신경과 등)와 협진으로 정확한 원인 규명과 관리가 필요하다. Brodsky와 Dower의 보고에 따르면 Gow-Gate 하치조신경 전달마취 시 중이부의 압박감, 평형감각의 이상, 청력 약화, 이통 및 두통 등이 나타날 수 있다. 이는 전달마취 시 발생된 혈종, 염증 및 외상 등으로 초래될 수 있다.

이러한 합병증을 예방하는 최상의 방법은 시도하는 술식의 기본적인 개념과 기술에 의거하여 시술하는 것이다.

3. 혈관수축제에 의한 합병증

혈관수축제는 치과에서 사용되는 모든 마취제에서 중요한 부분을 차지하고 있다. 국소마취제와 마찬가지로 혈관수축제도 합병증을 일으킬 수 있다. 혈관수축제의 전신적인 독성반응도 혈관 내 농도가 매우 높을 때 일어나며, 그 혈중치는 환자마다 다양하다.

1) 선행요인

통증억제의 연장을 위해 사용되는 에피네프린의 적정 농도는 1:250,000이다. 에피네프린 1:50,000은 출혈 억제, 즉 지혈 목적으로 사용될 수 있다. 에피네프린 과용량에 의한 합병증은 매우 드물지만, 환자에 따라서 보철치료 시 에피네프린이 포함된 치은 퇴축실(gingival retraction cord)의 사용할 경우에도 발생하는 경우가 있다. 이들 에피네프린은 벗겨진 치은상피나 점막을 통해 빠르게 순환계로 흡수되어서 문제를 야기하므로, 심혈관계 질환을 가진 환자에서는 사용치 않는 것이 좋다.

2) 임상소견

에피네프린의 과량 주입으로 인한 부작용은 임상에서 거의 볼 수 없으나 에피네프린이 고농도로 첨가된 국소마취제를 사용하는 경우 혈관 내에 직접 주입되면 에피네프린에 의한 전신합병증을 초래할 수 있다(표 12-10).

환자가 공포를 느끼거나 걱정을 할 수 있는데 이러한 증상들은 국소마취제처럼 중추신경계의 직접적인 영향에 의한 것이 아니며 심계항진이나 불안 때문인 것으로 생각된다. 이 반응은 환자가 모든 것을 불편하게 느끼고 있음을 말하는 것으로 간주할 수 있다.

실제로 정서적인 스트레스 상황에서 분비되는 에피네프린이나 노어에피네프린의 양은 국소마취제에 포함되어 주입되는 에피네프린의 양보다 훨씬 많다고 알려져 있다.

표 12-10. 혈관수축제의 과용 시 나타나는 증상

자각증상	타각증상
• 불안, 긴장감 • 두통 • 발한 • 전신무력증 • 현기증 • 창백증 • 호흡곤란 • 심계항진	• 수축기 혈압상승 • 심박수 증가 • 심부정맥 • 심실세동

3) 처치

에피네프린에 의한 전신 독작용은 국소마취제 자체에 의한 전신적 합병증의 흥분성 반응과 함께 상승작용이 나타날 수 있으며, 이 경우 환자에게 더욱 심각한 공포와 불안감을 주게 되고, 이로 인해 내인성 카테콜아민의 분비가 초래되어 증상이 더욱 악화될 수 있다(표 12-11). 혈관수축제의 과량에 의해 발생되는 걱정과 불안은 국소마취제에 의한 반응과 구분하기 어렵다. 다행히 이들의 치료법은 유사하다. 환자에게는 곧 진정된다고 확신시켜 주는 것이 필요하다. 혈관수축제에 의한 알러지 반응은 매우 드물다.

대부분의 경우 부작용 발현시간이 짧아 특별한 치료는 요구되지 않지만, 계속 지속되면 다음과 같이 치료한다.

① 치과진료를 중단한다. 또한 불안과 공포를 경감시키면 부신수질로부터 내인성 카테콜라민의 유리가 감소된다.
② 환자의 자세 및 위치를 적절히 한다. 의식이 있으면 편안한 자세로 하고 뇌의 혈압상승을 최소화한다.
③ 곧 회복된다는 확신을 주어 안심시킨다.
④ 혈압을 계속 측정하면서 산소를 투여한다. 때로 공포감이 많은 환자의 경우 과환기(hyperventilation)를 나타낼 수 있으므로 이럴 땐 산소를 투여하지 말고 종이 봉투로 코를 막고 천천히 숨을 쉬게 한다.
⑤ 증상이 완화되어 스스로 안정감을 느낄 때까지 진료실에서 주의 깊게 관찰한다.

4) 예방

다른 합병증에서와같이 예방이 가장 중요하다. 특히 혈관수축제에 의한 경우에는 예방이 특히 중요하다. 혈관수축제의 농도는 너무 높은 것을 사용하지 않도록 유의한다.

1:50,000으로 희석된 에피네프린이 함유된 염산 리도카인이 수술부의 지혈 목적으로 오래전부터 사용되어 왔었는데, 1985년 WHO 규정에 의해 현재는 제조되지 않고 1:80,000과 1:100,000 농도의 에피네프린이 함유된 염산 리도카인이 대신 쓰이고 있다.

4. 합병증의 예방

국소마취제 투여와 관련된 합병증들은 주의사항을 잘 지키면 대부분은 예방할 수 있는데 국소마취 시 유의할 내용들은 다음과 같다.

① 국소마취제 투여에 앞서서 의학적 평가를 철저히 한다.
② 국소마취제 주입 전에 불안, 공포 등을 관리하는 정신안정법을 고려한다.
③ 치과임상에서 국소마취를 할 때 가능한 한 환자를 앙와위 또는 반앙와위 상태에 시행한다.
④ 주사침을 자입하기 전에 도포마취를 한다.
⑤ 가능한 한 최소량의 국소마취제 사용으로 최대의 마취효과를 얻을 수 있도록 한다.
⑥ 국소마취제의 작용시간이 치과치료 시간과 거의 동

표 12-11. 국소마취제에 사용되는 혈관 수축제의 최대용량

	정상의 건강한 환자	현저한 심혈관계 장애환자
Epinephrine	0.2 mg (20 ml/1:100,000 농도)	0.04 mg (4 ml/1:100,000 농도)
Norepinephrine	0.34 mg (10 ml/1:30,000 농도)	0.14 mg (4 ml/1:30,000 농도)
Levonordefrine	0.5 mg (10 ml/1:20,000 농도)	
Phenylephrine hydrochloride	4 mg (10 ml/1:2,500 농도)	1.6 mg (4 ml/1:2,500 농도)

일하도록 국소마취법을 선택한다.

⑦ 필요에 따라 국소마취제에 혈관수축제를 포함시키고, 환자의 의학적 상태를 고려하여 결정한다.

⑧ 국소마취 시 흡인이 가능한 주사기를 사용한다.

⑨ 1회용 주사침이면서 적절한 길이의 주사침을 사용한다.

⑩ 국소마취제 주입 시 흡인을 철저히 시행하며, 주사기 내 혈액이 흡인된 경우 자입방향을 바꾸어 혈관 내 마취제가 주입되지 않도록 한다.

⑪ 국소마취제를 투여하는 동안과 투여 후 환자의 반응을 계속 관찰하고 관리한다.

참고문헌

1. 곽일룡: 임상마취과학. 고문사, 1984.
2. 선우일남: 실신(syncope), 대한 응급의학회지, 1:58-65, 1990.
3. 이광호 외 65인: 의학 연구교육총서 제1집 응급처치. 서울대학교 출판부, 1987.
4. 이상철, 김여갑, 김경욱, 이두익, 염광원, 정성수, 강정완, 김동옥, 김창환, 김용석: 구강악안면 국소 및 전신마취학 둘째판. 군자출판사, 2001.
5. 이상철, 허원실: 임상 치과 국소마취학. 군자출판사, 1991.
6. 이종호, 김명진 역: 칼라그래픽스 하치조신경마비(野間弘康외 17명). 나래출판사, 2006.
7. ASOS Committee on Anesthesia: ASOS anesthesia morbidity and mortality survey. J Oral Surg, 32:733-738, 1974.
8. Bennett CR: Monheim's local anesthesia and pain control in dental practice. 7th ed. CV Mosby, 1984.
9. Boshop PT: Frequency of assidental intravascular injection of local anesthetics in children. Br Dent J, 154:76-77, 1983.
10. Brodsky CD and Dower JS Jr: Middle ear problems after a Gow-Gates injection. J Am Dent Assoc, 132(10):1420-1424, 2001.
11. Campbell RL, Mercuri LG and van Sickels J: Cervical sympathetic block following intraoral local anesthesia. Oral Surg. Oral Med Oral Path, 47:223-226, 1979.
12. Falace DA: Emergency dental care. Williams & Wilkins, 1995.
13. Krafft TC and Hickel R: Clinical investigation into the incidence of direct damage to the lingual nerve caused by local anaesthesia. J.Craniomaxillofac Surg, 22(5):294-296, 1994.
14. Laskin DM: Oral and Maxillofacial Surgery. Vol 1. CV Mosby, 1985.
15. Malamed SF: Handbook of local anesthesia. 5th ed. CV Mosby,2004.
16. McCarthy FM: Medical emergencies in dentistry. 3rd ed. WB Saunders, 307-321, 1982.
17. Pogrel MA and Thamby S: Permanent nerve involvement resulting from inferior alveolar nerve blocks. J Am Dent Assoc, 131(7):901-907, 2000.
18. Rood JR: Ocular complications of inferior dental nerve block. Br Dent J, 132:23-24, 1972.
19. Seldin HM and Recant BS: Safety of anesthesia in the dental office. J Oral Surg, 13:199-208, 1955.
20. Tomlin PJ: Death in outpatient dental practice. Anesthesia, 29:551-570, 1974.

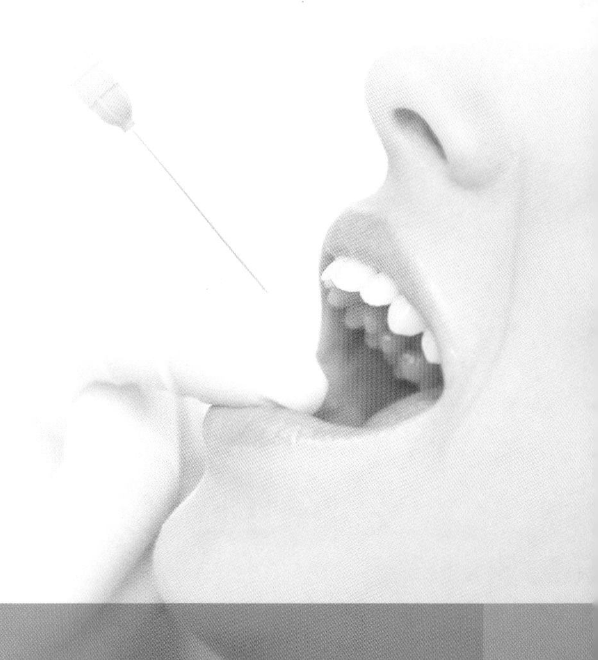

PART 4 진정법

Chapter 13 진정법의 개념
Chapter 14 진정약물의 약동학과 약력학
Chapter 15 진정 전 환자평가
Chapter 16 환자감시와 기록
Chapter 17 비약물적인 불안해소
Chapter 18 경구진정법
Chapter 19 흡입진정법
Chapter 20 정주진정법
Chapter 21 진정 후 관리와 합병증의 처치
Chapter 22 전신마취

CHAPTER 13

진정법의 개념

학습목표

1. 치과치료를 위한 진정법의 목적과 특수성을 설명한다.
2. 의식수준에 따라 진정법을 분류한다.
3. 깊은 진정과 전신마취의 장단점을 나열한다.
4. 깊은 진정의 위험성에 대해 설명한다.
5. 약물 투여 경로에 따라 진정법을 분류하고 장단점을 열거한다 .
6. 의식하 진정법의 적응증/금기증을 나열한다.
7. 환자의 선택에서부터 환자의 퇴원까지의 진정법 과정을 적용할 수 있다.

치과치료 자체에 대한 불안과 공포는 오랫동안 치과의사의 중요 관심사였고, 적절한 불안조절을 제공하는 것은 치과치료에 중요한 부분이며 이것이 환자의 권리이자 치과의사의 의무라고 할 수 있다. 치과치료가 필요한 환자가 예감하는 불안과 공포는 치과치료에 적절한 시간을 놓쳐 더 악화되거나, 효과적 치료를 어렵게 할 수 있다. 치과치료 시 진정법을 시행하는 것은 환자의 불안과 공포를 줄임으로써 치과치료에 대해 협력할 수 있게 도와주며, 치료 후에도 환자와 좋은 관계를 형성할 수 있게 해준다.

좋은 진정법을 시행하는 것은 두려움이 많은 환자나 광범위한 치료를 받는 경우 환자에게 편안함을 제공할 수 있고 시술부위를 안전하게 확보할 수 있으며 스트레스를 감소시켜 응급 상황을 예방할 수 있다. 진정법은 개별 환자의 치료계획에 있어서, 시술자가 비약물적 또는 약물적 불안관리를 시행하는 것을 모두 포함하게 되며 치과 범위의 진정은 대개 의식하 진정을 의미하게 된다. 이는 약물의 사용으로 중추신경계 저하를 일으켜 치료를 수행할 수 있는 상태이면서도 진정이 유지되는 동안 환자와 언어적 소통이 가능한 상태를 유지하는 것을 의미한다. 치과치료를 위한 의식하 진정에 쓰이는 약물과 기술은 의식을 원치 않게 잃지 않도록, 안전역을 충분히 넓게 잡아야 하며 진정의 수준은 환자가 의식을 유지하고, 언어적 명령을 이해하고 반응할 수 있도록 하는 것이 기본적으로 필요하다. 심지어 만약 완전히 의식이 있을 때 언어적 소통이 불가능한 환자라면, 그들의 커뮤니케이션을 위한 수단이 반드시 유지되어야 한다. 이처럼 의식하 진정에서는 언어적 소통 및 보호반사가 유지되지만 반면에, 전신마취로 정의되는, 의식을 잃어버린 상태는 '깊은 진정'이라고 하는 범주에 들어간다.

흔히 사용되는 진정법은 Benzodiazepine을 사용하는 경구진정법, 흡입진정, 마취제를 진통제 없이 또는 진통제와 함께 사용하는 정주진정법 등이 있다. 여기에 적용되는 약물로 benzodiazepine계 약물인 midazolam과 diazepam, 항히스타민제인 hydroxyzine, chloral hydrate, 그리고, barbiturates, 마약성 진통제인 morphine

과 meperidine, 그리고 흡입진정제로 N_2O/O_2 세보플루란 등이 있으며 midazolam, propofol 혹은 dexmedetomidine 등이 있으며 이와 같은 약제를 진통제 없이 또는 진통제와 함께 사용하여 다양한 약리적 특성을 나타낸다. 이중 midazolam은 현재 치과에서 행해지는 진정법 중 가장 많이 사용되는 진정제이다. 장점으로는 아산화질소 흡입과 혼합하여 사용할 수 있으며 이때 추가적인 교육이나 장비 없이 각각의 진정법에 경험 있는 시술자가 시행할 수 있다. 그 외에 최근 국내 마취과 영역에 소개된 새로운 진정제로서 dexmedetomidine는 α_2 아드레날린 수용체 작용제로 진정 및 진통효과를 보이며, propofol을 이용한 진정과 비교하여 침습적인 시술을 위한 적절한 수준의 진정을 제공하고, 호흡억제 합병증이 현저하게 감소시키는 특징을 가진다. 또한 교감신경을 억제하는 특성이 있어 다른 마취제 및 진통제의 요구량을 감소시키고 수술 중 혈역학적 안정성을 유지하는 것으로 알려져 있어 다양한 치과 영역에서 진정을 위해 사용하려는 시도를 행하고 있다.

2000년 이후 우리나라에서도 생활수준이 향상되면서 보다 편안하고 안전한 치과치료를 원하는 사람들이 늘고 있다. 또한 노인인구의 증가와 임플란트 치료 활성화로 조직 침습적인 치과치료가 늘면서 일반 치과의사들도 환자의 편안함과 안전을 보장하기 위해 진정법에 관한 관심이 점차 높아지고 있다. 따라서 치과치료에서 통증과 불안 조절은 단지 국소마취를 시행하여 통증을 조절하는 것뿐만 아니라 불안을 해소하는 진정법을 시행함으로써 치과치료의 중요 부분으로 자리 잡고 있다.

1. 치과치료를 위한 진정법의 목적과 적응증

환자를 진정법 하에서 달성하고자 하는 목적은 다음과 같다.

- 환자에게 효율적으로 양질의 치과치료를 제공한다.
- 환자 개개인에 따라 치과진료 전후 다르게 나타날 수 있는 환자의 파괴적이거나 부정적인 행동을 최소화하여 치료에 도움을 얻는다.
- 치료 과정 중 환자가 겪을 수 있는 통증이나 불안감, 공포 또는 정서적 손상을 감소시킨다.
- 환자의 안전과 건강을 도모한다.
- 나아가 다음 치과치료에 대한 환자의 반응을 긍정적으로 변화시켜준다.

위와 같은 목적으로 시행되는 진정법의 적응증은 아래와 같다.

- 치과 불안 및 공포증
- 장기적인 혹은 침습적인 치과치료
- 의학적 상황이 스트레스에 의해 잠재적으로 악화될 수 있을 때
- 의학적 상황이 환자의 협조도에 영향을 줄 때
- 특별히 필요한 때

2. 진정법의 정의와 분류

1) 진정법의 정의

진정법이란 환자의 불안과 공포 및 통증을 경감시키기 위하여 여러 경로를 통하여 체내로 진정제와 진통제를 투여하여 불안과 통증을 조절하는 것이다. 진정법에서는 단지 불안을 감소시키는 것을 목적으로 하는 것이 아니며 환자의 통증과 불안은 불가분의 관계이므로 환자의 진정 정도, 통증의 강도, 생체징후 등을 고려하여 적정량의 진통제와 진정제가 사용되어야 만족할만한 진정법을 시행할 수 있다.

2) 진정법의 분류

(1) 의식수준에 따라

진정과 진통은 최소한의 진정(불안 완화)에서부터 전신마취에 이르는 연속적인 개념이다(그림 13-1). 진정 수준은 연속적으로 변화하기 때문에 환자의 반응을 정확하게 예측하는 것은 사실상 불가능하다. 전신마취와 연관

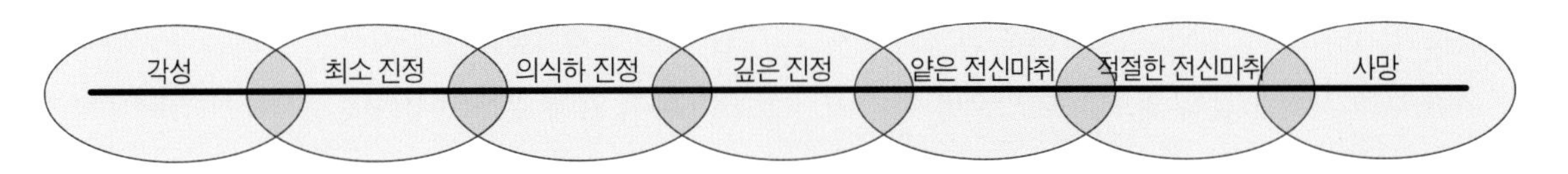

그림 13-1. 의식의 정도에 따른 분류
깊은 진정의 경우 전신마취와 구분이 안 되는 경우도 있음에 유의해야 한다. 특히 전신마취관련 합병증이 자주 발생하는 얕은 전신마취와 임상적으로 겹치므로 위험할 수 있다.

된 심각한 합병증은 주로 마취 유도기에 발생하는데 이 시기는 깊은 진정과 구별이 명확하지 않을 수 있다. 미국 마취과학회에서 제정한 마취과 의사가 아닌 다른 분야의 의사들이 진정법을 어떻게 시행하면 좋은지에 대한 가이드라인에 의하면 진정-진통 정도에 따라 진정법과 전신마취를 분류하면 표 13-1와 같다. 의식하 정주진정인 경우 경미한 혹은 중증도 진정에 속한다.

① 최소진정(불안 완화)

최소진정은 "입 벌려 보세요." 같은 구두 명령에 환자가 정상적으로 반응하는 약물에 의해 유도되는 진정 상태이다. 비록 인지 기능과 협조 능력은 저하되어 있으나, 환기 능력과 심혈관계 기능은 영향을 받지 않는다. 최소 진정의 경우는 국소마취와 다음의 하나를 포함한 개념이다. 산소와 함께 사용되는 50% 미만의 아산화질소 흡입진정, 혹은 불안, 통증이 억제되지 않을 정도의 전처치로써 경구진정제 또는 진통제 투여인 경우를 의미한다.

② 의식하 진정

의식하 진정은 자발적이고 지속적으로 기도를 유지할 수 있으며, 물리적 자극이나 구두 자극과 명령에 명확하게 반응할 수 있는 의식수준의 최소 저하상태이다. 경미한 진정(minimal sedation)과 중등도 진정(moderate sedation)으로 나눌 수 있는데 경미한 진정은 술자의 구두지시에 환자가 정상적으로 반응하는 상태로 인지 및 협조능력에는 다소 장애가 있을 수 있으나 호흡기계의 기능에는 영향이 없다. 중등도 진정은 술자의 말 또는 가벼운 접촉성 신체자극을 이용한 지시에 환자가 술자의 의도대로 반응할 수 있는 상태이다. 환자는 언어적 소통 및 보호 반사가 유지되게 된다. 이는 약물을 투여하거나 약물을 통하지 않은 방법, 또는 두 가지를 병용하여 얻을 수 있다. 기도보호반사(airway protective reflex)의 소실이 나타나서는 안 되며, 자신의 기도를 통한 자발호흡이 가능하고 대부분 심혈관계는 영향을 받지 않는다.

③ 깊은 진정

깊은 진정은 약물의 작용에 의해 유도된 의식 억제 상태로서, 약물에 의해 유도되는 의식의 소실 기간 동안 환자는 쉽게 깨어나지 않으나, 고통스러운 통증을 유발하는 반복되는 통증 자극에 반응이 유지되는 상태이다. 자

표 13-1. 의식 정도에 따른 진정법과 전신마취의 정의

	최소진정(불안 완화)	의식하 진정(얕은 진정)	깊은 진정	전신마취
반응도	언어 자극에 대한 정상적 반응	언어나 접촉 자극에 의도된* 반응	반복되고 고통스러운 자극에 의도된* 반응	고통에 대해서도 각성 없음
기도	영향 없음	별도의 개재가 요구되지 않음	때때로 개재가 요구됨	종종 개재가 요구됨
자발적 환기	영향 없음	충분함	아마도 불충분함	종종 불충분함
심혈관계 기능	영향 없음	보통 유지됨	보통 유지됨	아마도 저하됨

* 통증 자극에 의한 반사운동은 의도적인 반응으로 간주되지 않는다.

발적인 기도 및 호흡 유지 능력은 저하되어 환자의 기도 유지를 위한 보조 장비가 간혹 필요할 수 있으며 자발 호흡은 불충분하다. 심혈관계 기능은 보통 유지된다.

④ 전신마취

전신마취는 유도된 무의식상태로서 독자적으로 기도를 유지하는 능력 및 신체적 자극 또는 구두의 지시에 적절히 반응하는 능력 등을 포함한 환자의 보호반사 기능이 부분적으로 혹은 완전히 상실된 수준이다. 뇌기능을 전반적으로 감소시켜 무의식, 감각소실, 운동능력 및 반사작용을 부분적으로 혹은 완전히 소실된 상태를 가역적으로 유도하는 것으로 독립적으로 지속적인 호흡을 유지할 수 없고 물리적 자극이나 구두 명령에 적절히 반응할 수 없으며 기도보호반사의 부분적 또는 전신적 상실이 수반된다. 약물에 의해 유도되는 의식의 소실 기간 동안 환자는 어떤 통증 자극에도 반응하지 않는다. 자발적인 환기 유지 능력은 심하게 저하된다. 환자의 기도 확보를 위한 보조 장비가 필요하며, 약물에 의해 유도된 신경근골격계 기능의 저하 또는 자발적 환기능의 저하로 인하여 전신마취기 등의 환기장치가 필요하며 종종 심혈관계 기능이 저하된다.

환자의 의식은 각성 상태부터 최소 진정, 의식하 진정, 깊은 진정, 얕은 마취, 수술에 적합한 마취 및 사망에 이르는 연결선 상에 있다(그림 13-1). 진정법을 시행할 때 술자가 의식하 진정을 계획하였다면 술자는 원하는 진정수준을 결정하고 이를 목표로 약물이 적정(titration) 될 수 있도록 진정법을 계획해야 한다. 또한 환자의 의식이 계획된 대로 유지되는지를 감시하는 방법을 숙지하여 환자가 의도하지 않게 깊은 진정이나 전신마취 상태에 빠지지 않도록 해야 한다.

3. 투여경로에 따른 진정법의 분류

진정법을 위한 약물투여 경로(route)에 따라 경구, 흡입, 근주, 정주, 설하, 직장, 비강, 경피, 피하, 점막하, 기타 등으로 나눌 수 있다. 같은 약물이라도 투여 경로에 따라 약리학적으로 다양해질 수 있으므로 그 특성을 잘 파악해야 한다(표 13-2).

1) 경구진정법(Oral sedation)

이 방법은 환자가 가장 쉽게 받아들일 수 있는 장점이 있으나 진정제의 필요한 용량을 적정하기 힘들고 효과의 발현과 지속시간을 정확히 예측할 수 없다는 단점을 가지고 있다. 경구 전투약의 역할은 치료 전에 환자의 불안 관리이며, 명확한 진정법 기술은 아니다. 치료 전에 불안한 환자의 안정을 돕기 위해 경구 전투약으로 저용량의 벤조다이아제핀(주로 미다졸람)이 처방될 수 있다. 경구 전투약을 받은 환자는 적절한 술전, 술후 지시사항을 받아야 한다.

경구진정은 벤조다이아제핀(주로 미다졸람)을 경구로 적용하는 것을 통해 이뤄질 수 있다. 미다졸람은 약동학적 특징 때문에 선호되며, 이전 연구에서 미다졸람이 경

표 13-2. 투여 경로에 따른 진정제의 약리학적 특성 비교

약물 효과 발현	최대효과	진정	조절성(적정)	회복
경구	30분	60분	불가능	불완전 회복
직장	30분	60분	불가능	불완전 회복
근주	10~15분	30분	불가능	불완전 회복
정주	1~2분	1~20분	가능	불완전 회복
흡입	1~2분	3~5분	가능	완전 회복

구로 주입됐을 때, 치과치료를 위한 의식하 진정이 안전하고 효과적으로 달성되는 결과가 나왔다. 이 의식하 진정의 상태는 약물의 정주진정으로 만들어지는 것만큼 깊을 수 있으나 덜 통제되는 상태이다. 경구진정법을 사용하는 임상가는 다른 적정 진정 기술의 사용을 훈련받아야만 하며, 사용한 진정 기술에서 부가적으로 행하기 위한 정맥 캐뉼레이션에 능숙해야 한다. 경구 약물을 사용하기 위해 특별한 절차가 따라야 한다. 일반적으로 위 내용물이 약물 흡수에 영향을 미치므로 공복에 물 한잔과 함께 복용한다. 진정제의 발현시간은 복용 후 약 30분이고, 효과는 1시간 정도 후에 최고치에 이른다. 약물의 약효발현시간은 약물에 따라 다르고, 주로 그 약물의 분포반감기에 비례한다.

2) 흡입진정법(Inhalational sedation)

거의 모든 치과치료에 두려움을 느끼는 환자에게 적용할 수 있으나 폐쇄공포증 환자, 행동장애가 심한 소아환자, 정박아, 뇌성마비 환자, 구호흡이 심한 환자에서는 시행이 어렵거나 불가능할 수 있다. 주로 아산화질소가 사용된다. 진통(analgesia)/항불안(anxiolysis)을 위한 아산화질소는 매우 안정적이며 적절한 장비와 기술을 가지고 주의 깊게 선택된 환자에게 잘 훈련된 이가 주입한다면 아산화질소는 안전하고 효과적인 약물이다. 아산화질소의 농도는 좀 더 간단한 진료(예를 들어 수복)에서는 감소하고 좀 더 심도 있는 진료(예를 들어 발치, 국소마취제의 주입)에서는 증가한다. 아산화질소의 경우 nasal hood를 사용하게 되는데 일반적으로 환자에게 분당 5~6 L의 속도로 주입되게 된다. 이러한 유량(flow rate)은 호흡낭(reservoir bag)을 관찰하면서 조절될 수 있다. 이 낭(bag)은 부드럽게 숨 쉴 때마다 진동되어야 하며 과하거나 덜해서는 안 된다. 1~2분간 100%의 산소 주입 후에 10% 간격의 아산화질소 적정이 추천된다. 아산화질소는 투여 후 수 분 내 효과가 나타나고, 투여중단 후 수 분 내 효과가 사라진다. 적정(titration)은 원하는 수준의 효과가 나타날 때까지 약물을 소량씩 점진적으로 투여하는 것으로, 흡입 투여는 적정이 용이한 장점이 있다. 진통(analgesia)/항불안(anxiolysis)을 위한 아산화질소의 농도는 대개 50%를 넘기지 않는다. 그 외 세보플루란 등의 마취 가스를 사용하거나 분무, 에어로졸 형태의 마취제의 체내 투여가 가능하며 폐포 상피조직을 통하여 체내로 신속히 흡수된다. 약효발현시간은 흡입가스의 농도, 폐포 호흡률, 흡입가스의 혈중 용해도에 의존한다. 아산화질소와 데스플루란 같은 가스는 혈중용해도가 낮기 때문에 뇌에서의 약물 농도와 폐포 내 약물농도가 단시간에 평형(equilibrium)을 이루므로 빠른 약효발현과 제거의 특징을 가진다.

3) 근주진정법(Intramuscular sedation)

근주진정법은 피하주사와 비슷하다. 경구 투여에 비해 흡수되는 약물 양을 비교적 용이하게 예측할 수 있고, 보다 빠른 약효발현을 보인다. 모든 환자에게 사용 가능하며 선천적으로 인지 장애가 있거나 운동 장애가 있는 환자들에게도 쉽게 사용할 수 있다. 주사 시 통증이 있고 정주에 비하여 일정한 속도와 용량의 약물흡수를 기대하기 어렵다. 근주의 장점으로는 정주에 비하여 협조가 불가능한 환자에게 매우 용이하게 사용할 수 있다. 이런 이유로 근주는 정주진정법이나 전신마취에 필요한 정맥로를 확보할 때 사용하기도 한다. 단점으로는 약효발현시간이 길고 적정이 어려우며, 조직손상이 예상된다는 점이다. 대체적으로 약효발현시간은 15분이다. 근주시 주사된 용액은 가능하면 1 ml 이내로 제한해야 하며 mid-deltoid와 vastus lateralis 근육에서도 결코 3 ml를 넘겨서는 안 된다.

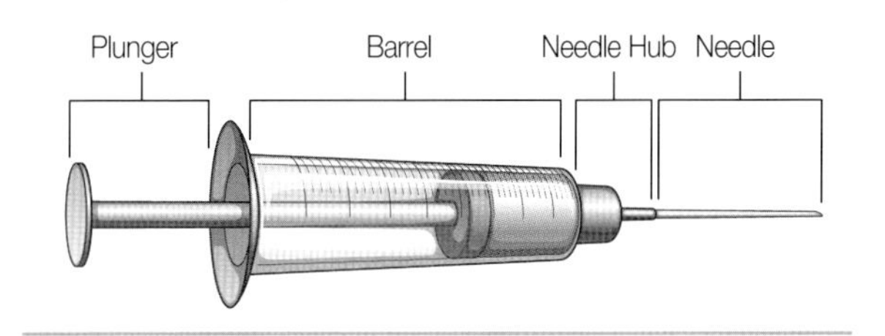

그림 13-2. 주사기의 구조
바늘 허브 부분이 취약하여 절단의 위험이 있으므로 조심해야 한다.

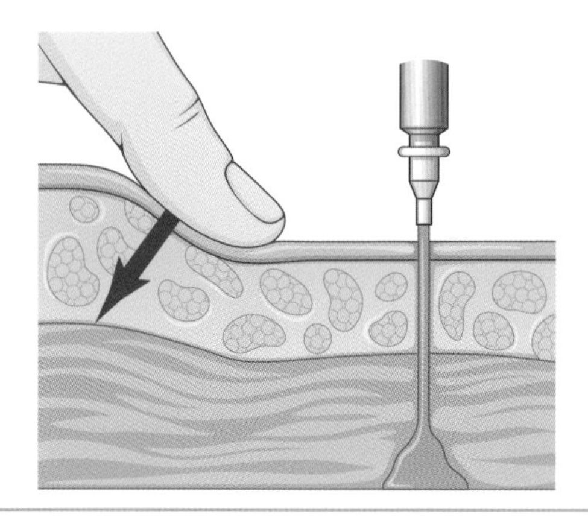

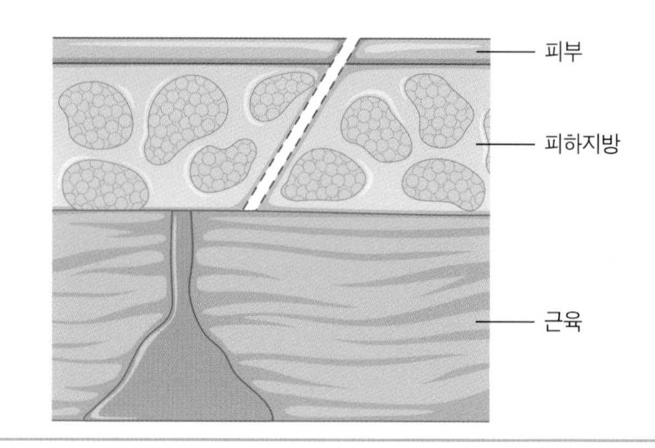

그림 13-3. Z-tract 근주법
근육 내로 약물이 주입되는 길을 차단함으로써 주입된 약물의 소실을 방지하는 주사법이다. 바늘의 주입 전에 피부를 측방으로 당긴 후 근주하고 바늘을 뺄 때 피부의 장력을 해제한다.

보편적인 근주 위치는 mid-deltoid, vastus lateralis, gluteus 근육들이다. Mid-deltoid, vastus lateralis가 치과시술 시 가장 적절하며 mid-deltoid은 성인에게, vastus lateralis은 어린이에게 근주시 적절하다.

근주시 Z-tract 근주법을 사용할 수 있는데 환자 근육의 크기와 용액의 점도를 고려하여 바늘의 직경과 길이를 결정한다. 치과시술 시에는 대개 1인치 23게이지 바늘이 투약에 적절하다(그림 13-2). 가장 보편적으로 제안되는 21게이지 바늘은 볼기근에 근주 시나 페니실린과 같이 점도가 높은 용액을 투여할 때 사용한다. 비만 환자의 경우 피하투여 위험을 방지하기 위해 어떠한 부위에서는 더 긴 바늘이 추천된다(그림 13-3).

4) 정주진정법(Intravenous sedation)

정주진정법은 의식하 진정이나 깊은 진정 또는 전신마취를 위해서 가장 효과적인 약물 투여법이다. 이것들은 진정 약물의 혼합 사용이나 정주진정과 흡입 또는 경구진정의 병용을 포함한다. 정주의 장점은 경구 및 근주에 비해서 빠른 약효 발현시간, 적정이 가능하고 응급 상황이 발생하였을 때 이미 정맥로가 확보되어 에피네프린 등의 약물을 신속히 주사할 수 있다는 점이다. 그러나 빠른 약효발현 시간으로 인하여 오히려 과용량으로 인한 부작용의 가능성이 높으며, 깊은 진정 수준에 쉽게 도달한다는 단점이 있다. 더구나 치과의사에게는 익숙하지 않은 정맥로를 확보해야 하는 어려운 점도 있다. 정주는 진통효과가 신속히 발현되고 진통제의 작용시간이 다른 투여법에 비해서 짧다는 점이 특징이다. 약물의 정주는 혈액 내 약물농도 조절에 있어서 다른 어떤 약물 투여 경로보다 가장 정확한 투여방법이다. 미다졸람, 프로포폴, 덱스메데토미딘 등이 사용되고 있으며 미다졸람의 경우 단일 정주 후 필요 시 추가로 주입하는 방법을 흔히 사용하고 있으며 지속 정주도 가능하다. Propofol은 propofol 전용 혈중농도조절 지속주입기(target controlled infuser, TCI)가 개발되면서 빠른 작용 발현, 짧고 예측 가능한 작용 시간, 그리고 부작용이 없이 빠른 회복 등의 장점들로 인해 각광을 받는 진정제이다. 최근 우리나라에 소개된 덱스메데토미딘은 지속 정주를 시행하게 되는데 술기와 환자 상태를 고려해서 용량과 적정을 적절히 사용해야 한다.

5) 설하진정법(Sublingual sedation)

이 경로는 약물이 혀 밑에서 흡수 가능해야 한다. 경구투여보다 신속한 발현시간 및 간에서의 일차 통과 효과가 없다는 장점이 있다. 치과치료는 대부분 구강 내에서 이루어지므로 손쉽게 약물을 투여할 수 있는 부가적인 장점이 있다. 현재 치과에서는 triazolam을 이용한 설하진정법이 보고되어 있다. 소아에서 행해진 midazolam의 설하와 비강내 투여 비교연구에서는 설하 투여가 보다 우수하다고 보고되고 있다.

6) 직장진정법(Rectal sedation)

직장을 통한 진정법은 1~7세의 어린이나 정신적인 장애가 있는 청소년, 약제를 삼키기 어려운 환자나 주사 바늘 공포증을 가진 성인 환자에서 제한적으로 사용된다. 경구 투여와 유사한 용량을 투여하는데, 직장으로 투여된 약제 중 일부는 경구투여 시와 유사하게 간문맥으로 순환하는 상직장정맥(superior rectal vein)으로 흡수되고, 나머지는 간을 통과하지 않는 중 및 하직장정맥(inferior rectal vein)으로 흡수되므로 환자마다 직장의 혈액순환 양상이 다양하므로 약물효과가 사람마다 다를 수 있어 약물의 유효성이나 안전성에 문제가 있을 수 있다. 단점은 점막 자극성과 불편감이 있으며 적정이 불가능하고 부분적으로 일차 통과 효과가 있다는 점이다.

직장으로 마약성 진통제를 투여하는 것은 대개 위장관으로의 약물투여나 흡수에 장애가 있는 경우에 선택할 수 있는 방법이다. 따라서 항문이나 직장과 같은 하부 위장관에 이상이 있는 경우에는 사용할 수가 없다. 약물의 흡수와 기대효과는 경구투여법의 경우와 크게 다르지 않다. 주로 사용되는 약제로는 thiopental, methohexital, diazepam 등이 있다.

7) 비강 내 진정법(Intranasal sedation)

비점막에 도포하는 것으로서 경구투여보다 빠른 흡수 및 발현시간을 특징으로 한다. 경비강 투여법은 위장관을 통한 약물투여법보다 더 효과적인 방법이라고 볼 수는 없지만 정주 등 다른 방법이 여의치 않은 경우에 선택할 수 있다. 그러나 투여 시 환자가 불편감을 느끼고 흡수 정도를 확실히 알 수 없으며 비점막 손상 가능성이 있다.

8) 경피 진정법(Transdermal sedation)

아직까지는 진정법에 사용되는 약물 중 fentanyl이 경피 투여가 가능한 유일한 마약성 진통제이다. Fentanyl은 약제의 물리화학적 특성상 분자량이 적고, 물과 기름에 잘 녹으며, 약효가 강하기 때문에 경피 투여가 가능하다. 경피 fentanyl 패취는 통증발생시기가 불규칙하면서도 지속적인 통증을 가진 환자에게 효과적이다. 흡수량은 패취의 표면적에 비례하게 되므로 용량을 증가시키려면 패취를 여러 장 붙이면 된다. 또 다른 경피 투여법에는 국소 전류를 이용한 이온화 현상을 이용하여 투여하는 'Iontophoresis' 법도 있다.

9) 피하진정법(Subcutaneous sedation)

경구복용법에 비해서 피하 투여법은 효과가 빨리 나타나고 위장관의 기능에 관계없이 흡수가 되는 장점이 있다. 그러나 체내흡수가 균등하고 일정하게 이루어지지 않는 점은 고려해야만 한다. 피하투여법은 마약성 진통제를 지속적으로 투여가 가능하고 환자자신이 통증상태에 따라 약물조절을 할 수가 있으며 주기적으로 단번에 일정 용량을 투여하는 것이 가능하다. 단점은 피하에 대용량을 주입할 수 없다는 것과 함께 주사부위에 통증과 피부 손상이 발생할 수 있는 점이다.

4. 안전한 진정법을 위한 준비

좋은 진정법 시술은 개별 환자의 치료계획에 있어서, 시술자가 비약물적과 약물적 불안관리의 범위를 고려하는 것이 필요하다. 의식하 진정은, 개인으로서의 환자의 권리를 존중하면서 가장 높은 가능성을 표준으로 하여 제공되는 것이 필수적이다. 안전하고 효율적인 의식하 진정의 제공은 규제 및 전문가와 환자 교육을 모두 필요로 하며, 후자가 더 중요하다.

1) 환자의 평가와 선택

환자 평가는 반드시 수행되어야 하며, 진정법 하에서 환자를 치료하는 것 외의 별도의 방문이 더 선호된다. 신중하고 전반적인 환자 평가는 계획된 치료와 관련하여 올바른 결정을 했는지 확신하기 위해 필요하다. 필요한 경우 전신마취가 검토되어야 하는 환자에게 의식하 진정법이 가장 적합한 형태의 것이라고 확신을 주기 위한 것을 포함하여, 모든 관련된 불안 관리 기술은 각 상황에 맞게 선택되어야 하고, 올바른 환경에서 제공되어야 한다. 발전된 다른 기술로의 이행 이전에 그 기술에서 실패하는 것이 필요한 것은 아니다. 어디서 진정법이 진행될지를 결정할 때 환자의 ASA 상태에 맞춰 적당히 고려해야 한다.

표 13-3. 안전한 진정법과 관련된 환자의 기도 평가

과거력
• 마취 또는 진정과 관련된 문제점 • 코골이 또는 수면무호흡 • 심한 류마티스 관절염(특히 경추) • 선천성 악안면 기형
기도평가
• 심한 비만 • 두경부: 짧은 목, 경추운동 제한, 짧은 설골-이부 거리(3 cm 이하인 성인), 경부 종양, 경추 질환 또는 외상, 기관지 이상, 안면기형(예: Pierre-Robin 증후군, Treacher Collins 증후군) • 구강: 개구 제한(3 cm 이하인 성인), 무치악, 돌출된 전치부, 흔들리는 치아, 구강 내 장치, 높은 구개, 하악골에 비하여 상대적으로 큰 혀, 편도 비대, 보이지 않는 목젖 • 턱: 왜소한 턱, 후퇴된 턱, 개구장애, 심한 부정교합

2) 환자의 평가

의식하 진정을 시행하기 위해서는 해당 환자의 활력징후, 심장 및 폐 청진, 기도 평가(표 13-3, 그림 13-4) 등을 포함한 의학적, 치의학적, 사회적으로 전반적인 기왕력을 알아야 하며, 처방약이든 비처방약이든 모두 특별한 관심을 기울여야 한다. 필요하면 상위 치과병원으로 환자를 의뢰한다.

가능한 구강검사가 이뤄질 때마다, 치료 계획하기를 평가의 한 부분으로 시행해야 한다. 환자의 협조도가 부족하여 어쩔 수 없이 진정 전 측정이 불가능한 경우가 아닌 한, 정주, 구강, 점막경유 진정을 하는 모든 환자에게 혈압을 기록하는 것은 평가의 한 과정이다. ASA 상태는 반드시 결정되고 기록되어야 한다. 진정 중에 환자의 신체적 상태에 가해질 충격에 대해 의심이 든다면 반드시 전문가의 조언을 구해야 한다.

3) 동의서

진정법의 위험성과 효과 및 대안에 대해 환자에게 적절

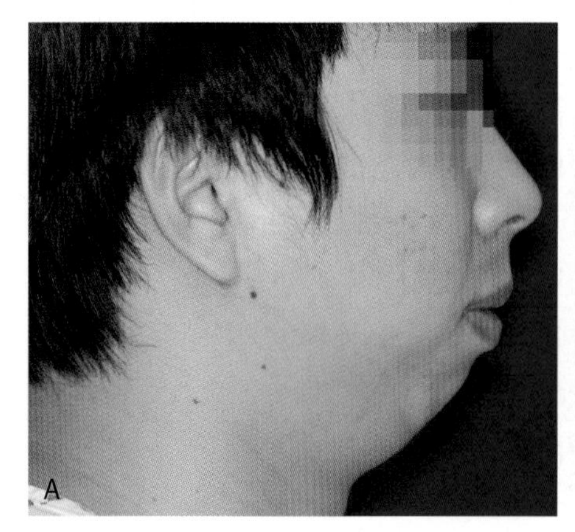

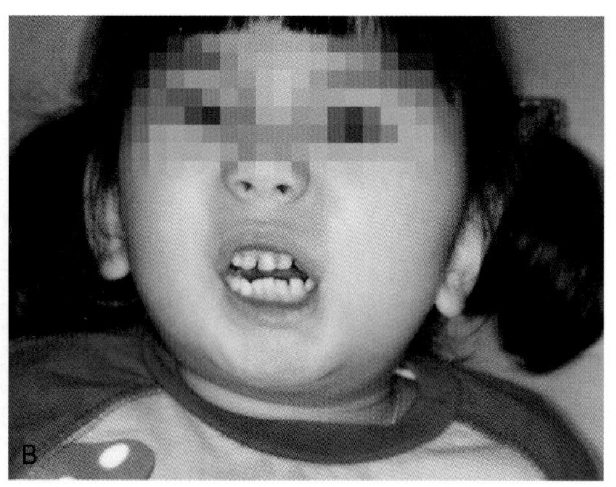

그림 13-4. 기도유지가 어려울 것이 예상되는 환자들. 특히 작은 턱(A)이나 개구장애(B)가 있으면 주의를 요한다.

히 상담하는 것이 환자의 만족도를 높인다(그림 13-5). 20세 미만의 환자의 경우나 그 이상에서 정신적 능력부족을 이유로 하여 치료의 특성과 예상되는 결과를 완전히 이해할 수 없는 경우에는 부모나 보호자에게 설명하게 된다.

절차의 진행에서, 환자는 술전 및 치료 직후에 모두, 그들이 받는 진정법의 효과 및 그들의 준수사항에 대해 주의깊게 말로, 그리고 문서로 지시사항을 받아야 한다.

(1) 정주, 경구, 점막경유 진정

정주, 경구, 점막경유 진정을 시행받을 예정인 환자의 경우 아래와 같은 설명을 시행해야 한다.

① 환자는 약속 당일날 상황에 따라 금식을 하거나 정상적으로 식사가 가능하며, 알코올 섭취는 피해야 한다.

② 환자는 치료하는 치과 의사나 마취과 의사에게 먹지 말라고 조언을 듣지 않는 한, 통상의 약물을 정상적으로 복용해야 한다.

③ 책임감 있는 성인 호송자가 환자와 약속날에 동행해야 하고, 의식하 진정 하에서 치료가 끝난 후 집까지 호송해야 한다. 환자가 최소한 그날의 나머지 시간

진정법에 관한 설명·동의서

1. 환자의 질병을 치료하기 위하여 의식하 진정법 하에 치과치료 ( )를 실시할 예정입니다. 진정법은 치과치료에서 느낄 수 있는 심한 불안감이나 공포감을 감소시켜 심리적 안정된 상태에서 치과치료를 받을 수 있게 하는 안정법입니다.
2. 진정법과 연관되어 환자에게 발생하거나 발생 가능한 증상의 진단명은 기도폐쇄, 이물질 흡인, 호흡부전, 호흡정지 및 이로 인한 뇌손상, 심근허혈, 알레르기 반응, 사망 등입니다.
3. 의식하 진정법으로 치과치료를 하였을 때의 환자의 예상결과(예후)는 다음과 같습니다.
   심리적 안정, 편안한 치과치료, 심혈관계 안정 등으로 치과치료에 대한 긍정적인 태도 변화를 가져올 수 있습니다.
4. 진정법을 받지 아니하는 경우의 환자의 예상결과(예후)는 다음과 같습니다.
   불안으로 인한 치료불가, 심혈관계 불안정으로 인한 합병증
5. 이 환자의 경우는 다음과 같은 사항을 더 고려해야 합니다.
   고혈압, 당뇨, 심장질환, 신장질환, 간장질환, 간질, 갑상선 질환 등 내분비계 질환, 알레르기, 마취와 관련된 과거 합병증, 기타
6. 환자인 저(또는 법정대리인)는 위 사항을 충분히 이해하였고 저(또는 법정대리인)의 자율적 의사에 따라 위의 치과치료에 동의합니다.

년 월 일

환자 또는 법정대리인 (서명 또는 인)
치과의사 (서명 또는 인)

그림 13-5. 진정법 환자 기록지의 예

은 집에서 쉬는지(호송자가) 감독하는 것을 확신할 수 있도록 합의가 이뤄져야 한다. 호송자가 환자에게 주의를 기울이는 것이 필수이며, 따라서 어린이에게 책임을 지울 수 없고 더 연장자나 연관된 친척이어야 한다.

④ 환자를 위한 장소 어디에서나 자리 정돈이 가능해야 하며, 집까지는 대중교통을 타기보다는 개인 차를 몰거나 택시를 타고 호송한다. 만약에 불가능하다면, 호송자는 환자를 집까지 가는 길에 보호하는 부가적 책임에 대해 완전하게 알고 있어야만 한다. 만약 환자나 호송자가 의도치 않게 혹은 불가능하게 이 요구사항을 지킬 수 없다면, 의식하 진정이 허가되어서는 안된다.

⑤ 꽉 끼는 소매나 하이힐 신발을 피하고 편안한 의복을 입으라고 조언할 수 있다.
그 날의 남은 시간에 환자는 다음의 것들을 해서는 안된다.

- 직장에 돌아가기
- 차나 다른 탈 것을 운전하기
- 알코올 소비
- 주방 기구를 포함하여 기계류 작동하기
- 높은 곳에 오르기(예: 사다리, 비계)
- 다른 사람을 책임지기
- 중요한 결정 내리기(예: 법적 문서에 서명하기)

⑥ 아이 갖기를 시도하거나 임신하거나 수유를 하는 경우 환자는 치과의사에게 그 사실을 알려야 한다.

(2) N_2O/O_2 흡입진정

① 환자는 약속 당일날 상황에 따라 금식을 하거나 정상적으로 식사해야 하며, 알코올 섭취는 피해야 한다.

② 환자는 통상의 약물을 정상적으로 복용해야 한다.

③ 어린이는 그들의 약속날 동의서를 작성할 수 있는 책임 있는 부모나 보호자와 동반하거나 또는 치료 과정에 대해 이미 쓰여진 문서 동의서가 있다면 책임질 수 있는 성인과 동반해야 한다. 성인은 그들의 첫 약속에 책임감 있는 성인 호송자와 동반해야 하지만, 치료하는 치과의사의 재량에 따라 그 다음 약속에는 동반하지 않을 수 있다.

④ N_2O/O_2 흡입진정을 받았지만 동행이 없는 성인 환자는, 반드시 운전, 기계 조작, 중요한 법률 문서에 서명하기 전에 주의사항을 들어야 하며 치료가 끝난 후 30분까지 치료실에 더 머무르는 것을 부탁할 수 있다.

⑤ 꽉 끼는 소매나 하이힐 신발을 피하고 편안한 의복을 입으라고 조언할 수 있다.

⑥ 임신하려고 노력하는 환자나 임신 중인 환자는, 그들의 약속에 앞서 치과의사에게 알려야 한다.

의식하 진정법을 위한 금식은 특별한 적응증이 아닌 한 필요하지 않다. 환자들은 그들의 약속날 알코올 섭취나 과식은 피하면서 정상적인 식사를 하고 오도록 조언을 들어야 한다. 의식하 진정법 치료 후에, 보조가 끝난 환자를 돌볼 수 있는 책임감 있는 성인 호송자가 항상 집까지 동행해야 하고 최소한 당일의 남은 시간은 그와 함께 집에 머물러야 한다. 환자가 그들의 정상적인 처방약을 먹고, 평소의 건강 상태를 영위하는 데 필요한 일상을 수행할 수 있게 확인하는 것까지가 호송자의 책임이다. 단지 N_2O/O_2 흡입진정을 받은 성인의 경우에는 대개 호송자가 필요하지 않다.

4) 환경

치과에서의 의식하 진정은 목적에 맞는 환경에서 수행되어야 한다. 그러한 환경은, 행해지는 의식하 진정의 형태에 적합한 스태프, 장비, 시설을 포함한다. 위험 평가, (술중) 유지 기록, 동의서를 포함하여 동일 시점에서 모든 관련된 치료 술식이 기록되어야 한다.

어린이에 대한 의식하 진정은 훈련되고 경험있는 사람에 의해서만 제공되어야 하며, 적절한 장비와 시설이 사용가능한 곳에서 행해져야 한다. 환경과 개입에 대한 어린이의 반응은 다양하며, 그들의 인지 능력, 협조도, 앞서 치료 받은 의과 기왕력과 같은 요소들에 영향을 받는다. 치료에 대한(어린이의) 적응에 따라 프로토콜이 요구된다. 예를 들면, 술전의 신체적 기록, 구강 검사는 가능하지 않을 수 있다. 그러한 경우, 표준 술식으로부터 벗어난 이유가 기록되어야 한다.

5) 장비

(1) N_2O로 흡입진정

치과의 흡입진정을 위한 목적으로 하는 전용으로 설계된 기계가 사용되어야 한다. 그와 같은 기계는 현재의 규정에 따라야 하며, 제조사의 표준지시에 따라 유지되어야 하고, 사용된 내역이 기록되어야 한다. 가스 실린더는 파손을 예방하기 위해 보호된, 현재 규제에 따르는 곳에 안전하게 저장되어야 한다. 사용된 가스의 청소는 현재의 표준을 충족시킬 만큼 능동적이고 충분해야 한다. 산소포화도 감시기는 일반적으로 흡입진정에 필요하지 않다.

(2) 정주 경유, 구강, 점막경유 진정

진정 및 적절한 길항제, 캐뉼라와 라벨을 포함하여, 정주진정을 위해 필요한 모든 장비는 진료실 영역 내에서 사용 가능해야 한다. 모든 정주 기술에 있어서 보정되고 적절하게 유지된 장비가 필요하다. 보충 산소를 환자에게 공급하고 즉시 사용 가능하기 위해서 보충용 산소, 장비와 기술이 필요하다. 보정되고 적절하게 유지된 산소포화도 감시기 및 혈압 모니터기 등에 대해 사용 가능해야 한다.

6) 인력

의식하 진정에 소속된 팀의 모든 구성원은, 독립된 임상 술식을 행하기 전에 실제로 그리고 임상적으로 감독하고 적절한 이론적 훈련을 받아야 한다. 치과 팀의 모든 구성원은, 생명구조 기술 및 의료 응급에 대처하는 숙달 과정의 표준 요건을 갖추고 의식하 진정에 관련된 합병증 관리를 하기 위해 훈련이 필요하다. 환자를 진정시킬 뿐만 아니라 치료를 제공하는 것에 대하여 이중 책임을 갖는 치과의사, 치위생사, 치과치료사는, 적절히 훈련된 보조인력에 의해 치료를 보조 받아야 한다. 상기 인력들은 시술 내내 자리를 지켜야 하고, 환자의 임상 상황에 대해 모니터링할 수 있어야 하며, 합병증 상황에서 의사를 도울 수 있어야 한다. 만약에 훈련이 충분히 문서화되고 적절히 품질을 갖추었다면, 적절히 훈련된 보조 인력은 그들의 이론적 및 실전적 훈련을 조직내부에서 받을 수 있다. 의식하 진정을 하는 중에 합병증이 발생하면, 치과의료팀 또는 의료팀은 진정법 하는 사람을 도울 수 있어야 한다. 진정법이 훈련된 스태프 구성원은 환자의 귀가가 가능할 때까지 감시해야 한다. 의식하 진정에 소속된 팀의 모든 구성원은 민감하게 진정된 환자의 보호 문제를 알아야 하고 진정된 환자를 어느 때라도 혼자 두어서는 안 된다. 치과의사에게 고용되었든 제 3의 집단에게 고용되었든지 간에 전문 진정가와 치과의사가 함께 일하는 곳에는 공식적이고 계약된 책임사항이 있어야 하며, 그것을 통해 치료하는 치과의사가 각 환자를 준비하고, 진정시키고, 회복 및 귀가시키는 것과 관련된 치과팀 각 구성원의 책임과 의무를 명확히 해야 한다.

5. 진정법 중 환자감시와 기록

1) 환자의 의식수준 감시

임상 팀의 모든 구성원은 환자 상태를 모니터링할 수 있어야 한다. 정주, 경구, 점막경유 진정법의 모니터링은 적절한 산소포화도 감시기와 혈압기의 모니터링을 포함한다. 일반적으로 N_2O 흡입진정 동안에는, 부가적인 전기장비 없이 임상적 모니터링이 적절하다. 예를 들면 환자가 중대하게 심혈관 질환을 가진 경우, 부가적인 전기기계 모니터링은 적응증이 될 수 있다.

진정진통을 사용한 시술 중 술자의 구두명령에 대한 환자 반응은 환자의 의식 정도를 잘 반영한다. 술자의 지시에 즉각적인 환자의 반응은 환자의 의식과 호흡이 정상임을 의미한다. 구두반응에는 반응하지 않으나 통증 자극에 반사적 반응만 보이는 것은 깊은 진정이 이루어진 것이며 전신마취 단계로 근접하고 있는 것이므로, 주의를 요한다. 의식하 진정인 경우 구두 반응에 따라 결정되는 진정 점수만으로도 충분할 수 있으나 깊은 진정인 경우보다 적극적인 뇌파감시장치인 BIS 모니터링이 강하게 추천된다. BIS 수치가 의미하는 것은 그림 13-6과 같다.

진정환자를 감시하기 위한 전통적인 방법은 피부나 점막의 색깔 관찰, 혈압측정, 맥박촉진, 흉부나 기관에서 청진기를 이용하여 심음과 폐음 청진이 있다. 이런 방법은 여러 가지 장단점이 있으므로 신중한 선택이 필요하다. 특히 소아 환자일수록 철저한 호흡기계 감시가 필요하다.

비록 환자가 깊은 진정보다 낮은 수준인 의식하 진정 상태에 있다 해도 부적절한 산소포화도 혹은 저산소증을 일으킬 수 있는 위험요소를 갖고 있다. 이것은 기도 폐쇄 혹은 약물에 의해 생긴 호흡억제 때문이다. 맥박산소포화도측정기는 동맥혈내 산소포화도, 맥박수, pulse strength의 비침습적 감시를 가능하게 한다. 호기말이산화탄소분압 측정기(capnography)는 호흡수와 호흡패턴의 모니터링을 가능하게 한다.

기존 환자감시는 단지 환자의 저산소혈증 때문에 일어나는 증상과 징후만을 설명해 준다. 초기 저산소증은 호흡 노력의 증가, 심박수 증가, 혈압 증가 등으로 나타난다. 이후 청색증, 서맥, 부정맥, 심정지 등이 나타난다. 저산소증을 인지하기 위해서 오직 증상과 징후에만 의지한다면, 소아 환자에게서는 이를 미리 예상하지 못할 수 있다. 피부와 점막의 색깔을 육안으로 관찰하는 것은 러버댐과 환자의 눈가리개, 손발을 덮는 고정기와 같은 치과 장치물에 의해 차단된다. 이에 더하여 저산소증과 연관된 청색증은 위험스러운 수준에 도달되어야 인지가 가능하다. 또한 청색증은 헤모글로빈 조성과 조직의 색소침착, 관찰자의 기술에 따라 주관적인 차이가 있다. 전흉부 또는 전기관 청진기(precordial & pretracheal stethoscope)는 심장과 폐 소리를 듣기에는 매우 훌륭한 진단기구이지만 하이스피드 소리에 의해 그 효과가 감소된다. 혈압은 진정 시 합병증을 예측하는데 그다지 유용하지 않다. 저산소증이 심하지 않은 경우에는 산소포화도 변화와 별다른 관련이 없기 때문이다. 기타 자세한 환자 모니터링은 16장을 참조하기 바란다.

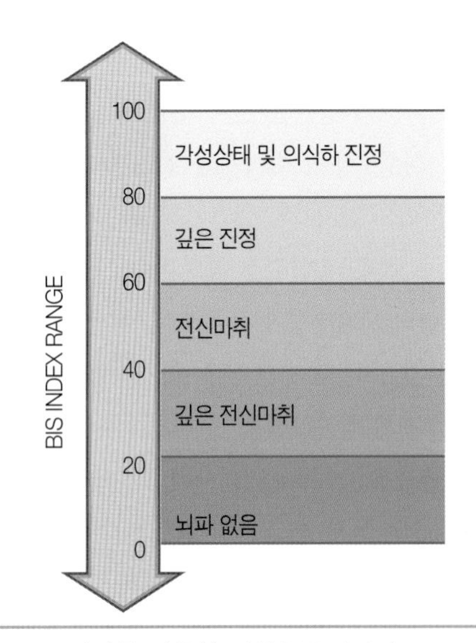

그림 13-6. 뇌파를 이용한 의식수준 감시기(Bispectral index, BIS)

2) 환자의 기록

각 환자에게, 진정 전 평가, 진정을 위한 내원, 치료 과정, 회복에 대한 세부적인 기록이 이뤄져야 한다. 모든 환자마다 종합적이고 동시적인 임상 기록과, 공식적인 동의 절차로 지지되는 증거가 마련되어야 한다.

진정법 동안 환자의 의식수준, 호흡, 산소화, 혈역학적 지수인 혈압 등은 주기적으로 기록해야 한다(표 13-4). 기록과 관찰의 간격은 환자의 전신상태, 수술시간, 투여된 약물의 종류와 양에 따라 달라진다. 최소한 수술시작 전, 진정 약물 투여 후, 수술시간 동안 일정 시간마다, 초기 회복 동안, 귀가 전에 기록이 이루어져야 한다.

또한 퇴원 전에 환자와 보호자에게 치료와 진정법에 관련된 회복 양상에 대한 문서와 구두 지시가 주어져야 한다. 이러한 지시사항에는 예기치 못한 문제가 발생할 경우 누구에게 연락을 취해야 할지에 대한 자세한 내용이 포함되어야 한다. 수술 중과 수술 후의 과정에 대한 자세한 기록에는 수술 중 발생한 예기치 않았던 상황, 마취의

표 13-4. 진정 시행 시 기록에 포함되어야 할 내용

진정 전 평가: 완전히 기록된 의과력
• 혈압 • 체중 • ASA 상태 • 치과력 • 의식하 진정 및 전신마취 경력 • 치과치료 계획 • 선택된 의식하 진정 술식 • 각 개인의 요구사항 • 치료 전에 제공된 술전, 술후 서면 지시사항 • 의식하 진정과 치과치료에 대한 서면 동의서
의식하 진정하에 치과치료하는 당일
• 책임있는 성인 호송자의 동행 여부(만약 필요하다면) • 식사와 물이 마지막으로 섭취된 시간 • 적절한 술후 이송수단 및 감독에 대한 합의(만약 필요하다면) • 치료 전 지시사항을 따랐는지 • 이 과정에 대한 서면 동의서가 존재하는지 • 기록된 의과력이나 투약력에 변화가 있는지
치료 과정
• 약물의 투여 용량, 경로, 횟수 • 임상적인 전기기계적 모니터링에 대해 포괄적인 세부사항 • 수술장에서 개인 신상이 맞는지 • 환자의 반응 및 진정법이 성공적인지 • 제공된 치과치료
회복
• 모니터링 – 전 과정에서 모든 관찰 및 측정 사항에 대해 적절한 세부 내용 • 진정전문가에 의한, 퇴원 전 평가 – 적절한 퇴원 기준을 만족하는지 • 서면으로 된 술후 지시사항이 주어졌고 환자 및 호송자에게 설명되었는지 • 퇴원 시간

종류, 그리고 퇴원 시의 상태가 기록되어야 한다.

3) 진정법 후 회복과 퇴원 기준

진정으로부터 회복되는 것은, 치료가 끝난 후부터 책임있는 성인의 후송으로 환자가 퇴원하기까지, 점진적으로 감소하는 단계적인 과정이다. 치과 팀의 훈련된 구성원은 책임을 져야 하며 이 기간 동안 환자를 모니터 해야 하고, 진정 합병증을 즉시 다루기 위해 장비와 약물 모두를 모니터 해야 한다. 진정전문가는 어떤 문제라도 발생하는 경우 긴급하게 환자를 돌볼 수 있어야 한다.

진정으로부터 회복되는 환자는 의식이 명료하며 기도반사가 회복되고 기도가 잘 확보되어 있어야 한다. 활력징후는 원칙적으로 시술 전 측정한 기준치의 10% 이내에 변화하는 경우를 안정된 것으로 하여 안정된 것을 확인하고 귀가조치한다. 모든 환자는 퇴원하기에 적합한지 개별적으로 평가되어야 하고, 그들이 정상적인 반응 수준과 나이와 정신상태에 맞는 수준으로 돌아올 때, 보조 없이 걸을 수 있을 때에만 떠나도록 허락되어야 한다. 캐뉼라가 삽입된 곳은, 환자가 퇴원하기에 적절하다고 평가될 때까지 그 상태로 놔 두어야 한다. 진정의 유형에 따른 환자 퇴원에 대한 결정은 진정전문가에게 책임이 있다.

퇴원 지침은 다음과 같은 항목들이 있다.

- 술전 측정치로 돌아온 안정된 활력징후
- 평소의 각성상태나 보행상태로의 회복
- 치료부위의 출혈 등 부작용이 없어야 한다.
- 환자를 도와 집에까지 동행할 수 있는 책임 있는 어른이 있을 것

각 환자에 대해 기관에서는 진정법과 관련하여 각 특정한 환자와 시술과 관련한 회복, 퇴원 기준을 갖추어야 한다. 이러한 기준과 관련된 기본적인 원리들을 다음에 언급하였다.

- 진정법 후에 의학적인 감독을 하는 것은 면허를 갖춘 치과의사의 의무이다.
- 회복실은 모니터링 장비와 체외형 자동제세동기를 갖추거나 바로 이용할 수 있어야 한다.
- 진정법을 시행 받은 환자는 적절한 퇴원 기준에 충족할 때까지 관찰되어야 한다. 모니터링 하는 기간과 주기는 진정법 깊이나 환자의 전체적인 상태나 진정 진통법의 침습 정도에 따라 결정되어야 한다. 산소포화도는 환자가 호흡 저하의 위험이 없을 때까지 관

찰되어야 한다.
- 의식수준, 활력징후, 산소 포화도는 적절한 간격으로 기록되어야 한다.
- 퇴원 기준에 충족할 때까지 환자를 모니터링하고 합병증을 발견할 수 있는 훈련된 사람이 있어야 한다.
- 퇴원 기준에 충족할 때까지 합병증에 대처할 수 있는(기도 유지, 양압 호흡) 사람이 즉시 접근할 수 있어야 한다.

환자를 귀가시킬 때는 다음을 고려한다.
- 환자는 각성 상태이어야 한다. 유아나 정신지체가 있는 환자의 경우 진정법 전 상태로 돌아와야 한다. 술자와 보호자는 환자가 자동차 의자에서 머리가 앞으로 떨어지는 것에 의해 호흡폐쇄가 발생할 수 있다는 점을 알아야 한다.
- 활력징후는 기준치의 10% 이내의 변화는 안전하며 최소 20%의 변화 이내이어야 한다.
- 길항제(naloxone, flumazenil)를 투여한 경우는 1~2시간 동안 진정 상태로의 역전이 되는지 충분한 관찰이 필요하다.
- 외래환자의 경우 집까지 함께 할 수 있고 술후 합병증에 대해 보고할 수 있는 책임있는 보호자와 함께 퇴원시켜야 한다.
- 외래환자와 보호자는 술후 식사, 약 복용, 활동 및 긴급한 상황에 연락할 수 있는 전화번호가 적혀 있는 지시서를 제공받아야 한다.

안전하고 효과적인 진정법은 적절한 환자의 선택에서 시작된다. 또한 술자는 진정법 관련 교육, 지식과 경험을 바탕으로 다양한 진정법 중 자기 수준에 맞는 진정법을 표준화된 방법으로 시행하는 것이 좋겠다.

참고문헌

1. American Society of Anesthesiologists Task Force on Sedation and Analgesia by Non-Anesthesiologists: Practice guidelines for sedation and analgesia by non-anesthesiologists. Anesthesiology, 96:1004-1017, 2002.
2. Boyle CA, Newton T, Milgrom P: Who is referred for sedation for dentistry and why? Br Dent J 206:E12; discussion, 322-3, 2009.
3. Scottish Dental Clinical Effectiveness Programme: Conscious Sedation in Dentistry. 2nd edition, 2012
4. American Academy of Pediatric Dentistry: Clinical Guideline on the elective use of minimal, moderative, and deep sedation and General anesthesia for pediatric dental patients. Pediatr Dent, 7:95-103, 2004.
5. Craig DC, Wildsmith JA: Royal College of Anaesthetists; Royal College of Surgeons of England. Conscious sedation for dentistry: an update. Br Dent J 203:629-631, 2007.
6. Dripps RD, Eckenhoff JE, Vandan LD: Introduction to anesthesia: The principles of safe practice, 3rd ed, Dripps RD, ed. 444, Philadelphia, WB Saunders Co, 1982.
7. Jerjes W, Jerjes WK, Swinson B, Kumar S, Leeson R, Wood PJ, Kattan M, Hopper C: Midazolam in the reduction of surgical stress: a randomized clinical trial. Oral Surg Oral Med Oral Pathol Oral Radiol Endod, 100:564-570, 2005.
8. Karl HW, Rosenberger JL, Larach MG, Ruffle JM: Transmucosal administration of midazolam for premedication of pediatric patients. Comparison of the nasal and sublingual routes. Anesthesiology, 78:885-891, 1993.
9. Lindemann M, Reader A, Nusstein J, Drum M, Beck M: Effect of sublingual triazolam on the success of inferior alveolar nerve block in patients with irreversible pulpitis. J Endod 34:1167-70, 2008.
10. Ng SK, Leung WK: A community study on the relationship of dental anxiety with oral health status and oral health-related quality of life. Community Dent Oral Epidemiol, 36:347-56, 2008.
11. Paterson SA, Tahmassebi JF: Use of inhalation sedation in paediatric dentistry. Dent Update 30:350-356, 2003.
12. Yagiela JA: Pharmacokinetics: The absorption, distribution, and fate of drugs. In Yagiela JA, Neidle EA, Dowd FJ (eds): Pharmacology and Therapeutics for Dentistry, 4th ed. 19, St Louis, Mosby, 1998.
13. http://www.ada.org/prof/resources/positions/statements/statements_anesthesia.pdf
14. http://www.ada.org/prof/resources/positions/statements/anesthesia_guidelines.pdf
15. http://www.ada.org/prof/resources/positions/statements/anxiety_guidelines.pdf

CHAPTER 14

진정약물의 약동학과 약력학

학습목표

1. 약동학, 약력학에 미치는 인자를 이해한다.
2. 약동학, 약력학 모두의 개개인의 변이성을 이해한다.
3. 진정약물의 특성을 이해한다.

약물의 효과를 위해 일회 또는 점진적 반복투여 혹은 지속적 주입을 한다. 각각의 경우 혈액 내의 약물의 농도를 결정하는 요인(약동학: pharmacokionetic)과 약물의 농도에에서 환자에게 영향을 주는 요인(약력학: pharmacodynamic)을 잘 숙지해야 한다. 진정법의 안전한 시행을 위해 진정제의 기본적인 약동학과 약력학의 이해에서 기초한다.

약동학은 투여 혹은 흡입된 약물의 혈중농도가 시간에 따라서 어떻게 변화되는지에 관한 것으로, 약물의 흡수, 분포, 대사, 그리고 배설의 과정의 약물의 농도의 변화를 확인하는 것으로 이루어진다. 반면 약력학은 혈중 약물의 농도가 환자에게 어떤 영향을 주는가로 약물 수용체의 반응과 약물의 효과가 일어나는 기전에 관한 것이다. 약의 효과의 시작은 수용체들과 약물의 결합으로 인한 연쇄반응으로, 선택적 약물 반응은 특정 약물을 인식하는 수용체에 결정되고, 약효의 종료는 대사와 배설 그리고 비활성 조직으로 재분포에 의한다. 진정작용은 진통, 최면 등을 포함하며, 이런 효과와 신체 항상성을 유지하기 위해서 여러 약물을 투여하는데, 이 약물들의 상호 작용도 물론 이해해야 한다.

1. 약동학 Pharmacokinetics

체내에 투여된 약분자는 세포막을 통과하여 이동하게 되는데, 약분자량, 용해도(투여부위), 지질용해도, 세포막 투과성, 이온화형태/비이온화형태의 비율 등 약분자나 세포막의 물리화학적 특성에 의해서 조절된다. 세포막은 이중막으로 되어 있는 지질분자속에 단백질이 끼여있는 구조를 이루고 있다. 지질은 주로 인지질(phospholipid)로 되어 있고, 친수성(hydrophilic)과 소수성(hydrophobic)을 가진다. 분자의 한쪽 끝은 전하를 띠고, 다른 쪽은 비극성인 두개의 긴 지방 산고리로 되어 있다. 세포막에 있는 인지질 이중막은 극성분자를 통과시키지 않지만 지질 또는 단백질결합체에 의해 친수성 또는 소수성의 특수통로를 만들기도 한다. 약은 수성확산(aqueous diffusion), 지질확산(lipid diffusion), 촉진확산(facilitated diffusion), 음세포작용(pinocytosis) 등의 4가지 기전에 의해서 세포막을 통과한다. 수성확산은 수성통로로 분자가 이동하는 방법인데 수공이 작은 막(예: 결막, 장관막, 방관막)은 분자량이 100~150 미만인 분자(예: Li^{+}, methanol)만이 통과되고, 수공이 매우 큰 모세관은 분자량이 20,000 내지 30,000 정도의 큰 분자도 통과된다. 지질확산은 세포막 내외의 농도변화도 차이에 의해서 세포막의 지질성분을 통해서 이동하는 방법인데 대부분의 약과 지질용해도가 큰 분자가 이 방법을 택한다. 대부분의 약은 약산이나 약염기형태로서 용액 내에서 이온화상태와 비이온화상태로 존재한다. 이온화분자는 수용성이고 지질용해도가 적어 지질막을 통과하지 못하지만 비이온화분자는 보통 지용성이어서 잘 통과한다. 약전해질의 분포는 보통 약의 pKa와 세포막 내외의 pH변화도에 따라 Henderson-Hasselbalch 방정식에 의해서 약산과 약염기의 이온화정도가 결정되며 약산의 경우에는

$$pH = pKa + \log \frac{\text{이온화산의 분자농도}(A^-)}{\text{비이온화산의 분자농도}(HA)}$$

약 염기의 경우에는

$$pH = pKa + \log \frac{\text{이온화염기의 분자농도}(B)}{\text{비이온화염기의 분자농도}(BH^+)}$$

로 나타낸다.

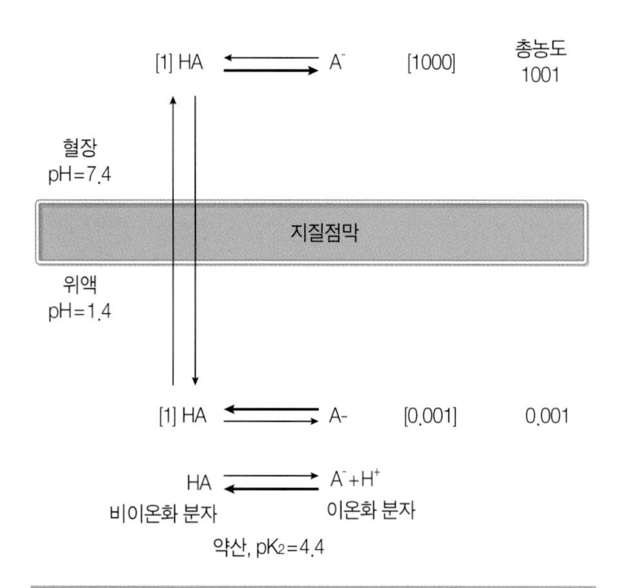

그림 14-1. pH가 각기 다른 혈장과 위액에서 지질막을 통한 약산(pKa=4.4)의 분포에 미치는 영향

예를 들어, 약산의 pKa=4.4인 약은 pH=7.4인 혈장과 pH = 1.4인 위액에서 분포양상이 다르다. Henderson-Hasselbalch 방정식에 의해서 이온화분자/비이온화분자 비는 혈장에서 1,000:1, 위액에서 0.001:1이어서 항정상태(steady state)에 도달했을 때의 혈장과 위액의 총농도비는 1,000:1이다. 약염기인 약의 경우(BH^+, B^+, H^+)에는 그 비가 역수가 될 것이다(그림 14-1).

촉진확산으로 이동하는 물질에는 아미노산(혈뇌장벽), 약산(근위곡신세관, proximal convoluted renal tubule) 등이 있다. 음세포작용(수용체중개 세포내 이입) 으로는 분자량이 1,000 이상으로 큰 물질, 대부분의 폴리펩티드가 해당된다. 물은 생리적 막을 쉽게 통과하면서 분자량 100~200 미만의 수용성 결합체(예: 요소)를 같이 이동시킨다. 분자량이 이보다 크고 비극성인 분자는 세포막 내외의 농도변화도 차이와 지질용해도에 의해 수동적으로 세포막을 통과한다. 특수한 분자는 능동적으로 통과하는데 에너지가 필요하다.

1) 흡수(Absorption)

경구로 투여하는 약의 흡수에는 약의 생체이용률이 매우 중요한 기능을 담당한다. 생체이용률은 투여량 중 환자의 전신순환에 도달하는 약물량의 퍼센트 또는 분율을 의미한다. 생체이용률을 변화시키는 요인에는, 염(salt)이나 에스테르(ester) 등 화합물 형태(chemical form)에 따른 붕해(dissolution) 및 흡수 특성, 타블렛이나 캡슐 등 제제(dosage form), 투여경로, 위장관(GI)에서의 활성성분 안정성, 그리고 전신순환에 도달하기 전 약물 대사의 정도 등이 있다. 약물이 전신순환에 도달하기 전에, 위장관 세균, 위장관 점막, 간에서 대사될 수 있다. 흡수된 약물의 양은 투여량과 생체이용률 인자(bioavailability factor, 보통 F로 표기)를 곱하여 계산한다. 약물 분자 특성, 투여경로, 수용성, 약농도, 혈류량(투여부위) 등이 약의 흡수에 영향을 미친다.

(1) 약분자 특성

세포막을 잘 통과하는 비이온화, 지용성분자는 약의 pK와 주위환경의 pH에 따라 좌우된다. 예를 들면, 위에서는 약산성의 약분자가 비이온화분자로 대부분 존재하고, pH가 7~8인 장에서는 같은 약이 이온화되어 세포막을 쉽게 통과하지 못한다.

(2) 투여경로

약물은 다양한 경로(정맥내, 경구, 흡입, 국소, 경피, 피하, 근육, 설하)를 통해서 투여가 가능하다. 정맥내로 약물을 투여하지 않는 이상 대부분의 약물 경로를 통해 약을 주입하는 경우 약물이 체내에 흡수되는 과정이 선행된다. 특히 진정법에 많이 이용되는 경구투여의 경우 약물 투여의 가장 간단한 방법이지만 투여한 약물이 전신 순환계로 흡수되는 과정에서 고려해야 할 사항들이 있다. 경구로 투여되는 약물은 위장관으로 흡수되어 간문맥 순환(portal circulation)으로 가기 때문에, 일부 약물은 전신순환에 도달하기 이전에, 간에서 많이 대사될 수 있다. 초회통과(first pass)라는 용어는 약물이 흡수된 후 문맥(portal vein)을 지나 간을 통과할 때 대사되는 것을 말한다. 초회통과 효과에 의하여 전신순환에 도달하는 활성 약물의 양과 생체이용률이 상당하게 감소할 수 있다. 생체이용률은 특히 경구로 약을 투여하는 경우 매우 중요한 개념이다. 정주 이외의 경로로 약을 투여하는 경우 투여하는 약물의 효과를 설명하기 위해 중요한 개념이 바로 생체이용률이다. 이론적으로 경구로 투여하는 약물 전부가 모든 약물에서 전신 혈관계로 이동하지 않는다. 경구로 투여된 약물은 위장관에서 흡수되지 않고 배설되기도 하며, 장점막을 통과하여 장관 혈관으로 흡수되는 과정에서 흡수가 되지 않을 수 있다. 또한 위장관 혈관으로 흡수된 약물은 간문맥을 통해 간을 통과하는 과정에서 간에서 대사가 진행될 수도 있다. 이를 first pass metabolism이라고 부른다. 따라서 경구로 약을 투여 하는 경우 활성화된 형태로 전신 혈관계로 유입되는 양은 초회 투여 용량과 다를 수 있음을 유추해 볼 수 있다. 생체이용률은 투여 용량과 활성화된 형태로 전신 혈관계로 유입되는 양

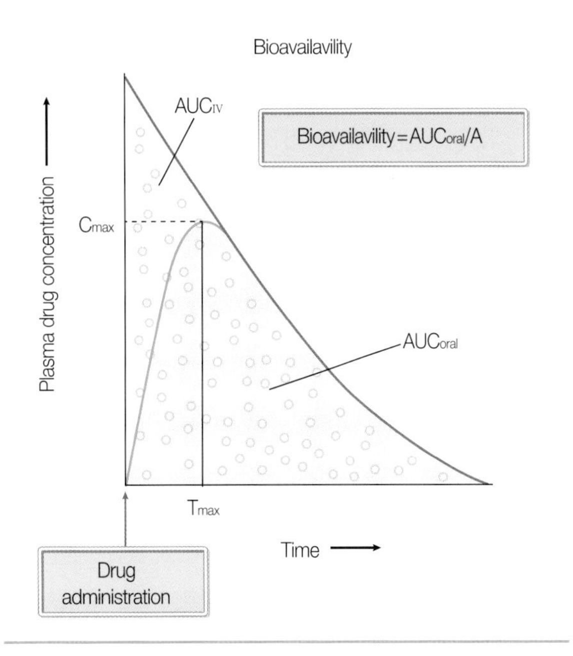

그림 14-2. 생체이용률. 정맥으로 투여 시 AUC에 대한 경구 투여 시 AUC가 경구 약물의 생체이용률임

의 비율을 의미한다. 이론적으로 정맥으로 투여하는 약물의 경우 100%의 생체이용률을 나타낸다. 경구, 정맥 이외의 다른 경로로 약물을 투여하는 경우 정맥으로 투여하는 약물의 약물 농도 곡선의 AUC (area under curve)와 경구로 투여하는 약물의 약물 농도 곡선의 AUC의 비율로 생체이용률을 계산할 수 있다(그림 14-2).

위산도, 위장관운동의 변화 및 음식물의 존재 그리고 효소 역시 경구투여된 약물의 흡수를 변화시킬 수 있다. 경구투여가 아닌 다른 투여 경로로의 약물의 투여를 통해 일차통과효과와 위효소에 의한 대사를 최소화할 수 있다(예: sublingual nitroglycerin, 비강 또는 구강점막의 미다졸람). 직장내 투여 역시 일차통과효과를 저하시킬 수 있다. 정맥주사는 직접 순환계에 약을 투여 함으로써 약효과가 빠르며 생체이용률은 1에 해당하게 된다. 약물의 효과를 빠르게 발현하고 약의 효과를 직접적으로 조절하기 위해서 정맥 주사를 통한 약물의 투여가 바람직하다.

약물을 흡입하여 투여하는 경우에도 정맥주사만큼 흡수가 빠른데 이것은 폐표면적이 커서 쉽게 투여한 약물이

폐혈류에 도달할 수 있기 때문이다. 응급 시에 기관내관을 통해서 에피네프린을 주입하면 정맥주사만큼 빨리 점막을 통해 흡수되어 혈액순환에 도달된다.

2) 분포(Distribution) 및 배설(Elimination)

약물의 혈중 농도는 분포(distribution)와 제거(elimination)에 의하여 감소된다. 분포란 혈액 내로 유입된 약물이 조직 및 세포로 이동하는 과정이다. 즉, 분포 자체에 의하여 약물의 농도가 감소한다. 특히 전신마취제, 진정제의 경우 약물이 혈액 내로 들어오자마자 매우 급격하게 혈액 내 약물의 농도가 감소하게 된다. 따라서 약물을 1회 정주하는 경우 약의 효과가 금새 사라지는 현상이 나타내게 되는데 이는 체내로 들어온 약물이 조직 내로 급격하게 재분포(redistribution) 되면서 혈장 내 약물의 농도가 감소함으로 인해 발생되는 것으로 생각된다. 혈액순환을 통하여 분포와 동시에 제거도 일어난다. 제거에는 두 가지 과정이 있는데 하나는 약물이 변하지 않은 채 몸밖으로 빠져나가는 배설(excretion) 과정이다. 대표적인 배설 기관은 신장(renal excretion) 혹은 위장관(biliary excretion)이다. 또 다른 제거 기관 중에 대표적인 것은 간이다. 간에서는 약물이 생체변환(biotransformation)되어 전혀 다른 분자(즉, 대사체)로 바뀐다. 약물의 입장에서 보면 이 과정도 약물 농도 감소를 야기한다. 일부 약물의 경우 간에서 약이 대사되는 과정에서 활성도를 나타내는 대사 산물이 생성되는 경우가 있다. 대사과정에서 활성도를 나타내는 대사산물이 생성되는 경우 약물의 효과가 감소하지 않고 잔류 효과가 나타나기도 하며, 약이 대사되는 기간이 연장될 수 있다.

요약하면 흡수 이후 약물 농도를 감소시키는 과정은 분포와 제거가 있는데, 이 두 과정을 특별히 배치(disposition)이라고 한다. 즉, 약물 배치는 약물의 농도가 감소하는 두 가지 기전 즉, 분포와 제거를 동시에 일컫는 말이다.

(1) 분포(Distribution)

약이 일단 전신혈액 내로 흡수되면 전신으로 퍼지고 궁극에는 약이 갈 수 있는 모든 조직에 분포하여 조직 사이에는 평형을 이룬다. 약분포를 결정하는 가장 중요한 인자는 단백질 결합, 혈류량, 세포막 투과성, 조직용해도이다. 약투여 직후에는 우선적으로 지질용해도와 국소혈류상태에 의해서 분포가 결정된다. 따라서 지용성 약은 혈액이 많이 공급되는 기관 즉 심장, 뇌, 신장에 빨리 분포되고 시간이 지나면 근육조직, 지방, 골조직의 순서로 분포된다. 혈액과 약작용 부위 사이를 자유롭게 평형을 이루는 약은 소량 정맥 투여 시 효과가 빨리 소실되는데, 이는 약이 더 서서히 평형을 이루는 구역으로 재분포되기 때문이며, 대사나 배설 때문이 아니다.

단백질결합도 약의 분포에 영향을 준다. 결합에 이용되는 가장 중요한 단백질은 혈장 알부민이며 단백질과 결합된 약은 약리적 작용이 없고 또 대사에 이용되지 않으며 유리약(free drug)만이 약효를 나타낸다. 효과 면에서 보면 단백질에 결합된 약은 재분포나 대사로 혈장농도가 감소함에 따라 약을 방출하는 약 저장소의 기능을 한다. 이것은 약의 반감기는 물론 약효를 연장시킬 수 있다. 혈장단백은 약을 결합할 수 있는 부위가 제한되어 있어서 약상호간에는 혈장 단백 결합부위와 경쟁할 수 있다. 만일 같은 결합부위에 친화력이 있는 새로운 약을 투여하면 먼저 투여한 결합약을 전이시켜 유리약의 혈중농도를 증가시키며 약물의 효과가 증가할 수 있다.

지방조직도 지용성 화합물의 저장소 역할을 하는데, 지용성 약을 장시간 투여하면 지방에는 많은 양의 약이 축적된다. 지방조직은 혈류공급이 비교적 적기 때문에 약을 축적하려면 상당한 시간이 소요된다. 따라서 장시간 마취 후 여러 날 동안에도 혈중에 미량의 마취제가 남아 있어서 인식기능을 저하시키거나 간에서 유의한 대사과정을 일으킬 수 있다. 특히 비만한 환자의 경우 대부분의 진정 약물이 지용성을 나타내어 지방 조직에 많은 양의 진정제가 축적될 수 있는데 약물의 주입을 중단하고 난 이후에 저장된 약물의 방출이 비만이 아닌 환자에 비해서 연장될 수 있으며 진정에서의 회복을 방해하는 하나의 원인으로 작용할 수 있다.

(2) 배설(Elimination)

약이 체내에서 배설되는 것은 대사와 배출과정에 의해서 이루어진다. 약물의 대사는 대부분이 간에서 이루어지는데 제일상반응과 제이상반응을 통해서 더 쉽게 배출될 수 있는 대사산물로 바뀐다. 일반적으로 대사산물은 불활성이지만 대사되기 전의 본래물질보다 더 활성적인 약도 있다. Succinylcholine, procaine, atracurium와 같은 약물은 혈장내에 존재하는 효소에 의해 가수 분해에 의해 대사된다. 대부분의 약은 신장, 간담도, 위장관, 폐 등을 통해서 배설된다. 신장에서는 약을 여과, 재흡수 및 배출시킨다. 친수성 물질은 신세관을 통해서 배출되고 지용성 물질은 신세관에서 재흡수되어 전신혈액순환으로 재흡수된다. 지용성 물질의 수동적인 재흡수는 신세관에서 수분이 재흡수되어 생기는 농도변화도 차이 때문에 일어난다. 비이온화분자이고 분자량이 적은 물질은 쉽게 재흡수되는 경향이 있고, 일반적으로 산성환경인 신세관에서 약산은 비이온화되어 더 쉽게 재흡수된다.

2. 임상약동학 Clinical pharmacokinetics

약동학에서는 시간에 따른 약물의 농도의 관계를 수학적으로 설명하는 방법이다. 약이 혈액 내로 흡수되어 각 조직으로 분포되는 약동학은 생리적 모델과 비구획분석, 구획분석으로 나누어 설명된다. 생리적 모델은 해부와 생리학적 요소, 혈류, 조직질량, 세포외액량, 확산, 세포막 투과성, 용해도 등을 고려해서 약의 운명을 설명하는 것으로서 특수한 약을 모델로 하여 취급할때 약동학적으로 비슷하게 행동하는 기관체계를 생리적 모델군으로 묶어서 설명할 수 있다. 예를 들면, 흡입마취제의 행동을 예측하려면 기관의 기능을 주제로 묶는 것보다는 각 기관에 공급되는 혈류량에 따라 묶는 것이 더 좋다. 그 결과 혈류가 풍부한 군(심장, 뇌)은 약의 축적과 분포과정이 비슷한 양상을 보인다. 생리적 모델에서 여러 기관을 같은 군에 포함할 수 있는 공통된 기준은 약용해도와 혈류상태가 비슷해야 한다는 점이다. 그러나 이것은 일반적으로 복잡한 모델이어서 상당한 분석이 필요하고 개개인의 환자에게 적용하기에 어려운 단점이 있다.

비구획분석이란 시간-농도곡선에 어떠한 가정도 하지 않은 채 분석하는 것을 말한다. 경구로 투여한 약물의 경우에 있어서 그림 14-3과 같이 시간, 농도 곡선을 얻을 수 있다. 정주한 경우는 time=0에서 최대 농도일 것이나, 경구 투여의 경우 흡수되는데 어느 정도 시간이 걸리므로 그림 14-3과 같이 일정 시간이 경과 후(t_{max}) 최대 농도(C_{max})에 도달한다.

비구획분석에서 AUC의 개념이 중요하다. AUC는 약물이 혈중에 들어와야 계산이 가능한 것이며, 약물에 대한 전신 노출(systemic exposure)이 어느 정도되느냐를 따지는 모수이다. 약물의 효과가 느린 항암제 등의 약물은 AUC를 이용하여 용량 결정을 주로 한다. AUC는 시간-농도 곡선 밑으로 사각형을 그리고 이것을 모아서 근사적으로 면적을 구하는 trapezoidal rule을 이용하여 계산한다. 반면에 구획분석은 시간 농도 곡선에서 시간과 혈중 또는 혈장약농도의 관계를 수학적으로 계산하여 약의 운명을 예측하는 것이다. 만일 신체를 단일 구획으로 생각한다면, 약동학적인 계산은 비교적 간단하다. 하지만, 약물의 분포, 제거, 그리고 약리적 효과를 생각할 때에 신체의 개념을 2개, 경우에 따라서는 2개 이상의 구획

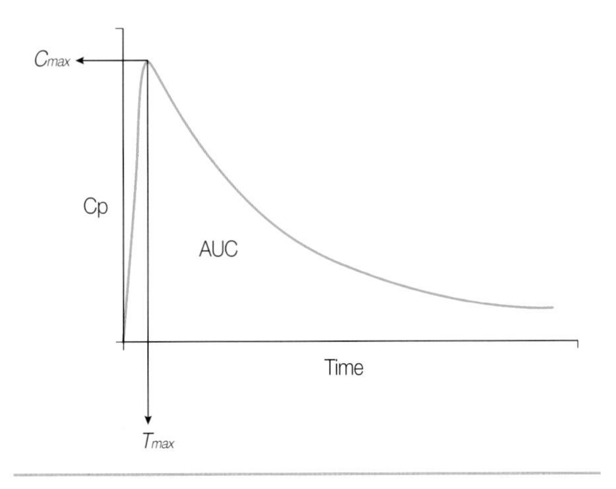

그림 14-3. 비구획분석
C_{max}: 최대 약물 농도, T_{max}: 최대 약물 농도 시간, AUC: 시간-농도 곡선의 면적

으로 보아야 할 상황이 있다. 작고, 빨리 평형을 이루는 용적의 첫 번째 구획은 보통 혈장이나 혈액 그리고 혈류량이 높은 기관이나 조직들로 구성되며 약물의 혈액농도와 매우 빠르게 평형상태에 도달한다. 이 첫 번째 구획을 V1 또는 초기분포용적으로 부른다. 두 번째 구획은 좀 더 오랜 기간에 걸쳐 약물이 평형에 도달한다. 3구획 모형에서는 세번째 구획은 두번째 구획에 비해 더 오랜 기간에 걸쳐 약물이 평형에 도달하는 구획으로 가정한다. 각 구획의 분포용적의 합은 분포용적(V)이 된다. 약물이 각 구획에서 서로 들어오고 나가는 것으로 가정한다. 즉 조직으로 분포한 약물은 제거되기 전에 각 구획간 평형상태를 유지해야 한다. 약물이 체내에 들어오고 난 후에 구획간 평형상태를 이루면 약물의 농도는 몸에서 제거되고 배설되는 것이 의해서 결정되는 것으로 가정한다.

1) 영차 역학

영차 역학이란 약물이 단위 시간당 일정한 양이 없어지는 것을 말한다. 현재 체내에 100 mg의 약물이 있고, 이 약물이 영차 역학을 따르되, 시간당 10 mg씩 없어진다고 가정하자. 그러면 한 시간 후에는 90 mg, 두 시간 후에는 80 mg, 세 시간 후에는 70 mg이 체내에 남아 있게 될 것이다. 이것을 그래프로 그려 보면 그림 14-4와 같다. 약물마다 분포용적은 불변하는 것으로 간주하므로, 약물의 양을 분포용적으로 나누면 농도가 된다. 따라서 시간과 약물량과의 관계는 시간, 농도 관계와 동일하다고 볼 수 있다.

2) 일차 역학(First-order kinetics)

그림 14-4의 영차 역학은 매우 간단하고 선형적(linear)이다. 그러나 영차 역학에 따라서 소실되는 약물은 거의 존재하지 않는다. 실제로 대부분의 약물은 일차 역학에 의하여 소실된다. 일차 역학이란 단위시간당 약물이 일정 퍼센트만큼 소실되는 것을 말한다. 즉, 현재 체내에 100 mg의 약물이 있고 시간당 20%씩 약물이 소실된다고 하면, 한 시간 후에는 100 − 100 × 0.2 mg (80 mg), 두 시간 후에는 80 − 80 × 0.2 mg (64 mg), 세 시간 후에는 64 − 64 × 0.2 mg (51.2 mg)이 체내에 남아 있게 될 것이다. 이것은 그림 14-5와 같이 지수함수 곡선으로 나타난다. 일차 역학을 따르는 약물의 경우 시간 농도에 자연 로그를 취하게 되면 영차 역학을 따르는 약물처럼 시간 농도 곡선이 선형성을 나타내게 된다(그림 14-6). 일차 역학을 따르는 약물의 경우 약물의 용량의 제거 비율이 해당 구획에 존재하는 약물의 양에 비례하므로 다음과 같은 미분 방정식으로 표시하는 것이 가능하다. 임상에서 사용하는 진정법에 사

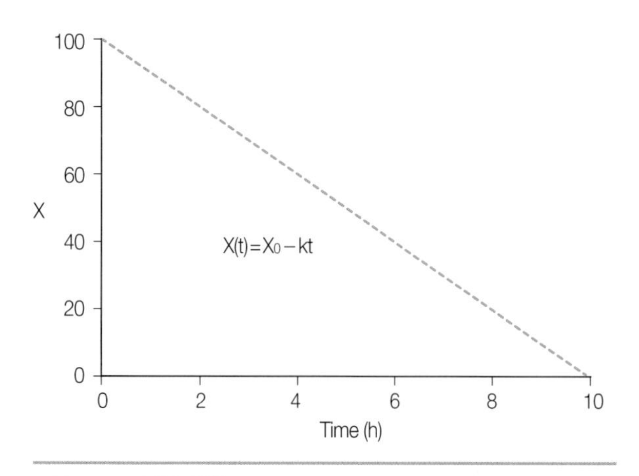

그림 14-4. 영차 역학
X: 약물양, *t*: 시간, k: 약물의 제거 상수(elimination rate constant)

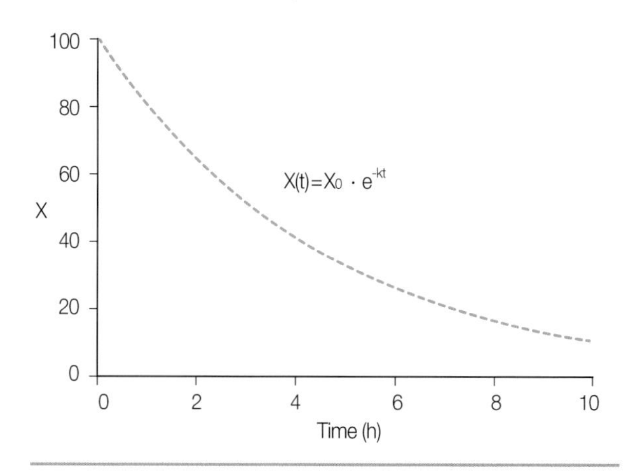

그림 14-5. 일차 역학을 따르는 약물의 시간 농도 곡선
X: 약물양, *t*: 시간, k: 약물의 제거 상수(elimination rate constant)

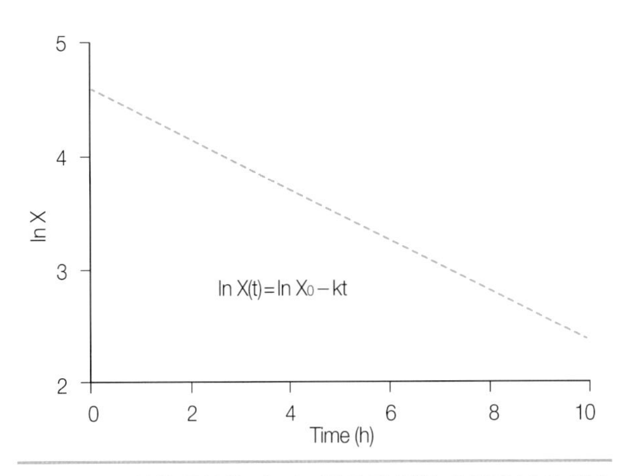

그림 14-6. 일차 역학을 따르는 약물의 약물 용양에 자연 대수를 취한 시간 농도 곡선
ln: 자연대수, *X*: 약물양, *t*: 시간.
k: 약물의 제거 상수(elimination rate constant)

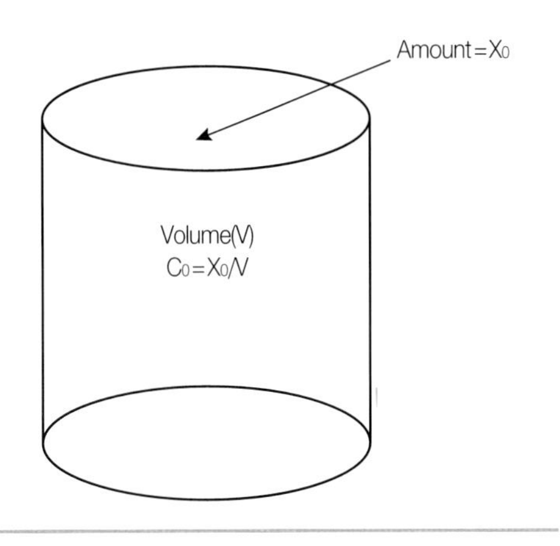

그림 14-7. 분포용적의 개념에 대한 모식도

용되는 대부분의 약물은 일차 역학을 따르는 것으로 알려져 있으며, 일차 역학을 따르는 약물의 경우 약의 주입이 완료되는 시점부터 약물의 농도는 지수함수적으로 감소함을 알 수 있다.

$$\frac{dX(t)}{dt} = -kx(t)$$

$$X(t) = X(0)e^{-kt}$$

3) 분포용적

약리학적으로 약물의 분포를 정량화하기 위해 분포용적의 개념을 사용한다. 투여한 약물의 체내 분포를 정량화하기 위해서 분포용적의 개념은 매우 중요하다. 분포용적의 공식은 다음과 같다. 여기에서 V는 분포용적이고, X_0는 체내 약물의 총 용량, 그리고 C_0는 초기혈장 농도이다.

$$C_0 = \frac{X_0}{V}$$

분포용적의 개념을 모식화하면 그림 14-7과 같다.

초기 혈장 농도는 측정값이 아닌 약물의 시간 농도 곡선의 log를 취해서 외삽한 값으로 계산된 값이며 따라서 분포용적은 측정된 값이 아닌 약물의 분포를 정량화하기 위해 사용되는 가상의 수치를 나타낸다. 분포용적은 체내의 어떠한 생리적 구획을 반드시 의미하는 개념이 아니다. 체내 만일 혈장의 농도와 똑같은 농도가 체내에 존재한다면, 약물의 총 용량을 설명하기 위해서 단순히 구획의 크기를 말할 뿐이다. 성인 평균 혈장 용적은 약 3 L이다. 그래서 혈장 구획보다 더 큰 분포용적은 단지 약물이 혈장 구획 이외의 조직이나 용액(fluids)에 역시 존재하고 있다는 것을 의미하게 된다. V 값으로는 실제 분포하는 위치를 결정할 수 없다. 예를 들면, 총수분량(total body water, 0.65 L/kg)과 유사한 분포용적을 가지고 있다고 해서 약이 총수분양에 골고루 퍼져있고 평형상태에 있다는 것은 아니다. 분포용적은 약물의 혈중 농도를 예측하는데 있어 매우 중요한 약리학적 지표이다. 예를 들어 분포용적이 약물 A의 경우 3 L, B의 경우 6 L인 경우 약물 B는 2배의 분포용적을 나타낸다. 약물 A, B가 동일한 농도에서 동일한 효과를 나타낸다고 가정 시 원하는 효과를 발현하기 위해 필요한 약물의 용량이 약물 B에서 2배가 된다. 왜냐하면 약의 용량을 분포용적으로 나눈 값이 약물의 농도가 되기 때문이다. 이론적으로 분포용적이 큰 약물일수록 같은 농도를 유지하기 위한 약물의 요구용량은 증가된다. 더 많은 약물의 용량이 체내에 저장되어 있으므로 약물이 배설되고 대사되기 위한 시간 역시 이론적으로 증가하게 된다.

4) 배설(Elimination)

배설과정은 일반적으로 제1차 반응(first-order reaction) 즉, 지수적으로 약농도가 감소하는 반응으로 대사와 배출과정이 완전하게 이루어질 수 없을 만큼 긴 시간을 요하는 대부분의 약이 해당된다. 1차 반응은 약물의 배설이 중심 구획 혹은 혈액에 남아 있는 약물이 일정한 비율로 제거됨을 의미하며 다음과 같은 식으로 표시된다.

$$\frac{dx}{dt}=k\cdot x$$

일차 역학을 나타내는 상수는 약물의 제거 상수(elimination rate constant (k))로 표시하는데, 이는 단위시간당 약의 분율변화와 같다(k=fractional change of drug/unit of time). k가 큰 약물일수록 빠르게 제거가 일어나며 k가 적은 약물의 경우 서서히 몸에서 배설이 이루어 진다.

혈장 내 약물의 농도가 50% 감소하는데 걸리는 시간을 약물의 제거 반감기(elimination half life ($t_{1/2}$))로 표시하며 약물의 제거 상수(elminiation rate constant)로부터 계산된다.

$$t_{1/2}=\frac{0.693}{k}$$

약물의 제거 상수(elminiation rate constant)는 약물의 청소율과 분포용적을 통해서도 구해지는데 분포용적이 작을수록, 그리고 청소율이 클수록 약물의 제거 상수(elminiation rate constant)는 증가하게 되며, 약물의 배설이 빨리 이루어지게 된다.

5) 청소율(Clearance)

약이 체내에서 배설되는 것은 대사와 배출과정에 의해서 이루어지는데 이를 정량화하기 위해 청소율의 개념이

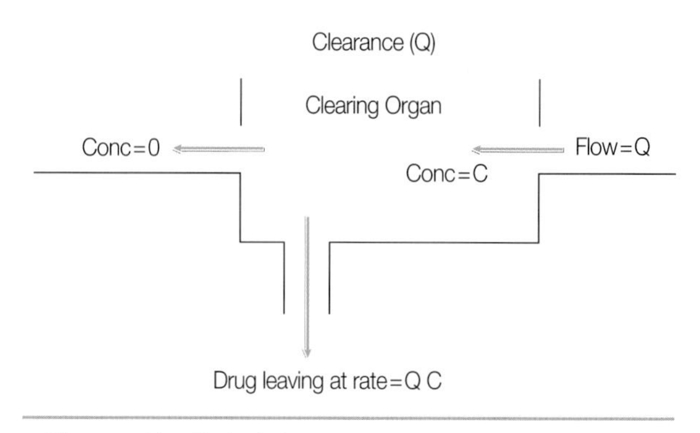

그림 14-8. 청소율의 개념
단위 시간당 빠져나가는 약물이 포함된 체액의 용적을 의미

매우 중요하다. 청소율은 단위 시간당 몸 밖으로 빠져 나가는, 약물이 포함된 채액의 용적을 의미하며 따라서 청소율의 단위는 $L\cdot min^{-1}$으로 표시된다. 청소율을 $1\ L\cdot min^{-1}$이라고 가정하고 체내 약물량의 단위시간당 변화를 dx/dt라고 가정하면 그림 14-8에서 보면 체내 약물량의 단위시간당 변화는 약물의 청소율과 약물의 농도와 관계가 있음을 알 수 있다. 여기서 C는 약물의 혈중 농도이다. 즉, 혈중 농도가 0일 경우 dx/dt=0이다. 그러나 혈중 농도가 $100\ mg\cdot L^{-1}$라면 $100\ mg\ L^{-1}\times 1\ L\cdot min^{-1}$이 되고 그러면 dx/dt= 100 mg · min-1이 된다.

따라서 다음과 같은 관계가 성립한다.

$$\frac{dx}{dt}=Cl\cdot C=\frac{X}{V}=\frac{Cl}{V}\cdot x=k\cdot x$$

여기서 x는 약물의 양이다. k는 약물의 제거 상수(elimination rate constant)를 의미한다. 위 식에서 Cl=V·k임을 알 수 있다. 즉 약물의 청소율은 약물의 분포용적에 약물의 제거 상수를 곱한 값이다.

총체내청소율(total body clearance)은 개별 장기의 청소율(clearance)의 단순 합과 같다. 즉, $Cl=Cl_R+Cl_H+Cl_{others}$. 여기서 R 은 신장(renal), H는 간(hepatic)을 의미한다.

총 청소율은 신장, 간장, 등의 모든 장기의 청소율을

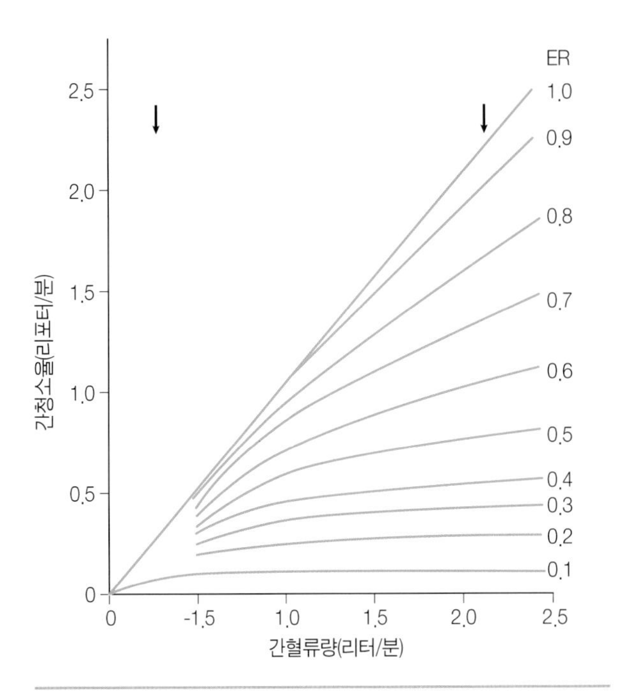

그림 14-9. 간 혈류량이 0.5~2.5 리터/분(화살표)인 범위에서 간 추출률이 적은 약은 간 혈류량에 관계없이 간 청소율이 나쁘고, 추출률이 큰 약은 간 혈류량에 따라서 간 청소율이 크게 변함을 보여준다.

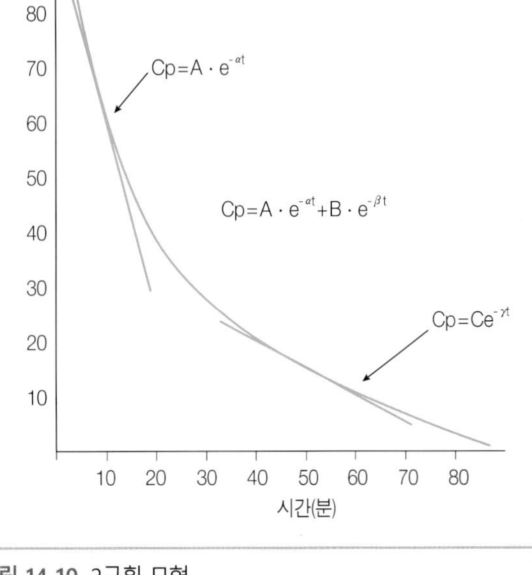

그림 14-10. 2구획 모형
중심구획에서 말초구획으로 이동으로 인한 급격한 농도의 감소, 배설 과정으로 인한 완만한 농도의 감소를 보이는 곡선이 분포되어 있다. A, B, 계수(coefficients). a, b: 지수(exponents)

합한 것이며 약동학에서

$Cl = V \times k$

Cl = 청소율

V = 분포용적

k = 배설비율상수

로 계산한다. 간청소율은

$Cl_H = Q \times E$

Cl_H = 간청소율

Q = 간혈류량

E = 간추출률

로 표시될 수 있다. 간추출률이 큰 약(>0.7)은 간혈류량에 좌우되어 제거되고 효소작용으로는 청소되지 않는다(관류형 배설, perfusion-dependent elimination). 간질환은 추출률에 영향을 미치지 않는 경향이 있다. 추출률이 적은 약(<0.3)은 간혈류량의 변화에 크게 영향을 받지않고 간효소체계에 의해서 대사된다(용량의존형 배설, capacity-dependent elimination). 그림 14-9는 간추출률이 각각 다른 값에서 간청소율에미치는 간혈류량의 효과를 나타낸 것이다.

6) 2구획 모델(Two-compartment model)

대부분의 정맥마취제는 2구획 혹은 3구획 모형으로 약물 정주 후 시간에 다른 약물의 농도의 변화를 명할 수 있다.

그림 14-10은 2구획 모델에서 약농도가 지수적으로 감퇴되는 행동을 로그 눈금으로 그린 그림이다. 두가지 단계가 뚜렷하게 구별되는데 제1단계는 약투여후 최고농도에서 급격한 감퇴를 보이는 과정이며, 이것은 조직에 빨리 분포됨을 반영한다. 제2단계는 약의 배설과정을 나타내며 분포과정보다 더 천천히 감퇴됨을 보여준다. 첫 번째

농도 감소곡선 부분은 중심구획에서 peripheral compartment로의 재분포 과정에 의해서 발생하며, 두 번째 농도 감소곡선 부분은 중심구획에서 metabolism과 excretion에 의하여 실제로 약물이 체내에서 elimination되는 과정에 의해 발생하며. 분포와 동시에 metabolic clearance ($Cl = V_1 \times k_{10}$, 중심구획에서 외부로의 제거상수)에 의하여 제거가 된다. 그림 14-10의 혈중 농도의 변화는 그림 14-11과 같은 2구획 모형으로 설명이 가능하다. 그림 14-11과 같은 모형을 2구획 모델이라고 하는데, 중심구획(central compartment)에 말초 구획(peripheral compartment)이 일차 역학으로 연결되어 있다고 가정한다. 2구획을 따르는 약물은 시간, 농도곡선에서 기울기가 2개로 이루어져 있다. 전술하였듯이, 기울기가 2개이면 (일차 역학을 따른다고 가정하였으므로 농도의 자연수를 취하면 직선이 되고, 이 직선의 기울기가 α, β), 이를 설명하기 위하여 혈장농도의 약물배치함수가 2개의 지수함수로 구성된다. 첫 번째 농도 감소곡선 부분은 rapid distribution phase(중심구획에서 말초구획(peripheral compartment)로의 distribution), 두 번째 농도 감소곡선은 log-linear terminal phase(중심구획에서 metabolism과 excretion에 의하여 실제로 약물이 체내에서 elimination 되는 과정)이다. 분포와 동시에 대사청소율(metabolic clearance ($Cl = V_1 \times k_{10}$))에 의하여 제거가 된다. t시간

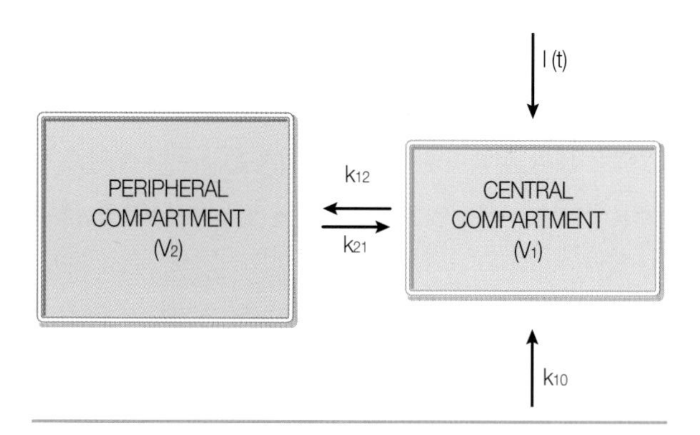

그림 14-11. 2구획 모형(two compartment model)
I (t): 투여량 함수 input. kij: mirco-rate constant from i 구획에서 j구획으로의 약물의 이동 상수(mirco-rate constant) Vi: i구획의 분포용적. i = 1, 2

경과 후의 혈중 약농도(C)는

$$Cp(t) = A \cdot e^{-\alpha t} + B \cdot e^{-\beta t}$$

Cp = t시간 경과 후의 혈중 약농도
α = 분포비율상수
β = 배설비율상수
A = 영시간(zero time)에서 분포단계선의 절편
B = 영시간에서 배설단계선의 절편
e = 자연대수
로 표시된다.

이 지수방정식에서 $A \cdot e^{-\alpha t}$는 분포를, $B \cdot e^{-\beta t}$는 배설을 나타낸다. 분포 및 배설비율상수 a와 b는 각각의 기울기로부터 결정되고 분포반감기($t_{1/2a}$)와 소실반감기($t_{1/2b}$)를 계산할 때 이용된다.

7) 3구획 모델(Three-compartment model)

대개 일차 역학을 따르므로 삼구획모형을 따르는 혈장 농도는 다음과 같이 세 개의 지수함수로 구성된다.

$$Cp(t) = A \cdot e^{-\alpha t} + B \cdot e^{-\beta t} C \cdot e^{-\gamma t}$$

Cp = t시간 경과 후의 혈중 약농도
α = 빠른분포비율상수
β = 느린 분포비율상수
γ = 배설 비율 상수
A = 영시간(zero time)에서 빠른분포단계선의 절편
B = 영시간에서 느린 분포단계선의 절편
C = 영시간에서 배설단계선의 절편
e = 자연대수

이러한 세 개의 지수함수는 그림 14-12의 시간, 농도곡선에서 볼 수 있는 3개의 기울기를 설명하는 값이다. 약물의 배치(distribution, elimination)가 일차 역학을 따르

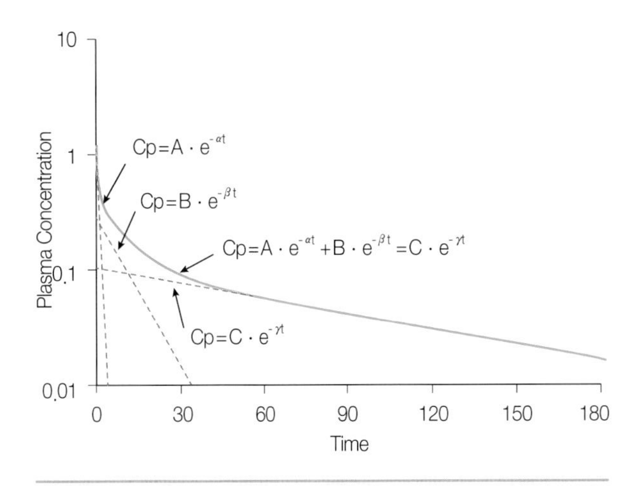

그림 14-12. 3구획 모형(three compartment model)
중심구획에서 말초구획으로 이동으로 인한 급격한 농도의 감소가 관찰되나 더 빠른 그리고 느린 두개의 농도 감소 곡선이 보이며 배설 과정으로 인한 완만한 농도의 감소를 보이는 곡선이 분포되어 있다. *A*, *B*, *C*: 계수(coefficients). a, b, g: 지수(exponents)

므로 지수함수이며, 따라서 농도의 자연대수를 취하면 직선으로 바뀌고 이 직선의 기울기가 α, β, γ이다.

그림 14-12의 첫 번째 농도 감소곡선 부분은 rapid distribution phase(중심구획에서 rapid peripheral compartment로의 distribution), 두 번째 및 세 번째 농도 감소곡선은 각각 slow distribution phase(중심구획에서 slow peripheral compartment로의 distribution)와 log-linear terminal phase(중심구획에서 metabolism과 excretion에 의하여 실제로 약물이 체내에서 elimination되는 과정)이다. 분포와 동시에 metabolic clearance ($Cl = V_1 \times k_{10}$)에 의하여 제거가 된다. Rapid distribution phase는 혈장(중심구획)에서 rapidly equilibrating tissue (rapid peripheral compartment) 로 약물이 빠른 속도로 이동하고, slow distribution phase에서는 약물이 혈장으로부터 slowly equilibrating tissue (slow peripheral compartment)로 이동함과 동시에 rapidly distributing tissue (rapid peripheral compartment)로부터 혈장으로 약물이 되돌아 오는 시기이다. Log-linear terminal phase는 주로 제거(elimination)에 의하여 농도가 감소되므로 elimination phase 라고도 부른다. 그림 14-13과 같은 모형을 삼구획 모형이라고 하는데, 중심구획(central compartment)에 rapid peripheral compartment와 slow peripheral compartment가 일차 역학으로 연결되어 있다고 가정한다. 삼구획을 따르는 약물은 시간, 농도곡선에서 기울기가 3개이다. 전술하였듯이, 기울기가 3개이면(일차 역학을 따른다고 가정하였으므로 농도의 자연수를 취하면 직선이 되고, 이 직선의 기울기가 α, β, γ), 이를 설명하기 위하여 혈장농도의 약물배치함수가 3개의 지수함수로 구성된다. 약동학에서 이러한 구분은 실제 자료인 시간, 농도 곡선의 모양을 보고 수학적으로 결정하는 것이지, 실제 약물이 특정 조직에 얼마나 빨리 분포하는지는 시간 농도 곡선만으로는 알 길이 없다.

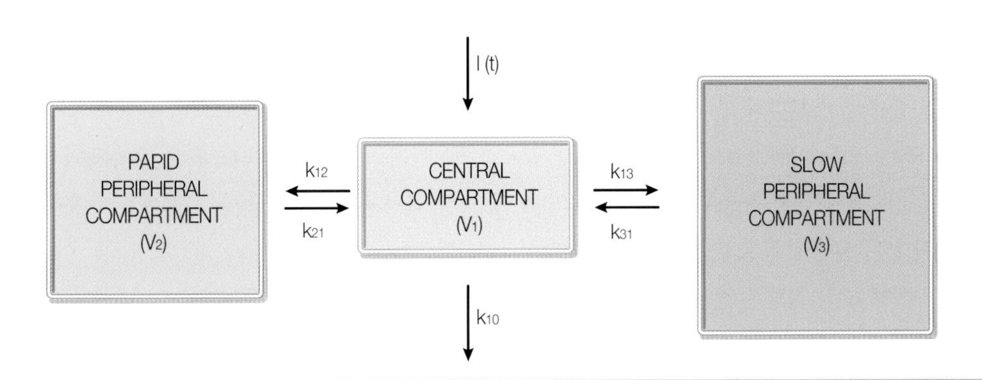

그림 14-13. 3구획 모형(two compartment model)
I (t): 투여량 함수 input. k_{ij}: mirco-rate constant from i 구획에서 j구획으로의 약물의 이동 상수(mirco-rate constant) V_i: i구획의 분포용적. i = 1, 2, 3.

3. 약동학과 질병

사구체 여과능력을 손상시키는 신질환은 약의 신청소율을 감소시킨다. 따라서 소변으로 전적으로 배설되거나 신장을 통한 약물의 배설이 높은 약물의 경우 약물의 신배출이 감소될 것을 예측할 수 있다. 이는 결과적으로 동일 요량의 약물을 투여하는 경우 약물의 혈장농도를 증가시키게 된다. 만일 신질환의 영향이 배설에만 미친다면, 초기 약투여량은 감소할 필요가 없지만 유지 약용량은 약물의 배설이 감소됨을 고려하여 상당량 줄여야 한다. 사실상, 신질환은 신청소율을 감소시키는 것보다는 여러 기전에 의해서 약동학에 영향을 줄 수도 있다. 신장 기능이 감소 시 요소(urea)의 배설이 감소하게 되는데, 요소는 단백질 결합부위 특히 알부민 결합부위에 있어서 다른 약들과 경쟁한다. 만성 신장질환 환자에 있어 혈장 단백질의 농도가 감소하는 경우가 많다. 혈장 단백질의 감소는 유리 형태로 존재하는 약물의 비율을 증가시키며 이는 동일 용량을 투여 시 약물의 농도 및 효과를 증가시킬 수 있다. 때문에 만성 신장 질환환자에서는 진정제 및 마취제를 사용 시 약의 효과가 의도한 효과보다 더 과하게 나타날 수 있으므로 약물의 용량을 감소해야 한다.

간질환도 약물의 분포 및 배설에 영향을 미친다. 알부민 생산이 감소하면 혈장 단백질치가 감소되어 혈장 유리약이 많아진다. 따라서 혈장 단백질에 결합 비율이 높은 약물의 경우 약이 효과가 과하게 나타날 수 있다. 반면, 간경화증이나 복수환자는 약분포용적이 뚜렷하게 증가되어 약물의 초기용량을 늘려야 효과가 나타나는 경우가 많다. 또한 분포용적의 증가는 소실반감기를 연장시킨다. 간기능이 심하게 저하되는 경우 간청소율이 감소하게 된다. 특히 약물의 배설 과정에서 간대사를 통한 약물의 배설의 비중이 높은 약물의 경우 심한 간질환 환자에서 약물의 배설이 지연되며 이로 인해 약의 효과가 의도한 것 이상 과하게 발현 가능하며 약물의 작용 시간이 연장될 수 있다.

간 청소율은 간질환에 의해 영향을 받지 않을 수 있는데 이것은 간기능 여유가 크기 때문이다. 바이러스성 간염과 간경화증에서 diazepam과 midazolam (제일상반응에서 산화에 의해 대사됨)청소율이 감소된 경우를 볼 수 있는 반면, oxazepam과 lorazepam (제2상반응에서 글루쿠론산 결합에 의해서 대사됨) 청소율은 변하지 않는다. 심박출량이 감소되면 간혈류량도 감소되어 간추출률이 큰 약의 청소율은 감소된다. 예를 들면, 울혈성심부전증 환자에서는 lidocaine (E=0.7~0.9)의 점적속도를 감소시켜야 한다. 비슷한 이유로 fentanyl (E=0.6), etomidate (E=0.9), propofol (E = 1.0), ketamine (E = 1.0), methohexital (E=0.5) 등의 약도 용량을 상당히 감소해야 한다.

4. 약력학 Pharmacodynamics

약물이 일단 효과처에 도달되면 약효를 발휘한다. 약력학은 목표세포와 약의 상호작용, 보통은 대분자단백질 즉 수용체와의 특수한 상호작용으로 설명된다. 세포막에 있는 수용체밀도가 변할 수도 있기 때문에 약농도에 대한 반응은 매우 다양할 수 있다. 과다한 약용량이나 내인성 물질(예: 갈색세포종에서의 catecholamines)은 세포막에 있는 수용체 농도를 감소시키는 요인이 되고(수용체 하향조절), 같은 농도에서 약효과가 감소된다. 외인성 catecholamines에 대한 속성내성 현상(tachyphylaxis)은 같은 이유로 설명된다. 이와 반대로 오랜 동안 길항제 치료를 받으면 수용체농도를 증가시킨다(수용체 상향조절). 그 이유는 베타 길항제치료가 갑자기 중지된 후 볼 수 있는 반동현상으로 설명된다. 길항제에 의해서 길항되지 않는 같은 농도의 내인성 catecholamines은 이용할 수용체가 증가되었기 때문에 과도한 반응을 유발하게 된다.

약물의 고유한 약리작용은 수용체와 상호작용하는 특성(작용제, 부분작용제, 길항제), 수용체의 특성(히스타민 수용체, catecholamine 수용체), 아유형 수용체(H1 혹은 H2, α-1, α-2, β-1, β-2 수용체) 등에 관계있다. 해당 수용체에 대한 친화력은 수용체를 점유하는데 필요한 그 물질의 농도를 결정하고, 수용체 결합부위를 활성화시키며, 약역가를 결정한다. 수용체밀도의 변화가 약역가에 영향을 주기도 한다.

1) 용량-반응관계(Dose-response relationship)

효과처 부위에서의 약물의 농도가 증가함에 따라서 약물로 인해 유발되는 약물반응의 정도가 달라질 수 있다. 수용체에서의 약물의 농도 그리고 약물 반응의 정도의 관계를 용량 반응 관계(dose -response relationship)으로 정의한다. 약에 대한 약물의 반응은 약물의 효과가 지속적인 변수로 표시되는 반응 graded, 혹은 all or none의 형태로 발현되는 quantal 용량 반응 관계를 나타낼 수 있다.

Graded 용량 반응 관계에 있어서 용량과 약효와의 관계를 구성하면 장방형의 쌍곡선이 되는데, 대부분의 약물에 있어서 용량반응곡선은 S자형 곡선을 그린다(그림 14-14). 용량반응곡선을 분석할 때 네 가지 중요한 요소들, 즉 역가, 기울기, 약의 효능 그리고 개개인의 변이성이 고려되어야 한다(그림 14-15).

(1) Graded (Quantitative) 용량–효과 관계

① 역가(Potency)

약역가는 다양한 약물의 효과를 비교하기 위해 사용되는 개념이다. 역가는 50% 유효량(ED_{50})을 통해 주로 기술되는데 50% 유효량은 최대 효과의 50%를 나타내기 위해 필요한 약물의 용량으로 정의된다. 약력학적인 관점에서 약물의 역가는 50% 유효량과 반비례하는 양상을 나타낸다. 만약 약물의 유효량이 4 mg인 약이 있다면 다른 약물이 50% 유효량이 40 mg이라면 10배 역가가 높은 약이라고 말할 수 있다. 약물의 역가는 주로 약물의 수용체의 affinity와 관련이 있는데 affinity가 높은 약물이 기능적인 수용체의 50%를 점유하는데 필요한 약물의 약이 작기 때문이다.

② 기울기(Slope)

용량반응곡선의 기울기는 약효를 나타내는 수용체 점유율과 관계 있다. 만일 어떤 약이 수용체의 많은 부분을 점유한 후 약효과가 나타난다면 이 때의 기울기는 가파르다. 흡입마취제와 정맥마취제는 가파른 기울기가 특징이다. 가파른 기울기를 가진 약은 용량을 소량만 증가하여도 약효가 크게 증가한다. 또한 치료량과 중독량 차이가 적음을 의미한다. 진정법에 사용되는 약물들 전신마취제의 경우 기울기가 가파른 경우가 많다. 따라서 가파른 기울기의 용량반응곡선을 나타내는 약을 투여할 때는 모든 환자에서 주의깊게 용량을 적정(titration)하여 사용해야 한다.

③ 효능, 최대 효과(Efficacy)

약의 효능은 그 약이 일으킬 수 있는 최대 효과를 말한다. 약의 효능은 약역가와 관계 없고 약과 해당 수용체의 상호 작용에서 그 약의 고유한 특성에 의해서 결정된다.

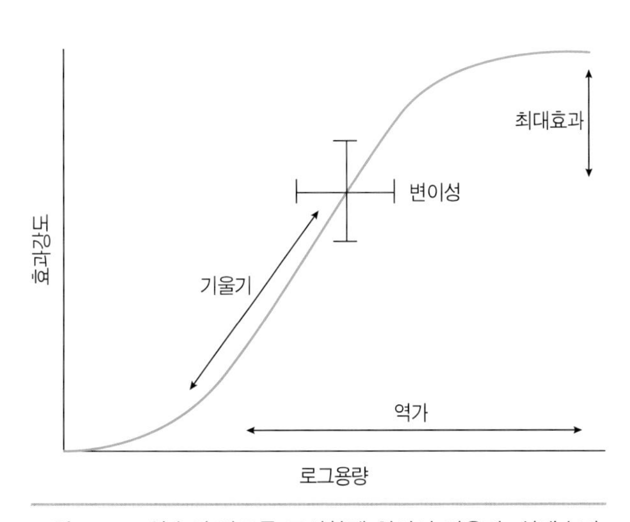

그림 14-14. 약효의 강도를 표시함에 있어서 기울기, 최대효과, 약역가, 및 개개인의 변이성을 나타내는 용량-반응 곡선

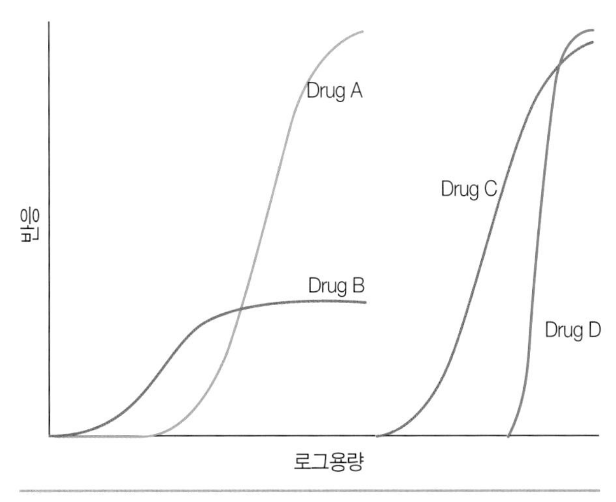

그림 14-15. 약의 로그용량과 반응 관계
약 A, B, C, D의 각각 다른 약역가, 기울기, 최대 효과를 보인다.

임상에서는 어떤 약의 원하는 효과를 나타내는 데 필요한 용량의 범위 내에서 부작용이 출현할 가능성으로 인해 약의 효능이 제한될 수도 있다. 즉 원하는 효과와 원하지 않는 부작용의 용량반응곡선이 겹쳐질 수 있다. 특정 수용체에 반응하는 약물 중 최대효과를 유발할 수 있는 약물을 완전 작용제(full agonist)로 명칭하며 부분 작용제(partial agonist)의 경우 매우 많은 용량을 투여하여도 최대 효과에 도달하지 못한다. 부분 작용제의 경우 완전 작용제와 병용 투여하는 경우 부분 작용제가 수용체의 일부를 점유하여 작용제의 효과를 떨어트리게 된다. 부분 작용제의 경우 완전 작용제와 같이 사용 시 길항제와 같은 역할을 한다. 길항제(antagonist)는 약물의 효과를 전혀 유발하지 않는 약물이다. 따라서 임상에서는 작용제의 효과가 과도하게 발현되어 부작용이 나타나는 경우에 사용하는 경우가 많다. Benzodiazepine 투여 후 과도한 진정이 발생하여 부작용이 나타나는 경우 flumazenil을 사용하는 것이 하나의 예가 될 수 있다.

④ 개개인의 변이성(individual variation)

용량반응곡선은 한 모집단을 대상으로 조사한 것이기 때문에 실제에 있어서 환자 개개인에 따른 예측할 수 없는 반응이 있을 수도 있다. 약동학(생물학적 이용도, 신장과 간기능, 나이)이나 약력학(유전인자의 차이, 수용체밀도)에 미치는 인자, 상존하는 질환, 약상호작용 등이 환자에 따라 다양한 반응을 일으키는 요인이 된다. 환자 간의 개인차, 가파른 기울기의 용량반응곡선을 가지는 약, 치료지수가 적은 약 등은 진정 시 주의하여 사용해야 한다.

이런 위험은 여러가지 방법에 의해서 예방할 수 있다. 약물의 효과를 정확하게 감시하는 것(예: 진정제 사용 시 호흡 감시)이나 사용된 약물의 용량을 감시하는 것 등이 안전에 도움이 된다. 환자상태에 대한 정확한 판단은 진정법 시행하거나 전신마취를 시행하는 경우에 환자상태에 따라 용량을 조절할 수 있게 하고 약용량을 둘로 나누어 처음 1/2을 투여하여 얼마간의 시간 동안 약반응을 관찰한 후 나머지 반을 투여하는 방법은 임상적으로 유용할 수 있다.

(2) Quantal 용량-반응 관계

약물이 유발하는 임상적인 효과는 효과가 있거나 혹은 없는(all or none effect) 것으로 나타나며 약물의 농도에 다른 효과가 나타날 확률에 관해서 용량 반응 관계를 구하게 된다. 전신마취제를 투여하거나 혹은 진정제를 사용하는 경우 환자가 잠이 드는지 들지 않는지에 관한 용량 반응 관계가 이에 해당한다 할 수 있다. 이와 같은 약물 용량 반응 관계에서 50% 유효량(ED_{50})은 50%의 개체에서 임상적인 효과가 나타나는 약물의 용량을 의미한다.

이와 같은 quantal 용량 반응 관계는 치료지수를 계산하기 위한 방법으로 사용이 되는 경우가 있다. 임상마취에서 사용되는 약제의 역가는 흔히 50% 유효량(ED_{50})으로, 치사량은 50% 치사량(LD_{50})으로 표시한다. 안전한 약은 50% 유효량보다 50% 치사량이 훨씬 더 크다. 치료지수는 50% 치사량에 대한 50% 유효량의 비(LD_{50}/ED_{50})으로 나타내며 치료지수가 크면 안전역이 더 큼을 의미하나, 특수한 약효를 논할 때만 적용한다.

예를 들면, 진정법에 사용하는 약물이 치료지수가 높다면 임상적인 효과를 나타내기 위해 요구되는 약물의 농도에서 부작용(호흡기계 합병증, 심혈관계 합병증)이 나타날 가능성은 매우 낮다. 하지만 치료지수가 작은 약물의 경우 약물의 효과에 저항하는 환자(같은 임상적인 효과를 유발하기 위해 더 많은 약물의 사용이 요구되는 환자)의 경우 임상적으로 사용하는 약물의 용량에서 부작용이 나타날 가능성이 증가하게 된다. 임상적으로는 치료지수가 큰 약물은 임상에서 더 안전하게 사용할 수 있으며 치료지수가 적은 약물의 경우 환자의 반응을 관찰하며 적정하여 사용해야 한다.

5. 약물 상호작용

약물 상호작용이란 두 가지 이상의 약물을 투여할 때, 단독투여 시 예기되는 반응과 다르게 나타나는 약리적 혹은 임상적 반응으로 정의할 수 있다. 진정-진통을 위해 임상에서 사용하는 많은 약물들은 상호작용을 유발한다. 수술 중 사용하는 약물끼리는 물론이고, 수술 중 사용하는 약물이 수술 전, 후에 투여한 약물과도 상호작용이 일어날 수 있다. 다른 약물로 인해 한 약물의 효과가 적어지거나 독성이 나타나는 부정적 측면도 있지만 긍정적 측면에서 약물 상호작용을 잘 이용하면 적은 용량으로 큰 효과를 볼 수 있으며, 약물투여에 따른 부작용과 비용을 줄일 수 있다.

1) 약동학적 상호작용

한 약물이 다른 약물에 의해 체내 약물농도(혈중농도 혹은, 효과처 농도)가 변하는 것을 말한다. 한 약물의 흡수, 분포, 대사, 배설 등에 영향을 미치기 때문에 단독 투여 때와 같은 용량을 투여하더라도 효과가 다르거나 지속시간이 달라진다. 위장관으로 흡수되는 약은 다른 약을 병용할 때 흡수에 지장을 받는다. Ranitidine, metoclopramide는 위액의 산도를 변화시키거나 위장관운동을 증가시켜 흡수에 영향을 준다. 국소마취제에 혈관수축제의 첨가는 약의 흡수를 지연시켜 작용시간과 전신적인 독성반응을 감소시킨다. 약분포는 혈장단백질 결합의 경쟁, 조직결합 부위로부터의 전이 등에 의해 영향을 받는다. 혈장단백질과 결합경쟁은 유리약농도를 증가시킬 수 있으나 일시적이다. 약물들은 수용체 부착부위나 단백결합으로 전이되어 복합체를 형성하기도 한다. 약물에 의한 효소 억제나 자극은 함께 투여된 약물의 대사에 영향을 주는데 대사가 자극 또는 억제된다. Barbiturates, phenytoin, carbamazepine, primidone, rifampin 등은 다른 약이 간미소체효소에 의해서 대사됨을 억제한다. 소변 pH에 영향을 주는 약을 사용하면 이온화 변화 때문에 약산이나 약염기의 신배설이 영향을 받는다. 약물에 의한 간 혈류량 변화나 신장으로 이동변화는 다른 약물의 청소율에 영향을 준다. 임상적으로 큰 문제가 없는 것이 대부분이지만, 그 정도가 심해서 ketoconazole과 terfenadine처럼 함께 투여하면 심각한 부정맥을 유발하여 생명이 위태로운 경우도 있다.

2) 약력학적 상호작용

약물이 수용체에서 각각 상호작용을 일으키기도 하는데, 함께 투여한 다른 약물로 인해 한 약물에 대한 조직의 예민도가 변하기 때문에 같은 혈중농도(혹은 효과처농도) 라도 나타나는 효과(주작용 혹은 부작용)가 달라지는 것을 말한다. Isobologram(그림 14-16)을 기준으로 편리하게 상승작용(synergistic), 부가작용(additive), 길항작용(antagonistic)으로 나눌 수 있다. 상승작용의 예로 아편유사제와 clonidine의 진통효과, benzodiazepine과 opioid의 진정효과가 이에 해당한다. 대부분의 진정에 사용되는 약물은 상승작용을 나타낸다. 특히 진정법 시행 시 통증을 조절하기 위해 opioid를 사용하는 경우 진정제와 상승작용을 나타낸다. 단일 약물을 사용 시 효과적이라고 알려져 있는 용량을 사용하여 진정법을 시행하는 경우 과도한 진정작용, 예상치 않은 호흡기계 부작용이 발생할 수 있다. 상승작용을 나타내는 약물의 여러 종류 사용하는 경우 예상치 않은 과도한 반응이 유발될 수 있으므로 유의해야 한다. 부가작용은 주로 같은 군에 속하고 같은 작용기전을 갖는 약물들에 해당되며, 다른 군, 다른 작용기전이라도 산술적으로 1+1=2의 효과가 있다면 일

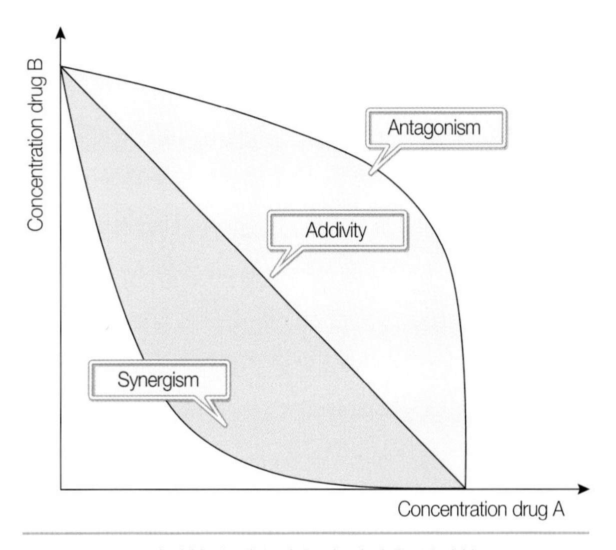

그림 14-16. 약력학적 상호작용의 양상을 설명하는 Isobologram (synergism: 상승효과, additivity: 부가 효과, antagonism: 길항효과)

반적으로 부가작용이라고 한다. 즉 두 약물이 서로에게 특별한 상호작용을 일으키지 않는 것을 의미한다. 길항작용은 같은 수용체에 경쟁적으로 결합하지만 반대를 나타내는 약물의 효과 작용으로 neostigmine, phyridostigmine (cholinesterase-inhibitor) 는 니코틴 수용체에 붙어 있는 비탈분극성 근이완제의 작용을 아세틸콜린의 농도를 증가시킴으로 억제한다. Benzodiazepine과 flumazenil, 아편유사제와 naloxone이 대표적인 길항제이다. 특히 benzodiazepine의 길항제인 flumazenil, opioid의 길항제인 naloxone의 경우 benzodiazepine, opioid의 과용량으로 인한 부작용의 발생 시 치료제로도 임상에 사용된다. 길항제는 작용제의 효과를 가역하여 작용제의 과도한 효과의 발현으로 발생하는 부작용을 치료하기 위한 목적으로 임상에 사용되는 경우도 있다.

6. 진정 시 사용되는 약물

1) Benzodiazepine약물

Benzodiazepine 약물은 기억상실(amnestic), 항불안, 진정/최면, 항경련, 근육이완제로 사용된다. 이 약물들은 감마아미노부티르산(γ-aminobutiric acid, GABA) 수용체에 작용한다. 진정법에 가장 많이 쓰이는 benzodiazepine 약물은 midazolam과 diazepam이다.

Benzodiazepine약물은 3구획 분포로 따르는 것으로 알려져 있으며 분포가 빠른 중추 혈류조직과 관류(perfusion)가 적게 되는 조직으로 분포한다. Diazepam이나 midazolam과 같이 지용성이 높은 약물은 빠르게 중추로 분포되어 작용 발현(onset)이 빠르다. Lorazepam은 diazepam이나 midazolam만큼 지용성이 높지 않아, 작용발현 시간이나 중추에서 치료 농도 범위에 도달하는 시간도 느리다. 많은 benzodiazepine 약물은 간에서 산화(제1상)와 포합(제2상) 과정으로 대사된다. 심각한 간질환 환자는 산화과정을 통해 불활성화 대사체를 생성하는 능력이 감소한다. 주로 포합을 거쳐 대사되는 약물(lorazepam, temazepam, oxazepam)은 간 기능이 저하된 환자에서 약간만 연장된 효과를 나타낸다. 이는 심각한 간부전 상태에서도 포합과정은 별로 손상되지 않기 때문이다. 포합된 불활성화 대사체는 신장으로 배설된다.

간성 뇌병증(hepatic encephalopathy) 환자에서는 benzodiazepine 투여 시 증상 악화 위험이 증가한다. 간성 뇌병증 환자에서 내인성 benzodiazepine 유사 물질이 부분적으로 진정 작용과 의식소실을 일으키는 것으로 여겨진다. 이것은 임상시험에서 역작용제로 사용되는 benzodiazepine 수용체 길항제인 flumazenil이 간성 뇌병증 환자에게 효능을 보이는 것에서 확인되었다. 간에서 산화적 대사가 필요하지 않은 benzodiazepine계 약물(lorazepam, temazepam, oxazepam)은 이 계열 약물들의 진정 작용 연장을 최소화하는데 사용된다. Benzodiazepine 약물을 사용할 때는 나이와 간 기능을 고려해야 한다. 예를 들어 평균 나이가 69세인 노인 환자들을 대상으로 한 연구에서 환자들은 triazolam을 평균 나이 30세인 젊은 환자들과 같은 용량을 투여했을 때, 노인 환자들의 청소율이 약 50% 정도 감소된 것으로 나타났다. 노인 환자들에서 부작용 증가도 이와 부분적으로 관련이 있다. 젊은 환자들은 benzodiazepine계 약물 복용 시 흥분 효과가 나타나기도 한다. 이것은 GABA와 GABA 신경의 억제 정도가 나이라는 요인과 관련이 있기 때문인 것으로 보인다. 노인 환자에서는 청소율이 감소하고(대사능, 단백결합, 분포용적도 감소) benzodiazepine 계 약물의 진정 작용과 기억에 미치는 영향이 노인 환자들에서 더욱 민감하기 때문에 더 적은 용량이 요구된다.

Benzodiazepine약물은 다른 약물과 상호작용을 유발할 수 있다. Midazolam은 간에서 대사가 이루어지며 macloride 계열의 항생제(erythromycin, clarithromycin)가 CYP 3A4의 작용을 억제하기 때문에 함께 투여하면 대사가 억제되어 혈중농도가 증가되고 약리작용이 오래 지속된다. 칼슘통로차단제인 diltiazem, verapamil도 midazolam 대사를 억제한다. 반면 lidocaine과 midazolam을 함께 투여했을 때 두 약물의 청소율이 모두 단독 투여 시보다 증가되어 두 약물의 혈중농도 감소와 지속시간이 짧아진다고 보고된다. 결핵치료제 rifampin도 midazolam의 진정효과를 감소시킨다. Benzodiazepine계는 마취제와 결합하여 저혈압이 발생하지만 다른 barbiturate계 propofol에 비해 심하지 않다. 아편유사제의 진정작용, 호흡억제작용과 상승작용을 한다. 예를 들면 최면효과에 대해서 fentanyl과 alfentanil도 midazolam에 대하여 상승제로 작용한다. 마취유도 시 midazolam과 fentanyl을 함께 사용하면 최면을 위한 각각의 ED_{50} 용량에서 23%, 25%만 사용해도 단독 투여했을때와 같은 효과를 나타낸다.

(1) Midazolam

Midazolam은 단시간 외래 시술에 사용되는 대표적인 benzodiazepine계 약물이다. 이는 diazepam에 비해 2~6배 정도 높은 역가(potency)를 갖는 것으로 알려져 있다. Midazolam은 경구 투여 후 흡수가 잘 되지만 초회통과 효과가 크다. 경구 투여 시 생체이용률은 31~72%이며 근육투여 시 91% 정도 흡수된다. 작용 발현은 1~2분 이내에 일어난다. 지용성이 높아 midazolam은 수용성 용매에 녹는 benzodiazepine계 약물이다. 수소이온농도지수(pH)에 의존적인 환 구조를 가진다. 수소이온농도지수가 4보다 작으면 환 구조가 열리면서 안정하고 수용성인 물질을 형성한다. 4보다 높으면 환이 닫히고 지용성이 증가한다. 지용성의 증가로 뇌혈관장벽을 잘 투과해 작용부위로 빠른 분포가 일어난다. 중추신경계와 지방조직으로 분포가 잘 되고, 뇌에서 말초조직으로 빠른 재분배가 일어난다. 다른 benzodiazepine 계열 약물과 마찬가지로 단백 결합이 94~97%로 높다. 따라서 혈중 단백질 양의 변화는 midazolam의 효과에 큰 영향을 미친다. 저알부민혈증 환자에서는 약물에 결합하는 단백질이 적어 더 많은 약이 중추로 분포된다. Midazolam의 활성 대사체인 α-hydroxymidazolam은 간에서 포합(글루크로나이드 포합체를 형성)되고 신장으로 배설된다. 청소율은 상대적으로 높으며 혈류속도에 부분적으로 의존한다. 소실 과정은 나이, 체중, 간 기능과 신기능에 따라 개인차가 크다. 노인이나 비만, 간 기능이 저하된 사람은 midazolam의 청소율이 감소하고 반감기가 증가한다. 간경화가 있는 사람은 청소율이 반으로 감소하고 반감기는 두 배가 된다. 신부전환자는 알부민의 혈중 농도가 감소하기 때문에 midazolam의 비결합형 비율이 높아진다. 소실 반감기가 길고(1.8~6.4시간), 지방 조직으로의 분포가 잘 되기 때문에 진정효과가 연장되거나 hang over 효과가 나타나기도 한다. 비교적 안전한 약이지만 지속적인 복용 시 축적이 일어날 수 있다. 0.2 mg/kg의 midazolam을 복용한 15명의 신부전 환자를 대상으로 한 연구에서, 평균 회복 시간은 53 ± 32분이었다. 환자들은 정상인에 비해 midazolam의 비결합형 비율(free fraction)이 매우 컸다(6.5% ± 0.7 대 3.9% ± 0.1, $P < 0.005$). 비결합형 약물의 청소율은 건강한 대조군과 차이가 없었다. 신부전 환자에서 midazolam의 용량은 감소시킬 필요가 없을 수도 있으나, 복용 횟수나 주입 속도 등은 조절할 필요가 있다.

(2) Diazepam

Diazepam은 작용 시간이 긴 benzodiazepine계 약물로 diazepam은 위장관에서 빠르게 거의 모두 흡수되고 30~90분 이내에 최고 농도에 도달한다. 나이가 흡수에 영향을 미치고 노인은 최고 농도에 도달하는 시간이 더 느리다. 주입 후 diazepam은 지용성이 높아서 기억 상실 작용 발현이 약 5분 정도로 빠르다. 작용 지속은 3~5시간이다. 흡수 후 diazepam은 단백 결합이 97~99%로 높다. 간 경화 환자에서는 단백결합이 낮아져 diazepam의 비결합형 비율이 증가해(3.1%~6.5%) 중추신경계로의 분포가 증가한다. 뇌척수액 농도는 diazepam과 desmethyldiazepam의 비결합형 비율과 관련이 있다. Diazepam과 desmethyl diazepam의 겉보기 분포용적은 각각 0.95~1.13 L/kg, 1.1 L/kg로 알려져 있다. Diazepam은 2-구획 모델을 따르는 것으로 알려져 있는데 조직으로의 빠른 분포와 긴 소실 과정의 두 가지 구획이다. 간에서 CYP (cytochrome P450)에 의해 대사되며, 다양한 활성대사체는 diazepam의 작용 지속시간을 연장시킨다. Desmethydiazepam ($t1/2 = 30$~200시간), 3-hydroxydiazepam ($t1/2 = 5$~20

시간), oxazepam (t1/2 = 3~21시간). Diazepam의 반감기는 약 30시간, 대사체의 반감기는 80시간에 이른다. 노인 환자에서는 젊고 건강한 성인에 비해 diazepam의 소실이 지연되고 분포용적이 크게 증가한다(71.5시간 : 44.5시간, 1.39 L/kg : 0.88 L/kg).

2) Flumazenil

Benzodiazepine계 약물의 길항제인 flumazenil은 midazolam의 잔류 효과를 감소시킨다. 특히 진정 효과에서 그 작용이 두드러진다. 그러나 flumazenil의 단회 투여 작용 시간은 midazolam의 잔류 효과가 나타나는 시간보다 짧다. Flumazenil은 $GABA_A$ 수용체의 특이 부위에 결합하는 친화도가 높다. 그곳은 benzodiazepine나 다른 리간드와 경쟁적으로 길항하며 알로스테릭(allosteric) 효과를 나타낸다. 특정 조건에서 flumazenil의 투여는 간질을 촉진하기 때문에, 치료 중 항경련 효과를 목적으로 하기에는 적절하지 않을 때도 있다. 정맥투여에서 flumazenil은 대부분 간에서 대사되어 반감기가 약 1시간인 불활성화된 대사체가 생성된다. 작용시간은 30분에서 60분 정도이다. 경구 투여 후에는 빨리 흡수되지만 집중적인 초회 통과 때문에 흡수되는 양은 전신순환에 도달한 약물의 25% 미만이다. 효과적인 경구 용량은 두통과 현기증을 일으킨다. Flumzenil의 일차적인 적응증은 benzodiazepine 과량 복용시 처치로서 benzodiazepine계 약물의 길항제로 쓰인다. 1 mg flumazenil을 1~3분 동안 투여하는 것은 benzodiazepine의 치료 용량의 효과를 제거하는데 충분하다. Benzodiazepine 을 과량 투여한 환자는 2~10분 동안 1~5 mg의 축적된 용량을 투여해야 한다. 5 mg flumazenil에 반응이 없는 경우라면 benzodiazepine이 진정의 주 원인이 아닐 것이다. Flumazenil은 단일 과용량의 바르비튜레이트(barbiturate)에는 효과적이지 않다. Flumazenil은 benzodiazepine의 복용이 연장되거나, 내성 혹은 의존성이 나타난 환자에게서 간질이나 다른 금단 증상을 촉진시킨다.

3) Propofol

Propofol은 GABA 매개 작용으로 진정, 기억상실(amnestic), 진통효과를 나타내며 특히 $GABA_A$ 수용체에 작용하는 것으로 알려져 있다. Propofol이 작용하는 다른 부위는 척수와 뇌, 전위의존이온채널의 글리신, 니코틴, 무스카린 수용체이다. Propofol은 진통의 도입과 유지, 작은 규모의 시술에서 의식이 있는 진정, 중환자의 진정을 위해 사용된다. Benzodiazepine 수용체 길항제인 flumazenil이 propofol의 작용에는 아무런 영향을 주지 않는 것으로부터, propofol이 benzodiazepine와 같은 수용체에 작용하는 것은 아니라는 것을 알 수 있으나, 작용 기전은 유사하다. Propofol은 건강한 자원자를 대상으로 한 시험과 비뇨기과 수술 혹은 심장 수술 환자에서 용량의존적인 반응을 보였다. 중환자의 진정작용에는 외과 수술 마취보다 적은 용량이 필요하다. 기억상실도 용량 의존적으로 나타난다. Midazolam과 비교해볼 때, 같은 진정 효과를 나타내는 용량에서 더 적은 기억 상실 효과를 보인다. 대뇌혈압을 28~50%, 산소소비를 18~36% 감소시킨다

Propofol은 매우 지용성이 높다. 3-구획 모델로 설명할 수 있는데, 혈류에서 조직으로의 빠른 분포, 혈류로부터 빠른 청소율, 내부 구획으로부터의 느린 회수 단계를 거친다. 중추신경계 투과가 빠르고 혈류로부터의 청소율이 높다. 혈중 시간 곡선도 3상 패턴을 따른다. 소실의 첫 번째 상은 2~3분, 두 번째 상은 30~60분으로 더 길고, 세 번째 상인 지방 조직으로부터 소실은 2~45시간으로 더 느리다. 관류가 잘 되는 조직으로(perfused tissue) 잘 분포한다.

초기에 88% 이상이 설페이트와 글루크로나이드 포합체로 배설되며 0.3% 미만이 모체로 배설된다. 간 혈류 속도에 비해 청소율(1.1~2.11 L/h/kg)이 높은 것으로 보아 간 이외의 장기에서도 대사되는 것으로 생각된다. 약동학은 개인차를 보이며, 긴 시간동안 주입하면 분포용적이 커지고 소실이 감소한다. 노인은 분포용적이 작고 청소율이 낮기 때문에 보다 적은 용량이 적절하다. 비만인 사람은 청소율과 분포용적이 현저하게 크다. 간기능과 신기능의 기능저하가 약동학적 특성을 바꾸지는 않는다.

4) Ketamine

NMDA (N-methyl-D-aspartate) 수용제 길항제이며 phencyclidine 구조와 관련이 있다. Ketamine은 마취에서 깨어난 후에도 연장된 진통 작용을 나타낸다. Ketamine이 통증 신호 전달과정을 차단한다는 연구가 있다. 나트륨 채널을 차단해서 활동전위 생성을 방해함으로써 진정작용을 나타낸다. 진통작용과 관련해서는 수용체에 결합해 NMDA를 차단하고 아편유사 작용제처럼 작용한다.

지용성이 높고 중추신경계와 말초조직으로 분포가 잘 된다. 분포용적이 크고, 2상 혈중 농도-시간 곡선을 따른다. 혈중 농도-시간 곡선에서 45분 정도 지속되는 빠른 소실 과정이 있으며 이것은 진통효과가 나타는 기간과 상응한다(반감기 α: 약 10분). 이어 더 긴 소실 반감기를 가져 중추신경으로 재분배 되고 간 대사를 거친다(반감기 β: 약 2~3시간). Ketamine은 간 대사를 통해 활성 대사체 형태로 배설된다. 노인 환자는 젊은이나 성인 환자에 비해 청소율이 낮다. S^+, R^+ 이성질체에 따라 약동학적 특성이 다르게 나타나며, S^+의 이성질체 청소율이 R^+의 청소율보다 크다.

5) Chloral hydrate

Chloral hydrate는 최면 용도와 함께, 이 약은 어린이의 진단, 치과시술, 다른 불편한 과정에서 진정작용을 위해 오래전부터 사용되어 왔다. Chloral hydrate는 간에서 알코올 가수분해 효소에 의해 빠르게 활성 물질인 trichloroethanol로 변한다. 경구 투여된 상당량의 chloral hydrate는 혈중에서 발견되지 않는다. 그러므로 약리 작용은 아마 대사체인 trichloroethanol에 의해 나타나는 것으로 보인다. 시험관 실험에서(in vitro) 이 대사체는 GABA 수용체 채널에서 바르비튜레이트(barbiturate) 유사작용을 나타낸다. Trichloroethanol은 주로 글루쿠론산과 포합체를 형성해 대부분 뇨로 배설된다.

참고문헌

1. Skues MA, Prys-Roberts C. The pharmacology of propofol, J Clin Anesth 1989;1:387-400
2. White PF, Way WL, Trevor AJ. Ketamine: its pharacology and therapeutic uses. Anesthesiology 1982;56:119-36
3. 대한마취과학회 교과서편찬위원회: 마취과학. 3판. 서울. 여문각, 19-34, 1994.
4. 대한마취과학회 교과서편찬위원회: 마취과학. 서울. 군자출판사, 245-371, 2002.
5. 대한정맥마취학회: 진정. 서울. 의학문화사, 138-142, 2004.
6. Avramov MN, Smith I, White PF: Interactions between midazolam and remifentanil during monitered anesthesia care. Anethesiology, 85:1283-9, 1996.
7. Barash PG, Cullen BF, Stoelting RK: Clinical anesthesia. 4th ed. Philadelphia. Churchill Livingstone, 2000.
8. Longnecker DE, Murphy FL: Dripps/Eckenhoff/Vandam. Introduction to anesthesia. 9th ed, Philadelphia. WB Saunders, 65-74, 1997.
9. Morgan GE, Mikhail MS, Murray MJ: Clinical anesthesiology. 3rd ed. New York, Lange Medical books/McGraw-Hill, 127-150, 2002.
10. Stoelting RK. Miller RD: Basics of anesthesia 7th edition Philadelphia. Churchill Livingstone, 2007
11. 1Malcolm Rowland, Thomas N. Tozer. Clinical Pharmacokinetics and Pharmacodynamics: Concepts and Allications 4th ed. Lippincott Williams & Wilkins; 2011.
12. 서울대학교 의과대학편. 임상약리학: 서울대학교출판부; 2006.

CHAPTER 15

| Dental Anesthesiology | 진정법

진정 전 환자평가

학습목표

1. 진정에 필요한 병력 청취 및 환자평가를 할 수 있다.
2. 진정이 고혈압, 당뇨, 협심증, 내분비 질환 등의 전신질환에 미치는 영향을 설명한다.
3. 알러지, 상기도 감염 및 약물복용이 진정에 미치는 영향을 설명한다.
4. 기도평가를 할 수 있다.
5. 필요 시 임상검사 및 의학 자문(medical consulting)을 의뢰할 수 있다.
6. 미국마취과학회의 분류법(ASA 신체 등급 분류)에 준하여 환자의 전신 상태를 평가한다.
7. 마취 전 투약의 목적을 설명한다.
8. 마취 전 투약제를 효과에 따라 분류한다.
9. 마취 전 금식의 의의와 금식시간을 설명한다.

새로운 환자를 치료하기 전에 치과의사와 직원들은 환자의 전신 병력을 문진하는 것이 중요하다. 모든 상황에서 환자의 통증과 불안감을 조절하기 위해서 약을 복용해도 괜찮은지를 확인해야 한다. 신체적, 정신적으로 정상적인 환자에서도 심각한 영향을 미칠 수 있기 때문에 환자의 문제에 대해서 미리 준비하는 것이 중요하다. "응급 상황을 당신이 준비해야 할 때면, 응급 상황은 끝나있다"라는 이야기가 있다. 환자의 신체적 상태에 따라 치료 계획을 변경할 때, 미리 파악된 환자의 문제는 중요한 기준이 된다.

진정 전 환자 평가의 목적은 치과치료 및 마취와 관련하여 예기치 못하게 발생하는 부작용이나 합병증의 발생으로 인한 사망률을 줄이고, 치료 전후 환자관리에 필요한 비용을 줄이면서도 질을 높이고, 되도록 빨리 환자를 일상생활로 복귀시키는 것이다.

환자의 전신상태 평가는 먼저 환자의 차트와 과거 기록을 조사함으로써 시작된다. 그리고 다음의 내용들이 구체적으로 이루어져야 한다.

① 환자의 과거병력에 대하여 상세히 조사한다.

② 신체 및 정신 상태에 대한 이학적 검사를 시행하고 임상검사소견을 면밀히 검토하여 추가검사와 타과 의사와 협의가 필요한지 결정해야 한다.

③ 의학적 병력, 이학적 검사 및 치료 전 임상검사소견으로 알아낸 위험요소를 토대로 마취계획 및 치료 후 환자관리계획을 수립한다.

④ 진정과 수술에 관련된 제반 사항을 환자나 보호자와 충분히 상의하여 환자 및 보호자의 동의를 얻어야 한다.

⑤ 환자의 불안을 감소시키고 회복을 촉진시키기 위해 환자에게 진정과 수술 전후 처치, 통증 치료 등

에 대해 교육을 시키며, 주의사항을 숙지하여 실천하게 한다.

⑥ 마취과 의사에 의한 치료 전 환자 평가, 예견되는 마취계획 및 수술 후 환자관리, 마취 전 처치 및 주의사항에 관한 것은 필히 담당 마취과 의사의 서명과 함께 환자의 의무기록지에 기록으로 남겨져야 하며, 마취동의서 역시 환자의 의무기록지에 첨부되어야 한다.

1. 환자 진료기록의 조사

진정 전 환자평가는 환자의 진료기록에 대한 조사로부터 시작된다. 여기에는 수술과 관련이 있는 환자의 병력, 앞서 진찰 받은 내용과 진단학적 검사결과, 그리고 이전의 마취기록이 포함된다. 이러한 진료기록의 조사는 마취 전 환자와의 면담시간을 단축시키고 새로운 진찰과 검사를 이중으로 하는 비용을 줄일 수 있다. 이전의 마취 기록에는 기도관리의 어려움, 혈관확보의 어려움, 약제에 대한 환자의 이상반응 또는 수술 중에 발생했던 합병증 등의 내용들이 기술되어 있다.

2. 환자 방문과 면담

마취과 의사는 진료기록을 조사한 후 현재의 환자상태를 평가하기 위하여 환자면담을 해야 한다. 환자면담은 입원한 환자의 경우 수술 전날 이루어지도록 하며, 수술 당일 입원, 당일 퇴원하는 외래수술 환자는 마취 전 진료실에서 하도록 한다. 많은 경우에 환자와 보호자들은 마취과 의사의 역할에 대하여 제대로 알지 못하고 있으며, 이러한 점은 마취과 의사와 환자 사이의 신뢰 형성과 그에 따른 마취의 수행에 부정적으로 작용하게 되어 불필요한 의료소송의 발생과도 연관될 수 있다. 환자와의 면담에서는 환자의 병력을 알고 신체상태의 평가를 통해 안전한 마취관리를 위한 정보를 얻는 것도 중요한 목적이나 환자와의 충분한 대화를 통하여 의사와 환자 간의 신뢰를 형성하는 것이 매우 중요하다. 따라서 마취과 의사는 환자와 보호자에게 마취에 대한 정확한 정보를 제공하여 불필요한 근심을 덜어주고 의사와 환자 사이의 신뢰감 형성을 통하여 마취의 수행에서 생길 수 있는 오해나 부작용을 최소화하도록 한다.

3. 병력청취 History taking

치과치료나 수술은 신체적으로나 정신적으로 건강한 사람에게도 불안, 공포 등의 많은 스트레스를 유발한다. 더구나 고혈압이나 당뇨같은 전신질환을 가진 환자에서는 예기치 못한 응급 상황이 발생할 수 있으므로, 치료 전에 면밀한 환자상태 평가가 필요하다. 마취과 의사의 환자에 대한 병력청취는 치과의사가 기술해 놓은 내용을 반복하는 것이 아니라 수술과정이나 마취계획에 영향을 줄 수 있는 환자의 이상상태를 발견하고 평가하는 특별한 목적을 가지고 있다. 환자의 병력에 관한 정보를 얻는 방법으로는 직접 환자에게 물어보거나 병력 설문지를 이용하는 방법이 있다. 전반적 환자상태에 대한 간략한 평가와 과거의 치료경험, 마취경험, 약제에 대한 이상반응, 알레르기, 가족력 및 습관에 관한 사항 등을 조사하여 환자의 이상소견을 찾는다(표 15-1).

표 15-1. 진정 전 환자 방문에서 조사할 기본사항들

- 연령, 성별, 신장, 체중
- 활력징후
- 환자가 치료를 받게 된 진단명과 예정된 수술명
- 현재 치료받고 있는 약물요법과 부작용
- 과거 및 현재 가지고 있는 다른 질환
- 과거의 마취경험과 합병증 유무
- 마취의 어려움과 관련한 가족력
- 장기별 이상과 관련된 문진과 이학적 검사
- 흡연, 음주, 임신여부
- 마취에 대한 환자의 궁금점과 불안정도

1) 약물에 관련된 사항

마취 전 평가를 통하여 환자가 어떤 약물을 사용하고 있는지 반드시 알아야 한다. 환자가 복용 중인 약물은 마취약제의 사용량에 변화를 줄 수 있고, 근육이완제를 강화시키고, 교감신경작용 약제의 과도한 반응을 유도할 수 있고, 다른 약제의 대사에 영향을 줄 수도 있다. 대부분의 약물치료는 계속해야 하나 가끔 용량을 변경하거나 작용시간이 짧은 약제로 바꾸거나, 일시적으로 약제투여를 중단하는 것이 바람직한 경우도 있다.

항고혈압제로 사용되는 베타 아드레날린 수용체 차단제, 칼슘통로 차단제나 기타 항고혈압제 등은 보통 치료 전후에 계속 사용하도록 한다. 베타 아드레날린 수용체 차단제를 갑자기 중단한 경우, 협심증이나 심근경색 등을 유발할 수 있고, clonidine을 갑자기 중단한 경우 반동성 고혈압을 일으킬 수 있다. 일부 환자에서는 치료 전에 사용하던 약물을 중단시키거나 용량을 조절할 경우가 있는데, 그 예로는 치과치료 중 저혈량증이 예상되는 경우 이뇨제의 사용을 중단할 수 있으며, 저혈압의 위험이 있을 때 항고혈압제의 사용을 중단하거나 용량을 변경시키는 경우 등이다. 한편, 신장 기능이나, 혈장 칼륨치, 다른 약물의 사용 등이 혈중 약물 농도에 영향을 미칠 수 있다.

인공 판막치환 후 warfarin을 복용하고 있는 환자가 출혈이 예상되는 수술을 받게 되는 경우에는 치료 3~5일 전 중단하고, 대신 치료 시작 2~4시간 전까지 heparin을 정주하며, 치료 후 경구 복용이 가능해질 때까지 계속 정주 투여하도록 한다.

인슐린의 경우는 치료 전 금식으로 인하여 저혈당증의 가능성이 있으므로 사용에 특별히 주의해야 한다. 입원환자의 경우에는 평소 아침에 투여되는 양의 반을 주사하고 포도당 정주를 시작하며, 외래 치료 환자의 경우에는 치료 당일 아침에는 인슐린을 투여하지 않는 것이 안전하다.

장기간에 걸친 스테로이드 제제의 사용은 특별한 주의를 요구한다. 안면과 경부의 연부조직 비대로 인하여 기도 관리에 어려움이 초래될 수 있으며, 골격근과 호흡근의 약화, 부신기능의 억제가 초래된다.

비스테로이드성항염증약물(NSAID)은 위염, 위궤양, 사구체 여과장애, 혈소판 기능 장애, 심부전 등을 유발할 수 있다.

2) 알레르기 반응

약제에 대한 알레르기 반응에 대해 때때로 환자가 모르고 있거나 기록이 없을 수도 있다. 임상증상은 두드러기가 발생하거나 알레르기성 비염, 결막염, 혈관부종 또는 천식에서 생명을 위협할 수 있는 아나필락시스에 이르기까지 다양하며 대개 노출 후 수분에서 1시간 이내에 나타난다. 접착테이프, 라텍스에 대한 반응을 포함하여 심각한 알레르기 반응의 잠재성을 지닌 많은 약제가 수술실에서 사용될 수 있기 때문에 모든 약제에 대한 알레르기 반응이 찾아지고 기록되어야 한다. 어떤 약제가 알레르기 반응을 일으킬 가능성이 있다면 정상적인 면역검사 없이는 반복투여를 피하고 불가피하다면 항히스타민제(H_2-차단제)와 부신피질호르몬제(corticosteroid)를 미리 투여한다.

3) 과거 수술과 마취경험

환자는 수술 및 마취와 관련하여 여러 가지 부작용이나 합병증으로 인하여 비정상적인 회복과정을 경험할 수 있다. 과거에 수술 및 마취를 경험한 경우 알레르기 현상, 지속적인 근 마비현상, 각성지연, 오심 및 구토, 성대마비, 근육통, 출혈, 황달현상, 두통 등이 있었는지 확인한다. 이전의 마취 시에 치아가 흔들렸거나 발거되었다면 이는 기관 내 삽관이 어려웠음을 의미하고 안면신경마비는 마스크 기도유지가 어려웠음을 의미한다. 회복 시 심한 구토의 경험이 있는 환자는 재발의 가능성이 높다. 수술 후에 환자가 예정에 없이 중환자실에 입원을 하였거나, 치료에 많은 의사가 참여하였거나 혹은 수술 후 입원 일수가 연장되었을 경우에는 수술과 마취의 과정에서 환자의 생명이 위태로웠던 사건이 있었음을 유추할 수 있다. 환자가 기억을 못할 수 있으므로 마취과 의사는 과거의 마취기록지를 잘 살펴보아야 한다. 과거 마취기록을 보고 활력징후의 변화, 후두경 사용과 기관내 삽관 시의 상황과 어려움 등을 짐작해야 한다.

4) 가족력과 생활습관

가족과 친척 중에 유전질환, 심장병, 고혈압, 당뇨병, 암 등이 있는지, 그리고 마취 및 과거 수술과 관련하여 희생되었거나 심한 후유증으로 인해서 곤경에 처했던 경우가 있는지 그 유무를 확인해야 한다. 가족이나 친척이 수술 및 마취와 관련하여 치명적인 응급 상황에 처했던 가족력이 있는 환자에서는 악성 고열증 같은 유전질환이나 기타 다른 증후군을 갖고 있는 경우가 있다. 질환의 종류에 따라서는 가족적 소인을 묻기 거북한 경우도 있는데, 환자의 개인적인 면은 지켜주도록 주의하며 묻는다. 담배, 알코올 등의 섭취량과 빈도를 물어야 한다. 만성 흡연자는 기도분비물이 증가되어 폐합병증이 생기기 쉬우며, 술을 많이 마시는 사람은 간질환을 동반한 경우가 있다. 일반적으로 전신마취하에 수술을 받기로 예정된 환자는 1개월 전부터 금연을 권장하고 있다. 여성은 월경, 임신, 피임약복용에 대해서도 묻는다. 일상적인 활동을 위한 운동능력은 그 사람의 호흡기계와 순환기계의 예비력을 추측하는데 도움이 된다. 그 외 음식, 수면, 대변의 상태 등으로부터 전신상태를 추측할 수 있다.

5) 장기별 이상과 관련된 문진

환자의 현재병력, 과거병력에 대한 제반사항을 문진한 후, 환자의 주요 장기별 이상 유무를 확인해야 한다. 장기별 이상 여부를 확인할 때 심폐기능의 이상은 마취와 관련하여 환자에게 치명적인 영향을 미칠 수 있으므로, 보다 면밀히 문진되어야 한다.

(1) 심혈관계 질환

울혈성 심부전, 고혈압, 허혈성 심질환, 심장판막질환, 심근병증, 심장박동장애, 죽상동맥경화증 등의 심혈관계 질환은 치료 전에 자세히 파악되어야 한다. 울혈성 심부전은 이들 심혈관계 질환 중 가장 위험도가 높다. 환자가 계단을 오르고, 운동을 하고, 집안일(이불 펴기, 청소하기 등)과 같은 일상적인 활동들을 수행하는데 얼마나 숨이 찬지 질문하여 심혈관 기능의 정도를 파악할 수 있다. 흉통이 있는지, 의식소실 또는 심장마비로 치료를 받은 과거력을 조사함으로써 심혈관계 질환 유무를 파악할 수 있다. 또 심혈관계 질환과 관련이 깊은 고혈압, 고지혈증, 당뇨, 갑상선질환 등에 대한 문진과 흡연, 음주 등에 대해서 파악하는 것도 필요하다.

(2) 기도 문제와 호흡기계 질환

전신마취에서 기도의 문제는 상당한 위험을 야기할 수 있으므로 기도 확보에 어려움을 줄 수 있는 문제는 자세히 검토되어야 한다. 치아가 흔들리거나, 금이 가거나, 빠졌는지, 그리고 경추 강직이나 악관절의 이상 등을 문진하여 목과 턱 운동의 제약이 있는지 조사한다. 감기와 같은 상기도 감염이나 폐렴과 같은 폐실질의 급성 병변이 있는 환자는 전신마취와 관련하여 치명적인 응급 상황 및 여러 가지 합병증을 일으키기 쉬우므로 급성 병변을 치료한 후에 수술해야 된다. 호흡곤란, 흉통, 기침, 흡연 등에 대하여 문진하여 상기도 감염, 천식, 폐기종, 기관지염, 폐렴 등을 확인한다. 그리고 예정된 수술이 한 달 이상 남았다면, 환자와 그 가족들에게 금연에 대해 교육한다.

(3) 간질환과 위장관계 질환

간질환은 혈액응고장애와 마취제의 약력학적 변화로 치료의 여러 의학적 문제를 일으킬 수 있다. 따라서 간염, 황달, 담도 질환이 있었는지 문진하고, 음주 습관 등도 확인한다. 위장관 질환은 위 내용물 흡인의 위험도를 증가시킬 수 있다. 또한 위장관질환은 탈수, 전해질 이상, 빈혈의 위험도를 증가시킬 수 있으므로, 자주 오심과 구토를 하는지, 대변색깔 등을 문진하여 확인한다.

(4) 신장 질환

신장기능 감소는 산염기, 체액량 조절에 영향을 주고, 전해질 이상, 빈혈, 약물대사와 제거의 이상으로 치료 및 마취의 위험도를 높인다. 신장결석이 있는지, 신부전, 투석을 받고 있는지 문진을 한다.

(5) 내분비계 질환

당뇨, 갑상선, 부갑상선, 뇌하수체, 부신 질환 등의 내분비계 질환은 치료 전후의 위험도를 심각하게 증가시킬 수 있다. 당뇨가 있는지, 스테로이드 제제를 복용한 적이 있는지 문진을 한다. 당뇨병에 의한 신장 질환과 자율신경계 이상이 있는 경우에 치사율이 5~10재 증가된다는 보고가 있다.

치과 문진표

이 문진표는 효과적인 치과 치료를 위해 치료 전에 작성하는 설문지입니다.
잘 읽고 구체적으로 대답해 주십시오.

성명 : 성별:
생년월일:
직업: 체중

1. 현재 치료받는 병원이 있습니까? (예, 아니오)
   1-1 "예"라면 병원 이름과 병명, 주치의 성함을 적어주십시오.
2. 과거에 병원에 입원한 적이 있습니까? (예, 아니오)
3. 과거에 장기간 병원 치료를 받은 적이 있습니까? (예, 아니오)
4. 지난 1년 동안 장기 복용한 약제가 있습니까? (예, 아니오)
5. 다음 중 경험한 질환이 있으면 표시하십시오.
   심장질환, 뇌졸중(중풍), 고혈압, 천식, 당뇨병, 간염, 결핵, 류마티스 관절염, 빈혈, 신경성 질환, 황달, 간질, 류마티스 열, 매독, 신장 질환, 암(악성 종양) 기타..
6. 약물 알레르기가 있습니까? (예, 아니오)
7. 다치거나 이를 뺀 후 지혈이 되지 않은 경우가 있습니까? (예, 아니오)
8. 여성의 경우 현재 임신중입니까? (예, 아니오)
9. 마취나 수술적 치료에 문제가 있었던 적이 있습니까? (예, 아니오)

그림 15-1. 문진표의 예시

(6) 신경학적 질환

경련, 발작 혹은 마비가 있었는지, 신경손상, 혹은 뇌손상 등의 유무 등이 신경학적 질환의 진단에 도움이 된다.

(7) 혈액응고 이상

출혈은 응고인자의 선천적 결핍 또는 약물, 질병에 의한 혈소판이나 혈관 기능 장애에 의해 생길 수 있다. 상처, 코피, 작은 멍, 발치 등으로 출혈이 지속된 적이 있었는지 등을 질문하여 확인을 한다.

(8) 그 밖의 문제들

후천성 면역결핍증(AIDS), 약물 남용 가능성 등은 정보를 얻기가 쉽지 않다. 그러나 이런 정보가 치료 전후의 위험도와 계획에 영향을 미치므로 반드시 병력 청취단계에서 발견하는 것이 중요하다. 이러한 질문들이 더 좋은 치료를 위한 것이라고 환자에게 확신을 줄 수 있다면, 성공할 가능성이 있다. 하지만 법치의학적인 문제들도 상존하므로 이런 문제들의 관리는 병원정책과 함께 이루어져야 한다.

6) 문진의 방법

위의 내용을 간편하게 확인하는 방법으로는 그림 1과 같은 문진표를 미리 준비하여 대기하고 있는 동안 미리 기록하게 하는 것이 편리하며, 이를 기초로 전신상태에 대한 정보를 구체적으로 청취 수집한다. 이 때 환자에 따라서는 자신의 전신 질환(특히 혐오감을 유발할 수 있는 간질, 성병, 에이즈 등)을 숨기고 싶어하는 사람도 있기 때문에 환자와 정서적 교감을 갖도록 노력해야 하며, 성의 있고 진지한 자세가 중요하다. 또한 고령의 환자들은 자신의 과거 질병을 망각하거나 병력 청취가 자신의 치과 진료와 관련이 없다고 오해하여 비협조적으로 대답할 가능성이 있으므로 따뜻한 관심을 가지고 병력 청취에 임해야 하며, 너무 상세한 질문으로 병력청취에 사건을 너무 지체하여 오히려 스트레스를 주는 일은 피하도록 하는 것이 바람직하다.

4. 이학적 검사

병력에 관한 문진을 시행한 후 환자의 각 장기기능의 이상 유무를 확인하기 위하여, 시진, 촉진, 타진, 청진으로 이학적 감사를 시행한다. 이때 환자의 의식 상태와 더불어 활력 징후(vital signs)에 관한 사항도 점검한다. 환자의 병력과 환자에게 계획된 마취 종류를 바탕으로 이학적 검사의 정도를 결정하게 되는데, 일반적으로 건강한 사람의 경우에는 기도와 호흡기계, 심혈관계에 대한 평가만으로 충분한 경우가 많다. 최근에는 후천성면역결핍증 같은 감염 질환의 유행으로 환자와의 신체적 접촉 상황에서 감염에 주의하도록 권고하고 있다.

1) 활력 징후

일반적으로 혈압, 맥박, 호흡은 건강 상태를 나타내는 기본지표로 여겨지며, 여기에 체온을 합쳐 기본 활력 징후라고 불린다. 활력 징후의 이상 소견은 환자가 가지고 있는 문제를 평가하는데 중요한 근거가 될 수 있다. 혈압은 혈압계나 청진기를 이용하여 간접측정이 가능하다. 최근에는 맥박수까지 측정되는 전자혈압계도 유용하게 이용된다. 하지만 직접 요골동맥에 손가락을 대고 동맥의 박동을 측정하면, 맥박수뿐만 아니라 리듬, 진폭, 맥박의 크기 등 여러 특성들을 알 수 있다. 호흡은 주로 시진에 의해 진찰하며 환자의 가슴의 오르내림과 호흡의 용이성을 관찰한다. 호흡양상의 규칙성과 리듬을 관찰하고, 호흡의 깊이와 보조호흡근의 사용도 관찰한다. 체온은 겨드랑이 체온, 구내 체온, 그리고 직장 체온 등을 측정한다. 최근에는 고막 체온계가 편의성, 속도, 비침습적이라는 특성 때문에 점점 더 광범위하게 사용되고 있다. 참고로 활력 징후를 평가할 때에 먼저 측정 방법의 정확도에 대해서 평가하는 것이 중요하다. 예를 들면 비만 환자에서의 혈압은 혈압측정에 사용되는 커프(cuff) 크기의 제한으로 환자의 혈압보다 높게 측정되는 경향이 있다. 비정상적인 활력징후는 그 원인에 대해서 반드시 밝혀져야 한다. 때로는 심한 탈수 상태에서도 보상기전으로 정상적인 활력징후를 보이는 경우도 있으며, 또한 정상 범위의 활력징후라고 생각되는 수치도 모든 환자에서 동일하게 적용될 수 없다는데도 주의한다. 만성 고혈압 환자에서 병실 혈압이 150/90 mmHg였는데, 수술실에 도착한 직후 측정한 혈압이 110/70 mmHg라면 정상 혈압이 아닐 수도 있다. 혈압과 심박수의 기립성 변화를 보이는 경우는 이뇨제 사용이나 장기간 금식 또는 출혈 시와 같이 혈액량 감소가 의심된다.

2) 기도 평가

진정하에서 치과치료를 받게 될 환자의 상기도의 해부학적 구조는 정확하게 분석되어야 한다. 기관 내 삽관이 원활하게 되지 않을 경우 합병증 발생이나 사망을 초래하므로 진정 전 기도에 대한 평가는 매우 중요하다. 기도를 평가할 때는 환자의 목의 상태, 하악과 상악의 형태, 구강과 치아의 구조, 비강 상태, 턱관절과 경추의 운동성 등을 본다. 비만 환자, 쿠싱병이나 장기간 스테로이드 제제 복용, 갑상선 비대증 등에서 보이는 목의 연부 조직 비대, 목의 길이가 짧은 경우, 악관절 이상으로 인한 개구 장애, 경추의 운동 장애 등은 기도 관리에 어려움을 초래할 수 있다. 치아 질환이나 발치 상태, 인공치아의 유무도 중요하며, 개구 시의 입의 크기, 갑상연골의 상연에서 턱까지의 길이 등도 기도관리의 난이도 예측에 도움이 된다. 비강을 통한 기관 내 삽관이 필요한 경우 비강의 상태와 비공의 크기를 확인해야 한다. 이전에 기관 절개를 시행 받은 흔적이 있는 경우는 과거 기도관리에 어려움이 있었거나, 현재 성문 하 협착의 가능성을 시사하는 소견이다. 이학적 검사에서 기도관리에 어려움이 예상되는 경우에는 치료 전 방사선 검사를 추가함으로써 기도의 상태를 확인하는 것이 필요하다. 기도관리에 관한 자세한 사항은 29장을 참고하기 바란다.

3) 호흡기계 평가

흉곽, 목, 복부의 상태, 호흡 시 움직임과 양상을 관찰하는 것이 필요하다. 원통형흉곽(barrel-shaped thorax)은 폐기종 등의 만성 폐쇄성 폐질환을 시사하며, 척추후만(kyphosis), 측만(scoliosis), 비만, 누두흉(pectus excarvatum), 화상반흔 등이 있을 경우에는 제한성 폐질환의 가능성에 대해서 생각해 봐야 한다. 또 흉곽의 편측성 확장은 기흉, 흉수, 흉강내 출혈 등에서 볼 수 있고, 편측성 수축은 흉막염 후유증, 폐의 위축, 무기폐 등에서 볼 수 있다. 청색증, 곤봉지(clubbed finger) 등 폐질환의 가능성을 나타내는 말초성 징후도 관찰해야 한다. 타진으로 호기와 흡기의 폐간 경계의 위치 차이(호흡성 이동은 심호흡 시 3~5 cm)에서, 폐와 횡경막의 움직임 등을 확인할 수 있다. 청진 상 기관지천식 환자에서는 호기가 흡기보다 길며 쌕쌕거림(wheezing)이 동반될 수 있다. 악설음(crackles)은 무기폐, 폐렴, 울혈성 심부전 등에서 나타날 수 있다. 일단 청진상 이상소견이 발견된 경우에는 흉부방사선 사진을 확인하는 것이 반드시 필요하다.

4) 심혈관계 평가

심혈관계의 이학적 검사는 고혈압, 죽상동맥경화증, 심장판막질환과 울혈성 심부전 같은 심각한 심혈관계의 병적 상태를 발견하고, 환자의 심혈관 기능을 평가하는데 목적을 둔다. 신장이 만져진다거나 복부에서 잡음(bruit)이 들리거나, 갑상선의 비대, 복부의 색소 침착, 말단비대증, 상하지의 혈압차 등은 2차성 고혈압의 징후를 발견하는데 유용하다. 죽상동맥경화증은 고지혈증을 시사하는 피부의 황색종, 동맥 순환의 장애를 시사하는 하지의 피부 변화, 고혈압, 통풍, 비만 등의 소견으로 의심하며, 경동맥이나 대퇴 동맥에서 잡음이 청진되는 경우 직접적인 죽상경화증의 증거가 된다. 청진상 심잡음이 있을 경우에는 심장판막질환 등이 있을 수 있으므로 심전도, 방사선과적 검사와 타과 자문이 필요하다. 울혈성심부전의 경우는 제3심음이 들릴 수 있고, 폐수포음, 경정맥 확장, 말초부종 등이 보인다.

5) 신경/근골격계 평가

일단 환자의 의식상태, 치료 전 두 동공의 크기가 동일한지, 치료 자체나 치료 중 환자의 자세 등에 의하여 이환될 수 있는 뇌신경, 안면신경 기능을 미리 알아본다. 드문 경우지만, 정상인데도 두 동공의 크기가 서로 다른 경우가 있다. 이 경우 마취 전 미리 확인하지 않으면, 마취 후 뇌졸중과의 감별이 어려울 수도 있다. 기관 내 삽관이나 부위마취의 시행을 더욱 어렵게 만드는 강직척추염, 척추측만증, 심한 류마티스성 관절염을 가진 환자는 근골격계 검사로 알 수 있다.

6) 복부 검사

간문맥고혈압이나 하대정맥폐쇄 등에서는 표재성 복부혈관의 확장이 나타날 수 있으며, 붉은 색의 복부 선은 혈중 cortisol (코티솔) 수치가 높을 가능성을 나타낼 수 있다. 여러 가지 원인으로 초래될 수 있는 복부 팽대는 위식도역류의 가능성을 증가시키므로 매우 중요한 소견이다. 간을 촉지함으로써 간비대의 소견이나 촉진 시 통증이 있으면 심실부전에 의한 간울혈, 간염, 담낭질환 등을 의심할 수 있다.

표 15-2. 시진을 통한 전신 질환의 존재 추측

시진 부위	소견	의심해볼 수 있는 전신 질환
피부색	청색증	심장질환
	창백	빈혈, 혈액질환, 긴장, 요독증
	홍조(flushing)	발열, 간질환, 갑상선기능항진증
	황달	간질환
눈	안구돌출증	갑상선기능항진증
	결막창백	빈혈
	공막황달	간질환
손	손떨림	불안, 갑상선기능항진, 다발성경화증
	손가락 곤봉모양	심폐질환
	손톱의 청색증	심폐질환
목	경정맥 팽만	우심부전(Right heart failure)
안면	부종	신증후군, 급성 사구체신염
하지	부종	울혈성 심부전

7) 환자의 관찰(시진)

안면 등 노출된 신체 부위는 전신 상태가 잘 반영되는 부위이다. 관찰 항목으로는 안색, 안면의 피부, 안검이나 결막 등이 있으며, 신속하게 시행할 수 있다. 이와 동시에 표정이나 눈을 관찰하여 정신상태의 추측도 가능하다(표 15-2).

5. 임상 검사 Laboratory examination

병력 및 이학적 검사와 더불어 치과치료 및 마취를 위하여 통상적으로 임상병리 검사와 방사선 검사를 시행하게 된다. 극히 기본적인 검사를 제외하고는 그 환자의 연령, 건강상태 및 치료의 침습정도 등에 의해 검사할 내용과 범위가 결정되어야 한다(표 15-3). 의료비 절감의 측면에서도 모든 환자에서 동일한 검사를 시행하는 것이 아니라, 병력과 이학적 검사에 의해 얻어진 정보로부터 검사 항목을 결정하는 것이 바람직하다. 실제에는 법학적, 관습적, 시간적 제약도 있어 여러 가지 검사가 불필요하게 시행되는 경우가 많은 것이 현실이다. 그러나 일반적인 값싼 검사 목록을 처방하여 이상이 발견되는 확률은 낮고, 우연히 치료 당일 발견된 비정상 소견으로 어떻게 대처해야 할지 혼란스러워 하는 경우도 있다. 그러므로 가급적 빠른 시기에 치료 전 환자를 진찰하고 필요한 검사를 유기적이고 확실하게 행하는 노력이 중요하다.

임상병리검사는 전신 질환자의 신체 상태를 객관적으로 나타낼 수 있는 방법 중의 하나이다. 치과 진료에서 필요한 임상 검사는 표 15-4에서와 같이 종류가 많지 않으므로, 치료 목적에 부합된 임상병리검사를 선별하여 자체적으로 또는 인근 병의원을 이용해 시행하고 그 결과를 이해하는 것이 바람직하다.

표 15-3. 수술 전 진단을 위한 검사항목

검사항목	추천 대상
흉부방사선 검사	60세 이상의 모든 환자 특별한 적응증을 가진 환자(예: 고혈압, 악성 종양, 급성 폐증상 등)
심전도	40세 이상의 모든 남자 환자, 50세 이상의 모든 여자 환자 특별한 적응증을 가진 환자(예: 고혈압, 심계항진, 기존의 심근경색)
혈액검사(CBC)	특별한 적응증을 가진 환자(예: 신장질환, 항응고제사용, 악성 종양)
혈장 생화학검사	특별한 적응증을 가진 환자(예: 간염, 신장질환, 당뇨병)
소변검사	특별한 적응증을 가진 환자(예: 요로에 증상이 있을 때)
혈액응고검사	병력과 특별한 적응증을 가진 환자(예: 출혈의 병력, 악성 종양, 항응고제의 사용)
이전의 검사결과의 이용	
흉부방사선 필름	새로 발생한 증상이 없으면, 1년 이내에 촬영한 정상소견 필름
심전도	새로 발생한 증상이 없으면, 6개월 이내에 검사한 정상소견 심전도
혈액검사	새로 발생한 증상이 없으면, 6주 내에 검사한 정상소견 혈액검사

표 15-4. 일반적인 임상병리검사의 종류와 목적

일반혈액검사(CBC)	적혈구, 백혈구(감별 계산), 혈소판
뇨검사(Urinalysis), Creatinine	요로계 평가, 신기능 평가
간효소치검사(GOT, GPT)	간기능 평가
aPTT, PT (INR)	혈액응고 평가
Serum electrolyte	체액의 전해질 평가
HBsAg/anti HBs, anti HCV	바이러스성 간염 평가
VDRL (TPHA, FTA-ABS)	매독 선별검사(매독 특이검사)
HIV Ab ELISA	에이즈 선별검사
FBS (fasting blood glucose)	공복시 혈당
HbA1c(당화혈색소)	이전 2~3개월간 당조절

이외에도 폐질환 평가를 위한 단순흉부방사선사진과, 심장 전기전도 평가로 심전도(electrocardiogram, ECG)를 실시할 수 있다. 표 15-5에는 자주하는 검사의 정상치를 보여주고 있으므로 임상 검사 결과와 비교 분석해야 한다.

표 15-5. 자주하는 검사의 정상치

일반 혈액검사	WBC	4.3~10.8 × 103/mm^3
	RBC	4.2~6.9 million/μL/cu mm
	Hb	12~16 gm/dL
	Hct	36~48%
	Platelets	150,000~350,000 /ml
신기능	BUN	10~26 mg/dL
	Creatinine	0.7~1.4 mg/Dl
전해질	Sodium	135~145 mEq/L
	Potassium	3.5~5.5 mEq/L
간기능	GOT	7~40 IU/L
	GPT	7~40 IU/L
Coagulation	PT (INR)	0.8~1.2 INR
	aPTT	25~34 sec
혈당	FBS	70~110 mg/dL
	HbA1c	4.0~6.4%
매독검사	VDRL (비특이)	nonreactive
요검사	S.G.	1.005-1.030
	albumin	negative
	glucose	negative
	WBC, RBC, epith cell	0-4/HPF

6. 수술 및 마취위험도

환자의 병력 청취, 이학적 검사 및 임상 검사를 시행한 후 환자의 치료 위험도를 파악하게 된다. 마취 및 치과치료의 위험도는 여러 요인에 의해 좌우되는데, 환자의 전신상태, 치료와 관련된 요인, 마취와 관련된 요인, 그리고 수술실 환경과 관련된 요인 등이 있다. 이들 중 환자의 전신상태가 가장 중요하다.

1) 환자의 신체상태 분류

마취 전 평가의 마지막 단계에서 환자 각각의 신체 상태에 따라 몇 개의 군으로 분류하는데 대부분 미국마취과학회에서 채택하여 사용하는 신체상태분류법(American society of anesthesiologists physical status classification)을 따른다(표 15-6). 치과마취영역에서 1급 또는 2급의 환자에서 기술상의 문제가 없다면, 안전하게 마취 및 치과치료가 가능하다. 그러나 3급에서는 종종 내과적 문제가 발생할 수 있으며, 때로는 응급 상황이 발생할 수 있다. 4급과 5급은 보통 치과치료의 적응이 되지 않는다.

ASA 환자상태분류에서 3급 이상의 환자들 즉, 잘 조절되지 않는 고혈압이나 심혈관계 합병증이 동반된 당뇨병, 일상생활에 지장을 주는 폐질환이 있는 환자들에서 수술 및 치료가 계획되면 내과적 의학자문이 요구된다. 고혈압이나 당뇨병 환자에서 흔히 복용하는 항혈소판 제제인 아스피린을 일시적으로 중단해도 되는지, 전신마취와 국소마취제의 투여 시에 부작용이 발생되는 약물은 없는지, 질환에 따라 치료 중 주의해야 할 점은 무엇인지에 대해 상세하게 문의하여 내재된 부작용을 막도록 한다.

2) 수술 및 마취와 관련된 요인

수술의 위험은 환자에 관련된 사항뿐만 아니라 수술부위, 수술의사의 숙련도, 특수한 수술 조작, 필요한 의료시설과 장비, 응급수술과 선택수술, 수술시간 등에 영향을 받는다. 또한, 마취제와 마취과 의사의 역량에 문제가 있는 경우 위험도가 증가하며, 마취시간이 길수록 이환률과 사망률은 증가한다. 마취방법, 마취에 필요한 기계, 기구, 환자감시장치의 충족도, 기계와 기구의 숙련도도 요인이 될 수 있다.

표 15-6. 환자 신체상태의 분류(ASA* 분류)

1급(Class 1)	전신질환이 없는 건강한 환자 (예) 건강한 젊은 사람의 서혜부 탈장
2급(Class 2)	신체 기능 제한을 초래하지 않는 경한 전신질환을 가진 환자 (예) 합병증이 동반되지 않은 고혈압이나 당뇨병, 만성 기관지염, 비만, 60세 이상의 고령 환자
3급(Class 3)	신체 기능의 제한을 초래하는 중한 전신질환을 가진 환자 (예) 잘 조절되지 않는 고혈압, 심혈관계 합병증이 동반된 당뇨병, 협심증, 심근경색의 병력, 일상생활에 장애를 줄 정도의 폐질환
4급(Class 4)	생명에 위협이 되는 전신질환을 가진 환자 (예) 심부전, 불안정한 협심증, 진행된 상태의 폐, 신장, 간질환
5급(Class 5)	수술의 시행여부에 관계없이 24시간 내에 사망률이 50%인 사망 전기환자 (예) 복부 대동맥류의 파열, 폐색전, 뇌압이 상승된 두부외상
6급(Class 6)	장기 공여를 위해 수술이 예정된 뇌사 환자
응급 수술(E)	환자가 응급수술을 요할 때 신체상태분류 등급 숫자 뒤에 'E'를 붙인다. (예) 건강한 30세의 남자 환자가 치질로 인한 항문 출혈로 응급수술을 받게 되었다면 이 환자의 신체 분류는'1E'이다.

* ASA: American society of anesthesiologists.

3) 설비, 환경, 의료체제에 관련된 요인

기타 수술환경, 환자관리체제, 의료보조인력의 수와 역량, 인간관계 등이 위험도와 관련이 있을 수 있다.

7. 마취계획

전신상태와 마취위험도 평가, 치과치료 계획 등을 고려하여 마취계획을 수립하게 된다. 마취계획의 주요사항은 ① 마취 전처치에 관한 사항, ② 마취방법, ③ 치료 중 마취관리, ④ 치료 후 마취관리 등이 있으며 기록으로 남겨져야 한다.

1) 마취방법을 결정할 때 고려사항

(1) 기본적으로 고려할 점

① 국소마취는 전신마취에 비해 전신에의 영향이 적지만 반드시 전신마취보다 안전하다고 말할 수는 없으며, 오히려 국소마취 시에 적절한 환자감시의 생략으로 이환율을 높일 수 있다.

② 치과치료에서는 치료부위가 기도의 입구 및 주변부여서 개구장애의 빈도가 높기 때문에 기도의 확보가 마취계획에서 중요한 부분이 된다.

③ 의식이 소실되면 방어반사가 약화되거나 소실되기 때문에 가능하면 의식이 있는 경우가 안전하다.

(2) 환자측의 요인

① 외래환자인가, 입원환자인가

외래환자의 경우, 비교적 작은 처치나 수술이 많고, 치료당일에 귀가시키기 위해 국소마취가 선택되는 경우가 대부분이다. 외래환자로 처치 및 치료에 따른 스트레스를 최소한으로 하고 싶은 경우에는 진정법의 병용이 유효하다. 많은 치아의 집중치료, 인두반사가 비정상적으로 증가된 경우, 국소마취제 과민증 등에서는 전신마취를 선택하는 경우가 많다. 외래에서의 전신마취는 충분한 준비를 한 후에 각성이 빠른 방법이 선택되는데, 치료가 길어지거나 합병증이 발생한 경우에는 치료당일은 입원을 시키는 것이 좋다. 입원환자는 치료 전후의 관리에 만전을 기할 수 있기 때문에 마취방법의 선택 폭이 넓어진다.

② 전신상태

전신상태가 불량한 경우 마취방법의 선택은 제한된다. 일반적으로 국소마취가 선택되는 경우가 많은 데, 합병증에는 충분히 대응할 수 있어야 한다. 그리고 위의 공복상태와 환자의 나이도 고려되어야 한다.

③ 환자의 협력 정도

소아, 정신발달지체, 정신장애, 치과치료공포증 등이 있는 환자의 경우, 치료에 협력이 얻어지기 어려우므로, 전신마취가 필요한 경우가 많다. 진정법의 사용이 도움이 되는 경우도 많으므로 고려해 둔다.

④ 환자의 선호도

간단한 치과치료라도 환자가 국소마취를 기피하는 경우, 진정법 병용이나 전신마취를 할 수 있다. 또한 다수의 치아치료나 중증도의 수술이라도 환자가 원하면 전신마취 대신 국소마취와 진정법으로 여러 번 나누어 치과치료를 시행할 수도 있다.

⑤ 구강악안면영역의 감염

급성 감염의 경우 발치 전에 항생제의 적절한 혈중 농도가 유지되는 것이 중요하며 환자의 상태가 전신마취의 금기증이 되지 않는 한 전신마취하에서 발치하는 것도 고려해 볼 수 있다. 감염된 부위는 마취 효과가 충분치 않으므로 국소마취 시 전달마취를 하는 것이 효과적이며, 마취액은 감염되지 않은 부위에 주입되어야 한다(마취액이 봉와직염이 있는 곳에 주입되면 심한 동통과 감염의 확산이 초래되는 심각한 결과를 유발할 수 있기 때문이다).

⑥ 아관긴급(Trismus)

아관긴급(trismus)의 경우 구강외 전달마취를 사용하거나 기관 절개술(tracheotomy)을 통한 전신마취를 행할 수 있지만, 시술 부위로의 접근이 어렵기 때문에 여전히 많은 문제점이 남게 된다.

(3) 치료의사측의 요인

① 치과치료 침습의 정도, 치료부위: 짧은 시간의 소수술은 일반적으로 국소마취로 가능하나, 한 두 시간 정도의 치과치료가 필요한 경우에는 진정법의 사용을 고려한다. 치료의 침습정도가 비교적 크고, 광범위한 치료에서는 입원시킨 후에 전신마취가 필요하다. 부위에 따라서는 기도확보가 곤란한 경우도 있어 이에 대한 대책이 필요하다.

② 치료 의사의 수련도, 보조 인력의 역량과 인력 수, 치료 의사의 선호도

③ 치료 시의 체위, 침습적인 치료기구의 사용 유무 등

(4) 마취과 의사측의 요인

① 숙련도, 선호도

치료 환자의 전신상태가 불량한 경우에는 가급적 숙련된 방법을 선택하는 것이 위험이 적다.

② 마취관련 장비, 기구(모니터 등을 포함)의 충족도

충분히 구비되고 정비되어 있으면 마취가 보다 안전하게 이루어지며, 응급상태의 조기발견과 대응이 가능하다.

2) 치과치료 중 마취관리

마취제의 선택, 치료 중 환자상태를 파악하기 위한 환자감시 장치의 종류와 범위, 수액관리 및 수혈방법, 환자의 체위 그리고 치료 시 고려되고 있는 특별한 수기(유도저혈압 마취법 등) 등이 계획되어야 한다.

3) 치료 후 마취관리

치료 후 통증관리, 외래환자의 퇴원 전후의 관리 및 전신 상태가 불량한 환자의 중환자 관리에 대하여 고려해야 한다.

8. 환자의 동의

마취를 시행하기에 앞서 마취과 의사는 환자의 동의를 얻어야 한다. 환자에게 시행할 마취방법에 대하여 설명하고 마취의 좋은 점과 위험성에 대하여 솔직하게 이야기하고 마취과정에 대하여 동의를 얻어야 한다. 이러한 과정에서 환자의 반응은 다양해서 더 전문적 부분에 대한 질문을 할 수도 있고, 마취시술에 관하여 의문을 갖지 않고 신뢰를 표시할 수도 있다. 마취과 의사는 환자가 묻는 모든 질문에 대답할 준비를 해야 하며, 합리적이고 타당한 결정을 내리기 위하여 적절한 정보를 제공해야 한다. 서면으로 작성된 환자 동의서는 진료기록부에 포함되어야 한다. 국내에서는 대한의학회에서 제정한 마취에 대한 설명 및 환자 동의서 양식의 사용을 추천하고 있는데 그 중에서 상기도 감염의 의심이 있을 때 마취에 대한 동의서를 예를 들면 표 15-7과 같다.

9. 마취 전 기록

전 평가과정을 종합하여 환자진료기록부에 마취 전 기록을 한다. 이 기록은 마취과 의사의 환자에 대한 평가와 마취계획을 다른 사람에게 알리는 기록이므로 마취와 관련된 병력, 이학적검사와 병리검사 결과 등을 평가하여 다음과 같은 순서로 간결하게 기술한다.

① 환자의 신분확인: 성명, 나이, 성별, 계획된 수술명

② 환자가 가지고 있는 주된 질환에 관한 사항: 환자의 병력과 이학적 소견의 간략한 기술(질환명, 기능상의 중증도, 치료현황, 수술에 미칠 수 있는 영향, 치료계획)

③ 마취관리에 미치는 특별한 문제점: 약물 알레르기, 기도와 치아에 관한 소견

표 15-7. 상기도 감염의 의심이 있을 때 마취에 대한 설명 및 동의서

환자의 이름: 주민등록번호:
주 소:

1. 마취에 대한 설명

간략하게 설명하면 마취의 종류는 전신마취와 부분마취로 나눌 수 있으며 전신마취는 환자의 의식을 소실시키고, 감각신경, 운동신경 및 반사반응을 일시적으로 차단시켜 수술을 하기에 적절한 상태로 둠을 말하며 부분마취의 경우는 수술부위에 국한하여 감각신경과 운동신경 및 반사반응을 차단시키고 의식은 필요에 따라 소실시키거나 유지시킵니다.

마취는 시술과정에서 기도를 확보하여 호흡을 관리하고 수술의 진행과정에 맞추어 적절한 마취심도를 유지하기 위해 마취약제를사용하여 의식이나 순환, 근육이완 상태 등을 조절함과 동시에 환자의 생명활력 징후를 정상으로 유지시켜야 하며 수술이 끝난 후에는 환자를 즉시 원래의 상태로 회복시켜야 하기 때문에 전문적인 지식과 수기 및 임상경험이 필요한 분야입니다.

수술질환이나 동반질환으로 전신질환을 가진 환자가 마취를 시행 받을 때는 전신질환이 없는 환자에 비해 마취시술 과정에 따르는 위험이 크므로 귀하의 질환과 마취시술에 미치는 영향에 대하여 다음과 같이 설명하고자 합니다.

2. 진단명

가. 귀하의 현재 상태: 상기도 감염의 의심이 있습니다.

나. 상기도 감염의 증상: 소아의 가장 흔한 감염성 질환으로 어른보다 증상이 심하며 비인두뿐만 아니라 코곁굴, 중이등에 잘 파급되므로 중요시됩니다. 주요원인은 바이러스, 세균 감염이 흔한 원인이며 코곁굴, 귀, 목 림프절, 폐 등의 합병증이 원인이 될 수 있습니다.

다. 상기도 감염의 환자는 마취 중에 기관지경련, 후두경련, 기도 분비물 증가와 산소 불포화를 동반하여 위험을 초래할 수 있습니다. 일반적으로 계획수술을 할 환자에서 상기도 감염이 있으면 수술을 연기함이 현명하다고 합니다.

마취에 대한 설명 및 진단명에 대하여 들었습니다. 서명 (인)

3. 마취 중에 귀하의 위 증세를 완화시키기 위한 방법

가. 가능한 한 전신마취를 피하여 국소마취를 시행하거나 기관 내 삽관을 피하여 마스크로 호흡을 유지하며 전신마취를 시행할 수 있습니다.

나. 기관 내 삽관을 할 때 일반적으로 사용하는 크기보다 작은 내경을 가진 튜브를 사용합니다.

다. 깊은 심도의 마취를 시행합니다.

라. 기도반사 및 기도부종의 발생을 억제하기 위한 lidocaine, opioid 등의 여러 약제를 사용할 수 있습니다.

마취 중에 증세를 완화시키기 위한 방법에 대하여 들었습니다. 서명 (인)

4. 마취 중이나 직후의 후유증 내지 합병증

상기도 감염은 악화될 경우 기관지경련, 후두천명, 저산소증, 무기폐 등을 일으킬 수 있으며 이로 인하여 수술 후 회복실에서 호흡곤란, 호흡부전 및 호흡정지까지 초래할 수 있습니다. 그러므로 상기도 감염 시에는 응급 수술일 경우, 전신적인 증상이 없는 경우, 국소 마취로 수술이 가능한 경우 등에 한하여 마취를 시행하고 그 외의 경우에는 수술을 4주 내지 6주 연기하는 것이 좋습니다.

마취 중이나 직후의 후유증에 대하여 들었습니다. 서명 (인)

5. 귀하의 경우 현재 다음과 같은 특이 사항이 있습니다.

1) ______________________________

2) ______________________________

년 월 일

주치의사: ____________ (인)

면허번호: ____________ (인)

6. 서약

본인은 위 증으로 인하여 마취 중에 발생할 수 있는 후유증과 합병증에 대하여 충분히 이해하였으므로, 마취를 시행 받을 것을 신청합니다.
아울러 마취 시술에 따른 모든 지시사항을 충실히 이행하며 마취전담 의사의 지시와 판단에 전적으로 협조할 것을 서약합니다.
귀하의 증상과 치료 및 후유증에 관한 상세한 설명을 들었다면 "들었음"
본 동의서 사본을 받았으면 "받았음"이라고 자필로 기재해 주십시오.
본 동의서는 잘 보관하십시오.

년 월 일

주치의사: ____________ (인)

면허번호: ____________ (인)

④ 마취계획에 관한 사항: 전신마취나 부위마취의 선택과 그 이유, 필요한 감시장치, 치료제의 가감과 자문이나 추가 검사를 하도록 하는 수술 전 부탁 사항, 수술 후 처치에 관한 사항
⑤ 환자의 신체상태 등급과 동의에 관한 사항
⑥ 기록한 의사의 서명

만일 계획된 수술을 연기해야 할 이유가 있을 경우에는 외과 의사와 충분한 상의를 해야 한다.

표 15-9. **마취 전 투약제의 선택과 용량을 결정하는 사항들**

- 환자의 연령과 체중
- 환자의 전신상태
- 환자의 불안상태
- 약물에 대한 내성
- 과거 약물에 대한 경험
- 약물에 대한 알레르기 반응
- 응급수술 또는 정규수술
- 외래환자 또는 입원환자

10. 마취 전 투약

마취과 의사는 수술 전에 환자를 방문하여 환자의 정신적 그리고 신체적 상태를 평가해야 하는데, 특히 수술에 대해서 정신적으로 준비시키고, 마취 전 투약을 결정하는 것이 마취의 첫 단계가 된다. 불안은 수술에 동반되어 정상적으로 발생되는 정서반응이며, 마취 전 투약의 가장 중요한 목적은 불안해소에 있다. 수술 전 환자의 불안을 해소해 주는 것이 수술 후 결과 향상에 도움을 준다기 보다 수술에 대한 공포와 불안을 덜어주어 환자를 편안한 상태로 유지하는 것 자체가 마취과 의사의 중요한 임무이다. 마취 전 면담과 적절한 약제의 투여로 진정, 불안해소, 기억상실, 진통, 기도 내 분비물을 감소, 위 내용물의 감소 및 흡인성 폐렴의 예방, 미주신경 차단, 오심 및 구토의 예방, 감염 예방 등의 효과를 기대할 수 있다(표 15-8).

표 15-8. **마취 전 투약의 목적**

• 불안제거	• 미주신경 반사 억제
• 진정	• 마취제의 감량 효과
• 진통	• 원활한 마취유도
• 기억상실	• 수술 후 진통효과
• 타액분비억제	• 수술 후 오심 및 구토 억제
• 위액의 분비량 감소	• 알레르기 반응의 예방
• 위액의 산도 감소	• 감염 예방

마취 전 투약은 환자의 상태와 치료의 종류에 따라 달라지며, 상황에 맞게 처치되어야 한다. 예를 들어, 마약성 진통제와 진정제 그리고 특히 이들의 복합사용은 저혈압, 호흡억제, 의식소실, 상기도 폐쇄, 과탄산혈증, 저산소증의 합병증을 일으킬 수 있다. 특히 노인, 기도장애나 호흡억제의 위험이 있는 환자 그리고 저혈압을 일으키기 쉬운 환자는 용량을 줄이거나 사용을 금지해야 할 수도 있다(표 15-9). 마취 전 투약제로 흔히 사용하는 약제는 다음과 같다.

1) 약물에 의한 불안 제거

수술 전 방문과 면담으로 불안을 감소시킬 수 있으며 필요한 경우 진정제를 투여하게 된다. 과거에는 barbiturate계 약물도 사용되었으나 최근에는 기억상실 효과를 같이 가지고 있으며, 작용시간이 짧은 benzodiazepine 제제가 흔히 이용된다(표 15-10).

(1) Benzodiazepine 계

Benzodiazepine 계는 흔히 사용되는 마취 전 투약제이며 진정, 기억상실, 불안해소, 약한 근이완 효과가 있다. 아편유사제에 비해 호흡억제 효과가 적으며, 약제에 따라 근육 주사나 정맥주사 부위에 통증, 정맥염을 유발할 수 있다.

표 15-10. 성인에서 불안해소를 위한 마취 전 투약

약물	용법	용량(mg/kg)	투여시간
Benzodiazepines			
Diazepam	Oral	0.2~0.5*	수술 전날 밤
Lorazepam	Oral	0.05	수술 1시간 전
	IM	0.03~0.05**	수술 30분~1시간 전
Midazolam	Oral	0.3~0.75	수술 1시간 전
	IM	0.05~0.08	수술 30분 전
Barbiturates			
Secobarbital & Pentobarbital	Oral or IM	2~4***	수술 30분~1시간 전 수술 30분 전

* 최대용량 15 mg, ** 소아 사용 금기, *** 최대용량 150 mg

① Midazolam

Benzodiazepine 수용체에 대한 친화력이 매우 강해서 diazepam 보다 3~6배의 역가를 가지며, 수용성이므로 비교적 신속하게 대사된다. 작용 발현과 작용 시간은 비교적 짧아 정맥주사 시 3~5분, 근육 주사 시 15~30분에 최대효과가 나타나며, 성인에서 불안해소를 목적으로 하는 근육 주사 용량은 0.05~0.08 mg/kg이다. 정맥주사 시 통증이나 정맥염을 유발하지 않는다.

② Lorazepam

주사 시 통증이나 정맥염을 일으키지만 diazepam보다는 덜 심하다. 제거 반감기는 diazepam에 비해서 짧으나 benzodiazepine 수용체에서 매우 천천히 분리되므로 작용이 오래 지속되어 외래환자의 마취나 환자를 빨리 깨울 필요가 있는 경우에는 적합하지 못하여 현재 잘 쓰이지 않는다.

③ Diazepam

Diazepam은 benzodiazepine계의 대표적인 약제로 midazolam이 소개되기 전까지는 마취 전 투약제로 많이 사용되었다. Diazepam은 비수용성이고, 반드시 유기용매에 용해시켜야 되기 때문에 근육 및 정맥 주사 시에 통증이 동반된다. 따라서 주사 부위의 통증과 근육 주사 시에 흡수를 예측하기가 어려운 이유 때문에 diazepam은 보통 경구로 투여된다. 효과발현은 경구 투여 1시간 후이며, 반감기는 20~100시간이므로 수술 전날 밤 술전 투약으로 사용하기에 효과적이다. 성인 평균 용량은 5~10 mg이다.

2) 진통효과

마약이나 비마약성 진통제를 사용하면 국소마취나 정맥마취와 같은 얕은 마취상태에서 마취유지의 안정성을 증가시키고 isoflurane, 세보플루란, desflurane 등의 강력한 흡입마취제를 사용할 경우에는 그 사용량을 감소시킨다.

(1) 아편유사작용제(agonists)

통증을 느끼는 환자는 전 투약제로 아편유사제제를 투여 받을 수 있다. 수술 전 통증의 완화 외에 마취 유도 전에 정맥로 확보 혹은 부위 마취를 시행하면서 발생될 수 있는 통증을 예방하는 장점을 갖고 있다. 그러나 오심, 구토, 저혈압, 소양증 등의 부작용이 있으며, 과량 투여는 심근억제, 호흡억제를 유발할 수 있으므로 주의를 요한다. 사용될 수 있는 아편유사제제들로는 morphine, fentanyl, meperidine 등이 있다.

(2) 아편유사부분작용제(Agonist-antagonists)

Opioids 수용체에 결합하여 부분작용 혹은 경쟁적 대항작용을 나타낸다. 규칙적으로 아편유사제를 투여받던 환자에게 투여하면 금단현상을 일으킬 수 있다. 사용되는 약제로는 pentazocine, butorphanol, nalbuphine 등이 있다.

(3) 비스테로이드성 소염진통제(NSAID)

NSAID는 수술 후 아편유사제의 투여 용량을 감소시키기 위하여 사용될 수 있는데, 복강경수술 혹은 발치의 경우에 효과적인 것으로 보고가 되어 있다. NSAID의 사용은 혈액응고장애 및 수술 후 통증의 정도를 감안해서 수술의와 상의해서 결정하는 것이 바람직하다.

3) 오심과 구토, 흡인성 폐렴의 예방

오심과 구토는 수술 전후 흔히 나타나는 합병증으로 그 빈도는 10~55%에 이른다. 이는 환자에게 괴로움을 줄 뿐만 아니라 치료 후 정맥출혈의 기회를 증가시키고, 안압과 뇌압을 상승시키므로 눈이나 귀, 얼굴 또는 신경외과 치료의 결과를 악화시킬 수 있다. 특히 치과 및 구강외과 치료 후 개구장애가 있는 경우는 구토물의 배출이 쉽지 않을 뿐만 아니라 치료 부위의 오염, 폐흡인의 위험이 있으므로 주의해야 한다.

(1) 히스타민 수용체 차단제

H_2 수용체 차단제는 히스타민에 의한 위산의 분비를 억제하여 위액의 pH를 상승시키는 작용을 한다. 마취 1~2시간 전 cimetidine 300 mg을 경구나 근육으로 투여할 경우 위 내용물의 pH를 2.5 이상으로 유지할 수 있으며, ranitidine 150 mg 또는 famotidine 40 mg의 경구투여도 동일한 작용을 보인다.

(2) Omeprazole

Omeprazole은 위벽에서 위산분비를 직접적으로 억제하는 약제로 20 mg 경구투여로 ranitidine과 유사한 효과를 보인다.

(3) 제산제

제산제는 위액 내의 산을 중화시키는데 사용하며, 마취유도 15~30분 전에 15~30 ml를 경구 투여하면 위액의 pH를 2.5 이상으로 증가시키는데 효과적이다. 비 미립자 형태의 제산제는 미립자 형태의 제산제와는 달리 폐흡인이 되더라도 폐에 손상을 주지 않으므로 유용하게 사용된다. 제산제는 작용시간이 빨라 응급 수술 시에 유용하지만 위운동에 영향을 미치는 약제나 히스타민 H_2 수용체 차단제와는 달리 위액의 양을 증가시킨다.

(4) 위운동 촉진제

Metoclopramide는 도파민 대항제로 위식도 괄약근의 긴장도를 증가시키고, 상부 위장관의 운동을 자극하여 위배출을 촉진시킨다. 또한 뇌의 제4실에 있는 화학수용체에서 도파민 효과를 차단하여 중추성 항 구토작용을 한다. Metoclopramide의 마취 전 투약은 임산부, 당뇨나 비만 환자, 응급수술과 같이 위액의 양이 많은 환자들에서 효과적이다. 특히 H_2 수용체 차단제와 같이 사용하는 경우 위 내용물의 폐 흡인 위험성을 감소시키는데 매우 효과적이다. 성인에서 10~20 mg을 마취 30분 전에 경구투여, 3~5분 전에 근육 주사 및 정맥 주사한다.

(5) Ondansetron

Ondansetron은 위장관과 뇌(area postrema)에 분포한 5-HT_3 수용체를 방해하여 오심, 구토를 예방한다. 성인에서 수술 전후의 오심, 구토를 예방하기 위해 마취유도 전 4 mg을 정주하거나, 수술이 끝날 때 4 mg을 정주한다. 또한 필요하면 4~8시간마다 반복투여 할 수 있다.

(6) Droperidol

Droperidol은 도파민 대항제로서 소량(1.25 mg)의 정맥 투여는 수술 후 구역 및 구토의 예방과 치료에 효과적이다. 그러나 용량이 증가되면 불필요하게 깊은 진정작용과 α-아드레날린성 차단 효과까지 발생될 수 있으므로 주의해야 한다.

4) 자율신경계 약물

(1) 항콜린성 약제

기도에 자극이 적은 새로운 흡입 마취제의 이용과 정맥 마취제의 광범위한 사용으로 구강 내 분비물 감소를 위한 약제의 사용은 줄어들게 되었다. 그러나 현대 마취에서도 ① 소아에서 미주신경 차단 효과, ② 타액분비 억제 효과, ③ 진정 및 기억상실 효과 등을 얻기 위하여 사용되고 있다. Atropine, glycopyrrolate, scopolamine 등이 있다(표 15-11).

① 미주신경 차단 효과

동방 결절의 무스카린성 수용체에서 아세틸콜린의 작

표 15-11. 항콜린성 약제의 비교

	Atropine	Scopolamine	Glycopyrrolate
빈맥	+++	+	++
기관지 확장	++	+	++
진정	+	+++	0
타액분비억제	++	+++	+++

0: 효과 없음, +의 증가는 효과증대를 의미

용을 차단하여 심박수를 증가시킨다. Atropine이 glycopyrrolate와 scopolamine 보다 미주신경 자극에 대하여 심박수를 더 효과적으로 증가시키며 이러한 미주신경 차단 효과는 수술 및 마취 중에 해로운 부교감신경 반사(수술 중 반사성 서맥)를 억제시킬 목적으로 사용한다.

② 타액분비 억제 효과

타액분비 억제 약물들은 마취유도 중의 분비물에 의한 환기 장해나 자극에 의한 후두경련, 기관지경련 또는 수술 후의 폐합병증의 발생을 예방하기 위해 사용된다. 일반적으로 분비물의 억제가 필요할 때 glycopyrrolate 0.2 mg 근육 주사가 흔히 사용된다.

③ 진정 및 기억상실

Atropine과 scopolamine이 혈뇌장벽(blood brain barrier)을 통과하며, 특히 scopolamine은 진정과 기억상실 작용이 크다. Atropine은 노인 환자에서 중추성 항콜린성 증후군에 의한 섬망현상을 유발할 수 있다.

(2) 아드레날린성 차단 약제

아드레날린성 차단 약제들은 통증에 대한 교감신경성 반응을 차단하는 것으로 주술기에 심근허혈의 원인이 될 수 있는 빈맥과 고혈압의 발생 빈도와 그 정도를 감소시키려는 목적으로 투여된다. 마취 전 투약된 α_2-작용제인 clonidine과 dexmedetomidine은 마취유도 시 혈압 및 맥박의 증가의 빈도를 감소시키며, 진정과 진통작용이 있어서 마취유지에 필요한 흡입마취제의 용량을 감소시킨다. Clonidine은 마취 30~60분 전에 5 μg/kg을 경구 투여한다.

5) 감염예방

피부절개 전에 항생제를 투여할 경우 창상 감염율을 감소시키는 것으로 알려져 있다. 현재 수술을 받는 대부분의 환자들은 예방적으로 항생제를 투여 받는다. 특히 심장판막질환이나 인공보조장치를 가진 환자들은 침습적인 시술 중에 세균성 심내막염에 대한 감수성이 증가하므로, 치료 전에 적절한 항생제 투여가 필수적이다. 항생제 투여 시 홍조, 부종, 발진과 저혈압을 일으킬 수도 있고 일부 항생제의 과량 투여는 청력이나 신장에 독성 작용을 초래할 수 있으므로 주의가 필요하다.

6) 지속적 투약

대부분의 경우 환자가 받고 있던 투약은 수술 전까지 지속해야한다. 예를 들면 고혈압 환자에서의 혈압강하제나, 갑상선 기능저하증 환자에서의 씬지로이드, 간질 환자에서의 항전간제 등은 수술을 앞두고 금식 중인 환자라도 복용하는 것이 좋다.

11. 마취 전 금식

마취 시 위 내용물이 충만되어 있으면 구토와 폐내 흡인에 의한 기도 폐쇄와 폐렴 등의 위험성이 크므로 반드시 금식을 시켜야 한다. 일반적으로 성인 환자는 마취유도 전 8시간 정도의 금식이면 충분하다. 수술 3~4시간 전 물 한잔(150 ml)은 성인 환자에서 갈증 해소에 따른 편안함을 줄 수 있으며, 소아 환자의 경우 사과주스 3 ml/kg의 섭취는 배고픔을 줄여주며 소아의 불안감을 줄일 수 있다. 약물의 경구투여를 위한 물 30 ml 정도는 마취가 시작 될 무렵까지 허용될 수 있다. 그러나 위내용물 배출시간을 증가시키는 임신, 비만, 당뇨, 위장관 질환을 가진

표 15-12. 소아에서 금식시간

	우유, 고형식(시간)	물(시간)
신생아	4	2
1~6개월	4	2
6~36개월	6	3
36개월 이상	8	3

* 물은 보리차, 설탕물, 알갱이가 없는 맑은 포도주스 등을 의미한다.

환자나 기관 내 삽관의 어려움이 예상되는 환자에서 엄격한 마취 전 금식이 필요하다. 그럼에도 불구하고 특히 위험도가 높은 환자에서는 위산 정도나 내용물의 용량을 감소시키는 전투약이 시행된다. 응급수술 등으로 금식시간이 충분히 확보되지 않은 환자에서는 신속한 마취유도와 기관 내 삽관, 의식상태하의 기관 내 삽관, 그리고 전신마취의 능숙한 관리가 흡인에 의한 심각한 합병증들의 발생 방지를 위해 필요하다. 소아에서는 너무 오래 금식하면 저혈당증, 탈수 현상이 올 수 있으므로 환아의 개월수, 전신상태, 수술 예정시간에 따라 다르게 금식시간을 결정해야 한다(표 15-12).

참고문헌

1. 1. The Korean Dental Society of Anesthesiology: Dental Anesthesiology. 3rd ed. Koonja Publishing INC, 2015.
2. The Korean Association of Oral & Maxillofacial Surgeons: Textbook of Oral & Maxillofacial Surgery. 3rd ed. Dental & Medical Publishing Co, 2013.
3. The Korean Society of Anesthesiologist: Anesthesia. Koonja Publishing INC, 2002.
4. The Korean Society of Anesthesiologist: Anesthesiology and Pain Medicine. 3rd ed. Ryomoongak Publishing Co, 2014.
5. The Korean Dental Society of Anesthesiology: Dental Anesthesiology. Koonja Publishing INC, 2010.
6. The Association of Korean Clinical Pathology Professor: Introduction to Clinical Pathology. 4th ed. Korea Medicine Book Pub, 2006.
7. Little JW, Falace DA, Miller CS, Rhodus NL: Dental Management of the Medically Compromised Patient. 6th ed. Mosby, 2002.
8. Miller RD: Anesthesia. 7th ed. Churchill Livingstone, 2009.
9. Morgan GE Jr, Mikhail MS, Murray MJ: Clinical anesthesiology. 4th ed. McGraw-Hill Company, 2005.
10. Fauci AS, Braunwald E, Kasper DL, Hauser SL, Longo DL, Jameson JL, Loscalzo J, Eds: Harrison's Principles of Internal Medicine. 17th ed. The McGraw-Hill, 2008.

CHAPTER 16

| Dental Anesthesiology | 진정법

환자감시와 기록

학습목표

1. 표준 환자감시법의 임상적 중요성을 설명한다.
2. 표준 환자감시장치의 이론적 배경과 임상적용을 설명한다
3. 진정 중 환자감시를 할 수 있다.
4. 치과치료 도중 환자상태를 평가한다.
5. 진정기록의 중요성을 설명한다.
6. 진정기록지를 작성한다.

1. 환자감시의 기본 개념

1) 환자감시의 목적

환자감시의 궁극적인 목표는 환자의 안전이다. 진정법 또는 전신마취 시 적절한 감시가 이루어지고 적절한 임상적 판단이 이루어질 때 환자의 안전은 향상된다. 심각하고 비가역적인 손상을 초래하기 이전에 마취 중의 이상소견을 확인하여 더 심각한 상황에 빠지기 전에 적절한 처치를 시행할 수 있다.

최근 환자감시를 위해 개발된 전자적 감시장비는 사람보다 높은 빈도로 반복 측정이 가능하고, 피곤함을 느끼거나 주의가 산만해질 가능성이 없기 때문에 지속적인 감시가 가능하다. 또한, 기계의 정확도가 향상되고 감시 대상 항목이 증가됨에 따라 임상적인 판단의 정확성과 상황에 따른 특수성 인식이 향상되었다. 하지만 이러한 감시장비의 의존도가 증가하게 됨에 따라 장비의 적절한 사용과 정확한 작동 여부를 평가하는 것도 환자감시의 일부가 되었다. 감시 장비에서 보여주는 정보를 정확하게 판단하고 환자의 상태와 연관시켜 환자의 안전을 도모하는 것이 중요하다.

2) 환자감시의 기본적인 원칙

치과치료에서 의식의 상태 또는 마취 수준에 따라 최소진정, 중등도 진정, 깊은 진정, 그리고 전신마취 등으로 구분할 수 있는데, 이러한 구분에 따라 필요한 환자감시의 항목과 방법은 달라진다. 깊은 진정이란 용어가 전신마취와는 전혀 다를 것 같은 오해를 일으킬 수 있다. 하지만, 마취제를 투여 받은 환자가 무의식 상태로 되면 전신마취와 동일하게 호흡저하 및 기도 유지에 어려움이 발생하고 저산소증의 위험에 쉽게 빠질 수 있는 상태가 된다. 진정법 모니터링 가이드라인에서, 깊은 진정과 전신마취는 거의 동일한 수준의 환자감시를 요구한다.

환자감시에 있어서 치과의사든 치과 마취과 의사든 책

임을 지고 수술 중 환자를 관찰하는 사람이 있어야 한다. 훌륭한 전자 감시장비가 개발되고 있지만 환자를 처치할 수 있는 훈련을 받고, 주의 깊게 환자를 감시하는 전문가를 대체할 장비는 있을 수 없다. 그리고 또 다른 중요한 사항은 환자의 활력징후의 변화를 포함한 진정법 및 전신마취 시행 시의 모든 상황을 기록해서 보관해야 한다는 것이다. 이러한 기록은 다음 마취 시, 의료비 청구 시, 또는 소송이 발생한 경우에 증거로 활용이 된다.

3) 침습적인 방법과 비침습적인 방법

환자의 감시 방법을 크게 침습적인 방법과 비침습적인 방법으로 나눌 수 있는데, 침습적인 방법으로는 동맥내 혈압 측정이나 중심정맥압 측정과 같이 환자의 몸에 주사바늘을 찔러 감시기구를 삽입한 다음 환자의 활력징후 정보를 파악하는 방법이다. 이러한 방법의 장점은 더 자세하고 정확한 환자정보의 파악이 가능하고, 보다 신속하게 정보를 파악할 수 있으며, 중환자의 환자감시장치로서도 유용하다. 하지만 환자에게 불쾌감, 통증, 합병증 유발 등의 문제점이 있을 수 있으며, 감시기구 삽입에 의료인의 숙련이 필요하고, 고비용이 들기 때문에 일반적인 의식하 진정법 시 이용되는 경우는 거의 없고, 심혈관계 및 호흡기계에 심각한 질병이 있을 때 사용될 수 있다.

비침습적인 감시방법은 기구 없이 눈으로 보거나, 귀로 듣거나, 손으로 촉진하는 방법으로부터, 맥박산소측정기, 호기말이산화탄소분압 측정, 커프를 이용한 혈압측정, 심전도 같이 특별히 환자의 신체에 위해를 가하지 않는 방법이다. 이 방법의 장점으로는 환자의 순응도가 높으며, 의료인이 사용하고 판독하기 쉬우며, 측정이나 부착 시 합병증이나 위험도가 낮아 최근 많은 침습적인 감시 장치들이 비침습적인 방법으로 측정 가능하도록 개발 중이다.

4) 치과진정법 가이드라인과 환자감시

2015년 발표된 개원의를 위한 치과진정법 임상진료지침에서 진정 수준 감시, 호흡 감시, 산소화 감시, 순환감시를 시행하기를 권장하고 있다. 2016년 미국치과의사협회 치과진정법 가이드라인은 최소진정과 중등도 진정, 깊은 진정, 그리고, 전신마취 항목을 나누어 각각의 진정깊이에 따른 환자감시에 대하여 기술해 놓고 있다(표 16-1). 가이드라인에는 환자감시를 시행하는 항목뿐만 아니라, 환자감시 인력도 지정해 놓고 있다. 진정법 시행 시 표준 감시 항목으로 맥박산소포화도를 포함한 산소화 감시, 청진 또는 호기말 이산화탄소 분압을 이용한 호흡 감시, 혈압, 심박수, 심전도 등의 순환상태 감시, 그리고 진정 심도 감시를 포함하고 있다. 전신마취의 경우 체온 감시도 포함되어야 한다.

표 16-1. 2016 미국치과의사협회 치과진정법 가이드라인의 환자감시

진정 및 마취 수준	환자감시 가이드라인
최소진정	치과의사 또는 적절하게 교육된 인력이 치과의사의 지시 하에 반드시 치료하는 동안은 물론 회복실로 이동해도 될 기준에 만족할 때까지 지속적으로 환자감시를 해야 하며, 적절하게 교육된 인력은 환자감시에 대하여 충분한 지식이 있어야 하며 장비사용도 능숙해야 한다. ① 의식수준: 의식수준을 반드시 지속적으로 감시해야 한다(예: 구두 질문에 대한 반응 관찰). ② 산소화: 맥박산소측정기를 통하여 산소포화도를 감시하는 것이 유용하며 반드시 임상적으로 이의 사용을 고려해야 한다. ③ 환기: 치과의사 또는 적절히 교육된 인력이 흉부의 움직임을 반드시 관찰해야 한다. 치과의사 또는 적절히 교육된 인력이 반드시 지속적으로 호흡을 확인해야 한다.

<table>
<tr><td></td><td>④ 순환: 혈압과 심박수는 반드시 술전, 술후 그리고 치료 중에 필요에 따라 감시해야 한다.
⑤ 기록: 국소마취제를 포함하여 투여된 약제이름과 투여된 경로, 시간, 용량 그리고 감시된 항목을 포함한 적절한 진정기록이 이루어져야 한다</td></tr>
<tr><td>중등도 진정</td><td>중등도 진정 시술에 자격을 가진 치과의사가 반드시 치료하는 동안은 물론 회복실로 이동해도 될 기준에 만족 할 때까지 지속적으로 환자감시를 해야 한다. 치과치료가 끝나고 최소진정상태로 될 때까지 치과의사가 남아서 감시하고 지시를 해야 하며, 환자가 퇴원하기 전까지 병원을 떠나서는 안 된다.
① 의식수준: 의식수준을 반드시 지속적으로 감시해야 한다(예: 구두 질문에 대한 반응 관찰).
② 산소화: 맥박산소측정기를 통하여 반드시 산소포화도를 지속적으로 확인해야 한다.
③ 환기: 치과의사가 흉부 움직임을 반드시 관찰해야 한다. 치과의사가 반드시 환기와 호흡을 호기말 이산화탄소분압을 이용하여 (환자의 상태나, 시술 때문에 불가능하지 않다면) 감시해야 한다. 추가로 전흉부 청진기로 호흡음을 청진하여 지속적인 환기를 감시해야 한다.
④ 순환: 치과의사가 반드시 혈압과 심박수를 지속적으로 확인하고 시간에 따른 지속적인 측정과 기록이 이루어져야 한다 (환자의 상태나 시술 때문에 불가능하지 않다면) 의미 있는 심혈관계 질환을 가지고 있는 경우, 지속적인 심전도 감시가 고려되어야 한다.
⑤ 기록: 국소마취제를 포함한 모든 투여된 약제이름, 용량과 투여시간 그리고 감시된 항목을 포함한 적절한 진정 기록이 시간에 따라 반드시 이루어져야 한다. 맥박산소포화도, 심박수, 호흡수 그리고 혈압 그리고, 진정수준이 반드시 지속적으로 기록되어야 한다.</td></tr>
<tr><td>깊은 진정 또는 전신마취</td><td>깊은 진정 및 전신마취에 자격을 가진 치과의사가 반드시 치료하는 동안은 물론 회복실로 이동해도 될 기준에 만족할 때까지 지속적으로 환자감시를 해야 한다. 환자가 퇴원하기 전까지 병원을 떠나서는 안 된다.
① 산소화: 맥박산소측정기를 통하여 반드시 산소포화도를 지속적으로 확인해야 한다.
② 환기
- 기관내 삽관된 환자: 지속적인 호기말 이산화탄소분압 감시를 반드시 시행해야 한다.
- 기관내 삽관이 시행되지 않은 환자: 반드시 호기말 이산화탄소분압을 이용하여 (환자의 상태나, 시술 때문에 불가능하지 않다면) 감시해야 한다. 추가로 전흉부 청진기로 호흡음을 청진하여 지속적인 환기를 감시해야 한다.
- 호흡수는 지속적으로 감시되고 평가되어야 한다.
③ 순환
- 치과의사가 반드시 전체 시술 과정에서 맥박산소포화도를 이용하여 심박수를 감시할 뿐만 아니라 심박수와 리듬을 심전도를 통하여 지속적으로 감시해야 한다. 치과의사가 반드시 지속적으로 혈압을 평가해야 한다.
④ 체온: 지속적으로 체온을 감시할 수 있는 장비가 사용가능해야 하고, 악성 고열증을 유발할 수 있는 약제 투여 시 지속적인 체온감시가 시행되어야 한다.
⑤ 기록: 국소마취제를 포함한 모든 투여된 약제이름, 용량과 투여시간 그리고 감시된 항목을 포함한 적절한 마취 기록이 시간에 따라 반드시 이루어져야 한다. 맥박산소포화도, 호기말이산화탄소분압, 심박수, 호흡수 그리고 혈압이 반드시 지속적으로 기록되어야 한다.</td></tr>
</table>

2. 산소화 감시

산소화의 평가는 진정법 및 전신마취 시행 시 가장 중요한 부분이다. 산소화 감시는 특히 진정법 시 호흡저하나 기도폐쇄로 인한 저산소혈증을 조기에 발견하고 적절한 처치를 할 수 있게 하여 심각한 합병증을 예방할 수 있다. 빈맥, 정신상태의 변화, 청색증 등과 같은 저산소혈증과 관련된 임상징후들이 마취 중에는 종종 은폐되고 인식되기가 어렵다. 물론 시술 중 손가락이나 입술, 점막의 청색증을 발견하는 것은 동맥혈 저산소증을 파악하는데 매우 중요하다. 하지만 청색증 발생을 감시하는 것으로 저산소혈증을 조기에 발견하는 것은 불가능하고, 또한 청색증이 있는데도 저산소혈증을 발견하지 못하는 경우도 있으며 청색증이 아닌데도 청색증으로 오인하는 경우도 있어 100% 신뢰하기는 어렵다.

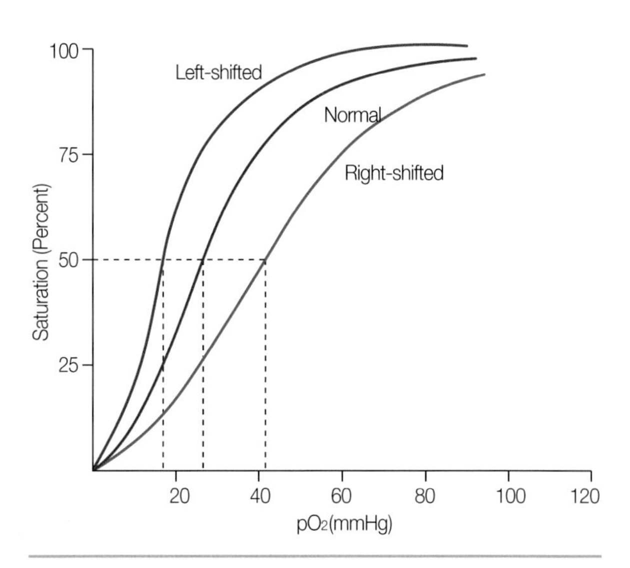

그림 16-1. 산화헤모글로빈 해리곡선
동맥혈의 헤모글로빈의 산소포화도와 산소분압과의 관계를 S자형의 산화헤모글로빈 해리곡선으로 나타내었다. 곡선이 좌측으로 이동하게 되면 헤모글로빈 분자는 산소와 더욱 견고하게 결합하게 된다.

1) 맥박산소포화도 감시

맥박산소측정기(pulse oxymetry)는 마취 중의 산소투여를 감시하는데 있어서 표준이 되는 방법이다. 맥박산소측정기는 맥박수와 헤모글로빈의 산소포화도(SpO_2)를 비침습적이며 연속적으로 측정한다. 맥박산소측정기의 주요 기능은 저산소혈증을 감지하고 맥박과 산소포화도가 어느 정도인지를 정량화하는 것이다. 맥박산소측정기는 손가락, 발가락, 혹은 귓불에 부착하는 작은 센서를 가지고 있는데, 660과 940 nm 두 가지 다른 파장의 빛을 통과시켜 헤모글로빈과 산화헤모글로빈에 대한 빛의 투과성을 비교하여 혈액 내 산소포화도를 결정한다. 전체혈색소 중에서 O_2로 포화된 혈색소가 차지하는 분율을 산소포화도라고 정의하고 있으며, 산소포화도가 100%라고 하는 것은 전체 혈색소가 O_2로 완전히 포화되었음을 의미하고 산소 포화도가 50%라고 하는 것은 전체 혈색소의 50%만이 O_2로 포화되었음을 의미한다. 건강한 사람이 대기로 호흡할 때 산소포화도는 96~100%이다.

그림 16-1은 헤모글로빈의 산소포화도와 산소 분압과의 관계를 나타내는 산화헤모글로빈 해리곡선을 보여주고 있다. 산소포화도는 동맥혈 산소분압(PaO_2)의 정도에 따라 변화하는데, S자 형태의 산소-헤모글로빈 해리 곡선을 가진다. 곡선의 가파른 부분에서는 산소포화도(SaO_2)와 동맥혈 산소분압(PaO_2)사이에 예측할 수 있는 상호관계가 있다. 이 범위에서 산소포화도는 저산소혈증의 정도와 동맥혈의 산소화 상태의 변화를 적절히 반영해주고 있다. 산화헤모글로빈 해리곡선의 우측 또는 좌측이동은 산소에 대한 헤모글로빈의 친화력의 변화를 의미하고 있다.

맥박산소포화도는 성인 환자에서 임상적 증상과 증후가 없음에도 불구하고 저산소증을 감지하는데 도움을 준다. 동맥혈 산소분압과 산소포화도의 관계 그리고 저산소혈증의 기준을 표 16-2에 기술하였다. 맥박산소측정기는 소아와 청소년에서도 산소화의 변화에 정확하고 빠르게 반응한다. 그러나 순간순간 변화하는 환기(ventilation)의 상황을 파악하는 데는 유용성이 떨어진다. 맥박산소측정기의 정확성은 제품마다 다양하나 감지기구(sensor)에 도달하는 주위 빛의 상태, 피부색소나 인조손톱 같은 손톱

표 16-2. 성인의 동맥혈 산소분압(PaO_2)과 동맥내 산소포화도 (SaO_2) 간의 관계

	PaO_2(mmHg)	SaO_2(%)
정상치	97	97
허용범위	> 80	95
저산소혈증	< 80	< 95
가벼운편	60~79	90~94
보통	40~59	75~89
심한편	< 40	< 75

의 상태, 추위에 의한 말초혈관의 수축 정도, 손가락의 움직임 등이 오류를 일으킬 수 있다.

환자의 상태와 맥박산소포화도 감지에는 시간차가 존재하며, 이는 심장에서 감지 부위까지 혈액의 이동 속도와 관련이 있는데, 센서의 적용부위, 적용부위의 온도, 기계적 차이에 따라 달라진다. 맥박산소측정기가 기도폐쇄나 호흡저하를 초기에 감지하는 데는 한계가 있지만 생명에 위급한 저산소혈증을 조기에 감지하는 데는 가장 중요한 감시장비이다.

(1) 맥박산소포화도 감시의 문제점

① 혈색소의 산소해리곡선 오른쪽 끝 부분에서는 동맥혈내의 큰 PaO_2의 변화에 다소 덜 민감하다. 예를 들어 PaO_2가 200 mmHg에서 80 mmHg로 크게 변화하더라도 산소포화도에는 상대적으로 많은 변화를 나타내지 않는다.

② 2종류의 파장만을 이용하기 때문에 2종류의 헤모글로빈만을 인식할 수 있다. 즉, 산소와 결합한 산화헤모글로빈과 환원된 환원헤모글로빈만을 인식할 수 있기 때문에 그 외의 다른 종류의 헤모글로빈에 의해 오류가 나타날 수 있다.

③ 저체온이나 심박출량이 낮은 상황에서는 충분한 신호를 만들어내지 못할 수 있으며, 전기소작기나 환자의 움직임 등의 다양한 잡음들에 의해 영향을 받을 수 있다.

④ 부적절한 환기 상황에서 산소포화도의 수치의 감소는 늦게 감지되기 때문에 적절한 경고에 실패할 수도 있다.

3. 호흡의 감시

1) 호흡의 이학적 감시

진정 및 마취제로 사용되는 대부분의 약물이 호흡수를 낮추거나 호흡량을 줄이는 등의 호흡억제를 일으키고, 특히 마약성 제제는 환기 억제효과가 매우 크다. 깊은 진정에 빠진 경우 기도 폐쇄 등으로 인한 심각한 환기 부전으로 저산소증에 빠질 수 있어 진정법 시행 시 환기의 감시는 매우 중요하다.

호흡 상태를 눈으로 직접 평가하는 방법은 가장 쉬우면서도 비교적 정확하게 호흡 감시를 하는 방법이다. 흉곽과 복부의 움직임으로 호흡수, 호흡 깊이(tidal volume), 폐색의 소견(wheezing, stridor, or snoring)을 포함한 상당수의 정보를 얻을 수 있다. 코골이(snoring)는 진정법 시행 시 흔하게 나타나지만 깊은 진정 시 나타나는 코골이는 기도폐쇄가 임박했을 가능성을 나타내기도 한다. 천명(stridor)은 드물지만 생명이 위급한 상태로 성대가 막히는 기도폐쇄가 임박한 것을 나타낸다.

(1) 흉곽의 움직임

수술 중에 적절한 환기가 이루어지고 있으면 흡기 시에는 전흉부와 상복부가 동시에 거상되고 호기 시에는 내려간다. 이것을 관찰하여 호흡수를 알 수 있으며, 일회환기량을 추정할 수 있다. 자발호흡하에서는 기도폐쇄가 있으면 흡기 시에는 전흉부가 하강, 상복부는 거상하고, 호기 시에는 전흉부가 거상, 상복부가 하강하는 역설적호흡(paradoxical respiration)이 발생한다. 마스크 호흡하에서 기도협착이나 폐쇄가 발생하면 흡기 시 흉골상와가 함몰하고 갑상선연골이 하방으로 견인된다. 보조호흡이나 조절호흡하에서는 기도폐쇄시 흉곽의 움직임이 감소한다.

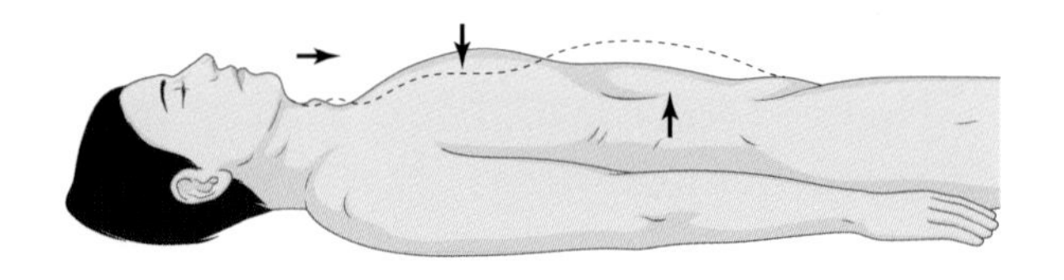

그림 16-2. 역설적 호흡(paradoxical respiration)
기도폐쇄가 발생한 경우, 흡기 시에 전흉부가 하강하고 상복부가 거상하며 호기 시에는 전흉부가 거상하고 상복부는 하강한다

① 역설적 호흡: 흡기 시에 전흉부가 하강하고 상복부가 거상하며 호기 시에는 전흉부가 거상하고 상복부는 하강한다(그림 16-2).

(2) 호흡낭

전신마취기 또는 아산화질소 흡입진정기구를 사용하는 경우, 자발호흡하에서는 흉곽의 움직임에 연동한 호흡낭의 움직임을 볼 수 있다. 흉곽의 움직임과 비교하여 호흡낭의 움직임이 적으면 호흡회로나 마스크의 밀착 불량 또는 기관내 튜브의 연결 불량을 나타낸다.

(3) 호흡음(그림 16-3)

마취의 전 과정을 통하여 호흡음과 심음을 계속하여 청취하는 것은 가장 기본적인 환자감시법이다. 좌측 전흉부에 청진기를 부착한다. 이 방법은 환자의 환기 상태를 직접적으로 청진하여 인지할 수 있으며, 기도가 막혀 있어 환자의 숨을 쉬려고 하는 노력과 실제 호흡과의 괴리도 파악할 수 있다. 전흉부 청진기는 종 모양으로 된 금속 기구이며 흉부에 고정할 수 있도록 경부가 양면테입으로 이루어진 것도 있다. 진정법을 시행하는 의사는 한쪽 귀로 고무관을 통한 환자의 호흡음을 지속적으로 감시하게 된다. 고무튜브가 달린 귀 연결부분을 의사의 귀에 맞게 맞춤제작을 하면 더 편리하게 이용할 수 있다. 최근에는 무선 전자 장비를 이용하여 고무튜브 없이 환자의 호흡음을 감시할 수 있는 장비도 개발되어 있다.

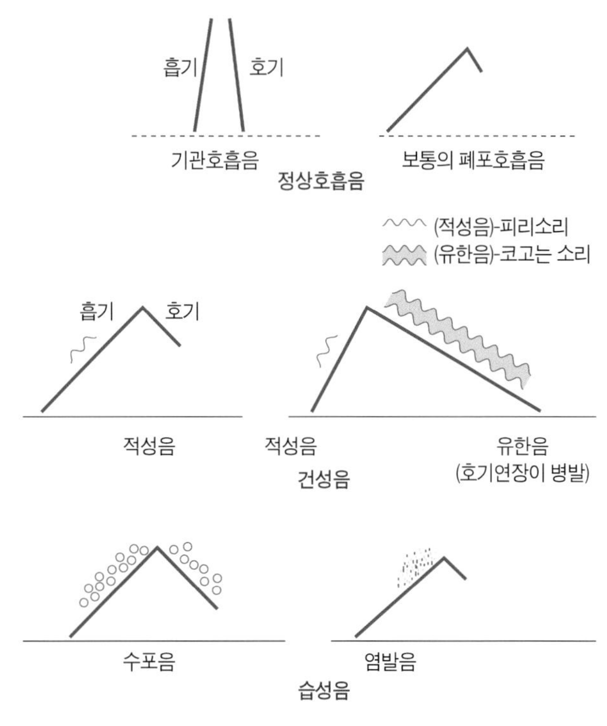

그림 16-3. 호흡음
보통은 흡기 시부터 호기에 이르기까지 들리는 폐포호흡음을 들을 수 있다. 소아나 여윈 사람에서는 강하고 확실히 들리나 비만한 사람에서는 듣기 힘들 수도 있다. 청진기가 기관 가까이에 있으면 흡기, 호기 모두 호흡음이 들리는 기관음이 들린다.
기관지 경련(천식발작)이 있으면 호기가 연장됨과 동시에 피리 소리 같은 건성음(wheezing)이, 기도 내 분비물이 저류되어 있으면 습성음(rales)이 들린다. 또한 후두경련 시에는 흡기 시에 협착음을 들을 수 있다.

2) 흡기 및 호기 가스의 감시

(1) 이산화탄소 분압 감시

이산화탄소 분압 감시는 중요한 생리적 감시 안전장치로써 발전해 왔다. 환기, 심박출량, 폐혈류의 분포, 대사 활성도의 변화는 동맥혈 이산화탄소분압($PaCO_2$)에 영향을 미치며 호기가스로부터 측정한 이산화탄소 분압은 동맥혈 이산화탄소분압의 변화를 반영한다. 이산화탄소분압측정법(capnometry)이란 흡기와 호기 중에 이산화탄소 농도를 정량적으로 측정하고 숫자로 표시하는 것을 말한다. 이산화탄소분압측정도(capnogram)는 환기 동안

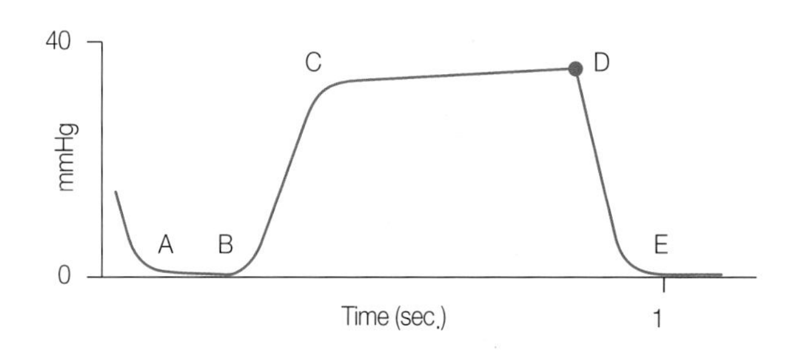

그림 16-4. 호기말이산화탄소분압 파형

A → B: 호기의 초기로서 해부학적 사강의 CO_2가 없는 가스가 배출된다.

B → C: 해부학적사강과 폐포가스가 혼합되어 CO_2가 증가한다.

C → D: 폐포가스가 배출되어 평평하거나 서서히 증가하는 고원부(plateau)를 형성한다.

D → E: 흡기로서 흡기가스에 CO_2가 없으면 0까지 하강한다.

표 16-3. 호기말이산화탄소 분압에 영향을 주는 인자

호기말이산화탄소 분압 증가	호기말이산화탄소 분압 감소
이산화탄소 생성을 변화시키는 요인들	
대사율의 증가	대사율의 감소
고열증	
패혈증	
악성 고열증	체온 저하
갑상선기능항진증	갑상선기능저하증
전율	
이산화탄소 제거에 영향을 미치는 요인들	
저환기	과환기
재환기	저관류
	폐색전증

환자의 기도에서 추출된 이산화탄소 농도를 연속적으로 농도와 시간의 형식으로 표시한 것이다. 이산화탄소분압 측정도는 뚜렷하게 네 가지 위상으로 구분된다(그림 16-4). 이산화탄소분압 측정의 유용성은 동맥혈 이산화탄소 분압($PaCO_2$), 폐포이산화탄소분압(P_ACO_2) 그리고 호기말이산화탄소분압($P_{ET}CO_2$) 사이의 상관관계에 대한 이해에 달려있다. 이 같은 개념은 환기와 관류가 적절히 조화를 이루고, 이산화탄소가 모세혈관과 폐포막을 쉽게 투과할 수 있으며, 측정하는 동안 추출 오차가 발생하지 않는다는 것을 가정하고 있다. 이와 같은 조건을 만족시킨다면 모든 폐포가 한꺼번에 비워지지 않는다고 가정할지라도 호기말이산화탄소의 변화는 동맥혈 이산화탄소분압의 변화를 반영해 준다. 전신마취 중 $PaCO_2 - P_{ET}CO_2$의 농도경사는 대개 5~10 mmHg이다. 환기와 관류의 비정상적 분포가 발생할 때나 기체의 표본추출 시 문제점이 있을 때에는 $PaCO_2 - P_{ET}CO_2$의 농도 경사가 커지게 될 수 있다. $PaCO_2 - P_{ET}CO_2$ 차이를 증가시키는 흔한 임상적 원인들로는 색전현상(혈전, 지방, 공기, 양수 등), 폐혈류 감소를 동반한 관류저하 상태, 만성 폐쇄성 폐질환 등이 있다.

이산화탄소 분압 측정도에서 파형의 크기와 형태 또한 여러 정보를 제공한다. 느린 속도로 제2상(B-C)이 상승하는 경우는 만성 폐쇄성 폐질환 또는 기관지수축으로 인한 급성 기도폐쇄(천식)를 암시한다. 정상적인 형태의 이산화탄소 분압 측정도의 모양을 보이면서 호기말 이산화탄소가 증가하는 경우는 폐포의 저환기 또는 이산화탄소 생성의 증가를 의미한다. 갑작스럽게 호기말 이산화탄소 분압이 감소하는 것은 폐색전증, 저관류 등과 같은 심폐상태와 관련이 있는 반면, 서서히 감소하는 경우는 분당 환기량이 증가하여 환기가 이산화탄소 생성보다 많아져서 결국 동맥혈의 이산화탄소분압이 줄어드는 것을 의미한다. 표 16-3에는 마취관리를 하는 동안 호기말이산화탄소에 변화를 일으킬 수 있는 흔한 원인들을 요약하였다.

호기말 이산화탄소 분압이 갑작스럽게 영으로 떨어지고, 이어서 그 파형이 사라지면 기관내 튜브가 인두 또는 식도에 잘못 거치 되었거나, 갑작스런 심한 저혈압, 폐색전증, 심정지와 같은 치명적인 문제이거나, 또는 표본 추출선이 파열되어 나타나는 현상을 의미할 수 있다. 따라서 호기말이산화탄소분압이 갑작스럽게 떨어지면 폐환기가 제대로 이루어지는지 신속히 확인하고, 이를 설명할 수 있는 생리적, 역학적 원인들을 반드시 규명해야 한다. 심폐소생술을 시행하는 동안 관류가 적절하게 이루어지는 것은 이산화탄소의 파형이 회복되는 것으로 알 수 있다.

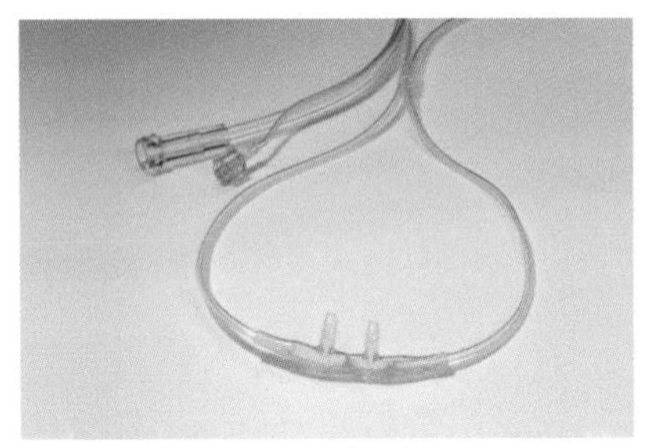

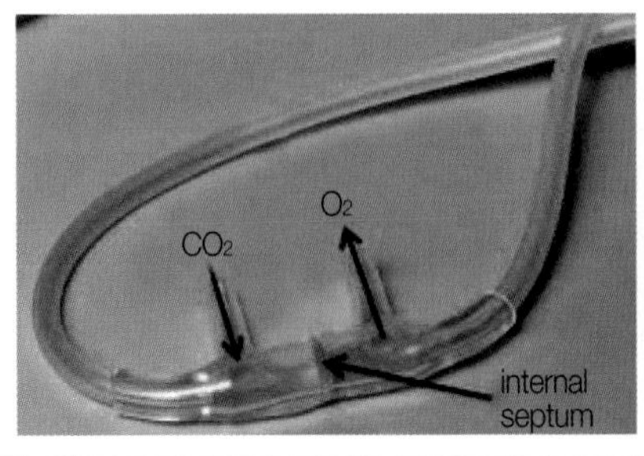

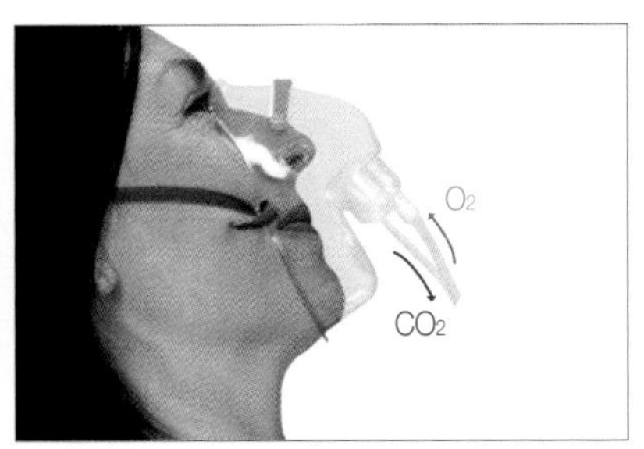

그림 16-5. 경비캐뉼라와 산소마스크에서 호기말이산화탄소분압 측정

(2) 진정법 시행 시 이산화탄소 감시

정상적인 호흡에서 동맥혈의 이산화탄소분압($PaCO_2$)은 40(36~44) mmHg로 일정하게 유지된다. 혈중의 이산화탄소의 농도는 체내 pH와 밀접한 관련이 있기 때문에 생체는 호흡을 통하여 $PaCO_2$를 정상으로 유지하기 위해서 부단히 노력한다. 과환기(hyperventilation)는 혈중 이산화탄소 분압을 감소시켜 호흡성 알칼리증(respiratory alkalosis)을 일으키고, 저환기(hypoventilation)는 혈중 이산화탄소 분압을 증가시켜 호흡성 산증(respiratory acidosis)을 일으킨다.

산소포화도 감시는 환자의 환기 상태를 완벽하게 반영하지 못하는 제한점이 있다. 폐에 저장된 잔존 산소의 영향으로 무호흡 상태에서도 초기에는 산소포화도가 감소하지 않기 때문에, 급성 기도폐쇄를 조기에 발견하기가 어려울 수 있다. 또한, 진정법 시 비강을 통해 산소를 투여하게 되므로, 저환기 상태에서도 산소포화도는 정상으로 유지될 수 있어 환자의 환기 상태를 정확히 파악하기 어려운 경우가 있을 수 있다.

이산화탄소분압측정기는 무호흡증과 기도 폐쇄에 대한 비침습적이면서 빠르게 감시를 시행할 수 있다. 또한, 호흡수와 호기말 이산화탄소 분압을 알 수 있어 호흡 상태에 대해 정량적인 측정이 가능하다. 작은 흡입관을 환자의 콧구멍 입구에 위치시켜 호흡하는 공기를 지속적으로 수집해 이산화탄소농도를 분석한다(그림 16-5). 이산화탄소가 교환되지 않을 때에는 그래프가 직선으로 나타난다. 이것은 환자가 숨을 쉬지 않거나 기도폐쇄가 있어 환기가 일어나지 않을 때 일어난다. 그리고, 환자가 저호흡증에 빠진 경우는 호기말이산화탄소분압이 증가하는 것으로 확인할 수 있다. 그러므로 호기말이산화탄소분압 측정기는 치과 진정법 중, 무호흡과 저호흡을 발견하기 위해 유용하게 사용할 수 있다.

4. 심혈관계 감시

심혈관계는 조직의 대사과정에 필요한 산소와 각종 영양물질을 공급하고 대사과정에 의해서 생성된 탄산가스와 각종 대사산물을 조직으로부터 체외로 배출하는 역할을 맡고 있다. 진정법 및 전신마취 중에 사용하는 각종 약제는 심혈관계 억제작용을 보여 혈압이 하강하거나, 심박수를 감소시킬 수 있다. 또한, 치과시술 시 발생할 수 있는 통증, 긴장, 스트레스는 갑작스럽게 혈압과 심박수를 상승 시킬 수 있다. 이러한 혈역학적 변화가 환자의 상태를 예기치 않은 방향으로 이끌 수 있으므로 심혈관계 순환의 감시는 매우 중요한 의미를 지니고 있다.

1) 심음

젊은이의 폐동맥 영역에서 많이 들을 수 있는 기능성 수축기 구출성 잡음은 전신마취에 의하여 심박출량이 감소하면 소실되는 수가 있다. 술전에 들을 수 없었던 심음(Ⅲ음, Ⅳ음, 또는 심잡음이나 심음 분열)을 술중에 들을 수 있는 경우에는 심기능 장애가 있음을 시사할 수 있다.

2) 심박수

가장 간단하고 가장 비침습적인 형태의 심장 기능 감시법은 심박수 측정이다. 현대에는 심전도 또는 맥박산소포화도 장비 같은 심장주기의 기간을 측정할 수 있는 장비를 이용하여 연속적인 형태로 심박수를 측정할 수 있다. 손으로 심박수를 측정 해야하는 상황에서는, 경동맥을 촉지하는 것이 일반적인데, 소독포로 덮어놓은 상태라면 요골동맥이나 대퇴동맥에서 맥박을 촉지할 수 있다.

수축기 혈압이 80 mmHg 정도인 경우의 혈압 저하에서도 대퇴동맥과 함께 요골동맥이나 족배부동맥이 잘 촉지되면, 말초 혈관이 잘 확장되어 심박출량이 잘 유지되는 것이므로 말초 조직의 혈류가 비교적 양호하게 유지되고 있다고 생각할 수 있다. 이에 반하여 혈압 저하와 함께 말초 혈관의 박동이 잘 느껴지지 않고 피부가 차가울 경우에는 쇼크 전 상태로 생각하고 순환 혈액량을 증가시키고 승압, 심기능 개선 등 증상에 따른 적절한 처치가 필요하다.

맥박을 촉지하여 맥박수 외에도 맥의 리듬 등을 알 수 있다. 심방 세동이나 기외 수축의 경우에는 일회 박출량이 감소하므로 맥박수와 심박수(심전도 상에서의 1분간의 QRS 군의 수)와는 항상 일치하지는 않는다.

3) 혈압

혈압은 맥박과 함께 순환 관리에 있어 아주 중요하며 많은 정보를 얻을 수 있는 관찰 항목이다. 혈압의 측정법은 비침습적 커프를 이용하는 방법과 직접법이 있다. 둘 다 모두에서 혈압의 절대치만을 볼 것이 아니라 시간에 따른 추이를 주의 깊게 관찰해야 한다.

심근의 수축에 의해서 심실내의 혈액이 대동맥으로 박출될 때의 혈관내 최고압력을 수축기 혈압이라고 하며 심장이 수축한 다음에 이어서 확장될 때의 혈관내 최저압력을 이완기 혈압이라고 한다. 안정 상태에 있는 성인의 정상적인 수축기 혈압과 이완기 혈압은 각각 120 mmHg과 80 mmHg이고, 평균동맥압은 90 mmHg 정도이다. 나이가 점점 많아질수록 확장기 혈압과 함께 수축기 혈압이 높아지는데, 특히 나이가 많아질수록 수축기 혈압이 이완기 혈압보다 상승하는 정도가 더 큰 이유 중의 하나는 동맥혈관의 탄성(elasticity)이 감소하기 때문이라고 알려져 있다.

(1) 비침습적 측정법

커프를 이용해서 수기로 혈압을 재는 방법은 고전적인 측정 방법이며, 근래에는 간단하고 표준화된 자동 혈압측정계들을 사용하고 있다. 커프를 사지의 어디에나 적용할 수 있지만 일반적으로 환자의 심장과 같은 높이인 팔을 선택한다. 수기로 측정하는 방법은 청진기를 커프의 바깥쪽 부분에 위치한 전완동맥 위에 위치시킨 후, 커프의 압력을 예상되는 혈압보다 30~40 mmHg 정도 높이 올린 다음, 커프의 공기를 천천히 빠지게 하면서 동맥 위에 위치한 청진기로 혈액이 맥동하는 것을 들어서 측정한다. 이 맥동음을 Korotkoff sound라 하고, 첫 번째 나는 소리가 수축기 혈압을 가리킨다. 커프의 압력이 점차 낮아지면서 Korotkoff sound가 사라지게 되는데, 이때 압력이 이완기 혈압을 가리키게 된다. 커프의 폭은 팔의 외경의 20~30% 이어야 하는데, 커프가 너무 작으면 측정된 혈압은 실제 혈압보다 높게 나오게 되고, 커프가 너무 크면 혈압은 낮게 측정이 된다. 다행히 대부분의 커프가 성인의 팔의 두께에 맞게 계산이 되어 있는데, 소아 환자의 경우는 연령에 따른 다양한 커프를 구비해야 한다. 적절한 커프의 폭은 상완 직경의 120% 또는 상완 둘레의 40% 정도이다. 더 고려할 사항은 측정하는 팔의 높이가 심장보다 높게 위치한다면 혈압이 낮게 측정되고, 심장보다 낮게 위치한다면 더 높게 측정된다.

자동 혈압계는 진동법(오실레이션법)에 의하여 평균동맥압을 구하고 내부 연산에 의해 수축기 혈압과 확장기 혈압을 산출한다.

(2) 직접법(관혈적 측정법)

동맥 내에 카테터를 거치하여 압력 변환기를 통하여 직접적으로 동맥압을 측정한다. 압파형을 연속적으로 기록할 수 있으므로 파형을 전기적으로 적분하여 시간단위로 평균을 구하여 평균 동맥압을 구할 수 있다.

카테터를 거치하는 동맥으로는 요골 동맥, 족배 동맥 등이 이용된다. 요골 동맥에 카테터를 거치할 때에는 알렌 시험(Allen test)을 하여 척골 동맥을 통한 측부 순환이 잘 되고 있는지 확인한다.

직접법에 의한 혈압의 측정은 혈압의 급격한 변화가 예측되는 증례나 상황(고혈압 환자의 기관 내 삽관 등), 저혈압 마취, 빈번한 채혈을 해야 할 경우(혈액가스의 측정)에 유용하게 이용될 수 있다.

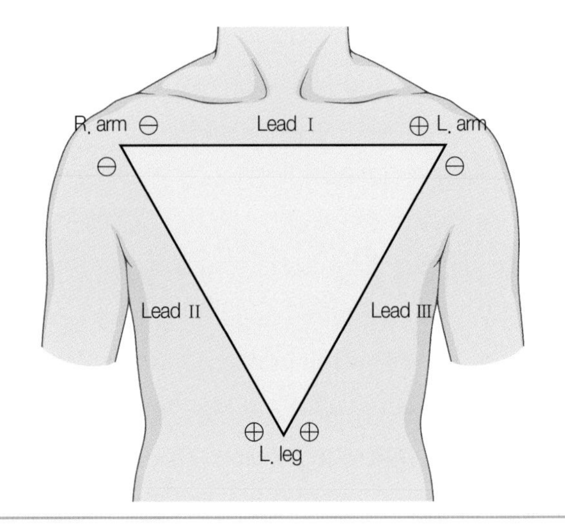

그림 16-6. 심전도의 리드(lead) 방향

4) 심전도

심전도는 심장의 전기적 리듬을 분석하는 장치이다. 피부에서 측정하는 심장의 전류는 심장의 흥분과 수축 과정에서 일어나는 전기자극의 이동을 반영한다. 환자의 심전도 감시는 심장상태에 관한 유용한 정보를 제공한다. 심전도로부터 얻을 수 있는 정보는 심박수, 부정맥, 심근비대, 심근허혈, 그리고 심근경색 등이 있다.

심전도 전극은 우측어깨, 좌측어깨, 좌측대퇴부에 한 개씩 위치시킨다. 접착전극을 사용하면 피부와 접촉이 더 좋아지므로 오류가 줄어들어 신뢰도가 향상된다. 3개의 전극으로 심장의 세방향의 전기자극 이동을 감시 할 수 있는데, 리드 I(lead I)은 우측 팔에서 좌측 팔 방향으로의 전기적 활동을 보여주며, 리드 Ⅱ(lead Ⅱ)는 우측 팔에서 좌측 다리, 리드 Ⅲ(lead Ⅲ)은 좌측 팔에서 좌측 다리로의 전기적 활동을 보여주는데, 주로 마취 중에는 리드 Ⅱ를 사용한다(그림 16-6).

정상적인 심전도 파형에서 첫 번째 파가 P파라고 불리며 심장의 상부인 심방의 전기적 활동을 나타낸다. 동방결절(SA node)에서 만들어낸 전기자극이 심방전체로 퍼져나가 심방이 수축하는 것을 의미하게 된다. 그 다음 파형이 QRS복합체로서 심장 하부의 두 개 심실 내 전기적 활동을 나타낸다. 마지막 파형이 T파로서 방실결절로부터 오는 자극에 다시 반응할 수 있게 되는 과정인 심실의 재분극을 나타낸다(그림 16-7).

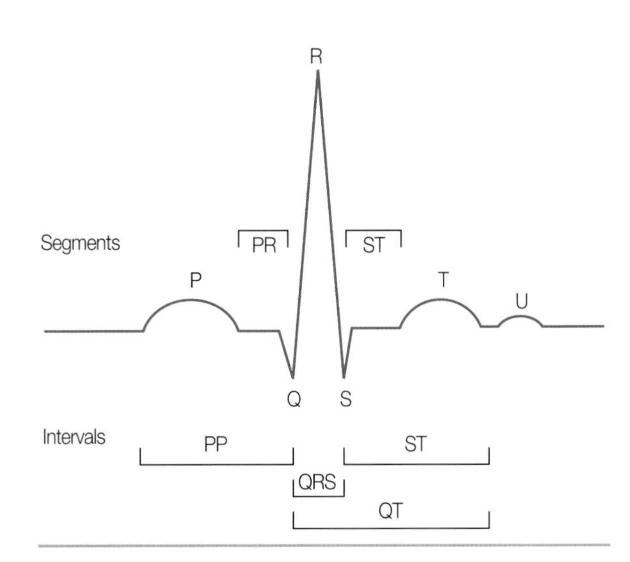

그림 16-7. 정상심전도파

정상심전도파. P파는 심방의 전기적 활동을 나타내고, QRS복합체는 심실 탈분극을 나타내고, T파는 심실의 재분극을 나타낸다. ST분절은 심근허혈의 발생 시 상승 또는 하강하는 형태를 보인다.

심전도를 평가 할 때 먼저 심박수를 관찰해야 한다. 정상적인 심박수는 60~100회/분이다. 만일 박동수가 60회/분 미만이면 서맥(bradycardia)이며, 심박수가 100회/분 이상이면 환자는 빈맥(tachycardia)을 나타내는 것이다. 서맥과 빈맥은 반드시 비정상은 아니며 컨디션이 좋은 운동선수는 종종 매우 느린 심박수를 보이며, 40~50회/분까지 느려지기도 한다. 또한 강한 신체활동을 하게 되면 심박수는 정상적으로도 100회/분을 넘게 된다.

비정상적인 과정으로 인해 심박수가 지나치게 빠르거나 느린 것 또는 불규칙한 것을 부정맥(arrhythmias)이라고 한다. 부정맥에는 많은 종류가 있으며 그 중 몇몇은 임상적으로 심각한 상태를 보일 수 있으므로(심실세동, 심실빈맥, 완전 심실 차단, 동방 차단, 고도의 상실성 빈맥 등) 응급 처치로 약물 투여가 필요하다. 그 외의 경우는 부정맥의 원인을 밝히고 대처하는 것이 원칙이다. 심방세동(atrial fibrillation) 시에 심박수가 정상보다 빨라지는데 P파가 완전히 없어지고 불규칙한 QRS복합체를 보이게 된다(그림 16-8). 심장이 너무 빨리 뛰게 되면 혈압이 낮아 질 수 있다. 또한 조기수축(premature contractions)은 매우 좁은 QRS복합체(atrial)를 보이거나, 매우 넓은 QRS복합체(ventricular)와 함께 나타나기도 한다(그림 16-9). 이러한 두 가지 상태는 오랜 기간의 심장 상태 때문에 나타나며, 일분에 약 10회 이상 나타나지 않으면 그 자체만으로는 해롭지 않다고 알려져 있다.

가끔 심차단(heart block)으로 인한 느린 심박수를 보이는 경우가 있는데 이것은 심장을 통한 정상적인 전기자극이 방해받기 때문이다. 완전심차단(complete heart block)은 심방에서 심실로 가는 전기자극이 완전히 차단된 것을 뜻한다(그림 16-10). 이 경우에 QRS복합체 전에 위치한 P파가 항상 보이지 않게 된다. 이러한 환자는 심장 전문의를 필요하며, pacemaker를 요할 수도 있다.

그 다음으로 감시자는 비정상적이며 훨씬 위험한 심장 리듬을 보아야 한다. 상부심실성 빈맥(supraventricular

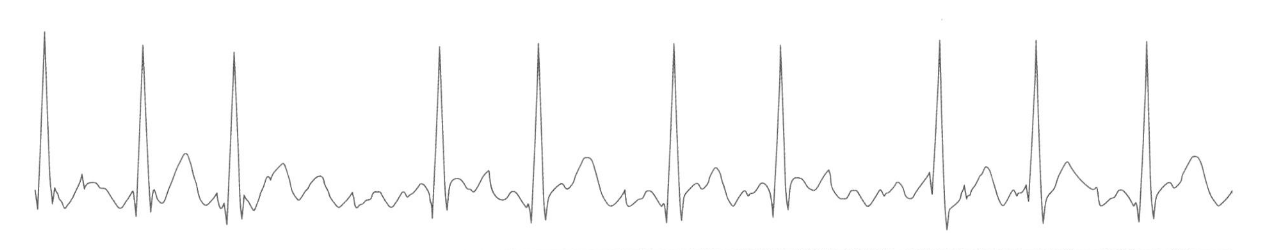

그림 16-8. 심방세동

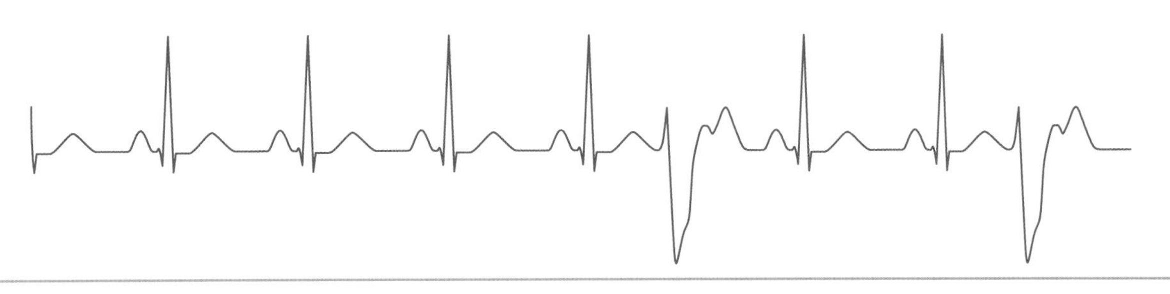

그림 16-9. 심실조기수축

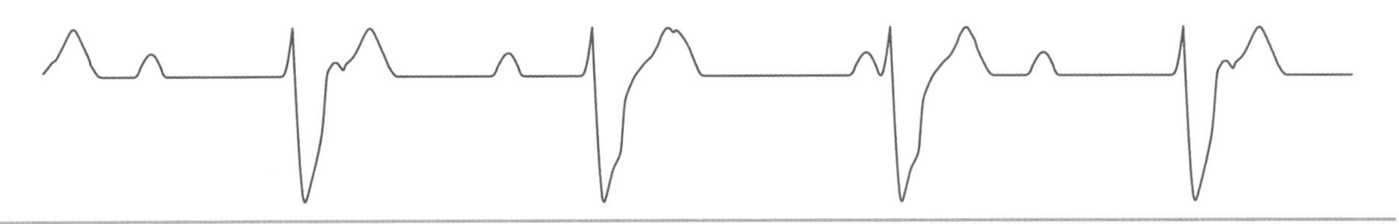

그림 16-10. 완전심차단

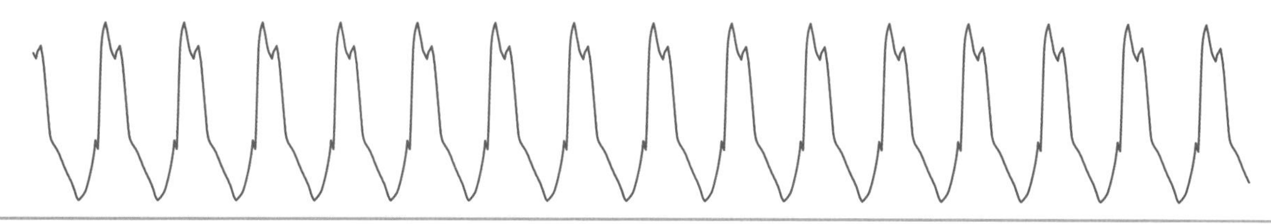

그림 16-11. 심실성 빈맥

그림 16-12. 심실세동

tachycardia), 심실성 빈맥(ventricular tachycardia, VT)(그림 16-11), 그리고 심실세동(ventricular fibrillation, Vf)(그림 16-12)이 있는데, 이러한 부정맥들은 아주 위험하며 혈압이 낮아지고 심장정지가 임박하여 적극적인 심폐소생술이 필요하다.

심전도를 평가할 때 마지막으로 고려해야 할 사항은 심근허혈(myocardial ischemia)과 심근경색(myocardial infarction)이 있는지 여부이다. 둘 다 관상동맥이 막혀 혈류가 없거나 감소될 때 나타나며, 심전도의 QRS복합체와 T파 사이의 ST분절을 보면 확인할 수 있다. 만일 이 수평의 선이 기저선으로부터 2 mm보다 아래로 위치하거나 기저선보다 2 mm 혹은 더 상방으로 위치하면 심근 허혈이나 심근 경색이 있는 것이다. 심근 허혈은 심전도의 ST 분절의 저하로 나타나는 수가 많다. 심근 산소 수요가 많거나(빈맥, 수축기 혈압 상승, 체온 상승 등), 심근으로의 산소 공급이 적은 경우(빈맥, 확장기 혈압 저하, 흡입 산소 농도 저하, 대량 출혈 등), 또는 둘 다 관련이 있는지를 감별하여 각각에 대하여 처치해야 한다.

관상동맥의 연축(coronary spasm)에 의한 심근 허혈에서는 ST 부분이 상승하는데, 심근 경색과 감별해야 한다. 칼슘길항제나 니트로글리세린 등을 투여하여 증상을 즉시 개선하도록 한다. 처치가 늦으면 심실세동 등 치명적인 부정맥을 발생시키는 수가 있다.

술중의 전해질, 특히 칼륨치의 이상이 있으면 심전도에 변화가 있으며 고칼륨혈증에서는 T파가 높아지고 저칼륨증에서는 T파는 편평해진다.

5) 중심정맥압(Central venous pressure, CVP)

중심정맥압이란 우심방 부근의 상대정맥이나 하대정맥의 혈압을 말하는 것으로 우심계의 전부하 및 펌프 기능의 지표가 된다. 장시간의 수술로 특히 대량의 출혈이 예상되는 경우나 술전부터 심기능이 저하되어 있는 증례에서 많이 측정하고 참고가 된다.

중심정맥압 측정용 카테터는 내경 정맥, 쇄골하 정맥 또는 상완부 표피 정맥 등으로부터 우심방 부근까지 삽입된다. 앙와위에서는 중액와선을 기준으로 하고 보통 cmH_2O로 측정한다. 정상치는 4~8 cmH_2O이지만, 기계적인 인공호흡을 실시하면 흉강내압에 영향을 끼쳐 약간 높게 측정되는 수가 있다.

CVP가 저하된다는 것은 순환 혈액량이 줄어든다는 의미로 수혈을 하거나 수액을 공급해야 한다는 것을 의미한다. CVP의 상승은 수액이나 수혈을 과잉 투여하여 순환 혈액량이 과다하여 우심 기능이 저하되었다는 것을 의미하고 특히 우심부전에서 이뇨제나 디기탈리스의 적응이 된다.

6) 요량

신혈류의 지표이다. 쇼크에 의한 혈압 감소 시 중요 장기 중에서 최초로 신혈류가 감소하므로 중요 장기의 혈액 관류의 간접적인 지표가 되기도 한다. 보통 2시간 이상의 수술이나 저혈압마취, 술전부터 전신 상태가 불량하였던 증례에서는 도뇨관을 설치하여 적어도 0.5~1 ml/kg/hr의 속도로 요량이 유지되도록 수액 또는 수혈을 공급한다.

5. 대사감시

1) 체온

환자의 체온은 마취와 진정요법을 포함하여 외과적인 혹은 치과시술 수행 전후로 체크해야 한다. 의식하 진정 시 체온의 감시는 일반적으로 필요하지 않다. 그러나 환자가 깊은 진정이나 전신마취 상황이 되면 정상적인 체온조절이 어려워지므로 지속적인 체온의 감시가 필요하게 된다. 온도변화를 지속적으로 관찰하면 예상밖의 열손실이나 악성 고열 등을 발견할 수 있다. 임상연구에서 수술 중 저체온이 발생한 환자는 정상체온을 유지한 환자와 비교해 볼 때, 수술 후 심근허혈과 창상감염이 발생할 위험이 높다고 설명하고 있다. 그러므로 자주 온도를 감시하고, 마취를 시행하는 모든 환자에게서 정상체온에 가깝게 심부체온을 유지해야 한다.

체온은 다양한 방법으로 측정할 수 있는데 이마와 같은 피부는 측정하기는 쉽지만 부정확하다. 다른 체온 측정 부위로 구강, 직장, 액와 그리고 고막을 들 수 있다. 체온은 호흡, 순환계의 지표들과 비교한다면 마취 중에는 서서히 변화한다. 그러나 한 번 변화하고 나면 다시 회복시키기는 상당히 어렵고, 정상에서 심하게 변화하는 경우에는 대사기능 장애가 오게 되며 사망에 이를 수도 있다.

신체의 체온조절계는 정상으로부터의 변화를 최소화하기 위하여 뇌의 feedback을 사용하는 다른 생리학적 조절계와 비슷하다. 체온조절계는 심부체온을 37℃ 정도의 정상체온에서 위아래로 0.2℃ 내로 유지시킨다. 전신마취 중에는 환자가 의식이 없고 근육이완제가 종종 투여되기 때문에 체온변화에 대한 행동반응을 할 수가 없다.

소아와 고령의 성인에서, 특히 순환계통의 저하와 갑상선기능저하를 보이는 사람은 저체온증이 오기 쉽다. 일반적으로 악성 고열증은 매우 드문 현상이다. 쾌적한 실내온도와 심각하게 온도차이가 나는 환경이 아니라면, 그리고 환자가 추운 환경에서 상당기간 노출이 되지 않았다면 저체온증은 나타나지 않는다. 하지만 전신마취가 시행되는 수술실은 온도가 20~22℃로 맞추어져 있기 때문에 열손실은 불가피하다. 수술 중 저체온을 최소화하기 위해서는 피부로부터의 열손실, 창상을 통한 증발 및 온도가 낮은 정맥용 수액에 의한 체온감소 등을 예방해야 한다. 치과, 구강외과 수술에서 체온이 저하하는 경우는 경부 곽청술이나 흉부 피판 수술 등, 수술 부위가 광범위한 경우에 많이 볼 수 있다.

2) 혈당

당대사의 가장 간단하고 중요한 지표이다. 특히 당뇨병 환자에서 주기적인 혈당측정이 중요하다. 요당과 요케톤으로 당의 대사 이상을 진단할 수 있다. 고혈당에서 삼투성이뇨와 이에 수반되는 탈수가, 저혈당에서는 뇌의 기능장애가 일어날 가능성이 있다.

혈당치와 백혈구의 이물 처리 능력은 반비례하므로 당뇨병 환자라 하더라도 저혈당을 두려워해서 혈당치를 높게 유지하면, 술후의 창상 감염의 가능성이 높아진다. 현재, 많은 종류의 간이 혈당 측정기가 시판되고 있다.

3) 혈액가스

혈액가스의 결과에서 염기 과다(base excess, BE)가 대사성 변화의 지표가 된다.

HCO_3^-가 대사성의 변화를 나타내고 실제로 $PaCO_2$의 영향을 받으므로 BE라는 개념을 세울 수 있다. BE는 전혈을 37℃, $PaCO_2$를 40 mmHg로 하였을 경우에 pH를 7.4로 하기 위하여 필요한 산의 양으로 정상치는 0±2

mEq/l이다.

4) 혈청 전해질

혈청 전해질에서 특히 칼륨은 술중의 대사 상태에 영향을 받으며, 외상, 화상, 신경근 질환자에 succinylcholine을 투여하면 고칼륨혈증이 나타날 수 있다. 저칼륨혈증은 장기간의 수액요법으로 체내의 총 칼륨이 감소하였거나 당뇨환자에서 인슐린 요법 중에 칼륨을 적게 보충하거나 국소마취제에 포함되는 에피네프린이 다량으로 투여되었을 때에 볼 수 있다. 심전도에서 T파가 변화함으로 알 수 있다.

최근에는 혈액가스 측정기로 혈청 전해질과 혈당치를 동시에 측정할 수 있는 종류도 많다.

6. 신경근 감시

술후, 신경근육 계통의 잔존하는 마취는 저산소증, 상부식도와 인두에서의 화학 수용기의 감수성을 떨어뜨리고, 기도 확보 능력을 감소시킨다. 그리고 술후 폐합병증의 위험이 증가하게 된다. 임상적으로 근육이완제의 잔존효과 즉, 신경근육 기능 회복 정도를 임상적 평가로 구분해 내기란 어려운 일이다. 신경근 모니터링만으로는 술후, 신경근 기능의 충분한 회복을 보장하지 못하며, 신경자극기를 이용하여 측정하였을 때, TOF비가 반드시 0.9를 넘어야 안전을 보장할 수 있다고 한다.

1) 신경 자극에 의한 판정

운동신경 말초를 전기 자극하여 지배하는 근육의 운동을 관찰하는 근이완 감시방법으로 많은 장비가 시판되고 있다(그림 16-13).

(1) 단일 연축자극법

1 Hz 빈도의 자극에 의하여 근육이 한 번 수축하는 것을 보는 방법으로 비탈분극성, 탈분극성 차단은 모두 수축이 감소, 소실된다. 잔존효과의 판정에는 약물 투여 전의 대조치를 두어야 할 필요가 있다.

(2) TOF (Train of four)법

0.5초 간격으로 4회 연속으로 자극하는 방법으로 첫 번째 수축의 높이(T1)와 네 번째 수축의 높이(T4)의 비를 TOF비라고 한다. 정상에서는 TOF비가 1이지만 비탈분극성 근이완제 투여로 T4가 감소하여 TOF비의 저하가 시작되어 계속해서 T1도 감소하기 시작한다. TOF에서는 T4에서 T1의 순서로 수축이 소실한다. 회복은 T1의 출현부터 시작한 후 T4가 출현하므로 근이완 효과가 있으면 T1이 회복되더라도 T4의 회복이 지연되어 TOF비 회복되지 않은 상태가 된다. 따라서 TOF비는 단일 자극법보다 잔존 효과를 판정하는데 예민하다. TOF비가 0.9 이상이면 근이완에서 안전하게 회복되었다는 것을 뜻한다. 또 탈분극성 근이완제 투여 시에는 TOF비는 변하지 않고 수축높이만 감소, 소실된다.

(3) Tetanus 자극법

빈도 50 Hz인 Tetanus자극을 5초간 주는 방법으로 비탈분극성 근이완제 투여 시 강직수축(tetanus)이 유지되지 않고 감쇠(fade)한다.

(4) Post tetanic count (PTC법)

비탈분극성 근이완제를 사용할 경우 tetanus 자극 후 수초간 휴식하면 단일 수축의 높이가 다시 증가한다(post tetanic facilitation). 그래서 비탈분극성 근이완제 투여 시에 전혀 수축이 되지 않을 경우에 tetanus 자극 3초 후에 단일 자극을 가하여 출현하는 단일 수축이 몇 번 지속된 후에 다시 소실되는지 그 횟수를 헤아리는 방법이다. PTC법은 수축을 얻을 수 없는 상태에서의 근이완 정도의 판정에 유용하며, PTC=5와 같이 표현한다. 기관내 삽관, 기관내 흡인 시에 bucking을 피할 목적으로는 PTC=0 또는 1로 한다. PTC=10에서 TOF의 T1이 출현한다.

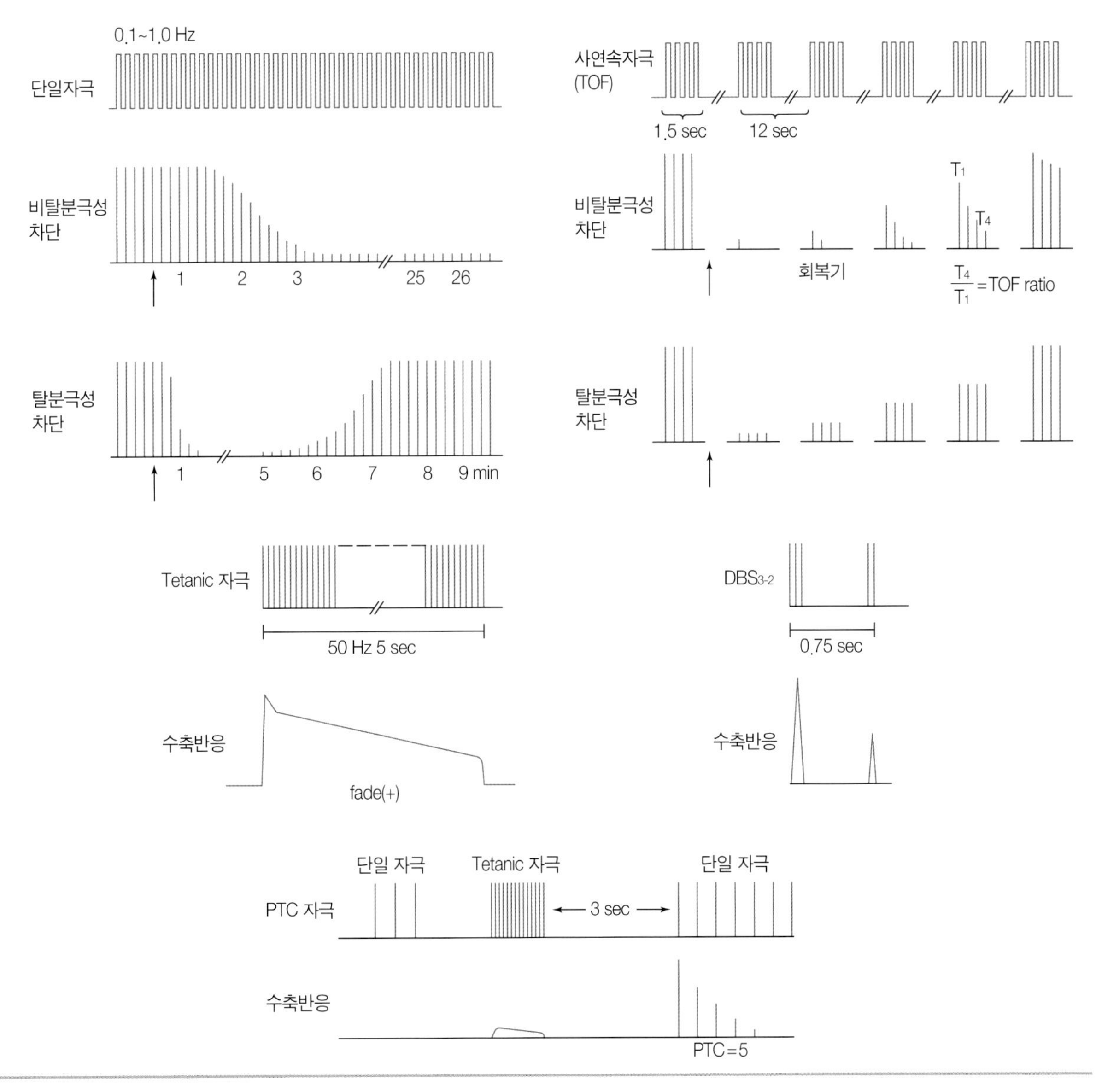

그림 16-13. 신경자극과 수축반응

(5) Double-burst stimulation (DBS)법

20 msec간격으로 2 내지 3연속 자극을 750 msec 사이를 두고 2번 자극하여 두 수축간의 fade의 유무를 보는 것이다. 2연속 자극 두 개, 3연속 자극 두 개, 3연속과 2연속 자극의 조합하여 각각 DBS2-2, DBS3-3, DBS3-2로 표현한다. TOFR을 tetanus자극으로 증폭시킨 것 같이 비탈분극성 근이완제의 잔존효과의 판정을 기록계 없이 촉지하거나 시각만으로 시행할 수 있다는 이점이 있다.

2) 임상 소견에 의한 판정(잔존효과의 판정)

상기도 근육들의 기능이 회복되고 환자 자신이 확실하게 기도를 유지할 수 있을 정도의 회복을 목표로 한다면 TOF비가 0.9 이상을 보이는 것이 필요하다. 임상증상과

표 16-4. 임상증상과 TOF비의 관계

임상증상	TOF비(%)
눈을 뜬다	51
혀를 내민다	54
기침을 한다	60
최대흡기력이 -25 cmH_2O 이상	75
폐활량이 15 ml/kg 이상	76
상지거상 10초 이상	83
두부거상 5초 이상	89

TOF비간의 관계를 표 16-4에 표시하였다. 5초 이상 두부거상이 된다면 TOF비가 0.9에 도달한 것으로 볼 수 있다.

7. 마취심도감시

마취심도를 정의하기 위한 개념은 한마디로 정의하기 어려운 복잡성이 있다. 대상의 50%가 움직이지 않는 폐포 내 마취제 농도인 최소폐포농도(MAC)처럼 과학적인 표현으로 정의될 수 있으며, 중등도 진정 등에서와 같이 임상적인 개념으로 정의되기도 한다. 최근에는 뇌의 인지 기능에 따라 마취심도를 분류하기까지 되었다. 적절한 심도의 진정 또는 전신마취를 시행하는 데 있어서, 수술의 종류, 사용하는 약제, 환자의 상태와 마취과 의사의 선호도 등에 따라 여러 가지로 달라지기도 한다.

1) 진정 심도 감시

진정법 시행을 계획할 때, 목표로 하는 진정 깊이를 결정하게 된다. 구두 명령에 잘 반응함과 동시에 반사작용들이 그대로 유지되는 매우 얕은 심도를 유지하면서 시술을 할 것인지, 아니면 의식이 없는 깊은 진정에서 시술을 할 것인지 결정을 하고 진정법을 시행하게 되는데, 각 수준별 환자감시의 정도 및 종류 그리고 감시 인력 및 응급상황 발생의 정도가 달라지고 환자의 만족 수준도 달라지게 된다. 그러므로 처음부터 계획한 진정 심도를 유지하는 것이 중요한데, 그러기 위해서는 지속적인 진정 심도의 감시가 필요하다.

전통적으로 진정 심도는 진정 척도(sedation scale)를 이용하여 평가해왔으나 주관적이기 때문에 평가자에 따라서 같은 심도의 진정상태라도 달리 평가될 가능성은 많다. 주관적인 진정 척도의 단점을 극복하기 위하여 이중분광지수(bispectral index, BIS), 청각유발전위(auditory evoked potential) 등의 객관적인 변수들이 진정 심도 평가에 부분적으로 이용되고 있으나 이들의 단점은 같은 수치라도 진정된 환자와 그렇지 않은 환자 간의 중첩이 있을 수 있다는 것이다.

(1) 진정 척도(Sedation scale or score)

진정 척도는 전통적인 진정 심도 평가방법으로 가장 많이 이용되는 방법이다. 1974년 Ramsay 등이 처음 발표한 이래 보다 객관적이고 일관성 있게 진정 수준을 평가하기 위하여 다양한 진정 척도가 개발되어왔다. 그러나, 진정 척도에 따라 진정의 심도를 평가한다 하더라도, 평가자의 주관적인 견해가 결과에 영향을 미칠 우려가 있어, 이들의 공통적인 문제점은 평가자간의 신뢰도(inter-rater reliability)가 낮다는 것이다.

통원 수술에서의 진정과 진통의 심도를 평가하기 위하여 개발된 진정 척도로는 Observer's Assessment of

표 16-5. 수정 OAA/S (Modified Observer's Assessment of Alertness/Sedation) 진정척도

반응도	점수
정상적인 통의 목소리로 이름을 부를때 반응함	5
정상적인 통의 목소리로 이름을 부를때 반응이 둔화됨	4
반복적으로 혹은 큰 목소리로 이름을 부를 경우에만 반응함	3
가볍게 두드리거나 몸을 살짝 흔드는 경우에 반응함	2
꼬집는 등의 통증 자극에만 반응함	1
통증자극에도 반응하지 않음	0

Chemik DA, Gilings D, Laine H, et al. Validity and reliability of the observer's assessment of alertness/sedation scale: study with intravenous midazolam. J Clin Psychopharmacol 1990; 10:244-51

Alertness/Sedation Scale (OAA/S Scale)(표 16-5)이 수술 환자에서 propofol이나 midazolam, opioid를 사용한 진정 정도를 평가하는 목적으로 가장 많이 사용되고 있다.

(2) 이중분광지수

이중분광지수(bispectral index, BIS)는 마취제와 진정제의 최면효과를 측정하는 복합적인 뇌파 지표로서, 통계학적으로 의식 및 무의식에 관련이 있다고 여겨지는 뇌전도의 빈도, 진폭 및 간섭성의 측정에 의해 구해진다. BIS는 화면에 숫자로 표시되는데 뇌의 활성도가 전혀 없는 경우를 0, 완전한 각성상태에 있는 경우를 100으로 하여 환자의 현재의 최면상태를 지속적으로 측정하게 된다. BIS는 마취의 깊이를 측정하는 장치는 아니며 의식이나 각성상태 혹은 기억으로 표현되는 마취의 최면상태만을 측정한다. BIS는 각성의 위험없이 효과적인 약용량을 얻기 위해 마취약제를 적정하는데 쓰이며 마취 시 최면제와 진통제의 보다 나은 균형을 유지할 수 있게 한다.

BIS 감시에 필요한 장비로는 우선 BIS 센서가 있는데 BIS 센서는 환자로부터의 신호를 받아들이며 접착위치를 용이하게 해주는 원으로 된 네 개의 위치표시가 있다. 센서의 부착은 빠르고 간편하지만 올바른 방법으로 부착해야 더 신뢰받고 지속적인 양질의 신호를 얻을 수 있다.

수술 중의 BIS 범위는 모든 상태의 모든 환자에서 일관된 BIS 수치나 범위가 추천될 수는 없고 의도하는 임상적 목표에 따라 다르다. 목표가 깊은 진정이나 얕은 최면상태를 얻는 것이라면 BIS 수치는 60~70 정도가 적당하다. 반면 전신마취하 수술상태인 중등도의 최면상태는 40~60 사이의 BIS를 유지하는 것이 적당하다.

8. 마취기록의 보존

진정법 및 전신마취를 시행할 때, 의무기록을 충실하게 기록하고, 보존하는 것은 가장 기본일 뿐 아니라, 법적으로 의료인을 보호해 주는 중요한 자료가 된다. 이러한 기록에는 시술 전 환자평가기록지, 전신마취 및 진정법 시행 중 기록한 마취기록지 또는 진정 기록지(그림 16-14), 진정 회복 및 부작용 기록지 등으로 나누어 볼 수 있다.

1) 기록 보존의 목적

진정제나 마취제가 투여될 때 각 환자의 기록이 남겨져야 한다. 마취 및 진정법 시 기록의 목적은 첫째, 환자치료에 적절한 처치를 가할 수 있도록 하는 것이며, 둘째, 행정적 목적으로 환자에게 치료비용 청구의 자료가 되며, 셋째, 다음 진정법 또는 전신마취 시행 시 참고할 수 있고 환자와 마취에 대하여 대화할 수 있는 중요한 자료가 되며, 넷째, 연구 목적 및 교육자료로 이용될 수 있으며, 마지막으로 임상의사에게 법의학적 증거 자료로 사용될 수 있는 것이다.

이러한 마취 및 진정법시 기록에 포함되어야 할 항목으로 환자의 인적사항, 시술 전 환자평가 기록, 투여된 약제의 종류 및 용량, 투여된 시간, 적절한 간격으로 기록된 활력징후, 산소포화도 및 마취심도, 마취 시작 시간과 종료 시간, 회복 시 상태 및 합병증 발생 그리고 책임자 이름 등이 있다(표 16-6).

표 16-6. 마취 및 진정 기록지에 포함되어야 할 항목

- 환자 이름, 병록번호, 시술 날짜, 체중, 신장
- 금식 상태 확인, 전신마취 및 진정법 동의서 확인
- 수술 전 평가 기록 및 마취 전 처치
- 시술 전 혈압, 심박동수, 산소포화도, ASA status
- 투여 약물, 투여약물의 용량, 약물 투여 시간
- 기도관리 기록
- 정맥 천자 위치, 투여 수액량, 수혈량
- 사용된 모니터 목록(적절한 시간간격(5~15분)의 수축기 혈압, 확장기 혈압, 심박동수, 산소포화도, 진정 심도)
- 마취 또는 진정의 시작 시간과 종료 시간
- 수술 및 치과치료의 시작 및 종료 시간
- 회복실 기록
- 퇴원 평가: 정신은 제대로 돌아왔는가?
- 보행이 가능한가, 안정된 활력 징후
- 퇴원 시간
- 책임자의 이름
- 합병증 및 부작용

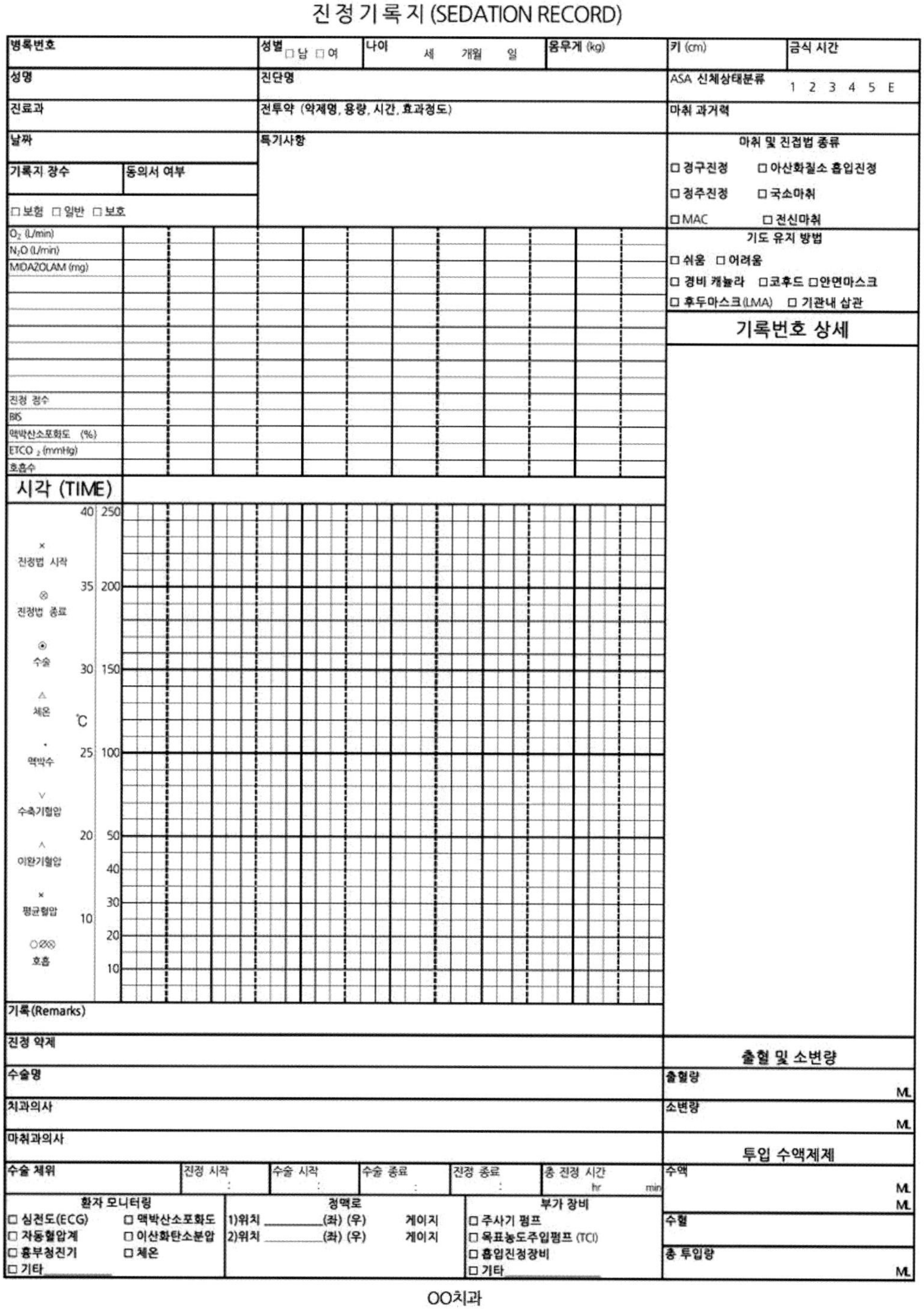

진 정 기 록 지 (SEDATION RECORD)

병록번호	성별 □ 남 □ 여	나이 세 개월 일	몸무게 (kg)	키 (cm)	금식 시간
성명	진단명			ASA 신체상태분류 1 2 3 4 5 E	
진료과	전투약 (약제명, 용량, 시간, 효과정도)			마취 과거력	
날짜	특기사항			마취 및 진정법 종류 □ 경구진정 □ 아산화질소 흡입진정 □ 정주진정 □ 국소마취 □ MAC □ 전신마취	
기록지 장수 / 동의서 여부					
□ 보험 □ 일반 □ 보호					

O_2 (L/min)
N_2O (L/min)
MIDAZOLAM (mg)

진정 점수
BIS
맥박산소포화도 (%)
ETCO $_2$ (mmHg)
호흡수

기도 유지 방법
□ 쉬움 □ 어려움
□ 경비 캐뉼라 □코후드 □안면마스크
□ 후두마스크(LMA) □ 기관내 삽관

기록번호 상세

시각 (TIME)

× 진정법 시작
⊗ 진정법 종료
⊙ 수술
△ 체온
• 맥박수
∨ 수축기혈압
∧ 이완기혈압
× 평균혈압
○⊘⊗ 호흡

℃: 40, 35, 30, 25, 20, 10
250, 200, 150, 100, 50, 40, 30, 20, 10

기록(Remarks)

진정 약제

수술명

치과의사

마취과의사

출혈 및 소변량
출혈량 ML
소변량 ML

수술 체위	진정 시작 :	수술 시작 :	수술 종료 :	진정 종료 :	총 진정 시간 hr min

투입 수액제제
수액 ML ML
수혈
총 투입량 ML

환자 모니터링
□ 심전도(ECG) □ 맥박산소포화도
□ 자동혈압계 □ 이산화탄소분압
□ 흉부청진기 □ 체온
□ 기타________

정맥로
1)위치 __________(좌) (우) 게이지
2)위치 __________(좌) (우) 게이지

부가 장비
□ 주사기 펌프
□ 목표농도주입펌프 (TCI)
□ 흡입진정장비
□ 기타____________

OO치과

그림 16-14. 진정 기록지

참고문헌

1. 대한마취통증의학회: 마취통증의학 제3판. 서울. 여문각, 2014.
2. 대한마취과학회: 마취과학 개정판. 서울. 군자출판사, 2009.
3. 대한치의학회: 개원의를 위한 치과진정법 임상진료지침. 서울. 엘스비어코리아. 2016.
4. 一戸達也 등: 歯科麻酔學. 第8版. 醫歯藥出判株式會社, 2019.
5. Barash PG, Cullen BF, Stoelting RK ed: Clinical Anesthesia. 8th ed. Lippincott Williams & Wilkins, 2017.
6. Miller RD ed: Anesthesia. 8th ed. New York. Churchill Livingstone, 2014.
7. American Dental Association (ADA): Guidelines for the use of sedation and general anesthesia by dentists, 2016.
8. Lawrence JP, Matsuura H: Monitoring, Management of Pain & Anxiety in the dental office. Edited by Dionne RA, Phero JC, Becker DE. Philadelphia. WB Saunder Co, 152-60, 2002.
9. Malamed SF: Sedation: a guide to patient management. 6th. Philadelphia. Mosby, 2017.
10. Kamat V: Pulse oximetry. Indian J Anaesth, 46: 261-8, 2002.
11. Shapiro BA, Peruzzi WT, Templin R: Clinical application of blood gases. 5th. St Louis, Mosby, 64, 1994.

CHAPTER 17

| Dental Anesthesiology | 진정법

비약물적인 불안해소

학습목표

1. 진정법의 가장 기본적이고 간단한 방법인 비약물적 불안해소에 대하여 설명한다.
2. 치과에서 유용한 비약물적 불안해소법을 나열한다.

비약물적 불안해소는 기본적으로 술자의 언어적·비언어적 소통을 통하여 환자의 불안을 조절하는 것이다. 이는 모든 불안조절법의 기본이 되는 인지심리학적 접근법이다. 현재는 많이 사용되지는 않지만 1967년 남가주대학치대 치과마취과 교수인 Nathan Friedman에 의해 제안된 의원성안정법(iatrosedation)도 이 범주에 속한다. 치과치료에 대한 환자들의 불안에 대한 의사의 판단, 환자로부터 수집한 정보의 관리, 치과치료에서 환자를 심리적으로 지지하기 위한 의사의 모든 행위 및 과정들을 지칭하는 포괄적인 개념이다. 또한 비약물적 불안해소는 환자와 술자 사이에 신뢰관계를 형성하는 소통기술이다. 실제로 환자와 의사 사이에 돈독한 신뢰 관계가 구축되면 환자들에게 사용되는 진정제의 총량을 줄일 수 있을 뿐만 아니라 어떤 경우는 약물투여 없이도 환자의 불안을 효과적으로 조절할 수도 있다. 또한 비약물적 불안해소의 이점은 언제든지 발생할 수 있는 법의학적 문제점들을 줄일 수 있다는 점이다. 실제로 환자와 의사 사이에서 발생한 법의학적 문제들의 37%는 환자와 의사 사이의 부적절한 소통이나 믿음의 부족에서 비롯되었고, 설문에 참여했던 의사들은 법의학적 문제를 줄일 수 있는 가장 효과적인 방법은 환자와 의사 사이의 신뢰감의 형성이라고 이구동성으로 대답하고 있다.

통증과 불안을 조절하는 것은 치과의사 개인의 능력과 노력만으로 되는 것은 아니다. 숙련된 치과의사는 위생사를 포함한 치과 보조인력이 환자가 치료를 편안하게 받을 수 있는 환경을 조성하도록 교육한다. 아산화질소를 이용한 흡입진정을 할 경우, 위생사는 환자에게 아산화질소를 어떻게 천천히, 깊게 호흡하는지를 미리 알려주고, 환자의 주의를 분산시켜 불안을 감소시키는 방법을 훈련 받는다. 이런 일련의 과정은 아산화질소의 부작용을 감소시키고 과호흡이나 호흡정지를 피하며, 낮은 농도에서 심도 깊은 통증 조절을 가능하게 해준다. 잘 훈련된 치과위생사는 환자에게 국소마취를 시행하는 동안 긴장을 푸는 법을 가르칠 수도 있다.

치과치료 중 치과의사의 시야는 제한적이다. 따라서, 진료하는 동안 다른 보조인력이 환자의 전반적인 신체를 관찰해주고, 통증이나 불안 증상이 나타날 경우, 치과의사에게 알려주면, 많은 도움이 된다. 위생사, 치과조무사 및 사무직원들은 환자 치료가 끝난 후 환자에 대해 보고를 함으로써 치료 동안 어떤 문제들이 일어났고 해결책은 무엇인지 찾아볼 수 있다. 환자들은 치과의사보다는 다른 치과진료실 내 직원들에게 자신의 불안을 호소하기도 한다. 때문에 치과진료실에서 근무하는 모든 진료팀이 서로 환자에 대한 의견이나 정보를 반영하여 환자의 불안을 최소화시키려는 노력은 진료팀 각자에게 긍정적인 효과를 주고 보다 성공적으로 환자의 불안을 조절할수 있게 한다.

1. 통증과 불안

통증이란 국제통증연구학회(international Association for the study of Pain, IASP)의 정의에 따르면 실질적 또는 잠재적인 조직손상이거나 이러한 손상에 관련하여 표현되는 감각적이고 정서적인 불쾌한 경험이다. 같은 정도의 자극에 대해서도 사람마다 느끼는 감정이 다르다. 특히 두경부 통증은 다른 사지 통증과는 달리 뇌신경, 척수신경, 기타 신경계가 복잡하게 관여하므로 통증 전달로가 매우 다양하여 통증의 원인을 규명하는 것도 쉽지 않다. 또한 환자의 감정, 믿음, 과거의 경험, 기대 등도 통증의 경험에 영향을 미친다. 통증과 불안은 동전의 양면과 같아, 통증은 환자에게 불안을 유발시킬 수 있고 불안은 불안하지 않은 환자에서보다 통증의 역치를 낮추어 보다 많은 통증을 경험하게 한다. 따라서 불안을 경감시키는 방법들은 통증을 감소시킬 수 있다. 예를 들면 치통으로 인해 밤새 잠을 못 이루고 감정적으로 날카로워진 환자들은 종종 심리적 압박감을 통증으로 받아들여 국소마취의 효과가 미미하게 된다. 이런 경우 적극적으로 진통제를 처방하고 환자가 휴식과 수면을 취하도록 하고 적절한 영양분을 공급함으로써 의외로 쉽게 환자의 불안과 통증을 조절할 수 있다. 치과치료에 있어서 통증과 불안의 조절은, 환자에게 '좋은' 치과의사가 되기 위해 충족 되어야 할 중요한 요소이다.

치과치료에 연관되어 환자가 느끼는 불안의 대상이 다르다는 것도 인식할 필요가 있다. 예를 들면 어떤 환자들은 막연히 치과치료에 수반되는 통증에 대한 예기불안이 있는가 하면 어떤 환자는 치과진료와 연관된 소음, 진동 등이 더 큰 불안의 원인일 수 있다. 개별 환자에 맞게 불안의 원인을 적극적으로 조절하여 환자를 편안하게 하는 비약물적 불안 조절이 필요한 이유가 여기에 있다. 만일 환자가 불안에 따른 과잉행동을 보인다면 긴장완화를 위한 행동학적 접근이 도움이 될 것이다. 또한 환자가 국소마취제를 투여할 때 숨을 멈추고 있다면 치과치료 전 심호흡 연습이 도움이 될 것이다. 핸드피스의 소음이 불안의 원인이라면 환자가 좋아하는 음악을 이어폰이나 헤드폰을 통하여 제공하는 것이 환자를 진정시키는데 유용하다. 매우 신중하고 의심이 많은 환자라면 치과치료 각 단계에서 상세한 설명과 소아치과에서 사용되는 전형적인 "설명하기-보여주기-행하기(TELL-SHOW-DO)"가 성인치료 시에도 도움이 된다. 환자에게 거울을 주고 치료 과정을 보게 하는 것도 효과가 있는데 이는 치료 중 텔레비전을 시청하게 하는 것처럼 분산의 효과가 있어 특히 까다로운 환자의 경우 도움이 된다. 따라서 환자의 심리적인 문제점에 대한 깊은 이해와 동감이 효과적인 비약물적 진정의 지름길이라는 것을 강조하고 싶다.

환자들이 불안을 표현하는 방식도 흥미롭다. 환자의 과거 불쾌한 치과치료경험이 현재 치과의사가 모든 것을 바르게 행하고 있음에도 불구하고 환자들을 흥분하게 할 수 있다. 달아나거나 심하게 발버둥치는 등 종종 행동을 통해 자신들의 불안을 표출한다. 성인 환자의 경우 발가락 끝을 꼬거나 의자의 팔걸이를 붙잡거나 눈을 꼭감고 얼굴과 목의 근육을 긴장시킨다. 그들은 자신들이 두려워 한다는 사실을 강하게 부인하는 경향이 있다. 또한, 환자의 교감신경계가 활성화되어 나타나는 빈맥, 발한, 어지러움, 구토와 같은 증상들을 통하여 환자의 불안을 파악할 수도 있다. 그러나 이런 반응들을 한 번에 다 특징적으로 나타내는 환자는 거의 없기에 환자에 대한 다각적인 평가가 중요하다.

2. 치과에서 많이 사용하는 비약물적 불안해소법

치과에서 사용되는 비약물적 불안해소법에는 호흡법(paced breathing), 최면술(brief relaxation), 바이오피드백(biofeedback), 탈감작(desensitization) 분산법(distraction) 등이 있다.

1) 호흡법

근육의 긴장완화와 함께 호흡의 깊이와 속도를 조절하는 것은 통증과 불안을 치료하는 중요한 비약물학적 방법 중 한 가지이다(표 17-1). 주사를 두려워하는 대부분의 환자들은 숨을 참기 때문에 호흡을 잘 하도록 하는 것이 중요하다. 빠르고 얕은 호흡은 어지러움증과 구토를 유발할 수 있다. 따라서 치과의사와 위생사는 환자가 숨을 깊이 들이쉬고(가능하면 복식호흡), 천천히 다섯을 세는 동안 호흡을 멈추었다가, 천천히 숨을 내쉬도록 하며, 이를 몇 번 반복하게 한다. 환자가 매우 흥분했을 때 천천히 숨을 내쉬도록 하는 것이 환자를 진정시키는 최선의 방법이다. 천천히 숨을 쉬면 심장박동도 느려지고 환자가 느끼는 심계항진도 느려진다. 일단, 환자의 호흡을 조절한 후 치과치료를 계속할지 여부를 결정한다. 심호흡을 하는 것은 아산화질소를 이용한 진정법이나 정맥로를 확보할 때 뿐만 아니라 호흡에 영향을 주는 진정제 투여 시 중요하다. 심호흡은 산소화를 증가시켜 산소포화도에 영향을 줄 수 있다. 유사하게 호흡과 이완운동을 사용할 수 있다.

표 17-1. 심호흡 교육

1. 부적절한 호흡은 환자의 불안이 증가됨을 설명한다.
2. 천천히 심호흡하고 흡기 및 호기 마지막에 5초간의 숨참음을 교육한다.
3. 환자와 함께 심호흡을 연습한다.
4. 환자가 집에서 연습하도록 격려한다.

2) 최면술

최면술은 주의를 변화시키거나 규칙적인 호흡운동 그리고 근육 이완과 같은 기술을 적용시키는 방법이다. 이 방법은 치과분야에서 100년 이상 사용되어 왔다. 미국임상최면학회(American Society of Clinical Hypnosis)는 수준 높은 교육과정이 있으며 초보자에서 상급자까지 등급이 나누어진다. 초보자 과정에서는 의사가 다음날 바로 사용할 수 있는 기술을 가르쳐준다. 최면술은 환자가 치과치료를 보다 편안하게 받을 수 있도록 말하는 법을 배울 수 있는 쉬운 방법이다. 최면술의 장점은 치과진료실에서의 조용한 분위기와 환자의 불안감소를 위하여 소요되는 시간이 절약된다는 것이다. 치과에서 사용되는 최면술의 효과로는 환자 이완, 불안 감소, 진통제 또는 진정제의 사용 감소 등과 더 나아가 술후 진통효과도 기대할 수 있다. 따라서 치과에서의 최면술은 미국에서의 치과마취과학 교육에서는 반드시 알아야 할 불안해소법으로 규정하고 있다.

환자가 최면상태에 도달하도록 돕는 과정을 도입(induction)이라고 하며 다음과 같이 행할 수 있다.

환자는 긴장을 풀고 앉아 있어야 한다.

| 치과의사 | 편하게 계세요. 반드시 편안히 하시고 긴장을 푸셔야 해요. 지금 편안하세요?

| 환자 | 네

| 치과의사 | 팔을 머리 위로 올렸다가 무릎 위로 그냥 떨어뜨리세요. 좋아요. 환자분이 지금 그런 동작을 하는 순간 긴장이 풀린 것을 알 수 있을 거예요. 당신의 몸 전체가 짧은 순간 이완이 된 것이죠. 다시 한 번 해보세요. 환자분이 긴장을 풀었을 때 당신의 팔다리가 무거워지는 것을 느끼기 시작할 거예요. 이런 무거움은 이완의 한 부분이에요. 이제 천천히 숨을 쉬세요. 깊이 들이마시고 편안해졌을 때 숨을 멈추세요, 그리고 숨을 천천히 내쉬세요. 당신이 숨을 들이마시고 내쉴 때마다 점점 더 편안해질 거예요. 당신은 눈을 감고 싶어질 수도 있어요.

치과의사는 숨을 쉬고 이완을 하도록 하면서 다음처럼 숫자를 셀 수 있다.

| 치과의사 | 환자분이 팔과 손의 근육을 경직시켜 보세요. 자, 이제 제가 숫자를 세면 먼저 근육을 경직시킨 후 다시 이완시키세요. 하나, 손의 근육을 팽팽히 하고 팔의 근육을 단단하게 해 보세요. 둘, 정말 꽉 힘을 주세요. 셋, 이제 약간 힘을 풀어 보세요. 넷, 당신의 근육이 점점 무거워지고 느슨해진다고 상상해 보세요. 다시 호흡해 보세요. 다섯, 이제 그렇게 무겁게 느껴지지 않고 팔이 무릎에 떨어지기 시작할 거예요.

일단 환자가 편안해지면 치과치료가 시작될 수 있다. 의사는 환자에게 앞으로 생길 소음이나 충돌, 혹은 다른 행동들에 대해 주의를 주어야 한다. 치과치료를 하는 동안 치과의사는 환자가 편안하고 조용한 상태를 유지할 수 있도록 용기를 주어야 한다. 최면은 치과의사가 최면 후 제안을 함으로써 끝나는데 주로 치료를 잘 받은 것에 대한 칭찬과 술후에도 통증이 없을 것이라는 형식이다. 환자에게 집에서 연습하면 더 효과가 좋아질 것이라고 말해야 한다.

3) 바이오피드백(Biofeedback)

심전도는 치과의사가 불안한 환자를 다룰 때 매우 도움이 된다. 심장이 뛰는 속도는 생리적으로 흥분한 상태를 나타내는 간단한 지표이다. 많은 환자들이 심장이 빨리 뛰고 윗입술이 떨림에도 불구하고 자신이 흥분했다는 것을 부인하기도 한다. 특히 환자가 치과의사나 가족에 떠밀려 치료를 강행할 때 발생할 수 있다. 분당 심박수가 100회 이상이면 환자는 흥분한 것이라고 할 수 있다. 따라서 분당 심박수는 환자를 진정시킬 때 유용한 지표로 활용할 수 있다. 환자의 분당 심박수가 100회 이상인 빈맥상태에서는 치과치료를 중단하고 환자의 불안이나 통증을 재평가하고 빈맥에 대한 적절한 치료가 이루어져야 한다. 특히 고혈압, 당뇨, 협심증 등이 있던 환자에서는 빈맥이 급성 심근경색을 일으키는 주요 인자라는 것을 명심해야 할 것이다. 대부분의 환자에서는 몇 분간 쉬게 해 주고 물을 마시게 하는 정도로도 빈맥은 조절된다.

치과진료실에서 간단하게 행할 수 있는 바이오피드백은 다음과 같다. 환자들에게 손가락에 부착하는 맥박산소포화도측정기로 자신의 심박수를 모니터하는 방법을 가르치고 심박수가 상승하였을 때 심호흡과 이완 운동을 하도록 치과치료 전 연습시킨다. 이를 치료하는 중에도 적극적으로 시행한다면 자신의 심박동을 자신이 모니터링한다는 사실이 심리적인 안도감을 주어 환자의 불안을 경감시킬 수 있다.

4) 탈감작

탈감작은 치과적 공포를 가진 환자들에게 생기는 불안감을 경감시키는 가장 좋은 방법으로 공포심을 가지고 있어서 성공적으로 치과치료를 받기 위해 더 많은 연습이 필요한 환자들을 위해 초기에 사용되는 인지적 행동 심리학적 방법이다. 자극의 등급은 환자의 공포와 연관되어 구성된다. 예를 들면 주사에 대한 공포심의 단계는 다음과 같이 나타난다.

- 진료실에 있는 주사기를 본다.
- 치과의사의 손에 쥐어진 주사기를 본다.
- 치과의사 손에 주사기가 닿는다.
- 치과의사가 주사기를 잡는다.
- 주사기 바늘 덮개가 열리는 것을 본다.
- 주사기가 바늘 덮개가 열린 채로 입안에 들어온다.
- 소량의 국소마취제가 주입된다.

탈감작이 이루어지면 환자는 먼저 긴장을 풀고 정해진 순서로 호흡하는 법을 배운다. 그리고 각각의 자극이 순서대로 주어진다. 다음 단계로 넘어가기 전에 매 단계마다 환자는 자신이 이완되어 있고 너무 불안해하지 않을 것임을 보여주어야 한다. 전형적으로 두려움이 많은 환자는 단계를 진행해 나가기 위해 한 두 번의 추가 내원을 통해 적응해 나갈 수 있다. 치과의사는 다음 단계의 진행에 앞서 환자의 행동을 관찰하고 흥분한 상태의 환자가 말하는 것을 주의 깊게 듣고, 생리적인 요소들 특히, 심장박동을 모니터링한다. 이런 모든 통로들이 통제되지 않는다면 공포는 지속될 것이다.

5) 분산법

분산법은 치과치료를 받고 있는 동안에 느끼게 되는 불쾌한 감정을 줄이기 위해 환자의 주의를 분산시키는 방법으로, 치과 체어 위에 모니터를 설치하여 환자가 치료중에 이를 시청하게 하거나 치료 중에 음악을 듣게 하는 예들이 대표적이다. 소아치과에서 아이들에 만화를 틀어주어 관심을 다른 곳으로 끌게 하여 비협조적인 행동을 상당히 감소시키고 있으며 성인에서도 환자가 원하는 프로그램을 시청하거나 라디오를 듣게 하여 치과치료에 대한 불안을 감소시킬 수 있다.

3. 불안을 감소시키기 위한 비약물적 방법과 약물적 방법들의 선택

약물을 이용한 환자의 불안 감소는 보다 손쉽게, 효과적 일 수 있다고 생각되지만 환자에 따라서는 약물사용에 대한 거부감이 큰 사람도 있다. 한편 비약물적 방법은 불안을 감소시키는데 한계가 있을 수 있어, 약물의 도움이 필수적일 수도 있다.

치과의사가 한 가지 혹은 그 이상의 불안감소법을 사용할 것인가는 환자에 맞추어 계획되어야 한다. 만일 치과치료가 협조도와 인내심을 필요로 한다면 약물적 방법과 비약물적 방법의 조합이 필요할 것이다. 어떤 결정을 내리든 환자가 치과치료에 따른 스트레스에 적절히 대처할 준비가 되지 않는다면 치과치료를 미루는 것이 좋다. 진정제를 아산화질소와 함께 경구투여 하거나 정맥주사할 경우 광범위한 치료가 필요한 환자에게 유용할 수 있다. 그러나 진정법은 필요한 치과치료의 장애를 극복하기 위한 편의수단으로 받아들여야지 불안 공포를 극복하기 위한 해결책으로 보아서는 안 된다. 진정법 자체만으로 공포심을 해결할 수 있다는 증거도 거의 없고 장기간에 걸친 증거를 보아도 상대적으로 비효과적이다. 따라서 비약물적 불안감소법을 효과적으로 사용한다면 그 자체로도 또는 약물적 불안감소에 부가적으로 사용해도 좋은 불안감소 효과를 기대할 수 있다.

참고문헌

1. Lyons RA: Understanding basic behavioral support techniques as an alternative to sedation and anesthesia. Spec Care Dentist, 29(1):39-50, 2009.
2. Nickel M, Doering S: Brief relaxation versus music distraction in the treatment of dental anxiety: a randomized controlled clinical trial. J Am Dent Assoc, 139(3):317-24, 2008.
3. Patel B, Potter C, Mellor AC: The use of hypnosis in dentistry: a review. Dent Update, 27(4):198-202, 2000.
4. Shapiro RS, Simpson DE, Lawrence SL, Talsky AM, SobocinskiKA, Schiedermayer DL: A survey of sued and nonsued physicians and suing patients. Arch Intern Med, 149(10):2190-6, 1989.
5. Stone P: Relaxation therapy. J Am Dent Assoc, 139:1163, 2008.

CHAPTER 18

| Dental Anesthesiology | 진정법

경구진정법

학습목표

1. 경구진정법의 장단점을 나열한다.
2. 경구진정법의 적응증/금기증에 대해 설명한다.
3. 경구진정법에 사용되는 진정제와 적정 용량을 나열한다.
4. 마취 전 처치와 경구진정법의 차이를 설명한다.

경구진정법은 투여의 간편성 때문에 의식하 진정법에서 흔히 사용되어오던 방법으로서 치과치료 전이나 치료 동안의 스트레스와 불안조절을 위해 사용된다.

경구를 통한 약물의 투여는 주사나 바늘을 사용하지 않기 때문에 쉽게 받아들여질 수 있다. 특히 두려움과 공포가 심한 소아의 경우보다 쉽게 접근할 수 있는 방법이다. 이 방법은 또한 비교적 약물의 효과가 천천히 나타나기 때문에 부작용의 발생과 정도가 비교적 적다. 특별한 장비나 기구가 필요하지 않기 때문에 경제적이기도 한 방법이다.

그러나 경구를 통한 약물투여 방법은 약물의 유효 용량을 쉽게 예측하지 못해 미리 예측한 용량을 투여하여도 약물의 작용시간이 아주 길게 나타나거나 깊은 진정이 나타날 수 있으며 반대로 전혀 진정이 되지 않을 수도 있다. 또한 다른 약물 투여 경로와는 달리 진정상태에 따라 적정(titration)을 할 수가 없다. 위장관의 상태에 따라 흡수율의 차이가 발생할 수 있으며 간에서의 대사에 의한 효과도 진정 정도에 영향을 미친다. 간혹 치과의사의 지시대로 약물을 복용하지 않아서 과도하게 진정되거나 혹은 전혀 진정되지 않을 가능성도 있다. 경구진정법의 장점과 단점을 표 18-1에 요약하였다.

경구 투여된 약물은 대부분 30분의 잠복기와 혈중 최고 농도에 도달하기까지 60분이 소요된다. 주로 소장에서 흡수되어 간순환계(portal circulation)를 통해 간으로 들어가 cytochrome P-450 complex에 의해 대사된다(phase I 대사). 그 후 glucuronic acid와 결합하여(phase Ⅱ 대사) 신장에서 소변으로 배설된다.

표 18-1. 경구진정법의 장점과 단점

장점	단점
• 간편한 투여	• 적정 불가
• 환자가 잘 받아들인다	• 약효 발현이 늦다
• 저렴한 비용	• 약효 발현시간이 다양하다
• 좀 더 긴 치료에 사용가능	• 약효 지속시간이 길다
• 부작용의 강도가 약하다	• 진정 성공률이 낮다

치과치료와 관련하여 경구진정법은 치료 전과 도중에 불안과 두려움을 조절하기 위한 목적으로 사용될 수 있으며, 특히 소아의 경우 진정 수면을 유도하기 위해 사용되기도 한다. 마약성 진정제를 사용할 경우 부가적으로 진통효과를 얻을 수도 있다. 때로 경구진정법은 전신마취 전 환자의 긴장과 불안을 감소시키기 위해 다양한 전처치 약물과 병용하여 사용되기도 한다.

경구로 약물을 투여할 때는 약물생체이용률, 위장관 상태 등 개개인마다 약물반응이 다른 투여방법보다 더 두드러지게 차이가 날 수 있기 때문에 과진정될 수 있는 여지가 분명 존재한다. 특히 대부분의 경구투여 약물이 길항제(antagonist)가 없는 상황에서 자칫 위험한 상황까지 이를 수 있다. 따라서 경구진정법은 깊은 진정을 위한 목적으로는 사용해서는 안 되며 경도 혹은 중등도 정도의 의식하 진정을 위해서만 사용되어야 한다. 또한 처음에는 적은 양의 약물을 투여하고 이후 다음 내원 시에 조금 더 많은 양의 약물을 투여하는 약속에 의한 적정(titration by appointment)법이 보다 안전하며, 정확한 용량의 약물투여를 위해서 집에서 복용하기보다는 의료진에 의한 투여가 바람직하다.

경구진정 시 사용되는 약물은 크게 항불안제(antianxiety drugs), 진정-수면제(sedative-hypnotics), 항히스타민제(antihistamines)등이 있다.

1. 항불안제 Antianxiety drugs

항불안제는 치과치료 전 두려움과 불안을 줄여주고 때로는 숙면을 취할 수 있도록 도와줄 수 있는 약물로서 비교적 안전하게 사용될 수 있으며 주로 benzodiazepine계열의 약물이 사용된다.

1) Benzodiazepines

많은 장점이 있어 경구진정에 우선 선택되는 약물이다. 비교적 안전하며 일반적으로 지용성이 높아 경구 투여 시 잘 흡수된다. 대뇌피질의 GABA (gamma aminobutyric acid) 수용체와 결합하여 약리작용을 나타낸다. 단백질과 잘 결합하여 간에서 대사되며 신장으로 배출된다. 작용시간에 따라 세 가지로 분류된다. 단시간 작용하는 약물인 triazolam, midazolam, 중간 작용시간을 보이는 diazepam, 장시간 작용하는 lorazepam 등이 있다. 모든 benzodiazepine계 약물은 약제에 따라 다르지만, 기본적으로 불안해소, 진정, 항발작 효과, 근이완 효과 및 선행성 기억상실(antegrade amnesia)의 효과를 가지고 있다.

Benzodiazepine 계열의 약물은 다른 중추신경 억제제(알코올, MAO억제제, 마약성 진통제 등)과 같이 사용할 경우 효과가 증가되고 호흡억제를 일으킬 수 있기 때문에 주의를 요하며 집중력 저하 등의 효과로 반드시 위험한 기계조작이나 운전은 피해야 한다. 또한 폐쇄각녹내장(narrow-angle glaucoma)환자나 benzodiazepine 과민증 환자에게서도 투여하면 안 된다. 간혹 역설작용(paradoxical reaction)이 있어 흥분(agitation), 행동과다(hyperactivity), 호전성(combativeness), 무의식적 운동(involuntary movements) 등의 부작용이 나타날 수 있다.

(1) Diazepam (Valium)

Diazepam은 가장 기본적인 benzodiazepine계 약물로서 위장관에서 빠르게 흡수되어 통상 치료 전날 또는 치료 1시간 전에 투여한다. 긴 반감기(20~70시간)와 활성을 가진 대사산물로 인해 불필요하게 긴 진정효과를 가진다는 단점이 있다. 임산부와 수유 중인 경우(6개월 이하 소아 포함) 투여를 피해야 한다. 용량은 성인의 경우 1회 2~10 mg을 투여하고 소아의 경우 0.1~0.3 mg/kg로 투여한다.

(2) Triazolam (Halcion)

효과적인 불안해소와 기억상실로 미국의 치과에서 경구진정제로 자주 사용되기도 하였다. 이것은 한 시간 내의 비교적 빠른 발현시간을 가지고 있으며 반감기도 짧다. 또한 활성이 없는 대사산물로 분해되며 작용기간은 약 2~3시간 정도이다. 용량은 0.125~0.25 mg을 전날 또는 치료 1시간 전 투여한다. 임산부에는 금기이다.

(3) Lorazepam (Ativan)

긴 반감기와 기억상실 효과가 있다. 기억상실 효과는 다양하고 진정효과는 다소 길기 때문에 치과치료 시에는 단점으로 작용할 수 있다. 기타 단점은 최대 효과를 발휘하는 시간이 복용 후 약 1~6시간 동안 광범위해서 적절한 치과치료를 계획하는 데 어려움이 있다는 것이다. 따라서 치료 전날 편안한 잠을 자기 위해 투여하는 것이 좋다. 활동성 대사산물을 갖지는 않지만 반감기는 약 11~22시간이다. 치료 1시간 전 2~4 mg을 투여하며 12세 이하 소아에게는 투여하지 않는 것이 좋다.

(4) Midazolam (Dormicum 또는 Versed)

Midazolam은 benzodiazepine계열의 약물 중 가장 빠른 약물 효과를 나타낸다. 보통 비경구용으로 많이 사용되지만, 경구용으로도 자주 쓰이는 약물이다. Midazolam은 수용성이며 효과 발현이 빠르고 짧은 작용 시간과 비활성화된 대사산물로 비교적 넓은 범위의 안전역을 가진다. 특히 소아에서는 경구진정제로 흔히 사용하고 있다. 성인의 경우 반감기가 2~6시간인데 비해 간효소 활성이 높은 소아들은 45~60분 정도로 짧다. 성인의 용량은 7.5~15 mg이며 소아의 경우 0.5~0.75 mg/kg를 투여한다. Midazolam의 경구 투여 시 주의해야 할 점은 erythromycin과의 약물상호작용이다. Erythromycin은 midazolam의 간 대사를 방해하고 혈중 농도를 높여 진정효과를 상승시키며, 작용시간을 길게 할 가능성이 있다.

(5) 기타

기타 benzodiazepine계열의 약물로 flurazepam (Dalmane), oxazepam (Serax), temazepam (Restoril), chlordiazepoxide (Librium), alprazolam (Xanax) 등이 있다. 주로 불안해소 및 불면증의 치료에 사용한다. 치과에서 이 약물들을 사용한 진정법에 사용한 관련 보고는 거의 없는 편이다.

2. 진정-수면제 Sedative hypnotics

1) Nonbenzodiazepine sedative hypnotics

(1) Zolpidem (Ambien)

Benzodiazepine 수용체와 반응하여 일부 benzodiazepine의 약리작용을 나타내지만 주로 수면작용을 나타내는 수용체만 특이적으로 작용한다. 가벼운 불안 완화, 근이완, 항경련작용을 가지며 불면증의 단기 치료 시 주로 사용되는 약물이다. 반감기는 2~3시간이며 호흡억제는 보이지 않는다. 성인의 경우 5~10 mg을 투여하며 소아에게는 투여하지 않는다.

2) Chloral derivatives

(1) Chloral hydrate (Pocral, Noctec)

소아치과 진료 시 가장 많이 사용되는 대표적인 알콜계 약물이다. 1832년 Justin Liebig에 의해 처음 소개된 chloral hydrate는 약물 중 가장 오래된 진정 수면제 중의 하나이다. 흡수는 매우 잘 되고, 작용시간은 약 4~8시간이다.

Chloral hydrate의 진정 작용은 대사 산물인 trichloroethanol 때문이다. Chloral hydrate는 흡수 후에 주로 trichloroethanol (TCE)로 나머지는 trichloroacetic acid (TCA)로 빠르게 대사된다. 경구 투여 후, 20분에서 60분 후에 TCE은 최고 혈장 농도에 도달하며 혈장 반감기는 8시간이다. 두 번째 대사 산물인 TCA의 반감기는 약 4일이다.

호흡기와 심장 혈관 기능에 미치는 영향은 미약하다. 호흡기능(동맥내 이산화탄소 분압, 호흡수, 환기량)의 변화는 잠잘 때 일어나는 변화와 유사하다. 일차적인 약리작용은 중추신경계 억제 작용이다. 점진적인 양 증가에 따른 증상과 증후는 이완, 무기력, 졸림, 수면, 의식소실과 혼수 상태의 순서로 진행된다.

이 약물에 의한 부작용은 다양하게 일어날 수 있다. 이완(disorientation), 지속되는 졸림, 무기력 또는 혼수 상태, 과민반응(sensitivity reactions), 위장관 장애, 중추신경계 흥분, 간부전(hepatic decompensation), coumarin 항응고제 대사 증가로 인한 혈액응고 장애 등이 나타날 수 있다. 무엇보다 피부나 점막에 매우 자극적이기 때문에 구토를 유발할 수 있으며 약을 희석하거나 복용 후에 과일 주스 등을 약간 마셔주는 것이 도움이 된다.

치과진정법에서 보고된 심각한 부작용은 과다한 용량의 사용으로 인한 지속되는 중추신경 억제 및 구토와 관련되어 있다. 높은 chloral hydrate 용량(75 mg/kg 이상)에서는 소아 환자의 구토를 유발할 가능성이 많다. 따라서 항구토작용이 있는 항히스타민제와 병용투여함으로서 구토를 줄여줄 수 있다. 그러나 Chloral hydrate를 다른 진정제나 중추신경 억제제(항히스타민제, benzodiazepines 또는 아산화질소 등)와 병용하여 복용할 때 깊은 중추신경 억제를 유도할 수 있기 때문에 단독 투여 시보다 용량을 줄여주는 것이 바람직하다. 특히 2세 이하나 체중 약 16 kg 미만의 소아에서의 사용 시 mg/kg에 기초한 용량은 깊은 진정이 되는 경우가 발생할 수 있기 때문에 주의를 요한다. 일반적으로 제조회사의 지시대로 50~75 mg/kg의 용량으로 투여하며 소아에게 권장되는 1회 최대 용량은 1,000~1,500 mg이다.

3. 항히스타민제 Antihistamines

항히스타민제는 H1 histamine receptor에 대한 길항제로 히스타민의 작용을 억제시키고, 진정, 항구토, 항콜린 작용성 효과를 일으킨다. 중독성이 없으며 안전역이 넓다.

1) Promethazine (Phenergan)

Phenothiazine 계열이며, 강력한 항히스타민 작용이 있다. 의식하 진정법에 사용되며, 주로 소아 환자에 사용된다. 빠른 발현시간과 2~8시간의 작용시간을 가진다. 특히 아편유사제와 같은 다른 약제와 함께 사용 시 중추신경 억제가 더욱 커지게 되므로 복합 사용할 때에는 용량을 반드시 줄여야 한다. 성인의 경우 치료 1시간 전 25~50 mg이며 소아의 경우 12.5~25 mg이다. 발작병력이 있는 환자와 수두, 홍역 등의 급성 질환을 가지는 경우 사용에 주의를 요한다.

2) Hydroxyzine (Atarax, Vistaril)

Promethazine과 유사한 특징과 용법을 가진 항히스타민제제이다. 빠른 흡수를 보이며 작용기간은 약 4~6시간이다. 비교적 부작용은 적으나 구강건조증이 나타날 수 있다. 성인에서 50~100 mg 사용이 권장되고, 소아에서는 1~2 mg/kg (또는 12.5~25 mg)이다. 임산부와 가임기 여성에게는 투여하지 않아야 하며 다른 진정약물과의 병용 시 용량을 반으로 줄여야 한다.

표 18-2. 흔히 사용되는 경구진정제

	Chloral hydrate	Diazepam	Midazolam	Hydroxyzine
용량	40~75 mg/kg	0.15~0.3 mg/kg	0.25~0.5 mg/kg	1~2 mg/kg
약효 발연	30~45분	30~60분	15~20분	30분
반감기	8시간	25시간	1~2시간	4시간
오심	+++	+	-	-
	위점막 자극 오심과 구토 항히스타민제와 혼합사용	치료 전 불안 조절과 숙면에 효과적	6~12세의 불안해 하는 아이들에게 효과적	진정 오심과 구토 조절

경구진정제로 흔히 쓰이는 약물들을 표 18-2에 정리하였다. 표 18-2의 용량은 단독으로만 사용한 경우이며, 다른 약과 같이 사용할 때에는 용량 조절이 필요하다.

>> 약물의 혼합 사용

일반적으로 행동 조절이 어려운 환자를 치료할 때, 다양하게 약을 혼합해 사용한다. Chloral hydrate를 항히스타민제(hydroxyzine, promethazine)와 함께 사용하는 것이 흔하다. Hydroxyzine과 promethazine의 항히스타민 작용은 chloral hydrate의 단점인 위자극을 완화해 줄 수 있으며 각각의 약물 용량을 감소시킬 수 있다. 사용된 용량은 각기 적정 용량 이하이지만 함께 사용하여 효과를 증진시켜 준다. 요즘은 거의 사용되고 있지 않으나 마약성 진통제를 병용해서 투여하게 되는 경우 호흡억제 가능성을 유의해야 한다.

4. 경구진정법의 실제

환자의 공포와 불안은 경구진정법을 사용하는데 있어 정당한 이유가 된다. 특히 소아의 경우 치과공포증이 더욱 심하며 경구진정법을 사용하게 되는 경우가 많다. 주사나 다른 장비에 대한 두려움 없이 약물을 쉽게 투여할 수 있으며, 아산화질소-산소 흡입진정과의 병용으로 진정의 깊이를 조절하며 비교적 많은 양의 치료가 이루어질 수 있다.

우선 환자가 경구진정법 시행을 하는 데 있어 적절한 신체적 건강과 비호흡이 원활하게 이루어지는지 평가를 해야 한다. 특히 편도의 상태나 비기도의 상태를 평가하는 것은 매우 중요한데, 편도가 매우 크거나 비호흡이 어려운 경우(감기 등)의 문제가 있다면 호흡곤란 등을 유발할 가능성이 있어 경구진정법을 사용하지 않는 것이 바람직하다.

경구진정법 사용에 문제가 없다면 다음 약속 시 유의사항을 알려주어야 한다. 가장 중요한 것으로서 술전 금식이다. 미국마취과학회(2011년)에서 권장하는 금식에 대한 기준이 표 18-3에 나와 있다.

표 18-3. 진정법 시행 전 금식

음식종류	고형식 (분유/우유 포함)	모유	물 등 알갱이 없는 음료
추천 금식 시간	6~8시간	4시간	2시간

진정법하의 치과치료는 술전 금식 때문에 이른 아침에 실시하는 것이 좋다. 통상 환자는 치료 시작 1시간 전에 치과에 내원해야 한다. 치과의사는 치료 당일 다시 한번 환자의 기도상태, 심박동, 폐의 호흡음, 혈압, 체온 등 기본적인 활력징후를 평가하고, 금식 상태를 확인해야 한다. 술전 동의서를 설명하고, 부모나 법적인 보호자의 서명을 받아야 한다. 동의서의 내용은 치과치료 방법에 대한 설명, 진정법을 시행하는 이유, 행동억제기구의 사용, 위험요소, 합병증, 다른 치료법, 예상되는 결과 등을 포함해야 한다. 그 후 경구투여약물을 복용시킨다. 간혹 편리성을 위해 집에서 복용 후 내원하는 경우도 있으나 약물의 투여는 치과진료실에서 하는 것이 바람직하다. 이는 약물 부작용에 대해 적절히 대처할 수 있고, 약물 복용의 정확한 시간을 알 수 있고, 진정을 유발하는 이완된 상황에 준비할 수 있기 때문이다.

약물의 효과가 나타나기까지 30분~1시간 동안 훈련된 치과보조인력이 환자를 관찰한다. 약물의 효과가 나타나면 환자를 치료실로 옮긴다. 산소를 nasal mask나 nasal cannula로 공급한다. 환자를 적절히 위치시킨 후(소아의 경우 갑작스러운 움직임을 제한하기 위한 물리적 속박 포함) 환자감시장비를 장착한다. 아산화질소-산소 흡입진정법을 병용하여 진정 깊이를 조절하기도 한다. 어느 정도 진정이 이루어지면 통증 조절을 위해 국소마취를 시행한다. 이때 1:100,000의 epinephrine을 포함하는 2%의 lidocaine을 사용하는 경우 4.4 mg/kg 용량을 초과하지 않도록 주의한다. 치과의사는 시술 중 거즈나 러버댐을 이용하여 기도로 물이나 이물질이 들어가는 것을 방지해야 하고, 기도확보를 위해 고개를 뒤로 젖혀주어야 하며, 치과보조인력은 강력한 흡인기를 준비하여 구토 등의 문

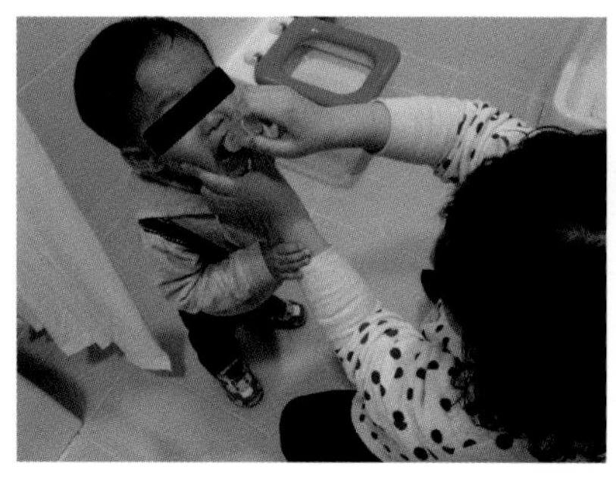

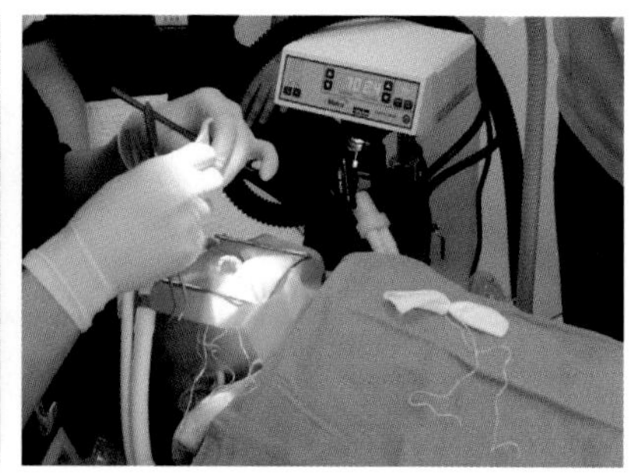

그림 18-1. 경구진정법의 실제
경구진정제의 투여(좌), 기도확보를 위한 자세(중), 이물질 유입 방지를 위한 러버댐과 거즈의 사용(우)

제 발생 시 신속히 처치할 수 있어야 한다(그림 18-1).

치료 중 환자감시는 반드시 시행해야 한다. 시술 중에도 의식수준을 임상적으로 평가하고 호흡 상태를 관찰해야 한다. 만약 발치를 한 경우 봉합과 거즈를 이용한 지혈을 꼭 시행해야 한다. 퇴원의 조건은 환자가 안정된 활력징후를 나타내면서 잠에서 깨어난 후 혼자 스스로 걸을 수 있어야 한다. 환자는 의식이 있는 상태에서 책임 있는 보호자와 함께 퇴원해야 한다.

>> 소아에서 진정법의 위험성

소아 진정과 관련된 응급 상황은 대부분 기도 및 호흡과 관련이 있다. 상대적으로 큰 혀와 편도선, 림프조직의 증식 등으로 인해 소아는 대체로 입으로 호흡한다. 또 알레르기 비염이 잦고 비도(nasal passage)가 좁은 경우가 많다. 기초대사량이 성인보다 높아 산소요구량은 많지만 흉부가 작기 때문에 기본적인 산소보유량이 적다. 따라서 기도가 막히거나 쉽게 호흡 부전이 생길 수 있다. 소아 치과치료 시 가장 흔히 일어나는 기도 폐쇄의 원인은 혀에 의한 구인두 후방부의 폐색 혹은 이물질의 기도폐쇄이다. 따라서 항상 환자가 숨을 적절히 잘 쉬는지에 대해 관찰해야 한다. 자세에 의한 질식을 막기 위해 목과 머리를 뒤로 제치는 sniffing position을 유지해야 한다. 만약 폐쇄가 의심되면 즉시 혀를 앞쪽으로 당기고 구인두의 후방부위를 흡인한다. 기도폐쇄 없는 호흡정지는 일반적인 용량에서는 거의 일어나지 않는다. 만약 그런 일이 일어나면, 양압환기(positive pressure ventilation)시키고 심폐소생술을 시도하며, 사용한 진정제의 길항제를 투여해야 한다.
특히 소아는 약물 진정 시 정상 용량에도 과진정이 나타날 수 있으며, 특히 chloral hydrate의 경우 용량을 조금만 증가시켜도 쉽게 깊은 진정이나 전신마취 상태에 도달하는 경우도 있다. 깊은 진정상태에서 환자는 보호반사가 부분적으로 감소되고, 스스로 기도유지를 못할 가능성이 있으므로 전신마취와 유사한 위험성이 있다는 것을 알아야 한다. 그러므로 진정법을 시행하고자 하는 치과의사는 치과마취과, 소아치과 전문의 과정이나 대학원과정과 같은 고급과정을 수료해야 한다.

참고문헌

1. 신터전, 치과영역에서 경구진정법의 활용: 대한치과의사협회지 2013; 51:389-97
2. Berthold C: Enteral sedation: safety, efficacy, and controversy. Compend Contin Educ Dent 2007; 28:264-271.
3. Bimstein E, Katz J: Obesity in children: a challenge that pediatric dentistry should not ignore--review of the literature. J Clin Pediatr Dent 2009; 34:103-6.
4. Board JOEE: Pain and anxiety control: an online study guide. J Endod 2008; 34:e165-798.
5. Flanagan D: Oral triazolam sedation in implant dentistry. J Oral Implantol 2004; 30:93-7.
6. Jackson DL, Johnson BS: Inhalational and enteral conscious sedation for the adult dental patient. Dent Clin North Am 2002; 46:781-802.
7. Lee HH, Milgrom P, Starks H, Burke W: Trends in death associated with pediatric dental sedation and general anesthesia. Paediatr Anaesth 2013; 23:741-6.
8. O'Halloran M: The use of anaesthetic agents to provide anxiolysis and sedation in dentistry and oral surgery. Australas Med J 2013; 6:713-8. Papineni A, Lourenco-Matharu L, Ashley PF: Safety of oral midazolam sedation use in paediatric dentistry: a review. Int J Paediatr Dent 2014; 24:2-13.
9. Yagiela JA: Recent developments in local anesthesia and oral sedation. Compend Contin Educ Dent 2004; 25:697-706.
10. Yasny JS, Asgari A: Considerations for the use of enteral sedation in pediatric dentistry. J Clin Pediatr Dent 2008; 32:85-93.
11. American Society of Anesthesiologists C: Practice guidelines for preoperative fasting and the use of pharmacologic agents to reduce the risk of pulmonary aspiration: application to healthy patients undergoing elective procedures: an updated report by the American Society of Anesthesiologists Committee on Standards and Practice Parameters. Anesthesiology 2011; 114:495-511.
12. American Academy of P, American Academy of Pediatric D, Cote CJ, et al.: Guidelines for monitoring and management of pediatric patients during and after sedation for diagnostic and therapeutic procedures: an update. Pediatrics, 2006; 118:2587-2602.
13. Malamed SF: Sedation: a guide to patient management. Elsevier Health Sciences, 2010.

CHAPTER 19

| Dental Anesthesiology | 진정법

흡입진정법

학습목표

1. 흡입진정법의 적응증/금기증에 대해 설명한다.
2. 흡입진정법의 장단점을 나열한다.
3. 현재 임상에서 사용하는 흡입마취제의 특징을 알아본다.
4. 세보플루란 흡입 진정법에 대해 설명할 수 있다.
5. 아산화질소 사용 시 주의점을 설명한다.
6. 아산화질소의 부작용을 열거한다
7. 다른 진정과 흡입진정의 장단점을 비교한다.

흡입진정법이란 환자에게 흡입마취제를 적정 농도로 투여하여 치료자가 계획한 진정상태로 유도하는 것이다. 흡입마취제라면 어떤 것이든 치과진료실에서 사용될 수는 있으나, 주로 아산화질소와 세보플루란이 사용된다.

아산화질소와 산소를 이용한 흡입진정법은 역사적으로 치과의사에 의해 고안되고 지금까지도 치과에서 많이 사용되는 기본적인 진정법이다. 미국의 치과대학에서는 졸업할 때까지 아산화질소-산소를 이용한 흡입진정은 치과대학생이라면 누구나 시행할 수 있는 기본적인 술기에 포함시키고 있어 우리나라에서도 강제규정은 없지만 학생들은 이에 대한 지식과 술기를 익혀야 할 것으로 생각된다. 최근 세보플루란 흡입진정법은 소아와 장애인의 깊은 진정을 위해 유용하게 사용되고 있다.

1. 아산화질소-산소 진정법

1) 아산화질소-산소 진정법 소개

아산화질소(nitrous oxide)와 산소기체를 혼합하여 만든 아산화질소-산소 진정법(nitrous oxide and oxygen sedation)은 치과치료나 구강 위생관리에 광범위하게 사용된다. 의식하 진정 상태의 환자는 의식이 있고, 명령에 반응하며, 치료에 협조할 수 있고, 본래의 보호 반사능력을 가지고 있다. 환자는 어느 정도의 통각상실(analgesia)이 있어 동통에 대한 높은 역치를 가진다.

2) 환자의 선택

(1) 적응증

① 경도부터 중등도에 이르는 불안감을 보이는 환자

환자가 아산화질소-산소 흡입진정법의 효과에 편안해

하고, 허용하는 농도에서 임상적으로 적절한 진정 상태가 유지되고, 코를 통해 호흡하는 것이 거북하지 않다면, 치과치료에 대한 불안을 관리하는 데는 흡입진정법이 좋은 대안이 될 수 있다.

② 국소마취제에 대한 알레르기가 있는 환자 또는 다른 마취를 거부하는 환자

모든 국소마취제에 알레르기가 있는 환자나 어떠한 이유에서든 국소마취나 전신마취를 거부하는 환자들 또한 다른 내과적 이유로 인해 혈관수축제 사용의 제한으로 충분한 국소마취가 이루어지지 않는 환자들에게 아산화질소-산소 흡입진정법에 의한 통증완화방법은 좋은 예가 된다.

③ 장시간 앉아있기 어려운 환자

아산화질소-산소 흡입진정법은 등이나 허리 문제나 다른 어떤 문제로 인해 같은 자세를 유지하기 어려운 환자에게 추천된다. 아산화질소-산소 흡입진정법을 통해서 환자들은 시간이 빨리 지나가는 것처럼 느끼게 된다.

④ 의학적으로 취약한 환자

심혈관 질환이나 뇌혈관 질환 및 스트레스성 천식을 가진 환자에서 산소공급을 통해 저산소증을 예방하고 불안감을 줄여 환자에서 더 이상의 기저질환의 악화, 천식의 발작 등을 방지할 수 있다.

간질환이 있는 경우 아산화질소는 생체 내에서 대사가 안되므로, 부가적 위험 없이 사용할 수 있고 간 기능이 손상되었어도 성공적으로 사용할 수 있다.

⑤ 통증이 적은 처치와 지속시간이 짧은 처치

⑥ 구역 반사 보이는 환자

구강 시술 동안 과민한 구역 반사가 있어 인상채득이나 사랑니 발치에 어려움이 있는 환자에서 유용하게 쓰일 수 있다.

(2) 금기증

아산화질소는 호흡기관에 자극적이지 않으며 화학작용을 하지 않고, 체내에서 생체 변형을 일으키지 않는다. 알려진 알레르기 반응 또한 없다. 20% 이상의 산소를 아산화질소와 함께 사용하는 한 절대적인 금기는 없다. 다만 몇 가지 주의해야 할 상대적 금기증들이 있다. 또한 치과의사는 환자의 각각의 특이 병력에 대해 의문이 있다면 반드시 해당 전문의에게 자문을 구해야 한다.

① 임신

아산화질소-산소 흡입진정법은 임산부에게는 추천되지 않는다. 아산화질소가 태반을 통과한다는 명확한 증거는 없지만 산모가 아산화질소에 장기간 노출될 경우 자연유산의 발생에 관련될 수 있다는 보고가 있으므로 피하는 것이 좋다. 일반적으로 모든 불필요한 약은 임신 1기에는 사용되어서는 안된다.

② 의사소통이 불가능한 환자

언어장벽이 있거나 의사소통이 어려운 환자일 경우에는 아산화질소-산소 흡입진정법은 추천되지 않는다. 성공적인 의식하 진정을 위해서는 치료자와 환자 사이의 대화와 소통이 핵심이다. 치료자는 아산화질소와 산소의 적정 중에 환자와의 대화를 통해서 적절한 깊이의 진정을 위한 용량을 결정할 수 있다.

③ 비강폐쇄 환자

아산화질소-산소 흡입진정법은 감기나 알레르기 또는 어떤 다른 원인에 의한 비강폐쇄를 가진 환자에게 추천되지 않는다. 코로 가스를 흡입하는데 방해가 될 뿐만 아니라 호흡기계 감염은 호흡관과 보유주머니 등의 진정회로를 오염시킬 수 있다.

④ 만성 폐쇄성 폐질환

폐기종이나 만성 기관지염을 가진 만성 폐쇄성 폐질환 환자들은 가스교환의 장애로 인해, 높은 혈중 이산화탄소농도에 의해 호흡이 자극되는 정상인과 다르게 높은 혈

중 이산화탄소 농도는 허용하고 혈중 낮은 산소 농도에 의해 호흡이 자극된다. 따라서 아산화질소-산소요법의 진정법에 의해 혈중 산소농도가 높아짐에 따라 호흡자극이 줄어들어 무호흡에 이를 수 있다.

⑤ 정서적으로 불안정한 환자

아산화질소-산소 흡입진정법은 정서적으로 불안정한 환자들에게는 추천되지 않는다. 이런 진정법은 환자의 사실감을 왜곡할 수 있기 때문에 조현병이나 알코올중독의 기왕력이 있는 환자에서 기저 정신질환을 악화시킬 수 있다. 또한 최근에 배우자와 사별한 사람이나 힘든 이별을 겪은 사람들은 종종 정서적 불안상태에 놓이게 된다. 이런 경우에 아산화질소-산소 흡입진정법은 불쾌한 기분을 들게 하거나 환자들이 주체할 수 없이 울게 되는 경우가 있다. 폐소공포증이 있는 환자나 강박증 환자의 경우 부적절한 반응을 일으킬 수 있다.

⑥ 뇌전증 환자

아산화질소-산소 흡입진정법은 경련을 조장할 수 있다. 따라서 뇌전증의 기왕력이 있는 환자들에게선 추천되지 않는다.

⑦ 협조가 어려운 환자

코를 통해서나 또는 코후드(nasal hood : 일종의 마스크, 흡입진정 시에 흡입가스가 들어가는 부분)를 사용하여 호흡하려 하지 않는 환자

⑧ 체내기낭의 존재가 의심되는 환자

아산화질소는 폐쇄된 공간으로 질소보다 35배 더 빨리 확산되어 공간의 부피와 압력을 증가시킨다. 공기색전증, 기흉, 급성장폐색, 고막이식환자 등의 경우 아산화질소를 투여하지않는다.

⑨ 개인적인 다양한 이유 때문에 아산화질소-산소 흡입진정을 원하지 않는 환자

3) 아산화질소를 이용한 의식하 진정법의 장점과 단점

(1) 장점

① 비침습적이다.

② 진통효과가 있다.

③ 체내로부터 빠르게 흡수되고 체외로 신속히 배출되어 약효의 발현과 회복이 빠르다.

- 적정(titration)이 쉽다. 환자는 깨어있고 항상 반응한다. 진정의 깊이는 그때 그때 조절할 수 있다.
- 환자를 완전히 회복시켜 정상적인 활동을 할 수 있게 한다.
- 진정치료 후 장기간 환자를 감시할 필요가 없어 회복실이 필요하지 않다.

④ 치료하는 동안 환자를 편안하게 하여 환자의 협조를 얻을 수 있다.

⑤ 대부분의 성인환자는 다른 보호자를 동반할 필요가 없다.

⑥ 체내에서 대사되지 않아 간질환, 신질환 환자에서 유용하게 쓰일 수 있다.

⑦ 의학적으로 취약한 환자를 다루기에 좋다

- 대기보다(21%) 고농도의 산소를 제공하여 저산소증을 예방한다.
- 불안과 통증으로 인한 응급 상황을 예방한다.

⑧ 금식이 필요하지 않다.

⑨ 부작용과 의학적 금기증이 거의 없으며 안전하다.

(2) 단점

① 진정 진통 역가가 약하다.

- 낮은 효능 때문에 모든 환자에게 효과적이지는 않다. 모든 지각을 차단시키지는 않는다.
- 심하게 괴로워하거나 공포증이 있는 환자에게는 추가적 혹은 복합적인 약 처방이 필요 할 수 있다.

② 환자가 치료에 협조적이어야 하고 비강호흡을 해야 효과적인 진정이 된다.

③ 상악 전치부위 주사 시 코후드가 입술부위를 압박하므로 치료에 방해가 된다.

④ 코후드의 장착이 정확하지 않으면 아산화질소가 치료자에게 노출된다.
⑤ 치료실 내 아산화질소 오염은 치과진료실에 근무하는 모든 사람들에게 건강상의 문제를 야기할 수 있다.
⑥ 장비와 기체가 비싸다.
⑦ 약물 오용의 잠재성이 있다.

4) 아산화질소의 특성

(1) 마취제와 진통제의 성질

아산화질소는 가장 흔히 사용되는 흡입마취제이다. 최소폐포농도(Minimal alveolar concentration, MAC, 1기압에서 피부절개 등표준자극에 대해 50%의 환자가 움직이지 않을 때의 폐포 내 마취제농도)가 105%인 아산화질소는 고압상태에서 투여하지 않는 한 최소폐포농도에 이르게 할 수 없다.

아산화질소는 마취역 아래의 농도에서 통증에 대해 환자의 지각을 변화시켜 통각상실을 유발한다. 20:80의 아산화질소 : 산소 혼합은 10~15 mg의 모르핀(morphine)과 같은 진통효과를 나타낸다. 환자가 협조를 보이면서 진통효과를 나타내는 아산화질소의 적절한 농도는 약 35%이다.

(2) 화학적, 물리적 성질

아산화질소는 자극이 없고, 알러지가 없는 달콤한 냄새가 나는 무색의 가스이다. 이는 중추신경계를 억제하는 성질을 가지면서도 이산화탄소와는 달리, 탄소가 없는 유일한 화합물이며 인간에서 마취를 유발하는 유일한 무기가스이다. 비중은 1.53으로 공기보다 무겁다. 아산화질소는 상온에서는 높은 압력에 안정적이다. 상품화된 통속에서는 액체로 존재하며, 통에서 나올 때는 가스상태가 된다. 아산화질소가 통을 빠져나올 때 통의 벽면은 차가워지고 가스 출구에 성에가 생길 수도 있다. 이 현상은 액체 상태의 아산화질소가 기체가 되는 과정에서 열이 필요하기 때문이다.

(3) 혈액 용해도

아산화질소는 혈액 내에서 비교적 잘 녹지 않고 혈액 내에서는 혈액의 어느 성분과도 결합하지 않고 단지 물리적으로 용해되어 운반된다. 상대적으로 혈액 용해도가 낮기 때문에 아주 적은 양만 흡수되고, 폐포의 분압은 빠르게 상승하며, 따라서 혈액 내의 가스 분압도 빨리 상승하게 된다. 혈액 내의 가스 포화 상태는 3분에서 5분 정도로 비교적 빨리 일어나게 된다. 뇌에는 혈액공급이 풍부하므로, 가스분압도 빠르게 상승하고 임상적인 증상도 빠르게 나타나는 것이다. 이런 낮은 용해도를 가짐으로써 아산화질소는 흡입 시작 시에 신속한 발현이 나타나고 흡입 중단 시에 회복이 신속하게 일어난다.

(4) 아산화질소의 약리학

아산화질소는 체내에서 대사되지 않고 폐를 통하여 신속하게 배출된다. 아산화질소가 외부에서 체내로 더이상 공급되지 않으면, 중추신경계에 있는 아산화질소가 혈류로 빠르게 이동하고 농도 차이에 의하여 폐를 통하여 몸밖으로 배출된다.

아산화질소는 행복감과 전반적인 중추신경계 기능저하를 유도하는 좋은 진정제이다. 호흡기계에는 거의 영향이 없고 점막에 위해한 자극도 주지 않는다.

(5) 아산화질소의 부작용

아산화질소-산소 흡입진정법은 일반적으로 안전하다. 치료자가 적절한 수련을 받고, 환자를 신중히 선택하고, 특별한 안전장치가 있는 장비를 바르게 사용한다면 아산화질소-산소 흡입진정법은 특히 소아에서 매우 안전하고 효과적인 방법이다.

① 확산성 저산소증(Diffusion hypoxia)

아산화질소를 사용한 흡입마취 회복기에 모든 마취제와 산소의 투여를 중지하였을 때, 체내에 흡수되었던 많은 양의 아산화질소가 혈중에서 폐포로 급격히 유출됨으로써 폐포 내의 산소분압을 상대적으로 감소시켜 저산소혈증이 쉽게 발생된다. 저산소증은 흡입진정 종료 후에 나타나는 두통, 오심, 기면상태의 원인이 될 수 있다. 확산성 저산소증을 예방하기 위해서는 아산화질소 투여 종료 후에 100% 산소를 3~5분간 투여해야 한다.

② 체내 기낭의 팽창

아산화질소는 폐쇄된 공간으로 공기중의 질소보다 35배 더 빨리 확산되어 공간의 부피와 압력을 증가시킨다. 따라서 장폐색, 기흉, 중이염 등에서 폐쇄된 공간의 압력을 증가시켜 증상을 악화시킬 수 있다.

③ 오심과 구토

흡입진정법의 가장 흔한 부작용 중 하나이다. 이는 고농도의 아산화질소, 진정 시간, 아산화질소의 농도변화가 심할 때, 구호흡, 비강과 구호흡으로 아산화질소 농도가 심하게 변하므로 그 가능성이 증가한다. 누운 상태에서의 구토는 폐흡인이 생길 수 있기 때문에 매우 위험할 수 있다. 구토가 시작되면 구강 내의 기구를 모두 제거하고 환자의 머리를 옆으로 하여 구토물이 폐흡인되는 것을 방지한다.

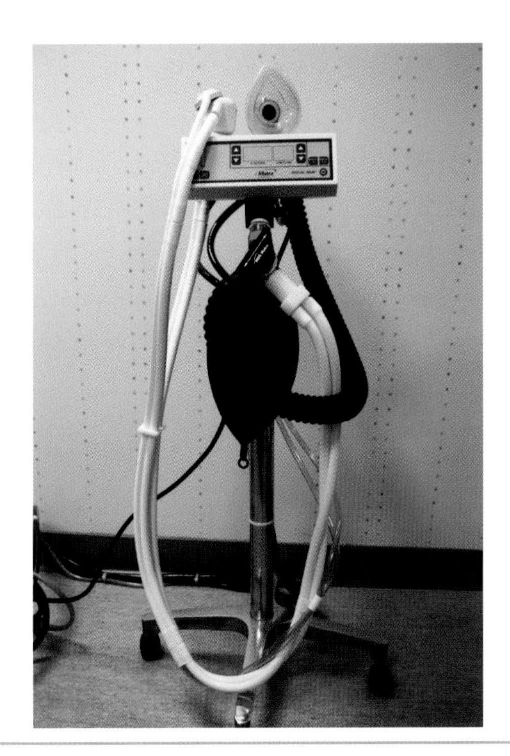

그림 19-1. Digital MDM

5) 아산화질소-산소를 위한 장비

아산화질소-산소를 이용한 의식하 진정 장비는 휴대용이거나, 가스 배관을 통해 각각의 치료실로 공급되는 중앙공급용 장비가 있다. 최근의 장비들은 최소한의 산소공급이 계속적으로 이루어지도록 하고, 두 기체가 전달시 역류되지 않도록 안정장치가 장착되어 있다.

이 장비는 3가지 기본적인 부분으로 구성되는데, 가스 저장 실린더, 가스 전달 시스템과 청소 시스템이다.

최근 국내에서 가장 많이 사용되는 흡입진정장비는 Digital MDM (MDM Matrx, NY, USA)와 Denarco (Rjoyal Medical Co., Seoul, Korea)가 있다.

Digital MDM(그림 19-1)은 유입 비율의 유지, 전체 체적유입과 산소의 혼합도의 분리 조절, 산소 안전 보장 장치(fail-safe system), 여러 가지 산소 공급 실패에 대한 경보 장치, 자동 공기 흡입 밸브, 재호흡 방지 회로, 안전 가스 연결체계, 응급 상황에서의 순수 산소 공급 체계 등을 특징으로 한다.

Denarco(그림 19-2)은 전체 유입량의 조정은 환자에게 공급되는 가스의 비율이 일정하게 유지되는 동안 간단한 조절을 통해 이루어진다. 저산소증을 막는 시스템과 같은

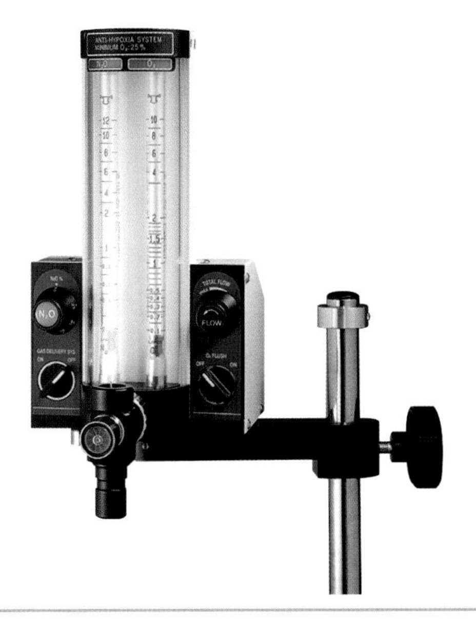

그림 19-2. Denarco

안전장치로 인해 산소 농도는 30% 이하로 떨어지지 않는다. 그리고 산소공급이 방해되어 2.5 kgf/cm^2 이하로 떨어진다면 아산화질소 유입차단 밸브(cut-off valve)가 아산화질소의 호흡회로 내 유입을 막는다.

6) 아산화질소-산소 요법의 임상적용

(1) 환자 준비

진정요법 치료 전 진정요법이 예정된 환자의 의학적 상태를 평가하고 활력징후를 포함한 환자의 기본 정보를 얻도록 한다. 여기에 의사소통 여부, Trieger dot test (운동협조능력을 검사하기 위한 점선 따라 그리기)나 Eve test (코에 검지손가락 올리기), 환자의 피부나 점막의 색깔, 맥박 산소 포화도, 심박수, 호흡수, 호흡패턴 등을 평가한다. 환자는 진정요법을 받기 전에 특정한 음식 제한은 없으나 금식이나 과식은 피하도록 하고 편안한 옷을 느슨하게 입게 하여 편안한 상태에서 진정요법을 받을 수 있게 한다.

치료실은 진정기간 동안 조용한 상태가 유지되어야 한다. 환자가 앉기 전에 진정 장비는 미리 준비되어야 한다. 간혹 마스크 밖으로 샌 진정가스들이 각막을 건조시켜서 각막손상의 위험성이 증가될 수 있기 때문에 환자가 콘택트 렌즈를 착용하고 있으면 렌즈를 제거해야 한다. 환자의 기왕력을 물어보고 파악하고 환자의 활력징후를 파악한다. 치료자는 환자에게 진정을 시작하기 전에 아산화질소-산소 요법 진정 시에 생길 수 있는 사지의 찌릿찌릿하고 따뜻한 감각에 대해서 설명해야 한다.

치료자는 진정 시에 환자는 술에 취한 것처럼 몸이 이완될 것이라고 말해줄 수 있고 의식 있는 상태이기 때문에 환자는 자신이 느끼기에 진정 깊이에 대해 치료진과 의사소통 하면서 적절한 진정 깊이를 조절할 수 있음을 설명해야 주어야 한다. 병력 설문지를 다시 검토하고 활력징후를 기록하며 필요하다면 진정요법을 시행하기 전에, 환자에게 화장실을 다녀오게 하여 소변을 보게 해 치료중간에 화장실에 다녀오게 되는 일을 방지해야 한다.

(2) 진정법 시작 전 장치의 안전검사

① 아산화질소와 산소 실린더의 압력 게이지를 확인한다.

② 거의 비어있는 실린더가 있다면 교환한다.

③ 아산화질소와 산소 실린더 벨브를 완전히 열어서 누수가 있는지 확인한다.

④ 산소 압력 게이지를 관찰하면서, 응급산소 유출버튼을 눌러 작용하는지 확인한다.

⑤ 산소와 아산화질소를 최소 분당 5 L 정도로 맞추어 놓고 튜브를 막아 보유주머니의 누수를 확인한다. 보유주머니를 눌러 주면서 막아둔 튜브에 압력이 느껴지는지 확인한다.

⑥ 산소와 아산화질소가 나오는 동안 산소 실린더를 차단하여 안전장치로 아산화질소가 자동으로 차단되는지 확인한다.

(3) 장비 준비

① 코후드

- 최적의 편안함과 가스 누출을 최소화하기 위한 적절한 크기를 선택한다.
- 계기판과 연결된 관에 부착한다.

② 청소 시스템

- 일반적으로 고성능 배출기와 활성 시스템을 연결하여 사용한다.
- 청소시스템을 적절하게 조절한다.

③ 가스 실린더를 켠다.

- 첫 번째로 산소를 열고, 그 다음으로 아산화질소 순서로 천천히 연다.
- 중앙 가스시스템은 진료 당일 아침에 켠다.

(3) 투여

① 환자의 자세는 진료의자에 편안하게 기댄 자세.

② 흡입진정기를 위치시킨다.

③ 산소를 6 L/min 유량으로 시작하고, 코후드를 환자

의 코에 위치시키며, 환자에게는 코를 통해 호흡하는 것을 상기시킨다(그림 19-3).

④ 코후드를 확실히 고정한다.

⑤ 환자에게 적절한 가스 공급 유량을 결정한다.
진료를 시작할 때 성인에서 100% 산소를 6 L/min (작은 소아환자는 3~4 L/min)으로 공급을 시작한다. 진정상태에서 치료를 진행함에 앞서서 환자가 아산화질소를 사용하기 전에 산소만 가지고 충분히 편안한 상태에서 호흡할 수 있음을 확인해야 한다. 환자에게 충분히 편안하게 호흡할 수 있는 양인지 확인하여 만약 부족하다면 산소유량을 늘리고 과하다면 산소유량을 줄여야 한다. 유량이 적정량보다 적을 때는 환자는 호흡에 불편을 호소 하지만 유량이 적정량보다 많을 때는 호흡에 불편을 호소하는 경우는 거의 없기 때문에 처음 유량을 정할 때는 적정량보다 약간 많은 정도로 시작하고 환자의 반응에 따라 조절하는 것이 좋다.

⑥ 호흡낭을 관찰한다. 호흡낭은 호흡 깊이와 호흡수의 지표가 된다(그림 19-4).

⑧ 환자를 관찰한다. 환자에게 아산화질소를 점진적 적정을 하는 경우에는 투여자나 보조자는 환자와 시각적이나 육체적 혹은 대화를 통해 접촉을 유지

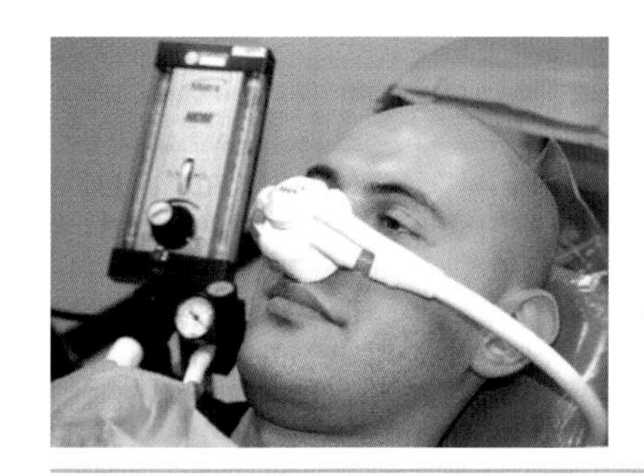

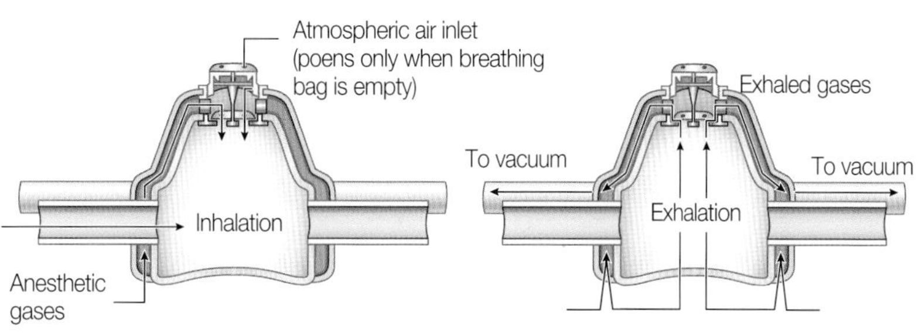

그림 19-3. 코후드 착용모습과 내부 구조도

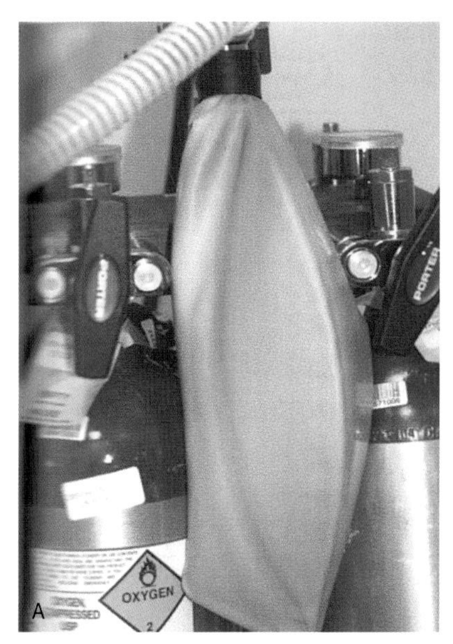

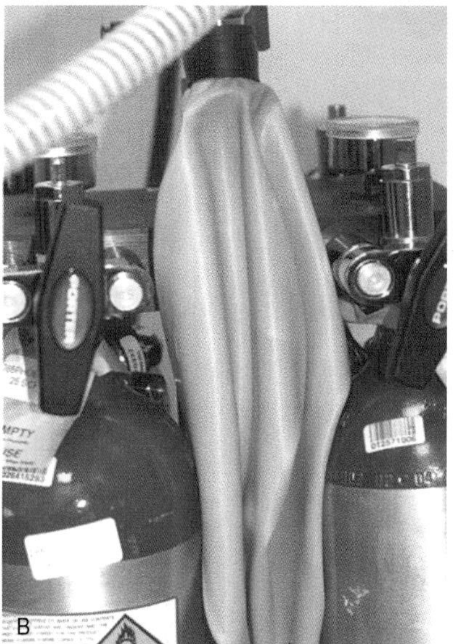

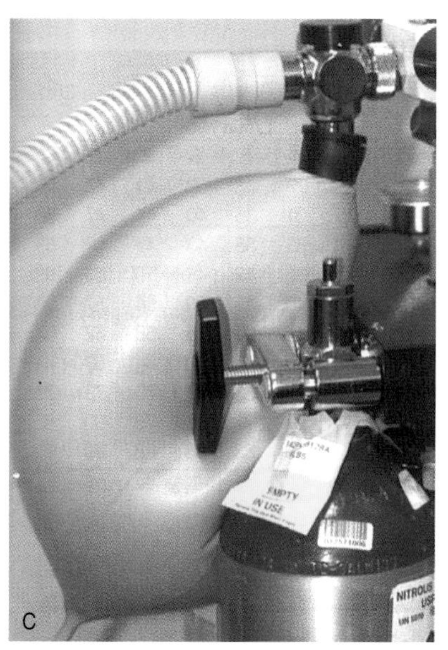

그림 19-4. (A) 부분적으로 부풀어 오른 보유주머니는 적절한 코후드 밀착과 분당 유량을 나타낸다. (B) 공기가 빠진 보유주머니는 코후드 주위에 공기가 새거나 분당 유량이 모자라는 것을 나타낸다. (C) 부풀어 오른 보유주머니는 분당 유량이 너무 많거나 호흡 튜브가 막힌 것을 나타낸다.

한다.

⑨ 아산화질소 적정을 통해서 만족할 만한 최적의 진정수준에 이르면 치과치료를 시작한다.

⑩ 치료가 진행되는 동안 환자와 흡입진정기를 관찰한다.

⑪ 치료가 완료되면 아산화질소 공급을 중단하고 100% 산소를 3~5분 이상 흡입한다. 이 기간이 지나도 어떤 진정의 증상이 보이면 더 오래 투여한다.

(4) 적정(Titration)(표 19-1, 19-2)

처음 100%의 산소를 1~2분간 투여한다. 이후 mixing dial을 돌려 아산화질소를 10%에서 시작하여, 이상적인 농도로 적절히 조절한다. 진정의 유도 기간에는, 치료자는 침착하고 낮은 목소리로 수면을 유도하면서 진정의 심도를 높여준다. 환자에게 적용 후, 환자의 정신연령에 맞는 용어를 사용하여 설명 해준다. '기분을 좋게 해주는 공기' 정도로 설명하며 팔, 다리, 또는 입술이 '찌릿찌릿하다(tingling)'는 감각을 반드시 '예' 또는 '아니오'로 대답하게끔 물어본다. 사지에 찌릿찌릿한 감각이 있다면 환자는 목표한 진정상태에 도달한 것으로 본다.

치료자가 목표한 의식하 진정 수준에 도달할 때까지 환자와의 지속적인 대화가 필수적이다. 그러나 환자가 짧게 대답하도록 하며, 코로 숨을 쉬도록 유도해야 한다. 이는 아산화질소에 의한 공기 오염과 구토를 일으킬 수 있는 아산화질소 농도의 급격한 농도 변화를 막는다.

치료자가 어깨를 두드려 육체적으로 안심을 시키거나 환자와 계속적인 의사소통을 하는 것이 과진정을 막는데 도움이 되고, 환자가 갑작스런 공포감에 빠져 울거나 코후드를 제거하려는 육체적인 시도를 방지할 수 있다.

아산화질소의 농도는 진정상태의 증상이 나타날 때까지 분당 5~10%씩 증가시킨다. 적정농도는 대체로 30%~50% 아산화질소 농도 범주 안에 있다. 40% 이상의 아산화질소 농도 시에는 오심과 구토의 가능성이 높아지므로 숙련된 술자에 의해서만 사용되어야 한다. 모든 흡입진정기는 아산화질소를 70% 이상 올릴 수 없게 되어 있다.

30%의 아산화질소 농도에서 60~90초 흡입 후에 환자에게 진정상태의 효과에 대해 질문을 한다. 환자는 몽롱하거나 찌릿찌릿한 사지의 감각이상, 몸이 덥거나 몸이 뜨는 듯한 또는 몸이 무거워지는 듯한 느낌이 있는지 물어본다. 증후는 환자마다 다양하다. 여러 번 진정법을 시행하는 경우 환자는 더 쉽게 진정상태에 이르는데 이전보다 더 적은 양의 아산화질소로도 도달할 수 있다. 환자의 긴장이 풀리면, 환자는 꼭 쥐었던 주먹이 풀리며, 손이 느슨하게 되는 이완(relaxation)상태에 이른다. 환자마다 다르지만, 진정 유도 시작 5분 후면 치료를 시작하게 된다.

(5) 진정의 종료 및 퇴원

치과치료를 마친 후에, 아산화질소 투여를 중단하고 100%산소를 3~5분간 투여한다. 이것은 확산성 저산소증을 예방한다. 회복 기간 동안 단순 안면마스크를 장착한 상태에서 치과 의자에 앙와위 또는 반앙와위자세로 위치하게 한다. 100% 산소투여를 한 후, 자세성 저혈압을 피하기 위해 몇 분간 똑바로 앉힌다. 생물학적 변화, 진정의 지속시간 및 아산화질소 적용 농도, 일반적으로 아산화질소 적용 용량에 따라 회복시간은 달라진다. 환자는 적절하게 회복된 상태에서 퇴원할 수 있다. 회복의 증후로는 환자가 '정상으로 돌아간다.'라고 느끼는 것과 진정 전과 진정 후에 활력징후 수치가 비슷하게 된다. 완전한 회복 후의 귀가하게 되며 운전을 포함한 모든 일상생활을 할 수 있다.

(6) 기록 보관

다음의 항목은 환자의 기록에 포함되어야 한다.

- 진정전과 진정후의 활력징후
- 아산화질소와 산소 적용 농도
- 전체적인 가스 흐름 비율(L/min)
- 진정 과정의 시간
- 회복 시 산소 공급 시간
- 환자의 회복 상태와 술후 주의사항
- 아산화질소에 대한 환자의 반응은 차후 진료에 유용한 정보가 된다.

표 19-1. 아산화질소 백분율 도표

	L/min N_2O									
L/min O_2	1	2	3	4	5	6	7	8	9	10
10	9	17	23	29	33	39	41	44	47	50
9	10	18	25	31	36	40	44	47	50	53
8	11	20	27	33	38	43	47	50	53	56
7	13	22	30	36	42	46	50	53	56	59
6	14	25	33	40	45	50	54	57	60	63
5	17	19	38	44	50	55	58	62	64	67
4	20	33	43	50	56	60	64	67	69	71
3	25	40	50	57	63	67	70	73	75	77
2	33	50	60	67	71	75	78	80	82	83
1	50	67	75	80	83	86	88	89	90	91

표 19-2. 진정에 필요한 아산화질소 농도에 이르기 위한 시간

	일정 유량 기법			일정 산소 유량 기법		
Time (min)	N_2O	O_2 (L/min)	Percentage of N_2O	N_2O (L/min)	O_2 (L/Min)	Percentage of N_2O
0	0	6.0	0	0	6.0	0
1.0~1.5	1.0	5.0	16	1.0	6.0	16
2.0~3.0	1.5	4.5	25	2.0	6.0	25
3.0~4.5	2.0	4.0	33	3.0	6.0	33
4.0~6.0	2.5	3.5	41	4.0	6.0	40

(7) 아산화질소 흡입진정 시 이상적인 진정상태의 초기 증상과 증후

① 증상

- 초기에 혈압과 심박수가 약간 증가하나, 이후 기준치로 회복된다.
- 호흡은 정상적이며 부드럽다.
- 말초혈관 확장이 나타난다
- 사지와 안면이 홍조를 나타낸다.
- 공포와 불안이 감소하면서, 근육이 이완된다.

② 증후

- 머리가 가벼워진다.
- 손과 발에 찌릿찌릿한 느낌
- 따뜻한 느낌
- 몸에 진동감이 느껴진다.
- 손과 발이 마비된 느낌
- 구강 내 연조직이 마비된 느낌
- 진통
- 사지의 가벼운 느낌

(8) 과진정(Oversedation)의 징후와 증상

만일 점진적 적정을 시행하였다면, 환자가 불편해하거나 과진정이 되지는 않는다. 그러나 치료하는 동안 진정의 깊이가 시간에 따라 변화하여 아산화질소의 투여 농도를 변화시키지 않아도 진정이 깊어질 수 있다. 이 현상은 치료의 일부가 완전히 끝나서 추가적인 장비나 재료를 준비하는 동안 환자를 자극하는 원인이 적어졌을 때 가장 잘 발생한다.

이러한 상황의 처치는 단순히 아산화질소 투여 농도를 5~10% 감소하는 것이다. 산소분출 버튼을 누르거나 아산화질소 투여를 중지할 필요는 없다. 투여량을 감소시킨 후 30초 이내에 환자는 더 잘 반응할 것이다.

① 과진정의 증상

- 증가된 움직임
- 혈압과 심박수의 증가
- 호흡수 증가
- 눈물을 흘림

② 과진정의 증후

- 청력, 특히 먼 곳의 소리에 민감해진다.
- 시야가 흐릿해지며 천장이 도는 기분이 든다.
- 졸림
- 땀이 난다.
- 웃음, 울음
- 꿈
- 오심, 구토

7) 직업적인 노출의 문제

만성적으로 아산화질소에 노출되면 심각한 합병증이 발생할 수 있다. 만성적으로 아산화질소에 노출되었을 때 문제가 되는 것은 혈액질환과 임신에 대한 문제이다.

아산화질소는 메티오닌 합성효소(methionine synthetase) 기능에 악영향을 미처 DNA 생성과 세포 재생에 필요한 비타민 B_{12}의 합성과 대사에 영향을 주게 된다. 이 영향으로 손상된 적혈구를 생산하여 아산화질소에 오랜 기간 동안 노출된 치과보조인력에게 악성 빈혈을 일으킬 수 있다. 여성 치과의사와 치위생사 그리고 아산화질소에 만성적으로 노출된 남자 치과의사의 부인에서 자연 유산율이 증가한 것이 보고 되었다. 치과 보조인력 중에 임신 계획 중이거나 임신을 하면, 출산 때까지 아산화질소 노출 공간에서 작업하는 것을 중단해야 한다. 불임치료를 받고 있는 남성이나 여성도 아산화질소 노출 공간에서 작업을 피해야 한다.

(1) 적정 노출 수준

한국산업안전보건공단에서는 The National Institute of Occupational Safety and Health (NIOSH)와 The Occupational Safety Health Administration (OSHA)에서는 1974년 Bruce, Bach, Arbit의 연구에 기초하여 병원근로자의 마취가스 노출의 시간가중-평균한계치를 50 ppm으로 정하였다. 병원근로자의 마취가스 노출의 시간가중-평균한계치를 50 ppm으로 정하였다(표 19-3).

표 19-3. 흡입마취제의 종류 및 노출 한계

종류	시간가중평균-노출한계치(TLV-TWA)
아산화질소(N_2O)	50 ppm (90 mg/m^3)
할로탄(Haltothane)	50 ppm (404 mg/m^3)
엔플루렌(Enflurane)	50 ppm (404 mg/m^3)

TLV-TWA: Threshold Limit Value-Time weighted average(미국 산업위생전문가협의회, ACGIH)

(2) 직업적 노출을 최소로 하는 방법

가능한 진료실의 아산화질소 농도를 줄여야 하며, 이를 위해서는 가스누출에 대비하여 장비의 점검을 철저히 하고 아산화질소 적용 시에는 환자와의 대화와 구호흡을 최소로 하고 코후드를 가스의 누출이 없이 정확히 결합하고, 부수적으로 공기 분산기 사용, 주기적인 환기 등이 필요하다.

(4) 요약

현재 우리나라에서는 아산화질소를 이용하는 흡입진정법은 소아치과의사를 중심으로 협조도가 낮은 소아환자의 치과치료를 위하여 자주 사용하고 있다. 이미 서술한 여러 가지 장점들로 인하여 아산화질소를 이용한 흡입진정법은 전세계적으로 치과진료를 위한 여러 진정법 중에서 가장 많이 사용하고 있다. 그러나 아산화질소의 가장 큰 단점은 진정을 필요로 하는 모든 환자를 위해 항상 적절하고 일정한 진정이 가능하지 않다는 점이다. 이는 아산화질소의 낮은 마취효과에 기인하며 그러한 이유로 아산화질소를 이용한 흡입진정법에는 여러 가지 다른 진정방법들, 예를 들어 경구진정법이나 정주진정법, 또는 근주진정법을 추가적으로 사용하는 경우가 흔하다.

2. 세보플루란 흡입진정법

1) 세보플루란의 소개

세보플루란(sevoflurane)은 fluorinated methyl-propyl ether로 감마-아미노부티르산 A수용체(γ-aminobutyric acid A receptor, GABAA receptor)에 작용하는 흡입성 마취제로 1968년 미국의 일리노이주 Travenol 연구소에서 Regan에 의해 합성되어 1971년 그의 동료에 보고된 후 1990년에 이르러 일본의 Maruishi 회사에서 임상적 사용이 가능한 제품을 개발하여 1993년말에 이르러 백만 명이 넘는 환자에게 널리 이용되었다. 냄새가 나쁘지 않고 작용시간과 회복이 빨라 휘발성의 마취제로 인기를 얻었다. 대부분의 선진국에서 세보플루란은 흡인마취제로서 할로탄을 대체하였다. 세보플루란은 마취전문의들에게 마취를 유도하고 유지하기 위한 흡입마취제로서 친숙하지만, 의식하 진정을 위해서는 많이 쓰이지는 않았다. 미다졸람, 프로포폴, 레미펜타닐과 같은 혈관내로 주입하는 약물과 함께 사용하여 환자들의 의식수준을 낮출 필요가 있거나 진정제가 투여 시의 환자의 협조도와 편안감을 높여야 할 경우에 더 빈번히 사용되었다. 그러나 최근 우리나라에서도 치과마취과 의사를 중심으로 소아와 장애인의 치과진료에서의 짧은 치료를 대상으로 이러한 세보플루란을 이용한 의식하진정이나 깊은진정에 이용하려는 시도들이 증가하고 있다.

(1) 세보플루란의 약물학

① 물리적 성질

세보플루란의 비중은 1.5이고, 비등점은 59℃이며 증기압은 실온에서 157 mmHg이다. 혈액/가스분배계수는 0.65로 데스플루란보다는 용해도가 약간 더 높다. 최소폐포농도(MAC)는 유아에서 3.3%, 65세 이상 성인에서는 1.7%를 보인다.

(2) 세보플루란의 임상적 특징

강력한 흡입마취제인 세보플루란은 진정유도 시 기도에 대한 자극이 적어 선호된다. 현재 우리나라에서는 할로탄이 제약회사에서 생산 중단되어 사용이 불가하며 아산화질소와 비슷한 속성을 가진 데스플루란은 기도 자극이 심하여 일반적으로 진정법에 적절하지 않다. 즉 세보플루란에 비해 데스플루란은 그 효과발현과 회복이 아산화질소와 유사하거나 더 빠르지만 데스플루란은 자극이 강한 냄새로 인하여 의식이 있는 환자가 흡입하기가 매우 힘들고, 이로 인하여 때로는 기침, 딸꾹질, 기관지경련 등의 부작용이 발생하기 때문이다.

일반적으로 아산화질소 이외의 흡입마취제를 이용하는 흡입진정법은 자극성있는 냄새로 인하여 의식이 있는 환자가 받아들이기 쉽지 않고, 아산화질소와 비교하였을 경우 효과 발현과 회복이 현저히 늦다. 또한 혹시라도 강력한 흡입마취제들이 누출되었을 경우 이에 진료실과 진료인력이 노출될 수 있으므로 그다지 많이 사용하지 않는다. 이에 반하여 세보플루란은 호흡 기계 자극이 적어 이미 소아마취 시 마스크를 이용한 마취유도에 자주 이용되어 왔다.

2) 세보플루란을 이용한 의식하진정

흡입마취제를 이용한 진정은 정주 투여를 대체하기 좋으며, 특히 바늘 공포증이 있는 환자에게 더욱 유용하다. 세보플루란은 공기나 산소에 단독으로 사용하거나, 아산화질소와 혼합하여 사용하면 의식하진정에 사용될 수 있다. 세보플루란을 단독으로 사용할 경우에는 호기말 농도가 이 0.3~0.5 정도일 때 임상적으로 유의한 진정을 일으키는 것으로 보고되었다. 이는 환자들이 받아들이기 적당하고, 구두의 의사소통은 유지하면서 개인의 요구를 맞추는 정도로 적정하기가 쉽다. 선행성 기억상실증은 세보플루란의 경우에 심각하지는 않지만, Hall 외의 연구에 의하면 40~70% 아산화질소와 0.6~0.8%의 세보플루란이 여성 환자들에게 상당한 기억상실과 진정을 일으키는 것으로 나타났고, 여성이 남성보다 기억상실을 덜 보이는 것으로 나타났다.

(1) 의식하진정 시의 장단점

① 세보플루란의 의식하진정 시의 장점

- 작용이 빠르고 회복이 빠름
- 원하는 효과를 위한 적정이 쉬움
- 호흡수 감소 시 투여가 줄어들기 때문에 호흡억제로부터 보호 가능
- 기억상실 효과
- 약간의 마취 효과

② 세보플루란의 의식하진정 시의 단점

- 악취가 몇몇 환자에게는 참을 수 없는 수준이 될 수 있음
- 오심 유발 가능
- 남은 가스로 인한 환경 오염
- 악성 고열증을 유발 가능

세보플루란은 중환자실에서도 종종 사용이 되는데, 특히 이 약물의 기관지 확장 효과가 유용한 환자들에서 사용하기 좋다. 생리학적 부작용이 최소이기 때문에 좋은 선택이 되고, 약물의 적절성보다는 보통 투여 시 필요한 적절한 기구가 갖춰지지 않아 문제가 되어 사용이 제한된다.

(2) 소아 환자에서의 세보플루란

진정을 위한 세보플루란의 사용 기록들의 대부분은 소아 환자들을 대상으로 이루어진 것들이고, 특히 소아치과 환자나 MRI 시의 진정을 위한 것들이다. 아산화질소 흡입진정과 마취는 안전하고 잘 정립되어 있지만 세보플루란이 낮은 농도(0.1~0.3%)에서 산소와 혼합된 아산화질소 (40%)에 섞어 사용하면 최소한 의식수준을 바꾸지 않는 안전 영역에서 환자의 만족도를 높이는 것으로 나타났다.

소아와 성인 환자 모두에서 미다졸람의 정맥주입은 혈동학적 안정성과 짧은 작용시간 때문에 널리 인기를 얻었다. 하지만 아직 주의를 기울여야 하는데, 이는 반응을 예측하기 어렵고, 의식소실이나 무호흡이 나타날 수 있기 때문이다. 미다졸람의 경구 투약의 경우 안정성과 효능 면에서 모두 효과가 있는 것으로 나타났고 전 세계적으로 소아 환자에 널리 사용되지만, 연장된 술식에서 항상 성공적이지는 않다.

소아치과 환자를 대상으로 한 대조실험에서 0.3% 세보플루란, 아산화질소 병용투여하였을 때 의 협조도 54%를 93%로 향상시키기 위해서는 세 가지 약물을 함께 사용해야 한다고 결론을 지었다. 진정제 투약 방식을 복잡하게 할수록 약물 오류의 위험성이 증가하는 것은 명확하고 소아 환자에서는 더욱 그렇다.

하지만 소아 환자와 성인 환자들에서 불안감이 높거나 계획된 술식의 부담이 클 경우에 전신마취를 피하기 위해서 진정제를 병합투여하는 방식으로 하는 것이 더 유리한 경우도 있다.

(3) 투여 방법

중요한 원칙은 모든 전신마취의 경우와 같은 감시와 소생을 위한 장비가 완전히 갖춰져 있어야 하고, 호기말 이산화탄소(end tidal carbon dioxide, $EtCO_2$)와 마취제의 농도의 감시가 제대로 이루어져야 한다는 것이다.

의식하진정 시의 세보플루란의 농도는 환자와 술식에 따라 조금씩 다르지만, 처음 농도를 0.3~0.5%에서 시작하고 의식소실을 피하기 위해서는 조금씩 적정하면서 올려야 한다.

Philip 등의 연구에서는 기본적인 마취 시스템과 폐쇄회로가 이용 가능한 경우에 쓸 수 있는 기술을 하나 다루었다. 분당 산소를 2 L, 세보플루란 기화기를 2%로 설정하여 진정을 시작한다. 환자가 편안한 나른함을 보이기 시작하면 수술이나 술식이 시작되고, 세보플루란의 농도는 1%로 줄인다. 술식이 진행되면서 환자의 요구에 따라 약물을 적정한다. 이 방법을 사용하면 술식이 진행되는 동안 구두로 소통이 가능하고 평균 호기말 세보플루란 농도는 0.52였다.

(4) 요약

세보플루란은 많은 진정 환자들에서 단독 또는 다른

약제와 혼합하여 사용했을 때 많은 이점이 있어 적절한 선택약이 될 수 있다. 이 약물의 기억 상실과 마취 효과가 환자의 협조도와 편안감을 높인다는 결과들이 있다. 적합한 장비와 감시장치가 갖춰진 공간에서는 프로포폴, 미다졸람이나 다른 진정제와 함께 사용하는 것을 고려해볼만하다.

3) 세보플루란을 이용한 깊은 진정

의식의 상태는 깊은 진정, 얕은 마취, 수술에 적합한 마취, 깊은 마취 및 사망에 이르는 연결선 상에 있다. 약물을 통한 환자의 의식수준 조절에서 깊은 진정상태는 합병증이 많이 발생하는 얕은 전신마취 상태와 구분이 모호하다. 때문에 진정법과 관련된 심각한 합병증은 대부분 깊은 진정과 관련이 많다. 그러기에 깊은 진정은 전신마취에 준하는 행위이므로 반드시 전문교육과정을 이수하고 신중히 시행해야 한다.

(1) 적응증

통상적으로 심한 불안이나 불수의적인 움직임으로 행동조절이 어려운 소아와 장애인의 치과치료를 위해 깊은 진정으로 사용하고 있다. 최근 치과환자들을 위한 응급진정법으로 시행하고 있다. 그러므로 다른 경구 흡입진정의 실패나 외상으로 인한 치과 응급치료, 종종 발생하는

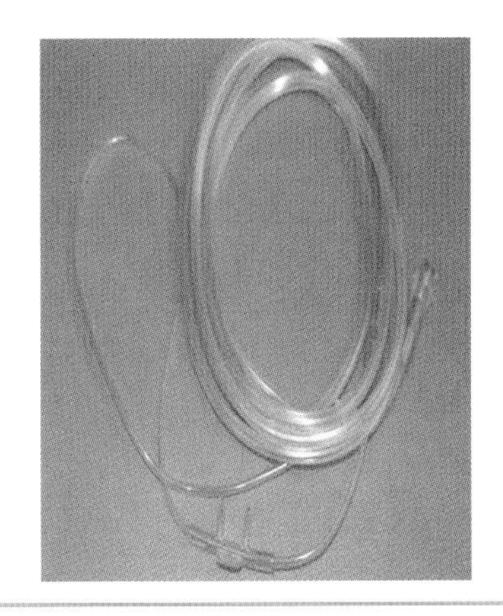

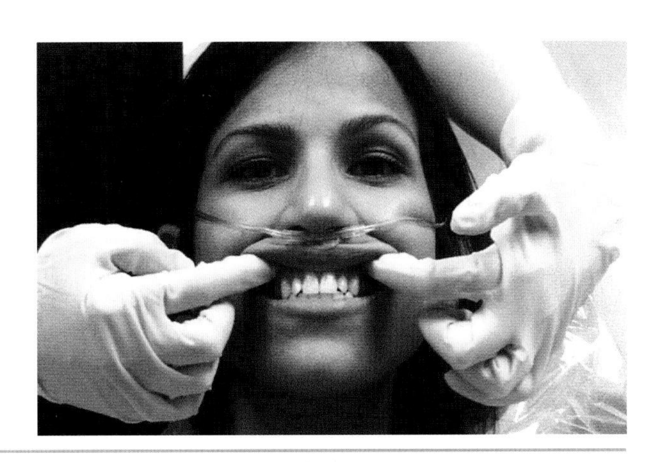

그림 19-5. 경비 캐눌라(Nasal cannula)와 착용모습. 2개의 짧은 가지가 환자의 콧구멍 안에 위치하게 된다.

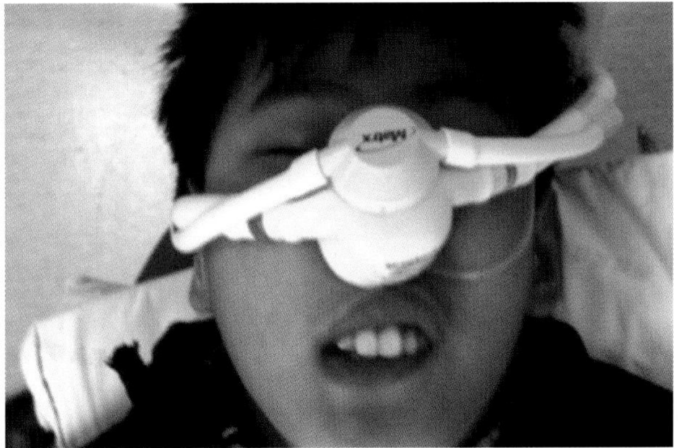

그림 19-6. 안면 마스크로 진정유도 모습과 진정유지를 위한 코후드 장착 후 모습

응급질환 등에 대한 전신마취의 좋은 대안이 될 수 있다. 경구나 정주약물에 비해 체내대사가 3% 이내로 됨으로써 신장, 간질환 등 의학적으로 심각한 질환을 가진 환자에서도 안전하게 사용될 수 있다. 약물의 효능(potency)이 커서 경비 캐눌라(그림 19-5)를 사용한 투여가 가능하며 투여장비 자체의 작은 부피로 인해 치과진료 시 기구조작의 어려움을 줄이고 시야 확보가 용이하므로 체구가 작은 어린 소아에게 있어 많은 이점이 있다.

(2) 투여 방법

진정 유도를 위해서 협조도에 따라 두 가지 방법을 적용할 수 있다. 유도 방식은 비교적 협조적인 경우는 먼저 아산화질소 흡입시킨 후 서서히 세보플루란으로 진정하는 방법을 사용하고, 심한 거부감이 있는 경우 고농도 세보플루란을 사용하여 급속 유도를 한다. 협조도가 비교적 양호한 경우 아산화질소-산소를 사용하여 안면 마스크(그림 19-6)로 먼저 진정 시킨 후 세보플루란으로 서서히 깊은 진정을 유도한다. 협조가 매우 불량하여 강제적 제압이 필요해서 급속진정을 유도할 경우는 고농도 세보플루란(8 vol%)와 산소 4 L/mim, 아산화질소 4 L/min을 호흡낭과 호흡회로관에 미리 채운 후 안면마스크로 급속진정을 바로 유도한다. 환자가 눈을 감고 움직임이 없어지면 깊은 진정상태가 되었다고 판단하고, 진정유지를 위해 코후드나 경비캐눌라를 선택하여 사용한다. 현재 국내 치과분야에서 두 가지 방법을 많이 사용하는데 먼저 그림 19-6처럼 전통적 아산화질소-산소 투여장비의 코후드(그림 19-6)를 이용한 마취기의 반폐쇄 회로와 직접 연결한 흡입(inhalation)방법이 있고 또 하나는 개방형 회로인 마취기의 부가적 산소투여 시스템에 경비 캐눌라(nasal cannula)를 연결하여 대기가스와 함께 같이 흡기(insufflation**)하는 방법이 있다. 마스크나 코후드는 기화기의 농도가 투여되는 농도와 환자에 도달하는 농도가 거의 비슷하지만 개방형 회로인 캐눌라는 대기가스의 혼합으로 인해 실제로 환자에게는 희석이 되어 투여되는 것(insufflation)을 감안해야 한다. 호흡량과 산소 투여량에 따라 폐포내 농도형성에 영향을 주는데 소아의 경우 실제

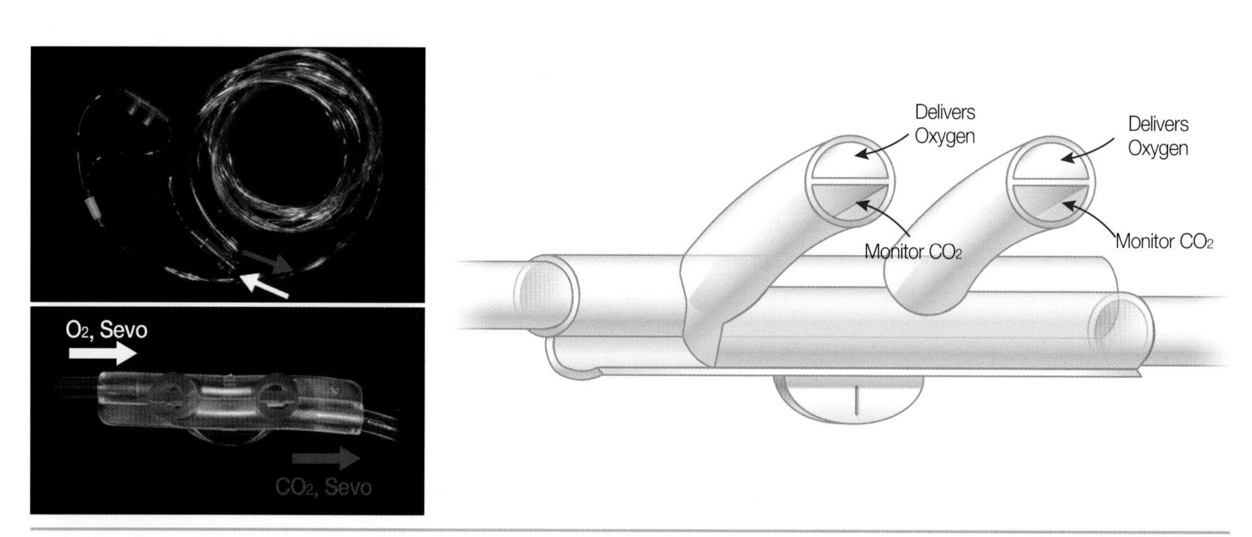

그림 19-7. 경비 캐눌라(Softech BI Cannula, Hudson RCI, USA) 의 nasal prong 구조가 산소 공급(흰색 화살표) 및 이산화탄소 측정(빨간색 화살표)이 동시에 가능하게 디자인됨.

** The term "insufflation" means blowing of respiratory admixture into breathing airways without direct contact of the patient with breathing circuit. As children resist applying of a facial mask or intravenous catheter, the insufflation is especially often used in pediatric practice at an anesthesia induction.

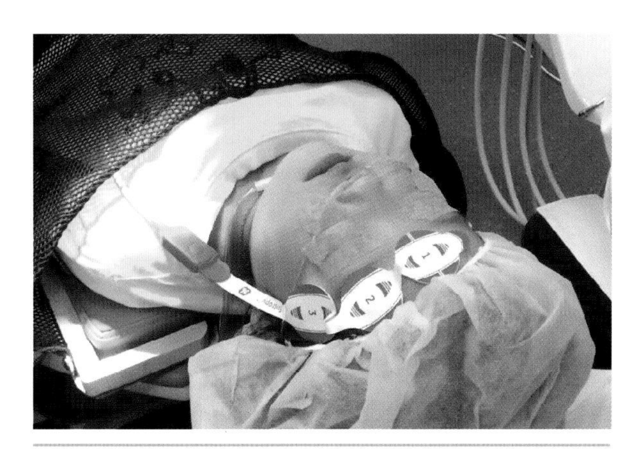

그림 19-8. 경비 캐눌라 장착과 뇌파-Entropy 부착 모습

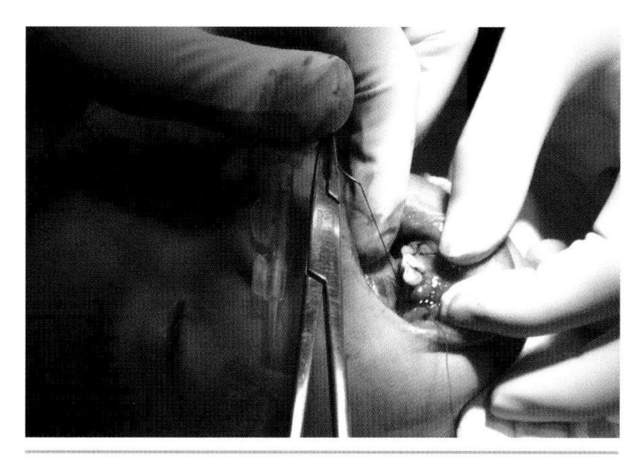

그림 19-9. 경비캐눌라를 이용한 깊은 세보플루란 흡입진정상태에서 외상처치모습

로 3~4 vol% 세보플루란농도가 산소 2 L/min와 함께 투여되는 경우 1% 전후로 폐포내 농도를 유지한다. 시술시간 동안 적정 수준의 진정을 유지하기 위해 특수한 캐눌라(그림 19-7)를 사용하면 투여장비의 기능뿐만 아니라 감시기구로서 기능도 추가된다. 즉 진정상태에서 흡입마취제와 호기말이산화탄소농도를 측정이 편리하다. 환자의 진정 심도를 측정할 수 있는 이중분광지수(bispectral index, BIS)나 뇌파-Entropy(그림 19-8)를 부착하여 진정 깊이를 감시한다. 특히 소아는 성인의 축소판이 아니라 기능과 구조상에 서 많은 차이를 가지고 있다. 만약 깊은 진정이 유도될 경우, 소아의 기도는 몸에 비하여 상대적으로 큰 머리와 혀 때문에 혀가 인두 후벽으로 쳐지며, 기도폐쇄를 유발할 가능성이 성인보다 더욱 높다는 것을 염두에 두어야 한다. 그러므로 반드시 전신마취에 준하는 감시장비를 부착하고 호기말이산화탄소농도, 호기말세보플루란농도, 산소포화도, 호흡수, 심박수, 혈압을 지속적으로 감시하고 5분 단위로 기록한다.

(3) 전신마취의 대안으로서의 흡입진정법

긴 시간이 예상되는 치과진료의 경우, 행동조절과 모니터링의 용이성, 술자의 편의성이란 장점 때문에 전신마취가 시도되나 짧은 진료시간이 예상되는 경우, 빠른 진정유도와 빠른 회복을 위해 세보플루란 흡입을 통한 깊은 진정이 대안이 될 수 있다. 특히 어린 소아와 장애인의 진정에 있어, 접근성의 향상과 적용의 효율성 때문에 선호되며 이는 기도자극이 적고 유도와 회복이 빠르고 진정에 따른 부작용이 적기 때문이다. 진료가 간단한 소아 외상처치 시술에 많이 사용되는 보고가 있다(그림 19-9).

전신마취는 호흡기계 질환이나 선천성심질환이나 허혈성심질환과 같이 심각한 순환계 질환이 있는 경우 부담스럽다. 왜냐하면 전신마취가 그러한 질환을 악화시키거나 몸 상태를 급격하게 변화시킬 가능성이 높다. 특히 폐동맥 고혈압이나 좌우 션트가 심각한 심질환 등에는 양압환기를 통한 전신마취보다 자발호흡을 유지하는 깊은 진정이 혈역학적으로 도움이 된다. 진정은 전신마취에 비해 자발호흡을 유지하며 호흡에 의한 진정 깊이가 자동 조절이 가능하며, 최소 침습효과로 인한 심혈관계 안전성이 매우 높기 때문이다. 뿐만 아니라 전신마취는 기관 내 삽관의 어려움이나, 저혈압 등 심각한 합병증에 노출될 가능성도 높고 신경근차단제의 사용으로 인한 부작용 및 전신마취 후 자발 호흡의 회복이 지연되고, 구토로 인해 흡인성폐렴, 여러 약물 부작용의 위험성도 높다.

(4) 요약

행동조절이 어려운 소아나 장애인에 있어 진정에서부터 전신마취에 이르기까지 다양한 진정 방법을 통한 치과진료가 시행되고 있으나, 최근 전신마취 위주에서 소아와 장애인을 위한 깊은 진정의 방법으로 세보플루란 흡입진정법이 시도되고 있다. 환자의 상태와 시술에 따라 적절하게 적용하는 것이 핵심이라 생각하고 앞으로 많은 연구가 필요하다.

4) 다른 진정법과 비교한 흡입진정의 장점

앞서 언급한 아산화질소-산소를 이용한 흡입진정의 장단점과 비슷하다. 다만 안전성 측면에서 보면 흡입진정을 흡연상태에 경구, 정주진정을 만취상태로 비유하여 장단점을 비교하면 이해가 쉽다. 이런 측면에서 흡입진정은 무엇보다 호흡억제와 기도폐쇄 등 호흡 부작용과 혈압이나 맥박수 등 혈역학 변동에 미치는 영향이 미약하다. 그리고 약동학적 관점에서 체내대사가 적게 이루어지므로 내부장기에 미치는 영향이 적고 의학적 심각한 질환자에게 안전하다. 그러므로 흡입진정은 호흡 순환 대사에 안정성이 있다. 투여방식에 따른 약력학적 관점, 즉 효과적 측면에서 보면 다른 진정법에 비해 흡입진정은 진정에 이르는 시간과 회복이 빠르므로 매우 효과적이다. 개인의 생체전환 오차가 적고 약물 효과부위 농도형성에 이르는 절차가 간단한 흡입진정은 진정 깊이의 일관성과 조절에 있어 많은 장점이 있다. 반면 흡입진정법은 다른 진정법에 의한 것보다 진료실 오염은 피할 수 없다. 결론적으로 흡입진정은 호흡억제와 기도폐쇄의 가능성이 상대적으로 적고 의식의 깊이조절, 유지, 및 회복 등 효율적 측면에서 많은 장점이 있다. 충분한 시설과 장비 및 인력이 갖추어지면 흡입진정법은 보편적으로 안전하다. 적절한 수련을 받고, 환자를 신중히 선택 하고, 전신마취에 준하는 안전장치가 있는 장비를 바르게 사용한다면, 흡입진정법은 호흡 순환 대사적 측면에서 안전하고 효과적인 방법이다.

참고문헌

1. 대한치과마취과학회, 흡입진정법, 치과마취과학 3판, 2015.
2. 대한치과마취과학회역, Stanley F. Malamed, 진정법 5th, 2010.
3. 도레미, 송영균, 김승오: 장애환자의 치과진료 시 세보플루란 흡입진정의 활용. 대한치과마취과학회지, 12:125-129, 2012.
4. 김승오: 세보플루란 깊은 진정의 응급과 비응급적 사용에 관한 실태조사. 대한소아치과학회지, 2014; 41:18-26.
5. 김승오: 충남장애인구강진료센터에서 시행된 전신마취 및 진정법에 관한 실태조사. 대한소아치과학회지, 2013; 40:28-39.
6. 지상은, 김종수, 김승오: 소아환자에서 경비 캐눌라를 이용한 세보플루란 흡입진정. 대한소아치과학회지, 2013; 40:186-192.
7. 이원호, 박창주, 김영재, 장기택, 이상훈, 서광석, 김현정, 염광원: 소아치과 환자에서의 세보플루란을 이용한 흡입 심진정법. 대한치과마취과학회지, 2004; 2:90-95.
8. Averley PA, Girdler NM, Bond S, Steen N, Steele J. A randomised controlled trial of paediatric conscious sedation for dental treatment using intravenous midazolam combined with inhaled nitrousoxide or nitrous oxide ? sevoflurane. Anaesthesia, 2004; 59:844?852.
9. Berkowitz BA, Ngai SH, Finck AD: Nitrous oxide "analgesia": resemblance to opiate action. Science, 1976; 194:967-968.
10. Cohen EN, Gift HC, Brown BW, Greenfield W, Wu ML, Jones TW, Whitcher CE, Driscoll EJ, Brodsky JB: Occupational disease in dentistry and chronic exposure to trace anesthetic gases. J Am Dent Assoc, 1980; 101:21-31.
11. Donaldson D, Meechan JG: The hazards of chronic exposure to nitrous oxide: an update. Br Dent J, 1995; 178:95-100.
12. De Sanctis Briggs V: MRI under sedation in newborns and infants: study of 640 cases using sevoflurane. Paediatr Anaesth, 2005; 15:9-15.
13. Duarte R, McNeill A, Drummond G, Tiplady B. Comparison of the sedative, cognitive, and analgesic effects of nitrous oxide, sevoflurane and ethanol. Brit. J. of Anaesth. 2008; 100(2): 203-10.
14. Hall D,Weaver J, Ganzberg S, Rashid R, DDS, MAS, Wilson S. Bispectral EEG Index Monitoring of High-Dose Nitrous Oxide and Low-Dose sevoflurane Sedation Anesth Prog, 2002; 49:56-62.
15. Haraguchi N, Furusawa H, Takezaki R, Oi K. Inhalational Sedation with sevoflurane. J. Oral Maxillofac. Surg, 1995; 53:24-26.
16. Houpt M. Project USAP the use of sedative agents in pediatric dentistry: 1991 update. Pediatr Dent, 1993; 15:36-40.
17. Lahoud GY, Averley PA. Comparison of sevoflurane and nitrous oxide mixture with nitrous oxide alone for inhalation conscious sedation in children having dental treatment: a randomised controlled trial. Anaesthesia. 2002; 57:446?450.
18. Kim SO, Kim YJ, Kim YS: Deep sedation with sevoflurane insufflated via a nasal cannula in uncooperative child undergoing the repair of dental injury. Am J Emerg Med, 2013; 31:894.e1-e3.
19. Kim SO, Kim YJ, Shin TJ: Deep sedation with sevoflurane inhalation via a nasal hood for brief dental procedures in pediatric patients. Pediatr Emer Care, 2013; 29:926-927.
20. Patel SS, Goa KL. sevoflurane. A review of its pharmacodynamic and pharmacokinetic properties and its clinical use in general anaesthesia. Drugs, 1996; 51:658-700.
21. Philip JH, Myers TP, Philip BK. Inhalation Sedation/Analgesia with sevoflurane. Letter. J. Clin. Anaesth. 1997; 9:608-609.
22. Pirwitz B, Schlender M, Enders A, Knauer O: Risks and complications anesthesia with intubation during dental treatment, Rev Stomatol Chir Maxillofac, 1998; 98: 387-9.
23. Ross N, Drury N: Conscious sedation with sevoflurane. 2010; ATOTW 188, 188:1-5.
24. Soldani F, Manton S, Stirrups DR, Cumming C, Foley J. A comparison of inhalation sedation agents in the management of children receiving dental treatment: a randomized, controlled, cross-over pilot trial. Int J Paediatr Dent, 2010; Jan;20(1):65-75.
25. Sury MR, Harker H, Thomas ML: sevoflurane sedation in infants undergoing MRI: a preliminary report. Paediatr Anaesth, 2005; 15:16-22.

CHAPTER

20

정주진정법

학습목표

1. 정주진정법의 장단점을 나열한다.
2. 정주진정법에 사용되는 약제와 적정 용량을 나열한다.
3. 다양한 정주진정법들을 비교하여 설명할 수 있다.
4. 아편유사제의 종류를 알아본다
5. 아편양 수용체에 따른 작용제 길항제의 종류와 약동학적 특성을 알아본다.
6. 아편유사제의 부작용을 알아본다.
7. 아편유사제의 내성, 의존성과 중독을 이해한다.
8. 비스테로이드성 소염진통제를 알아본다.
9. 진통보조제를 알아본다.

정주진정법은 정맥로로 진정진통제를 투여하는 진정법이다. 정주진정법의 장점은 빠른 효과발현과 예측 가능한 지속시간, 적정(titration)의 용이성, 그리고 확보되어 있는 정맥로를 통하여 응급 상황 시 바로 여러 가지 약제를 투여할 수 있는 점 등을 들 수 있다. 또한 한번 정맥로가 확보되면 진정제를 여러 번 지속적으로 투여 가능하며, 경우에 따라서는 길항제의 투여도 가능하다. 그러나 이 방법은 정맥로 확보가 필수적이어서 이에 익숙하지 않은 치과의사는 쉽게 사용할 수 없다는 제한점을 가지고 있다.

2000년에 걸친 시간 동안 아편을 여러 형태나 제제로 통증치료에 사용하여 왔지만, 그보다 수백 년 전부터 이미 아편의 심리적 효과를 알고 있었다. 이집트 신화에 아편의 진통효과가 기록되어 있으며, 양귀비로부터 얻어진 아편(opium)을 통증치료제로 처음 사용한 것은 B.C. 3세기경에 기록된 Theopharatus의 저서에서 찾아볼 수 있다.

1803년에 Serturner가 아편에서 알카로이드 성분을 추출하였고, 이를 그리스 신화에 나오는 잠의 신 Hypnos의 아들, Morpheus (꿈의 신)의 이름을 따서 morphine으로 명명하였다. 1853년에 주사 바늘과 유리 주사기를 사용하여 약을 피하로 주사하는 것이 가능해지면서, morphine을 투여하기가 쉬워졌고 이로 인해 약이 남용되기 시작했다. Morphine이 잠재적으로 중독 작용을 일으킬 수 있다는 인식이 확산되면서 다른 비중독성 아편유사제에 대한 연구가 촉진되었지만 불행하게도 중독에 대한 공포는 급성 통증의 치료 효과를 낮추는 중요한 원인 중 하나가 되고 있다.

아편(opium)에는 알카로이드(alkaloid)가 약 25종류가 포함되어 있지만, 그 중 morphine (아편 중량의 10%)과 codeine (아편 중량의 0.5%)만이 진통 작용을 나타낸다. 이처럼 자연 그대로 얻을 수 있는 천연물질을 아편제(opiate)

표 20-1. 아편류의 분류

천연물
1. Morphine
2. Codeine
3. Papaverine
4. Thebaine
반합성류
1. Heroin
2. Dihydromorphone/morphinone
3. Thebaine derivatives (e.g., etorphine, buprenorphine)
합성류
1. Morphinan series (e.g., levorphanol, butorphanol)
2. Diphenylpropylamine series (e.g., methadone)
3. Benzomorphan series (e.g., pentazocine)
4. Phenylpiperidine series (e.g., meperidine, fentanyl, sufentanil, alfentanil, remifentanil)

라고 하고, morphine과 유사한 작용을 나타내는 천연물질 또는 합성물질을 아편유사제(opioid)라고 명명한다. 아편유사제(opioid)는 천연물, 반합성물, 합성물로 분류될 수 있다(표 20-1). 이 중에서 morphine, meperidine, fentanyl, sufentanil, alfentanil과 remifentanil 등이 마취 중 또는 수술 후 통증 치료 목적으로 널리 사용되고 있다. 반면 현재 마약(narcotic)은 의존성을 유발할 수 있는 약제에 대해 법률적 의미에 국한하여 사용되고 있다.

1. 정주진정법의 장단점

1) 정주진정법의 장점

- 진정제의 작용이 수 분 내로 나타나 효과발현이 가장 빠르다.
- 진정제의 효과를 개인의 필요와 상태에 맞추어 정확하게 적정(titration)할 수 있으므로 임상적으로 효과적이고 안전하다.
- 진정에서의 회복이 빠르다.
- 추가적인 약제의 투여가 가능하다. 이는 효율적인 정주진정법을 위해서도 필요하지만, 예기치 않았던 응급 상황에서 즉각적인 응급 약물의 투여를 위해 필요하다.

2) 정주진정법의 단점

- 정맥천자(venipuncture)를 통한 정맥로의 확보가 필요하다.
- 임상적으로 크게 문제가 되지는 않지만 정맥천자로 인한 천자부위에서 혈종(hematoma), 정맥염(phlebitis) 등의 합병증이 일어날 수 있다.
- 다른 진정법보다 약효 발현이 빠르게 나타나므로 집중적인 환자감시가 필요하다.
- 진정을 즉각적으로 깊게 하는 것은 가능하지만, 길항제가 없다면 진정으로부터의 회복에 장시간이 소요되거나 진정에서의 회복이 완전하지 않을 수 있다.

2. 정주진정법의 적응증

- 일반적인 진정법의 적응증인 공포와 불안이 있는 경우 외에 다음과 같은 적응증을 추가할 수 있다.
- 다른 여러 가지 진정법으로 환자의 충분한 진정이 실패한 경우
- 환자가 치과치료 중의 일을 기억하기 원하지 않는 경우. 그러나 이러한 기억상실 효과는 적응증이 될 수도 있으나 경우에 따라서는 정주진정법의 부작용이 될 수도 있다.

3. 자주 사용되는 정주진정제

1) Benzodiazepines

Benzodiazepine은 현재 가장 많이 사용되는 정주진정제 중의 하나이다. Barbiturate와 비교하였을 때 전신마취를 위한 마취 유도에는 적절하지 않지만, 의식하 진정에

서 깊은 진정까지 다양한 범위에서 쉽게 적정할 수 있다. 심각한 호흡순환계의 억제 없이 넓은 안전역을 가지고 있고, 적정 용량만 사용하면 환자의 불안을 줄일 수 있을 뿐만 아니라 부가적으로 기억상실도 유도할 수 있는 장점으로 인하여 진정법 분야에서 각광을 받게 되었다. Benzodiazepine으로 인한 건망증은 선행적 기억상실효과로 정주 후부터 일어난 일들에 대하여 기억을 하지 못하는 것으로 이러한 선행적 기억상실은 다른 투여 경로를 이용하였을 때보다 정주 후에 확실하게 나타난다.

이전에 임상에 사용되었던 diazepam이나 lorazepam을 최근에는 수용성 제재인 midazolam이 상당 부분 대체하였다. 1980년대 임상에 소개된 midazolam은 특히 diazepam의 부작용을 상당 부분 해결하였다. 수용성인 midazolam은 diazepam에서 문제가 되었던 정맥염, 정맥혈전(venous thrombosis) 발생 가능성을 획기적으로 감소시켰으며, 기억상실은 보다 예측 가능하게 되었고, 활성을 가진 대사물질이 없기 때문에 회복시간도 단축되었다. 이로 인하여 midazolam은 최근에 정주 의식하 진정법에 가장 널리 사용되고 있다. 일반적으로 건강한 성인에서 일회 정주 투여한 경우 midazolam의 최고 진정작용은 5~10분에 나타나고 진정 작용 시간은 30~120분으로 알려져 있다.

현재 흔히 사용되는 방법은 midazolam을 성인에서 부하용량으로 원하는 상태의 진정이 유도될 때까지 1~3 mg씩 반복 정주하거나, 0.03~0.05 mg/kg을 투여하고 나서 유지용량은 0.05~0.25 mg/kg/hr로 지속적으로 투여하는 것이다. 건강한 성인에서 대략 10 mg 이하의 용량에서 효과적인 진정을 얻을 수 있다. 사람에 따라 반응의 차이가 있을 수 있으므로 약제 투여 후 적어도 2분 이상 재투여 없이 환자를 관찰하고 추가투여를 결정하는 것이 좋다. 환자가 적정 진정수준에 도달하였음은 환자의 눈이 절반 정도 감기는 Verrill 징후로 알 수 있으며(그림 20-1), 이 시기가 국소마취나 치료의 시작을 알리는 때이다. 간 또는 신장기능에 문제가 있는 환자나 고령의 환자에서 midazolam을 사용할 경우 반드시 감량이 필요하다.

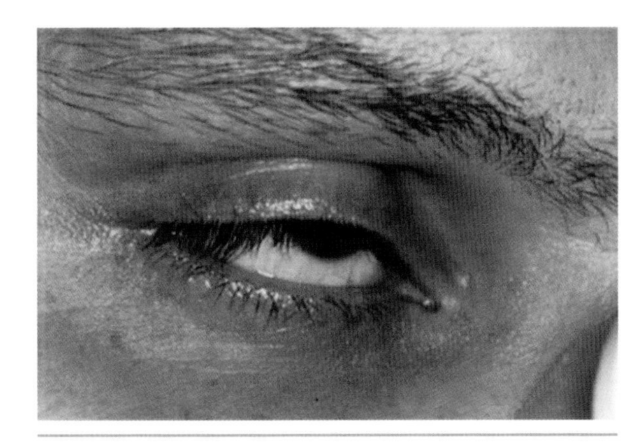

그림 20-1. Verrill 징후

Benzodiazepine의 우수한 진정효과와 상대적인 안전성에도 불구하고 급성 섬망, 과진정과 호흡순환계의 억제 등의 부작용의 가능성이 항상 존재한다. flumazenil은 benzodiazepine의 이러한 부작용에 사용되는 순수길항제로 1980년대 임상에 도입되었다. Flumazenil은 benzodiazepine으로 인한 과진정이 발생하였을 경우 과도한 진정작용을 완화시킬 수 있으며, 기억상실의 효과를 단축시킬 수 있다. 한 가지 유념해야 할 사항은 flumazenil의 혈장반감기는 1시간보다 짧아서 경우에 따라서는 적절한 의식수준을 회복하였던 환자가 시간이 지난 후 다시 진정상태에 빠질 수 있다는 점이다. Sage 등(1987)은 0.5 mg의 flumazenil은 midazolam을 이용한 정주진정 시 안전하고 효과적인 길항작용을 나타낸다고 보고하였다. 하지만 benzodiazepine을 이용한 정주진정법 시 통상적으로 flumazenil을 사용하는 것은 추천되지 않는다. 초회량은 0.3~0.5 mg을 사용하며 환자가 적절한 의식수준을 회복할 때까지 총 투여량은 1 mg을 넘지 않는 것이 추천된다.

2) Propofol

Propofol은 2,6-diisopropylphenol의 화학식을 가진 정주용 진정제로서 자체는 비수용성이지만 soybean oil, glycerol 그리고 egg lecithin을 포함하는 수용성 1%(10 mg/ml) oil-in-water emulsion 제제로 상품화되어 있다.

이러한 조성으로 인하여 사용 시 다음과 같은 두 가지 사항을 고려해야 한다.

정맥주사 시 극심한 통증을 유발할 수 있는데, 이는 정주 직전이나 동시에 lidocaine 20~30 mg 정주하거나 propofol 온도를 체온과 유사하게 조정함으로써 예방하거나 감소시킬 수 있다. 참고로 나이가 젊은 사람들에게 주사 시 통증이 더욱 자주 발생하는 것으로 알려져 있다.

약제의 조성상 세균증식이 문제가 될 수 있으므로 사용할 때는 항상 멸균에 신경 써야 하고 한 번 개봉하였으면 6시간 이내에 사용하는 것이 추천된다.

Propofol의 높은 지용성과 빠른 재분배(redistribution) 현상은 진정의 빠른 유도와 관계가 깊은데, 그 속도는 thiopental과 거의 유사하다. 역으로 진정에서의 회복도 빠를 뿐만 아니라 다른 정주진정제, 예를 들어 thiopental이나 methohexital보다 잔여효과(hangover)가 없는 상쾌한 회복이 가능하다. 이러한 장점들이 최근 외래 환자마취에서 propofol이 각광을 받게 하였다. 단 3세 이하의 어린이에게서의 사용은 아직 안전성이 확립되지 않았으므로 사용하지 않는 것이 바람직하다.

Propofol이 심혈관계에 미치는 영향은 말초혈관저항과 심근수축력의 감소로 인한 동맥혈압의 저하이다. 이러한 저혈압은 barbiturate를 사용하였을 때보다 더욱 심하며, 많은 용량을 사용할 때, 빠르게 정주되었을 때 그리고 노인과 저혈량증(hypovolemic) 환자에게 사용했을 때 더욱 현저하게 나타난다. 또한 호흡기계에도 저산소성 환기반응을 억제하여 심한 호흡억제 현상을 보이는데, 이는 적은 용량으로 의식하 진정법에 사용하는 경우에도 나타날 수 있으니 주의해야 한다. 항경련효과를 가지고 있으며, 다른 정주진정제와는 달리 특이하게 항소양작용(antipruritic)과 항구토작용(antiemetic)을 가지고 있다.

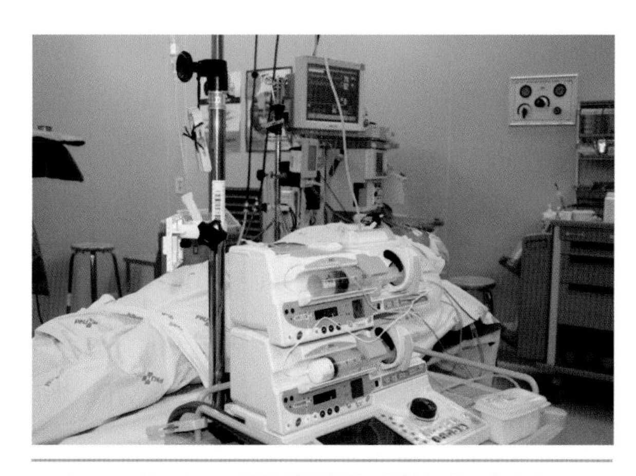

그림 20-2. 목표농도조절주입장치를 이용한 정주진정법

최근에는 목표농도조절주입장치(target-controlled infusion, TCI)가 도입되면서 혈장 내 propofol 농도를 약력학적 모델 기반하에 계산하여 공급할 수도 있다. 목표농도조절주입장치는 술자가 환자의 나이, 몸무게, 목표농도를 입력하면 정해진 약력학적 모델에 따라 계산된 혈중농도로 propofol을 주입하게 된다. 최근에 많이 사용되는 목표농도조절주입장치는 Marsh의 약력학적 모델을 기반으로 하고 있다(그림 20-2).

목표농도조절주입장치를 사용한 의식하 진정법에 관계된 혈중 농도는 0.2~2 μg/ml 또는 0.3~1.5 μg/ml 사이에 있다는 연구들이 많지만, 환자의 반응을 살피며 주의 깊게 적정해야 한다. 특히 propofol을 사용할 때는 환자의 안전을 위하여 술자가 치과치료와 환자감시를 동시에 해서는 안 되며, 반드시 환자감시에 숙달된 사람이 독립적으로 환자감시 및 평가를 담당해야 한다.

3) 아편유사제

아편유사제는 불안 해소 효과뿐만 아니라 진통작용이 강하여 깊은 진정이 유도되는 경우도 많다. 정맥 내 투여가 대부분이며 다른 약제와 같이 사용되기도 한다. 치과영역에서 선호되는 제제인 meperidine은 특히 구강악안면외과를 중심으로 많이 사용되고 있다. 0.2~0.5 μg/kg를 정주하며 작용지속시간이 짧지만 경우에 따라서는 깊은 진정을 유도할 수 있으니 조심해야 한다. 또한 meperidine의 대사산물은 중추신경 흥분성을 띠고 있으므로 주의 깊은 환자감시가 필수적이다.

Fentanyl은 지용성이며 빠른 효과발현과 강력한 진통작용, 그리고 부가적으로 histamine을 분비하지 않는 특징으로 인하여 통증을 동반하는 치과시술에 사용될 수

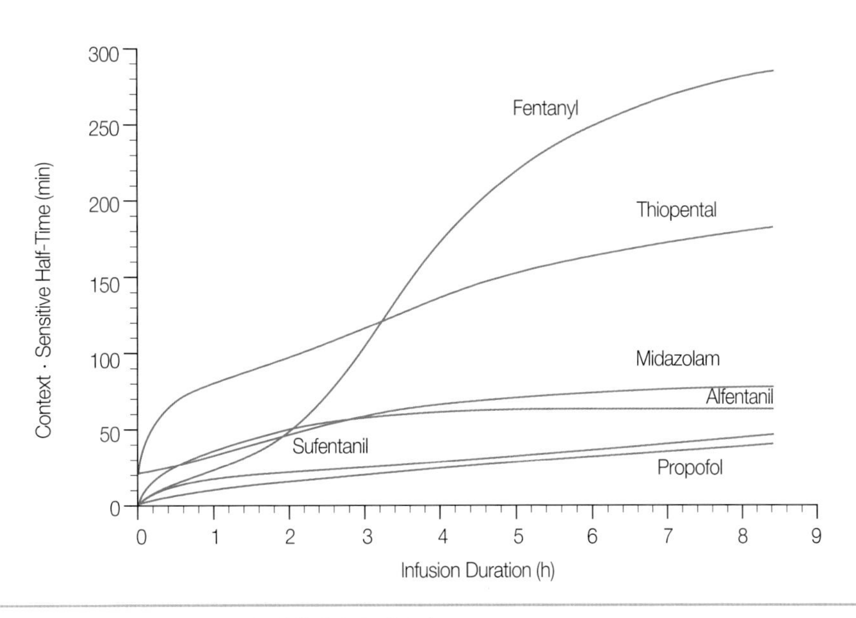

그림 20-3. 정주진정에 사용되는 약물들의 상황민감성 반감기

있다. 0.5~1.5 μg/kg를 정주하지만 지속적으로 투여할 경우 상황민감성 반감기(context-sensitive half-life)가 크게 증가하기 때문에 지속하여 정주 시 주의할 필요할 있다(그림 20-3). 상황민감성 반감기는 진정제가 지속적으로 정주되어 항정상태(steady state)에 도달했을 때의 혈중 농도가 반으로 감소하는데 걸리는 시간을 의미한다. 최근에 임상에 도입되어 쓰이고 있는 alfentanil, sufentanil, 특히 remifentanil 등은 fentanyl의 진통작용을 가지고 있으면서도 부작용이 적고 상황민감성 반감기가 짧아 지속주입에 적합한 성질을 가지고 있어 앞으로 치과치료를 위한 진정법에도 널리 이용될 수 있을 것이다.

아편유사제는 90%가 간에 의해 대사되고 소변으로 배출되므로 간질환이나 신질환이 있는 환자에게 사용 시 주의할 필요가 있다. 사용이 갈수록 줄어들고 제한되는 이유는 내성(tolerance)과 습관성(habituation)의 염려와 더불어 현저한 호흡억제의 기능성 때문이다. 또한 이러한 호흡억제는 국소마취제를 사용할 경우 가능성이 더욱 증가하는 것으로 알려져 있어 또한 주의가 필요하다.

임상적으로 아편유사제의 가장 큰 장점 중의 하나는 순수길항제인 naloxone이 있다는 것이다. 생명을 위협할 정도의 호흡억제가 아편유사제의 부작용으로 발생하면 성인의 경우 naloxone 40 μg씩 환자의 증상을 관찰하며 2~4분 간격으로 반복해서 사용할 수 있다. 주의할 점은 naloxone의 작용시간은 대략 30분 정도로 짧은 편이어서 일단 사라졌던 아편유사제 부작용들이 다시 발현될 수 있으므로 주의 깊은 환자감시가 요구된다는 것이다. 특히 치과외래에서 naloxone을 사용한 환자는 1시간 이상 환자를 감시하고 퇴원결정에 신중을 기하는 것이 추천된다.

4) Ketamine

Ketamine은 해리성 마취제(dissociative anesthetic)로 널리 알려져 있는데 ketamine을 이용한 정주진정 중에 환자는 눈을 뜨고 의식이 있는 듯 보이고 때로는 불수의적인 근육의 움직임을 보이지만, 주위의 환경은 전혀 인지하지 못하고 해리되어 있기 때문에 붙은 명칭이다. 이러한 해리상태는 일종의 흥분성 상태로 ketamine이 기능적으로 시상(thalamus)과 대뇌변연(limbic system)을 분리시키기 때문에 발생하며 그 기전은 기존의 마취제의 진정 기전들과는 확연히 구분된다. Ketamine은 어떤 의미에서 진통(analgesia), 건망증(amnesia), 그리고 진정(sedation) 작용을 갖춘 이상적인 진정제의 모든 조건들을 가지고 있다. 그러나 다른 진정제들과는 달리 진정용량에서 ketamine은 교감신경계를 자극하여 동맥압, 심박수, 그리고 심박출량을 증가시킨다. 심근 운동량이 증가하므로 관상동맥질환자, 조절되지 않는 고혈압 환자, 그리고 심부전 환자에서는 사용을 하지 않는 것이 좋다. 호흡억제가 유효 약물 용량에서는 다른 진정제들과는 달리 매우 적고 기관지 확장효과가 있어 천식환자에서도 추천된다. 하지만 타액분비와 기관지분비를 증가시키기 때문에 항콜린성 약제(예를 들어 atropine 0.02 μg/kg)를 미리 처방하는 것이 추천된다.

Ketamine은 30분 내외의 짧은 시술의 진정 시에 많이 사용된다. 일반적인 용량은 1~4.5 μg/kg를 1분에 걸쳐 서서히 주며, 환자의 반응을 보며 0.5 μg/kg를 추가로 사용할 수 있다. Ketamine은 회복이 늦고 회복과정에서 환자가 기분 나쁜 꿈이나 환각(hallucination), 또는 섬망(delirium)을 경험할 수 있는 단점이 있다. 이러한 증상은 환자를 조용하고 어두운 장소에서 별다른 방해를 하지 않고 회복시키거나 midazolam을 동시에 사용하면, 어느 정도 예방할 수 있다고 하지만 아직도 많은 논란이 있다. Ketamine은 가격 대비 효율 면에서 우수하여 주로 개발도상국에서 많이 사용하는 진정제로 최근에는 여러 가지 통증치료까지 그 활용의 폭이 증가하고 있다.

5) Barbiturates

Barbiturate는 치과치료를 위한 진정법에 1950년대 이후 널리 사용되어 왔으나 현재는 다음과 같은 부작용 때문에 benzodiazepine계열의 약제로 대체되는 추세이다.

- 호흡억제(경우에 따라 무호흡이 발생하기도 함)
- 심혈관계 억제
- 주사 시 통증
- 피부 발진 등을 포함하는 알레르기 반응
- 오심과 구토
- 잔여 진정효과
- 기침, 딸꾹질, 후두경련, 기관지경련 등의 과도한 기도반응 유발

많은 barbiturates 중에서 진정법에 사용되는 약제들은 초단기(ultrashort-acting) 작용제인 thiopental, methohexital 그리고 단기(short-acting) 작용제인 pentobarbital로 한정된다. 경련이 발생하였을 경우 이를 치료하기 위해서도 사용 가능하다. 진정의 기전은 대뇌피질과 망상활성계(reticular activating system, RAS)의 신경전달을 차단하는 것으로 알려져 있다.

6) Dexmedetomidine

Dexmedetomidine은 medetomidine의 우측 이성질체이다. Dexmedetomidine과 medetomidine은 모두 α2-아드레날린성 수용체와 결합하지만 우측이성질체의 효능이 다소 높다. 이에 비해 좌측 이성질체는 약리작용을 거의 나타내지 않는다. Dexmedetomidine의 α1-아드레날린성 수용체에 비한 α2-아드레날린성 수용체의 선택률이 매우 높다. α2-아드레날린성 수용체의 선택률은 clonidine의 약 8배이다.

Dexmedetomidine을 2분간 0.25~2 mcg/kg 용량으로 주입한 경우 용량의존적 진정작용이 나타난다. 일반 마취 중에 휘발성 마취제와 병용 투여할 경우 용량의존적으로 마취제의 사용량을 감소시킨다. Dexmedetomidine은 정맥투여 시 신뢰할 수 있는 용량의존적인 진정효과를 나타내지만 진통효과의 가변성이 크다.

다른 진정제와 구분되는 dexmedetomidine의 장점은 환기저하효과가 나타나지 않는다는 것이다. Dexmedetomidine의 단점은 서맥과 저용량 투여 시 저혈압, 고용량 투여 시 고혈압과 심박출량 감소가 있다.

4. 정주진정법의 실제

1) 정맥로 확보

- 정맥로 확보에 필요한 물품을 환자 옆에 준비한다(그

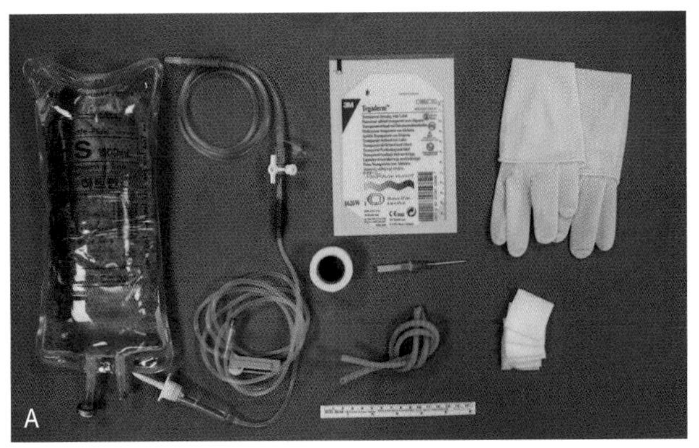

그림 20-4. 정맥로 확보에 필요한 물품
(A) 수액세트, tegaderm, 반창고, 카테터, 지혈대(tourniquet), 장갑, 알콜솜(거즈), (B) 카테터 끝부분

림 20-4A).

- 환자에게 정맥로 확보가 필요한 이유 및 방법을 설명한다.
- 반창고와 tegaderm은 미리 준비해 둔다.
- 수액세트를 수액으로 채운다. 정주진정에 사용하는 수액은 정질액(balanced salt solution)을 추천한다.
- 지혈대를 팔오금(antecubital fossa) 7 cm 위에 묶는다. 이때 너무 꽉 묶지 않게 조심한다.
- 환자의 손, 손목, 상박에 적절한 정맥을 선택하고 실패할 것을 고려하여 원위부 혈관부터 시도한다.
- 카테터 삽입 부위를 동심원으로 하여 지름 5 cm 정도를 알콜솜으로 소독한다.
- 장갑을 낀다.
- 카테터는 심장을 향하는 방향으로 카테터 잡지 않은 손으로 스킨을 당긴 후 사단을 하늘로 향하게 한 후 카테터에 피가 역류하는 것을 관찰하며 피부에 대하여 10도 정도 각도를 유지하며 전진시킨다(그림 20-5).
- 일단 피가 역류하면 바늘과 카테터 사이의 길이만큼(20 G와 22 G인 경우 2 mm) 더 바늘을 혈관 내에 밀어 넣은 후 카테터를 밀어 넣어야 카테터를 혈관 내에 안전하게 거치시킬 수 있다(그림 20-4B).
- 바늘은 고정하고 카테터만 밀어 넣는다.
- 카테터 위 혈관 근위부를 압박하여 지혈한 상태에서 바늘만 제거하여 정해진 용기에 버린다.
- 수액세트를 연결한다.
- 반창고로 고정하고 tegaderm을 붙인다.

그림 20-5. 정맥로 확보법

2) 간헐주입(Bolus injection)과 지속주입 (Continuous infusion)

정주진정법 시 가장 많이 사용되는 방법들로 간헐주입은 진정제를 환자의 반응과 의식수준을 관찰하며 간헐적으로(intermittent) 주입하는 것으로 이론적으로 진정제

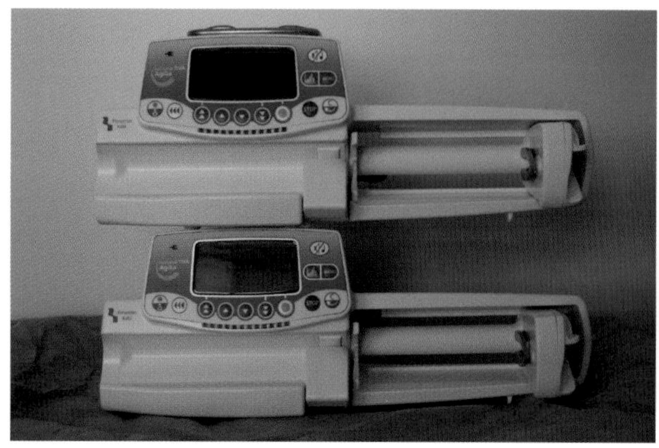

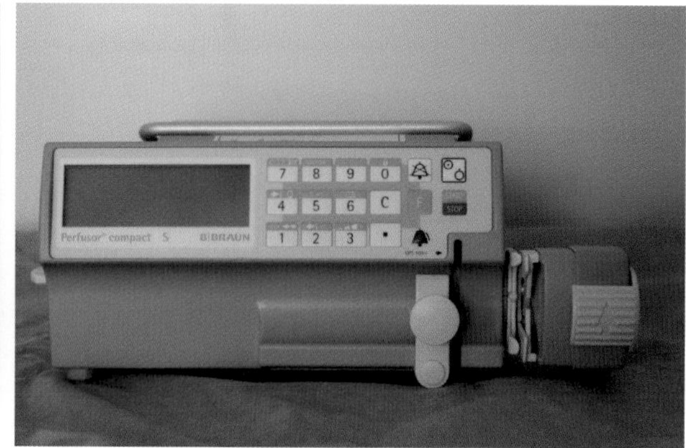

그림 20-6. 지속주입장치(syringe pump)의 예

의 혈중 내 농도의 심한 변화를 보일 수 밖에 없다. 정주 진정법에 있어 약물의 주입방법은 약제의 발전에 비하여 많은 부분 뒤처져 있는데 최근에는 이러한 간헐주입법의 한계를 극복하기 위하여 지속주입장치(syringe pump)를 이용하여(그림 20-6) 다양한 속도로 정주진정제를 지속주입하고 있지만, 이 역시도 환자의 순간순간 변하는 약물에 대한 반응을 맞춰가는 것은 어려우며 경우에 따라서는 환자의 진정수준이 급격하게 깊어질 수 있는 단점이 있다.

3) 목표농도조절주입(Target-controlled infusion, TCI)

정주진정제 조절의 용이성과 투여의 지속성을 위하여 고안된 방법으로 진정법을 시행하는 의사가 임상에서 요구되는 진정의 깊이 즉 목표혈중농도를 정하고 조절하는 방법이다. 이 경우 약물주입속도는 약력학적 표준에 의해 자동적으로 바뀌게 된다. 현재 propofol 주입을 위한 최초의 상업화된 목표농도조절주입장치가 널리 쓰이고 있다(그림 20-7). 목표농도조절주입장치는 Marsh의 약력학적 표준을 채택하고 있다.

이 방법의 장점으로는 조작의 간편성, 용이한 의식수준 조절, 예상 약물 혈중농도의 표시, 복잡한 계산이 필요 없음, 운반의 용이성 그리고 진정법 기록의 저장과 재현 등을 들 수 있다. 하지만 목표농도조절주입장치는 연령 16~100세, 체중 30~150 kg 그리고 목표혈중농도 0.1~15 μg/ml의 제한점을 가지고 있어 현재 성인의 진정법에만 사용되고 있다. 일반적으로 실제로 측정되는 혈중농도는 목표농도조절주입장치의 계산혈중농도보다 약간 높게 나오는 경향이 있으므로 이를 참고해야 한다. 치과치료를 위한 진정법 시 건강한 55세 이하 성인에서는 목표농도를 3.0 μg/ml 이하에서 유지하고 전신질환자에서는 2.5 μg/ml 이하에서 유지하는 것이 추천된다. 물론 midazolam 등 다른 진정진통제를 혼합 사용할 때에는 진정정도가 예기치 않게 깊어질 수 있으므로 목표농도를

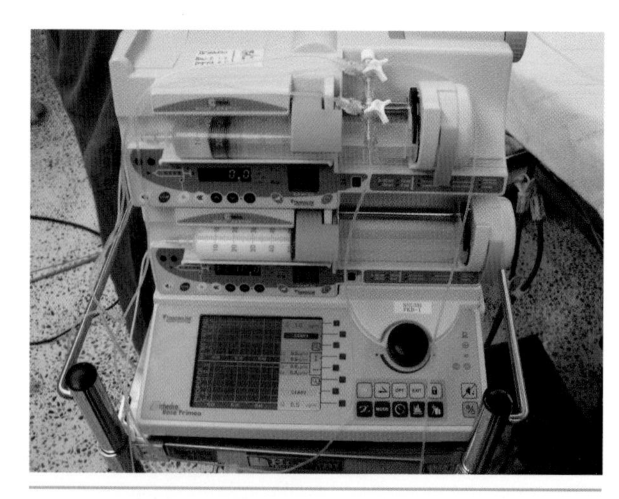

그림 20-7. 여러 진정진통제를 동시에 투입할 수 있는 목표농도조절주입기(Target-controlled infusion, TCI)

보다 낮게 조절해야 한다.

참고로 현재 여러 가지 다른 진정진통제들을 목표농도 조절주입하기 위한 약력학적 표준들이 연구되고 임상에 시험되고 있다.

4) 자가조절진정법(Patient-controlled sedation, PCS)

1989년 Galletly가 자가통증조절법(patient-controlled analgesia, PCA)의 원리를 정주진정법에 응용하여 diazepam을 투여함으로써 시작되었다. 자가조절 주입장치를 이용하여 약제의 일회용량을 정해주고, 잠금시간(lock-out time)을 설정한 후 환자가 필요한 시점에 요구버튼(bolus button)을 누르게 함으로써 각 환자의 요구에 맞게 약제가 투여되도록 하는 방법이다. 즉 어느 정도로 제한된 범위 내에서 되먹이기(feedback) 기전을 통해서 환자 스스로가 약제의 투여량과 진정 정도를 조절할 수 있으므로 각자가 만족하는 수준의 진정상태에 도달할 수 있게 된다. 이 방법은 환자가 진정제의 투여를 직접 조절함으로써 각자에게 적절한 진정상태에 도달함과 동시에 과진정으로 인한 부작용을 피하면서도 만족스러운 진정효과를 얻을 수 있다. Propofol은 기존의 진정제들보다 작용발현이 빠르므로 환자의 요구에 신속히 반응할 수 있고 투여 후 축적효과 없이 빠른 회복이 가능하므로 자가진정조절법에 가장 적합한 약제이다. 또한 오심 및 구토를 억제하는 효과가 있어서 수술 중 또는 수술 후 발생하는 오심과 구토를 예방하는 데 큰 도움이 된다. 물론 midazolam은 propofol에 비하여 작용발현이 느리고 회복도 느리지만, 기억상실 효과가 크고 안전역이 비교적 넓으며 flumazenil이라는 길항제가 있다는 장점이 있다. 하지만 많은 연구들에서 자가진정조절법에 propofol을 사용하는 것이 midazolam을 사용한 경우에 비하여 진정 발현과 회복이 더 빠르고 과진정이 적다는 보고가 있다. 자가진정조절법을 시행하는 경우에는 효과와 안정성의 균형을 맞추는 것이 가장 중요하다.

5) 목표농도조절주입 자가진정조절법(TCI-PCS)

자가진정조절법을 시행하면 일회용량이 주입될 때마다 혈중 농도 및 효과처 농도의 변동이 발생한다. 이러한 단점을 극복하고자 1997년 Irwin 등은 목표농도조절 주입장치를 변형시켜 자가진정조절법을 시행하였으며, 이것을 자가진정유지법(patient maintained sedation, PMS)이라고 하였다. 이들은 초기 propofol 목표혈중농도로 1 μg/ml를 설정한 후 환자가 요구버튼을 누르면 목표혈중농도가 0.2 μg/ml씩 증가하도록 하고, 혈중 농도와 효과처 농도 간 평형을 이루도록 2분의 잠금시간을 설정하였다. 첫 20분간은 환자가 6분 동안 요구버튼을 누르지 않으면 목표혈중농도가 0.2 μg/ml씩 감소하도록 하고, 이후에는 12분간 환자가 요구버튼을 누르지 않을 때 목표혈중농도가 0.2 μg/ml씩 감소하도록 하였으며 최대 허용 목표혈중농도를 3 μg/ml로 제한하였다. 목표농도조절주입을 도입한 자가진정조절법은 의사가 초기 목표혈중농도를 정해주어야 하므로 엄밀한 의미의 자가진정조절법이 아니며, 각 환자에게 적절한 초기 목표혈중농도를 정확히 예측할 수 없다는 점이 단점으로 지적되지만, 보다 많은 연구 후에 널리 이용될 것으로 예상된다.

6) 복합진정법

이전부터 정주진정법을 흡입진정법이나 경구진정법과 병용하는 경우도 흔하다. 또 다른 경우에는 지속주입과 간헐주입을 병용하거나 목표농도조절주입에 간헐주입을 병용하는 경우도 있다. 이 경우 각각의 약제들 간에 부가작용이나 상승작용이 있으므로 통상적으로 사용하는 양에서 적당히 감량하고 환자의 생징후와 진정수준에 대한 철저한 감시가 필요하다.

5. 정주진정법의 합병증

정주진정법은 합병증으로는 정맥로와 관련된 국소적인 것들이 대다수를 차지한다. 예를 들어 주사부위 부종

(edema), 혈종(hematoma)이나 정맥염(phlebitis), 혈관 외로의 약물유출 그리고 공기색전증(air embolism) 등이다. 전신적인 합병증으로는 알레르기 반응, 과진정으로 인한 호흡억제와 순환억제, 그리고 회복 시 섬망(emergence delirium, 환자의 급작스러운 감정이나 인식상태, 행동의 변화) 등을 들 수 있다. 그러나 이러한 합병증들은 매우 드물다.

현재 대부분의 치과진료실에서의 의식하 진정법은 술자가 치료와 환자감시를 동시에 하는 방법이 시행되고 있다. 이러한 방법은 술자가 치료에 집중하게 되면 환자감시가 소홀해질 수밖에 없는 치명적인 단점을 가지고 있으며, 많은 보고들에서 높은 합병증 발생률이 보고되고 있다.

최근 치과의사들은 진정 효과가 확실하지 않은 아산화질소를 이용한 흡입진정법을 넘어서 빠른 작용발현과 지속, 그리고 예측 가능한 효과 때문에 정주진정법에 많은 관심을 가지고 있다. 정주진정제들의 사용은 이들 약제에 의한 여러 합병증을 예방하기 위하여 약물의 적절한 용량 조절, 환자감시장치의 사용, 그리고 합병증의 조기발견 및 응급 상황에 대비할 수 있는 소생에 필요한 약물과 기구가 준비된 상황에서 숙련가에 의해서만 시행되어야 한다. 위에 언급한 것들은 안전한 진정법 시행을 위한 기본 중의 기본인 항목들이다.

6. 아편양 수용체와 내인성 아편유사제

1970년대 중반까지 아편유사제의 작용 기전을 거의 알지 못했지만, 그 후에 아편양 수용체가 존재하고 몸 속에서 자신의 고유한 내인성 아편유사제가 생성된다는 사실이 밝혀졌다. 1973년에 아편양 수용체가 뇌와 척수에 존재한다는 것을 발견하였고, 그 후 1975년에 내인성 아편유사제를 분리하였다(표 20-1).

1) 내인성 아편유사제

지금까지 확인된 내인성 아편유사제로 endorphinus, enkephalines, dynorphinus 등이 있다. 뇌, 척수, 위장관, 혈장 등에서 발견되며 통증이나 스트레스 같은 유해 자극에 반응하여 분비된다.

2) 아편양 수용체

아편유사제는 뇌와 척수에 존재하는 아편양 수용체에 결합하여 효과를 나타낸다. 현재까지 확인된 아편양 수용체로 mu (μ), delta (δ), kappa (κ), sigma (σ) 등이 있고 서로 다른 형태를 취하고 있다(표 20-2). μ 수용체의 아류형으로 두 가지 형태가 제안되고 있다. μ1 아류형은 진통 작용을 중재하고, μ2 아류형은 호흡억제에 관여한다. 현재 사용되는 μ 수용체 작용제는 아류형 모두를 활성화시킨다.

① 작용제(agonist): 아편양 수용체에 결합하고 수용체를 자극하여 최대 반응을 유발시킬 수 있는 약제
② 길항제(antagonist): 아편양 수용체에 결합하지만 수용체를 자극하지 못하고 아편양 작용제의 효과를 반전시키는 약제
③ 부분작용제(partial agonist): 아편양 수용체를 자극하지만 천장효과(ceiling effect)를 보이며 작용제에 비해 최대 반응을 유발시키지 못하는 약제
④ 작용길항제(agonist-antagonist): 어떤 아편양 수용체에는 작용제로 작용하고 다른 아편양 수용체에는 길항제로 작용하는 약제

표 20-2. 수용체에 따른 작용

아편양 수용체	
수용체	작용
Mu (μ)	진통, 호흡, 억제, 쾌감, 서맥, 가려움증, 축동, 오심 및 구토, 위장관 운동 저하
Kappa (κ)	진통, 진정, 축동
Delta (δ)	진통
Sigma (σ)	정신이상 작용 효과(불쾌감, 환각), 산동

7. 아편유사제의 약동학적 특성

마취과 영역에서 흔히 사용되는 아편유사제의 물리화학적 및 약동학적 특성은 표 20-3에 요약되어 있으며, 각 약물의 구조(그림 20-8) 그리고 최대효과 발현 시간 및 작용 시간은 표 20-4에 요약되어 있다. 표 20-4의 투여 용량은 대략적인 동일진통용량을 보여준다.

상황민감성 반감기(context-sensitive half-life)란 지속 주입을 중단한 후 혈장 농도가 50%로 감소하기까지 소요되는 시간을 말하는데, fentanyl의 경우 주입시간이 길어지면, 상황민감성 반감기가 현저히 증가하는 데 반하여, remifentanil의 경우 주입시간에 상관없이 상황민감성 반감기는 3~5분에 불과하다(그림 20-9).

1) 아편유사제의 대사 및 신부전, 간부전이 약동학에 미치는 영향

① 아편유사제는 주로 간에서 대사된다. 간 이식 환자를 제외하고는 수술 환자에서 간부전은 대부분의 아편유사제의 약동학에 큰 영향을 미치지 않는다. Morphine의 경우 간 이외에서도 대사되므로, 간부전 환자에서 morphine의 약동학은 상대적으로 변하지 않는다. 그러나, meperidine과 alfentanil의 경우 간부전 환자에서 청소율이 감소하고, 반감기가 연장된다. 간질환이 sufentanil의 약동학에 미치는 영향은 미미하며, remifentanil의 약동학은 간질환의 영향을 받지 않는다.

② Morphine은 활성 대사산물을 생성하는데, morphine 3-glucuronide와 morphine 6-glucuronide로 대사된 후 신장으로 배설되며, 약 10% 정도는 담

표 20-3. 아편유사제의 물리화학 및 약동학적 특성

약물	pK	비이온화비율 (pH 7.4)	단백결합률 (%)	청소율 (ml/min)	재분포용적 (L)	제거반감기 (hr)	상황민감성 반감기(min)	효과처 평형시간 (min)*
Morphine	7.9	23	35	1,050	334	1.7		
Meperidine	8.5	7	70	1,020	305	3~5		
Fentanyl	8.4	8.5	84	1,530	335	3.1~6.6	260	6.8
Sufentanil	8.0	20	93	900	123	2.2~4.6	30	6.2
Alfentanil	6.5	89	92	238	27	1.4~1.5	60	1.4
Remifentanil	7.3	58	66~93	4,000	30	0.17~0.33	4	1.1

표 20-4. 정맥으로 투여된 아편유사제 작용제의 용량, 최대효과 발현시간 및 작용시간

아편유사제	용량(mg)	최대효과발현시간(min)	작용시간(h)
Morphine	10	30~60	3~4
Meperidine	80	5~7	2~3
Fentanyl	0.1	3~5	0.5~1
Sufentanil	0.01	3~5	0.5~1
Alfentanil	0.75	1.5~2	0.2~0.3
Remifentanil	0.1	1.5~2	0.1~0.2

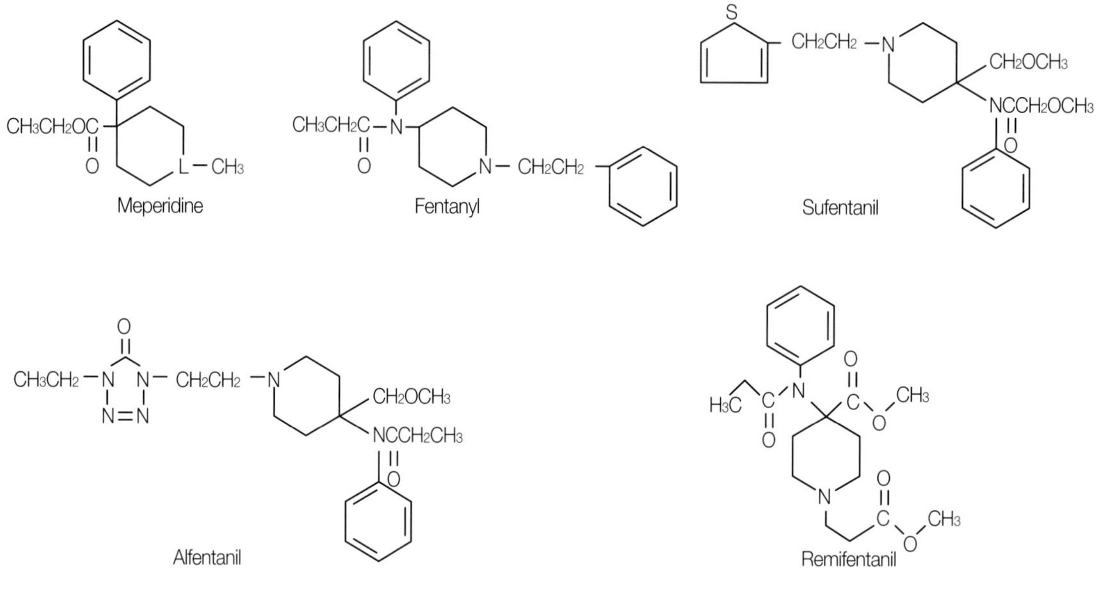

Meperidine
Fentanyl
Sufentanil
Alfentanil
Remifentanil

그림 20-8. 아편유사제의 구조

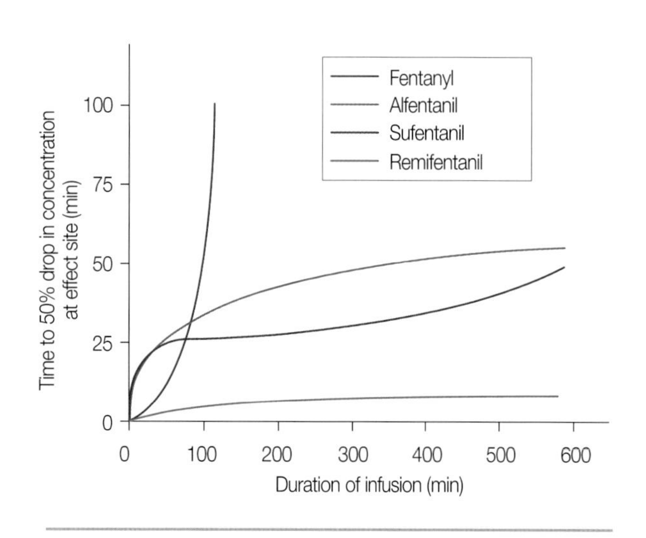

그림 20-9. 아편유사제의 상황민감성반감기

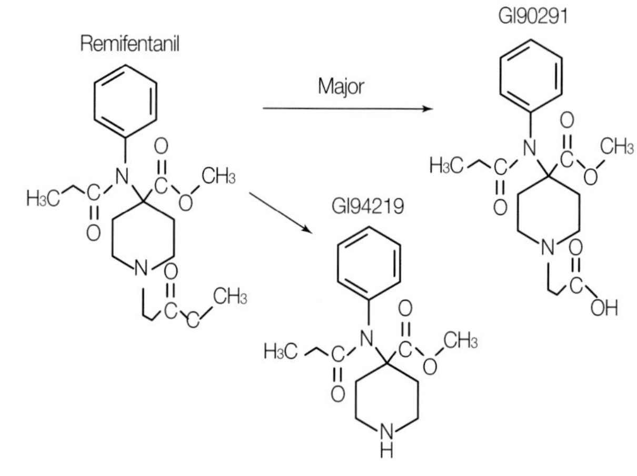

그림 20-10. Remifentanil은 esterase에 의해서 GI-90291로 대사

도로 배설된다. 5~10%의 morphine은 대사되지 않은 채 소변으로 배설되므로 신부전 환자에게 투여될 경우 작용시간이 연장된다. Morphine 6-glucuronide의 경우 morphine보다도 더 강력하고도 오래 지속되는 아편수용체 작용제이므로, 신부전 환자에서는 morphine의 대사산물이 체내에 축적되어 부작용을 낳을 수 있다.

③ Meperidine은 활성 대사물인 normeperidine으로 대사되며, 신부전 환자에서는 normeperidine의 축적으로 인한 독성이 발생할 수 있다.

④ Fentanyl, sufentanil, alfentanil의 대사산물은 비활성이다.

⑤ Remifentanil은 esterase에 의해서 GI-90291이라는 대사산물로 주로 대사되며, 훨씬 적은 양은 N-dealkylation에 의해 GI-94219로 대사된다(그림 20-10). 주 대사산물인 GI-90291은 remifentanil의 1/2,000~1/4,000의 역가를 지니는 μ-수용체 작용제로 remifentanil보다 반감기가 길고, 약 90% 정도가 신장으로 배설된다. 신부전 환자의 경우 GI 90291이 축적될 수 있으나 역가가 낮으므로, 임상적으로 문제를 일으키지 않는다.

8. 아편유사제의 약력학적 특성

모든 아편양 작용제들은 동일한 정도의 진통효과를 나타낼 수 있다. 투여량과 투여 경로를 조정하면 동일한 진통효과를 유발할 수 있다.

만일 비경구적 투여(근주, 피하, 정주)에서 경구 투여로 전환하면, 경구 투여 시 일차통과효과(first pass effect)로 투여량이 더 많이 필요하게 된다. 즉 경구로 투여하는 경우에 위장관에서 약이 흡수된 후 간과 위장벽에서 대사되므로, 전신순환계에 도달할 수 있는 원형 상태의 양은 약의 대사율에 의해 결정된다.

표 20-5의 전환표를 기준으로 동일진통용량을 결정한다. 보편적인 아편유사제가 표에 나열되었지만, 나라에 따라 사용이 가능하지 않을 수 있고 약의 조제, 일반명과 상품명 등도 서로 다를 수 있다.

1) 중추신경계

① 진통, 진정: 용량 의존적
② 의식 저하: 고용량 투여 시
③ 흡입마취제의 MAC을 감소시킴

표 20-5. 동일진통용량

아편유사제	근주/정주(mg)	경구(mg)	소실반감기(hr)
Morphine	10	30~60	2~3
Meperidine (pethidine)	100	400	3~5
Fentanyl	0.1	-	3~6
Sufentanil	0.01	-	2.2~4.6
Alfentanil	0.75	-	1.4~1.5
Remifentanil	0.1	-	0.17~0.33
Codeine	130	200	3~4
Diamorphine	5	60	0.5*
Methadone	10	20	15~40
Hydromorphone	1.5	7.5	2~3
Oxymorphone	1.0	-	2~3
Buprenorphine	0.4	0.8**	3~5
Pentazocine	40~60	150	3~5
Nalbuphine	10~20		3~6
Butorphanol	2		3

* Morphine으로 빠른 가수분해
** 설하 투여

④ 뇌혈류량 및 뇌대사량 감소(경중등도): Meperidine의 경우, 다량 투여 시 대사산물인 normeperidine에 의하여 중추신경계 흥분 및 경련 유발 가능
④ 기분 변화(쾌감, 불쾌감)

2) 심혈관계

① 심장수축력에 대한 효과는 미미함
② 전신혈관저항은 약간 감소하며, 이것은 medullary sympathetic outflow의 감소에 기인함(meperidine, morphine의 경우 histamine 분비로 인한 전신혈관 저항이 크게 감소할 수 있음)
③ 다른 약물에 의한 심근억제 효과를 강화시킬 수 있음
④ 용량에 비례하여 서맥을 일으킴(단, meperidine의 경우 atropine과 유사한 구조로 인하여 빈맥을 일으킴)

3) 호흡기계

① 투여 용량에 비례하여 호흡억제가 유발되며, 이는 $\mu 2$ 수용체의 작용에 의한다. 그 외 호흡억제를 증가시키는 요인들은 고령, 중추신경억제제, 신부전, 호흡성 산증, 과환기로 인한 저이산화탄소혈증 등 다양하다.
② 초기에는 호흡수가 감소되며, 고용량에서 일회호흡량이 감소한다.
③ 다른 호흡억제제와 병용되거나, 호흡기 질환이 있는 경우 호흡억제 효과가 심해진다.
④ 이러한 호흡억제는 통증 및 자극, naloxone에 의해서 가역될 수 있다.
⑤ P_{CO_2}에 대한 환기 반응이 감소된다.
⑥ 호흡억제나 근육 강직으로 인하여 무호흡이 유발될 수 있다.
⑦ 투여 용량에 비례하여 기침 반사를 둔화시킨다.

4) 근육강직

① 아편유사제 투여 시 흉곽과 복부, 상기도의 근육 긴장도가 증가하여 환기 불능 상태를 유발할 수 있다. 근육 강직으로 인해 유발되는 혈역학적 변화, 환기 불량으로 인한 고이산화탄소혈증, 저산소증, 뇌압상승 등을 일으킨다.
② 고용량을 빨리 주입 시, 아산화질소와 병용 시 발생 빈도가 증가하는데, 소량의 비탈분극성 근이완제나 진정을 유발하는 정도의 benzodiazepine 또는 propofol을 전투약 시 그 빈도가 감소될 수 있다.
③ 치료: 근이완제, 아편유사제 길항제 투여

5) 오심 구토

통상적 투여용량에 비례하여 자극되나, 고용량에서 오히려 구토 중추가 억제된다. 오심과 구토는 마취과에서 가장 골치 아픈 문제이다. 기전은 화학수용체 유발영역(chemoreceptor trigger zone)이 자극되어 발생하며, 화학수용체 유발영역의 이해는 오심과 구토의 병인과 치료 예방에 필요하며 이의 유발인자와 억제인자는 그림에 잘 요약되어 있다(그림 20-11).

6) 위장관계

① 위장관 긴장도 및 분비물 증가, 위장관 운동성 감소한다.
② 용량 비례적으로 담관압력 및 Oddie 괄약근의 긴장도를 증가시키지만, 이것의 효과는 임상적으로 미미하고 Biliary colic을 유발할 수 있다.

7) 배뇨장애

배뇨 반사의 억제, 바깥 조임근(external sphincter) 긴장도가 증가한다.

8) 가려움증

히스타민 분비에 의하며, 항히스타민제나 naloxone 투

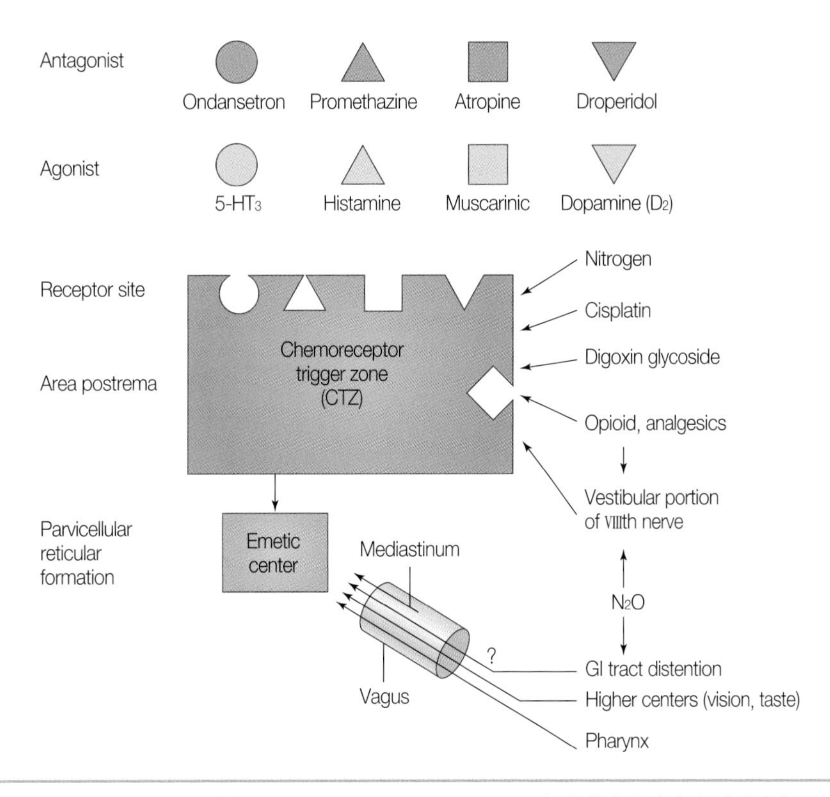

그림 20-11. 구토중추와 관련된 화학수용체 유발영역(chemoreceptor trigger zone)과 관련된 유발인자 억제인자

여로 완화된다.

9) 축동

μ-, κ- 수용체에 의한 Edinger-Westphal nucleus 흥분에 의하여 발생한다.

9. 아편유사제의 실제와 부작용

통증의 치료에 일반적으로 사용하는 아편유사제는 μ 수용체에 주로 작용하므로 유사한 범주의 부작용들을 나타낸다(표 20-6). 동일한 진통효과를 나타내는 용량(동일 진통용량)에서 부작용의 빈도는 아편유사제의 종류에 관계없이 대부분의 환자에서 매우 비슷하다.

1) 호흡기계에 미치는 영향

아편유사제는 환기의 방식에 여러 형태로 영향을 미칠 수 있다. 아편유사제를 효과적으로 투여한 경우에 호흡억제가 점진적으로 나타나며, 과량이 아닌 용량에서도 저

표 20-6. 아편유사제의 가능한 부작용

분류	부작용
호흡기계	호흡억제
중추신경계	진정, 쾌감(때로는 불쾌감), 오심, 구토, 축동, 근육 강직
심혈관계	혈관 이완, 서맥, 심근 억제
가려움증	Morphine 경우에 더 흔함
비뇨생식계	요저류
위장관계	위 배출 시간의 지연, 변비, Oddi 괄약근 경련
알레르기	진정한 의미의 알레르기는 드물다.

산소증이 간헐적으로 발생할 수 있다.

일어날 수 있는 영향들은 다음과 같다.

① 상기도 폐쇄

② 호흡수 감소와 호흡리듬 변화

③ 일회호흡량의 감소

정상적인 호흡에서 상기도 근육의 긴장도는 횡격막의 수축과 흡기 전에 증가한다. 하지만 아편유사제를 투여하거나 수면 상태에서 이같은 협조적 관계가 소실되므로, 흡기시 상기도가 닫혀서 상기도의 부분적인 폐쇄(코골이)나 완전한 폐쇄와 같은 증상으로 나타난다. 또한 아편유사제는 뇌의 호흡 중추를 직접 억제하여 호흡수와 일회호흡량을 감소시킨다.

(1) 호흡억제

호흡억제는 아편유사제 투여로 발생할 수 있는 매우 두려운 합병증이지만 상당히 드물게 일어난다. 일반적으로 환자의 호흡수를 호흡억제의 임상 지표로 사용해 왔지만, 호흡수의 감소는 시기적으로 늦게 나타나므로 지금은 신뢰할 수 없는 징후로 인식한다. 비록 호흡수가 정상이라도 호흡의 현저한 억제가 동반될 수 있다. 또한 과량의 아편유사제에 의해 상기도 폐쇄나 일회호흡량의 감소로도 호흡이 부적절해질 수 있다. 그러므로 호흡의 초기 억제를 나타내는 가장 좋은 임상적 지표는 진정 정도이다. 아편유사제의 작용과 이산화탄소분압의 상승이 결합하여 진정 작용이 일어난다고 생각한다.

표 20-7. 호흡억제의 임상적 지표

진정 점수	0- 없음
	1- 경함, 때때로 졸립지만 쉽게 깨울 수 있음
	2- 중등도, 지속적으로 또는 자주 졸립지만 쉽게 깨울 수 있음
	3- 심함, 졸고 있고 깨우기 힘듦
	S- 정상적인 수면 상태
호흡수	분당 8회 미만(신빙성이 없음)

진정 정도는 진정점수를 측정하여 감시하며(표 20-7), 진정점수가 2 미만으로 유지되도록 아편유사제의 용량을 조정해야 한다.

환자가 깨어나지 않은 상태와 같이 자극이 없는 상태에서 반드시 호흡수를 측정해야 한다. 비록 호흡이 억제된 상태에서 호흡수가 정상 범위에 있을 수 있지만, 호흡수가 분당 8회 미만이면 일반적으로 호흡억제를 의미한다. 진정제(benzodiazepine, 항히스타민제, 다수의 항구역제 등을 포함)를 투여하는 경우에 호흡억제의 위험성이 상당히 증가하므로, 아편유사제를 투여하는 환자에게 진정제를 정례적으로 사용해서는 안된다. 진정제가 필요한 경우에는 정상 용량보다 적게 사용해야 한다. 진정제는 호흡억제의 위험성을 증가시키고 아편유사제를 충분하게 투여할 수 없게 한다. 결과적으로 환자에게 과다한 진정 효과가 없이 편안한 상태를 제공할 수 없게 된다. 아편제의 호흡억제의 강도와 시간을 증가 시키는 요소는 다양하며 표 20-8에 나타나 있다.

(2) 호흡억제로 인한 산소분압, 이산화탄소분압, 산소포화도의 변화

맥박산소농도계로 측정하는 산소포화도는 혈중 산소

표 20-8. 아편제의 호흡억제의 강도와 시간을 증가시키는 요소

고용량
수면
고령의 나이
중추신경억제제 (흡입마취제, alcohol, barbiturates, benzodiazepines)
신부전
과환기, hypocapnia
호흡성산증
청소율 감소
간혈류량 감소
근육, 지방으로 분포된 약의 재흡수
통증

분압을 비침습적으로 감시할 수 있고 작동이 수월하여 일반 병동에서 많이 사용한다. 그러나 측정한 산소포화도의 수치를 해석하는데 있어 신중함이 필요하다. 만일 환자에게 산소를 공급하고 있다면, 산소포화도는 호흡억제와 같이 호흡계의 기능 저하를 판단하는 좋은 지표가 될 수 없다. 산소를 공급하는 경우에 산소포화도의 낮은 수치는 호흡 기능이 상당히 비정상임을 나타내지만, 산소포화도의 정상치는 호흡 기능이 비정상일 가능성을 배제하지 못한다.

수술 전에 젊고 건강한 환자에게 산소를 4 L/min로 공급하는 경우에, PaO_2가 130~150 mmHg이고 맥박산소농도계로 측정한 산소포화도가 99%이었다. 복부 대수술 후 같은 양의 산소를 공급하였을 때, PaO_2는 단지 100 mmHg이고 산소포화도는 수술 전에 비해 약간 줄어든 98%를 나타내었다. PaO_2가 FiO_2에 대한 예상 동맥혈 산소분압보다 낮으므로, 수술 후에 환자의 폐 기능이 어느 정도 저하된 사실이 명백하다. 만일 산소를 10 L/min 로 공급하였을 때 환자의 PaO_2가 100 mmHg이면, 폐 기능의 이상이 더욱 확실하지만 산소포화도는 여전히 98%로 나타날 수 있다.

동맥혈 산소분압과 산소포화도의 관계는 선형이 아니라 산화혈색소 해리곡선을 따른다. 동맥혈 산소분압과 산소포화도 사이에 관계를 나타내는 근사치를 기억하고 있으면 도움이 된다. 동맥혈가스분석에서 PO_2와 관계없이 PCO_2가 증가하면, 아편유사제에 의한 호흡억제를 염두에 두어야 한다.

(3) 통증은 호흡억제에 길항적으로 작용한다.

통증은 아편유사제로 유발된 호흡억제에 효과적인 길항제로 작용한다. 통증치료를 위해 환자에게 많은 양의 아편유사제를 투여하고 추가로 국소마취제로 차단술을 시행한다면, 차단 효과가 나타나면서 호흡억제가 유발될 수 있다. 또한 통증의 원인을 제거하는 경우에도 호흡억제가 유발된다. 요저류로 유발된 복부 통증을 치료하기위해 자가조절 통증치료법으로 아편유사제를 투여한 경우에도, 도뇨관을 삽입하여 환자의 통증이 사라지면서 호흡억제가 일어날 수 있다. 모든 아편유사제의 동일진통용량에서 같은 정도의 호흡억제가 일어날 수 있다. 그러므로 아편유사제를 반드시 적절히 적정 투여해야만 호흡억제의 위험성이 줄어든다.

(4) 간헐적인 저산소증

상기도가 간헐적으로 폐쇄되는 상황에서 저산소혈증이 발생할 수 있다. 임상적으로 수면 무호흡 증후군과 매우 유사하여 수면 중에 기도의 폐쇄와 산소포화도의 심한 저하가 간헐적으로 일어난다.

수면무호흡과 비슷한 상황은 아편유사제의 투여 경로에 상관없이 발생하며 아편유사제의 과량 투여를 반드시 의미하지 않는다. 동맥혈 이산화탄소분압은 정상 범위 내에 있을 수 있다. 그러므로 산소포화도를 지속적으로 감시하지 않으면, 저산소혈증의 상황을 간과하기 쉽다.

간헐적 상기도 폐쇄나 진행성 호흡억제로 유발되는 저산소혈증은 결국에 빈맥, 부정맥, 심근 허혈, 의식 혼란, 단기기억 장애, 창상의 회복 지연 등을 일으킨다. 깨어 있는 환자에서 발생하는 저산소혈증은 아편유사제 이외의 다른 원인들을 생각해야 한다.

(5) 수술 후 산소 공급

많은 환자에서 수술 후 폐 기능의 저하로 이미 저산소혈증에 빠질 가능성이 있기 때문에 어떠한 상황의 무호흡이 발생 시에도 산소분압의 저하가 빠르게 일어난다. 또한 수술 후 대략 3일째 되는 밤에 저산소혈증이 더 악화된다는 보고도 있다. 그러므로 대수술 후 아편유사제를 투여하는 환자에게는 약의 투여 경로에 상관없이 적어도 2~3일 동안 산소를 지속적으로 공급하도록 권장되고 있다. 비강캐뉼라를 통해 산소를 2~4 L/min로 공급하는 것이 대부분의 환자에게 적당하다. 비강캐뉼라는 안면마스크보다 불편함이 적어 유지시키기가 수월하다. 산소의 공급이 폐쇄성 무호흡의 발생 빈도를 감소시키지 못하지만, 산소포화도의 지속적인 하강 정도는 감소시킨다.

2) 중추신경계에 미치는 영향

(1) 오심 및 구토

아편유사제는 뇌의 연수에 존재하는 화학수용체 발동대를 자극하여 오심 및 구토를 유발하며 진정계의 자극으로 이러한 효과가 증가된다. 또한 아편유사제는 진정계를 민감하게 만들어 단지 고개를 돌리기만 해도 오심 및 구토가 유발된다. 이런 이유로 운동 멀미에 사용하는 scopolamine (acetylcholine antagonist) 첩포를 아편유사제에 의한 오심 및 구토의 치료제로 간혹 사용하기도 한다.

아편유사제는 수술 후 오심 및 구토를 유발하는 원인이 아니다. 환자의 나이, 성별, 월경 주기, 불안, 위의 팽만, 수술 종류와 시간, 운동 멀미의 병력, 이전의 오심 및 구토병력, 마취제, 환자의 움직임 등 여러 원인들로 수술 후 오심 및 구토가 발생할 수 있다.

아편유사제에 의한 수술 후 오심 및 구토는 대개 약의 투여량과 관계가 있다. 아편유사제를 원인으로 생각하면, 다른 아편유사제로 바꾸기 전에 우선 약의 투여량을 감소시키는 것이 바람직하다. 효과가 없는 경우에 환자가 특정 아편유사제에 대해 더 민감한 반응을 보일 수 있으므로 다른 약제로 바꾸는 것(morphine을 meperidine이나 hydromorphone으로)을 고려해 볼 필요가 있다.

(2) 축동, 진정, 쾌감, 근육의 경직

아편유사제는 동을 수축(축동)시키고 진정 작용을 유발한다. 진정 정도에 상관없이 호흡억제가 동반될 수 있다는 사실을 기억해야 한다. 아편유사제 투여로 환자는 가벼운 쾌감을 느낄 수 있고 불쾌감이나 환각을 가끔 호소하기도 한다. 수술실 이외에서 많은 용량의 아편유사제의 투여로 근육의 경직이 발생한 증례가 보고된 적이 있다.

(3) 의식 혼란

수술 후에 발생하는 의식 혼란의 원인으로 아편유사제를 종종 생각하지만, 치료 용량의 한도에서 의식 혼란이 일반적으로 일어나지 않으며 적어도 아편유사제 단독으로 유발하지 않는다. 수술 후 의식 혼란의 흔한 원인은 저산소증이다. 산소 공급만으로 의식이 자주 쉽게 회복되므로 저산소증을 가장 먼저 배제해야 한다. 다른 원인으로 수면 부족, 술이나 다른 약제의 금단 증상, 패혈증 등이 있다. 특히 노인 환자가 낯선 환경에 접하는 경우에 의식 혼란이 일어날 수 있다.

3) 심혈관계에 미치는 영향

아편유사제는 혈관의 평활근에 직접 작용하여 동맥과 정맥의 혈관을 이완시킨다. 또한 morphine, diamorphine, meperidine, codeine 등은 히스타민을 분비시켜 혈관을 이완시킨다. 특히 환자가 누운 상태에서 일어서거나 앉는 경우에, 기립성 저혈압이 발생한다. 저혈량 상태인 환자에게 아편유사제를 앙와위에서 투여한 경우에, 환자의 혈압이 심하게 감소할 수 있다.

또한 아편유사제는 미주 신경의 중재로 서맥을 유발한다. 예외적으로 meperidine은 atropine과 유사한 작용을 갖고 있어 경한 빈맥을 일으킨다.

4) 가려움증

몇몇 아편유사제들은 비만 세포에 작용하여 히스타민을 유리시켜 가려움증을 국소적으로 또는 전신적으로 유발한다. 정맥 내로 주사하는 경우에, 두드러기가 주사 부위나 투여한 정맥의 혈관을 따라 국한적으로 가끔 보이기도 한다. 이러한 현상은 히스타민의 국소적인 유리에 의한 반응이며 대부분 아편유사제에 대한 진정한 알레르기 반응이 아니다.

비록 작용 기전이 정확히 밝혀지지 않았지만, 아편유사제로 인한 가려움증은 수용체가 활성화되어 나타나는 중추적 반응으로 추정하고 있다. 발적과 관련이 없고 약제에 대한 알레르기 반응도 아니다. 특히 아편유사제를 경막외 또는 척수강내로 투여한 경우에 가려움증이 더 흔하게 발생한다.

Meperidine과 fentanyl에 비해 morphine을 투여하는 경우에 가려움증의 빈도가 높지만, 반드시 치료할 필요는 없다. 그러나 환자가 괴로워하는 경우에, 항히스타민제를 투여하기보다 우선 아편유사제를 바꿔 보는 것이 가장 안전한 치료 방법이다. 항히스타민제의 진정 작용이 환자에게 진정과 호흡억제의 위험성을 높일 수 있기 때문이다. 또한 소량의 naloxone을 조심스럽게 적정하여 정맥내 투여하면, 가려움증에 효과적일 수 있으나 아편유사제의 진통효과를 어느 정도 반전시킬 위험이 있다. 그러나 아편유사제를 경막외 또는 척수강내로 투여하는 경우에 나타나는 가려움증에는 naloxone이 아편유사제의 진통효과를 반전시킬 가능성은더 적어진다고 생각한다. 또한 소량의 nalbuphine 정주가 경우에 따라 효과적일 수 있다.

5) 위장관계와 비뇨생식기계에 미치는 영향

아편유사제는 평활근에 작용하여 위의 배출을 지연시키고 장의 운동을 억제시켜 변비를 일으킨다. 이러한 억제 작용은 말초와 중추신경계에 분포한 수용체의 작용에 의해 일어난다. 수술 후에 장의 운동 감소는 어느 정도 피할 수 없는 상황이므로, 아편유사제 투여를 중지하여 장 기능의 회복을 촉진시키려는 생각은 적절하지 않다. 아편양 작용제는 담즙관의 압력을 증가시키고 Oddi 괄약근의 경련을 초래한다. Naloxone의 투여로 반전될 수 있다.

요저류도 발생할 수 있다. 특히 경막외 또는 척수강내로 아편유사제 투여 후에 발생하는 요저류는 naloxone의 투여로 치료할 수 있으므로, 모든 환자에게 도뇨관을 거치하거나 유지할 필요가 없다.

6) 알레르기

환자나 의료진은 약에 대한 어떤 부작용(아편유사제의 투여 후 오심 및 구토 또는 항생제 투여 후 위장관 장애)을 알레르기로 잘못 보고하기도 한다. 아편유사제에 대한 진정한 알레르기성 반응은 면역 체계를 통해 일어나므로 발진, 두드러기, 기관지수축, 혈관신경성 부종, 심혈관계의 장애 등을 포함하는 징후와 증상이 초래된다.

10. 주요 아편양 작용제

아편양 작용제는 μ 수용체에 주로 작용한다.

1) Morphine

새로운 진통제와 비교하는 경우에 표준이 되는 아편유사제이다. 비록 새로운 약제가 특별한 성질을 갖고 있을지라도, 통증 완화에 있어 morphine보다 임상적으로 우수하지 않다.

보편적으로 사용되는 아편유사제 중에서 지방용해도가 가장 낮고, 주로 간에서 대사된다. 주요 대사산물로 진통작용이 없는 morphine 3-glucuronide와 morphine에 비해 약 2배 정도의 진통효과가 있는 morphine 6-glucuronide가 있다. Glucuronide는 신장을 통해 주로 배설되므로, 신장의 기능에 장애가 있는 경우에 몸에 축적된다. Morphine 중 10% 미만이 원형 그대로 신장을 통해 배설된다. 신장 기능이 감소된 환자에서 morphine의 반감기는 증가하지 않지만, morphine 6-glucuronide의 축적에 의해 morphine의 효과가 뚜렷하게 연장된다.

근주, 정주, 피하, 경구, 직장내, 경막외 및 척수강내 등으로 투여가 가능하며, 투여 경로에 따라 용량 범위와 투여 간격이 달라진다.

Morphine을 천천히 또는 지속적으로 유리하는 경구용제제는 만성 통증이나 암성 통증의 치료에 매우 유용하며 하루 2~3회 투여로 진통효과를 유지할 수 있다. 그러나 발현 시간이 느리고 작용 시간이 길어 약을 신속하게 적정할 수 없기 때문에, 급성 통증의 치료에 적합하지 않다.

2) Meperidine (Pethidine)

2차 세계대전 바로 직전에 atropine의 유력한 대체약으로 처음 합성되었다. 진통 작용 이외에 구갈 또는 경한 빈맥을 유발하고, 국소마취의 작용이 어느 정도 있어 단독으로 척수강 내로 투여하여 척추마취제로 사용하기도 한다. 과량 투여로 심근이 억제될 수 있다. 특히 monoamineoxidase inhibitor를 복용하는 환자에게서 투여 시

표 20-9. Normeperidine의 독성

Normeperidine 효과	• 진통 작용(수용체 매개) • 중추신경계 흥분(비아편양 효과) • 소실반감기: 15~20시간
징후 및 증상	• 불안, 초조, 기분 변화, 진전, 연축, 근간대 경련, 전신적인 경련
치료	• Meperidine 투여 중지 • 다른 아편유사제로 대체 • 증상 치료 • 기다림! 절대로 naloxone을 투여하지 말 것
용량 제한	• 첫 24시간동안 1,000 mg • 그 후 600~700 mg/일 • 노인 환자나 신장 기능의 장애가 있는 경우에 용량을 줄여야 함

고열증, 발작, 혼수, 고혈압 또는 저혈압 등이 발생한 보고가 있다.

경구, 직장내, 경막외 및 척수강내, 근육 또는 정맥 주사 등의 주입 방법으로 투여한다. 그러나 피하로 주사하는 경우에 심한 통증이 유발될 수 있다. 투여 경로에 따라 용량범위와 투여 간격이 달라야 한다.

다른 아편유사제와 달리 meperidine은 흡입마취제, 경막외마취와 척추마취, 화학 요법 등과 관련하여 발생하는 전율(shivering)의 치료제로 사용한다. 전율을 치료하기 위해 처음에 대개 25 mg을 정주한다.

간에서 주로 대사되어 신장으로 배설된다. Meperidine의 10% 미만이 원형 그대로 배설된다. Normeperidine은 주요 대사산물로 15~20시간의 긴 반감기를 가지며, 다른 아편유사제와 달리 몸에 축적되어 중추신경계의 흥분징후와 증상인 normeperidine 독성을 유발한다(표 20-9).

3) Fentanyl

합성 아편유사제로 지용성이 매우 높고 히스타민을 유리하지 않는다. 작용 발현이 morphine에 비해 매우 빠르고 조직에 신속하게 흡수되어 작용 시간도 짧다. 이러한 약리적 특성으로 수술 중에 가장 빈번하게 사용된다. Morphine보다 50~100배 강력한 합성 opiod로서 지방용해도가 매우 커 작용발현이 빠르고 작용시간이 비교적 짧은 특성을 가지고 있으며 morphine과는 달리 혈액뇌장벽(blood brain barrier)을 쉽게 통과하여 정맥주사 후 3~5분 내에 최대효과를 나타낸다.

짧은 시간 내에 광범위하게 전신에 분포하므로 혈장농도는 빠르게 감소하고 소량을 사용하면 재분포에 의하여 효과가 끝나면서 작용시간이 짧지만 정맥투여를 여러 번 반복하면 축적효과에 의하여 제거반감기가 길어진다. 간혈류량에 의해 제거되므로 간혈류량이 감소된 경우에는 fentanyl의 작용시간이 증가될 수 있다.

직접적인 심혈관 억제는 거의 없으며 서맥이나 교감신경계 흥분이 감소하는 등의 간접적인 요인에 의하여 심혈관 억제가 일어난다. Histamine을 유리하지 않기 때문에 대량의 fentanyl 사용이 가능하다. 골격근 긴장도를 증가시키며 특히 전흉부의 근육에서 두드러지므로 경우에 따라서는 근육이완제를 투여하여 폐환기를 시켜야 할 때도 있다.

소량(3~5 mcg/kg)의 fentanyl을 마취유도 1~3분 전에 정맥주사하면 후두경하 기관 내 삽관에 따른 혈압상승과 빈맥을 예방할 수 있다. 대량(50~100 mcg/kg)의 fentanyl은 소량의 흡입마취제 사용에도 견딜 수 없는 심혈관 예비력이 극히 작은 환자의 단독 마취제로 산소-근육이완제와 같이 사용할 수 있다. 급성 통증의 치료 시 정맥내(자가조절 통증치료법)나 경막외 또는 척수강내 등으로 투여하고 소아에게 구강의 점막을 통해 투여하기도 한다. 피부를 통한 투여법이 최근에 개발되었지만, 급성 통증의 치료에 성공적이라는 결과가 증명되지 못하였다. 진통 발현이 느리고, 패치를 제거한 후에 약물이 오랫동안 피부에 축적되어 잔여 효과가 지속적으로 나타난다.

4) Remifentanil

Remifentanil은 최근에 소개된 μ 수용체에 작용하는 진통제이다. Remifentanil은 혈액(적혈구)과 조직의 비특이성 esterase에 의해 빠른 ester hydrolysis로 분해되어 최종 제거 반감기가 10분 이내이다. 상황민감성 반감기(context-sensitive half-life)는 주입하였던 기간에 상관없이 3분 정도로 반복투여나 장시간의 주입에도 축적 작용이 없다는 것이 다른 opioids와 차이점이다(그림 20-9).

(1) 약동학적 특성

① $t_{1/2}$ keo (약물이 수용체까지 도달되는 시간상수)가 짧아서 약효가 빨리 나타난다.

② 배설 반감기가 짧아 약효의 소실이 빠르고, 체내 누적되지 않는다.

③ 주입 시간에 상관없이 상황민감성 반감기(context sensitive half-life)가 3~5분으로 짧다.

④ 장기-비의존적 대사(organ-independent metabolism)가 이루어진다. 즉, 조직이나 혈액의 비특이 esterase에 의해 대사된다.

⑤ 약물의 청소율이 장기의 기능 이상에 의해 영향을 받지 않는다.

⑥ 상기한 2, 3의 특성으로 인하여 단회(bolus) 투여보다는 지속 주입이 권장된다.

⑦ 연령이 증가할수록 분포용적과 청소율이 감소하며, 작용 발현이 느려지고, 약물에 더 민감하게 반응한다. 따라서 65세 이상의 노인 환자에서는 처음 용량을 50% 정도 감소시켜야함.

(2) 신장, 간부전 환자

신부전 환자에서 약동학 및 약력학은 변하지 않는다.

간부전 환자에서 약동학 및 약력학은 영향을 받지 않으나 심한 만성 간질환 환자는 remifentanil의 환기 억제 효과에 더 민감하다.

(3) 순환계와 혈역학적 효과

심장의 수축력을 줄이고 혈관이완 효과로 저혈압과 심장 서맥을 유발한다.

(4) 호흡기계 효과

① 투여 용량에 비례하여 호흡억제를 일으킨다.

② 건강한 자원자에서 분시환기량을 억제시키는 EG_{50}: 1.17 ng/ml (95% 신뢰구간: 0.85~1.49)

③ 깨어 있는 환자에서 자발 호흡을 가능하게 하는 주입속도: 0.1 μg/kg/min

④ 주입 중단 5~15 min 후 적절한 환기(adequate ventilation)상태로 회복된다.

(5) 근 강직

① 용량에 비례하여 빈도가 증가하고 심해진다.

② 1분에 걸쳐 2 μg/kg 미만을 투여하면 근육 강직을 유발하지 않는다.

③ 마취 유도 시 remifentanil을 다른 약물에 앞서 제일 먼저 주입 시 근육 강직 빈도: 20%

④ Hypnotic induction agent와 함께 또는 그 이후에 주입 시 근육 강직의 발생 빈도는 1% 미만으로 감소한다.

(6) 주의사항

현재 상품화되어 있는 remifentanil제제인 Ultiva™의 경막외 및 거미막밑 주입은 금기이다. 이는 중추신경계에 억제성 신경전달물질인 glycine이 remifentanil 제제에 포함되어 있기 때문이다. 동물 실험에서 agitation, pain, hindlimb dysfunction and lack of coordination을 일으켰다는 보고가 있다.

(7) Propofol과의 상호작용

① Propofol은 기관 내 삽관, 수술 자극에 대한 반응을 억제하는데 필요한 remifentanil의 용량을 감소시킨다(상승작용의 기전).

② 의식 회복 시의 propofol 농도를 감소시킨다(상승작용의 기전).

(8) 투여 용량

① 초회 부하용량(지속 정주): 0.5~1 μg/kg/min

② 유지용량(지속 정주): 0.2~0.5 μg/kg/min
③ 흡입마취제나 propofol과 병용 시 주입속도를 0.1~0.2 μg/kg/min로 감소시킨다.

5) Codeine

Morphine과 같이 천연 알카로이드이며, 간에서 대사되어 그 중 5~10% 정도가 morphine으로 전환되어 진통작용을 나타낸다. Codeine 자체는 아편양 수용체에 대해 친화력이 매우 낮다. 근주나 경구를 통해 경한 또는 중등도의 통증 치료제로 대개 사용한다. 경구용 제제로 acetaminophen과 같은 비아편유사제와 혼합하여 자주 사용한다.

6) Diamorphine (Heroin)

아편양 수용체에 결합하지 않고 진통 작용도 없다. 전구체인 diamorphine은 신속하게 가수분해되어 진통 작용이 있는 6-monoacetylmorphine과 morphine으로 전환된다. 경구나 근주로 투여하는 경우에 morphine보다 임상적 장점은 없으나 정맥내 또는 경막외로 투여하는 경우에 morphine보다 작용 발현이 빠르다. Diamorphine과 6-monoacetylmorphine 모두 morphine보다 지용성이 강해 혈액뇌장벽을 빨리 통과한다. 미국이나 호주에서 의약용으로 사용하지 않는다.

7) Methadone

합성 아편유사제로 2차 세계대전 중에 개발되었고, 다른 아편유사제보다 반감기가 길어 작용 시간이 오랫동안 지속된다. 이러한 특성으로 methadone은 반감기가 짧은 아편유사제에 비해 신속한 적정이 힘들어 수술 직후 통증 치료제로 사용이 어렵다. 만성 통증이나 아편유사제에 의존성이 있는 환자를 치료하는 프로그램에 주로 사용한다. 경구, 정맥내, 근주나 경막외 등으로 투여한다.

8) Hydromorphone

Morphine의 직접 유도체로, 경구나 비경구로 투여하고 좌약 형태도 있다. 경막외 통증치료제로 사용할 수 있다. 불활성 상태로 대사된다.

9) Oxymorphone

Morphine보다 지용성이 강하며 비경구나 좌약 형태로 사용한다.

11. 부분작용제와 작용길항제

Buprenorphine은 일반적으로 부분작용제로 분류하며 그 외 아래에 설명된 모든 약제는 작용길항제에 속한다(그림 20-12). 작용길항제는 기본적으로 κ 수용체를 자극하여 진통 작용을 나타내며 μ 수용체에 길항적으로 작용한다. 또한 대부분의 작용길항제는 σ 수용체를 아주 부분적으로 자극한다. Morphine과 동일한 진통 용량을 투여하는 경우에 순수작용제와 달리 진통과 호흡억제 작용 모두에서 천장 효과(ceiling effect)가 나타나지만 morphine과 똑같은 부작용들이 발생한다. 또한 작용길항제는 순수작용제보다 불쾌감과 같은 정신이상 효과와 진정 효과의 발생률이 높다.

다른 아편유사제보다 남용의 위험이 적지만, 약물 남용의 과거력이 없고 중독의 위험이 적은 환자에게만 국한된다. 작용길항제는 아편유사제에 의존성이 있는 환자에게 금단 징후의 증상을 촉진시킬 수 있다.

아편양 부분작용제(agonist-antagonist)들은 μ 수용체와 결합하여 부분작용 혹은 경쟁적 대항작용을 나타내고 경우에 따라 κ나 σ 수용체에 결합하여 부분촉진 작용을 나타내기도 한다. 이 대항작용은 이어서 아편유사작용제들이 투여될 경우 그 효과를 약화시킨다. 의존성을 나타내지 않으므로 사용하기가 쉬우므로 많이 쓰고 있다. 괄호안은 약의 역가이고 다음 칸은 일회 사용량과 작용시간이다.

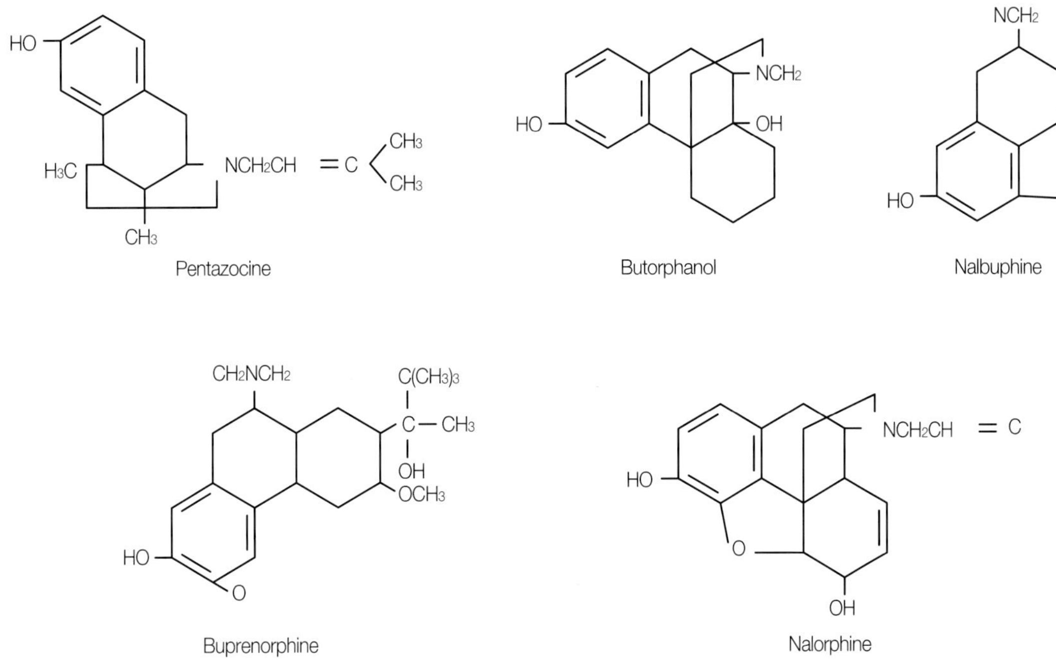

Pentazocine

Butorphanol

Nalbuphine

Buprenorphine

Nalorphine

그림 20-12. 아편유사제의 작용길항제

- Pentazocin: (0.3)[30 mg] 40~60분
- Butorphenol: (5)[2 mg] 펜타조신보다 효과가 길다.
- Buprenorphine: (30)[0.3 mg] 펜타조신보다 효과가 길다.

그 외의 여러 소염진통제는 수술할 때의 날카로운 통증을 억제하기에는 효과가 없다.

1) Pentazocine

Benzomorphan 유도체로서 μ 수용체에 대항제로, κ에 부분작용제로, σ 수용체에 작용제로 작용 한다. 대항작용의 강도는 nalophine의 1/5 정도이지만 규칙적으로 아편유사제를 투여받던 환자에게 투여하면 금단현상을 일으키기도 한다. 촉진작용은 naloxone으로 대항되며 의존성도 생긴다고 한다. 간대사를 거쳐 신장으로 배설된다.

주로 만성 통증의 치료에 사용되며 중증도의 통증환자에 10~30 mg을 정맥 혹은 경구로 투여한다. 카테콜라민의 혈중농도를 증가시켜 심박수와 혈압 상승을 일으킨다. 20~30 mg의 근육주사 시에 morphine 10 mg과 유사한 호흡억제가 나타난다.

2) Butorphanol

주로 급성 통증의 완화에 사용되며 pentazocine과 구조는 유사하나 촉진 혹은 대항작용이 20배나 된다. μ 수용체보다는 κ 수용체에 친화력이 더 크고 σ 수용체에는 친화력이 적어 불쾌감이 덜하다. 2~3 mg의 근육 주사 시에 morphine 10 mg과 유사한 호흡억제가 발생하며, 간대사를 거쳐 담즙으로 배설된다. 진정, 오심, 발한 등의 부작용이 있으며 투여 후 혈압과 심박출량이 증가한다. 진통작용뿐 아니라 대항작용이 강하여 전처치제로 사용할 경우 수술 중 투여되는 아편유사작용제의 효과를 상쇄시킬 수 있다.

3) Nalbuphine

화학적으로 oxymorphone이나 naloxone과 연관되어 있고 진통작용의 강도, 발현시간, 지속시간은 morphine과 유사하며 대항작용의 강도는 nalophine의 1/4이다.

근육 주사 시에 30 mg까지는 morphine과 유사한 호흡억제를 일으키나 그 이상에서는 더 이상의 억제를 일으키지 않는다(천장효과). 진정, 불쾌감의 빈도는 적고 심박수나 혈압을 증가시키지 않아 심도자술 시의 진정을 목적으로 사용할 수 있다. Fentanyl 투여에 의한 진통상태는 유지하면서 술후 호흡억제를 효과적으로 역전시킨다.

4) Buprenorphine

아편에 함유된 thebaine의 유도체로 경구나 설하용으로 투여한다. 지방용해도가 매우 높아 설하투여로도 약의 흡수가 잘된다. μ 수용체에서 매우 천천히 해리되므로 작용 시간이 길다. 불쾌감과 같은 부작용은 morphine에 비해 상대적으로 드물지만 다른 부작용들은 유사하다. 진통작용이 강하여 0.3 mg 근주 시 morphine 10 mg의 강도를 가진다. 작용발현은 투여 30분 후에 나타나고 μ 수용체에 대한 친화력이 morphine의 50배나 되어 작용시간은 8시간이며 naloxone으로 잘 대항이 되지 않는다. 술후 통증조절 이외에도 암성통증, 요로결석통증, 심근경색 시의 통증에 유효하다.

불쾌감은 적고 오심, 구토, 의식저하 등의 부작용 빈도는 morphine과 유사하나 지속시간이 더 길다.

5) Nalophine

진통작용은 morphine과 유사하나 σ 수용체에 친화력이 강하여 불쾌감이 커서 임상적으로 유용하지 않다.

12. 아편양 길항제 Antagonist

아편양 길항제는 모든 아편양 수용체에 작용하며, naloxone이 가장 흔하게 사용된다.

1) Naloxone

소실반감기가 60분으로 위에 설명된 아편유사제 중에서 가장 짧다. 그러므로 아편유사제의 효과를 길항하는 경우에 반복적으로 투여하거나 지속적으로 주입해야 한다. Naloxone의 용량을 적절히 투여하면 아편유사제의 진통효과를 계속 유지하면서 호흡억제나 과다한 진정 작용을 길항할 수 있다. 또한 소량 투여로 아편유사제와 연관된 가려움증이나 요저류를 치료할 수 있다. 초회 용량으로 40~100 μg을 정주하고 필요하다면 수 분 간격으로 반복 투여한다. 정맥로가 확보되지 않은 경우에 400 μg을 피하 또는 근육으로 투여한다. 특히 만성적으로 아편유사제를 투여받는 환자는 금단 징후와 증상을 유발하지 않도록 용량을 주의깊게 적정하는 것이 매우 중요하다. Naloxone 투여로 특히 진통이 빠르게 길항되면, 심혈관계의 흥분 상태(고혈압, 빈맥)나 오심 및 구토 등이 나타난다. 그러나 폐부종이나 부정맥과 같은 심각한 부작용은 드물게 일어난다.

13. 아편유사제의 내성, 의존성과 중독

의료진과 환자는 아편유사제의 중독에 대해 두려움을 갖고 있어, 많은 경우에 통증을 부적절하게 치료하게 된다. 사실 급성 통증을 치료하는데 있어 환자가 아편유사제의 중독에 빠질 위험성은 매우 적다. Porter와 Jick (1980)는 아편유사제를 적어도 한 번 이상 투여한 입원환자 11,882명에서 단지 4건의 사례(0.03%)만이 중독에 빠지고 중독된 환자 모두 약물 남용의 병력이 없다고 보고하였다 아편유사제를 처방하고 투여하는 의료진이 환자보다 중독에 빠질 위험이 더 높은 것으로 밝혀졌다.

아편유사제의 요구량이 정상보다 많아지는 것 같거나 환자가 진통제를 요구하는 경향을 보이는 경우에 의료진들은 환자가 아편유사제에 '중독되고 있다'라고 가끔 보고

한다. 그러나 진통효과가 적절하지 못한 경우에 환자는 진통제를 더 많이 찾거나 요구하게 된다. 부적절한 진통은 약물을 찾는 행동을 유발하고 실제로 이것은 통증회피 행동이다. 1989년에 Weisman과 Heddox는 이러한 현상을 가성 중독이라는 용어로 표현하였다. 아편유사제에 대한 중독은 내성이나 신체적 의존성과 반드시 구별해야 한다(표 20-10).

통증 치료를 위해 오랫동안 아편유사제를 투여하거나 아편유사제에 대해 중독된 경우에 모든 환자는 신체적 의존상태로 진행된다. 길항제를 투여하거나 또는 약의 용량을 갑자기 중단하거나 현저히 줄인다면, 환자는 급성 금단 징후와 증상을 보인다. 또한 아편유사제에 중독된 환자는 약을 구하는 행동과 연관된 정신적 의존상태를 보인다(표 20-10). 적어도 7~10일 정도 고용량의 아편유사제를 투여하고 약제를 갑자기 중단하면, 환자는 급성 금단 징후를 보일 수 있다. 그러나 대부분에서 급성 통증의 정도가 점점 감소하므로 아편유사제의 용량도 점차 줄어든다. 일일 사용량을 매일 20~25%씩 줄여 나가면, 급성 금단 징후와 증상은 예방될 수 있다.

또한 신체적이나 정신적 의존 상태에 있는 환자들은 아편유사제에 대해 내성을 보이므로, 동일한 진통효과를 얻기 위해 점차로 더 많은 용량을 필요로 한다. 또한 아편유사제의 호흡억제 효과에 대한 내성도 함께 나타난다.

1) 금단 증상

급성 금단 징후와 증상에는 하품, 발한, 눈물, 콧물, 불안, 동공 산대, 익모 현상, 오한, 빈맥, 고혈압, 오심 및 구토, 경련성 복통과 설사 등이 있다. 익모 현상은 피부에 소름이 돋는 것으로 마치 털이 뽑힌 칠면조의 피부와 유사하다. 그래서 아편유사제를 갑자기 중단하는 것을 일컬어 미국 속어로 "cold turkey"라고 표현한다.

14. 비스테로이드성 소염진통제 NSAIDs

치과영역에서 aspirin 및 다른 비스테로이드 소염진통제의 사용은 병리적 진행과정(치수염, 치조골농양)과 관계된 통증 또는 수술 후 통증을 완화하기 위함이다. Prostaglandin은 통증수용체의 역치를 낮추어 신경말단을 기계적, 화학적 자극에 민감하게 하는 물질이다. NSAIDs는 Prostaglandin synthetase인 cyclooxygenase (COX)의 작용을 억제함으로써 prostaglandin의 합성을 방해하여 진통작용을 나타낸다. 대부분의 NSAIDs는 진통, 소염, 해열작용이 있는데, 진통작용은 천장효과(ceiling-effect)가 있어서 용량을 더 증가시켜도 추가적인 통증완화를 일으키지 않는다. 경증이나 중증도의 수술 후의 통증은 금기사항이 없는 한 NSAIDs를 사용하는데, 아편유사제와 같이 병용하면 아편유사제의 투여량을 감소시킬 수 있다. 또한 심혈관계에 대한 영향이 없고 호흡억제를 일으키지

표 20-10. 아편유사제 내성, 의존성과 중독

내성	아편유사제에 대한 감수성의 감소로 동일한 진통효과를 얻기 위해 필요 용량이 점차 증가하는 상태
신체적 의존성	아편유사제 효과에 대한 내성의 진전과 갑작스러운 중단이나 길항으로 금단 증상의 출현을 특징으로 하는, 약제에 적응된 생리적 상태
정신적 의존성	약제의 양성 효과를 위해 또는 금단과 연관된 음성 효과를 회피하기 위해 약제를 갈망하는 정서적 상태
중독	약제를 강박적으로 사용하여 신체적, 정신적 또는 사회적 해악이 초래되지만 그럼에도 불구하고 지속적으로 사용하는 만성질환 상태로 약제를 찾는 행동과 신체적, 정신적 욕구가 모두 동반된다.
가성 중독	통증 완화를 향상시키기 위해 약제를 찾는 행동

Silverstein 등(1993)에서 발췌함.

않으며 위 공복시간을 연장시키지 않는다. NSAIDs는 졸음, 어지러움, 메스꺼움 및 구토 같은 부작용이 아편유사제를 포함한 약물보다 적다. NSAIDs의 종류에 따라 다소의 차이는 있으나 소염작용을 나타내려면 진통작용보다 많은 용량이 요구되므로, 단기간 사용할 때에는 진통작용이 먼저 발현되며 장기간 복용 시에는 진통과 소염효과를 같이 기대할 수 있다. 환자가 경구 투여를 견디지 못하는 경우에는 항문으로 투여할 수도 있고, ketorolac은 정주로 사용할 수 있다.

1) 주요 비스테로이드성 소염진통제(NSAIDs)

(1) Aspirin (Acetylsalicylic acid)

Prostaglandin의 합성과 유리를 감소시켜 진통효과를 나타낸다. 두통이나 골관절염 또는 류마티스 관절염 등으로 인한 경미한 통증에 유용하며 해열작용과 항혈소판작용을 가지고 있다. 그러나 위산분비를 증가시켜 위점막의 궤양과 출혈 등을 일으키며, 출혈은 aspirin이 위조직과 접촉해서 모세혈관과 점막손상을 일으켜 생기며 또한 COX-1을 억제하여 혈소판 응집과 위점막 보호작용을 방해한다. Aspirin의 항혈소판 효과는 출혈시간을 현저히 증가시킨다. Aspirin은 핵이 없는 혈소판에서 COX를 비가역적으로 아세틸화시키기 때문에 다른 비스테로이드 항염증제에 비해 출혈이 현저하고 효과가 길게 나타난다. Aspirin을 한 번만 복용해도 출혈시간이 수 일 동안 증가될 수 있다. Aspirin 및 모든 관련 비스테로이드 항염증제는 활동성 위장관궤양 환자에서 갑자기 치명적인 출혈을 일으킬 수 있기 때문에 금기이다. 장기간 사용 시 thromboxane의 형성을 방해하여 출혈시간이 연장 될 수 있다.

(2) Indomethacin

Cyclooxygenase의 작용을 가장 강력하게 억제하므로 aspirin보다 더 강력한 항염증제이다. 항염증 효과가 우수하여 관절염이 있는 환자에게 좋고 특히 강직성척추염의 일차약으로 쓰인다. 위장관 장애가 심하고 장기간 사용하면 골수억제 증상과 과민성 반응으로 발진, 소양증, 두드러기, 천식 발작 등이 올 수 있다. 치과영역에서 indomethacin의 적응증은 많지 않다.

(3) Ketorolac (Tarasyn)

Ketorolac은 미국에서 인증된 최초의 주사 가능한 비스테로이드 항염증제이다. 경구투여도 가능하지만 최초 투여는 근육내 주사 또는 정맥내 주사를 해야 한다. Ketorolac의 사용은 5일 이상 할 수 없다. 이러한 제한은 다른 비스테로이드 항염증제에 비해 상대적으로 높은 위장관궤양과 출혈의 후유증 발생빈도 때문이다. Ketorolac은 처음에 30~60 mg을 근육주사하고 매 6시간마다 15~30 mg을 주며 하루에 120 mg이 넘지 않게 투여한다. 초기 정맥 주사 용량은 15~30 mg이다. 치과수술 후 통증에 Ketorolac (10 mg)을 경구투여하면 aspirin 650 mg, acetaminophen 600 mg, codeine 60 mg을 포함한 acetaminophen 600 mg 복합제보다 효과 뛰어나고 ibuprofen 400 mg만큼 효과적이다. Ketorolac은 아편유사제가 보이는 유해작용을 갖지 않는다. 호흡이나 심혈관계 기능을 억제하지 않고 동일 양의 아편유사 진통제에 비해 변비나 졸음을 덜 일으킨다. 다른 비스테로이드 항염증제처럼 의존성이나 내성을 일으키지 않는다. 흔한 부작용은 졸음, 소화불량, 위장관통증 및 메스꺼움이다. 위궤양과 위장관출혈 및 신장독성을 유발할 수 있다. 강한 COX-1 차단에 의한 항혈소판 효과가 수술 시 출혈을 증가시키기 때문에 수술 전에는 투여하면 안 된다. 수술 후 가장 많이 사용하는 NSAIDs로 호흡억제 작용이 없고, 중등도 이하의 통증에 효과적이며 아편유사제의 진통효과를 상승시켜 복부 수술 환자에서 morphine의 요구량을 49% 정도 감소시킨다.

(4) Diclofenac (Valentac)

진통작용, 해열작용, 소염작용이 있는 강력한 cyclooxygenase 억제제로서 염증, 통증, 월경통 및 류마티스 관절염 같은 만성 염증성 질환의 통증치료로 사용된다. 경구투여 후 최대 혈장농도는 2~3시간 후에 도달하고 반감기는 1~2시간이다. 부작용은 다른 비스테로이드성 항염증제와 비슷하지만 혈장 내에 간효소를 증가시키고 간독성을 일으킬 가능성이 크다.

(5) Ibuprofen

Ibuprofen은 aspirin 650 mg보다 더 높은 진통효과를 보인다고 FDA가 인정한 최초의 경구투여 진통제이다. 진통효과를 얻기 위해서는 4~6시간 간격으로 400 mg을 투여하는 것이 좋다. 수술 전 또는 수술 후 즉시 투여한 ibuprofen은 수술 후 통증의 발현을 지연시키고 통증정도도 경감시킨다. 심한 수술 후 통증이 예상되는 경우 효과적이다. 소아에서 acetaminophen 다음으로 많이 사용된다. 널리 사용되는 약물로서 99%가 단백질과 결합하여 활액막을 서서히 통과하므로 주로 류마티스 질환에 사용하며 속쓰림, 복부 팽만감, 구역 등의 부작용이 있다.

(6) Acetaminophen (Tylenol)

Acetaminophen은 현재 임상에서 사용하는 유일한 aniline 유도체로 경하거나 중증도의 통증치료에 사용하며 위장자극이 거의 없다. Aspirin이 위장관 장애나 다른 금기증으로 사용될 수 없을 때 해열진통제로 널리 쓰인다. Acetaminophen은 aspirin과 거의 비슷한 효과를 가지는 해열진통제인데, aspirin보다 중추성 COX (COX-3)의 억제에 더 활성이 있고 항염증효과는 약하고, 심혈관계와 호흡기에 영향이 적고, 혈소판 응집을 억제하지 않고, 출혈이나 위장관 자극을 유발하지 않으며, aspirin보다 약물 상호작용이 적다. 염증을 감소시키는 목적으로 사용되지 않더라도 염증에 의한 통증치료에 효과적이다. Acetaminophen은 1,000 mg까지 용량-효과반응에 비례적으로 나타나며 소아에서 과량복용으로 심한 간독성을 보일수 있다. Acetaminophen (650 mg)을 치과수술 후 통증에 사용하는 경우가 많다. 연구에 의하면 제3대구치 발치 후 통증완화에 aspirin과 비슷한 효과를 보였다. 치과수술 후 통증에 acetaminophen이 아편유사진통제와 복합적으로 종종 사용된다.

2) 부작용

위산분비를 촉진시키고 위점액과 중탄산나트륨의 분비를 감소시켜 소화불량을 많이 일으키고 위궤양을 유발하며 십이지장 궤양, 위장관 염증, 위장관 출혈, 위장관 천공 등이 드물게 보고되고 있다. 신질환이 있거나 혈류량이 감소된 환자에서 장기간 복용하면 심각한 신손상을 일으킬 수 있으므로 주의해야 한다. Prostaglandin 합성을 차단하여 혈소판 응집을 억제하여 수술 후에 사용 시 출혈 가능성을 높일 수 있으나 acetaminophen은 혈소판 응집에 영향이 없다.

3) 선택적 COX-2 억제제

최근 몇 년 사이 비스테로이드 항염증제 요법의 주요

표 20-11. 진통보조제

종류	대표적 약제	적용
1. 향정신약 1) 항우울제 2) 항불안제 3) 향정신병제	amitriptyline, imipramine benzoiazepine계 약물 major tranqulizer	저항성의 신경병성 통증 항불안, 근긴장이 강한 경우 전격통
2. 항경련제	carbamazepine phenytoine	전격통, 신경병성 통증
3. 부신피질호르몬제	dexamethasone	암의 침윤이나 신경압박에 의한 통증
4. 기타	mexiletine	신경병성 통증

진전은 celecoxib와 rofecoxib같이 COX-1은 영향을 미치지 않고 유도형 COX-2만 선택적으로 억제하는 약물이 개발된 것이다. 이 약물의 선택성은 다른 비스테로이드 항염증제의 사용과 비교해 심한 위장관장애를 50~60% 정도 줄였다. 치과에서 단기간 사용하는데 COX-2 억제제가 장점이 있는가에 대한 것은 연구가 필요하다.

15. 진통보조제

진통제의 약리효과를 상승시키고 부작용을 최소화하기 위해서 여러 약제를 병용하여 사용하는데 이때 사용되는 약제를 진통보조제라고 하며 항우울제, 항불안제, 향정신병제, 항경련제, 부신피질 호르몬, 신경근 이완제, 등이 있다(표 20-11).

진통보조제는 신경블록이나 각종 진통제에 저항을 나타내는 난치성의 만성 통증에 유효하다. 인간의 통증에는 불안이나 우울상태 등의 정서적인 요소가 강하게 관여하고 있어 향정신약은 이들 복합기전에 깊이 관여하는 만성 통증환자의 치료에 사용되고 있다. 최근에는 통증의 기전과 각 약물의 진통기전이 차츰 밝혀져 가고 있고 이들 가운데 정신적인 효과와는 관계없이 진통효과가 발휘되는 것도 증명되고 있다.

참고문헌

1. 박창주, 김현정: 치과에서의 정주진정법. 대한치과마취과학회지, 4:1-6, 2004.
2. 김계민: 자가조절진정. 대한치과마취과학회지, 2:89-96, 2002.
3. Coetzee JF, Glen JB, Wium CA, Boshoff L: Pharmacokinetic model selection for target controlled infusions of propofol. Assessment of three parameter sets. Anesthesiology, 82:1328-1345, 1995.
4. Coulthard P, Sano K, Thomson PJ, Macfarlane TV: The effects of midazolam and flumazenil on psychomotor function and alertness in human volunteers. Br Dent J, 188:325-328, 2000.
5. Coupey SM: Barbiturates. Pediatr Rev, 18:260-264, 1997.
6. Giovannitti JA Jr: Dental anesthesia and pediatric dentistry. Anesth Prog, 42:95-9, 1995.
7. Girdler NM, Rynn D, Lyne JP, Wilson KE: A prospective randomised controlled study of patient-controlled propofol sedation in phobic dental patients. Anaesthesia, 55:327-333, 2000.
8. Haas DA: Emergency drugs. Dent Clin North Am, 46:815-30, 2002.
9. Irwin MG, Thompson N, Kenny GN: Patient-maintained propofol sedation. Assessment of a target-controlled infusion system. Anaesthesia, 52:525-530, 1997.
10. Jackson DL, Johnson BS: Conscious sedation for dentistry: risk management and patient selection. Dent Clin North Am, 46:767-780, 2002.
11. Kupietzky A, Houpt MI. Midazolam: a review of its use for conscious sedation of children. Pediatr Dent, 15:237-41, 1993.
12. Lydiard RB: The role of GABA in anxiety disorders. J Clin Psychiatry, 64:21-27, 2003.
13. Nakano M, Fujii Y: Prevention of nausea and vomiting after dental surgery: a comparison of small doses of propofol, droperidol, and metoclopramide. Can J Anaesth, 50:1085, 2003.
14. Oei-Lim VL, White M, Kalkman CJ, Engbers FH, Makkes PC, Ooms WG: Pharmacokinetics of propofol during conscious sedation using target-controlled infusion in anxious patients undergoing dental treatment. Br J Anaesth, 80:324-31, 1998.
15. Rodrigo MR, Irwin MG, Tong CK, Yan SY: A randomised crossover comparison of patient-controlled sedation and patient-maintained sedation using propofol. Anaesthesia, 58:333-338, 2003.
16. Rodrigo C, Irwin MG, Yan BS, Wong MH: Patient-controlled sedation with propofol in minor oral surgery. J Oral Maxillofac Surg, 62:52-6, 2004.
17. Sage DJ, Close A, Boas RA: Reversal of midazolam sedation with anexate. Br J Anaesth, 59:459-64, 1987.

CHAPTER

21

| Dental Anesthesiology | 진정법

진정 후 관리와 합병증의 처치

학습목표

1. 진정 후 회복실에서의 관리와 퇴실 기준을 기술한다.
2. 진정법과 관련된 합병증에 대해 설명한다.
3. 진정법과 관련된 합병증에 대해 예방/조기진단/관리할 수 있다.
4. 진정법과 관련된 심각한 합병증의 발생 원인을 설명한다.

일반적으로 치과진료 시 진정법의 사용은 환자에게 긍정적인 영향을 미친다. 공포와 불안을 감소시킴으로써 심혈관계에 작용하는 스트레스를 줄이고, 혈관미주신경반응도 덜 일어난다. 그러나 여러 가지 원인에 의해 합병증이 발생할 수 있는데 약물의 용량이 많았거나 부작용이 발생하는 경우, 환자감시가 충분하지 않은 경우, 의료인의 실수나 능력부족, 회복이 덜 된 상태에서의 귀가 등이다. 보고된 바에 따르면 주로 심혈관계와 호흡기계와 연관된 합병증이 전체 합병증의 50~60%를 차지한다.

진정 후 회복 초기에는 수술 및 시술로 인한 출혈이나 기존의 내과적인 문제가 합병증을 야기할 수 있으나, 진정에 사용된 약제와 처치의 생리학적, 약리학적인 이상반응으로 인해 나타나는 경우도 많다. 그러므로 회복실에서 환자를 관리하는 간호사에게 환자에 대한 정보를 잘 알려주는 것이 필요하며 회복실에 입실한 환자는 진정에서 완전히 회복되고 안심할 수 있는 반사작용이 나타날 때까지 지속적인 감시가 필요하다. 이 장에서는 회복실의 기능과, 회복실 환자 관리 및 퇴실 기준, 진정 후 발생할 수 있는 합병증과 치료법에 관해 알아보기로 한다.

1. 진정 후 회복 및 관리

환자는 수술 및 시술이 종료된 후에도 진정 효과가 남아있어 합병증이 발생할 수 있는 위험성은 지속된다. 시술 자극의 감소와 약물의 흡수 및 제거 지연에 따라 지속된 진정효과와 심폐기능 저하가 발생할 수 있다. 따라서 환자는 술전 의식수준으로 회복하고, 심폐기능이 안정되어 병실로 이송하거나 퇴원할 때까지 적절한 감시 장치와 인력을 갖춘 회복실에서 관리되어야 한다. 특히 외래 환자의 경우 진정 후 퇴원 시 합병증이 발생하더라도 적절한 대처가 어렵기 때문에 진정 후 회복 관리 및 퇴실 기준을 정확히 지키는 것이 매우 중요하다.

건강한 환자가 국소마취제로 간단한 시술을 받았다면 회복실에서 관찰할 필요가 없지만 중등도 이상의 진정 관리를 받은 대부분의 환자는 수술 후 집중적으로 상태를 관찰해야 한다. 이러한 마취 후 관리 기준은 아래와 같다.

① 전신마취, 부위마취(척추마취 등), 진정, 감시마취 관리를 받은 모든 환자들은 적절한 마취 후 관리가 필요하다.

② 환자가 회복실로 이동할 때는 환자의 상태를 잘 알고 있는 마취관리팀의 일원이 동행해야 하며 환자는 이송 중에도 적절한 감시와 관리를 받아야 한다.
③ 회복실에 도착하면 환자를 재검토하고 회복실 담당 간호사에게 환자에 대한 정보를 제공해야 한다.
④ 환자의 상태는 회복실에서도 계속 검토되어야 하며, 이때 산소화, 환기, 순환, 의식수준, 체온감시 등이 포함된 환자의 상태에 알맞은 적절한 감시가 필요하다.
⑤ 환자의 회복실로부터의 퇴실 결정은 의사가 한다.

1) 회복실 직원과 설비

회복실에서의 환자 관리는 마취과 담당의, 주치의, 회복실 전임 간호사가 맡는다. 회복실은 일반적으로 수술실 당 1.5배의 회복실 침대가 필요하고 회복실의 온도는 23~25℃, 습도는 60~70%를 유지한다. 회복실의 밝기는 환자의 피부와 점막의 색깔 변화를 쉽게 분간할 수 있을 정도로 균일하고 충분한 조명이 필요하다. 환자의 감시를 위해 맥박산소측정기, 혈압계, 심전도, 체온계, 혈당계 등이 필요하며, 산소공급 장치와 구강 내 이물질 흡인을 위한 흡인장치가 구비되어 있어야 한다. 또한 응급상황에 대비한 설비, 기구, 약제들이 필요하다.

2) 회복실에서의 환자관리

진정 후 환자가 회복실에 입실하면 환자감시장치를 부착하고, 산소를 투여한다. 그 후 환자의 호흡수와 호흡양상을 포함해서 심박수, 혈압, 체온, 의식상태와 기도 유지의 용의성에 대한 관찰을 일정한 간격(적어도 15분 간격)으로 시행하고 문서로 회복실 기록을 남긴다(표 21-1).

진정 후 합병증을 관리할 수 있는 인력이 항시 대기하고 있어, 합병증 발생 시 즉각적으로 대처할 수 있어야 한다.

표 21-1. 진정 후 회복실에서 관찰 및 감시해야 할 사항

호흡양상 감시	• 산소포화도, 호흡수, 기도의 개존
심혈관 감시	• 혈압, 심박수, 심전도
그 외	• 의식상태, 체온, 통증, 오심과 구토, 배액 및 출혈

(1) 호흡기계

맥박산소측정기를 부착하여 지속적으로 산소포화도를 측정하며, 5분에서 15분마다 주기적으로 환기 상태를 평가하여 기도폐쇄, 저산소혈증, 호흡억제 등의 발생을 감시한다. 저산소혈증을 예방하기 위해서는 가습된 산소를 투여한다.

(2) 순환기계

혈압과 심박수를 5분에서 15분 간격으로 측정하고 심전도를 모니터하여 혈압의 변동이나 부정맥 등의 합병증의 발생을 경계한다. 고혈압이 지속되는 경우 혈압강하제를 투여하고, 부정맥 발생 시 12유도 심전도 검사를 시행하며 필요한 경우 부정맥을 치료한다.

(3) 신경계

각성상태를 파악하기 위하여 의식수준을 정기적으로 검사한다. 전율, 섬망, 흥분 외에도 정기적으로 액와 체온을 측정하여 체온의 하강이나 상승에 주의한다.

(4) 기타

항상 흡인을 준비하여 구토에 대비한다. 구토 시 환자를 옆으로 눕혀 기도가 막히는 것을 예방한다. 요량을 확인하고 핍뇨나 무뇨에 주의한다. 통증 여부를 확인하여 필요하면 진통제를 투여한다. 출혈유무도 확인해야 한다.

2. 회복 후 퇴실

1) 환자의 회복 과정

진정이 끝난 시점부터 수술 전 상태로 돌아오는 과정을 말하여, 회복 과정은 초기, 중기, 후기 3단계로 분리할 수

표 21-2. Aldrete 회복 점수

		점수
활동도	명령에 따라 4개의 사지를 움직임	2
	명령에 따라 2개의 사지를 움직임	1
	명령에 따라 사지를 움직일 수 없음	0
호흡	심호흡과 기침을 할 수 있음	2
	얕은 호흡이나 호흡곤란	1
	무호흡	0
혈압	술전 혈압수치의 ± 20 mmHg	2
	술전 혈압수치의 ± 20~50 mmHg	1
	술전 혈압수치의 ± 50 mmHg	0
의식	완전한 각성 상태	2
	부르면 깨어남	1
	자극에 무반응	0
산소포화도	공기호흡으로 92% 이상	2
	산소를 공급해야 90% 이상	1
	산소를 공급해도 90% 미만	0
합계		**10**

있다. 초기와 중기 회복기는 병원 내에서의 회복을 말하고 후기 회복기는 퇴원 후의 상태를 말한다.

초기 회복기는 마취제 투여를 중지한 후 의식을 회복하고 보호반사와 운동능력이 확보되는 시기까지를 말한다. 이 시기에 환자는 1차 회복실(통상적인 회복실)에 머무르며 활력징후, 산소포화도 등이 주의 깊게 감시되고, 필요할 경우 산소나 진통제 또는 항구토제 등이 투여될 수 있다. 2차 회복실(병동 또는 차)로의 이동은 Aldrete 회복점수에 의해 평가되어 결정 된다(표 21-2). 총 점수가 9점 이상인 경우에 2차 회복실로 이동이 가능하다고 고려된다.

중기 회복기는 초기 회복기 이후 병동이나 당일 병상에서 퇴원할 수 있는 조건이 충족되는 시기까지를 말하며, 이 시기에 환자는 움직이고 수분 섭취를 시도하며 소변을 보는 등 퇴원을 위한 준비를 하게 된다. 2차 회복실은 중기 회복기를 거친 환자가 가정 생활을 영위할 수 있을 정도가 되어 퇴원할 수 있도록 하게 준다. 마취방법, 수술 후의 진통제나 항구토제의 선택 등이 중기 회복기의 시간에 영향을 줄 수 있다. 초기 및 중기 회복기가 길어지면 환자의 경제적 부담은 상당히 커지게 된다.

후기 회복기는 가정을 퇴원 후 정신적, 신체적 기능이 수술 전 상태와 같은 수준으로 회복 되는 시기까지를 말한다. 이 시기에는 혼자서 통상적인 활동을 할 수 있는 상태에 해당된다.

2) 회복실 퇴실 기준

환자는 미리 만들어진 기준 조건(표 21-2, 21-3, 21-4)을 충족할 때, 퇴실하여 병실로 갈 수 있다. 퇴원을 하는 경

표 21-3. 진정 후 회복실 퇴실 조건

전반적인 상태
• 사람, 장소, 시간에 대한 지남력이 있고, 지시 수행이 가능 • 적절한 근력, 통증 조절 상태 • 오심과 구토에 대한 적절한 조절
심혈관계 상태
• 심박수와 혈압이 수술 전 안정상태의 ± 20% 이내 • 적어도 30분간 일정한 심혈관계 상태 유지 • 적절한 혈액량 유지(수액 및 소변량 평가) • 부정맥, 심근 허혈의 교정에 따른 근거 • 적절한 체온 회복
기도 유지 및 환기 상태
• 기도보호 반사 회복 및 협착음, 함몰 없음 • 적절한 환기수(분당 10회 이상 30회 이하) • 심호흡, 기침과 분비물 배출 능력 • 적절한 산소포화도 유지 • 더 이상 인공기도보조물이 필요 없음
통원환자
• 어지러움, 저혈압, 또는 보조 없이 거동 가능 • 이동 후 오심과 구토에 대한 적절한 조절 • 경구복용의 자제능력 회복 • 자발적 배뇨 • 귀가 시 보호자 동반 및 자가 운전 금지

표 21-4. 마취 후 퇴원 점수 시스템(Postanesthetic discharge scoring system, PADSS)

활력징후	수술 전의 20% 범위 내	2
	수술 전의 20~40% 범위 내	1
	수술 전의 40% 이상	0
활동	안정되게 걸으며 어지러움이 없다.	2
	도움이 필요하다.	1
	걸을 수 없다.	0
오심과 구토	거의 없다.	2
	중등도, 먹는 약으로 조절 가능	1
	지속적인 치료에도 심하다.	0
통증	통증이 거의 없거나 먹는 진통제로 조절 가능	2
	먹는 진통제로 조절 불가능	1
수술 후 출혈	거의 없다.	2
	중등도	1
	심하다.	0

- 9점 이상일 때 퇴원 가능

우에는 또 다른 조건을 만족해야 한다. 퇴실 기준을 만족하지 못하는 환자의 경우 수술 전 환자에 대한 정보를 고려하여 결정한다. 예를 들어, 수술 전부터 의식 상태가 불분명하였던 환자나 기존의 내과적 문제가 있던 환자 등은 수술 전의 상태와 비교하여 결정한다. 필요하다면 심전도, 동맥혈액가스검사, 흉부 방사선사진 등을 통하여 평가해야 한다. 퇴실기준을 만족하지 못하거나 환자 상태가 수술 전과 의미있게 차이를 보일 때는 회복실에서 계속 관찰하거나 중환자실로 옮겨야 한다. 퇴실할 때에는 병동 간호사에게 수술 중이나 회복실에서의 경과를 인계하고 병실에서의 주의점을 간단하게 알려준다.

3) 수술실에서 직접 2차 회복실로의 이동

작용발현이 빠르고 작용시간이 짧은 마취제(propofol, desflurane, sevoflurane)를 사용하면 짧은 수술의 경우 수술실에서 의식상태가 완전히 회복되고 편안하게 호흡

표 21-5. Fast tracking 기준

		점수
의식상태	지남력 있음	2
	가벼운 자극에 깨어남	1
	흔들어 깨워야 반응을 보임	0
움직임	명령에 대해 사지를 잘 움직임	2
	사지를 움직이나 약함	1
	사지를 움직이지 못함	0
활력징후	수술 전 혈압, 맥박의 ± 15% 이내	2
	수술 전 혈압, 맥박의 ± 15-30%	1
	수술 전 혈압, 맥박의 ± 30% 이상	0
호흡	심호흡이 가능하고 호흡수 10-20회/min	2
	기침 가능하나 20회를 초과하는 빠른 호흡	1
	약한 기침과 호흡곤란	0
산소포화도	공기호흡으로 92% 이상	2
	산소를 공급해야만 90% 이상	1
	산소를 주어도 90% 미만	0
통증	없거나 가벼운 통증	2
	약물로 조절 가능한 중등도 통증	1
	약물로 조절 안 되는 지속적 통증	0
오심, 구토	없거나 가벼운 증상	2
	증상이 있으나 약물로 조절 가능	1
	약물로 조절 되지 않는 오심과 구토	0
합계		**14**

을 하며 활력징후가 안정된 상태를 보이게 된다. 최근에는 이러한 경우 1차 회복실을 생략하고 2차 회복실로 바로 이동시키는 'fast tracking'이 시행된다. 환자를 직접 2차 회복실로 이동하기 전에 치과마취과 의사는 환자의 의식상태, 기도유지, 산소포화도, 수술로 인한 문제점, 모든 반사작용, 활력징후, 호흡 상태, 현기증 및 졸림증, 통증, 오심 및 구토, 회복지수 등의 사항을 세밀하게 확인하여 이동이 적합한가를 판단해야 한다. Aldrete 회복점수와 PADSS를 결합시켜 만든 fast tracking 기준(표 21-5)을

참고하여 14점 만점에 12점 이상을 만족시키고, 한 항목도 0점이 되지 않을 때 수술실에서 바로 2차 회복실로 갈 수 있는 조건이 된다.

2. 진정 후 퇴원

1) 환자의 귀가 허락

환자의 퇴원에는 확실한 기준이 있어야 하며 이는 환자의 편안함과 안전함 및 법의학적 관점에서도 중요하다. 귀가 허락의 결정 시기는 의식이 완전히 회복되어서 정신, 운동 능력이 정상화되고, 호흡기, 순환기계의 상태가 마취 전과 똑같은 수준으로 돌아오고, 그 이외에도 수술이나 치료에 따른 합병증이 없을 때이다. 평가기준으로 여러 지표가 사용되고 있으나 Korttila 퇴원 기준이 많이 이용되고 있다(표 21-6).

또한 퇴원 점수제가 사용되고 있는데, 환자가 퇴원하여 가정생활을 잘 영위할 수 있는가에 대한 객관적 판단의 기준이 되고 있다. 개선된 퇴원 점수 시스템(reivsed postanesthetic discharge scoring system, PADS)은 표 21-7과 같이 5가지의 기준에 의해 작성되었으며 점수가 9점 이상이면 퇴원시킨다. 어떠한 퇴원 기준을 적용하더라도 임상적으로 정확하고 세밀하게 관찰하여 판단하고 환자 자신이 가정으로 복귀하기에 충분한 안정감을 느낄 수 있어야 한다.

표 21-6. Korttila 퇴원 기준

1. 활력 징후가 최소한 1시간 이상 안정되어야 한다.
2. 호흡부전이 없어야 한다.
3. 사람, 시간, 장소에 대한 인식이 확실해야 한다.
4. 경구 수분 섭취가 가능하고 배뇨가 가능해야 한다.
5. 현기증 없이 움직이고 도움없이 걸을 수 있어야 한다.
6. 통증, 오심, 구토, 출혈이 없어야 한다.
7. 집도의나 마취과 의사의 퇴원 승낙이 있어야 한다.
8. 가정에서의 수술 후 관리 등에 대하여 충분한 설명을 한다.
9. 환자는 책임있는 보호자가 집까지 동반하고 머무르면서 간호를 받아야 한다.
10. 응급 상황이 발생했을 때 연락하고 지시를 받을 수 있는 의료진 및 주의사항 등이 인쇄된 설명서를 제공 받아야 한다.

표 21-7. 개선된 퇴원 점수 시스템(revised postanesthetic discharge scoring system, PADS)

		점수
활력징후	수술 전 혈압, 맥박의 ± 20% 이내	2
	수술 전 혈압, 맥박의 ± 20-40%	1
	수술 전 혈압, 맥박의 ± 40% 이상	0
움직임	혼자 걸을 수 있고 어지럼증이 없음	2
	걸을 때 도움이 필요함	1
	걷지 못함	0
오심과 구토	치료가 필요하지 않음	2
	치료가 필요하나 약으로 조절 가능	1
	치료해도 효과가 없음	0
통증	VAS 0-3: 약한 통증	2
	VAS 4-6: 중등도 통증	1
	VAS 7-10: 심한 통증	0
출혈	출혈이 없어 붕대 교환이 불필요	2
	출혈로 2회 이하의 붕대 교환 필요	1
	출혈로 3회 이상의 붕대 교환 필요	0
합계		10

2) 환자의 귀가 시 주의사항

마취약제가 투여 되었던 모든 환자에게는 퇴원 전에 최소한 24시간 동안 지켜야 할 일반적인 안전수칙에 대해 설명해 주어야 한다. 또한 수술과 관련된 주의사항도 포함되며 이는 구두설명과 함께 인쇄되어 제공되어야 한다. 여기에는 수술과정과 퇴원후의 과정에서 특히 진통제의 필요성, 사회활동으로 복귀 등을 도울 수 있는 사항이 기재되어야 하며 간결하고 쉽게 이해될 수 있도록 되어야 한다.

① 귀가의 지시: 담당의사의 최종적인 귀가허락을 받은 후에 귀가하도록 지시한다.

② 귀가 전의 확인: 먼 곳에서 내원한 환자는 치료 당일에 지인의 집이나 친척의 집, 호텔 등에 숙박하는 경우도 있으므로 연락방법을 확인한다. 또한 자택에 돌아가지 않고 직접 시설 등에 돌아가는 경우도 있으므로 그 곳의 주소, 전화번호 등도 확인해 둔다. 또 귀가하기 전에 가까운 의료기관명, 주치의의 이름 등을 확인해 둔다.

③ 귀가 방법 확인과 지시: 반드시 책임 있는 성인 보호자와 귀가시킨다. 절대로 환자 스스로 운전, 보행 시 도로의 횡단, 신호기의 확인 등과 같은 중대한 판단을 요하는 행위를 해서는 안 된다.

④ 귀가 시의 이상에 대한 대응: 귀가 중에 음식물을 먹는 경우, 탈것에 의해서 구토의 가능성이 있음을 설명하고, 먹을 것의 섭취는 가능한 한 귀가 후에 하도록 지시한다. 구토를 한 경우에 대비하는 방법에 관해서도 지시해 둔다. 발열이나 구토 등 환자의 이상이 발견되면 곧바로 마취담당의에게 연락하고 상담하도록 지시한다.

⑤ 귀가 후 주의: 드물게는 귀가한다고 하고선 회사에 가서 업무를 보는 환자도 있으므로 당일은 필히 귀가하도록 잘 설명한다. 만일 회사에 들러서 귀가하겠다고 하는 환자에게는 위험한 정밀기계의 조작이나 중대한 판단을 해야 하는 회의 등에 출석하는 것 등은 하지 않도록 설득한다.

3) 가정에서의 진통제 복용

환자는 가정에서 진통제 복용으로 편안함을 느낄 수 있어야 한다. 두 가지 이상의 진통제를 처방한다면 그 복용법과 부작용에 대한 확실한 설명을 환자와 보호자 모두에게 해 주어야 하며 약제투여로 인하여 문제가 발생하였을 때나 부작용이 있을 경우 담당 의료진에게 즉시 연락하도록 해야 한다.

4) 퇴원 후 합병증 치료

환자는 퇴원 후 출혈, 치료되지 않는 통증, 구토 및 실신 등과 같은 합병증이 올 수 있다. 그러므로 환자는 병원에서 1시간 이내의 이동거리에 거주해야 한다. 그리고 환자에게 의사 또는 병원과 연락 할 수 있는 전화번호 및 근무시간 이후에 연락할 수 있는 응급실의 전화번호 등이 퇴원 시에 제공되어야 한다. 또한 환자는 직접 전화를 이용할 수 있어야 한다. 환자가 받은 수술의 종류, 마취방법, 퇴원 처방 및 주의사항, 발생할 수 있는 합병증 등이 기재된 인쇄물을 제공하여 응급 시 지역의 의료진에게 정보를 빠르고 정확하게 제공할 수 있게 해야 한다.

4. 진정법과 관련된 전신적 합병증

보고된 바에 따르면 주로 심혈관계와 호흡기계와 연관된 합병증이 전체 합병증의 50~60%를 차지한다. 심각한 합병증을 예방하려면, 진정법을 시행하기 전에 환자의 과거력, 현재 이환된 질환, 복용하는 약물, 이학적 검사 및 필요한 검사실 소견 및 타과 자문의 결과를 토대로 환자의 상태를 파악하고 진정법 중 예상되는 생리적 변화를 고려하여 적절한 약물과 진정법을 선택하여 전체 진정법에 필요한 계획을 세우는 것이 합병증의 예방에 중요하다(그림 21-1).

1) 호흡기계 합병증

국소마취만을 사용했을 때와 비교하여 중등도 진정, 깊은 진정, 전신마취에서 일어날 수 있는 대표적인 나쁜 영향은 2가지이다. 하나는 호흡저하의 위험이 증가한다는 것이고, 나머지 하나는 진정이나 의식이 저하된 환자에서 기도 폐쇄의 위험성이 있다는 점이다(그림 21-2).

호흡저하는 회복실 환자에서 일어나는 호흡문제 중 가장 흔한 양상으로 나타나는 합병증으로, 환기의 깊이나 빈도가 줄어서 나타날 수도 있고, 평소보다 혈중 이산화탄소 농도가 높을 때 호흡을 유발하는 호흡 중추의 기능

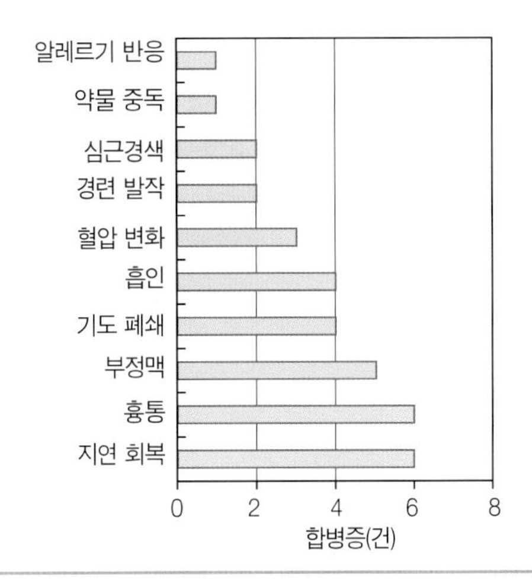

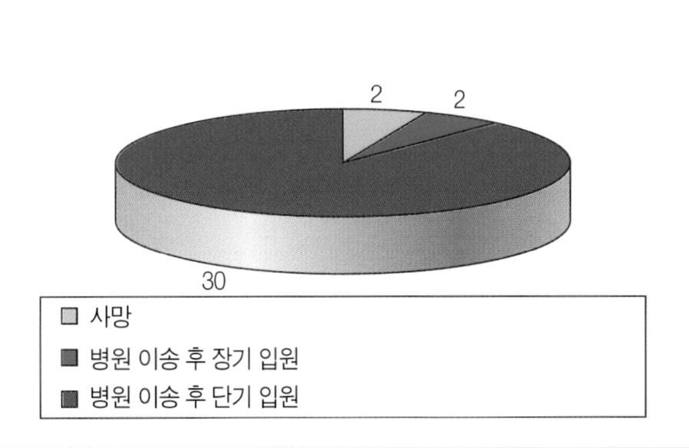

그림 21-1. 일리노이 주에서 10년간 발생하였던 진정법과 전신마취 중 발생한 합병증 증례 수

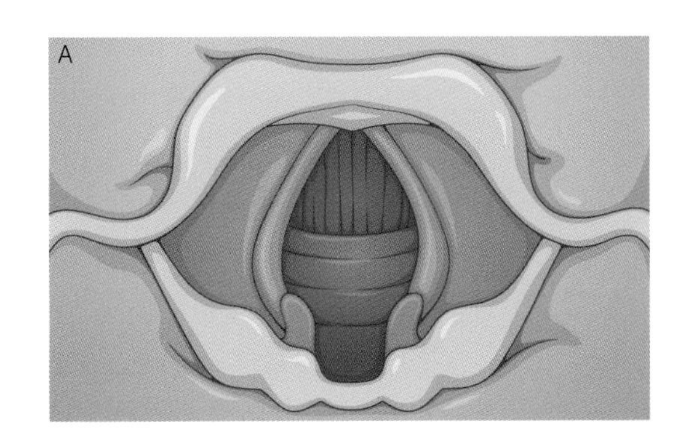

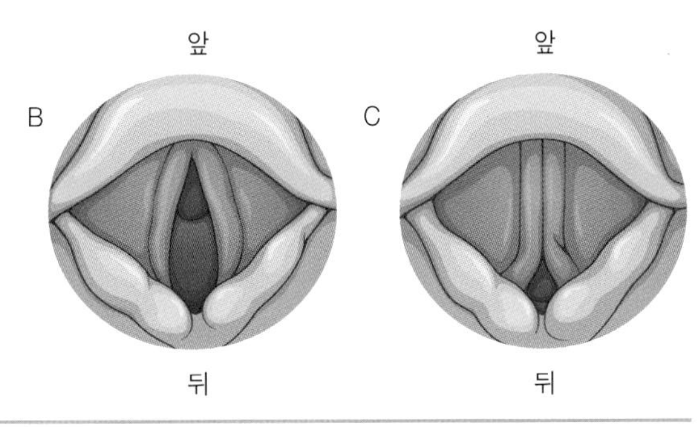

그림 21-2. 후두 경련 시의 성대 모양
(A) 정상 (B) 부분 기도 폐쇄 (C) 완전 기도 폐쇄

이 저하되어 나타날 수도 있다. 모든 진정제, 아편유사제, 흡입마취제는 중추를 고탄산 상태로 유도하거나 말초를 저산소 상태로 유도할 가능성이 있지만, 일반적으로 사용하는 마취제 농도와 환자감시가 적절하게 이루어지는 중등도 진정에서는 그 가능성이 최소화된다. 하지만 호흡저하는 항상 일어날 수 있는 일이므로 이에 대한 대처법을 익혀두어야 한다.

진정법과 전신마취에 사용하는 약물 중 진정제나 아편유사제가 호흡저하를 일으킬 수 있는 위험이 가장 크다. 최소 진정이나 중등도 진정 훈련을 받은 치과의사가 진정법 도중이나 회복과정에서 의식이 없어진 환자를 만나게 될 경우 우선 기도를 확보하고 약물에 대한 길항제를 사용해 약물의 호흡억제 효과를 역전시켜야 한다. 또한 추가적으로 양압 환기(그림 21-3) 시도가 필요할 수 있다. 만약 아편유사제가 사용되었다면 naloxone이 처음으로 고려되는 길항제이다. 응급의 정도에 따라 0.1~0.2 mg을 2~3분 간격으로 정주, 근주 또는 피하 주입한다. 고혈압이나 심장과민성 환자에게는 심박수, 혈압 증가를 일으킬 수 있으므로 적은 용량을 주의해서 사용해야 한다. 일반적으로 추천하는 naloxone의 최대 용량은 0.8 mg으로 이 정도 용량 주입 후에도 마약성 진통제에 의한 호흡억제 회복이 되지 않을 때에는 다른 원인에 의한 호흡억제를 의심해 보아야 한다. 아편유사제 의존성 환자일 경우에는 생명을 위협할 정도의 상황이나 다른 방법이 소용없는 경우가 아니라면 naloxone을 주입하면 안 된다.

비록 마약성 진통제와 비교하여 호흡 저하가 일어날 일은 적지만 벤조디아제핀 계열 약물도 flumazenil이라는

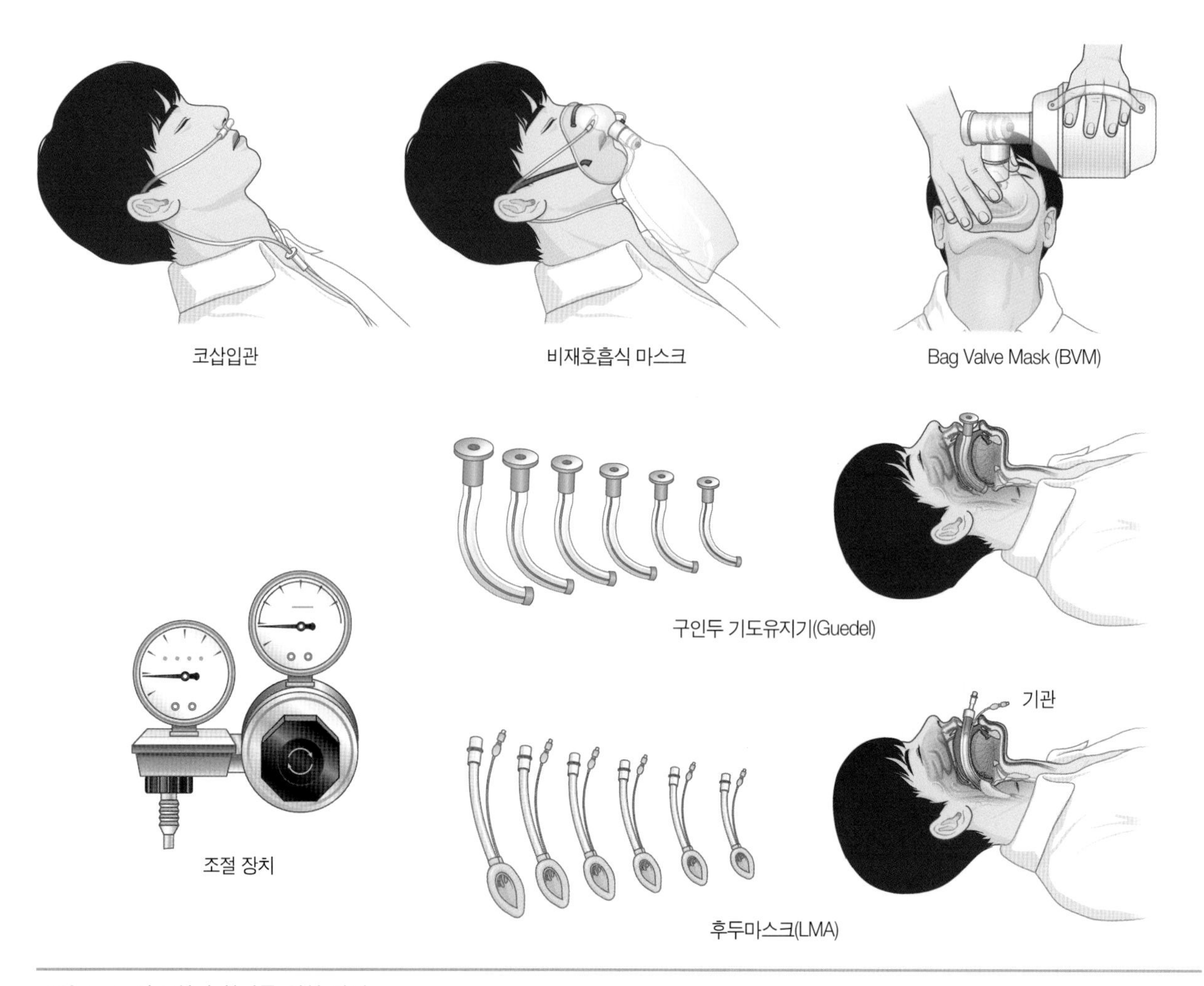

그림 21-3. 산소화와 환기를 위한 장비

길항제를 사용할 수 있다. 응급의 정도에 따라 0.2~0.5 mg을 2~3분마다 정주하고 총용량이 3 mg을 넘지 않도록 한다. 피하 주사나 근주 방법의 경우 속도와 효능에 대한 연구가 많지 않지만 정주로가 아직 확보되지 않은 경우 사용할 수 있다. 벤조디아제핀 의존성이 있거나, 발작장애를 벤조디아제핀으로 관리하고 있는 경우, 삼환계 항우울제 과다사용 환자의 경우에는 flumazenil을 사용하면 안 된다.

(1) 기도폐쇄

기도폐쇄는 진정 후 회복과정에서 흔히 발생하는 합병증으로 지속된 진정효과로 인한 인두 근육의 긴장 저하로 발생하는 경우가 대부분이다. 이 외에도 혀, 분비물 또는 구토, 성대문연축, 후두부종, 폐쇄수면무호흡 등에 의해 발생할 수 있다. 혀나 인두 근육 긴장 저하로 인한 기도폐쇄 시에는 턱을 앞으로 당겨 줌으로써 감소시킬 수 있다. 의식이 있는 환자의 경우 구인두기도유지기보다 구역질, 구토 및 성대연축을 덜 유발하는 비인두기도유지기의 거치가 필요할 수 있다.

① 성대문연축

성대문연축은 각성 중 기도 보호 반응이거나 성대를 포함한 후두개 근육의 경련이다. 얕은 진정이나 중등도 진정 환자에서 매우 순간적으로 나타나고, 후두를 자극하는 이물질이나 분비물을 제거하기 위한 기침 이후에 경련이 발생한다. 깊은 진정이나 전신마취 중에서도 일어날 수 있는데, 반사 반응이 둔해진 환자에서 기침을 통해 이물질 제거가 잘 안 되므로 성대문연축은 위험할 정도로 지속될 수 있다. 성대문연축은 소아나 흡연하는 성인에서 자주 발생한다. 대부분 의식이 없는 환자에서 머리, 목, 상체가 요동을 하거나 흔들리는 움직임을 보이는데 이는 환자가 기도 폐쇄 시 환기하려는 노력을 하기 때문이다. 성대문연축이나 다른 기도 폐쇄가 있을 경우 호흡 시 상복부와 가슴이 동시에 올라오지 않고 이들이 번갈아 나타난다. 대부분의 경련은 Bag-valve-mask (BVM)을 이용한 양압 환기에 의해 완화되지만 경련이 빠르게 해결되지 않을 경우, 특히 경련 이전에 추가 산소화가 이루어지지 않았다면 저산소 상태를 유발할 수 있다. 하악 견인을 통해 기도를 열어주고 기도를 흡인한 다음에 BVM을 놓고 충분한 힘으로 마스크를 밀폐시켜야 한다. 환기가 성공적으로 돌아올 때까지 조심스럽고 지속적으로 공기주머니에 압력을 주어야 한다. 성대문연축이 지속되어 심한 저산소증으로 진행된다면, succinylcholine과 같은 근이완제를 정주하는 추가적인 약물 주입이 요구될 수 있으나 사용해야 하는 경우는 드물다. 일반적으로 매우 적은 양(0.1~0.2 mg/kg)이 요구되며, BVM을 이용하여 양압 환기를 지속하는 것이 필요하다. Succinylcholine은 깊은 진정이나 전신마취를 훈련받은 사람이 투여하는 것이 이상적이다.

② 기관지연축

기관지연축은 기관지 평활근의 수축이나 경련에 의해 나타나는 하기도 폐쇄 증상이다. 1형 아나필락시스 알러지 반응이나 아나필락시스 유사 반응의 결과로 후두부종과 독립적으로 또는 함께 나타나거나, 천식 환자에서 과민반응의 결과로 나타난다. 기관지연축의 이유와 무관하게 환자는 호흡곤란을 보이고, 목이나 입이 아닌 가슴 부분의 폐쇄로 인한 천명을 보이게 된다. 기관지 평활근은 자율신경계의 조절을 받으며 이완을 위해서는 베타-2 작용제가 필요하다. 산소 공급을 포함한 일차 평가 이후(그

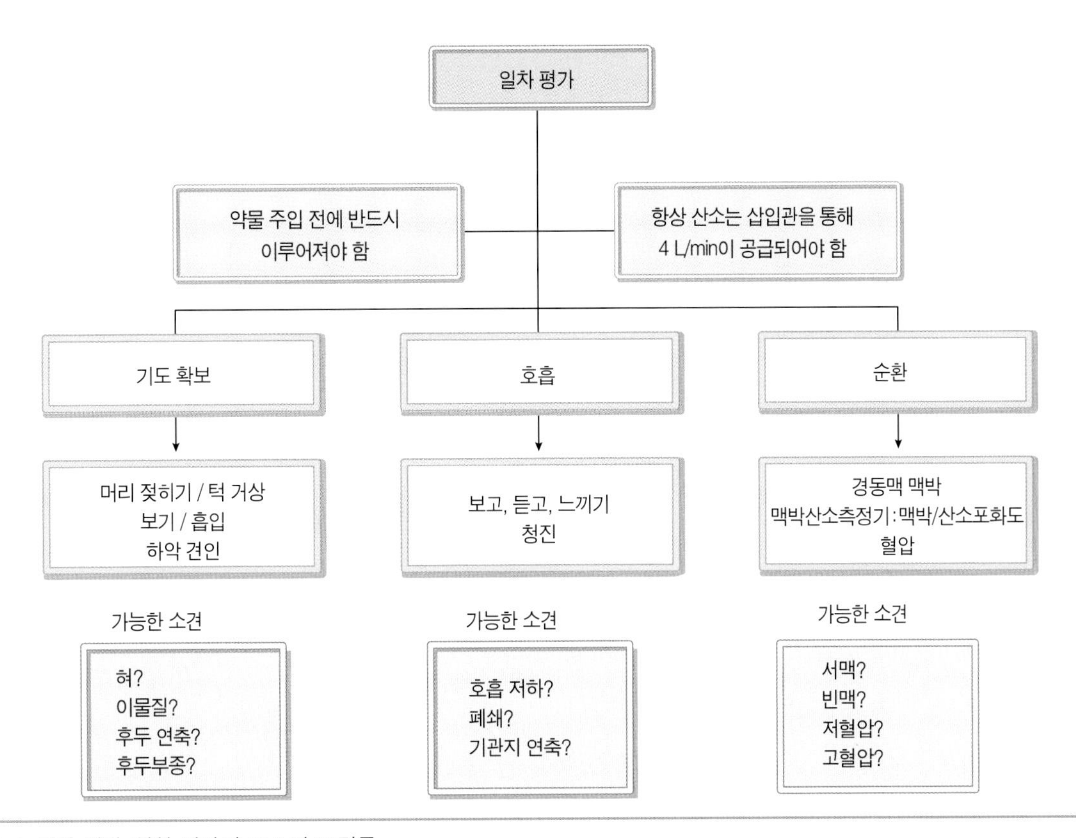

그림 21-4. 일차 평가. 일차 평가의 요소와 조건들

림 21-4)에 albuterol과 같은 선택적 베타-2 길항제를 계량 흡입기를 이용하여 주입해야 한다. 이 방법이 에피네프린 투여보다 선호되는데 그 이유는 심장의 베타-1 수용기를 자극하여 강심제 효과를 나타낼 확률이 적기 때문이다. 흡입제가 효과적으로 주입되기 위해서 환자의 협조가 반드시 필요하다. 흡입기에 스페이서를 연결하여 환자의 입에 쉽게 연결할 수도 있다. 만약 히스테리성 환자거나 다른 이유들로 흡입기를 사용할 수 없을 경우 비경구적으로 에피네프린을 사용할 수 있다.

③ 후두부종

후두부종은 알러지(아나필락시스 유사) 반응에 의해 생기는 증상 중 하나이다. 후두 점막과 인접 인두 점막, 혀에 부종이 생기고, 아나필락시스 유사 반응을 동반할 수 있으며, 일반적으로 환기 시 천명이나 높은 까마귀 울음 소리가 들린다. 의식이 있는 환자의 경우 목을 움켜잡고 목의 긴장감과 혀가 붓는 증상에 대한 호소를 할 것이다. 후두부종이 발생한 경우 가습된 산소를 흡입하게 하고 분무기로 산소와 혈관수축제, 스테로이드제를 분무하거나 흡입하는 방법이 사용된다. 필요하면 정맥주사제(덱사메타존 4~8 mg, 항히스타민제) 투여를 한다.

④ 흡인

진정법 시행 동안 위 내용물의 폐내 흡인이 일어날 수 있다. 초기의 처치는 환기를 유지하고 산소를 공급한 상태에서 하인두를 적극적으로 흡인(suction)하는 것이다. 산소를 투여하면서 환자의 폐음을 청진하고 만약 기관지 경련이 있으면 에피네프린 0.3 mg을 피하주사하고 응급실로 이송한다.

(2) 호흡억제

호흡억제로 인한 저환기가 회복실에서 가장 흔한 호흡 문제로 알려져 있다. 수술 후 저환기의 원인은 아편유사제의 호흡기능에 대한 억제작용, benzodiazepine계 약물 투여, 흡입마취제의 작용 잔류, 뇌혈관 장애, 순환부전 등에 의한 호흡 중추의 장애, 술중의 과환기에 의한 저이산화탄소혈증 등이 호흡억제를 야기할 수 있다. 심할 경우는 무호흡, 저산소혈증, 부정맥, 의식소실, 경련, 혼수가 나타날 수 있다. 호흡억제의 경우 보통 회복실에 도착한 직후 흔히 나타나지만, 어떤 아편유사제의 경우 시간이 경과된 후 호흡억제를 유발할 수 있으므로 유의해야 한다. 호흡억제를 예방하기 위해 수술 종료 전에는 호흡억제에 영향을 주는 약물 사용을 피한다. 흡입마취제는 충분히 배출시키도록 하고 아편유사제에 의한 호흡억제에는 길항제인 naloxone을 투여(0.04-0.08 mg)한다. Benzodiazepine계 약물에 의한 경우 flumazenil을 투여한다.

(3) 허파부종(Pulmonary edema)

허파부종은 다양한 원인에 의해서 일어날 수 있으며 특히 급성 울혈성 심부전, 심근경색 그리고 기도 폐쇄의 결과로 일어난다. 낮은 산소 포화도, 청진 시 crackle의 존재, 그리고 기도 내에 분홍색의 거품이 있는 가래의 존재와 같은 증상이 나타난다. 치료는 증상에 따라 그리고 부분적으로는 병인에 따라 다르다. 응급 의료기관으로 이송하기 전에 산소, 이뇨제 등을 투여하는 것이 도움이 된다.

2) 심혈관계 합병증

보통 중등도 진정과 깊은 진정의 낮은 단계에서 심혈관계 기능에 대한 영향은 매우 적다. 그러나 국소마취제 단독 또는 혈관수축제와 함께 사용할 때 과량의 약물을 사용하거나 부적절한 마취하에 치과진료를 하는 경우 심혈관계에 변화를 일으킬 수 있다.

(1) 혈관미주신경실신

치과진료 시 가장 흔하게 나타나는 합병증이다. 이는 뇌 조직에 산소와 포도당이 적절하게 공급되지 않기 때문에 일어난다. 대부분의 경우 관류가 감소하는 것은 중추성이지만 원발성 심장 질환이나 공포와 통증에 의해 유발되는 혈관미주신경 반응에 의해서도 나타날 수 있다. 어떤 경우에는 미주신경에 대한 영향이 심해서 30~40초간 일시적으로 심장 무수축 상태를 유발하기도 한다. 더 나아가 원발성 발작과 혼동되는 경련성 움직임도 나타날 수 있다. 이유나 심한 정도에 상관없이 혈관미주신경 반응은 일차 평가와 기도 보조를 통해 진정된다. 그 뒤에, 혈압과 심장 박동에 이상이 있는지 살펴보고 약물을 쓸 것인지 판단한다. 만약 혈관미주신경실신이 의심되는 증상이 빨리 해결되지 않으면, 완전심장차단, 뇌졸중, 심근경색증과 같은 더욱 심각한 상태나 약물을 과다 복용한 것이 아닌지 고려해야 하며 적절한 응급 처치가 시작되어야 한다.

(2) 저혈압

혈압은 조직에 관류를 적절하게 하기 위해 요구되며 개인에 따른 편차가 있고, 측정 시 건강 상태, 자세, 시간에 영향을 받는다. 수치가 기준치에 비해 크게 변화한 경우 임상의에게 반드시 알려야 하며, 심혈관계 평가에 있어서 조직 관류에 대한 평가는 가장 중요한 요소이다.

혈압 측정 이전에 피부와 점막의 색조 변화와 손톱바닥을 누른 후 다시 모세혈관에 혈액이 차는 속도를 봄으로써 말초의 조직 관류를 평가할 수 있다. 중추신경계의 혈액 관류는 의식이 있는 환자는 언어 반응, 통증 자극에 대한 반응을 통해서, 의식이 없거나 깊은 진정 상태에 있는 환자는 동공반사를 통해 평가할 수 있다. 만약 관류가 부적절한 것으로 생각되면, 혈압을 높여야 한다. 이를 적절히 시행하려면, 몇 가지 생리학적 원칙을 반드시 고려해야 한다.

수축기 혈압은 심실의 수축력에 의한 결과이다. 심장박출량(1분당 심장에서 나오는 혈액량)이 수축기 혈압을 제공하므로 심박수와 일회박출량이 수축기 혈압에 영향을 미친다. 성인에서는 이 중 일회박출량이 수축기 혈압에 기여하기 때문에 심박수보다 가장 중요하다. 소아나 영아를 제외하고, 심박수는 단순히 일회박출량의 보상 작용으로 볼 수 있다. 예를 들어 낮은 심박수는 잘 훈련된 운동선수에서 흔하지만, 심부전으로 일회박출량이 줄어든 환자에서는 심장박출량을 유지하기 위해 높은 심박수를 유지한다.

일회박출량은 심근수축력에 직접 영향을 받는데, 이는 베타-1 수용체의 교감신경 자극과 심장으로의 복귀정맥혈에 의해 강화된다. Frank-Starling 법칙에 의하면, 전부하는 일회박출량과 직접 관련되어 있으나, 한계가 있다. 만약 임계 전부하를 넘어서면, 울혈이 나타난다. 임계 부피는 심장 기능이 손상된 환자에서 더 낮은 값을 가지고, 환자의 체위를 결정할 때 반드시 고려해야 한다. Trendelenburg 자세가 응급 상황에서 가장 많이 이용되지만 이 자세는 과량의 복귀정맥혈을 공급할 수 있고, 심장이나 순환기 질환을 가진 환자를 위태롭게 할 수 있어 semi-Fowler position 자세(그림 21-5)와 같이 반쯤 뒤로 넘어간 자세가 합병증이 발생했을 때 더 적절한 자세이다.

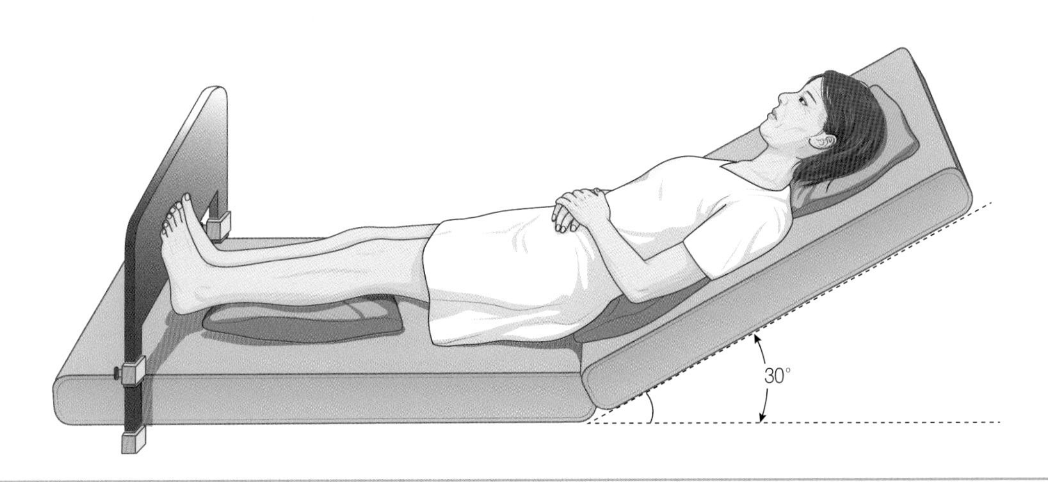

그림 21-5. Semi-Fowler position: 상체를 25~30°로 높인 자세로서, 폐수술 후 또는 호흡곤란이 있을 경우에 이용된다.

수축기가 완료된 시점에서, 심실은 휴식 상태(이완기)로 들어가고, 압력은 0으로 떨어진다. 그러나 혈압은 이 정도로 떨어지지 않는데 그 이유는 동맥계 내의 저항이 이완기 혈압을 유지하기 때문이다. 이완기 혈압에 가장 큰 영향을 미치는 변수를 대동맥 저항, 전신 혈관계 저항 또는 말초 저항이라 부른다. 비록 혈액량과 점도가 영향을 미치지만, 동맥의 지름이 저항을 결정하는 가장 중요한 변수이다. 그러므로 동맥을 수축시키는 약물은 이완기 혈압을 높이고, 동맥을 이완시키는 약물은 이완기 혈압을 낮춘다.

심장이 일회박출량을 내뿜기 위해서는 심실의 수축이 말초 저항을 넘어서는 압력을 만들어내야 한다. 달리 말하면, 심실의 압력은 이완기 혈압보다 높아야 한다. 이처럼 심실의 분출에 저항하는 것을 후부하라 하며, 심장 질환을 가진 환자에서 높아진 이완기 혈압은 적절한 양의 일회박출량을 저해한다. 이러한 이유로 이완기 혈압을 증가시키기 위한 혈압상승제의 투여는 특히, 울혈심부전을 가진 환자에게 심장 기능에 부정적인 영향을 미칠 수 있다. 반면에 관상동맥의 혈류는 이완기에 공급되므로 다음 이완기 수축에 필요한 영양분을 심장 자신에 공급하기 위해서는 적당한 동맥의 이완기 혈압이 필요하다.

일반적으로, 90 mmHg의 수축기 혈압이 평균동맥압에서 유지되어야 누워있는 환자의 조직에 충분한 관류를 공급할 수 있다(수축기 혈압은 기준으로 하는데, 그 이유는 저혈압 환자에서 이완기 혈압을 알기 어렵기 때문이다). 만약 수축기나 이완기 혈압이 기준치보다 15~20 mmHg 낮아지면, 조직 관류가 제대로 일어나지 않으므로 혈압을 측정해야 한다. 일회박출량과 수축기 혈압은 2가지 방법을 통해 증가시킬 수 있다.

- 환자의 자세를 바꾸거나, 정주로를 통한 수액 공급, 정맥수축을 일으키는 약물을 사용하여 복귀정맥혈을 증가시켜 정맥 혈압과 전부하를 늘리는 방법
- 심근 세포에 있는 베타-1 수용체를 활성화하는 약물을 사용하여 심근 수축력을 증가시키는 방법

만약 저혈압 환자가 실신 징후나 증상을 보이는 경우, 치과치료는 일차 평가가 완전히 완료될 때까지 연기되어야 한다. 만약 정주로가 확보되어 있거나 곧 확보되는 상황이라면, 250~500 ml의 normal saline나 Ringer's lactate solution을 빨리 주입한다. 다만 울혈심부전이나 폐부종이 의심될 경우는 예외이다. 이렇게 함으로써, 전부하를 충분히 증가시켜 일회박출량과 수축기 혈압을 높일 수 있다. 이 수기를 시행할 수 없거나, 실패한 경우 환자의 심박수가 다음 치료를 결정한다. 만약 서맥(심박수가 분당 60회 미만)이 있는 경우, atropine을 투여한다. 심박수가 분당 60회 이상이면서 혈압이 여전히 낮다면, 심박수를 높이는 것은 수축기 혈압을 높이는 데 별로 도움이 되지 않는다. 빈맥은 단순히 이완기에 할당된 시간을 줄여 일회박출량은 감소한다. 또한 관상동맥을 통해 심근 세포에 공급되는 혈류를 감소시켜 심근허혈을 일으킬 수 있다.

몇몇 아드레날린성 약물들이 저혈압에 사용될 수 있는데, ephedrine이 가장 이상적인 선택이다. 저혈압은 혈관미주성 작용이나 심혈관계의 교감신경 작용을 떨어뜨리는 진정제와 마취제 사용에 의해 치과진료 시 만나게 된다. Ephedrine은 교감신경 말초로부터 노르에피네프린을 분비시킴으로써 간접적으로 작용을 한다. 또한 ephedrine은 알파와 베타 아드레날린 수용체에 직접 작용하여, 혈관수축과 심근의 수축력과 빈도를 높여준다. 에페드린은 동맥보다는 정맥의 수축을 더 많이 일으키므로 후부하보다 전부하를 많이 증가시킨다. 이로 인해 다른 혈관수축제보다 심근의 산소 요구량을 적게 증가시킨다. 마지막으로, 에피네프린이나 다른 카테콜아민이 5~10분의 짧은 작용시간을 가지는 것과 달리, ephedrine이 심혈관계에 미치는 영향은 60~90분 정도 지속된다. Ephedrine은 3~5분마다 5~10 mg 정주하거나 설하 또는 근주로 25 mg을 투여할 수 있다. 총 투여량은 50 mg을 넘지 않도록 권고하고 있다.

드물게 저혈압이 빈맥을 동반하는 경우, ephedrine의 심장수축력 강화 효과는 바람직하지 않다. 이 상황은 척추마취, 혈량저하증, 탈수에 의한 저혈압인 경우에 가장 흔하게 나타난다. 미주신경성 또는 중추신경계에 작용하는 우울증 치료제로 인한 저혈압의 경우에는 흔하지 않다.

Phenylephrine은 알파-아드레날린 작용제로 빈맥이 동반된 저혈압이나 심한 관상동맥 질환으로 심박수 증가를 피해야 하는 환자 치료에 유용하다. Phenylephrine은 정맥 수축을 일으키고, 전부하와 수축기 혈압을 증가시키며, 동맥을 수축시켜 이완기 혈압도 증가시킨다. 평균동맥압의 증가는 압력수용기를 매개로 하여 심박수를 줄인다. Phenylephrine은 주로 정주로를 통해 0.1 mg씩 또는 지속적으로 투여한다. Phenylephrine의 사용은 깊은 진정이나 전신마취 훈련을 받은 사람이 사용하는 것이 바람직하다.

(3) 고혈압

치과치료 시 갑작스러운 혈압 상승은 진정법 시행 유무와 상관없이 드문 일은 아니다. 만성 고혈압 환자에서 대뇌의 혈류는 자동조절되어 높은 혈압에 맞춰지게 되므로, 갑작스러운 혈압 저하는 대뇌 허혈을 일으킬 수 있다. 이는 특히 노인 환자에서 많이 일어난다.

특히 이완기 혈압이 120 mmHg 이상인 경우 "고혈압위기"라고 하는데 고혈압위기는 환자의 증상이 없을 경우 "긴급(urgency)"으로, 가슴 통증, 두통, 시각 장애와 같은 증상이 있거나 징후가 보이는 경우 "응급(emergency)"으로 본다. "긴급(urgency)" 상황에서는 치료를 중단하여 진정시키는 것 이외에 별다른 조치를 취하지 않는다. 대부분 국소마취제 농도가 줄어들었거나, 화장실을 가고 싶은 경우, 장시간의 진료로 쉬지 못한 경우에 많이 일어난다.

증상이 있는 고혈압위기는 응급 상황이고, 응급실로 이송할 수단이 요구된다. 이송 수단이 올 때까지 실어증이나 지각이상, 마비와 같은 뇌졸중 증세가 없다면 약물을 이용하는 것이 바람직하다. 만약 뇌졸중이 의심된다면 혈압을 낮추면 안 된다. Nitroglycerine을 0.4 mg 설하정으로 주는 것이 가장 안전한 방법이다. 이 방법은 혈압을 지나치게 떨어뜨리지 않으며, 5분마다 1알 이상을 주면 안 되고, 필요시 최대 3알까지 사용할 수 있다.

깊은 진정이나 전신마취 훈련을 받은 경우 혈압을 낮추는 다른 두 가지 약제를 더 사용할 수 있다. 하나는 labetalol로 정맥을 통해 투여할 수 있다. 다른 정맥으로 주입되는 hydralazine 같은 혈관 이완제와 달리 labetalol은 베타 수용체를 막아주는 효과가 있어서 반사성 빈맥을 예방한다. 5분마다 10 mg씩 증량하여 조심스럽게 적정을 하고, 추가 투여 전에 누운 자세 혈압을 기록하여 원하는 혈압 수치를 지나가지 않도록 해야 한다. 하지만 천식 환자에서는 사용하면 안 되는데, 이유는 기관지의 베타-2 수용체에 길항제로 작용하여 기관지연축을 유발할 수 있기 때문이다. 이런 경우 알파-아드레날린 수용체에 길항 효과는 없지만 esmolol을 선택하는 것이 안전하다. Esmolol은 선택적 베타-1 길항제로 정주로를 이용하여 10 mg 증량으로, 최대 0.5 mg/kg까지 투여할 수 있다. 매우 짧게 작용하므로 효과를 유지하기 위해서는 매 10분마다 추가적으로 투여하는 것이 필요할 수 있다. Labetalol과 esmolol 모두 심전도 모니터와 지속적인 혈압 평가 없이는 사용되어서는 안 된다.

(4) 동성 빈맥, 동성 서맥

갑작스러운 빈맥은 통증, 스트레스, 국소마취제에 포함된 혈관수축제에 의해 주로 유발된다. 그러나 빈맥은 저산소증이나 저혈압에 대한 반사 반응으로도 발생할 수 있으므로 치료 전 환자 평가 시 반드시 고려해야 한다. 지속적인 빈맥은 환자로 하여금 두근거림에 대한 호소를 하게 한다. 혈압을 유지하기 위해 심장의 박동이 증가한 경우 정맥을 통한 수액 공급을 해줘야 한다. 빈맥이 계속 유지될 경우 esmolol과 같은 선택적 베타-1 길항제를 정주하여 심장에 작용하는 교감신경성 자극을 줄여줄 수 있다. Esmolol은 짧은 작용 시간을 가지므로 심박수가 급격하게 떨어지더라도 몇 분 이내에 다시 회복된다.

서맥의 원인으로는 미주신경반사, 진정, 진통제의 과량투여, 마취제의 효과잔존에 의한 교감신경활동의 억제, 방실차단, 동부전증후군, 동방결절의 허혈, 고도의 저산소혈증, 저체온, 두개내압의 상승 등이 있을 수 있으며 저산소증으로 인해 이차적으로 발생할 수 있으므로 반드시 감별해야 한다. 서맥의 경우, 부교감신경계 항진이 원인이면 atropine에 반응한다. 교감신경 활동의 억제에 의한 것이라면 베타 작용제인 ephedrine, dopamine 등이 유효하다. 고도의 서맥이라면 인공 심박동기가 필요할 수 있다.

(5) 부정맥

부정맥은 진정법을 시행하는 동안 불안, 통증, 반사 자극, 외인성 카테콜아민, 저산소증, 과탄산증, 그리고 약물 상호작용의 결과로 흔하게 일어난다. 부정맥은 크게 빈맥과 서맥으로 나눌 수 있다. 서맥의 경우 일차적으로 atropine이 유용하게 사용될 수 있다. 빈맥의 경우 esmolol 등의 여러 약물들이 사용되고 궁극적으로 제세동기가 필요하다. 때문에 치과의사는 부정맥이 생기면 우선 부정맥이 혈역학적으로 미치는 영향을 파악한다. 즉, 혈압이 잘 유지되는 양성 부정맥과 부정맥과 연관되어 혈압이 감소하는 등 환자의 생명을 위협하는 악성 부정맥을 구별하는 것은 물론 원인을 파악해야 한다. 악성 부정맥의 경우 응급구조체계를 활성화한다. 미국심장협회(AHA)의 기본소생술에서 제시한 지침을 참조하면 도움이 된다.

(6) 가슴 통증: 협심증/ 심근경색증

허혈성 심질환은 심근이 요구하는 산소량만큼 관상동맥으로의 관류가 부족한 경우 발생한다. 죽상경화증이 심한 경우 치과의사가 관상동맥 관류를 늘릴 수 있는 방법은 거의 없다. 외래환자의 경우 관상동맥 관류가 적당히 유지될 수 있도록 한 명이 전담하여 평소의 심박수와 혈압 상태를 유지하여 심근이 요구하는 산소량을 줄여주는 노력이 필요하다.

가슴 통증 경험이 있는 협심증 병력 환자를 치료할 때 치과의사는 일차 평가를 완벽하게 하고 심근의 산소 요구량을 줄일 수 있도록 주의해야 한다. 환자를 편안하게 해줌으로써 스트레스로 인한 심박수와 혈압 증가를 줄일 수 있다. 설하로 투여한 낮은 혈중 농도의 nitroglycerin은 전신의 정맥을 이완시키고 복귀정맥혈을 줄여 전부하를 감소시킨다. 이완기 혈관벽 장력의 저하는 관상동맥 관류, 특히 심내막하 부분의 관류를 증가시킨다. Nitroglycerin은 5분마다 반복하여 줄 수 있고, 증상이 개선되거나 저혈압이나 반사성 빈맥과 같은 부작용이 나타날 때까지 필요하다면 최대 3번까지 투여할 수 있다. 수축기 혈압이 90 mmHg 이하로 내려간 경우 nitroglycerin의 추가적 사용은 금기이다. 환자가 복용하고 있는 다른 혈관이완제는 문제를 일으킬 수 있다. 구체적으로 발기부전 치료제인 sildenafil이나 vardenafil을 24시간 이내에 또는 tadalafil을 48시간 이내에 복용한 경우 nitroglycerin은 금기이다. 저혈압은 고질적인 문제로, 아주 낮은 이완기 혈압은 관상동맥으로의 혈류량을 감소시켜 심근 관류를 더욱 악화시킬 수 있다. 또한 저혈압은 반사성 빈맥을 유발하여 심근의 산소 요구량을 증가시킬 수 있다. 비록 누워있는 환자의 경우 이런 문제점들이 덜 일어나지만 nitroglycerin을 투여하기 전에 혈압을 반드시 확인해야 한다. 증상이 가라앉은 후 임상의는 차후의 행동에 관하여 개인적 판단을 내려야 한다. 예를 들어 한두 번의 nitroglycerin 투여에 잘 반응하는 환자의 경우 치과치료를 끝마치고 집으로 보내도 된다. 반면에, 보통의 양 이상으로 nitroglycerin을 투여해야 증상이 가라앉는 경우 응급실로 보내어 발생 가능한 급성 관상동맥 질환에 대한 평가를 해야 한다. 가능하다면 치과의사는 환자의 협심증 치료를 담당하고 있는 내과 의사와 협진하여 어떻게 할지 결정할 수도 있다.

만약 15~20분에 걸쳐 세 번의 nitroglycerin을 투여했음에도 증상이 가라앉지 않고, 이전에 협심증 진단을 받은 환자라면, 임상의는 심근경색증으로 진행했을 것으로 가정하고, 응급 구조차를 불러야 한다. 만약 협심증 병력이 없는 경우 심근경색증이 가장 가능성이 높으므로 응급 구조차를 당장 불러야 한다. 응급 구조차가 도착할 때까지 아스피린을 투여해야 한다. 삼키기 전에 표준 325 mg tablet을 깨물게 하거나 4개의 아기용 81 mg tablet을 주어 흡수를 빠르게 하는 것이 유리하다. 깨물지 않는 경우 코팅된 아스피린의 작용이 지연된다. 혈소판 응집은 관상동맥의 혈전의 주 요인이며, 아스피린의 항혈소판 작용은 복용 후 1시간 이내에 최대 효과를 나타낸다. Nitroglycerin은 필요 시 5분마다 계속 투여하되 수축기 혈압이 최소 90 mmHg, 심박수가 정상 범위 내에 있게 한다. 만약 통증과 불안감이 지속된다면 모르핀과 같은 아편유사제를 대신 사용할 수 있다. 아편유사제는 통증과 불안을 경감시킬 뿐 아니라 말초 저항을 감소(후부하 감소)시키고 정맥의 용량을 증가(전부하 감소)시킨다. 이로 인해 심근의 산소 요구량을 감소시켜 nitroglycerin과 같은 효과를 보인다. 만약 nitroglycerin을 투여한 상태에서 아편유사제를 사용한다면 저혈압을 발생시킬 수 있으므로 임상의는 정주하는 동안 혈압을 잘 관찰해야 한다.

(7) 심정지

심근경색에 이어지는 것으로 가장 두려운 것은 심실성 빈맥, 심실세동과 같은 치명적인 심장 부정맥이다. 심정지가 나타나면, 도움을 요청해 119에 즉시 신고하고 주변에 자동제세동기가 있으면 가져다 줄 것을 요청한다. 이후 기본소생술(basic life support, BLS) 과정에서 다루는 심폐소생술(가슴압박)을 실시하고, 자동제세동기가 도착하면 즉시 사용해야 한다. 요약된 기본소생술의 심장정지 알고리즘은 그림 21-6과 같다. 진정을 시행하는 의료인의 경우 주기적으로 BLS 교육을 받아 응급 상황 시 적절한 대처를 할 수 있도록 해야 한다.

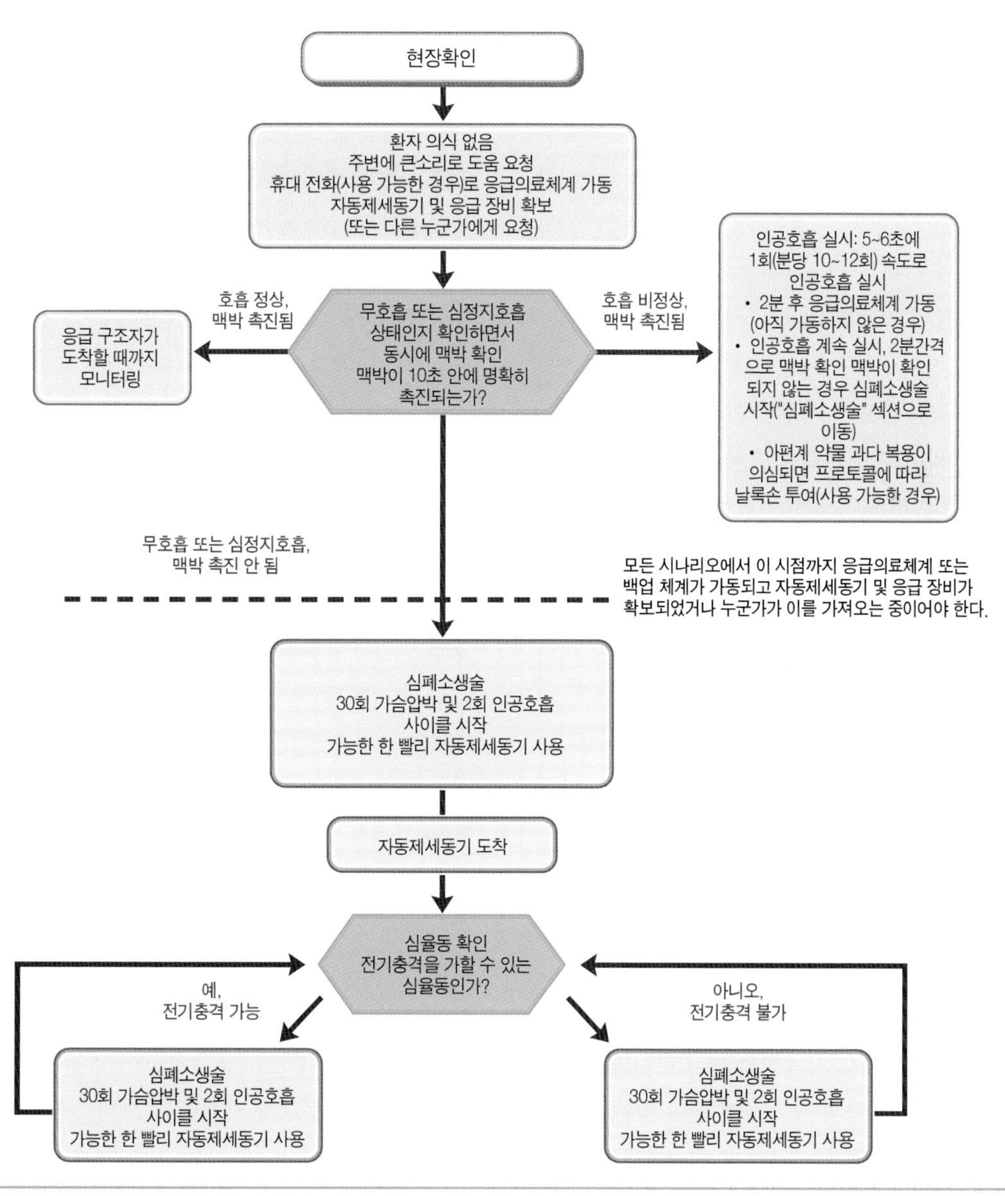

그림 21-6. 기본소생술(BLS)의 심장정지 알고리즘의 요약
일단 일차평가에서 심장정지로 확인되고 응급 구조차를 바로 부른 후 American Heart Association (AHA)의 2015년 지침을 따른다.

3) 오심과 구토

거의 대부분의 진정법에 사용되는 약물들이 오심과 구토를 야기할 수 있으며 특히 아편유사제가 더욱 그러하다. 예외가 되는 약물로는 propofol, scopolamine, promethazine 등이 있다. 이들 약물은 진토제로 사용되기도 한다.

환자평가에서 평소에도 환자의 상태나 복용 약들로 인하여 오심과 구토를 느끼는 환자는 위 내용물의 양을 줄이고 위액의 pH를 높이며 위 내용물의 위내 저류 시간을 단축시키는 약물들의 전처치를 고려할 수 있다. 그러나 전처치제로 사용되었던 약물들과 진정진통제와의 약물상호작용을 생각한다면 이런 환자들은 치과병원으로 의뢰하는 것이 좋다.

가벼운 오심과 구토는 산소투여만으로도 조절 가능하지만, 활발하게 진행되는 구토라면 입안에 있는 치과치료 기구들을 전부 치우고 두부를 낮게 하고 고개를 약간 돌려서 자연적으로 입 밖으로 배출하게 하거나 흡인기로 제거한다. 이는 폐내 흡인을 최소화하는 방법이다. 혹시 환자가 깊은 진정이라면 폐내 흡인의 가능성이 있으므로 폐음 청취, 맥박산소포화도 감시 및 흉부방사선 촬영도 필요하다. 그러나 당일 폐내 흡인에 의한 방사선 변화가 나타나려면 아주 많은 양이 흡인되었을 경우이다. 대부분은 염증반응에 의한 폐 방사선 사진의 변화에는 1~2일의 시간이 필요하므로 당일에 폐내 흡인을 확인하기는 어렵다. 폐내 흡인이 의심되면 호흡기 내과 의사에게 자문을 구한다.

5. 약물상호작용

진정에 사용하는 약물의 약동학과 약력학적 과정은 인종, 나이, 동반 질환, 투약하는 약물에 의해 영향을 받게 되므로, 시술을 위한 진정을 유도할 때 적절한 약물을 선택하고 적절한 용량을 결정하는데 기초가 된다. 약물 부작용과 약물 간의 상호작용은 예측가능하게 또는 드물지만 우연히 일어날 수 있다. 이러한 문제는 하루에 5~10개의 약을 먹는 고령의 환자들에게서 흔하다. 많은 약물의 상호작용은 용량에 의존하므로 조기에 인지하는 것이 보다 심각한 후유증으로 진행되는 것을 막을 수 있다. 진정법에 사용되는 약물과 환자가 복용하고 있는 약물 사이의 상호관계는 진정법 시행 전에 인터넷 검색을 통하여 손쉽게 검색할 수 있다.

6. 각성섬망 Emergence delirium or Paradoxical excitement

진정진통제가 환자의 중추신경계의 여러 부분에 작용하여 진정법 중이나 후의 회복기에 환자와의 정상적인 의사소통이 불가능한 가운데 섬망, 환각, 불안, 흥분 등의 양상을 보이는 것을 각성섬망이라 하며 그 정확한 원인은 알지 못한다. Ketamine과 midazolam에서 발생할 수 있는데 ketamine은 해리성 정맥마취제로 심혈관계 및 호흡억제작용이 없고 기도 확장 효과가 있으며 강력한 진통작용이 있어 특히 소아의 진정에 사용되었던 약제이나 수술 후 회복 시 악몽, 섬망 등의 부작용이 있다고 알려져 있다. Midazolam은 섬망 치료제이면서 또 각성섬망을 야기하는 것으로 여겨지고 있다. 그리고 흡입마취제 예를 들면 아산화질소나 세보플루란, 데스플루란 사용 시 흥분된 행동 반응과 섬망을 일으킬 수 있다고 한다. 진정으로부터 각성 시 흥분 및 섬망 등의 행동 장해는 저산소증, 대사 장해, 통증, 약물의 효과 등에 의하여 발생할 수 있다.

치료법은 진정진통제의 중단, 활력징후 감시, 산소공급, 진정진통제에 대한 길항제를 투여하고 외상을 방지하며 자발적으로 환자의 의식이 회복되기를 기다리는 방법이다. 적극적인 치료는 70 kg 성인 환자에서 뇌혈관장벽을 통과하는 acetylcholine esterase 길항제인 physostigmine 1~2 mg 정주를 시행할 수 있다. 국내에 보고된 논문에서는 ketamine, alfentanil, fentanyl, ketorolac 등의 투여와 미추 차단법이 각성 섬망의 발생을 감소시킬 수 있다고 하였다. 이때 조심해야할 것은 기존에 사용하였던 약제들과의 상호작용, 콜린성 신경의 항진으로 인한 오심, 구토, 복통, 서맥, 저혈압 등이다.

7. 길항제 사용과 관련된 합병증

벤조디아제핀 계열 약제의 길항을 위하여 flumazenil이, 아편유사제의 길항을 위해 naloxone이 사용될 수 있다. 아편유사제를 이용한 진정법에서 naloxone을 사용할 경우에는 진통효과의 신속한 가역으로 인하여 심한 통증, 혈압상승, 빈맥, 허파부종 등이 발생할 수 있다.

진정법과 연관된 호흡 저하의 경우 일차적으로 기도를 유지하고 산소를 공급하며 필요한 경우 마스크를 이용한 양압환기법을 시행한다. 이때 환자의 자발적인 환기 노력을 위해 naloxone이나 flumazenil 투여는 기도유지나 양압환기가 어려운 경우에 도움이 된다. 진정법 중에는 호흡저하가 발생하기 전에 깊게 호흡할 수 있도록 장려하거나 자극을 주어야 하고, 충분한 산소를 공급해야 하고, 자발적인 호흡이 어려운 경우 양압 환기를 해야 한다. 길항제에 의해 의식이 회복된 후에는 길항제의 약효(대부분 1시간)가 사라진 후에 진정 상태나 심호흡계의 저하가 다시 나타나지 않는지 충분히 관찰한다.

8. 정주진정법과 관련된 합병증

정주진정법은 투여한 약물 효과가 현저하게 나타날 수 있고, 일단 체내에 주입된 약물은 인위적으로 단시간에 배출시킬 수 없기에 약제 주입에 주의해야 한다.

정맥 천자 후 수액을 연결하였을 때 그 주입 속도가 믿을 수 있어야 한다. 혈관의 수축 상태, 정맥 카테터의 혈관 내 위치 여부, 카테터와 혈관의 상대적인 위치, 수액로의 적절한 기능, 수액의 위치, 정맥천자 후 제거되지 않은 지혈대 등으로 인하여 혈관 내로의 수액의 적절한 주입이 보장되지 않는다면 수액 라인에 고인 약제의 일시 주입이 발생할 수 있고 그로 인해 합병증이 발생할 수 있다(그림 21-7). 또 약물이 혈관대신 주위 조직으로 투여되면 국소적으로 통증, 흡수지연, 조직 손상을 일으킬 수 있다(그림 21-8). 특히 정맥 대신 동맥에 약물이 투여된 경우 심각한 혈관염증이 발생할 수 있고 더 나아가 동맥이 산소를 공급하는 말단 부위의 허혈성 손상을 일으킬 수 있다. 특히 barbiturate 계의 약물, 예를 들면 펜토탈은 pH가 10 정도의 강알칼리이므로 특히 주의를 필요로 한다.

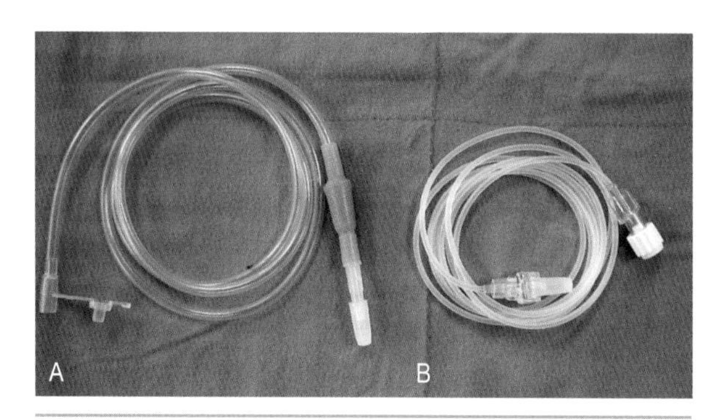

그림 21-7. 의도하지 않았던 수액로에 축적된 약물의 과다 투여 방지를 위한 미니 볼륨라인(B). 수액세트(A) 내에 7~8 ml 수액을 채울 수 있지만 미니 볼륨(B)은 2 ml 정도의 수액만 축적되므로 여러 번 용량의 약물투여로부터 상대적으로 안전하다.

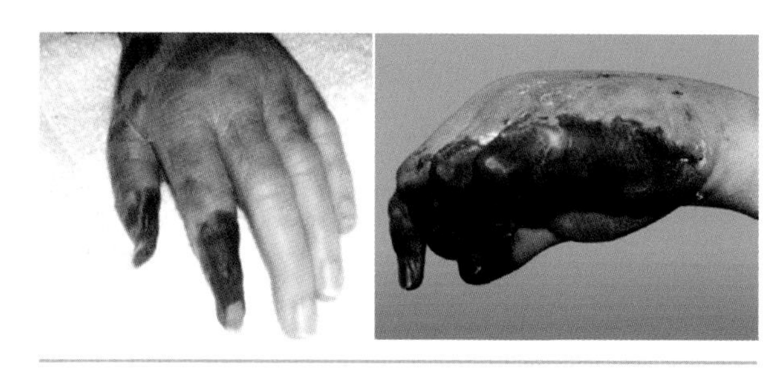

그림 21-8. 정맥 밖으로 약물 투여 후 발생한 조직 괴사 증례들

9. 진정법 시 발생하는 응급 상황에 대한 준비

진정 후 발생하는 여러 가지 응급 상황 시 기도, 호흡, 순환에 대한 일차평가가 필요하다. 기도가 폐쇄된 상황에서는 호흡에 대해 평가하는 것은 의미가 없으므로 우선 기도를 확보해야한다. 머리는 뒤로 젖혀야 하고, 동시에

턱은 거상되어야 하며, 입과 목에 이물질이 없는지 검사해야 한다. 의식이 없는 환자의 경우, 추가적으로 턱을 내미는 방향으로 들어 올리는 것이 필요할 수 있다. 일단 기도가 최대한 확보되는 최적의 자세를 만든 후, 호흡에 대한 평가가 이루어져야 한다. 의식이 있는 환자에게는 천천히, 깊은 숨을 쉬라고 말한다. 만약 환자가 의식이 없다면 환자의 호흡을 보고, 듣고, 느껴야 한다. 환자가 약하게 호흡을 할 때 가슴이 눈에 띌 만큼 올라오지 않으므로 한 손을 환자의 횡격막에 올려놓고, 다른 손은 공기의 이동을 느끼는 방법이 유용하다. 그래도 호흡 유무를 판단하기 어려울 때 청진기를 양쪽 폐의 첨부에 놓고 호흡음을 듣는다. 기도와 호흡에 대한 평가가 의사와 보조원에 의해 이루어지는 동안 나머지 팀원이 일차평가의 다른 부분을 시행해야 한다. 한 명은 맥박산소측정기로 맥박수와 산소포화도를 기록해야 하고, 한 명은 혈압을 짧은 간격으로 기록해야 한다. 또한 팀원 중 한 명은 산소공급을 해야 한다. 의식수준과 상관없이 자발적으로 호흡하는 환자에게 풍부한 산소가 공급되어야 한다. 이를 통해 환자의 기능잔기용량의 산소 농도를 높이고, 무호흡이나 기도폐쇄로 인한 저산소혈증을 지연시킬 수 있다. 일차평가의 모든 요소에 대한 요약은 그림 21-4와 같다.

1) 추가 산소화

추가 산소화를 위한 장비는 100% 산소를 제공할 수 있어야 하고, 조절장치, 튜브, 코삽입관(nasal cannula)이나 마스크를 갖춰야 한다. 모든 병원에는 치료실이 중앙 산소 공급원과 연결되어 있는지 여부와 관계없이 휴대용 산소 실린더 장비가 있어야 하는데, 응급 상황은 병원 어디에서든 발생할 수 있기 때문이다.

마스크에 대해 공포심을 갖는 의식이 있는 환자에게는 코삽입관이 추가 산소화를 위해 가장 적절하다. 4 L/min 이상으로 공급될 경우 시간이 지남에 따라 불편할 수 있으나, 환자가 숨쉬는 상황에서 가장 적절한 산소 공급 농도는 36%이다.

의식이 없지만 호흡하는 환자에게 고농도의 산소를 공급하기에 호흡주머니가 있는 비재호흡식 마스크가 가장 적절하다. 어떤 마스크를 사용하든지 질식을 방지하기 위해 최소 6 L/min의 산소가 공급되어야 한다. 이 수치로 호흡주머니와 함께 마스크를 사용한다면 산소 농도는 약 60%로 공급될 것이고 1 L/min이 증가할 때마다 FiO_2는 대략 5%씩 증가한다. 실제 임상에서 일회용 재호흡식 마스크는 FiO_2를 0.6에서 0.8 정도로 공급한다. 이전에는 산소의 추가 공급이 만성 폐쇄성 폐질환 환자에게 저산소혈증을 유발할 수 있다고 하였으나 이는 사실이 아니며 최근에는 맥박산소측정기로 측정했을 때 90% 이상의 산소포화도를 제공하는 것을 권장하고 있다.

2) 양압 환기

무호흡 환자는 보통 의식이 없고 양압 환기가 필요하다. 호흡주머니가 있는 BVM 장치는 산소 농도를 90~95%로 제공할 수 있지만, 제대로 사용하려면 사용자의 상당한 기술이 필요하다. 적절한 머리 위치, 효과적인 마스크 밀봉, 주머니의 압력이 반드시 숙련되어야 한다. 이러한 훈련은 기본소생술 과정에서 마네킹을 통해 이루어진다. 만약 환기가 여전히 어려울 경우, 기도보조기가 필요하다.

구인두 기도유지기는 개구 상태를 유지하고 혀의 기저부가 후방 인두벽으로 쳐지지 않도록 하여 기도 확보를 도와주는 보조 기구이다. Guedel형의 기도유지기는 속이 비어있고, 인두 분비물을 제거할 수 있도록 흡인기 도관을 삽입할 수 있다. Berman형은 이런 목적의 내부 공간이 없다. 환자가 호흡을 하지 않아 환기를 시도할 때, 합리적인 접근 순서는 BVM 장치만으로 환기를 시도해보고, 필요하면 구인두 기도유지기를 삽입하는 것이다. 이것이 소용 없다면 기관 삽관이나 후두마스크와 같은 고급 기도 유지 방법을 고려해야 한다.

기관 삽관은 기도 유지의 가장 표준적인 방법이다. 그러나 이 방법은 훈련된 구강악안면외과 의사나 치과 마취과 의사의 고급 마취 하에서만 제한적으로 사용된다. 만약 삽관이 실패하거나 술자가 기관 삽관에 숙련되지 않았다면 후두마스크가 차선책이다. 그 이유는 충분히 효과적이면서 기술적으로 삽관이 덜 어렵기 때문이다. 그러나 실제 응급 상황에서 삽관을 성공적으로 하기 위해서는 마네킹이나 환자에 삽관하는 훈련이 필요하다.

후두마스크는 후두의 상부에 맞는 기도 보조기이다. 마스크의 첨부는 입 안으로 삽입되어 목젖 방향을 향한 후 구인두의 구부러진 통로를 통해 성문 근처까지 들어간다. 이 지점에서 마스크 주위의 띠를 충분한 공기로 부풀려 밀폐시킨다. BVM 장치의 마스크를 제거하고 주머니(bag) 부위를 후두마스크 튜브의 표준 15 mm 연결부에 직접 연결한다. 환기 여부는 공기주머니를 쥐어짜면서 겨드랑이와 폐의 첨부에서 호흡음을 청진하여 확인할 수 있다.

고급 기도 관리 기술은 전문심장소생술 훈련 과정에서 다루고 있고, 구인두 기도유지기와 후두마스크, 기관 삽관 과정이 포함되어 있다. 이 훈련은 American Dental Society of Anesthesiology에서 후원하는 사람 모의시험 과정에서도 제공된다. 추가 산소화와 양압 환기에 사용되는 장비들은 그림 21-4와 같다.

3) 진정진통 약물의 조합

이론적으로 진정진통제의 혼합사용은 충분한 중등도 진정을 제공하는데 약물을 단독으로 사용하는 것보다 진정효과를 최대화하고 약물 부작용을 최소화할 수 있을 것으로 생각되나 이에 대한 증거가 확실하지 않을 뿐만 아니라 오히려 진정법과 관련된 합병증인 호흡 저하와 저산소혈증 같은 부작용을 증가시킨다고 한다. 때문에 진정약물과 진통약물의 조합은 행해지는 치과치료와 환자의 상태에 따라서 적절히 행해져야 한다. 약제의 동시 사용은 각각의 약물의 양을 적절히 조절하는 것뿐만 아니라 지속적인 호흡기능의 관찰이 이루어지는 것이 중요하다.

4) 진정진통제의 적정

원하는 진정 혹은 진통에 이를 때까지 약물을 소량씩 증가시켜 가면서 사용하는 것(적정, titration)이 환자의 나이, 몸무게, 키를 고려한 일정한 양의 약물로 주는 것보다 환자의 편안함을 증가시키고 진정법 시행에 따른 위험을 줄인다. 특히 대부분의 약물 용량은 우리나라 사람들을 대상으로 산출된 것이 아니기에 더욱 주의를 필요로 한다.

약물의 효과를 적정할 때에는 약을 추가로 주사하기 전에 약물이 충분한 효과를 나타내도록 약물의 투여간격을 충분히 주어야 한다. 약물을 정주 이외의 방법으로 투여될 때에는(예: 구강, 직장, 근육, 점막) 추가 용량이 고려되기 전에 약이 흡수될 수 있는 시간이 충분히 주어졌는지 확인해야 한다. 이들 약물의 투여경로는 약물의 흡수를 충분하게 예측할 수 없기 때문에 진정진통을 위한 약물을 추가적으로 투여하는 것은 추천되지 않는다.

주의 깊은 병력 청취와 적절한 전신 평가는 진정법과 연관된 응급 상황의 많은 부분을 예방할 수 있고 이러한 과정을 통하여 술자가 응급 상황에 대해 준비되어 있으므로 실제 응급 상황이 발생하더라도 당황하지 않고 적절히 대처할 수 있다. 응급 약물과 장비는 치과의사와 보조자들이 효과적으로 응급 상황에 대처할 수 있도록 이용하기 쉽게 주기적으로 준비되고 정비되어 있어야 한다. 특히 응급 상황에 대한 가장 적극적인 대처는 예방에 있다. 환자들이 심각한 응급 상황에 이르기 전에 문제를 초기에 인지할 수 있도록 호흡기계, 심혈관계 감시가 특히 깊은 진정에서는 치과치료를 담당하지 않은 숙련된 의료진에 의하여 시행되어야 한다.

또한 진정법과 관련된 응급 상황을 최소화하기 위해서는 미국치과의사협회에서 제정한 진정법 가이드라인을 참조하여 진정법 교육 이수를 증명할 수 있는 검증된 교육과정을 통해 진정법 관련 지식과 기술을 습득하고, 진정법에 필요한 지식을 평소에 관련 문헌들을 공부하여 끊임없이 심화하며, 많은 임상 경험을 통해 진정법에 대한 경험을 축적하며, 주기적인 응급 처치법 연수를 통하여 응급 상황에 대처하는 능력을 유지 및 증진시켜야 할 것이다(표 21-8).

표 21-8. 진정법을 위하여 구비해야 할 응급 장비

적절한 응급 장비 구비는 호흡기계 저하를 일으킬 수 있는 진정법에서는 언제라도 사용가능해야 한다. 이들은 치과의사 개인의 진료 환경에 따라서 변화되어야 한다. [ ] 표시 안의 내용은 소아 진정 시 추천되는 사항이다.	
• Intravenous equipment - Gloves - Tourniquets - Alcohol wipes - Sterile gauze pads - Intravenous catheters [24-22-gauge] - Intravenous tubing [pediatric "microdrip"(60 drops/ml)] - Intravenous fluid (Hartmann's solution, normal saline, 5% glucose solution) - Assorted needles for drug aspiration, intramuscular injection - [intraosseous bone marrow needle] - Appropriately sized syringes [1ml syringes] - Tape • Intravenous equipment - Gloves - Tourniquets - Alcohol wipes - Sterile gauze pads - Intravenous catheters [24-22-gauge] - Intravenous tubing [pediatric "microdrip"(60 drops/ml)] - Intravenous fluid (Hartmann's solution, normal saline, 5% glucose solution) - Assorted needles for drug aspiration, intramuscular injection - [intraosseous bone marrow needle] - Appropriately sized syringes [1ml syringes] - Tape	• Advanced airway management equipment - Supraglottic airway devices (Laryngeal mask airways) - Laryngoscope handles (tested) - Laryngoscope blades [pediatric] - Endotracheal tubes - Stylet (appropriately sized for endotracheal tubes) • Pharmacologic Antagonists - Naloxone - Flumazenil
• Basic airway management equipment - Source of compressed O_2 (tanks with regulator or pipeline supply with flowmeter) - Source of suction - Suction catheters [pediatric suction catheters] - Yankauer-type suction - Face masks [infant/child] - Self-inflating breathing bag-valve set [pediatric] - Oral and nasal airways [infant/child-sized] - Lubricant	• Emergency medications - Epinephrine - Ephedrine - Vasopressin - Atropine - Nitroglycerin (tablets or spray) - Amiodarone - Lidocaine - Glucose (IV or oral) - Diphenhydramine - Hydrocortisone, methylprednisolone, or dexamethasone - Benzodiazepine - β blocker (Esmolol) - Adenosine

참고문헌

1. 대한마취통증의학회: 마취통증의학 제3판. 서울, 여문각, 2014.
2. 대한마취과학회: 마취과학 개정판. 서울, 군자출판사, 2009.
3. 대한치의학회: 치과진정법 가이드라인, 서울, 군자출판사. 2010.
4. 대한외래마취연구회: 외래마취학 제1판, 서울, 군자출판사, 2018
5. Barash PG, Cullen BF, Stoelting RK ed: Clinical Anesthesia, 6th ed. Lippincott Williams & Wilkins, 2009.
6. Miller RD ed: Anesthesia 8th ed. New York, Churchill Livingstone, 2014.
7. Stoelting RK. Miller RD: Basics of anesthesia 7th ed. Philadelphia. Churchill Livingstone, 2018.
8. Malamed SF: Sedation: a guide to patient management 5th ed. Philadelphia. Mosby, 2009.
9. American Society of Anesthesiologists Task Force on Moderate Procedural Sedation and Analgesia: Practice guidelines for moderate procedural sedation and analgesia 2018. Anesthesiology, 128:437-79, 2018.
10. Cook B, Spence AA: Post-operative central anticholinergic syndrome. Eur J Anaesthesiology, 14:1-2, 1997.
11. Flick WG, Katsnelson A, Alstrom H: Illinois dental anesthesia and sedation survey for 2006. Anesth Prog, 54:52-8, 2007.
12. Jastak JT, Peskin RM: Major morbidity or mortality from office anesthetic procedures: a closed-claim analysis of 13 cases. Anesth Prog, 38:39-44, 1991.
13. Milam SB, Bennett CR: Physostigmine reversal of drug-induced paradoxical excitement. Int J Oral Maxillofac Surg, 16:190-3, 1987.
14. Xia DY, Wang LX, Pei SQ: The inhibition and protection of cholinesterase by physostigmine and pyridostigmine against Soman poisoning in vivo. Fundam Appl Toxicol, 1:217-21, 1981.
15. Becker DE and Haas DA: Management of complications during moderate and deep sedation: respiratory and cardiovascular considerations. Anesth Prog, 54(2): 59-68, 2007.

CHAPTER 22

| Dental Anesthesiology | 진정법

전신마취

학습목표

1. 전신마취의 개념을 이해한다.
2. 전신마취와 진정법의 차이를 설명한다.
3. 입원환자 마취와 외래마취의 차이를 설명한다.
4. 소아와 성인의 마취관리의 차이점을 설명한다.
5. 조직 및 장기의 노화에 따른 노인환자에서의 마취의 위험성이 증가하는 이유를 설명한다.
6. 협조나 적응에 어려움이 있는 장애환자의 마취관리를 설명한다.
7. 치과환자의 전신마취의 특성을 설명한다.
8. 최소폐농도를 정의할 수 있다.

1. 전신마취의 개념

마취(anesthesia)의 어원은 그리스어로 an (without)과 esthesia (sensation)의 복합어로 감각이 없다는 의미를 가지고 있다. 마취는 크게 전신마취(general anesthesia)와 부위마취(regional anesthesia)로 나누며, 부위마취는 척수마취(spinal anesthesia), 경막외마취(epidural anesthesia), 신경차단마취(nerve block), 국소마취(local anesthesia) 등으로 나눌 수 있다.

전신마취는 협소적인 의미의 정의를 보면 Woodbridge에 의한 네 가지 차단설에 따르는데, 이는 의식차단(의식소실), 감각차단(진통), 운동차단(근육이완), 반사차단의 복합적인 기능을 의미한다. 따라서 전신마취 상태의 환자는 자발호흡을 할 수가 없으므로 항상 기도가 확보되어야 하고 인공호흡을 시켜주어야 한다.

1) 전신마취를 위한 장비

전신마취를 위한 장비는 크게 환자감시장비와 환기기를 포함한 마취기, 그리고 응급카트이다. 환자감시장비는 제16장 감시장비에 자세히 나와 있으며 응급카트에 대한 내용 역시 이후의 6부 응급의학에서 자세히 다뤄지므로 본 장에서는 마취기에 대해 알아보도록 하겠다.

마취장비는 크게 마취기(anesthesia machine), 환기기(ventilator), 마취가스 제거장치(anesthetic gas scavenging system)로 나눌 수 있다. 이를 간단하게 설명하면 다음과 같다.

(1) 마취기

마취기는 압축가스(compressed gas), 흐름계(flow meter), 기화기(vaporizer) 및 마취회로(anesthesia circuit)로 구성된다(그림 22-1).

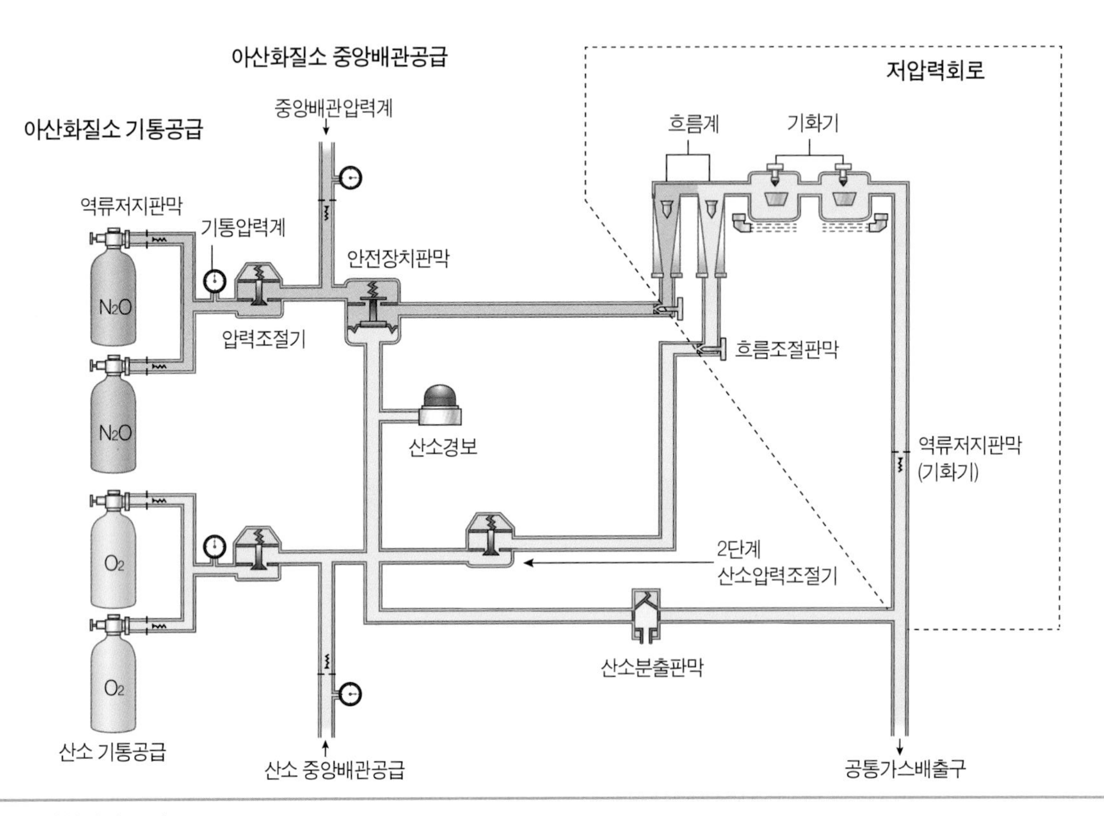

그림 22-1. 마취기의 도식도

① 압축가스

병원에 설치된 중앙가스공급실에서 배관을 통하여 산소, 아산화질소 및 공기가 3.5 kgf/cm^2 (50 psig; pound per square inch gauge) 정도의 압력으로 마취기에 공급된다. 일반적으로, 산소는 흰색, 아산화질소는 청색, 공기는 황색으로 구분하고 마취기연결부위가 다른 모양으로 제작되어 있어서 잘못된 가스를 공급하는 것을 예방한다.

중앙가스공급실에서의 가스가 공급되지 않을 때에는 압축가스를 기통을 통하여 공급하는데 산소통에서는 154 kgf/cm^2 (2,200 psig), 아산화질소통에서는 52 kgf/cm^2 (745 psig)의 높은 압력으로 저장되어 있다. 산소통 내의 산소는 기체상태여서 산소통 내에 남아 있는 가스량은 압력에 비례하나 아산화질소는 액체상태에 보관되어 있기 때문에 가스가 75% 이상이 소모될 때까지는 가스량의 압력이 변화하지 않으므로 남아 있는 가스량을 측정하려면 용기의 무게를 재야 한다.

② 흐름계

흐름계는 환자에게 공급되는 신선가스의 유량을 조절하는 장치이다. 손잡이(knob), 바늘판막(needle valve), 판막자리(valve seat), 위아래 한 쌍의 부표멈춤으로 이루어져 있다(그림 22-2). 유리관을 통하여 아래에서 위로 흐르는 가스압력으로 부표가 위로 뜨게 되며 가스압력에 의해 위쪽으로 작용하는 힘과 부표무게에 의해 아래쪽으로 작용하는 중력이 서로 균형을 이루는 위치에 부표가 멈추게 된다. 유리관은 위쪽으로 갈수록 직경이 커지며 공급되는 가스는 부표와 유리관벽 사이에 발생한 틈 사이로 흐르게 된다.

③ 기화기

기화기는 실온에서 액체상태인 흡입마취제를 기체로 변화시키고 원하는 농도를 환자에게 투여할 수 있는 장치이다. 20℃ 이하에서 액체상태인 흡입마취제는 폐쇄용기

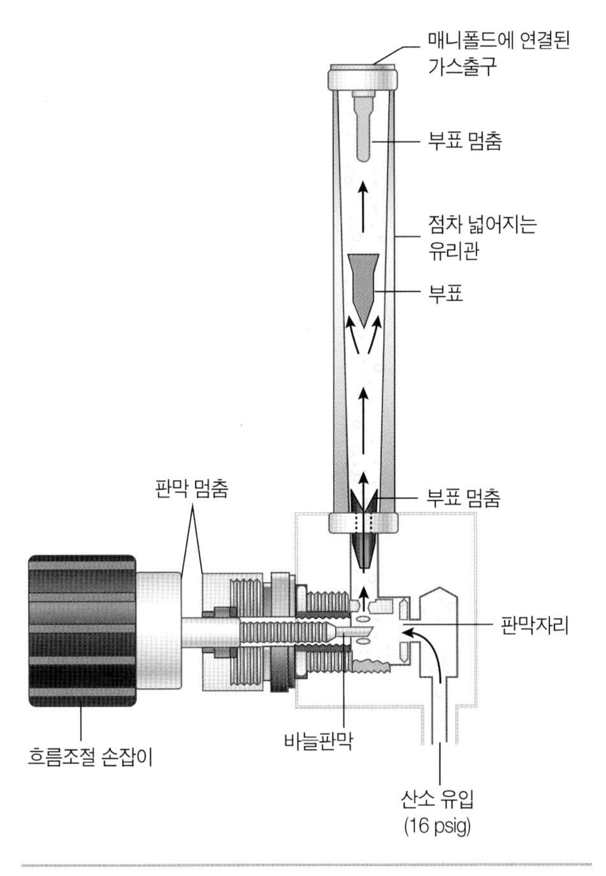

그림 22-2. 흐름계의 도식도

안에서 기체상태의 분자수가 일정해질 때까지 액체상태의 분자가 기체상태로 변화하는데 이때 필요한 에너지를 잠재기화열(latent heat of vaporization)이라 하고 이는 1 g의 액체가 온도의 변화 없이 기체로 변하는데 필요한 에너지이다. 기체상태의 분자가 밀폐용기의 벽에 부딪치면서 압력이 발생하는데 이를 포화증기압이라고 한다. 온도가 상승하면 더 많은 액체분자가 기체상태가 되어 증기압은 상승하게 된다. 또한 액체의 성분에 따라 증기압은 각각 다르다. 따라서 흡입마취제에 따라 고유의 마취제전용 기화기를 사용한다(그림 22-3). 이상적인 기화기의 조건은 기화기의 투여농도를 맞추어 놓았을 때 흐름계에서 흘러나오는 가스량, 기화기 속의 액체상태의 마취제의 양, 사용시간의 경과에 따른 내부온도의 변화 등에 관계없이 일정하게 표시된 농도로 유지되는 것이다.

④ 마취회로

마취회로는 마취기에서 나오는 흡입마취제와 산소를 환자에게 투여하고 날숨가스의 이산화탄소를 제거한 후 다시 재호흡시킴으로서 열과 수분의 소실을 막고 마취제

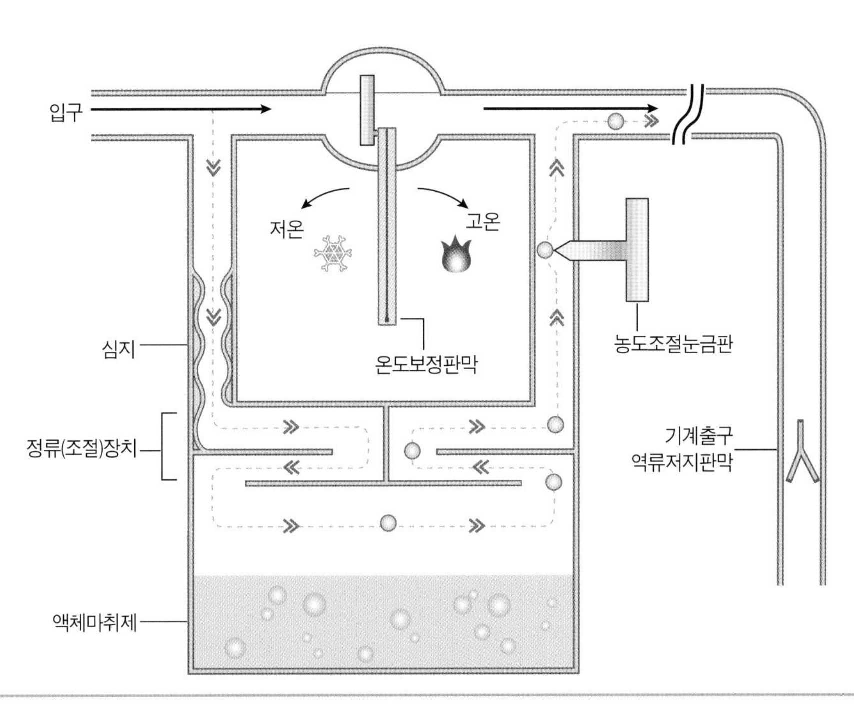

그림 22-3. 기화기의 도식도(Ohmeda사의 Tec형 기화기)

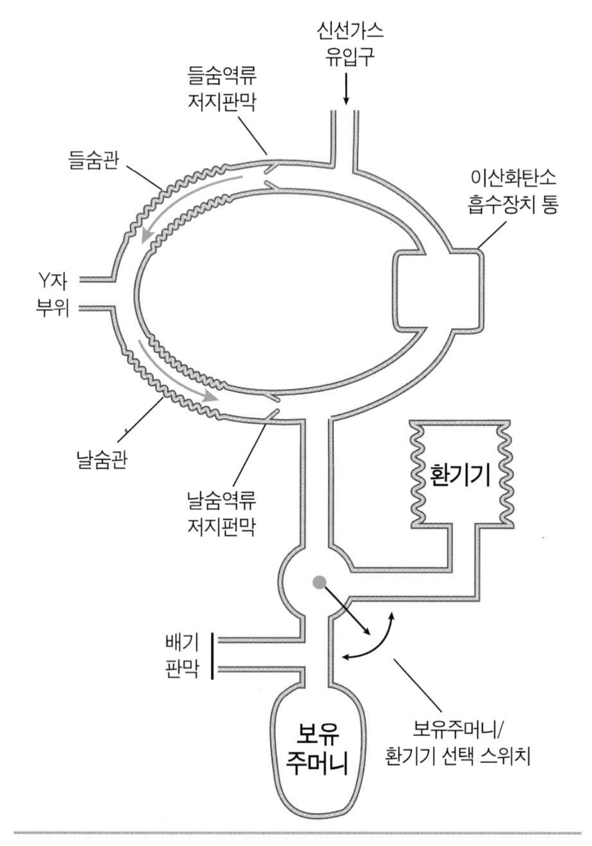

그림 22-4. 마취회로의 도식도

의 사용을 최소화하도록 구성되어 있다. 마취회로는 주름관(corrugated tube), 보유주머니(reservoir bag), 한방향판막(unidirectional valve), 배기판막(pop-off valve) 및 이산화탄소 흡수장치(carbon dioxide absorber)로 구성되어 있다(그림 22-4).

(2) 환기기

마취 중에는 환자가 호흡을 할 수가 없기 때문에 마취과 의사가 손으로 인공환기를 시켰으나 '환기기'라는 장치를 사용하여 인공환기를 시켜줌으로써 마취과 의사가 환자를 위한 다른 일을 수행할 수 있다. 전통적인 마취용환기기는 압축공기나 공기 및 전기의 힘으로 보유주머니에 해당하는 풀무(bellow)를 압축하여 환자에게 가스를 흡입시키고, 배기판막이 내장되어 있어서 잔여가스를 내보내는 이중회로체계(double circuit system)이다.

(3) 마취가스 제거장치

마취기에서 배출된 흡입마취제가 수술실 내로 나오면 수술실 근무자의 건강에 해를 줄 수 있다. 따라서 수술실의 오염을 최소화하기 위하여 마취기에서 배출된 가스는 마취가스 제거장치를 통하여 수술실외부로 적절하게 제거되어야 한다. 여분의 마취가스는 환자의 기도에 과도한 압력의 걸리지 않도록 호흡회로의 배기판막이나 환기기의 배기판막을 통하여 배출된다.

호흡회로에 있는 배기판막이나 환기기의 배기판으로 배출된 마취가스는 가스모으는장치(gas collecting assembly)와 전달수단(transfer means)를 통하여 배기경계면(scavenging interfaces)으로 모아진 다음 가스배기장치(gas disposable assembly)를 통해 배출된다.

3) 전신마취의 과정

전신마취의 과정은 크게 마취유도단계, 마취유지단계, 마취에서의 각성 및 회복단계로 나눌 수 있다.

(1) 마취유도단계

마취의 유도는 환자의 의식을 소실시키고 신경근 전달을 차단시켜 근육이완을 유도하여 기관내삽관이 용이하게 되도록 하는 과정이다.

① 환자감시장비 부착 및 전산소화(preoxygenation)

심전도, 혈압계, 맥박산소측정기 등의 감시장치를 부착한 후 호흡관에 부착된 마스크를 환자 얼굴 위에 가볍게 올리고 5~6 L/min의 유속으로 100%산소를 공급한다. 환자에게 가볍게 말을 걸며 긴장을 해소 할 수 있도록 하고, 심호흡을 격려하여 폐의 산소 포화도를 높일 수 있도록 한다.

표 22-1. 정맥마취제의 마취유도용량

정맥마취제	마취유도용량(ml/kg)	작용발현시간(초)	작용시간(분)	정주통
티오펜탈(Thiopental)	3-6	<30	5-10	약함
프로포폴(Propofol)	1.5-3.0	15-45	5-10	중등도
미다졸람(Midazolam)	0.2-0.4	30-60	15-30	없음
케타민(Ketamine)	1-1.2	15-60	10-20	없음

② 의식소실

A. 정맥마취 유도

미리 정맥로를 확보한 상태로 입실 한 환자의 경우 제 20장에 전술된 약물을 사용하되 마취유도용량(표 22-1)으로 주입한다. 주입 직후 후두경련, 무호흡 등 기도문제가 발생할 수 있으므로 주의한다. 목표조절주입방식(제 20장에 전술)을 사용하는 전정맥마취가 아니라면 무의식이 유도된 직후 마취를 유지할 흡입마취제를 1 MAC의 농도로 켜고 보조호흡을 시작한다. 이것은 정맥 마취제의 의식소실 유지시간이 짧기 때문이다.

B. 흡입 마취유도

주사공포증이 있거나, 정맥로확보가 어려운 소아의 경우 정맥마취제를 사용할 수 없다. 이 경우에는 호흡관에 연결된 마스크를 사용하여 흡입마취제를 공급하는 방식으로 의식소실을 유도한다. 보통 세보플루란을 이용하게 되는데 신선가스유량을 5 L/min 이상으로 하고 세보플루란의 기화기농도를 4~8vol%(4MAC)로 맞추어 환자에게 심호흡을 격려한다.

③ 신경근차단제(neuromuascular blocker, NMB)의 주입

전신마취과 진정법의 가장 큰 차이점은 신경근차단제의 주입이라 할 수 있다. 진정법은 환자의 자발 호흡 및 근육 움직임을 허용하지만 전신마취에서는 환자의 자발호흡을 허용하지 않는다. 환자의 의식이 완전히 사라지고, 기도확보 및 보조 환기가 원활한 것을 확인한 뒤에는 기관내삽관을 위한 신경근차단제를 주입한다.

A. 이상적인 신경근차단제의 조건

1973년 Saverese가 제창하였는데, 신속한 작용발현 시

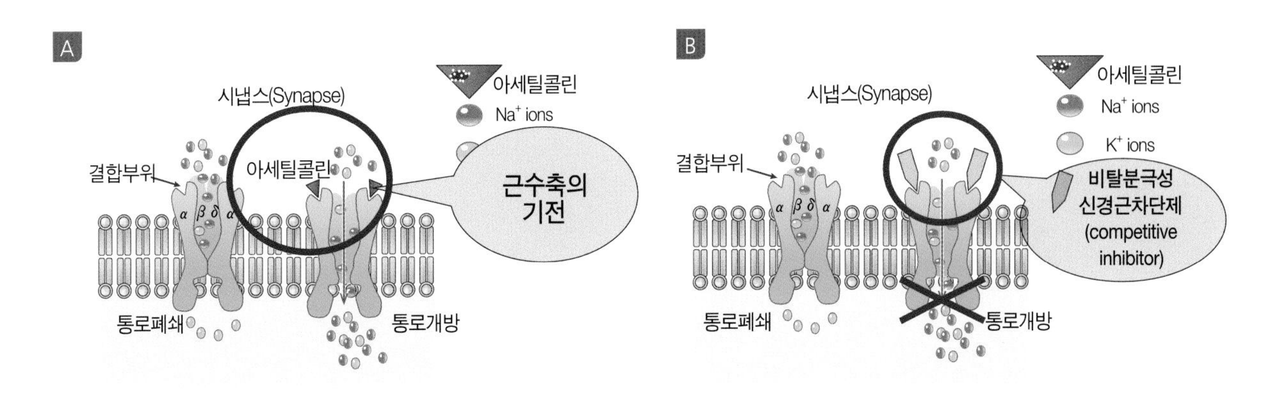

그림 22-5. **A)** 정상적인 근육 수축의 기전. 아세틸콜린이 시냅스의 결합부위(alpha subunit)에 부착되면, 통로가 개방되어 Na^+이온과 Ca^{2+}이온의 inflow가 발생하고, K+의 outflow가 발생한다. **B)** 비탈분극성 신경근차단제가 시냅스의 결합부위(alpha subunit)에 결합하면 통로의 개방이 되지 않으면서 근수축이 일어나지 않는다.

간과 짧은 차단시간을 보이며 누적효과가 없고 적합한 해독제가 있어야한다고 하였다. 또한 약물이 높은 역가를 가지며 히스타민 유리가 없고, 심장계통에 영향이 없는 약물을 추구하였다. 마지막으로 대사산물이 독성이 없어야한다고 하였다.

B. 신경근차단제의 기전(그림 22-5)

일반적으로 아세틸콜린이 신경근 접합부에 결합하면 세포 내부로 나트륨(Na^+)과 칼슘(Ca^{2+}) 흐름이 발생하며 근육수축이 발생된다. 신경근차단제가 주입되면 아세틸콜린이 결합할 부위에 결합함으로써 통로가 폐쇄되어 근육수축을 막는다.

C. 탈분극성 신경근차단제(depolarizing NMB)

석시닐콜린(Succinylcholine)으로 대표되는데 발현시간은 약 30초에서 1분이고, 지속시간은 5분이며 체내의 부티릴콜린에스터라아제(butyrylcholinesterase)에 의해 신속하게 분해되기 때문에 응급상황에 적합하다. 하지만 근연축과 뇌압, 안압이 증가하고 혈액 중 칼륨의 증가, 교근의 경직(masseter muscle), 악성고열증의 유발 등의 위험이 커서 사용 범위가 제한적이다.

D. 비탈분극성 신경근차단제(non-depolarizing NMB)

최근 흔히 사용되는 것은 작용시간이 20~50분 정도인 중간작용 비탈분극성 신경근차단제로서 그 구조와 종류는 표 22-2에 정리하였다. 그 중 가장 흔하게 사용하는 것이 로큐로니움(Rocuronium)이다.

④ 기관내삽관 및 호흡관 연결 및 정리

기관내삽관 방법은 제29장에 자세히 설명되어 있다.

기관내삽관이 완료되고, 안정적으로 고정되면, 마취기의 호흡관과 연결한다. 최근 많이 사용되는 가습형 호흡관은 무게가 있으므로 뒤로 당겨져서 기관내관이 빠지지

표 22-2. 비탈분극성 신경근차단제의 특성

성분명	발현시간 (분)	기관내삽관시 용량 (mg/kg)	삽관 후 유지용량 (mg/kg)	주요대사	제거	히스타민 분비
아트라큐리움(Atracurium)	2~4	0.5~0.6	0.1	혈액 중	콩팥	+
시스아트라큐리움(Cisatracurium)	>4	0.15~0.2	0.02	자연분해	콩팥	-
베큐로니움(Vecuronium)	1~2	0.1~0.2	0.02	간	간 , 콩팥	-
로큐로니움(Rocuronium)	1~2	0.6~1.0	0.1	-	간	-

▶ 비탈분극성 신경근차단제의 구조

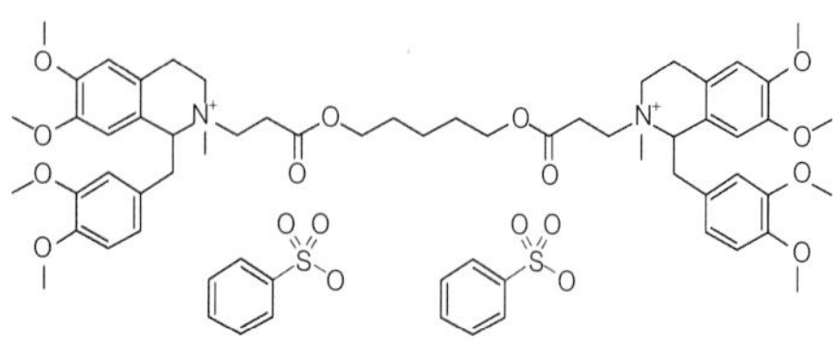

Atracurium

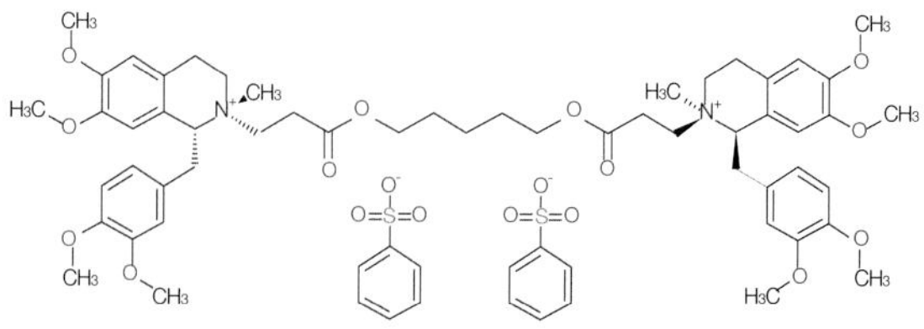

Cisatracurium

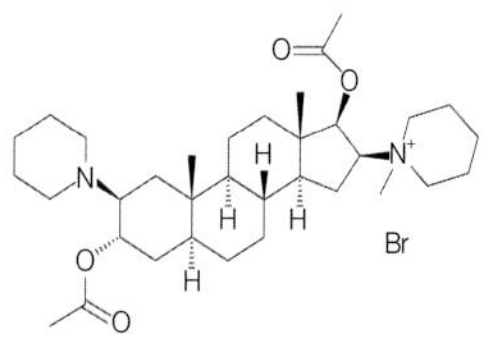

Vecuronium

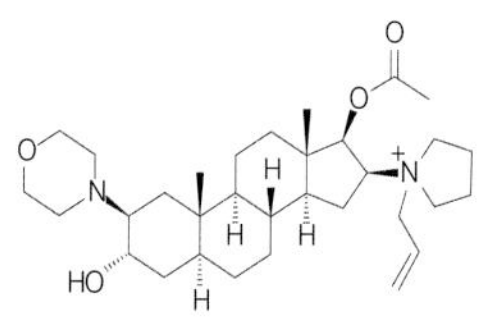

Rocuronium

표 22-3. 정상성인에서의 항콜린에스테라아제의 약리적 특정

약물	상용용량(mg/kg)	최대효과 발현시간(min)	소실반감기(min)	대사/제거 주기관
네오스티그민(neostigmine)	0.04-0.07	7-10	77±47	대부분 콩팥(75%)
피리도스티그민(pyridostigmine)	0.14-0.25	10-15	112±12	대부분 콩팥(70%)

않도록 한다. 또한, 공급되는 마취가스의 농도를 약 1 MAC으로 줄이고, 신선가스유량은 약 2 L/min으로 줄여 전신마취 중 과도한 마취제 공급 및 소모를 피한다.

(2) 마취유지

전신마취를 유지하는 동안 목표는 기억상실(amnesia), 진통(analgesia), 근육이완(muscle relaxation)과 유해한 자극에 반응하는 교감신경의 조절이다. 특정 약효를 나타내는 약물들의 선택적 사용으로 마취과 의사가 환자의 의학적 상태나 수술의 종류에 따른 요구에 맞춤식 조절을 한다.

흡입마취제는 높은 역가를 지니고 있으며, 마취제의 농도를 쉽게 조절하고 근육이완 효과가 있고 각성의 회복이 빠르기 때문에 수술 요구에 따라 적정이 가능한 장점이 있다. 또한, 유해 자극에 의한 교감신경의 과도한 반응들은 상당히 감소시킬 수 있다. 그러나 흡입마취제를 고농도로 투여하게 되면 용량 비례적으로 심장수축력이 억제되어 혈압을 하강시킬 수 있다.

뇌기능 감시장비(제16장 참조)는 중추신경계 억제를 일으키는 흡입마취제나 정맥마취제의 농도조절에 도움을 준다.

(3) 마취에서의 각성 및 회복단계

수술이 끝나면 흡입마취제나 정맥마취제의 투여를 중지하고 신경근 차단을 역전시키기 위한 역전제를 투약한다. 일반적으로 항콜린에스터라아제(Cholinesterase inhibitor)를 투약하며 이 약제 부작용인 서맥 및 침분비를 완화시키기 위해 항콜린제제(anticholinergics)를 함께 사용한다(표 22-3, 표 15-11. 항콜린제제의 특성).

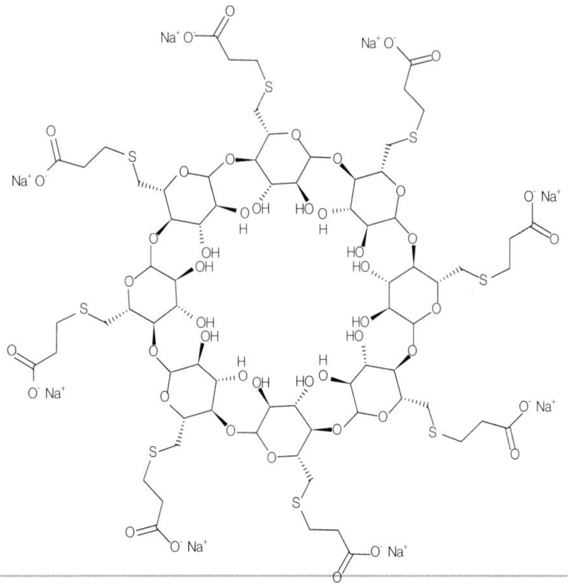

그림 22-6. 수가마덱스의 구조

만약, 로큐로니움을 사용했다면 그에 특화된 8개의 곁가지(side chain)를 가진 감마-사이클로덱스트린(γ-cyclodextrin)인 수가마덱스(Sugammadex)를 사용 할 수 있다.

그림 22-6과 같이 도넛처럼 생긴 수가마덱스는 로큐로니움을 포획하여 복합체를 형성한 뒤 신장으로 배설된다. 콜린성 부작용이 없으며 신기능 저하에도 배설에 영향이 없는 것이 큰 장점이다. 1:1로 복합체를 형성하므로 불충분한 용량이 투여되었을 경우, 신경근차단이 재발현 될 수도 있다.

환자의 호흡과 반사가 충분히 회복되는 것은 머리들기, 다리들기 등의 기준(그림 22-7)에 의해 평가되는데 호흡근의 회복이 충분하다고 판단되면, 기관내삽관 튜브를 발관

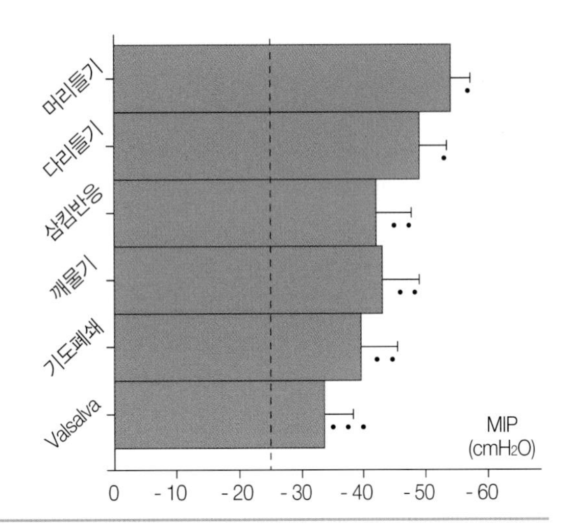

그림 22-7. 머리들기와 다리들기가 근이완의 역전 정도를 판정하는 가장 신뢰도 높은 표준검사이다.
(MIP: maximum inspiration pressure)

하고 환자를 회복실로 옮긴다.

4) 흡입마취와 정맥마취의 기본원리

(1) 흡입마취의 기본원리

흡입마취제는 척수, 뇌간, 대뇌 겉질에 작용하지만, 중추신경계통의 한 특정 부위에 국한되지 않고 동시에 각기 다른 여러 부위에 다양하게 작용하여 마취의 여러 요소가 발현된다. 무의식과 기억상실은 대뇌 겉질이 관여하며, 최소폐포농도(minimum alveolar concentration, MAC)의 측정요소인 자극에 대한 움직임 억제는 척수 수준에서의 마취제작용으로 알려져 있다. 흡입마취제는 억제성인 GABA (Gamma-Aminobutyric Acid) 수용체와 글라이신(glycine) 수용체의 기능을 항진시킨다. 마취제에 의한 GABA 기능조절은 전신마취작용의 주된 기전으로 알려져 있다. 흡입마취제는 시냅스 전에 글루탐산염의 유리를 감소 시키고, NMDA (N-methyl D-aspartate) 수용체가 중요한 역할을 담당하고 있다. 비할로겐 흡입마취제인 아산화질소와 크세논의 경우 임상농도에서 NMDA 수용체를 차단하며 GABA 수용체는 거의 영향을 받지 않는다고 알려져 있다. 칼슘통로, 칼륨통로, 나트륨통로, HCN (hyperpoation activated cyclic nucleotide-gated) 통로와 같은 전압의존성 이온통로의 기능도 흡입마취제에 의해 영향을 받는다. 또한, 마취제는 안정막전위와 활동전압 문턱값(threshold)을 변화시킴으로써 시냅스흥분을 억제하며, 시냅스전도에 영향을 미친다.

①용해도와 분배계수

용해도(solubility, λ)는 용액에서의 가스의 농도를 말한다. 약물의 분배계수(distribution coefficient)는 평형상태에서 하나의 구획에 대한 서로 교통하는 다른 구획에 대한 약물의 농도비로 정의된다. 따라서 분배계수는 서로 다른 두 구획(용매)에 대한 약물(용질)의 용해도를 나타낸다.

$$\lambda = \frac{V_{dissolvedgas}}{V_{Liquid}} \quad (V: volume)$$

이것은 정맥이나 근육으로 투여된 약물의 분포용적과 비슷한 개념이다. 흡입마취제의 '혈액/가스'분배계수와 '조직/혈액' 분배계수는 인체 내에서 흡입마취제의 분포를 결정한다(표 22-4).

표 22-4. 정상체온(37℃)에서의 흡입마취제의 분배계수

	아산화질소	이소플루란	세보플루란	데스플루란	크세논
혈액/가스	0.47	1.4	0.65	0.42	0.14
뇌/혈액	1.1	1.6	1.7	1.3	
근육/혈액	1.2	2.9	3.1	2.0	
지방/혈액	2.3	45	47.5	27	

혈액/가스 분배계수가 1.4라는 것은 혈중농도는 폐포분압의 1.4배라는 것을 의미하며, 뇌/혈액 분배계수가 1.9라는 것은 1 ml의 뇌조직이 1 ml의 혈액보다 1.9배의 마취가스를 포함하고 있다는 것을 의미한다. 이 분배계수가 큰 마취제는 호흡 유량의 영향이 크며, 심박출량 및 폐포환기, 재환기에 의해 마취 유도속도가 영향을 받는다.

② 흡입마취제의 들숨분율(Fraction inspired, FI)에 영향을 미치는 인자

마취기에서 일정농도의 산소와 흡입마취제가 혼합되어 나오는데 이를 신선가스흐름(fresh gas flow)이라 한다. 환자에게 투여되는 흡입마취제의 들숨농도는 마취기의 신선가스유속, 호흡회로의 부피, 회로에서의 흡입마취제의 흡수율에 의해 결정된다. 즉, 신선가스유속이 높을수록, 호흡회로부피가 작을수록, 호흡회로에서 흡입마취제의 흡수가 낮을수록 흡입마취제의 들숨농도가 신선가스의 흡입마취제농도와 가깝게 된다.

③ 흡입마취제의 폐포분율(Fraction alveoli, FA)에 영향을 미치는 인자

만일 흡입마취제가 조직에 흡수되지 않는다면 흡입마취제의 폐포농도가 들숨농도에 빨리 접근하게 된다. 마취유도 중에 허파순환에 의해 흡입마취제가 흡수되면 흡입마취제의 폐포농도가 들숨농도에 비해 낮아지게 된다. 즉, 조직에서의 흡입마취제의 흡수가 많아지면 많아질수록 흡입마취제의 폐포농도의 증가율이 낮아져 FA/FI 비율의 증가 속도가 느려지게 된다. 폐포의 흡입마취제분압는 혈액과 뇌의 흡입마취제의 분압을 결정하는데 아주 중요하다. 뇌에서의 흡입마취제의 분압은 흡입마취제가 효과를 나타내는 뇌에서의 흡입마취제의 농도와 직접적으로 비례한다. FA에 영향을 주는 인자로는 분당 폐포환기량, 흡입마취제의 섭취량, 농도효과 등을 들 수 있다.

흡입마취제의 흡입농도를 높일수록 뇌의 흡입마취농도가 더욱 높아져 흡입마취의 유도가 빨라지게 된다. 흡입마취제의 섭취로 흡입마취제의 폐포분압이 낮아지면 폐포환기의 증가에 의해 폐포분압이 증가한다. 즉, 폐포환기를 증가시키면 허파순환에 의해 흡입마취제가 섭취되더라도 흡입마취제의 폐포농도를 유지시킨다. 용해도가 높은 흡입마취제일수록 폐포환기를 증가시키면 FA/FI 비율이 두드러지게 상승하나 용해도가 낮은 흡입마취제는 이미 FA/FI 비율이 높은 상태이기 때문에 폐포환기를 증가시켜도 그 효과는 미미하다.

혈액에서 흡입마취제의 섭취량은

$$체내흡수 = 용해도 \times 심박출량 \times \frac{P_A - P_V}{대기압}$$

($P_A - P_V$): 흡입마취제의 폐포-정맥혈 분압 차이)

따라서 흡입마취제의 섭취에 영향을 미치는 인자는 용해도, 심박출량, 흡입마취제의 폐포-정맥혈액 분압 차이이다.

흡입마취제의 섭취에 영향을 미치는 첫 번째 인자는 용해도이다. 아산화질소와 같이 혈액에 대한 용해도가 낮은 마취제는 이소플루란과 같이 용해도가 비교적 높은 마취제에 비해 혈액에 의해 흡수되는 비율이 더 적다. 그 결과 아산화질소의 폐포농도는 이소플루란에 비해 더 빨리 증가하게 되어 마취유도가 더 빠르게 된다. 따라서 용해도가 높으면 폐포의 마취제분압이 더 서서히 증가하기 때문에 마취유도가 느리게 된다.

다음인자는 심박출량이다. 이것이 증가하면 흡입마취제의 섭취가 증가하여 폐포의 흡입마취제분압이 서서히 증가하므로 마취유도가 늦어지고 심박출량이 감소하면 폐포의 흡입마취제분압이 더 빨리 증가하여 마취유도가 빨라진다. 용해도가 낮은 마취제는 폐포의 혈류에 의해 영향을 덜 받기 때문에 심박출량의 변화에 대한 흡입마취제의 효과는 더 작으나, 용해도가 높은 마취제를 투여한 경우에 심박출량이 감소하면 흡입마취제의 폐포 농도가 급격하게 증가할 수 있다. 마지막 인자는 흡입마취제의 폐포-정맥혈 분압 차이이다. 이 분압의 차이는 조직에서의 흡입마취제 섭취에 의해 나타난다. 즉, 흡입마취제가 뇌와 같은 조직으로 섭취되지 않는다면 흡입마취제의 폐포분압과 정맥혈액 분압이 같아서 허파에서의 흡입마취제 섭취가 일어나지 않게 된다.

표 22-5. 조직량과 심박출량의 연관관계

	혈관풍부조직군 (뇌, 심장, 간, 콩팥, 내분비기관 등)	근육	지방	혈관부족조직군 (뼈, 인대, 머리카락 등)
조직량(%)	10	50	20	20
심박출량(%)	75	19	6	0

조직은 그 조직으로 가는 혈류의 양에 따라 네 군으로 나눌 수 있다(표 22-5). 마취유도 시작 4~8분 후에는 혈관충부조직군에 90% 포화되며 근육은 2~4시간 후에야 흡수가 시작된다.

④ 흡입마취가스의 폐포분율(alveolar partial pressure of the agent) (FA/Fi ratio)

분율을 빠르게 상승시켜 신속한 마취를 유도하는 방법은 그림 22-8의 급경사부의 기울기를 가파르게 하는 것이다(표 22-6).

⑤ 농도효과(concentration effect)와 이차가스효과(secondary gas effect)

마취제의 흡기농도가 높을수록 마취제의 폐포농도와 그 농도의 상승속도를 증가시키는 현상을 농도효과(concentration effect)라고 한다. 농도효과는 농축효과(concentrationg effect)와 흡입환기증폭(augmentation of inspired ventilation)으로 이루어진다. 만일 흡입마취제의 50%가 폐순환에 의해 섭취된다고 가정한 상태에서, 흡입마취제를 20%의 흡입농도로 투여하면 총 가스 100 중 흡입마취제가 20이 폐포로 들어가서, 흡입마취제의 50%가 폐순환에 의해 섭취되면 흡입마취제 10이 섭취되어 결국 총 가스 90 중에서 흡입마취제 10이 남아 있게 되어 흡입마취제의 폐포농도는 11%가 된다. 반면, 흡입마취제의 농도를 80%로 증가시키면 총 가스 100 중 흡입마취제가 80이 되고, 이 흡입마취제가 폐순환에 의해 50% 섭취되면 흡입마취제 40이 섭취되므로 폐포에는 총 60 중 흡입마취제가 40이 되어 흡입마취제의 폐포농도는 67%가 된다. 위와 같이 흡입마취제가 폐순환에 의해 50% 섭취된다고 하더라도 들숨농도를 증가시키면 폐포농도가 더욱 증가한다. 즉, 흡입마취제의 농도를 4배로 증가시키면 폐포농도는 6배 증가한다.

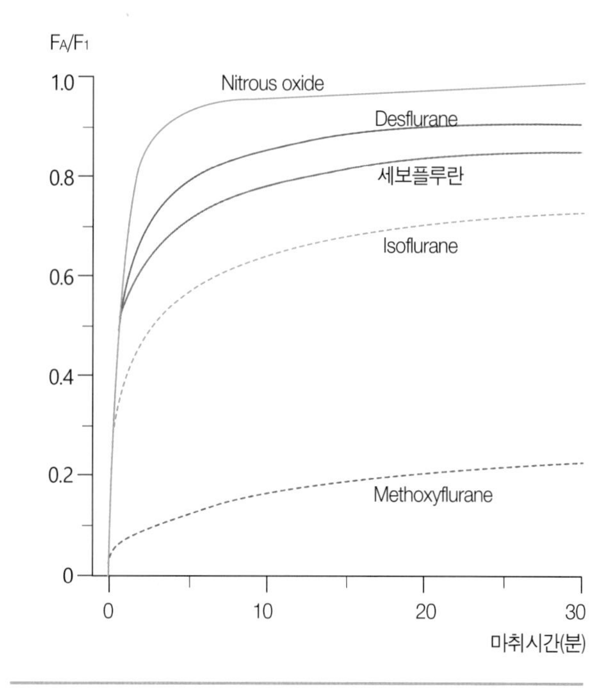

그림 22-8. 흡입농도에 대한 폐포농도의 비(F_A/F_I)의 변화
처음의 급경사부분은 환기에 의해, 중간 무릎부위는 혈관풍부조직군에서의 마취제흡수에 의해, 마지막 편평부위는 근육군, 지방군, 혈관부족조직군에서의 마취제의 흡수에 의해 나타난다.

표 22-6. 신속한 마취유도를 일으키는 요소

심박출량의 감소
혈액/가스 분배계수가 작은 마취제
분당 폐포환기량의 증가
흡입마취제의 폐포-정맥혈 분압차이 적을 때
공급량, 즉 흡입분율이 높을 때(FI)
기능적 잔기량(Fuctional residual capacity)이 작은 상황(임신 등)

흡입환기증폭효과는 다음과 같이 설명한다. 흡입마취제가 폐순환에 의해 50% 섭취된다는 상기의 가정을 그대

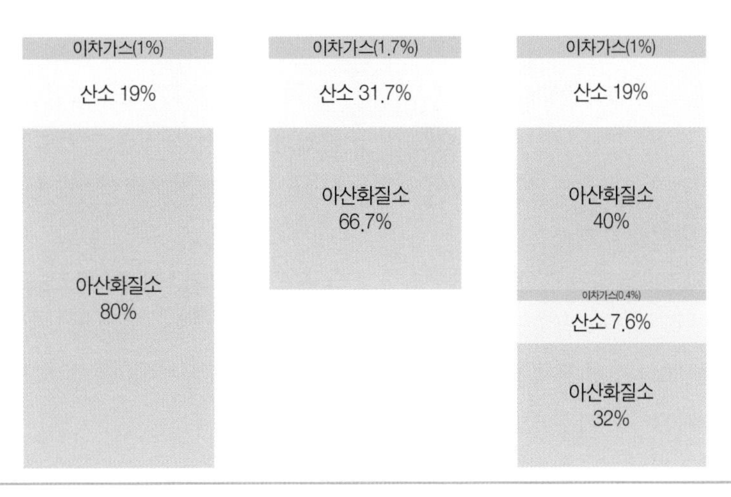

그림 22-9. 농도효과와 이차가스효과
80%의 아산화질소와 1% 이차가스를 투여한 후 아산화질소의 절반이 흡수되면 아산화질소의 흡수에 의해 전체용적이 감소하므로 폐포 내의 아산화질소의 농도는 40%가 아닌 66.7%로 증가하게 되고(농축효과) 이차가스의 농도는 1.7%로 증가하게 된다. 아산화질소의 흡수로 인하여 허파용적이 감소하면 처음 투여한 가스와 동일한 비율로 채워지게 되어(환기증폭) 결국 아산화질소와 이차가스의 농도가 증가하게 된다.

로 적용하면, 흡입마취제를 20%의 흡입농도로 투여하였을 때 흡입마취제의 10이 섭취되는데, 폐포허탈을 예방하기 위하여 섭취된 부분만큼 20%의 흡입마취제로 채워지게 되어 총 100 중 흡입마취제 10에 2를 더한 12가 되어 12%가 된다. 반면 80%의 흡입마취제를 투여하면 50%의 흡입마취제가 섭취되어 67%가 되고 이어서 흡수된 40의 부분이 80%의 흡입마취제로 투여되어 총 100 중 40에 32를 더한 72%로 증가하게 된다.

이차가스효과란 고농도의 아산화질소와 같은 일차가스와 저농도의 휘발성흡입마취제인 이차가스를 동시에 투여하였을 때 아산화질소의 섭취에 의한 농도효과가 나타나면서 이차가스의 농도가 증가하는 것을 말한다. 만일 80%의 아산화질소와 1%의 흡입마취제 그리고 19%의 산소를 투여한 경우에 폐순환에 의해 아산화질소가 50% 섭취된다면 아산화질소 40, 산소 19, 흡입마취제 1로 구성이 되어 아산화질소 농도는 66.7%, 산소농도는 31.7%, 흡입마취제농도는 1.7%가 된다. 이어서 흡입환기 증폭작용에 의해 아산화질소 32, 산소 7.6, 흡입마취제 0.4가 추가로 흡입되어 두 번째 호흡 후에는 아산화질소 농도가 72%, 산소농도는 26.6%, 흡입마취제는 1.4%로 증가하여 결국 이차가스가 농축되고 폐포분압이 증가하게 된다(그림 22-9).

⑥ 흡입마취제의 동맥혈액분율(Fraction arterial, Fa)에 영향을 미치는 인자

이상적으로는 흡입마취제의 폐포분압과 동맥혈액분압은 같아야 하나, 혼합정맥혈(venous admixture), 폐포사강(alveolar dead space), 폐포가스분포의 불균일, 환기관류불균형(ventilation perfusion mismatching) 등에 의해 흡입마취제의 폐포분압과 동맥혈액분압의 차이가 나게 된다. 심장 내에 좌우단락(Left to Right shunt)이 있는 경우, 혼합정맥혈의 마취제 분압이 증가하므로 폐포로부터 마취제 흡수가 느리게 되어 유도속도가 빠르게 되나, 우좌단락(Right to left shunt)이 있는 경우 단락이 있는 쪽의 폐는 마취제의 흡수에 관여하지 못하여 용해도가 낮은 흡입마취제에 의한 마취유도가 늦어진다. 기관지삽관(Endobronchial intubation)이 되었을 때도 용해도가 낮은 마취유도 속도가 느려지는데, 이것은 한쪽 폐로만 마취제가 흡수되므로 호기말 마취제 분압이 증가하고 환기관류불균형이 증가하기 때문이다.

우좌단락이 있는 경우 및 기관지삽관의 경우 용해도가 높은 마취제를 사용할 경우 느린 유도속도를 극복할 수 있다.

⑦ 흡입마취제의 제거에 영향을 미치는 인자

흡입마취에서의 회복은 뇌조직에 있는 흡입마취제농도를 낮추어줌으로써 이루어진다. 흡입마취제는 체내대사, 피부를 통과한 소실, 허파를 통한 배설 등에 의해 체내에서 제거된다. 흡입마취제를 제거하는 가장 중요한 경로는 폐포이다. 흡입마취제에 의한 마취유도에 영향을 미치는 인자가 마취제로부터의 회복에도 영향을 미친다. 즉, 마취제에서 회복이 빠르게 하기 위해서는 재호흡을 하지 않게 하고, 신선가스유량을 높여주며, 호흡회로에 마취제의 용량이 낮아야 하고, 마취호흡회로에 대한 마취제의 흡수가 적어야 하며, 마취제의 용해도가 낮아야 하고, 뇌혈류가 높아야 하며, 폐포환기가 많아야 한다. 마취시간도 흡입마취제 배출시간에 영향을 미치는데, 흡입마취제를 60% 배출 시키는 시간은 영향을 미치지 않지만 80%배출시간은 용해도가 낮은 마취제라도 마취제 투여시간에 영향을 받는다.

마취에서 회복하는 도중에 아산화질소 투여를 중지하고 공기를 흡입시키면, 질소의 혈액/가스분배계수가 아산화질소의 1/35 밖에 되지 않기 때문에 질소가 폐포에서 혈액으로 이동하는 양보다 아산화질소가 혈중에서 폐포로 이동하는 양이 훨씬 더 많아, 폐포 내의 산소와 이산화탄소의 농도가 낮아지게 된다. 이를 확산성저산소증(diffusion hypoxia)이라고 한다. 폐포의 산소농도가 낮아져 저산소혈증을 유발시키고 폐포의 이산화탄소농도가 낮아짐으로써 호흡구동이 억제되어 결국 저산소혈증을 더욱 악화시킨다. 따라서 아산화질소를 이용하여 마취를 시행한 후에는 100% 산소를 5분간 투여함으로써 저산소혈증을 예방해야 한다.

⑧ 흡입마취제의 상대적 역가, 최소폐포농도(minimal alveolar concentration, MAC)

MAC은 '1기압에서 피부절개 등 표준자극에 대해 50%의 환자가 움직이지 않을 때의 폐포 내 마취제농도'를 의미한다. MAC은 모든 흡입마취제에 적용될 수 있으며 흡입마취제의 상대적 역가를 표시하는 데 사용된다. MAC 값이 작을수록 역가가 높은 마취제라 할 수 있다.

표 22-7 각 마취가스의 최소폐포농도

	크세논	데스플루란	아산화질소	세보플루란	이소플루란
MAC (vol%)	71	6	105	2	1.2

MAC은 용량-반응곡선의 단지 한 부분만을 나타내며 정맥마취제의 50% 중간유효용량(median effective dose, ED50)에 상응하는 값이다. 대상환자의 95%가 자극에 대해 움직이지 않기 위해서는 대략 1.2-1.3 MAC 정도의 마취제가 요구되므로 단일 마취제로 마취를 유지하기 위해서는 1 MAC보다 높은 농도로 투여해야 한다. 두 가지 이상의 마취제를 투여할 경우 MAC 값은 부가적이다. 즉 A 마취제 0.5 MAC과 B 마취제 0.5 MAC을 함께 투여하면 단일 마취제를 약 1 MAC의 농도로 투여하는 것과 같은 효과를 얻을 수 있다. MAC은 마취유지뿐만 아니라 회복 시에도 유용하다. 마취회복 시 대화에 반응할 때의 폐포내농도를 MAC awake라 하며 0.3-0.4 MAC 정도의 농도가 이에 해당된다. 마취유지 중에는 표준자극에 대한 혈압과 심박수의 반응 정도로 마취심도를 판단하게 된다. MACBAR (block adrenergic response)는 표준자극에 대해 50%의 환자에서 아드레날린반응이 차단되는 마취제 농도로 MAC 값보다는 커서 약 1.7-2.0 MAC에 해당한다. MAC은 마취 시간, 성별, 대사성 산증, 고혈압에는 영향을 받지 않지만 다른 여러 가지 생리적 및 약리적 변수에 의해 감소 혹은 증가할 수 있다(표 22-8).

(2) 정맥마취의 기본원리 및 정맥마취제

이상적인 정맥마취제란 ① 주사할 때 효과가 즉시 나타나고 주사할 때 정맥이 자극되거나 주사부위에 통증이 없어야 하며, ② 마취의 유도가 부드럽고 근육의 단일수축이나 흥분 등의 증상이 나타나지 않아야 하고, ③ 정맥 내로 투여할 때 안전해야 하고 심장혈관기능이나 호흡기능

표 22-8. MAC에 영향을 주는 요인

MAC 감소	MAC 증가
임신, 노인 저체온 저산소증(PaO_2 <40 mmHg) 고탄산혈증($PaCO_2$ >95 mmHg) 빈혈 (Hct <10%) 평균동맥압 <40 mmHg	영아, 사춘기 42℃
저나트륨혈증 고칼슘혈증 급성 알코올중독 만성 암페타민 중독	고나트륨혈증 만성 알코올중독 급성 암페타민중독
마약, 케타민, 디아제팜, 시메티딘 α-methyl Dopa, reserpine 리튬, 칼슘, 마그네슘 verapamil, anticholinesterase 신경근차단제, 국소마취제	코카인, MAO inhibitor Ephedrine

에 영향을 미치지 않아야 한다. ④ 또한 작용시간이 짧아서 투여를 중지하면 환자는 곧 바로 깨어서 정상적인 중추신경계통의 기능이 완전히 돌아와야 하고, ⑤ 약의 대사와 배설이 빨라 약을 정맥 내로 장시간 동안 일정하게 주입할 수 있어야 하며, ⑥ 수술실 내의 모든 일에 대한 기억이 완전히 상실해야 한다.

최근 약물동력학과 약물역학의 연구와 함께 약물의 주입방법의 발달과 새로운 마취약제의 출현으로 목표농도조절주입기와 전정맥마취 등이 소개 되었다. 약효의 발현과 소실이 빠른 정맥마취제와 진통제의 등장으로 쉽고 정확한 약물주입이 가능하게 되었다. 목표농도조절주입은 농도조절을 펌프의 주입속도로 조절하지 않고 이전에 수집한 환자의 정보를 수치화한 함수를 미리 프로그램화 하여 체중, 연령, 성별, 신장 등을 입력하면, 의사가 원하는 목표농도를 입력하는 것으로 주입속도를 자동으로 조절하는 시스템이다. 그러나 사전 수집된 정보에 한계가 있어 소아나 고령, 과체중이나 저체중 환자의 경우 적용할 수 없는 단점이 있다. 하지만 허용되는 범위 내에서 주의 깊게 사용하면 충분한 효과를 얻을 수 있을 뿐만 아니라 비교적 안전하고, 마취에서의 각성이 빠르기 때문에 사용이 증가하고 있다.

전신마취를 위한 정맥마취제는 진정법을 위한 정맥마취제와 그 흐름을 같이하므로 제14장 진정약물의 약동학 및 약력학과 제20장 정주 진정법을 참고하기 바란다.

5) 흡입마취제와 특성

(1) 흡입마취제

현재 우리나라에서 사용되고 있는 흡입마취제로는 아

표 22-9. 흡입마취제의 일반적 성질

	아산화질소	이소플루란	데스플루란	세보플루란
분자량(g)	44	184	168	200
비등점(℃)	-88	49	24	59
증기압 (mmHg, 20℃)	38,770	238	669	157
대사율(%)		0.2	0.02	2-5

▶ 구조

$N{\equiv}\overset{+}{N}{-}O^{-} \longleftrightarrow {}^{-}N{=}\overset{+}{N}{=}O$

아산화질소 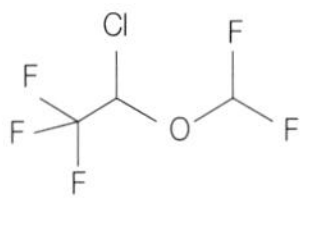　　이소플루란 　　데스플루란 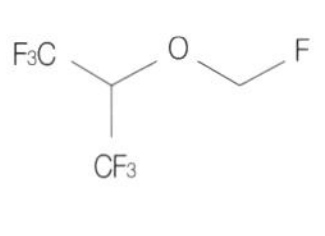　　세보플루란

산화질소, 이소플루란, 세보플루란, 데스플루란이 있으며 장차 크세논이 사용될 것으로 예상하고 있다. 따라서 이들의 흡입마취제의 특성에 대하여 각각 살펴보기로 한다(표 22-9).

① 아산화질소(Nitrous oxide, N_2O)

아산화질소에 대해서는 제19장 흡입진정법에서 자세히 다루고 있다. 이 가스자체는 인화성이나 폭발성은 없으나 조연성이 있다. 아산화질소는 실온과 대기압에서 기체상태로 존재 50기압으로 압력을 가하여 액체 상태로 통에 보관하며, 용기 내의 아산화질소의 저장량을 판단하기 위해서는 용기의 무게를 측정해야 한다.

A. 마취작용

아산화질소의 혈액/가스분배계수가 0.47로 낮아 마취유도가 아주 빠르고, MAC은 105%로 아산화질소 단독으로는 수술에 필요한 마취심도를 얻기는 힘드나 용해도가 낮은 휘발성흡입마취제를 함께 사용 시에 마취유도가 빨라지고 휘발성흡입마취제의 농도를 감소시킬 수 있어 비교적 안전한 마취유지를 할 수 있다. 아산화질소를 65%로 투여하면 다른 흡입마취제의 MAC을 약 50% 정도 감소시킬 수 있다.

B. 심혈관계통에 미치는 영향

교감신경계를 자극하여 폐혈관민무늬근육을 수축시켜 폐혈관저항을 증가시켜 오른심실확장기말압력을 증가시키고, 피부혈관은 수축시키지만 말초혈관저항에는 영향을 거의 미치지 않는다. 아산화질소가 내인성 카테콜아민치를 증가시키기 때문에 에피네프린 유도부정맥의 발생률을 증가시킬 수 있다.

C. 호흡기계에 미치는 영향

중추신경계통을 자극하고 폐신장수용체(pulmonary stretch receptor)를 활성화시켜서 호흡수를 증가시키지만, 일회호흡량을 감소시켜 분당환기량과 안정상태에서의 동맥혈액탄산가스분압은 거의 정상을 유지한다. 아산화질소가 소량 존재하더라도 목동맥토리에 있는 말초화학수용체에 의해 매개되는 저산소혈증에 대한 환기반응인 저산소호흡구동은 심하게 억제된다. 따라서 회복실에서 저산소혈증이 있는 환자에서 심한 호흡억제가 올 수 있다는 점을 항상 염두에 두어야 한다.

D. 뇌에 미치는 영향

아산화질소는 뇌혈류를 증가시키고 머리속압력(intracranial pressure, ICP)을 약간 상승시키며, 또한 대뇌산소소모량을 증가시킨다. 1 MAC 이하의 아산화질소를 투여하면 치과수술이나 다른 소수술을 시행할 경우에 진통효과를 볼 수 있다. 일부 연구에서는 아산화질소가 숨뇌에 있는 화학수용체유발구역과 구토중추를 활성화시켜 수술 후 구역과 구토를 유발시킨다고 하였으나, 다른 연구보고에서는 특히 어린이에서 아산화질소가 구토를 유발시키지 않는다고 하였다.

E. 신경근육에 미치는 영향

아산화질소는 다른 흡입마취제와는 달리 근육을 이완시키지는 않는다.

F. 대사와 독성

아산화질소는 비타민 B12에 있는 코발트원자를 비가역적으로 산화시키기 때문에 비타민 B12에 의존하는 효소를 억제한다. 비타민 B12에 의존하는 효소 중의 하나인 메티오닌 생성효소(methionine synthetase)는 말이집(myelin)형성과 DNA 합성에 필요한 티미딜산 생성효소(thymidylate synthase)에 필요한 조효소이다. 따라서 아산화질소의 마취제농도를 오랫동안 흡입하게 되면 골수가 억제되어 큰적혈구모세포빈혈(megaloblastic anemia)이 발생할 수 있고 말초신경병증, 악성 빈혈 등이 발생할 수 있다. 아산화질소는 기형유발작용이 있으므로 임신환자에서는 피하는 것이 좋다.

G. 금기

아산화질소가 다른 흡입마취제에 비해서는 용해도가

낮지만 질소에 비해서는 용해도가 35배 더 높다. 따라서 아산화질소가 혈류에 의해 흡수되면 질소에 비해 공기가 있는 공간으로 훨씬 더 빨리 확산된다. 따라서 공기색전증(air embolism), 공기가슴증, 급성 창자막힘증, 머리속공기, 허파공기주머니(pulmonary air cyst), 눈속공기거품, 고막이식 등의 환자에서는 아산화질소를 투여하지 않아야 한다. 기관내삽관을 시행한 환자에서 아산화질소가 기관내관기낭(endotracheal tube cuff) 내로 확산되어 기낭압력이 증가함으로써 기관점막을 손상시킬 수 있다. 아산화질소는 폐혈관에 영향을 미치므로 폐혈관고혈압환자에서는 사용을 피해야한다.

② 이소플루란(Isoflurane)

이소플루란은 비폭발성이며 냄새가 자극적이다.

A. 마취작용

혈액/가스용해도는 1.4로 현재 우리나라에서 시판되고 있는 흡입마취제 중 용해도가 가장 높기 때문에 마취유도가 가장 느리다. MAC은 1.2%로 현재 임상에서 사용되는 흡입마취제 중 역가가 가장 높다.

B. 심혈관계통에 미치는 영향

이소플루란은 체내에서 심장을 억제하는 작용이 거의 미미하다. 목동맥압력반사를 일부 보존하여 심장박동수를 증가시킴으로써 심박출량을 유지한다. β-아드레날린 수용체를 자극하여 뼈대근육혈류를 증가시키고 전신혈관저항을 감소시키며 동맥혈압을 하강시킨다.이소플루란의 농도를 갑자기 증가시키면 심장박동수와 동맥혈압, 및 혈장 노르에피네프린(norepinephrine) 수치가 증가한다. 이소플루란은 심장동맥을 이완시키나 니트로글리세린(nitroglycerine)이나 아데노신(adenosine)만큼은 아니다.

C. 호흡기계에 미치는 영향

빠르고 얕은 호흡을 하게 되며 일회호흡량의 감소를 호흡수의 증가로 극복하려고 하나 충분하지 못하기 때문에 결국 분당호흡량은 감소한다. 이소플루란이 0.1 MAC 정도의 아주 낮은 농도에서도 저산소증과 고탄산혈증에 대한 정상환기반응이 둔화된다. 상기도반사를 자극하는 경향이 있지만 기관지확장효과가 좋다고 알려져 있다.

D. 뇌에 미치는 영향

이소플루란을 1 MAC 이상 투여하면 뇌혈류량이 증가하고 머리속압력이 상승한다. 이 효과는 과도호흡에 의해 상쇄될 수 있으나 머리속압력을 상승을 예방하기 위해 이소플루란을 사용하기 전에 의도적으로 과다호흡을 시키는 것은 추천되지 않는다. 이소플루란을 고농도로 투여하면 뇌혈류량의 자동조절이 손상을 입게 되어 저혈압이 발생하면 뇌혈류량이 감소하게 된다. 뇌대사산소요구량을 감소시키며, 2 MAC의 이소플루란을 투여하면 뇌파도가 전기적으로 억제된다. 이 작용으로 미루어 대뇌허혈이 있는 경우에 어느 정도 뇌보호 작용이 있을 것으로 추정한다.

E. 기타 장기에 미치는 영향

뼈대근육을 이완시키며, 콩팥혈류, 토리거름률(glomerular filtration rate, GFR)과 소변배출량을 감소시킨다. 이소플루란 마취 중에 간혈류가 감소한다. 간동맥관류와 간정맥산소포화도가 잘 유지되며 간기능검사에는 거의 영향을 미치지 않는다.

F. 대사와 독성

이소플루란은 트리플루오로아세트산(trifluoroacetic acid)으로 대사된다. 혈장 불소이온의 수치가 하나 콩팥에 대한 독성은 거의 없다. 또한 대사되는 양이 아주 적기 때문에 현저한 간기능이상을 초래할 가능성은 거의 없다.

G. 금기 및 약물 상호작용

특별한 금기는 없다. 심한 혈장저하증이 있는 환자에서는 혈관확장효과 때문에 사용에 신중을 기해야 한다. 이소플루란으로 마취하는 동안에 에피네프린을 4.5 μg/kg까지 사용할 수 있으며 비탈분극 신경근차단제의 효과를 연장시킨다.

③ 데스플루란(Desflurane)

이소플루란의 염소원자를 불소로 치환한 형태이나 물리적 성질은 아주 다르다.

A. 마취작용

데스플루란은 혈액과 조직에 대한 용해도가 아주 낮기 때문에 마취유도와 마취에서의 회복이 다른 흡입마취제에 비해 더 빠르다. 특성은 증기압이 높다는 점과 작용시간이 아주 짧다는 점, 그리고 마취제의 효능 즉 역가는 중간 정도라는 점이다.

B. 심장혈관계통에 미치는 영향

데스플루란은 심장박동수와 중심정맥압 및 허파동맥압을 증가시키나 저용량에서는 증가시키지 않는다. Des 데스플루란의 농도를 갑자기 증가시키면 일시적이기는 하나 심장박동수와 동맥혈압 및 카테콜아민 치가 급격하게 상승할 수 있으며 심장혈관질환이 있는 환자에서는 특히 더 심하다. 이러한 반사성 반응은 펜타닐(fentanyl), 에스몰롤(esmolol)에 의해 약화시킬 수 있다. 데스플루란은 관상동맥 혈류량을 증가시키지는 않으며, 심근을 감작시키지 않기 때문에 4.5 ㎍/kg까지 에피네프린을 안전하게 사용할 수 있다.

C. 호흡기계에 미치는 영향

일회호흡량을 감소시키고 분당호흡횟수를 증가시키는데, 결국 폐포환기는 감소하여 동맥혈액탄산가스분압이 증가한다. 데스플루란은 다른 흡입마취제와 마찬가지로 동맥혈액탄산가스분압의 증가에 대한 환기반응을 억제한다. 데스플루란으로 마취를 유도할 때 기도에 자극적이어서 침분비, 호흡멈춤, 기침, 성대문연축(laryngospasm) 등의 증상이 나타날 수 있다.

D. 뇌에 미치는 영향

정상탄산상태에서 뇌혈관을 직접 확장시키며 뇌혈류량을 증가시키고 머리속압력을 상승시킨다. 뇌혈관저항을 감소시키는데 대한 반대작용으로 대뇌산소대사율이 급격하게 감소하여 뇌혈관수축을 일으키게 함으로써 뇌혈류의 증가를 어느 정도 조절한다. 뇌혈관은 동맥혈액탄산가스분압의 변화에 반응을 할 수 있고 과다호흡을 시킴으로써 두개내압을 낮출 수 있다. 데스플루란으로 평균동맥압을 60 mmHg로 유지하는 유도저혈압을 시킬 때 뇌관류압이 낮음에도 불구하고 뇌혈류는 뇌의 호기대사를 유지하는데 충분하다.

E. 기타 장기에 미치는 영향

데스플루란은 흡입마취제 중에 비탈분극성 이완제의 작용을 가장 강화한다. 데스플루란이 콩팥과 간에 독성을 주거나 손상을 입힌다는 증거는 없다.

F. 대사와 독성

데스플루란은 바랄라임(Barium hydroxide lime) 등의 탄산가스흡수제에 의해 일산화탄소가 생성되는데, 일산화탄소가 상당량이 존재하더라도 전신마취하에서는 진단하기 힘들다. 위험인자는 오래된 흡수제를 사용하거나, 높은 마취가스농도, 낮은 신선가스유량을 사용했을 때이다. 동맥혈액가스분석으로 일산화탄소혈색소의 존재하거나 맥박산소측정기에서 예상치보다 낮게 측정된 경우에는 일산화탄소의 생성을 의심해야 한다. 탄산가스흡수제로 건조한 칼슘수산화물(Calcium hydroxide)을 사용함으로써 일산화탄소중독을 예방할 수 있다.

④ 세보플루란(sevoflurane)

A. 마취작용

기도에 자극적이지 않으며 폐포에서 마취제의 농도가 급격하게 증가하므로 어린이나 어른에서 세보플루란을 흡입시켜 부드럽고 빠르게 마취를 유도할 수 있다. 4~8%의 세보플루란과 50%의 아산화질소를 흡입시키면 1~3분 내에 마취를 유도할 수 있다. 세보플루란은 데스플루란과 마찬가지로 빨리 각성하기 때문에 일부 환아에서 섬망(delirium)이 나타날 수 있는 가능성이 증가하는데 이는 펜타닐 1.0~2.0 μg/kg으로 치료할 수 있다.

B. 심장혈관계통에 미치는 영향

세보플루란은 심장근육수축력을 약간 억제한다. 카테콜아민에 의해 유도되는 부정맥을 증가시키지 않는다.

C. 호흡기계에 미치는 영향

세보플루란은 호흡수를 약간 증가시키나 일회호흡량의 감소로 분당호흡량을 감소시켜 동맥혈액탄산가스분압이 증가한다. 기관지를 확장시키는 작용이 있으며 미주신경에 의해 매개되는 기관지연축을 상당히 약화시키는 작용이 있다.

D. 뇌에 미치는 영향

정상탄산상태에서 뇌혈류량과 머리속압력을 약간 증가시킨다. 세보플루란을 1.5 MAC 이상의 고농도로 투여하면 뇌혈류량의 자동조절(autoregulation)이 손상을 입게 되어 저혈압이 발생하면 뇌혈류량이 감소하게 되는데 이 효과는 이소플루란에 비해 그 효과가 더 약하다. 세보플루란은 뇌대사산소요구량을 감소시키며 발작을 일으킨다는 보고는 없다.

E. 기타 장기에 미치는 영향

근육이완효과가 있기 때문에 중증 근무력증환자에서 세보플루란으로 흡입마취 유도한 후에 기관내삽관을 시행할 수 있다.

세보플루란은 간문맥(portal vein)의 혈류량을 감소시키나 간동맥혈류량을 증가시켜 전체 간혈류량과 산소공급량을 정상으로 유지시킨다. 또한 투여된 약제의 2~5%가 간의 미세소체효소(microsomal enzyme) P-450에 의해 대사되지만, 대사물질을 생성하지는 않는다. 세보플루란이 탄산가스흡수제인 소다라임이나 바랄라임과 같은 알칼리에 의해 분해되어 쥐에서 콩팥에 독성이 있는 compound A를 생성한다. 사람에서 독성이 보고되지는 않았다. 호흡가스온도가 올랐을 때, 저유량마취 시, 탄산가스흡수제로 건조한 바랄라임을 사용하였을 때, 고농도의 세보플루란을 투여하였을 때 이 compound A가 축적될 수 있다. 대부분의 연구보고에 의하면 세보플루란이 수술 후 콩팥기능에 이상을 초래하지 않는다고 한다. 그럼에도 불구하고 수 시간 이상 세보플루란으로 마취를 시행할 경우에는 신선가스량을 분당 2 L 이상으로 유지하고 콩팥기능이 이상이 있는 환자에게는 세보플루란의 투여를 피할 것을 권유하고 있다.

⑤ 크세논(Xenon)

크세논은 불활성가스로서 독성이 없고 체내에서 대사가 되지 않은 장점이 있으나 얻기가 힘들기 때문에 아주 비싸다. 크세논의 여러 특징이 이상적인 마취제와 가깝기 때문에 수년 전부터 관심의 대상이 되고 있다. 이 혈액/가스분배계수는 0.14로 용해도가 아주 낮기 때문에 마취유도가 아주 빠르고 마취에서의 회복 또한 아주 빠르다. 비폭발성이며 기도에 자극성이 없고 냄새가 없어 흡입하기가 아주 쉽다. 또한 크세논은 MAC이 71%이고 진통작용이 있으며 심장근육을 억제하는 작용은 거의 미미하다. 크세논을 얻기가 힘들고 가격이 비싸기 때문에 재순환시키기 위해서는 새로운 마취기의 발전이 필요하다.

2. 외래마취

일반적으로 전신마취는 입원환자를 대상으로 시행되어 왔다. 그러나 오늘날 치과에서 외래마취가 중요하게 사용되는 경우가 많다. 심신 장애인, 협조가 잘 안 되는 소아 환자, 치과적 집중치료가 필요한 환자, 간단한 구강외과 소수술 등 수술 후 입원하여 치료가 필요하지 않은 환자에서 외래 전신마취가 점차 증가하고 있다.

전신마취 시행일 이전(마취 전 2주 이내)에 외래에서 수술 전 검사를 시행하고, 치과치료 시행 당일에 다시 내원하여 전신마취하에서 치료를 하고, 치료 당일에 마취로부터 충분히 각성되도록 한 뒤에 귀가하도록 하는 방법을 외래마취라고 한다.

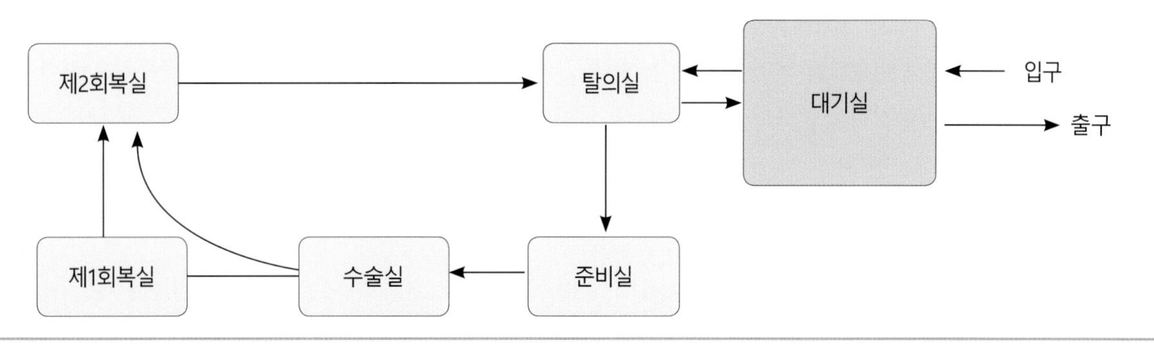

그림 22-10. 외래환자 수술 진료실의 필수 구성요소 및 환자이동 경로.

1) 외래마취의 장점과 단점

외래마취는 환자, 의료인, 병원, 건강보험 등에 많은 이점이 있다. 지적 및 지체장애나 행동조절장애가 있는 환자에서 환자의 협조가 불가능하여 일반적으로 치과외래에서 시행하는 치아검진, 충치치료, 보존치료 및 치주질환의 치료를 시행할 수 없는 경우에 전신마취를 시행함으로써 적절한 치료를 할 수 있다. 또한 입원으로 인한 환자와 보호자의 경제적, 정신적 부담을 줄여줄 수 있고, 입원환자의 수술에 비해 사회와 가족으로부터의 격리되는 시간을 줄일 수 있다. 외래마취로 인하여 입원을 하지 않음으로써 병원감염을 줄일 수 있으며 입원병상의 이용률을 향상시킬 수 있다.

그러나 귀가 후 치료 및 마취의 합병증 또는 약제의 부작용 등의 발생 시 응급 처치가 곤란하거나 지연될 수 있으며, 장애인이 마취에서 깨어날 때 각성상태의 판단이 어려울 수 있다. 또한, 수술실에서 행하는 전신마취에 비해 시설, 인력 면에서 위험도가 높다는 단점이 있다. 따라서 외래수술환자의 선택에 신중을 기해야 하며 합병증과 부작용의 원인 및 처치방법에 숙련되어 있어야 한다. 또한 환자가 준수해야 할 사항, 합병증 발생 시에 응급대처방법에 대해 환자와 보호자에게 사전에 충분히 주지시키고 환자와 의료진 간에 신속한 연락체계 수립, 수술 후 전화방문 등을 포함한 다각적인 대책을 수립해야 한다.

2) 외래마취를 위한 체계

외래수술실을 계획할 경우에는 여러 가지 고려해야 할 사항들이 있다. 효율적인 면에서 모든 외래마취를 위한 시설이 한 곳에 집중되어야 한다. 환자 접수실, 환자대기실, 탈의실, 마취전처치실, 수술실, 회복실이 있어야 한다. 회복실은 마취 직후에 마취에서 완전히 깨어날 때까지 관리를 하는 제1회복실과 마취에서 깨어나 일상생활에 적응하기 위한 제2회복실이 있어야 한다. 이 모든 시설과 공간은 마취과 의사와 수술의사 간호사가 수술 전과 수술 후에 쉽게 만날 수 있으며 환자의 이동거리를 짧게 하여 이동 시 시간을 절약하고 환자를 쉽게 돌볼 수 있게 해야 한다(그림 22-10).

최근에는 2차 회복실을 경유하지 않고 귀가하는 Fast-tracking이 선호된다. 이 경우 간호인력의 효율성은 높일 수 있으나 안전을 위해 훨씬 엄격한 퇴실기준을 적용하도록 한다. 모든 연령의 환자를 대상으로 할 수 있으며, 가급적 작용시간이 짧은 약제를 사용하도록 한다.

3) 외래마취의 적응

원칙적으로 외래마취에 금기는 없으며, 의사소통이 곤란하여 치과치료가 불가능한 환자(지적·지체 장애인, 소아 등), 불수의 운동이 있어서 치과치료를 할 수 없는 행동조절장애환자, 치과치료에 대해서 공포심이 큰 공포증 환자, 국소마취제에 대해서 알레르기나 아나필락시스 등

특이적인 반응을 보이는 환자, 치료내용이 복잡한 경우나 한 번에 여러 개의 치아를 치료해야 하는 경우 또는 집중적인 치료를 요하는 환자, 마지막으로 환자가 원하는 경우에 일반적으로 외래에서 행하여지고 있는 치과치료의 범위 내에서 전신마취의 관리를 필요로 하는 증례에서 치과영역에서 적응이 된다.

미국마취과학회(American society of anesthesiologists, ASA) 신체분류등급 1, 2등급 환자를 주요대상으로 하되 전신질환이 안정된 3등급 환자도 경우에 따라서는 포함시킨다. 그리고 특별한 수술 후 합병증이 적어서 특별한 관리를 필요로 하지 않는 증례이어야 하며, 가능한 한 마취시간이 짧고 덜 침습적인 치과처치이어야 한다. 또한, 환자 또는 보호자가 외래마취에 대해서 이해해야 하며 협조를 잘해야 하고, 환자에 대해서 처치 당일의 술후 지시를 할 때, 귀가 중, 귀가 후에 책임지고 간호를 할 수 있는 성인 보호자가 있어야 한다.

4) 외래마취의 상대적 금기

환자 또는 보호자로부터 외래마취의 동의를 얻지 못한 경우, 귀가 후에 연락을 취할 방법이 없거나 응급 상황이 발생하였을 때 즉각 대응할 수 있는 병원이 없는 경우는 환자를 입원시켜서 마취를 시행해야 한다.

중등도 이상의 전신질환이 있는 ASA 환자분류 3급 이상의 환자, 감염이 있는 환자, 응급수술환자 등은 입원시켜 환자를 관리한 후에 수술을 시행해야 한다. 특히 상기도염, 급성 후두염 등은 수술 후에 폐합병증을 유발하기 때문에 증상이 호전될 때까지 연기해야 한다. 또한 수술부위가 광범위한 수술이나 대량수혈이 예상되는 환자, 수술 후에 기도협착이나 음식물의 섭취곤란 등이 예상되는 환자, 또는 오랜 시간의 마취 및 처치 시간이 요구되는 환자, 위 내용물이 있다고 여겨지는 환자도 입원시켜 마취를 시행해야 한다. 개구장애나 소악증 등 기도확보가 곤란한 환자 개구장애 환자, 경추 이상 등과 같이 기도확보가 곤란한 환자도 외래마취를 시행하기에 부적절하다.

중증 근육무력증과 같은 골격근육에 이상이 있는 환자에서는 수술 중이나 수술 후에 호흡관리를 시행해야 할 가능성이 높다.

5) 외래마취의 과정

(1) 첫 방문 : 마취 전 환자파악

외래환자이기 때문에 검사항목 등에서 어느 정도의 제약을 받는 경우가 많기 때문에, 입원환자보다 더 신중한 검사가 필요하다. 제15장 진정 전 환자평가에 마취 전의 문진 및 검사 항목에 대해 상세히 나와 있으므로 참고하길바란다. 진찰과 검사결과 등을 종합적으로 검토하고, 외래마취가 가능하다고 판단되면 검사일부터 2주일 이내에 치과치료를 시행한다.

치료일시의 결정은 환자, 시술자, 마취과 의사 등이 의논하여 결정한다. 검사일부터 치료일이 2주일 이상인 경우, 그 기간 중에 하루(아침, 저녁)의 체온 기록과 환자에게 변화가 있는 경우에 연락방법 등의 행동요령에 대해서 철저하게 해두는 편이 좋다. 치과외래마취에 대한 쉬운 설명과 마취 전과 마취 후의 주의사항 등이 쓰인 설명서를 환자뿐만 아니라 보호자에게 나누어주고 시술의사는 치료의 내용과 방법, 예상되는 부작용 및 합병증 등을 자세하게 설명하고 마취과 의사는 마취에 대한 설명을 자세하게 해 주어 환자의 불안감을 경감시키고 예상되는 부작용에 대한 설명을 하고 자필서명을 받는다.

(2) 방문 전 안내

첫 방문과 치료일이 가까운 경우는 큰 문제가 없지만, 기간이 떨어져 있는 경우 수술일 1주 전에 전화 방문을 하여 금식 및 주의사항 안내를 다시 진행 하는 것이 좋다.

① 치료당일 금식 안내

일반적으로 어른에서 마취시작시간 8시간 전부터 금식(nil per os, nothing by mouth, NPO)을 시킨다. 마취 전에 음식물이나 음료를 섭취해서는 안 되는 이유에 대해서 자세히 설명하고 반드시 지키게 한다. 금식은 마취유도 시 흡인과 수술 후의 구토의 위험성을 줄이기 위해 시행되고 있지만, 수술 2~3시간 전에 150 ml의 맑은 물을 마시는 것은 내용물은 증가시키지 않고 오히려 환자의 갈증을 해소시켜 금식으로 인한 불편감을 경감시킨다는 보고도 있다.

② 상용약제의 복용안내

상용약이나 당일 복용이 필요한 약제가 있을 경우에는 투약방법을 설명한다. 수술 전 규칙적으로 복용하던 약제 중 혈압약, 항경련제, 기관지확장제, 스테로이드 등은 수술 당일까지 계속 복용해야 한다. 당뇨병 환자의 경우 경구 혈당강하제는 수술 당일 복용하지 않게 하며 인슐린은 평상시 용량의 1/3~1/2을 반드시 포도당 용액과 함께 주사한다.

③ 상기도 감염 시 연락

치료 당일 아침에 일어나면 곧바로 체온을 측정하도록 하고, 발열 등의 변화가 있는 경우에는 연락을 하게 한다. 소아 환자의 경우 기관지 경련, 저산소증 등을 유발하는 상기도 감염은 증상이 없어진 날로부터 2주 후로 연기하는 것이 안전하다.

④ 성인 보호자 동반 및 운전 금지

치료 시 혹은 귀가 시에 우발적으로 발생하는 사태에 신속하게 대응할 수 있는 성인 보호자가 필요하다고 설명한다. 상용약, 여벌옷, 휴지, 수건, 체온계(귀가 중에 필요) 등 치료당일의 소지품을 챙기도록 한다. 기타 주의사항으로 화장, 매니큐어, 발톱화장, 의치, 반지 등의 장신구의 착용을 금지시키고 자가운전이나 음주를 금지시킨다.

(3) 마취 전 투약

마취 전 투약제로는 진정제와 항콜린제 등이 있다. 이 중 가장 널리 사용되고 있는 진정제는 비교적 짧은 시간에 걸리는 치과외래마취에서는 마취 후 각성을 지연시키고 귀가시간을 연장시키는 문제점이 있다. 그러나 심한 지체·지적 장애인 등에서 마취 유도 자체가 어려울 수 있기 때문에 사전에 벤조다이아제핀계열의 약물을 경구 혹은 근주하는 경우도 있다. 또한 항콜린제는 부교감신경 긴장을 억제하여 침과 기관분비물을 억제시키기 위한 목적으로 사용되고 있다.

(4) 마취방법

외래마취의 마취제, 마취법을 선택하는 조건은 마취의 유도와 각성이 빠르고 진정효과가 남지 않으며, 통증이 없어야 하고, 기도에 관련된 문제가 발생하지 않아야 한다. 또한, 마취제가 심장이나 호흡에 대한 억제작용이 없어야 하며 마취 후 구역, 구토 등의 부작용이 없어야 하고 근육이완 작용이 남지 않아야 한다.

외래마취방법에는 크게 흡입마취방법과 정맥마취방법이 있는데 치료시간, 치료내용, 환자의 조건(연령, 체중, 기타) 등을 고려하여 마취방법을 결정한다.

(5) 마취 후 회복

회복실은 활력징후가 안정되고 구역와 구토, 환각이 없으며, 마취에서 완전히 깨어남을 확인하고 귀가시키는 중요한 장소이다.

회복실에는 숙련된 의료 인력인 마취과 의사, 간호사, 치과위생사가 있어야 하며, 산소공급장치, 분비물과 구토물을 위한 흡입기, 인공호흡기, 환자감시장치, 구급약, 체온계 등이 구비되어 있어야 하고, 활력징후, 수분 섭취, 의식회복상태 움직임 등을 기록해야 한다.

① 회복실 이동 기준

1차 및 2차 회복실을 이용하는 경우에는 표 22-10의 기준을 따라 전실 시키며 Fast-tracking을 하는 경우에는 표 22-11의 기준을 따르도록 한다.

② 퇴원의 지연이유

예기치 못한 퇴원의 지연이유는 수술전 요소로는 여성, 고령, 심장문제가 있으며, 수술적 요소로서는 수술시간이 긴 경우이다. 퇴원의 지연은 마취 종류가 영향을 줄 수 있다. 수술 후에는 심한 통증이나, 어지러움, 보호자의

표 22-10. Modified Aldrete scoring system

회복실에서의 퇴실지표	Score
활동: 명령이나 자발적인 의지로 움직이는 상태	
사지	2
상지 또는 하지	1
움직이지 못함	0
호흡	
자유롭게 심호흡과 기침을 할 수 있음	2
호흡곤란이 있거나 호흡이 약하고 제한되어 있음	1
무호흡	0
순환계통	
혈압이 마취 전과 비교하여 ±20% 이내	2
혈압이 마취 전과 비교하여 ±20-49%	1
혈압이 마취 전과 비교하여 ±50%	0
의식	
완전히 깨어있음	2
부르면 깨어남	1
반응이 없음	0
산소포화도	
산소공급 없이 산소포화도가 92% 이상으로 유지됨	2
산소를 공급해야 산소포화도가 90% 이상으로 유지됨	1
산소를 공급해도 산소포화도가 90% 미만으로 떨어짐	0
회복실에서 안정실로 퇴실하기 위해서는 9점 이상의 점수가 필요함	

부재, 수술 후 구역 구토로 귀가가 지연 될 수 있다.

③ 외래마취 후 계획되지 않은 입원

약 3%의 환자에서 발생하는데, 수술적 문제는 심한 통증으로 경구 진통제만으로 조절이 안될 경우 귀가 할 수 없으며 수술 부위 출혈이 심할 경우, 예정보다 수술범위가 확장될 경우이다.

마취적 요인은 약물치료에도 조절되지 않는 구역 및 구토가 있는 경우 입원이 흔하며, 사회적 요인으로는 역시 보호자의 부재이다.

④ 귀가 후 주의사항

마취과 의사의 최종적인 귀가허락을 받은 후에 귀가하도록 지시한다. 또한 환자가 퇴원하여 머무는 장소의 주소와 전화번호 등을 확인하고 머무는 곳에서 가장 가까운 의료기관명과 의사이름 등을 확인한다.

환자 자신이 '정상 상태로 돌아가 있다'고 주장하더라도 마취 후 2시간은 마취과 의사의 관리가 필요하다. 또한 반드시 책임 있는 성인 보호자와 귀가시킨다. 절대로

표 22-11. White and Song's scoring system (수술실에서 바로 안정실로 이동 기준)

지표	Score
의식상태	
깨어있으며, 지남력이 있음	2
조그만 자극으로도 깨울 수 있음	1
흔들어야 겨우 반응을 보임	0
신체활동	
명령에 따라 모든 사지를 움직일 수 있음	2
움직일 때 허약한 모습이 눈에 뜨임	1
자발적으로 사지를 움직일 수 없음	0
순환계통의 안정도	
혈압이 마취 전과 비교하여 ±15% 이내	2
혈압이 마취 전과 비교하여 ±15-30%	1
혈압이 마취 전과 비교하여 ±30% 이상	0
호흡계통의 안정도	
심호흡이 가능	2
기침은 잘하지만, 호흡수가 증가되어 있음	1
호흡곤란의 양상을 보이며 기침이 약함	0
산소포화도	
산소 공급 없이 산소포화도가 92% 이상으로 유지됨	2
산소를 공급해야 산소포화도가 90% 이상으로 유지됨	1
산소를 공급해도 산소포화도가 90% 미만으로 떨어짐	0
수술후 통증상태	
없거나 가볍게 불편한 정도	2
중-강 정도의 통증이 있지만, 진통제정주로 감소시킬수 있음	1
계속적인 심한 통증이 있음	0
술후 오심구토상태	
오심이 거의 없으며 구토가 없음	2
일시적인 오심구토	1
계속적으로 중-강 정도의 오심구토가 있음	0
총점	14
직접 안정실로 가기 위해서는 최저 12점이 필요하며 어떤 한 항목에서도 0점이 있어서는 안됨	

환자 스스로 운전을 하거나, 보행 시 도로의 횡단, 신호기의 확인 등과 같은 중대한 판단을 요하는 행위를 해서는 안 된다. 귀가수단(택시, 버스, 자가용차, 기차, 전차 등)을 확인하고 귀가에 필요한 시간을 확인한다. 이때 귀가 중에 물건을 사거나 중요한 계약 등의 행위를 금한다.

귀가 중에 음식물을 먹거나 멀미 등으로 인하여 구토가 일어날 수 있음을 설명하고, 가능한 한 귀가 후에 음식물을 섭취하도록 지시한다. 구토를 한 경우에 대비하는 방법에 관해서도 지시해 둔다. 발열이나 구토 등 환자의 이상이 발견되면 곧바로 마취과 의사에게 연락하고 상담하도록 지시한다.

또한 귀가 중이나 귀가 후에 환자로부터 응급연락이 온 경우 마취과 의사는 최단거리의 의료기관에 연락하고, 필요한 경우에는 구급차를 수배해야 할 경우가 있음을 미리 보호자에게 설명하고 이해를 얻을 필요가 있다.

마취 후의 주의를 기록한 안내문에 담당의사의 연락처, 당일의 마취방법, 마취제 등의 사용약제, 치료내용, 마취 중의 이상, 귀가 시의 상태, 귀가시간 등을 기록한다. 이상의 주의사항과 긴급 상태 발생 시의 대응방법을 귀가 전에 환자 및 보호자와 잘 협의하는 것이 필요하다.

명료한 의식과 손재주 등의 회복은 24~48시간까지도 갈 수 있고 알코올이나 의식저하약물은 마취제의 잔여효과와 작용하여 문제를 일으킬 소지가 있으므로 금지한다.

다음날 전화로 접촉하여 회복과정에 용기를 주고 부작용이나 불편한 사항에 대한 것을 확인함으로 의료의 질 향상과 신뢰를 높일 수 있다.

3. 소아마취

소아는 어른과 달리 계속 성장하고 발달하기 때문에 발육과정에 따른 해부생리학적 특성과 심리적인 특징이 환자의 연령에 따라 변화한다. 따라서 마취에 필요한 해부, 생리학적인 특징에 대하여 살펴보고 소아환자에서의 전신마취 시의 주의점에 대하여 기술하고자 한다.

1) 해부생리

(1) 호흡기계

소아에서는 코 안, 성대문(glottis) 및 기도가 작은 반면에 혀에 림프조직이 많아 상대적으로 상기도폐쇄가 일어나기 쉽다. 후두의 위치가 어른에 비해 위쪽이고, 그 길이가 짧고 좁다. 후두의 모양은 어른에서는 원통형의 모양을 유지하나 소아에서는 반지연골(cricoid cartilage)부위가 가장 좁아 깔때기 모양을 유지하기 때문에 기관내삽관 후에 성대문밑부종(subglottic edema)이 발생할 가능성이 어른에 비해 더 높다(그림 22-11). 후두덮개(epiglottis)

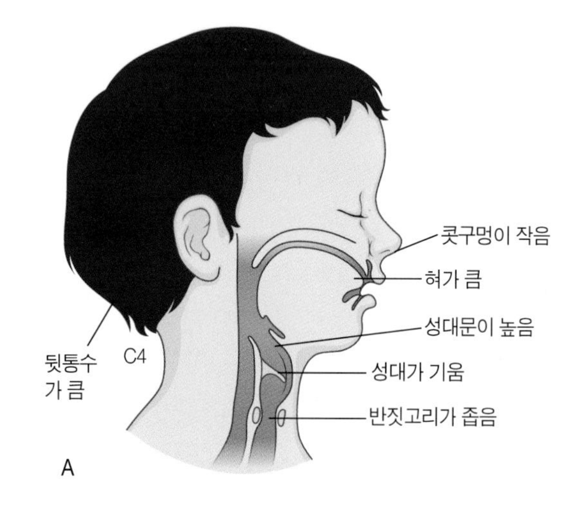

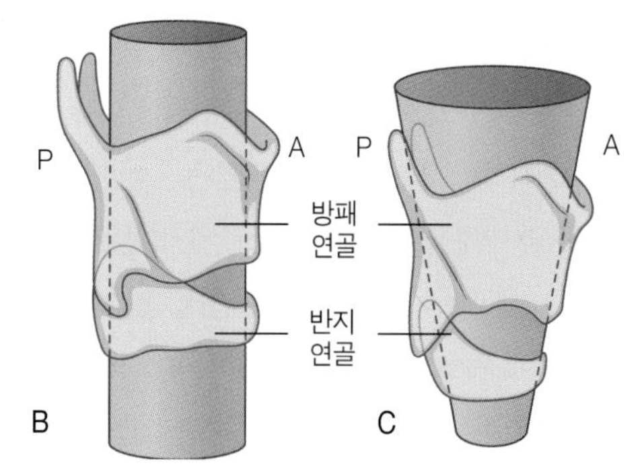

그림 22-11. 소아(A,C)와 성인(B)의 상기도의 차이
소아에서는 코 안, 성대문(glottis) 및 기도가 작은 반면에 혀와 편도가 커서 상대적으로 상기도가 협소한 편이다. 후두의 위치가 어른에 비해 높아 어른은 성대문의 높이가 목뼈의 제5-6번째의 높이이나 영아의 성대문은 제3-4목뼈의 높이이다. 후두의 모양은 어른에서는 원통형의 모양을 유지하나 소아에서는 반지연골부위가 가장 좁아 깔때기 모양을 유지하기 때문에 기관내삽관 후에 성대문밑부종이 발생할 가능성이 어른에 비해 더 높다.

는 길고 빳빳하며 성인에 비해 더 예각을 이루고 있어 기관 삽관시 성문을 노출시키기 어려울 수 있다.

머리가 몸에 비해 크기 때문에 기관 삽관 시 베개를 뒤통수가 아닌 어깨 밑에 받쳐야한다.

소아는 흉벽유순도(chest wall compliance)는 크지만 폐유순도(lung compliance)는 낮고 늑간근이 2세가 되어야 성숙해지기 때문에 호흡근의 피로가 쉽게 온다.

체중 당 일회환기량(tidal volume)은 6 ml/kg로 어른과 비슷하지만, 분당호흡횟수는 20~30회 정도로 어른에 비해 많은데, 이것은 많은 대사량으로 인하여 발생되는 이산화탄소를 배출하기 위함이다. 그러나 소아의 폐활량(vital capacity)은 성인의 절반 수준이며, 기능잔기용량(functional residual capacity)은 성인의 10%에 불과하여 짧은 시간의 무호흡에도 몸에 가지고 있는 산소의 양이 적기 때문에 짧은 시간의 무호흡에도 저산소증이 쉽게 온다.

(2) 순환기계

소아의 심박출량의 특징은 유순도가 낮고 덜 발달한 좌심실 때문에 일회 박출량(stroke volume)은 고정되어 있다. 따라서 심박출량은 심박수에 의존하게 된다. 교감신경계와 압력반사(baroreceptor reflex)는 생후 4개월에서 6개월 사이에 성숙하기 때문에, 과다한 마취제나 저산소환경에 노출될 경우 먼저 발달한 부교감 신경계에 의해 서맥이 발생하고 그 결과 심박출량이 줄어든다.

깨어있을 때의 정상 심박수는 신생아에서 100~180회/분, 생후 1주~3개월까지는 100~220회/분, 이후 48개월까지는 80~150회/분, 2세~10세까지는 70~110회/분, 10세 이상에서는 55~90회/분으로 보고있다.

(3) 체온

체열의 생성은 ① 수의적 근육의 움직임, ② 갈색지방의 열생산, ③ 전율에 의한 열 생산, ④ 소화열, 네 가지로 로 이뤄지는데 출생 직후~생후 6개월까지는 갈색지방에 의한 열생산이 있으나 생후 1년부터는 갈색지방에 의한 열생산이 사라지고 나머지 기전에 의해 열생산이 이루어

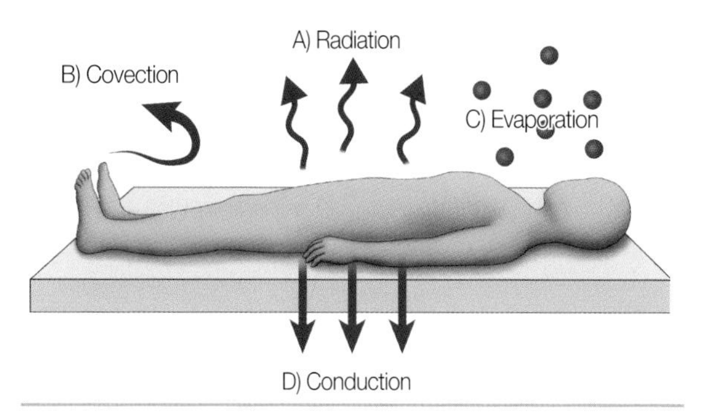

그림 22-12. 열손실의 원리와 대처
A) 복사 : overhead heat lamp 적용, B) 대류 : 수술실의 온도를 높인다. C) 증발 : 몸이 수분에 젖지 않도록 한다. D) 전도 : warm pad, warm fluid 적용한다.

지게 된다. 하지만 소아의 경우 수술실에서 쉽게 체온이 떨어지게 된다. 주변기온의 영향을 받기 쉬운 원인은 비교적 체표면적이 넓고, 피하지방이 부족하고, 폐포환기가 많고, 모세혈관 수축반응이 미숙하기 때문이다.

따라서, 열손실을 줄여주는 것이 중요한데 체온보존법은 그림 22-12와 같다.

6개월 이내의 소아는 수술 중 체온이 떨어지는 경향이 있고, 그 이상의 연령에서는 체온이 상승하는 경향이 있다. 이 때문에 수술 중에는 체온을 측정하고, 필요에 따라서 따뜻한 담요나 흡입가스 및 수액의 가온, 수술실 온도를 조절하여 체온을 정상으로 유지시켜야 한다.

2) 마취

(1) 마취 전 평가와 마취 전 투약

마취 전에 환자를 방문하여 과거 마취 경험이 있는 환자에서 당시 발생했던 문제점, 특히 기도 확보와 심폐계통의 병력에 관심을 가져야 한다. 또한 선천성 증후군이나 기형을 가진 환자에서 다른 장기에도 동반기형이 존재하거나 전신적인 문제가 있는 경우가 많으므로 주의해야 한다. 뿐만 아니라 부모의 불안과 소아환자의 두려움을 완화시키는 심리적 배려와 교류 또한 중요하다.

바이러스에 의한 상기도 감염은 소아에서 특히 흔한 질환이며, 정규수술이 취소되는 가장 흔한 원인이다. 상기

도 감염은 하부기도의 이상을 초래하여 폐쇄용적이 증가한다. 일반적으로 전신마취는 기능적 잔기량을 감소시키며, 상기도 감염으로 폐쇄용적이 커지면 저산소혈증의 위험이 더 커진다. 또 다른 문제점은 기도의 반응이 증가하여 후두경련이 나타날 수 있고 기관지수축과 기도분비물의 양이 증가되어 환기에 지장을 초래한다. 따라서 상기도 감염이 있는 환자는 일반적으로 마취를 연기하는 것이 현명하며, 특히 기침과 열이 동반되고 흉부 청진에서 잡음이 들리는 경우에는 수술을 연기해야 한다.

위 내용물의 역류를 피하기 위한 금식시간은 전신마취를 위해 반드시 필요한 과정이지만, 높은 대사활동과 수분교환율을 가지고 있는 소아에서는 필요이상으로 음식물의 섭취를 제한하면 탈수, 대사산증 등을 초래한다. 따라서 6개월 미만의 유아에서는 우유나 고형물은 3시간, 물은 2시간으로 제한하고, 6~36개월까지의 소아에서는 우유와 고형물은 6시간, 물은 3시간, 36개월 이상의 소아에서는 우유와 고형물은 8시간, 물은 3시간 금식시켜야 한다.

소아의 마취 전 투약은 분리불안을 줄이기 위한 진정제가 고려 될 수 있고, 기도내 분비물을 줄이고, 미주신경반사를 줄여 서맥을 예방 할 수 있는 항콜린제제 투약을 고려 할 수 있다.

(2) 마취관리

국소마취는 유소아의 경우 환자의 협조가 불가능할 경우가 많아 단독으로 사용하기는 어렵고, 전신마취와 국소마취법을 병용할 경우 전신마취제의 양을 조절하여 사용할 수 있다.

전신마취를 시행할 경우에 신생아와 영유아는 어른과 비교하여 폐포면적에 비해 해부학적 사강(anatomic dead space)이 상대적으로 크고 폐와 가슴우리(thoracic cage)의 순응도(compliance)가 낮고, 삽관되는 튜브도 가늘기 때문에 가능한 한 사강과 기도저항이 작은 마취기와 마취회로를 선택하여 사용해야 한다.

환자를 수술실로 옮길 때에는 환자의 연령을 고려하여 부모가 있는 곳에서 재우거나 부모와 격리될 때의 두려움을 최소화해야 한다. 소아환자의 마취유도 중에는 상기도 폐쇄, 저산소증, 서맥과 같은 위급한 상황이 발생할 수 있으므로 각별히 조심해야 한다.

마취를 유도하는 방법으로는 흡입마취제를 흡인시키는 방법과 정맥마취제를 주사하는 방법 그리고 근육주사가 가능한 진정제를 투여 방법 등이 있다. 이중 흡입마취제를 흡인시키는 방법이 소아에게 가장 유용한 방법이다.

(3) 마취 후 관리

소아의 회복실관리에서 가장 중요한 부분은 기도관리이다. 가장 호발하는 질환은 발관후 크루프(Postintubation croup)이다. 1~4세에 호발하며 소아의 기도가 가장 좁은 부위인 윤상연골 인근에서 호발한다. 발관 후 환아의 호흡음이 컹컹거리는 소리를 내며 호흡곤란을 보인다. 원인은 반복된 삽관시도, 긴 수술시간, 두경부 수술일 경우, 과도한 체위변동으로 인한 튜브이동, 너무 큰 튜브를 사용했을 때 높은 기낭압에도 새지 않은 기관 튜브일 때이다. 예방하는 방법은 기낭의 압력을 10-25 cmH_2O으로 낮게 하거나 기낭이 없는 튜브를 사용하는 것이며, 약물적으로는 덱사메타손을 투약하는 방법이 있다.

만약 발생했을 경우에는 덱사메타손을 0.25 mg/kg를 정주하거나 2.5 ml의 생리식염수에 2.25% 에피네프린을 섞어서 호흡기치료를 시행할 수 있다. 기도를 잘 유지하고 회복될 경우 3~7일 후에 저절로 나아지므로 보호자를 안심시킨다. 이것은 아이가 흥분해서 발생하는 치료가 필요 없는 협착음과는 구분하여야 한다.

치료가 필요한 협착음(stridor)은 술자가 임상적으로 감별진단을 잘 하여야하는데, 들숨 시 발생하는 협착음은 후두의 부종으로 인한 후두경련이 원인이며, 날숨에서 발생하는 협착음은 기관지염, 천식, 이물질흡인에서 발생한다. 1세 이하의 소아에서는 후두연화증도 고려해야한다. 후두 경련 시 치료는 양압환기를 시행하고, 해결되지 않으면 신경근차단제를 주입하여 근수축을 한번 풀어주는 것이다.

이 모든 상황을 예견하고 예방할 수는 없으므로, 발관 전에는 충분히 산소를 투여하고, 후두경련 발생 시에 신속한 약물투여가 가능하도록 정맥로를 유지, 확인하는 것이 중요하다. 발관 후에도 3분간 100%산소를 공급하며 환아를 관찰 한다.

소아의 회복기에서 특히 어려운 문제는 각성 후 섬망(emergence delirium)인데 주로 학동기 이전의 나이와 수술 전 불안 수준이 높았던 환아, 충동적 성격이 있는 경우, 수술 후 통증이 심한 경우 호발한다. 증상은 놀란 모습을 보이며 주변을 공격하고 소리를 지르기 때문에 환아와 의료진 모두 위험 할 수 있다. 예방적 약물 투여도 가능하지만 마취 후 회복시간이 지연 될 가능성이 있는 등 장단점이 있다.

수술 후 구역 및 구토는 마취 회복 전 위속에 공기, 분비물, 혈액 등이 다량 존재할 때 수술 후 오심과 구토가 발생할 수 있다. 따라서 환자의 윗배를 살펴 윗배가 불러오면 환자를 마취에서 깨우기 전에 위관을 삽입하여 위속의 공기나 액체를 제거함으로써 오심과 구토를 예방하고 흡인성 폐렴을 예방할 수 있다.

구강 내 수술의 경우 소화기에는 이상이 없기 때문에 빠른 시간 내에 경구섭취를 시작한다. 신생아와 영아의 경우는 수술 후 3시간부터 소량의 물과 설탕물부터 시작하여 5시간 후부터 평소 식이를 섭취하도록 하는 것이 좋다.

4. 노인마취

노년기를 생리적으로 구분할 수 있는 지표는 아직 없으며, 일반적으로 65세 이상을 노인으로 지칭한다. 노화란 모든 사람에게 진행성으로 나타나는 생리적 현상으로 장기 및 기관의 구조와 기능의 변화를 일으킨다. 그러나 연령증가에 비례하여 변화의 정도가 증가하는 것은 아니다. 장기의 최대기능과 기초기능의 차이를 기능예비력으로 표현하는데 이 기능예비력은 중년기부터 서서히 감소하다가 노년기에는 빠른 속도로 감소하며 외상, 질병, 수술 및 회복 시에 특히 중요한 역할을 한다. 장기기능은 개인에 따라 다양하고 활동 정도, 사회적 습관, 음식, 유전적 배경에 의해 유의하게 변할 수 있다. 노인환자에서 생리적 연령의 특성은 스트레스나 질병에 대한 장기의 보상실패(decompensation)의 가능성이 증가한다는 점이다. 따라서 마취과 의사는 노화와 관련된 질환의 증후에 맞춰 수술 전 검사를 시행함으로써 노인환자의 장기 기능예비력을 평가할 수 있다. 임상적으로는 나이와 관련된 장기기능의 변화나 수명을 예측하는데 실제 연령보다 더 유용한 변수는 없다. 그러나 여러 장기의 기능장애를 지닌 85세 이상의 노인은 연령 자체가 위험요소가 될 수 있지만, 노인환자의 연령은 마취 및 수술에 절대적 금기가 되지 않는다.

(1) 노인환자의 해부생리학적 특징

① 심장혈관계통

노인의 50~65%에서는 심장혈관계통의 질환이 있으며, 전혀 증상이 없는 사람에서도 관상동맥질환이 발견된다. 노인환자의 사망원인 중 절반 이상은 심장혈관 이상 때문이다. 따라서 노인의 심장혈관계통에 대한 세심한 평가가 필요하다.

노인에서 심장기능의 예비력이 많지는 않지만 심장기능을 유지하려는 심장혈관기능의 보상기전은 감소하지 않는다. 노인에서 심장박동수는 느려지고 일회박출량은 증가하므로 심박출량은 거의 변하지 않으며 휴식 시 심장박출지수는 젊은 사람과 차이가 없다. 노인에서 운동 시에도 심박출량, 심장박출지수, 심장박동수는 많이 증가하지 않으나 일회박출량과 혈압은 많이 증가한다. 노인에서 최대작업능력의 감소는 개인의 상태에 따라 매우 다양하다.

혈관계의 변화로 대동맥은 경직화되어 맥박파전파속도(pulse wave velocity)를 증가시키고, 파형의 모양을 변화시킨다. 혈관의 경직화에 따른 혈관확장의 소실에 의해 수축기혈압을 증가시킨다. 대동맥의 경직화와 혈압상승에 의해 왼심실의 저항이 증가함으로써 심실비대를 초래하여 심장수축과 확장을 느리게 한다. 심실확장이 느리므로 초기 심실충만이 감소되어 심실충만은 주로 왼심방압에 의존한다.

연령이 증가함에 따라 압력수용기(baroreceptor)의 감수성은 감소하여 저혈압에 대한 심장박동수의 증가폭이 적으며 기립저혈압(orthostatic hypotension)의 위험이 크다.

노인의 심근경색환자의 42%는 가슴 통증이 없는 무증상 심근경색증(silent myocardial infarction)이 있을 수 있다. 위험인자는 여성이면서 심실조기수축의 치료력이 있는자, 당뇨가 있는자, 이전에 협심증 과거력, 70세 이상의 연령, 심전도 검사에서 Q wave가 관찰 되었을 때이다. 이중 두 가지 이상에 해당되면 관상동맥질환 검사를 시행할 것이 권고된다.

노인환자 평가에서 심근경색 흔적(old myocaridal infarction)의 심전도 소견은 내과적 병력이 없어도 양성소견으로 간주한다. 무증상 심근허혈은 일상적 심전도에서는 나타나지 않으므로 환자 평가에 어려움이 있다. 안정된 협심증의 무증상 심근허혈은 심장질환의 가능성이 높다.

노화에 의해 굴심방결절(sinoatrial node)이 섬유화되고 박동조율세포수가 감소하며 전도조직이 위축되며 전도계의 변화가 나타나 부정맥과 차단빈도가 증가한다.

심전도 상에서 오래된 심근경색, 왼방실다발갈래차단(left bundle branch block, LBBB), 좌전방 반차단(left anterior hemiblock), 심실내전도지연(ventricular conduction delay)이 나타나면 심장검사를 시행해야 한다. 심전도 상의 심방세동(atrial fibrillation)과 심방조동(atrial flutter)은 심장질환이 있음을 나타낸다.

② 자율신경 기능

나이가 들어감에 따라 교감신경 부신수질계(sympathoadrenal pathway system)는 말초신경계처럼 신경세포가 감소하고 섬유화되며, 부신용적은 위축되어 코티솔 분비는 80세에 15%가 감소한다. 수면, 휴식, 운동유발 신체 스트레스 시 혈장 노르에피네프린 수치는 젊은 사람보다 2~4배 높다.

노화에 의해 내인성 β-차단을 일으켜서 이소프로테레놀(isoproterenol)같은 β-작용제의 심장수축력 및 전도속도, 심장박동수변동(chronotropic)의 반응이 감소된다. 노인에서 내인성 β-차단의 기전은 수용체 소멸, 작용제에 대한 친화력의 감소, 세포막수분감소에 의한 아데닐산 고리화효소(adenylate cyclase) 활성도 감소에 의한다. β-수용체의 친화력 감소는 양적 변화보다는 질적 변화 때문이다. 그러나 α-수용체나 무스카리닉 수용체 활성도는 변하지 않으며 말초혈관의 민무늬근육(smooth muscle)의 수축성 또한 변하지 않는다. 교감신경계 활성이 우세하고, 미주신경의 긴장이 떨어져 항콜린성제제의 투여 후의 심박수 증가를 제한 한다.

노인에서는 심장혈관계 항상성을 유지하는 자율신경반사반응이 점차 감소한다. 압반사 반응, 찬 자극에 대한 혈관수축 반응, 체위변화 후 심장박동수 반응의 발현이 느려지고, 정도가 감소하고 혈압안정에 있어 젊은이보다 시작시간이 늦고, 그 폭이 적고 덜 효율적이다. 그러므로 말단장기 기능을 억제하고 혈장 카테콜아민을 감소시키는 마취제나 빠른 교감신경차단을 일으키는 척추마취나 경막외마취에 의해 노인환자에서 더욱 저혈압이 되기 쉽다.

③ 중추신경계통의 기능

건강한 노인에서는 혈압변화에 대한 뇌혈관저항의 자동조절(autoregulation)과 과다환기에 대한 뇌혈관수축 반응은 잘 유지된다. 그러나 뇌졸중(stroke) 및 죽종형성(atherogenesis)의 위험요소를 가진 환자는 저산소증에 대한 혈관운동 반응도가 낮아진다.

중추신경계에서 노화의 명백한 지표로 생각할 수 있는 해부학적 변화는 뇌의 크기 감소이다. 특히 회질(gray matter)에서 가장 빨리 감소하며, 그에 비례해서 뇌혈류도 감소된다. 전체 뇌척수액은 뇌조직 감소에 비례하며, 회질의 뇌척수액은 최대치의 20~30%가 감소한다. 또한 피질의 신경세포농도에 비례하여 감소한다. 그러나 내인성 기전과 혈액뇌장벽(blood-brain barrier)의 기능은 잘 유지된다.

일반적으로 대사에 활동적이고 전문화된, 특히 신경전달물질을 합성하는 신경세포일수록 손실의 정도가 심하다. 노인 뇌의 특정 부위에 도파민, 노르에피네프린, 티로신, 세로토닌 등의 신경전달물질의 신경세포 내 저장은 감소하고 동시에 monoamine oxidase (MAO), catechol-O-methytranferase (COMT) 같은 신경전달물질의 파괴에 필수적인 효소는 증가한다. 그러나 글루탐산염은 노화에 따른 변화가 없다. 신경전달물질 활성도의 감소에 따른 신경전달물질 수용체수의 증가나 상향조절 반응은 느리거나 불완전하다.

인지장애가 있는 노인에서 시상하부-뇌하수체-부신조절장애와 코티솔이 증가함을 볼 수 있다. 해마(hippocampus) 내 신경세포의 감소에 의해 인지장애 증상을 나타내며, 노화에 의해 중추신경계 내에서 선택적으로 해마세포 소실을 촉진시키고 스트레스-손상 회로(stress/injury cycle)를 지속시킨다. 따라서 신경계조직 및 신경전달물질 예비력이 심하게 저하된 노인에서는 조직 손상, 통증, 장애의 정신적 결과로 인한 급성 스트레스와 관련된 글루코코르티코이드 반응에 의해 인지능력이 감소하는 것으로 생각한다.

노년기에는 시각, 청각, 촉각, 위치감각, 후각, 말초통증, 온도감각을 포함한 모든 형태의 지각 감지의 문턱값이 증가된다.

④ 호흡 및 폐 기능

노화에 의한 호흡기계의 변화는 폐탄성(pulmonary elasticity)이 감소하는 것인데, 폐포표면적(alveolar surface area)이 감소하고, 잔기량(residual capacity)과 폐쇄폐공기량(closing capacity, CC)은 증가하고, 폐활량에 비해 기능잔기용량이 증가한다. 그러나 총폐용량(total lung capacity)은 유지된다. 폐에서 불균등하게 탄성이 소실되면 심한 환기관류불균등을 초래한다. 그 결과 동맥혈 분압의 감소가 초래된다.

약 66세가 되면 서 있는 상태에서 폐쇄폐공기량(CC)이 기능잔기용량에 도달하게 되며 FRC가 CC보다 작아지면 일회호흡량에서도 소기도가 막힐 수 있다.

가슴공간의 갈비연골관절이 석회화되어 경직됨으로써 흉벽유순도(chest wall rigidity)는 감소한다. 호흡작업량(work of breathing)을 증가시켜 결국에는 최대호흡용량(maximal breathing capacity)이 감소하게 한다. 노화에 의한 기도의 구조적 변화에 의해 근육의 인두지지가 감소함으로써 상기도가 막히기 쉽다. 또한 기침 및 삼킴의 예방반사가 억제되어 흡인의 위험도 증가한다.

노인환자에서 수술 및 마취 후에 폐기능의 저하가 흔히 나타나며, 수술 전후기 사망의 약 40%가 호흡기계 합병증에 의해 발생한다.

폐모세혈관계 용적 감소로 평균 폐동맥압은 약 30% 증가하고 폐혈관저항은 80%까지 증가한다. 가스 교환에 참여하는 폐포표면적이 점진적으로 감소하여 해부학사강(anatomic dead space)과 폐포사강(alveolar dead space)이 점차 증가한다. 호흡세기관지(respiratory bronchiole) 및 폐포관(alveolar duct)의 확장으로 해부학사강이 증가한다.

노인에서 신경계통에 의한 환기조절이 정상으로 유지되어도 저산소증과 고탄산혈증에 대한 환기반응은 현저하게 감소한다. 수면 중에는 호흡이 불규칙해져서 무호흡이 잘 발생하기 때문에 회복실에서 기도가 잘 막히게 된다. 노인환자에게 마약을 투여하면 일시적으로나마 무호흡이 발생할 위험이 높고 벤조다이아제핀계와 같은 중추신경억제제를 투여하면 호흡억제가 더욱 심해진다. 그러므로 마취제 잔류효과가 있는 노인환자에서 통증조절목적으로 아편유사제를 투여할 경우에는 수술 후에 호흡이 억제된다는 점을 명심해야 한다.

노인환자에서 전신마취 시 폐기능 장애는 주로 폐포구조물 악화 및 마취제에 의한 급성 저산소혈관수축(Hypoxic Pulmonary vasoconstriction) 억제에 의한 광범위한 환기관류불균형(V/Q mismatch)등이다. 그러므로 70세 이상의 모든 노인에서는 저산소증의 위험이 높으므로 수술 전후기에는 산소를 투여해야 한다. 노인에서 호흡근육은 중등도의 호흡요구에도 적절하게 힘을 발휘하지만 작업부하가 현저히 증가하는 경우에는 호흡기능상실이 발생하기 쉽다.

⑤ 간 기능

간의 크기는 80세에 정상의 40%로 감소한다. 간혈류는 10년당 10% 정도의 비율로 감소하는데 이것은 심박출량이 감소하기 때문이다. 이 양은 기초대사에는 충분히 견딜 수 있지만 저혈압, 저체온 및 간손상을 동반하였을 때에는 상처 치유나 패혈증 반응에 필요한 간합성 예비력은 부족할 수 있다. 간기능은 크기와 혈류에 의해 결정되므로 간기능 또한 유의하게 감소된다. 간세포 효소기능은 나이가 들어도 질적 변화가 거의 없어 미세소체(microsomal)와 비미세소체(non-microsomal)의 효소활동은 잘 보존되지만, 요소 합성과 남자에서 혈장 콜린에스테라아제 활성도는 감소한다. 연령-성별 특유의 변화로 인하여 여자노인에서는 벤조다이아제핀의 대사가 정상적으로 일어나지만, 남자노인에서는 벤조다이아제핀의 대사가 억제되고 혈장 콜린에스테라아제 활성도 역시 감소한다.

간조직의 양적 소실과 간혈류의 감소는 아편양제제, 바비튜레이트, 벤조다이아제핀, 프로포폴, 에토미데이트, 비탈분극성 신경근차단제 등 간에서 생체대사 되는 약물의 청소율을 감소시킨다. 노화와 관련된 만성질환으로 인하여 다중약물요법 치료시간대사와 약물생체대사는 변화하여 예측하기 힘들다. 예를 들면, 노인에서 위염치료에 널리 사용되는 시메티딘은 벤조다이아제핀의 간생체대사를 저하시킨다.

노인은 당부하(glucose tolerance)를 조절할 수 있는 능력이 점점 저하되어 25 g의 포도당을 투여하였을 때 정상으로 회복되는데 걸리는 시간이 젊은이에서는 65분이 소요되나 45세 이상의 중년에서는 90~95분이 소요된다. 노인에서 인슐린 분비는 정상이나 세포반응이 떨어지는 것으로 추정된다.

⑥ 콩팥 기능

콩팥에서의 노화의 가장 큰 변화는 조직 위축이다. 80세에는 30%가 감소하며 주로 콩팥겉질(cortex)에서 감소하므로, 콩팥단위(nephron)의 수도 감소한다. 콩팥 혈류 역시 겉질에서 감소하고 수질(medulla)에서는 유지되며 콩팥혈류가 40세 이후 매 10년당 10%씩 감소하여 80세에서는 약 50%가 감소한다. 콩팥겉질의 혈관분포가 감소되고 콩팥속질로 혈류가 이동하여 여과분율을 보상적으로 증가시키므로 토리여과율(glomerular filtration rate, GFR)의 감소는 콩팥혈장유량(renal plasma flow) 감소보다 늦게 나타난다. 콩팥기능의 예비력이 감소하더라도 노인에서는 전체적인 뼈대근육(skeletal muscle)이 감소하므로 크레아틴 부하가 적어서 혈장 크레아틴 농도는 정상 범위를 유지되므로 노인에서 혈장 크레아틴 농도는 신장기능을 대표하지 못한다.

기초콩팥기능이 낮지만 노인의 대사평형을 유지하고 정상 혈장 삼투압농도(osmolarity)와 전해질농도를 유지하기에는 충분하다. 그러나 콩팥기능의 예비력이 부족하여 심한 수분 및 전해질불균형에는 견디지 못한다. 항이뇨호르몬(antidiuretic hormone, ADH)에 대한 반응도가 적어지고, 포도당최대 흡수율이 감소하고, 나트륨 유지 능력이 손상되며 소변의 농축기능이 떨어지고 저하, 기능성 저알도스테론증(hypoaldosteronism)을 나타낸다.

노인수술환자에서는 특별한 수액요법이 필요 없지만, 혈관 내 용적 변화에 즉각적으로 반응하지 못할 수 있으므로 수액 및 전해질균형을 유지하려면 세심한 계산과 감시가 필요하다. 노화로 인해 갈증반응이 떨어지고, 나트륨과 수분을 보존하는 능력이 떨어져 쉽게 탈수를 일으킬 수 있다.

급성 콩팥기능상실(acute renal failure)은 노인 수술환자에서 수술 전후기 사망 원인의 1/5이 된다. 노인 수술환자의 30%는 수술 전 콩팥기능 이상이 있다. 콩팥질환의 유병률은 급성 콩팥기능저하나 콩팥기능상실의 위험도를 증가시킬 뿐 아니라 많은 마취제 및 보조제의 작용기간에도 영향을 미친다. 노화와 관련된 콩팥기능의 약동학적 변화는 콩팥으로 배설되는 마취제 및 대사산물의 배설반감기를 연장시킨다.

⑦ 노인에서의 약리학

노인 환자에서는 주입된 약물에 대한 단백질 결합 능력이 감소하기 때문에 바비튜레이트, 벤조다이아제핀, 아편유사 작용제 등 단백결합력이 높은 마취제를 투여한 경우에 약물의 효과가 투여량보다 과장된 효과를 보일 수 있다.

노화에 의해 지방의 비율이 수용성 조직에 비해 꾸준히 증가하므로, 마취제 및 다른 지용성 약물의 분포용적(volume of distribution)이 증가한다. 여자에서는 체지방이 현저하게 증가하지만, 동시에 뼈엉성증(osteoporosis)으로 뼈손실이 일어나므로 세포내수분이 감소한다. 남자에서는 뼈대근육이 지속적으로 소실되고 중요 장기가 위축되며, 지방조직과 골조직이 중등도로 감소하는데, 여자와는 달리 뼈대근육의 위축으로 세포내액과 사이질액이 감소한다. 이러한 체수분의 감소는 수용성 약물의 분포용적을 감소시킨다.

결론적으로 노인의 전체 체중은 유지되더라도 지방제외체중(lean body mass)은 감소한다. 이는 노인에서 체중에 근거한 마취제의 표준용량을 투여하면 예상 약물농도보다 높아서 마취제에 대한 감수성이 증가하는 점을 부분적으로 설명할 수 있다.

혈장용적은 약물 재분포에 주요 결정 인자인데 건강한 노인에서 비교적 잘 유지된다. 그러나 만성질환이나 고혈압, 이뇨제 등을 복용한 노인환자의 약물 초기 분포용적은 감소된다.

⑧ 체온조절

체온조절 능력은 떨어지나 나이와 선형적 관계는 없다. 80세 이상에서는 체열생산이 감소한다. 기초대사량이 낮은 편이고, 시상하부의 온도 조절점은 정상이지만 환자의 심부 온도가 낮은 편이다. 노인의 경우 혈관수축의 역치가 섭씨 1도 정도 더 낮아 체온의 감소속도가 빠르고, 수술 후 재 가온에 필요한 시간이 젊은이에 비해 더 걸리는데, 이것은 나이에 비례하며, 근육량이 감소되어 있기 때문에 만들 수 있는 열의 양이 적다.

모든 흡입마취제 및 프로포폴, 아편계약물은 체온조절 반응을 변화시킨다. 전신마취의 경우 전율(shivering)을 방해하기 때문에 저체온을 유발하기 더 쉬워진다.

이후 환자의 회복 단계에서 전율을 하게 되는데, 이것은 노인환자에 있어서 이것은 치명적일 수 있다. 전율이 일어남으로서 산소소모량이 증가하고, 이산화탄소 생성은 증가한다. 그 결과 동맥혈 산소분압은 감소한다. 또한 교감신경계가 활성 되고, 심박출량, 심박수, 수축기혈압 등이 증가하면서 심근허혈이 발생할 위험이 증가한다.

⑨ 마취연관 약제에 대한 반응

노인에서 흡입마취제의 최소폐포농도는 40세 이상에서 10년마다 4~6%씩 감소한다. 마취제에 대한 감수성 증가의 기전은 아직 밝혀지지 않았으나 신경세포의 소실, 뇌혈류 감소 같은 신경생리과정의 결과로 추정된다. 마취요구량의 감소는 뇌신경 전달물질의 감소에 비례하며 신경전달물질을 증가시키거나 감소시키는 약물로 치료받은 환자에서 뇌 내 카테콜아민과 최소폐포농도와의 관계는 잘 알려져 있다.

노화에 의한 마취요구량의 변화는 신경계의 기능예비력의 지표가 될 수 있다. 마취요구량의 변화는 연령에 따른 대뇌겉질신경세포의 소실, 신경세포의 밀도감소, 뇌대사율의 감소, 뇌혈류량 감소, 뇌신경 전달물질의 감소와 비례한다. 연령이 증가할수록 펜타닐, 알펜타닐, 미다졸람에 대한 대뇌겉질의 감수성은 증가하며 에토미데이트, 바비튜레이트, 프로포폴, 진정제, 벤조다이아제핀의 용량은 20~40% 감소시켜야 한다.

마취에 사용되는 많은 약물들은 체내에서 배설되기 전에 생체 내 대사를 일으키며, 바비튜레이드, 벤조다이아제핀, 케타민, 에토미데이트, 프로포폴 같은 정맥마취제는 다량이 대사된다. 마취에 사용되는 약물의 대사에는 간이 제일 중요하며, 특히 1상(phase I), 2상(phase Ⅱ) 반응에 중요 효소인 미립체적 혼합기능 산화효소(microsomal mixed function oxidase, P450)의 활동이 중요하다. 따라서 간혈류가 저하되고 간조직이 감소하면 혈류에 의존하는 간대사약물의 청소율이 감소된다. 간혈류 의존성 약물에는 모르핀, 메페리딘, 펜타닐, 케타민, 프로포폴, 미다졸람 등이 있다.

노인은 뼈대근육이 감소하고, 신경근접합부의 구조가 변하지만 비탈분극성 신경근차단제의 약력학은 유지되기 때문에 동일한 혈장 농도에서 근이완되는 정도는 성인과 동일하다. 그러나 최대 이완효과의 발현시간은 젊은 환자보다 심박출량이 적기 때문에 지연된다. 간이나 콩팥으로 배설되는 신경근차단제는 노인에서 혈장청소율(plasma clearance rate)이 낮기 때문에 작용기간이 현저히 길어진다(표 22-12).

노화에 의한 신경계의 구조와 기능의 변화가 통증과 관련된 신경기능에 미치는 영향은 확실하지 않다. 불편감

표 22-12. 노인에서의 마취제의 약리학

약물	대뇌 민감도	약동학	Dose
흡입마취제	↑	-	↓
티오펜탈	-	↓초기 분포용적	↓
프로포폴	↑	↓청소율	↓
미다졸람	↑	↓청소율	↓
모르핀	↑	↓청소율	↓
펜타닐	↑	-	↓
레미펜타닐	↑	↓청소율 ↓중심구획량	↓
아쿠아리움	NA	-	-
시스아트라큐리움	NA	-	-
베큐로니움	NA	↓청소율	↓

NA : not applicable

에 대한 표면감각의 문턱값은 증가하지만 내장통증 및 수술 후 통증, 질병을 동반한 통증의 문턱값은 감소된다. 그러므로 수술 전후기 통증의 감지강도는 매우 예측하기 어렵고 연령보다는 불안, 인격 등에 좌우된다.

(2) 수술 전 방문 및 전투약

노인환자는 수술 전에 과거 일에 편견을 가질 수 있으므로 인내심을 가지고 정중하게 경청하는 것이 환자의 정신 안정에 도움이 된다. 그러나 환자가 사소한 일이나 과거 경험에 고정된다면 내인성 우울증일 가능성이 높으며, 이 경우 수술 후 이환과 사망의 위험이 높고 우울증 회복도 지연된다. 수술 전 투약은 소아와는 달리 침샘의 퇴화로 항콜린 약제는 거의 필요치 않으며 metoclopromide는 추체외로증상을 일으킬 수 있으므로 사용하지 않는 것이 좋다. 수술 전 불안으로 악성 고혈압이나 심근허혈이 우려되는 경우, 소량의 진정제투여를 고려할 수 있다.

① 수술 전후기 위험도 및 결과

사망률을 결정하는 세 가지 위험 요소는 응급수술, 수술부위, 수술 당시의 신체상태이다. 응급수술의 위험도가 정규수술의 위험도에 비해 3~5배 높다. 이는 정규수술에 비해 인력, 시설, 시간이 부족하며, 수술 전 준비 및 평가가 불충분하고 응급환자의 2/3에서 순환혈액량 부족, 전해질불균형, 산소운반장애가 있기 때문이다. 수술부위의 특성 및 출혈, 탈수, 허혈, 산증 등이 발생하면 이미 저하된 장기 예비력을 더 악화시키거나 비가역적으로 손상시킬 수 있다. 감염 및 패혈증이 있는 환자의 경우 집중적으로 항생제 치료를 함에도 불구하고 노인환자에서는 면역반응이 저하되기 때문에 중요 사망원인이 되고 있다. 수술부위는 응급 및 정규수술에서 똑같이 수술 전후기 위험도에 중요 결정인자로, 백내장수술 같은 표재성 수술은 거의 사망하지 않지만 주요 장기수술의 경우에는 이환율(morbidity rate)과 사망률(mortality rate)이 높다.

미국마취과학회 환자분류는 질환의 중증도의 임상적 양적 평가를 규정하는데 사용한다. 일반적으로 나이가 많을수록 동반질환의 유병률이 높고, 신체상태가 나쁘다. 수술 전환자상태는 이환율과 관계가 있다. 노인에서 이환율과 사망률이 높은 것은 수술 전 신체상태와 수술 후 결과 사이에 명백한 관련성이 있다. 특히 나이 많은 환자에서 장기의 예비력의 감소는 노화가 사망률 증가와 관계가 있다. 동반질환을 위한 약물의 부작용도 이환율에 큰 영향을 미친다.

② 마취관리

노인환자를 위한 마취방법 및 특정약물의 선택 시에는 환자의 전신상태의 세심한 관찰과 동반질환의 진행상태와 중증도 평가가 필요하다. 울혈성심부전(congestive heart failure) 환자나 심박출량이 감소한 환자에서는 흡입마취제 투여로 심한 심근억제가 나타날 수 있으므로 매우 조심해야 한다. 노화로 콩팥, 심장, 간, 허파기능이 저하되어도 남은 장기의 예비력에 의해 중등도의 스트레스에 견딜 수 있다.

노인환자에서 간 또는 콩팥으로 배설되거나 생체 내 대사되는 모든 약물의 작용이 연장될 수 있다. 피부 및 연조직 관류가 감소하므로 압박에 의한 조직손상이 생기기 쉽다. 뼈엉성증과 관절염이 있는 경우 수술자세를 취할 때 손상을 받기 쉬우므로 주의해야 한다. 또한, 노인은 눈물이 적어지므로 안구 보호가 중요하다. 마취과 의사는 수술 전에 인공삽입장치나 이식물을 확인하고 보호해야 한다.

모든 노인환자에서 수술 후 산소화의 효율이 감소하므로 최소 24시간 산소를 투여해야 한다.

노인환자에서 마취 후 신경계통의 기능이 완전하게 빨리 회복되더라도 신경검사는 수술 후 40분까지 비정상일 수 있다. 신경계통의 기능이 수술 전 상태로 회복되지 않는 경우의 대부분은 마취효과의 지연 때문이다. 마취 후에는 수술 및 마취관리가 적합하였더라도 장시간 마취 후 인지기능이 완전히 돌아오는 데는 5~10일까지도 걸릴 수 있다(표 22-13).

수술 후 섬망은 50세 이상에서 예정된 대수술 후 10% 정도에서 경험한다. 마취제 및 종류는 관계가 없는 것으로 나타났으며, 갑작스러운 발생, 증상의 급변을 보이는 특징을 보인다. 저활동성형이 더 흔하지만 간과되기 쉽다. 이 외에 의식변화가 흔히 나타날 수 있으며 원인은 저혈당, 고혈당, 저산소증, 저체온, 고탄산혈증 및 노화와 관련된 무증상 신경질환의 발현 때문일 수 있다. 뇌허혈, 색전증에 의한 신경계손상은 상태가 더 중증이며, 국소적 양상과 마취 후 수 시간 내에 호전되지 않는 점으로 잔류 마취효과와 구별할 수 있다. 신경계통의 기능장애는 독특하여 공간, 언어인지 손상, 기억 손상은 노인환자의 25%에서 1주 이상 지속될 수 있다. 수술 후 1/3 이상에서 새로운 뇌파 소견이 나타날 수 있다.

표 22-13. 수술 후 섬망의 위험인자

작업기능장애
인지기능장애
수면장애
신체상태 저하
시각 및 청각장애
탈수
고령
낮은 혈중 알부민 농도
알콜의존
수술 전 나트륨, 칼륨, 혈당의 이상결과
신체분류기준 3급, 4급환자
항콜린제제
우울증
미국심장협회분류상 고위험 수술을 시행한 경우

5. 장애인마취

사회경제적인 발전에 의해 의료와 복지가 고도로 발전됨에 따라 장애인의 구강보건에 대한 관심과 의료수요의 증대로 치과장애인을 위한 마취의 수요가 증가하고 있다. 장애인복지법 제2조에서 장애인은 신체장애와 정신장애로 인하여 장기간에 걸쳐 일상생활, 또는 사회생활에 상당한 제약을 받는 자로서, 대통령령이 정하는 장애의 종류 및 기준에 해당하는 자로 정의하고 동법 시행령에서 아래와 같이 15종으로 분류하였다(표 22-14). (2017. 4. 13 보건복지부 고시)

표 22-14 장애인의 분류

대분류	중분류	소분류	세분류
신체적 장애	외부 신체기능의 장애	지체장애	절단장애, 관절장애, 지체기능장애, 변형 등의 장애
		뇌병변장애	뇌의 손상으로 인한 복합적인 장애
		시각장애	시력장애, 시야결손장애
		청각장애	청력장애, 평형기능장애
		언어장애	언어장애, 음성장애, 구어장애
		안면장애	안면부의 추상, 함몰, 비후 등 변형으로 인한 장애
	내부기관의 장애	신장장애	투석치료 중이거나 신장을 이식 받은 경우
		심장장애	일상생활이 현저히 제한되는 심장기능 이상
		간장애	일상생활이 현저히 제한되는 만성·중증의 간기능 이상
		호흡기장애	일상생활이 현저히 제한되는 만성·중증의 호흡기기능 이상
		장루·요루장애	일상생활이 현저히 제한되는 장루·요루
		뇌전증장애	일상생활이 현저히 제한되는 만성·중증의 뇌전증
정신적 장애	발달장애	지적장애	지능지수가 70 이하인 경우
	발달장애	자폐성장애	소아청소년 자폐 등 자폐성 장애
	정신장애	정신장애	정신분열병, 분열형정동장애, 양극성정동장애, 반복성우울장애

장애인 치과는 장애인을 대상으로 일반적인 치과의료 행위를 수행하는 치의학의 한 분야로 포괄적 치과의학의 특수성을 가진다. 장애인 치과의 대상으로는 앞에서 기술한 15종류 이외에 선천결손, 혈우병, 종양 등 의학적 장애인과 노인환자, 의학치료를 받고 있는 특수환자나 임산부, 산모, 사고 등 일시적으로 입원 중인 일반 환자, 치과치료 시 행동조절에 문제가 있는 저연령층 어린이나 치과에 공포, 불안을 극심하게 나타내는 치과적 장애인까지 포함된다.

이들은 장애의 종류와 특성, 정도에 따라 개인간에 차이가 있을 수 있으나 일반적으로 비장애인에 비해 구강건강에 대한 지식이 부족하고, 또 구강질환을 인식하고 있어도 장애로 인해 구강위생 관리능력에 어려움이 있어 비장애인에 비하여 치과질환의 발생빈도가 높고, 또 진행상태도 심히 악화되어 있는 경우가 많다.

장애인 중 대부분은 경증 장애로 치과치료의 대부분은 일반 치과에서 행해질 수 있으나, 지적장애 환자나 자폐증, 뇌성마비와 정신질환 환자의 경우 치과치료의 기술이 아닌 환자의 행동조절에 보다 많은 지식과 기술이 필요하다. 또한 시각, 청각, 언어장애인의 경우 의사소통 방법에 특별한 배려가 필요하다. 심장, 콩팥, 호흡기 등 전신질환이나 중등도 이상의 장애를 가진 특수 환자는 이들과 관련된 전문가, 교사, 사회복지사, 시설직원 등 교육이나 관리 담당인, 의료기사, 자원봉사자를 포함하는 모든 관련자들과의 합동관리가 필요하다. 이러한 상황은 치료가 어렵고 때로는 장애로 인해 예후가 악화될 수 있는 등 치과질환의 예방, 처치, 관리에 많은 문제점이 있다.

장애인의 병원접근 문제, 건물 내의 승강기, 경사로, 휠체어나 침대이용을 위한 넓은 출입문 같은 편의시설, 마취나 진정, 응급 상황에 대처하기 위한 기구나 장비 등 비장애인의 치료 시에는 이용 빈도가 적거나 없어도 되는 특수시설이나 장비가 필요하다.

장애인 치과의 기본영역은 우식 및 치주처치, 결손치 수복, 교정치료 등 일반적인 치과질환의 치료, 구강위생

관리의 교육 및 실천에 따른 치과질환의 예방, 언어, 섭식에 장애가 있는 환자의 구강기능의 훈련, 치과의료 공급체계의 수립과 장애인의 치과질환 역학조사, 장애인의 치과진단, 치료법의 수립, 전신관리의 연구가 포함된다.

1) 장애인 치과치료 시 문제점

(1) 특이한 행동

장애인의 특이한 심리는 치과치료 시 올바른 처치를 방해하거나 행동조절을 어렵게 하는 등 치과환경의 적응에 상당한 문제를 일으킨다. 특히 구강부위는 신체 중 가장 과민한 부위의 하나여서 이곳에 자극이 가해지면 전신 긴장을 유발하기 쉽다.

① 지적장애인

지적장애환자는 낯선 치료실, 낯선 사람들, 치료 시 이용하는 기구, 치료 시에 발생되는 소리, 빛 등 자극요소들에 강한 경계심을 가지며, 입안이나 목 부위를 만지는 것에도 심한 불쾌감을 느끼고 이들 자극으로부터 도피하려는 경향을 보인다. 치과치료 시 나타내는 특징적인 행동으로는 치료실에 들어오지 않으려 하고, 치료 의자에 앉으려 하지 않으며, 치료 의자를 뒤로 눕히는 것을 싫어하고, 입을 벌리려 하지 않고 입을 벌린 채로 있지도 못한다. 또한, 기구 사용 시 목을 흔들고 거부하고, 혀로 기구를 접촉하려 하며, 기구를 입 밖으로 밀어내려 하고, 기구를 가지고 있는 시술자의 손을 붙잡는다. 치료 시 몸을 심하게 움직이고 저항하고, 불안이나 불쾌감이 심해지면 공포에 사로잡힌다.

② 신체장애인

뇌성마비나 소아마비 등 신체장애인은 지적장애는 없거나 심하지 않으나 환경에 적응하려 노력할 때 근육이 긴장하거나 심리적인 압박, 언어장애 등을 일으킨다. 일정시간 동안의 개구나 자세유지가 어렵고 갑작스런 불수의 운동을 일으키는 등 치과치료에 협조할 수 없는 경우가 많다.

③ 청각장애·시각장애

청각장애는 대부분이 언어장애를 가지고 주의가 산만하며 얼굴 표정은 경직되어 있고 대화에 반응이 느리거나 한 가지 행동만 계속한다. 시각장애인은 시각장애 정도와 시각상실시기에 따라 개인차가 많으나 일반적으로 지적능력이 낮고 특히 모방에 의한 학습기회가 적어 사회적응력이 떨어진다. 감각기능, 언어장애인은 의사소통 방법의 미숙으로 행동조절에 문제가 있다.

(2) 의학적 전신관리

장애인 치과치료 시 일반적으로 문제가 되는 것은 합병증이 발생할 수 있고 치료 후 예후가 악화될 수 있는 가능성이다. 따라서 치료 전 환자의 전신 상태를 평가하고 또한 합병증을 예방할 수 있는 환자관리가 필요하다.

전신상태의 위험성을 고려해야 하는 장애나 질환으로는 체간이 변형된 중증 뇌성마비환자나 천식환자에서는 호흡기계에 대한 문제를 고려해야 하며, 순환기계의 문제점으로 선천심장병이나 허혈심장질환 및 고혈압이 있는지, 대사계의 문제로는 당뇨병이나 갑상선기능장애, 혈액질환으로는 백혈병, 혈우병, 혈소판감소증, 자반증 등의 문제를, 뇌전증이나 발작 등의 경련질환의 유무를 평가해야 하고 급성 감염의 유무를 평가해야 한다.

구강기능의 발달장애, 특히 음식섭취의 장애는 신체발육이나 정신발달에 큰 영향을 미치므로 구강문제만이 아닌 전신적인 영향을 고려한 특별관리가 필요하다.

2) 마취 전 준비

장애인의 전신관리, 마취관리에 있어서는 위험이 있으므로 광범위하고 섬세한 마취과학 이론과 지식을 보다 정확하게 이해하고, 더불어 마취의 임상경험을 축적해서 신중하게 대응해야 한다.

장애인만을 위한 특별한 전신관리법, 마취방법은 없으나 장애의 정도와 치과에서 진료할 내용이나 수술 후 합병증 등 증례에 따라 적절한 검토가 필요하다.

(1) 마취방법

약물에 의한 진정요법은 환자의 불안과 공포감을 감소시키고, 근육의 이완, 통증의 감소 효과를 얻어 환자의 협조를 얻을 수 있어 부정적인 행동을 최소화하여 치료 전이나 치료 중 치과의사, 환자, 보호자간에 발생하는 스트레스를 줄여 안전하게 양질의 치과치료를 수행할 수 있고, 또 의학적 위험을 줄일 수 있으며, 이후에 치과치료에 대한 긍정적인 태도를 유도하기 위해 이용된다.

장애의 정도와 치과진료의 내용에 따라 국소마취, 흡입진정, 정주진정, 전신마취를 선택한다. 또한 치과적인 기준의 장애인 등 특수 환자의 대부분은 국소마취나 진정제의 이용으로 개인 치과의원에서 적절한 치료와 관리가 이루어지고 있다. 의사소통이 가능하고 치과진료의 필요성을 이해할 수 있으며 미국마취과학회 신체등급 1, 2급의 범위에 속하는 환자 중 통증이 수반하는 경우 국소마취나 얕은진정법을 적용할 수 있다. 그러나 의학적 기준이 신체등급 3급 환자이거나 지적장애인이나 나이가 아주 어려서 정상적인 의사소통이 불가능한 환자, 치과공포증 환자 등 치과치료에 지나치게 비협조적이어서 의사소통 및 행동조절에 문제가 극심하거나, 치과치료 시 불수의 운동이 일어나거나 구토를 하는 등 치과적인 장애인이나 의학적 관리가 필요한 특수질환으로 일반치과의원에서 충분한 치료와 관리가 이루어질 수 없는 경우, 안전하고 확실한 기도 확보를 위해 깊은 진정이나 전신마취가 선택적으로 이용될 수 있다.

(2) 수술 전 검사

환자나 보호자와의 면담을 통하여 인적사항, 진찰소견, 약물투여 및 수술여부 등의 과거력, 치과병력, 가족력, 사회적 배경 등 광범한 정보를 알아내고, 또 환자는 수술에 앞서 필요한 신체검사, 검사실 검사를 시행한다.

① 병력청취

환자와 보호자를 상대로 자세한 병력을 청취하는데 협조의 정도, 거동 상태, 과거 및 현재의 병력, 합병증, 상용약의 종류와 사용량, 복용기간 등의 정보를 수집한다.

환자의 협력, 이해정도 등에 따라 보호자에게서 병력청취를 자세하게 시행하고 원래의 질환 및 일상생활 방식을 파악한다. 또 주치의사를 통하여 질병상태, 상용약제 등의 정보를 수집하여 부작용의 유무, 상호작용을 나타내는 약제의 사용상 주의 등을 검토한다.

② 시진

운동기능의 장애, 또는 신경근육협조운동의 장애 등으로 시술을 시행할 때 자세를 유지하기가 곤란하거나, 가슴의 이상적인 발달과 호흡근육과 관련된 호흡기능상실 등 시술 중 관리해야 할 문제점을 파악한다. 입술의 색깔로 청색증의 유무를, 구강 내 검사에 의해서는 혀의 크기, 혀운동, 침흘리기의 정도, 삼킴장애의 유무 등을 확인한다.

③ 청진

혀의 불수의 운동, 침흘리기, 구토 등 뇌성마비에 수반하는 삼킴장애에 의한 쌕쌕거림에 유의한다. 또 호흡에 관여하는 배근육의 운동장애, 가슴의 변형으로 호흡형태가 비정형적이거나 심호흡 등 수의적인 호흡이 불가능한 경우도 있다.

④ 임상 검사

일반 환자에 준해서 검사를 시행한다.

일반검사에 관해서는 건강한 사람에 준해 행해지나 일반혈액검사, 흉부방사선사진촬영 등을 진정상태나 전신마취하에서 행해야 하는 경우도 있다.

중추신경장애의 증상으로써 시상하부의 체온조절기능이상에 의한 발열, 비정형적인 경련, 근육강직, 삼킴장애, 가래배출 장애 등의 기능적 원인에 의한 구토, 스트레스를 견디지 못하여 발생되는 쇼크와 비슷한 증상으로 속발하는 구토, 조임근(sphincter) 이완 등의 기질적 원인에 의한 구토 등에 관해서는 유발인자, 증상의 정도, 치료경과 등을 파악해야 한다.

(3) 상용약

상용약에 관해서는 주치의와의 상담을 통해서 처방내

용을 확인한다. 원래 가지고 있는 질환의 위험도와 상용약에 의한 부작용을 감안해서 전투약제, 정맥마취제, 신경근차단제 등과의 상호작용을 검토하여 진정방법 또는 전신마취를 선택한다. 장애인이 상용하는 약물의 부작용을 알아야 한다.

3) 전신마취

전신마취의 모든 과정은 마취과 의사에 의해 행해지나 전신마취하에서 치과치료를 행하는 치과의사는 치과증상과 연관된 의학적 문제, 전신질환과 연관된 치과적 문제, 전신마취의 내용 및 시행 전 의학적 검사의 필요성, 전신마취로 인해 발생 가능한 응급 상황과 그에 대한 대처 방법 및 사용 약재, 수술실 이용 시의 행동지침과 명확한 기록, 법의학, 법치학적 책임 등 부가적인 수련과 전문적인 이해가 있어야 한다.

(1) 적응증

치과치료에 시행함에 전신마취가 필요한 경우로는 크게 치과치료 시 행동조절이 되지 않는 환자, 치과관리에 문제가 있는 환자, 특수한 치과치료가 요구되는 환자, 의학적인 협조가 필요한 환자 등을 들 수 있다.

행동조절이 되지 않는 환자로는 치과치료의 필요성을 이해하지 못하는 2세 이하의 어린이나 중증지적장애인, 뇌성마비나 파킨슨병과 같은 불수의 운동환자, 조현병과 같은 정신장애환자이나 시각장애인이나 청각장애인과 같은 감각장애인으로 의사소통에 문제가 있는 환자, 치과치료에 대한 공포증 환자 등이 있다.

치과관리에 문제가 있는 환자로는 먼 거리에 살고 있어 빈번한 내원, 운송 수단에 문제가 있는 환자, 약속횟수를 줄여야 하는 환자, 정신적이나 사회적 문제로 약속을 잘 지키지 않거나, 치과진료를 경시하는 환자 등이 있다.

특수한 치과치료가 요구되는 환자로는 외과적 시술이 요구되는 환자나 하악 운동이 제한되어 고통 받는 환자 등이 있다. 의사소통은 지능지수가 70 정도여도 자폐가 수반되면 사회 환경에 적응이 잘 이루어지지 않아 의사소통 및 협력을 얻는 것이 불가능하기 때문에 전신마취를 선택해야 한다. 반신마비 등의 장애로 상·하지 불수의 운동을 하는 지체부자유인의 경우 팔다리의 관절이 굳어버린 경우도 있으며 심하면 기관내삽관을 위한 체위를 취하는 것이 불가능한 경우도 있다.

의학적인 협조가 절대적으로 필요한 환자로는 선천기형, 심장질환, 혈액질환, 콩팥질환, 호흡기질환 환자와 급성 감염이나 해부학적 변이, 알레르기 등으로 국소마취가 효율적이지 못한 환자, 중증장애인 및 의학적 문제로 전신마취가 예정된 환자 등이 있다.

(2) 수술 전 준비

수술 전 검사 결과를 확인하고, 필요한 경우 의학적 자문을 받아 마취과의사에게 전달한다.

환자와 보호자에게 여러 차례에 걸쳐 내원일을 주지시키고, 감기에 유의하도록한다.

전신 마취 및 치료에 대한 동의서를 준비한다. 이 동의서에는 환자에게 발생될 수 있는 문제에 관한 정보, 전신마취를 시행하여 발생할 수 있는 악성열증이나 의학적 합병증, 치과치료를 받지 않아서 발생될 수 있는 후유증 등의 내용이 포함되어야 한다.

입원의 경우, 의학적 지원이 필요한 신체적 장애는 수술 전일 입원 후 안정이 필요하나 전신질환이 없는 정신적 장애환자는 낯선 환경의 입원상황이 더 악영향을 끼칠 수 있으므로 장단점을 고려하여 결정한다.

(3) 마취 전 투약

마취 전 환자의 불안을 해소하고 진정시키기 위하여 전투약을 시행한다. 또 다른 목적은 진통효과로 흡입마취제의 사용량을 줄일 수 있고, 선행성 기억상실, 타액 및 위액, 기관 분비액을 감소시키며, 미주신경반사를 억제하고, 마취유도를 촉진시키는 역할을 한다. 전 투약의 처방은 장애의 병태생리와 주치의와 상담을 통해서 상용약제 및 상호작용을 파악한다. 일반적으로 부교감신경 차단제, 진정제, 진통제 등이 이용된다.

(4) 마취유도

전투약이 적절하게 이루어지면 환자를 수술대로 옮기고, 혈압계, 심전도, 맥박산소측정기, 체온계를 위치시킨다. 전신마취를 유도하는데 주로 정맥마취와 흡입마취가 이용된다. 정맥로 확보에 협조에 하는 환자의 경우 정맥마취 유도가 가능하지만 환자가 거부할 경우 세보플루란을 사용한 흡입마취 유도가 더 선호된다. 후두경의 크기와 기관 내 튜브의 굵기는 신장, 나이 등을 기준으로 환자 개개인의 성장의 정도를 고려해서 선택한다.

(5) 마취유지

마취과 의사는 마취 동안 혈압, 맥박, 체온, 심전도를 감시하고, 일정한 마취심도를 유지시키며 수액 등 균형 유지를 한다. 시술하는 치과의사도 입술, 점막, 혈액의 색깔과 기도유지를 관찰하고 응급 상황 시 마취과 의사를 도와준다. 체온조절을 위하여 담요의 준비, 구토에 의한 흡인폐렴의 방지책, 경련에 대한 항경련제의 투여계획 등을 검토해야 한다.

(6) 마취에서의 각성

마취에서 깨기 위해서는 시술종료와 함께 흡입마취제의 투여를 중지하는데 종료 전 미리 중지시켜 빠른 회복을 유도하기도 한다. 100% 산소를 공급시켜 삼킴반사가 회복되고 스스로 자발호흡이 가능해지면 구강 내를 흡인, 청결케 한 후 발관하고, 회복실이나 병실로 옮긴다.

(7) 수술 후 처치

환자를 회복실에서 병실로 옮길 때는 활력징후가 안정되고 수술부위에 출혈이 없어야 하며, 구토물의 흡인을 방지할 수 있을 정도로 반사가 회복되어야 한다. 또 환자 스스로 적절한 체위를 취할 수 있게 근 수축력이 회복되어야 한다. 광범위한 수술을 한 경우 유동식을 하도록 하고, 수술 후 하루가 지나면 보통 식사를 하도록 한다. 지혈은 압박이나 봉합 같은 일반적인 방법을 이용하고 부종이 예상되면 얼음찜질을 지시한다.

마취 후 회복 시 어느 정도의 열은 있으나 대개 24시간 안에 정상으로 돌아가는데, 만약 39.2℃를 넘거나 오래 지속되면 혈액검사를 하여 감염 여부를 확인한다. 수술 후 통증이 있으면 진통제를, 구역 및 구토가 나타나면 항구토제를 처방한다.

4) 중증장애질환과 마취관리

(1) 지적장애

① 정의

지적장애는 웩슬러 지능검사 등 개인용 지능검사를 실시하여 얻은 지능지수(IQ)에 따라 판정하며, 사회성숙도 검사를 참조한다. 지능발달이 지체되거나 정지되어 학습능력과 의사소통, 자기관리, 가정생활, 사회적, 대인 관계적 기능, 지역사회 자원의 이용, 자율성, 학습능력, 일, 여유, 건강, 안전 등의 행동에 사회적응 능력이 정상인보다 떨어져 있는 상태로 정의한다. 한 가지 증상으로만 나타나는 경우는 드물고 뇌전증, 뇌성마비, 구강악안면 기형, 정서장애 등과 같은 육체적, 정신적 장애와 동반되어 나타난다. 단, 노인성 치매는 제외한다.(표 22-15).

② 임상증상

지적장애환자의 임상증상으로는 정신기능의 발달이 지

표 22-15. 지적장애환자의 장애등급

등급	지능지수	정신적, 사회적 능력
1	<35	일상생활과 사회생활의 적응이 현저하게 곤란하여 일생동안 타인의 보호가 필요한 사람
2	35~50	일상생활의 단순한 행동을 훈련시킬 수 있고, 어느정도의 감독과 도움을 받으면 복잡하지 않고, 특수기술을 요하지 않는 직업을 가질 수 있다.
3	50~70	교육을 통한 사회적. 직업적 재활이 가능한 사람

표 22-16. 자폐성장애의 장애등급

장애등급	장 애 정 도
1급	ICD-10의 진단기준에 의한 전반성발달장애(자폐증)로 정상발달의 단계가 나타나지 아니하고 지능지수가 70 이하이며, 기능 및 능력장애로 인하여 GAS척도 점수가 20 이하인 사람
2급	ICD-10의 진단기준에 의한 전반성발달장애(자폐증)로 정상발달의 단계가 나타나지 아니하고 지능지수가 70 이하이며, 기능 및 능력장애로 인하여 GAS척도 점수가 21~40인 사람
3급	2급과 동일한 특징을 가지고 있으나 지능지수가 71 이상이며, 기능 및 능력 장애로 인하여 GAS척도 점수가 41~50인 사람

연되고, 기질적인 발성장애는 없으나 학습, 어휘, 이해력이 부족하고 발음이 명료하지 못해 의사소통에 대한 장애가 따르며, 운동기능의 발달이 지연되고, 적응행동장애와 정서장애문제가 나타나며, 항정신약을 복용하는 환자도 있다.

증후군과 관련된 지적장애환자에서는 선천성심장질환이 동반되는 경우가 있으며 이때는 심실사이막결손 등의 병변 때문에 환자가 우는 경우 좌우단락이 증가하여 청색증이 나타날 수도 있다. 선천성심장질환이 있는 경우에 아급성 세균심내막염의 예방을 위하여 항생제를 사전에 투약한다.

③ 환자의 행동조절

행동양상이 다양하여 환자의 나이, 지적장애의 정도에 좌우되며 행동조절은 지적장애가 비교적 가벼운 경우에 시도된다. 먼저 신체를 억제하는 방법이 있는데 이때는 반드시 보호자의 동의를 얻어야 한다. 부모나 보조자가 환자를 붙잡아서 환자의 손이 치료부위에 오지 않게 하거나, 손목끈이나 다리끈, 몸체끈 또는 다른 보조기구를 이용하여 환자를 부분억제하기도 하며 상품화된 장비인 papoose board나 pediwrap를 이용하여 전신을 억제하기도 한다. 환자를 치료의자에 앉힐 때에는 편안한 자세를 잡아주어야 하며 적절한 환자지지용 베개를 받쳐준다.

공포를 많이 갖는 환자에서는 진정제를 선택하고 투약을 하기 전에 약물종류와 투여경로 등을 결정한다. 만약 환자가 불안이 어느 정도를 넘어서서 치료를 방해할 경우 입으로 투여하는 방법이 가장 간편하다. 환자에 진정제를 입으로 투여하여도 진정이 되지 않을 경우에는 정맥주사하는 방법을 고려한다. 지적장애 환자는 기침, 구역반사가 부분 소실되어 호흡곤란으로 큰 위험이 될 수 있으므로 세심한 주의가 필요하다. 지적장애가 중증인 환자에서는 전신마취 하에서 시술을 해야 할 경우가 많다.

(2) 전반적발달장애(자폐성 장애)

① 정의

전반적으로 언어발달 의사소통, 사회화, 인지장애가 있고 상동적 행동을 반복하는 발달장애의 하나이다. 보통 36개월 이전에 발병하며 원인은 밝혀지지 않았지만 중추신경의 기능장애 또는 기질장애 등으로 야기되는 지각과 정서의 발달장애이다. 전반성발달장애(자폐증)가 확실해진 시점(최소 만 2세 이상)에서 장애를 진단한다. 특징으로는 주위에 무관심하고 적응력이 떨어지고 환자 자신이 고립되는 경향을 보인다. 언어발달의 지체나 이해력의 저하를 나타내는 경우가 많다(표 22-16).

② 증상

자폐환자가 나타내는 주요 행동증상으로는 보호자나 다른 사람은 별로 의미가 없는 대상이며 대화에도 흥미가 없고 무관심하며 혼자 지내기를 좋아하고 이를 방해하는 것을 심하게 거부하며 특정 물건에 집착하고 때때로 사람을 물건으로 대하기도 한다.

자폐환자는 언어장애를 동반하는 경우가 대부분이다. 자폐환아 2/3에서는 기능적 언어를 습득하거나 언어표현에 어려움이 있어 보이며 청각장애인으로 오해하기 쉬우나 청력은 정상이다. 행동을 모방하거나 이해할 능력이 없어 언어문제가 발생한다. 강박관념이 강하여 동일성을 유지하려는 욕구가 강하고 의식주를 행동의 기본으로 삼고 있다.

사물을 평가할 때 촉각이나 미각, 후각을 이용하여 핥거나 가볍게 두드려서 대상을 확인하며 사물을 볼 때에는 주변을 먼저 살피고 사물을 보는 경향이 있으며 복잡한 상황이나 다른 사람 특히 어른을 회피하고 가끔 통증이나 온도에 둔감하기도 한다.

③ 마취 시 고려사항

치과의사 및 마취과 의사와의 만남은 가능한 한 해치지 않고, 위협적이 아닌 것으로 이해되도록 해야 한다. 따라서 치과치료실에서는 단계적이고 시범적으로 공개하는 것이 중요하다. 언어 및 비언어적 의사소통을 할 때에는 환자와 시선을 맞추는 것이 필수적이다. 오래 기다리지 않도록 하고 지시는 간단하게 한다. 환자가 나타내는 울화, 자기자극, 자학 행동을 무시한다. 또한 처음 대하는 것에 대한 강한 공포가 있으므로 가족이 환자와 같이 있도록 한다.

행동조절을 위해 진정효과가 있는 항히스타민 제제나 벤조다이아제핀, 아산화질소 등이 선택적으로 이용된다. 입원이 필요하면 제한된 수의 사람에만 노출되게 하고 보호자는 환자와 같이 머물도록 허용되어야 한다. 수술 전 음료섭취의 금지 및 음식섭취제한에 관한 사항을 보호자에게 확실하게 전달하고, 마취에서 깨어났더라도 아무리 불러도 대답하지 않는 경우가 있으므로 신중한 판단이 필요하다.

(3) 뇌병변 장애

① 정의

뇌성마비, 외상성 뇌손상, 뇌졸중과 기타 뇌의 기질적 병변으로 인한 경우에 한하며, 원인 질환 등에 대하여 6개월 이상의 충분한 치료 후에도 장애가 고착되었음이 확인 되었을 때 진단 된다. 파킨슨병은 1년 이상의 성실하고 지속적인 치료 후 주요 증상(균형장애, 보행장애 정도 등), 치료경과 등을 고려하여 판정한다. 소아청소년은 만 1세 이상의 연령부터 장애판정이 가능하며, 성장함에 따라 재판정될 수 있다. 특히 뇌성마비는 뇌의 비진행성 신경장애와 근육장애의 현상의 하나로 뇌의 운동조절중추의 병변으로 마비, 허약, 조정불능, 운동실조, 또는 다른 운동 기능의 이상이 나타난다. 뇌손상을 받은 부위와 손상정도에 따라 장애의 정도와 임상증상이 다양하게 나타

표 22-17. 뇌병변 장애의 장애등급

등급	장 애 정 도
1급	- 독립적인 보행이 불가능하여 보행에 전적으로 타인의 도움이 필요한 사람 - 양쪽 팔의 마비로 이를 이용한 일상생활 동작을 거의 할 수 없어, 전적으로 타인의 도움이 필요한 사람 - 한쪽 팔과 한쪽 다리의 마비로 일상생활 동작을 거의 할 수 없어, 전적으로 타인의 도움이 필요한 사람 - 보행과 모든 일상생활 동작의 수행에 전적으로 타인의 도움이 필요하며, 수정바델지수가 32점 이하인 사람
2급	- 한쪽 팔의 마비로 이를 이용한 일상생활 동작의 수행이 불가능하여, 전적으로 타인의 도움이 필요한 사람 - 마비와 관절구축으로 양쪽 팔의 모든 손가락 사용이 불가능하여, 이를 이용한 일상생활 동작의 수행에 전적으로 타인의 도움이 필요한 사람 - 보행과 모든 일상생활 동작의 수행에 대부분 타인의 도움이 필요하며, 수정바델지수가 33 ~ 53점인 사람
3급	- 마비와 관절구축으로 한쪽 팔의 모든 손가락 사용이 불가능하여, 이를 이용한 일상생활 동작의 수행에 전적으로 타인의 도움이 필요한 사람 - 한쪽 다리의 마비로 이를 이용한 보행이 불가능하여, 보행에 대부분 타인의 도움이 필요한 사람 - 보행과 모든 일상생활 동작의 독립적 수행이 어려워, 부분적으로 타인의 도움이 필요하며, 수정바델지수가 54 ~ 69점인 사람

난다(표 22-17).

② 임상주요소견

증상으로 운동중추의 기능이상과 성장발육의 지연, 근육의 수의운동장애로 움직임과 경직, 근쇠약, 부동증, 운동기능 장애가 나타난다. 또한 동반장애로 학습지능장애, 발작, 감각장애, 의사소통장애, 지각기능장애, 행동이상, 음식섭취와 삼킴장애, 치아이형성증 등이 나타날 수 있다.

뇌성마비환자의 40~60%에서 지적장애가 있어서 학습에 어려움이 있고 50~80%의 환자에서 언어장애가 나타난다. 감각장애가 나타날 수 있는데 시각장애로는 30~40%의 환자에서 사시가, 10%의 환자에서 안구진전이, 7%의 환자에서 시신경위축이 나타나며, 청각장애는 6~15% 환자에서 나타난다. 환자의 30~50%에서 경련과 발작이 발생한다. 삼킴과 음식섭취의 불량으로 영양실조에 의한 성장과 발육이 불량하게 된다.

행동장애로는 과잉운동증, 주의산만 및 감정조절장애 등이 정상인에 비해 4~5배 더 발생한다. 창자와 방광의 조절이상으로 변비, 유뇨증(enuresis), 복압요실금(stress urinary incontinence) 등이 자주 나타난다.

③ 마취 시 고려사항

마취 및 시술에 대한 모든 설명은 간단하면서 환자의 지능에 맞게 해주어야 하며 환자에게 어떤 시술을 하는지 자세하게 설명해 주어야 한다.

머리를 베개에 받혀주거나, 덧대 등을 이용하여 팔다리가 편한 위치로 조정해준다. 또한, 행동조절을 위해 신체 억제기구나 진정제, 전신마취의 이용을 고려한다.

전신마취를 시행하기 위해서는 수술 전 검사를 시행하는데, 몸무게와 키를 재어 체형의 변화가 있으면 키를 추측해서 기관내삽관 튜브의 크기를 선택한다. 폐기능을 검사하여 제한성 폐질환에 의한 환기장애가 있는지, 호흡기 감염증이 있는지를 검사한다. 항경련제, 근육이완제 등을 확인하고 투여하는 마취약제와의 상호작용에 대한 부작용을 검토해야 한다.

항경련제를 복용하는 경우 간 효소가 유도되어 비탈분극성 신경근차단제의 요구량이 증가하며 초기 용량도 더 많이 필요한 특성이 있다.

수술 후에는 입인두의 운동장애로 기도협착이 올 수 있으며 혀끝이 쳐져 후두인두를 막아 기도가 막힐 수 있고 쌕쌕거림이 발생하고 폐흡인에 의한 폐렴이 발생할 수 있다. 또한 가슴과 배근육의 발달이 늦어져서 구토가 발생할 가능성이 높다.

표 22-18. 뇌전증 장애 등급 분류

장애등급	장 애 정 도
2급	만성적인 뇌전증에 대한 적극적인 치료에도 불구하고 월 8회 이상의 중증발작이 연 6회 이상 있고, 발작을 할 때에 유발된 호흡장애, 흡인성 폐렴, 심한 탈진, 두통, 구역, 인지기능의 장애 등으로 심각한 요양관리가 필요하며, 일상생활 및 사회생활에 항상 타인의 지속적인 보호와 관리가 필요한 사람
3급	만성적인 뇌전증에 대한 적극적인 치료에도 불구하고 월 5회 이상의 중증발작 또는 월 10회 이상의 경증발작이 연 6회 이상 있고, 발작을 할 때에 유발된 호흡장애, 흡인성 폐렴, 심한 탈진, 두통, 구역, 인지기능 장애 등으로 요양관리가 필요하며 일상생활 및 사회생활에 수시로 보호와 관리가 필요한 사람
4급	만성적인 뇌전증에 대한 적극적인 치료에도 불구하고 월 1회 이상의 중증발작 또는 월2회 이상의 경증발작이 연 6회 이상 있고, 이로 인하여 협조적인 대인관계가 현저히 곤란한 사람
5급	만성적인 뇌전증에 대한 적극적인 치료에도 불구하고 월 1회 이상의 중증발작 또는 월 2회 이상의 경증발작이 연 3회 이상 있고, 이로 인하여 협조적인 대인관계가 곤란한 사람

(4) 뇌전증 장애

① 정의

뇌전증은 다양한 원인에 의하여 발생하는 뇌장애로 대뇌신경세포의 과잉방전에 의한 반복 발작이 특징이며, 다양한 임상증상 및 검사소견을 보이는 질환이다. 원인 질환 등이 2년 이상의 지속적이고 적극적인 치료 후에도 장애가 고착될 때 장애로 진단된다(표 22-18).

② 마취 시 고려사항

대부분의 마취제는 경련을 억제시키는 항경련 효과가 있어서 경련발생을 억제한다. 경련은 미리 예방하고 준비하는 것이 중요하다. 병력청취를 통하여 발작의 유발원인, 전조유무, 종류, 증상, 빈도, 지속시간, 치료여부, 복용 약물 등 정보를 수집한다. 발작에 대한 대응법도 잘 숙지해야 하지만 예방이 중요하다. 뇌전증 병력이 있으면 치과치료 전 미리 항경련제를 반드시 복용시켜 뇌전증을 예방하는 것이 중요하다.

수술 전 환자나 보호자와의 병력청취를 통하여 발작의 유발원인, 발작 시의 상태, 발작빈도 등 뇌전증에 대한 정보를 알아야 한다. 주치의와 발작의 상태, 약물의 종류, 용량, 복용기간 등 처방내용, 항경련제의 복용에 따른 부작용, 항경련제와 진정제 및 마취제와의 상호작용 등에 대해 상담이 필수적이다.

과도한 긴장이나 불안, 공포를 해소하고 안정시키기 위하여 심리적 접근이 시행된다. 보호자의 치료실내 입장을 허용한다. 일반적인 행동조절 방법으로 진정되지 않으면 진정이나 전신마취 방법의 시행이 고려된다.

③ 행동조절 만으로 치료 시행 중 발작 발생 시 대처

만약 발작이 발생한다면, 발작이 일어나는 동안이나 후에 의사가 냉정함을 유지해서 환자나 보호자들을 안심시키는 것이 중요하다. 치과치료 시 일반적으로 대발작은 빈도가 낮고 90% 이상이 전신적인 강직성-간대성 경련이다. 이러한 경련은 보통 예고 없이 갑자기 나타나며, 모든 활동이 갑작스럽게 중단되고 의식이 소실되며 바닥에 쓰러진다.

환자가 치과치료 중 발작이 발생하면 처치를 중단하고 의자를 뒤로 눕히고, 가슴이나 목주위의 꽉 죄는 옷을 느슨하게 해주며, 입안의 분비물이나 구토물의 흡입을 최소하기 위해 환자를 옆으로 뉘어야 한다. 만일 입안의 분비물이나 구토물이 있을 경우에는 흡인관으로 제거해 준다. 발작이 일어날 때 무의식상태에서 혀를 깨물 수 있으므로 윗니와 아랫니 사이에 거즈를 물려준다. 모든 날카로운 기구나 장비를 치운다. 환자가 주위의 물건을 파손하거나 의자에서 바닥으로 떨어지는 것을 방지하기 위해 수동적인 지지를 시행해야 한다.

응급키트에 미다졸람이나 아티반이 준비되어있다면, 근육 주사하여 경련을 멈추도록 하며, 응급의료체계를 활성화하여 응급의료기관으로 전원시킨다. 치료 전 또는 치료 중 뇌전증성 경련을 나타내면 치료를 연기한다. 수술 후 발작에 주의하고 가능한 한 조기에 항경련제의 투약을 시작한다.

(5) 지체 및 신체장애

① 정의

사지의 일부나 전신이 관절 구동성이 떨어지고, 자신의 의지대로 움직일 수 없는 경우나, 시각, 언어의 장애로 외부와 소통이 단절된 경우를 포함한다.

② 마취 시 고려사항

환자의 지능과 신체 상태에 맞추어 상황을 부드럽게 설명하고 환자에 맞추어 흡입 또는 정맥마취를 유도하거나 행동조절을 통한 진료를 시행한다.

6. 치과영역에서의 전신마취

1) 기도관리에 대한 어려움

무치악증, 선천이상, 외상, 수술 후의 변형 등에 의하여 마스크의 고정에 어려움이 있을 수 있다. 또한 선천성 이상(Pierre Robin 증후군, Treacher-Collins 증후군 등), 종양, 염증, 외상, 입술의 흉터수축 등에 의한 입벌림장애와 목부위의 피부흉터수축에 의한 신전의 곤란, 입바닥부위와 혀바닥부위의 상처수축에 의한 후두전개곤란, 선천성 기형을 수반한 아래턱의 왜소 등에 의하여 기관내삽관이 어려운 경우가 종종 있다.

일반적으로는 마취과 의사의 위치가 환자의 머리 부위에 자리하지만, 구강외과 수술의 경우 수술의사의 수술을 용이하게 하기 위하여 기도와 멀리 떨어져 자리해야 하므로 기도에 문제가 발생할 경우 마취과 의사의 대응이 늦어질 가능성이 높으며, 수술 중에는, 특히 회로와 기관튜브의 연결부가 탈락하는 경우가 발생하는 경우가 있기 때문에 고정을 단단히 하고 수술의사와 함께 특히 주의해야 한다.

치료 도중에 발생하는 아말감, 레진, 치아의 조각 또는 분말, 금속편이나 가루 등이 기도로 넘어가는 경우가 있으며 혈액, 분비물, 타액, 소독약 등으로 기도가 막힐 수 있으므로 주의해야 한다. 수술 후에 기도 막힘이나 호흡기 합병증의 발생 가능성이 높다. 수술 후에 입안에서 부종이나 혈종이 서서히 증가하여 기도를 막힐 수 있기 때문에 기관내삽관 튜브의 발관시기를 신중하게 결정해야 한다. 또한 음식물을 삼키는 기능에 관여하는 부위의 수술이기 때문에 삼킴장애가 발생하면 음식물에 의해 기도가 막히거나 흡인성 폐렴이 발생할 수 있으므로 주의해야 한다.

2) 치과수술의 특징

치과수술의 경우 구강 내의 수술을 하기 때문에 코를 통한 경비기관삽관을 하는 경우가 대부분이다. 치과수술을 위해 수술부위를 소독할 경우에는 바깥귀길이나 눈으로 소독제가 들어갈 가능성이 있기 때문에 외이도를 솜으로 막고 안연고를 눈에 넣고 보호해야 할 필요가 있다. 수술 후 구토로 인한 흡인성 폐렴을 예방하기 위해 비위관을 관을 넣어 위액을 배출시킬 수 있다. 또한 구강 내에는 혈관이 풍부하여 수술 중에 출혈이 많기 때문에 지혈목적으로 수술 전에 에피네프린의 국소투여를 하는 경우가 빈번한데 이때 에피네프린에 의해 심장부정맥, 고혈압 등이 발생할 수 있으므로 치과의사가 에피네프린을 국소 투여할 경우에 그 농도와 양을 마취과 의사에게 반드시 고지한 후에 투여할 수 있도록 협조를 구해야 한다. 치과의사는 기도유지에 신경을 써야 하며 특히 기도삽관을 하지 않는 진정법의 경우 진정제의 과다투여로 인하여 의식이 저하되고, 혀에 의해 기도가 막힐 수 있음을 명심해야 한다.

3) 치과수술의 종류에 따른 특성

(1) 일반치과치료와 발치

전신마취하에서 치과치료나 발치를 하는 경우는 다음과 같다. 발치하고자 하는 치아가 골 내에 깊숙하게 매몰되어 있거나, 여러 개의 치아를 동시에 발거하여 수술로 인한 외상이 크다고 생각되는 경우, 자폐증, 뇌성마비, 정신발달지체, 또는 행동장애를 수반하는 환자나 의사소통이 어려운 소아를 치료하면서 협조를 얻기가 힘든 경우, 공포심, 이상거부반응을 가진 환자로서 진정법에 의해서도 해결이 되지 않은 경우, 및 국소마취제에 대하여 과민반응이 의심되는 환자의 경우이다.

(2) 구강염증과 고름집제거

술후의 감염, 매복치의 감염, 치근단 주위 염증 또는 치주염의 급성 감염악화 등이 원인이 될 수 있으며, 치과의사에게 고름집제거의 술식의 접근방향이 구내인지 구외인가를 마취 전에 꼭 확인해야 한다. 구강 내에 염증이 있을 경우 입이 잘 벌어지는지를 확인하는 것이 기도확보의 방법을 선택하는데 매우 중요하다. 환자는 경구섭취가 불가능하면 매우 초조해하며, 탈수상태를 보이는 경우가 많기 때문에 유의해야 한다. 또한 당뇨병이 있는 환자는 구강 염증이 발생할 가능성이 당뇨병이 없는 환자에 비해 높으며, 근육에 기질적인 변화가 생겨 기관내삽관을 하기 어려운 경우가 많으므로 기도평가를 세심하게 해야 한다.

(3) 악골골절고정술

교통사고 등의 광범위한 손상을 받은 경우에, 중요 장

기의 손상여부와 검사가 완료된 후에 치과에 의뢰되는 경우에는 응급 상황이 아니지만, 손상 직후에는 기도확보, 지혈처치, 쇼크에 대한 응급 처치 후 각종 검사를 거쳐 골절의 유무를 판단하여 대처해야 한다.

응급실을 통한 악안면 외상 환자의 경우 외견상 외상의 부위가 적고 안면의 변형 정도가 심하지 않아도 연조직과 골 및 상기도를 형성하는 연골조직이 심한 손상을 받은 경우가 종종 있기 때문에 기도에 대한 평가가 매우 중요하다

기도의 연조직의 출혈이나 부종에 의하여 시간이 경과하면서 기도가 부분적으로나 심한 경우 완전히 막힐 수 있기 때문에 신속하게 기도를 평가하고 확보해야 한다. 악골골절에 의한 혀바닥침하, 골절편의 전위, 교합이상, 구강저와 협부에 형성된 혈종, 거대한 혈병, 의치 등에 의하여 기도가 종종 막히게 된다. 또한 안면외상환자들은 두부외상을 수반하는 경우도 많기 때문에 코출혈, 귀출혈, 뇌척수액의 누출 등에 유의해야 하며, 처음에 생명을 구조하기 위한 응급조치가 선행되는 경우 나중에 입벌림장애, 교합이상, 저작기능장애, 안면변형 등을 초래하는 경우도 있다.

응급의 악안면외상에서 두개저골절이 있는 Le Fort Ⅲ 골절이 있는 경우 경비기관삽관은 금물이다. 출혈을 조장하거나, 기관 내의 튜브가 골절선을 따라 두개 내로 들어갈 가능성도 있고, 마스크나 호흡주머니에 의한 압력에 의하여 이물이나 공기가 비후강으로부터 거미막밑공간(subarachnoid space)으로 들어갈 위험성이 있어 외상의 정도가 심한 경우에는 기관 절개를 고려하는 것이 현명한 판단이다.

그러나 삽관곤란이 의심되더라도 기도유지가 잘 되면 의식 하에서 삽관할 필요가 없다. 아래턱만 골절되었을 경우에도 입을 벌릴 수 없는 경우도 종종 있다. 염증이나 뼈조각의 이동에 의한 통증에 의해 입이 벌어지지 않을 경우에는 마취를 유도하고 신경근차단제를 투여하면 입이 벌어지지만 골절된 뼈조각에 의해 턱관절의 운동에 장애가 발생하면 마취유도 후에도 입이 벌어지지 않으므로 골절부위의 뼈조각을 잘 살펴보아야 한다.

수술을 입안에서 시행할 경우에는 경비기관삽관을, 입바깥쪽에서 시행할 경우에는 경구기관삽관을 하지만 수술 중 교합을 확인하거나 수술 후에 위아래턱 고정술을 시행하는 경우가 많으므로 경비기관삽관을 시행하는 것이 일반적이다.

수술이 끝나고 환자를 깨운 다음에 기관내의 관을 제거할 경우, 위아래턱 고정이 되어 있는 환자에서는 기관내삽관을 다시 하려면 턱관절고정술을 풀고 삽관해야 하므로 시간이 소모되기 때문에 마취에서 충분히 깨어 난 다음에 관을 제거한다.

수술 후 입안의 부종이 예상되는 경우는 수술 다음 날에 관을 제거하는 것도 고려해야 한다. 환자가 마취에서 완전하게 깨지 않은 수술 직후에는 턱관절고정철사를 언제든지 제거할 수 있도록 철사절단기(wire cutter)를 항상 준비해두어야 한다. 또한 수술 후의 구토에 주의하고 혈액을 삼키지 않도록 주의시켜야 한다.

(4) 외과턱교정술

외과턱교정술의 목적은 기능적으로 안정된 교합을 만들고, 더불어 얼굴의 균형적인 아름다움을 추구하는데 있다.

적응증으로는 아래턱뼈앞돌출증(mandibular prognathism), 위턱돌출증(maxillary prognathism), 위턱후퇴증(maxillary retrognathia), 아래턱측편위(mandibular axis deviation), 위턱협착, 입술갈림증(cleft lip)과 입천장갈림증(cleft palate)에 의한 턱변형, 및 폐쇄수면무호흡증후군(obstructive sleep apnea syndrome)의 치료를 위한 아래턱의 앞쪽으로 이동시켜 기도를 확보하기 위한 수술 등을 들 수 있다.

이 수술의 특징은 수술 중간에 위아래턱을 고정을 해야 한다는 점이다. 수술 후에는 고정 방법에 따라 위아래턱 고정 기간이 다르지만 근래에는 나사와 강판 등을 사용한 고정으로 위아래턱 고정의 기간이 매우 짧아졌고 심지어는 고정하지 않는 경우도 있다. 그러나 수술 후에 위아래턱을 고정하는 경우가 대부분이기 때문에 응급 상황에 대비하여 철사절단기를 준비해야 한다.

마취유도 후에 기관내삽관을 할 때는 경비기관삽관을 해야 하는데, 폐쇄수면무호흡증후군, 작은턱증(micrognathia)의 경우에는 기관내삽관이 어려운 경우가 있다. 수술 중에는 수술조작과 머리를 돌리는 등의 조작에 의하여 기관내삽관 튜브가 빠질 수 있기 때문에 확실하게 고정해야 한다. 위턱의 Le Fort I형 뼈자름술(osteotomy)을 시행할 경우에 출혈량이 많기 때문에 혈장량 관리에 유의해야한다.

수술 후에는 수술부위의 부종과 출혈에 의한 혈종, 기도내 분비물이나 구토물, 혈액 등의 기도 흡인 등으로 기도가 막힐 수 있고 위아래턱의 고정으로 입안을 흡인하기가 곤란하므로 기관내삽관 튜브를 발관할 경우에는 분비물 또는 혈액 등을 충분히 제거한 후 완전히 마취에서 깬 상태에서 발관해야 한다.

아래턱뼈앞돌출증에 대한 하악지시상분할술과 같이 기도의 직경이 줄어드는 경우에는 수술 후에 상기도가 막힐 수 있으므로 주의해야 한다. 특히 마취에서 완전히 깨어 날 때까지는 환자감시장치를 이용하여 감시하고, 산소를 투여해야 한다.

(5) 종양절제술과 재건술

악안면부위의 종양을 제거하고 근치목수술(radical neck dissection)과 더불어 혈관봉합술을 이용한 유리피판(free flap)재건술을 할 경우 수술시간이 10시간을 넘기는 경우가 흔하다. 또한 재건술 후 종양이 재발하거나 근치술 후 이차적인 재건술을 위한 마취에서는 종양제거술에 의해 악안면이 심하게 변형되어 있기 때문에 마취유도 시에 기관내삽관이 힘들 수 있다.

입안을 구성하는 기관들이 광범위하게 절제되는 수술이기 때문에 입안의 형태변화가 상기도의 기능에 영향을 줄 수도 있다는 것을 염두에 두어야 한다.

먼저 기도를 확보하기 위한 방법을 결정해야 한다. 절제부위가 위턱에 한정된 경우에는 경구기관삽관을, 혀, 입안바닥(oral floor), 아래턱의 절제부위가 작은 경우에는 경비기관삽관을, 아래턱 절반 이상을 제거하고 근치목수술과 재건술 등 광범위한 수술을 시행하는 경우에는 기관 절개술을 시행한다. 경구기관삽관이나 경비기관삽관을 시행하는 경우에 입벌림 정도와 목의 젖힘의 정도, 방사선 조사에 의한 목부위의 흉터협착유무 등을 평가하여 수술 전에 기관내삽관이 용이한가를 평가해야 한다.

또한 대부분의 환자의 경우 수술 전에 화학요법과 방사선 치료를 받은 경우를 받는데 이때에는 전신상태가 악화되어 있는 경우가 많다. 약물에 의하여 간, 콩팥의 기능저하, 빈혈과 저단백혈증 등이 있는지, 방사선 치료에 의한 입안염(stomatitis)으로 음식물섭취 장애가 있는지를 확인해야 한다.

악성 종양 환자의 대부분은 고령으로, 순환계, 호흡계, 내분비계 질환을 합병하는 경우도 있으며, 또한 장기간에 걸친 흡연도 문제가 된다. 합병질환을 수술 전에 평가하고 치료가능하면 치료를 하고 수술 전에 투여된 약제의 확인, 금연의 지시, 그리고 호흡 기능 훈련을 철저히 해야 한다.

수술 중에 다량출혈의 가능성이 있으므로 혈관확보와 중심정맥압의 측정 목적으로 마취유도 후에 중심정맥카테터를 삽입한다. 중심정맥카테터의 삽입은 병변부위의 속목정맥(internal jugular vein)은 사용이 불가능하고 빗장밑정맥(subclavian vein)이나 넙다리정맥(femoral vein)을 이용한다. 광범위한 절제술의 경우 부종이나 감염에 의한 기도확보의 장애여부가 확인될 때까지는 발관하지 않는다. 수술 후에 안면의 변화가 많아서 발관 후 마스크에 의한 환기가 불가능한 경우가 많기 때문에 마취에서 충분히 깬 후에 발관한다.

수술 후에는 광범위한 수술로 인하여 환자의 활력징후가 불안정할 수 있으므로 수액요법과 필요 시 수혈요법을 시행하고 호흡관리에 특별한 주의를 요한다. 수술 후에 기관 절개한 경우 기관절개튜브(t-cannula)를 정기적으로 교환하여 감염을 예방하고, 세균과 음식에 의한 감염의 가능성이 있기 때문에 수술상처부위가 치유될 때까지 코위영양관(nasogastric tube)을 통하여 음식을 투여한다. 재건술 후에 피판이 완전히 생착되기 전까지는 혀나 아래턱의 운동 등이 불완전하여 음식물의 삼킴곤란으로 인하여 입안의 분비물이나 음식이 기도를 통하여 폐로 들어가 흡인성이 발생할 수 있으므로 주의해야 한다.

(6) 입술갈림증과 입천장갈림증(cleft lip and cleft palate)

입술갈림증의 수술은 생후 3개월(체중 6 kg 전후), 입천장갈림증 수술은 말하기 시작하는 생후 약 12개월(체중 9~10 kg)에 하는 경우가 많다.

수술 시 수술의사의 위치가 환자의 머리 쪽에서 입술 또는 입천장을 직접 보면서 수술한다. 이때 입벌리개는 설압자가 붙어 있는 Dingman형 입벌리개를 사용하는 경우가 많으며, 수술시야를 가리지 않기 위해 기관내삽관튜브와 혀를 압박, 고정한다.

수술 전에 입술입천장갈림증 환아는 심장기형과 다른 기형, 또는 증후군을 동반하는 경우가 있으므로 내과적으로 정밀검사를 하였는지, 적절한 치료가 되었는지 수술 전에 파악하는 것이 중요하다. 입천장갈림증 환아는 코와 입이 통해 있어서 만성 비염과 중이염을 합병하는 경우가 많기 때문에 급성 상기도염과 감별이 어렵다. 또한 수유장애로 인하여 발육이 지연되는 경우가 많다. 선천적인 외모의 기형때문에 부모가 정신적인 동요가 클 수가 있어 수술과 마취에 대한 충분한 설명이 필요하다.

마취 시에는 정맥주사로가 확보되지 않은 경우에는 세보플루란을 흡입시켜 무의식상태임을 확인한 후에 필요시 신경근차단제를 투여하여 근육이 충분히 이완됨을 확인하고 경구기관삽관을 시행한다. 삽관한 기관내튜브는 아랫입술의 중앙부에 테이프로 확실하게 고정하면서 아랫입술이 너무 눌리지 않게 한다. 입벌리개를 사용하여 입을 벌릴 때 기관내튜브가 깊게 들어가서 한 쪽 폐로 들어가는 것에 주의해야 하고 튜브가 눌리지 않게 주의해야 한다. 수술시야를 좋게 하기 위하여 목을 뒤로 젖히면 기관내삽관튜브가 빠질 수도 있으므로 주의해야 한다.

입천장갈림증의 수술은 수술시야는 좁으면서 출혈량이 많을 수 있으므로 수술 중에 출혈량을 확인해야 한다. 수술 후 환자를 완전히 깬 상태에서 튜브를 발관해야 하며, 이때 입안 분비물을 제거하기 위해 흡인을 할 때 수술부위의 출혈과 수술부위에 자극을 줄 수 있으므로 조심스럽게 흡인해야 한다.

(7) 임플란트

일반적으로는 임플란트 수술은 일반치과치료와 마찬가지로 국소마취로 하는 경우가 대부분이지만, 때에 따라서는 진정법 특히 정맥진정법하에서 시술을 하며 대부분 치과진료실에서 시행한다. 그러나 무치악(edentulous jaw)으로 엉덩뼈(ileum)이식 등의 골이식을 필요로 하는 경우, 종양 등의 수술 후 골이식을 동반한 재건술과 함께 임플란트를 심는 경우에는 입원하여 전신마취 하에서 수술하기도 한다.

수술 전 검사를 시행할 때 다른 치과치료와는 다른 차이점이 있음을 염두에 두어야 한다. 즉, 대상 환자들의 대부분이 고령이고 전신질환을 가지고 있는 경우가 많으며, 수술자체가 국소마취 하에 외래에서 수술하는 경우가 대부분이지만, 수술하는 곳이 상기도이고 시간이 오래 걸리며, 국소마취제도 타 치과치료에 비하여 많이 투여된다는 점이다. 또한 극도로 규격화된 섬세한 수술이기 때문에 입을 크게 벌린 상태를 유지하면서, 오랫동안 혀와 턱관절의 운동이 제한된 상태에서 치료하기 때문에 환자가 불편함을 호소하기 때문에 안정상태를 유지하는 것이 필수적이며, 수술 중에는 열이 발생하는 것을 막고 세척하기 위하여 다량의 생리식염수를 뿌리기 때문에 입으로 호흡하는 것이 불가능하므로 코가 막혀 있는 환자가 오랫동안 입을 벌리고 있기가 힘들고, 깨끗한 환경에서 수술을 해야 하므로 얼굴을 수술포로 덮기 때문에 환자의 표정과 상태를 관찰할 수 없다는 점을 고려해야 한다.

마취는 전신마취보다는 진정법을 시행하는 경우가 많다. 따라서 이 책의 제13장에서 22장의 진정법을 참고하기 바란다.

수술 후의 환자관리는 다른 치과수술과 마찬가지이나 여러 개의 임플란트를 한 번에 심는 경우에 부기와 통증에 대한 대책을 수립해야 한다. 아래턱 전치부의 임플란트 수술 후에는 혀쪽점막밑출혈이 매우 심해져서, 입안바닥의 부종에 의해 혀가 올라오게 되어 혀의 움직임도 저하되고 기도가 막힐 수 있다는 점에 유의해야 한다.

(8) 악관절경수술

악관절경수술은 악관절 병변의 진단과 치료목적으로 비교적 비침습적으로 시술하는 수술이다. 직경 2 mm 정도의 투관침(troca)과 외부관을 주로 상관절강으로 피부를 천자하여 삽입하고 관찰, 세척, 및 수술을 한다. 초기에는 직경 3 mm 정도의 굵기의 투관침과 배수로를 위한 제2의 천자를 하였으나, 근래에는 배수로와 투관침이 하나이면서도 직경이 최고 1.8 mm인 관절경도 소개되어 사용되고 있다.

수술조작을 잘못한 경우 바깥귀를 손상할 수 있고, 머리뼈바닥을 손상시킬 수 있으며, 관절강 내 전방벽을 뚫음으로써 과다출혈이 발생할 수 있다. 또한 피부의 뚫음의 위치를 잘못 설정한 경우 안면신경이 손상받을 수 있고 기구가 작아짐에 따라 시술 중에 조각이 나서 관절내나 근육에 남겨져 있는 경우도 있다.

수술 전의 주의사항으로는 이 수술이 전신마취 하에 시행되는 경우가 많지만, 환자는 피부손상이 아주 적은 간단한 마취로 생각하는 경향이 있기 때문에 오히려 마취의 필요성과 주의사항을 자세히 설명해야 한다.

적응증은 원판의 전위를 수반하는 비복원성 증례로 펌핑(pumping), 턱관절안 세정, 관절원판의 봉합에 의한 재위치술 등이다. 오랫동안 턱관절의 장애가 환자들의 대부분이 항불안제를 일상적으로 복용하는 경우가 적지 않으므로 이를 확인해야 한다.

전신마취의 경우에는 입벌림의 장애가 있어 삽관이 곤란한 경우들이 많기 때문에 경비기관삽관한다. 일반적으로 통증에 의한 입벌림장애는 마취나 근육이완제 투여에 의해 개선되지만, 근육긴장에 의한 입벌림장애의 경우에도 2주 이상 지속되면 근육이 섬유화되어 근육이완제를 투여하여도 입이 벌어지지 않는 경우가 많고, 또한 닫힌 잠금(closed lock)의 경우에도 물리적으로 아래턱융기의 움직임이 제한받고 있기 때문에 입벌림 정도를 확인하지 않고 마취를 신속하게 도입해서는 안 된다.

악관절경의 수술은 좁은 관절 안을 수술하므로 근육이완이 충분히 되어야 수술하기가 쉽다. 그러나 신경근차단제를 과다사용하게 되면 수술이 끝나도 근육이완이 지속될 위험이 크다. 따라서 신경근차단감시장치를 이용하여 신경근차단 정도를 감시하면서 수술의사와 수술진척상황을 상의하고 약물을 적절히 투약해야한다.

관절세정액이 관절강 밖으로 누수되었을 경우 입안이 부어 있어서 수술 후 발관 시 기도가 막힐 수 있다. 따라서 기관내삽관 튜브를 발관하기 전에 물렁입천장(soft palate)과 후두(larynx)의 부종의 유무를 확인하고, 부종이 심하면 부종이 빠질 때까지 기관내삽관 튜브를 빼지 말고 그대로 두어야 한다. 수액에 의한 부종은 염증에 의한 부종이 아니므로 비교적 빨리 부종이 사라진다. 수술 후에는 수술자체가 합병증 없이 순조로운 경우 입원은 필요 없이 당일수술과 퇴원이 가능하다.

참고문헌

1. 대한치과마취과학회: 치과마취과학. 제3판. 서울, 군자출판사. 2015.
2. 대한마취통증학회: 마취통증의학. 제3판. 서울, 여문각. 2014.
3. Miller RD: Miller's anesthesia. 8th ed, Philadeiphia, Elsevier. 2015.
4. Butterworth JF, Mackey DC, Wasnick JD: Morgan & Mikhail's clinical anesthesiology. 5th ed. New York, Mc Graw Hill, 2013.
5. David PJ, Cladis FP, Motoyama EK: Smith's anesthesia for infants and children. 8th ed. Philadelphia, Elsevier. 2011.

CHAPTER 23

| Dental Anesthesiology | 통증의학

통증의 생리

학습목표

1. 급성 통증의 기전을 설명한다.
2. 만성 통증의 기전을 설명한다.
3. 비정형 통증의 병태생리를 설명한다.

1. 급성 통증

조직의 손상은 직접적으로 통증 침해수용체를 활성화시킬 뿐만 아니라 손상된 조직과 동원된 염증 세포들로부터 prostaglandin, substance P, calcitonin gene related peptide (CGRP), histamine, serotonin, hydrogen 등의 염증 매개물질을 분비하게 만든다. 이러한 염증 매개물질에 의하여 염증반응은 혈관의 확장과 혈관의 투과성 증가를 초래하여 더 많은 염증 세포를 동원하게 되고 이로 인해 염증 반응이 더 커지게 된다. 그리고 이러한 염증매개체들은 통증을 전달하는 Aδ나 C 신경섬유를 더욱 흥분시키게 된다(표 23-1).

그리고 말초에서 발생한 염증에 의하여 분비된 화학적 매개체들은 침해수용체를 직접 자극하지만 일부는 이차 전달자(secondary messenger)를 통하여 감각 뉴런의 변화를 유도한다. 그리하여 glutamate나 aspartate 등 여러

표 23-1. 통증 매개체의 기원과 약물

통증매개체	기원(Source)	Drug antagonist
Bradykinin	Plasma kinogren	NSAIDs
Serotonin	Platelets	NSAIDs
Histamine	Mast cells	Anti-histamine
Prostaglandin	Arachidonic acid	NSAIDs
Leukotriene	Arachidonic acid	NSAIDs
Substance P	Primary afferent nerve	Opioids
Glutamate, aspartate	Primary afferent nerve	N-methyl-D-aspartate receptor antagonist

표 23-2. **Oxford League Table**

진통제(mg)	비교 환자수	최소 50% 진통효과를 가진 백분율	NNT	낮은 신뢰구간	높은 신뢰구간
Valdecoxib 40	473	73	1.6	1.4	1.8
Ibuprofen 800	76	100	1.6	1.3	2.2
Ketorolac 20	69	57	1.8	1.4	2.5
Ketorolac 60	116	56	1.8	1.5	2.3
Rofecoxib 50	1,900	63	1.9	1.8	2.1
Didofenac 100	411	67	1.9	1.6	2.2
Piroxicam 40	30	80	1.9	1.2	4.3
Lumiracoxib 400	252	56	2.1	1.7	2.5
Paracetamol 1,000 + Codeine 60	197	57	2.2	1.7	2.9
Oxycodone immediate-release 5 + paracetamol 500	150	60	2.3	1.7	3.2
Didofenac 50	738	63	2.3	2.0	2.7
Naproxen 440	257	50	2.3	2.0	2.9
Oxycodone immediate-release 15	60	73	2.3	1.5	4.9
Ibuprofen 600	203	79	2.4	2.0	4.2
Ibuprofen 400	4,703	56	2.4	2.3	2.6
Aspirin 1,200	279	61	2.4	1.9	3.2
Bromfenac 50	247	53	2.4	2.0	3.3
Bromfenac 100	95	62	2.6	1.8	4.9
Oxycodone immediate-release 10 + paracetamol 650	315	66	2.6	2.0	3.5
Ketorolac 10	790	50	2.6	2.3	3.1
Ibuprofen 200	1,414	45	2.7	2.5	3.1
Oxycodone immediate-release 10 + paracetamol 1,000	83	67	2.7	1.7	5.6
Piroxicam 200	280	63	2.7	2.1	3.8
Didofenac 25	204	54	2.8	2.1	4.3
Dextropropoxyphene 130	50	40	2.8	1.8	6.5
Pethidine 100(intramuscular)	364	54	2.9	2.3	3.9
Tramadol 150	561	48	2.9	2.4	3.6
Mohphine 10(intramuscular)	946	50	2.9	2.6	3.6
Naproxen 550	169	46	3.0	2.2	4.8
Naproxen 220/250	183	58	3.1	2.2	5.2
Ketorolac 30(intramuscular)	359	53	3.4	2.5	4.9
Paracetamol 500	561	61	3.5	2.2	13.3
Paracetamol 1,500	138	65	3.7	2.3	9.5
Paracetamol 1,000	2,759	46	3.8	3.4	4.4
Oxycodone immediate-release 5 + paracetamol 1,000	78	55	3.8	2.1	20.0
Paracetamol 600/650 + Codeine 60	1,123	42	4.2	3.4	5.3
Ibuprofen 100	369	31	4.3	3.2	6.3
Paracetamol 650 + Dextropropoxyphene (65 hydrochloride or 100 napsylate)	963	38	4.4	3.5	5.6
Aspirin 600/650	5,061	38	4.4	4.0	4.9
Tramadol 100	882	30	4.8	3.8	6.1
Aspirin 600 + Codeine 60	598	25	5.3	4.1	7.4

펩타이드들로 인하여 C-신경섬유 유해수용기의 자극이 반복적으로 지속되고 척수의 후각(dorsal horn)의 절후 2차 신경의 N-methyl-D-aspartate (NMDA) 수용기의 활성을 증가시켜 중추를 민감하게(central hypersensitivity) 만든다. 이는 중추신경계의 뉴런들의 반응을 증가시키고, 중추신경계를 활성화시키게 되고, 이것이 치과시술 이후에도 지속되는 통증에 기여한다. 이런 매개체들 중 일부는 진통제에 의해서 억제되고, 차단될 수 있다(표 23-2).

예들 들어 소염진통제(non steroidal anti-inflammatory drugs, NSAID)의 진통효과는 cyclooxygenase의 억제를 통한 prostaglandin과 bradykinin의 합성을 억제한다. 아편유사제는 중추신경계와 말초신경계에서 아편수용체에 작용하여 substance P의 분비를 억제함으로써 통증을 억제하기도 한다. 일단 중추신경계가 활성화가 되면, 이를 억제하기 위해서는 다량의 진통제가 필요하다. 때문에 이론의 여지가 있지만 선행진통(pre-emptive analgesia)의 개념은 유용하다. 이는 통증자극이 인체에 주어지기 전에 미리 진통제를 사용하여 차단함으로써(예를 들면, 수술 시작하기 전에 진통제 사용) 손상된 조직으로부터 통증 매개체의 분비를 억제하여 말초 신경계의 활성화를 억제하고 중추신경계에로 전달을 제한하여 중추신경계가 민감해지는 것을 방지할 수 있다.

매복된 제3대구치 발치에서 중등도 이상의 통증은 술후 12시간 이내에 일어나고, 통상적인 국소마취제를 사용한다면 약 6시간 이후에 통증은 최고조에 달하게 된다. 이 때의 통증은 통증 매개체의 발현이 증가된 것과 일치한다. 또한 치주 치석제거술(scaling)과 치근활택술(root planing)에서도 수술 후 2~8시간 사이에 통증이 최고에 이른다. 소염진통제를 사용하여 통증을 조절하면 조직에서의 통증 매개체의 수준의 급격한 감소와 임상적 통증의 감소가 동시에 나타난다. 일반적으로 치과에서의 통증은 ibuprofen, ketorolac 등의 소염진통제만으로도 대부분의 통증은 잘 조절되는 것으로 알려져 있다.

2. 만성 통증

통증자극의 강도와 기간, 뇌 척수 신경절의 신경전달물질 분비 사이에는 매우 밀접한 관계가 있다. 조직 손상이 발생하면 구심성 섬유의 지속적 방전(discharge)이 유발되며, 지속적인 방전은 척수 후각이나 뇌 신경절의 반응을 증가시킨다. 즉, 지속되는 C-신경섬유에 의한 통증 구심성 자극전달은 뇌 척수 신경절의 연접부위에서 통증 관련 신경전달 물질 분비, substance P에 대한 NK1 수용체나 glutamine에 대한 NMDA 수용체의 활성화로 연접후(postsynaptic) 수용체 자극을 통하여 중추감작(central sensitization)을 유발시킨다(표 23-1). 통증자극에 의한 지속적인 탈분극에 의해 신경세포내 calcium 농도가 증가하면 세포질의 전사(transfer)의 활성화 단백질이 인산화되고 세포핵에 들어가 c-fos, c-jun, fos-B, jun-d, Krox24 등의 전초기 유전자를 활성화시켜 이차 뉴런의 반응성이 장시간 증강(long-term potentiation, LTP)되며 중추 감작의 주요한 기전이 된다.

만성 통증은 중추감작뿐만 아니라 말초감작의 기전으로도 설명된다. 조직손상으로 인해 유리된 bradykinin, serotonin, histamin, eicosanoids, cytokines, excitatory amino acid, neurotrophic factors (NF), glial cell derived neurotrophic factors (GDNF) 등이 inflammatory soup을 형성하며 상호작용하고 자극하는 악순환으로 통각수용기의 역치(threshold)를 상당히 낮추게 한다. 결과적으로 Aδ와 C-신경섬유는 작은 자극에도 쉽게 흥분하게 되는데, 이러한 말초조직에서 통각수용기의 과민상태를 말초감작이라 한다.

통증이 증가되면 이를 억제하는 glycine과 γ-aminobutyric acid (GABA)와 같은 억제성 신경전달 물질의 분비도 이루어진다. 뇌간(brain stem) 연수의 norepinephrine과 serotonin을 포함하고 있는 세포는 하행성 억제 신경계의 주요한 역할을 하고 있다. 그러므로 통증 억제상실(disinhibition)은 내림 조절 경로를 통한 통증을 억제하는 기능이 상실되는 결과이다. 내림 조절경로는 척수

내에서 수도관주위회백질(periaqueductal grey)과 후방복내측 숨뇌(rostral ventromedial medulla)와 연결된 신경연결조직이다. 내림조절 경로는 부분적으로 통증을 전달하는 오름경로, 대뇌, 시상하부 등과 부분적 병립으로 연결되어 통증을 조절한다. 만성 통증으로 통증이 증가된 경우에는 이러한 억제작용이 감소하거나 통증을 전달하는 부분이 증가되는 상태가 된다.

신경병증성 통증은 비정상적인 중추신경계 변형 상태를 보이며 통각과민, 자발통 및 이질통을 나타내는 대표적인 질환이다. 중추신경계의 변형 과정은 비정상적인 구심성 신호의 입력에서 발생하며, 축삭이 절단된 구심성 섬유에서의 이소성 방전(ectopic discharge)의 중요한 원인 중 하나이다. 말초 신경 손상 후 축삭이 절단된 구심성 섬유뿐만 아니라 뇌 척수 신경절의 정상 침해 수용체에서 저절로 방전이 발생한다. 이런 비정상 활동전위를 일으키는 원인으로는 sodium 통로의 변화에 있다. 그러므로 sodium 통로를 차단하는 국소마취제인 리도카인을 신경전도를 차단하지 않는 저농도로 주었을 때 이러한 자동방전을 억제하여 통증을 억제할 수 있다.

그리고 지속적인 통증은 말초와 척수 뉴런의 감작뿐만 아니라 대뇌의 재구성(reorganization)을 유도한다. 구심성 입력의 변화가 대뇌 피질과 시상의 신경 가소성(neuroplasty), 감각표현의 재구성을 일으킬 수 있다는 사실은 뇌자도(magenetoencephalography, MEG), 기능적 자기공명영상(functional MRI, fMRI) 등을 이용한 최근의 연구들에 의해서 밝혀지고 있다. 대뇌의 재구성은 질환마다 서로 다른 형태를 보인다고 보고되고 있으나 아직까지 만성 통증을 유발하는 특정질환에 대해 뇌의 어느 부위가 어떠한 특징적인 형태학적인 재구성을 하는가에 대한 것은 밝혀지지 않았다. 만성 통증은 통증의 지각뿐만 아니라 뇌의 공간적, 시간적 특성을 왜곡시키고 기억과 인지 기능에도 영향을 준다. 또한 만성 통증은 뇌의 보상 및 동기기전(reward and motivation circuitry)도 왜곡시키는 것 같다. 최근 만성 통증이 발생할 경우 뇌의 형태학적 차이는 이환된 기간과 통증의 강도(intensity)와 연관을 보였다. 이러한 결과는 뇌의 형태학적 변화가 본질적으로 가역적이고 통증인지(pain perception)의 결과임을 가정할 수 있게 한다.

3. 비정형 통증의 병태 생리

비정형 안면통은 현재까지 통증의 발병기전과 원인에 대해서 정확하게 알려진 바가 없다. 몇 가지 위험유발인자들이 제시되는 것 중 여성에게 보다 많이 발생하여 여성호르몬이 관련이 있을 것으로 보이며, 여러 정신심리적인 문제를 가진 환자에서 비정형 치통의 발생 빈도가 증가되는 것으로 보아 심리적인 요인이 관여하는 것으로 생각되기도 한다. 특히 우울증 환자에서 발생빈도가 높은 것으로 알려져 있지만 통증이 있는 환자에서 우울증 빈도가 높은데다가 항우울제를 사용할 경우 몇몇 비정형 안면통 환자에서만 효과가 있는 것으로 보아 정신과적 문제와는 거리가 있는 것으로 생각이 된다. Rees와 Harris는 비정형 안면통 환자의 약 30%에서 편두통(migraine)이 있다는 점에서 비정형 안면통은 혈관성 두통의 한 부류로 추측하였으나 편두통 환자에서 보이는 혈관계의 변화는 말초신경의 변화에 기인한 이차적인 변화로 생각되고, 최근의 연구에서는 비정형 안면통환자에서 편두통의 발생빈도가 높지 않은 것으로 알려져 비정형 안면통 발생기전으로 혈관성 통증의 가능성은 적다고 여겨진다.

현재까지 비정형 안면통의 발병기전으로는 악안면 및 치아의 손상뿐만 아니라 치관형성(crown preparation), 하치조신경 차단(inferior alveolar nerve block) 등에 따르는 조직에 대한 손상으로 인해 말초 및 중추신경계에서의 통각전도로의 장애로 인하여 말초로부터의 구심 자극이 단절됨으로써 발생하는 구심로 차단(deafferentiation)으로 인하여 통증이 발생한다고 본다. 그러므로 비정형 안면통은 신경병증의 범주에 해당되는 것으로 조직의 손상이 치유되고 난 이후에도 통증, 감각과민 및 지각이상과 같은 관련 증상들이 지속된다. 따라서 비정형 치통의 발생에 관여되는 발병기전은 다음과 같이 생각해 볼 수 있다.

- 침해수용체 섬유의 감작화(sensitization of nociceptive fiber)
- 체성 구심섬유의 발아(sprouting)
- 교감신경 활성화에 의한 구심성 섬유의 활성화
- 교감신경 활성화에 의한 구심성 섬유의 교차활성
- 구심성 섬유의 형질전환(phenotypic switching)
- 신경종 형성
- 중추신경계의 변화

신경손상 후 구심성 섬유(afferent fiber)의 감작화가 발생하고 이로 인해 통증의 역치가 감소한다. 또한 sodium 통로의 증가로 인해 자발적 이소성(ectopic) 전기적 활성도가 증가하는 것으로 알려져 있는데 이는 비정형 안면통 환자에서 흔히 관찰되는 자발통 및 기계적 열성 이질통(allodynia)의 발병기전의 하나로 생각된다.

신경손상 시 신경 손상이 발생하지 않는 주변 신경 및 다른 부위의 신경지배를 하고 있는 같은 신경 내 다른 분지와의 신경연접(synapse) 현상이 형성되는 것으로 알려져 있다. 위 현상이 척수 내 후각(dorsal horn)에서 이루어 질 경우 유해침해성 수용기가 아닌 Aβ신경섬유로부터 이차적 연접이 형성되는데 침해성 자극이 아닌 치아에 가해지는 압력 감각, 촉각 자극에 대해서 이를 통증으로 잘못 인식할 수 있다. 신경세포 연접은 교감신경(sympathetic nerve)섬유로부터 감각신경의 구심섬유 및 후각세포신경절(dorsal root ganglion)에 연접하는 감각신경 사이에서도 발생한다. 그러므로 교감신경계가 활성화되면 이로 인해 통증이 더 심해질 수 있다. 이는 안면부위의 교감신경을 차단하는 성상 신경절 차단(stellate ganglion block)이나 교감신경 억제 약물을 주입하여(phentolamine infusion) 비정형 치통을 치료하는 방법의 기전이 된다.

그리고 신경손상으로 인해 구심성 감각신경섬유의 형질의 변환이 이루어지는 것으로 알려져 있다. 이로 인해 신경섬유 내 sodium 통로의 발현이 증가되고 신경전달물질의 발현에 변화가 발생하는 것으로 알려져 있다. 만일 비유해성 자극을 담당하는 감각신경의 제1차 신경세포(first order neuron)에서 척수 내 후각(dorsal horn)을 활성화시키는 substance P, calcitonin gene related peptide

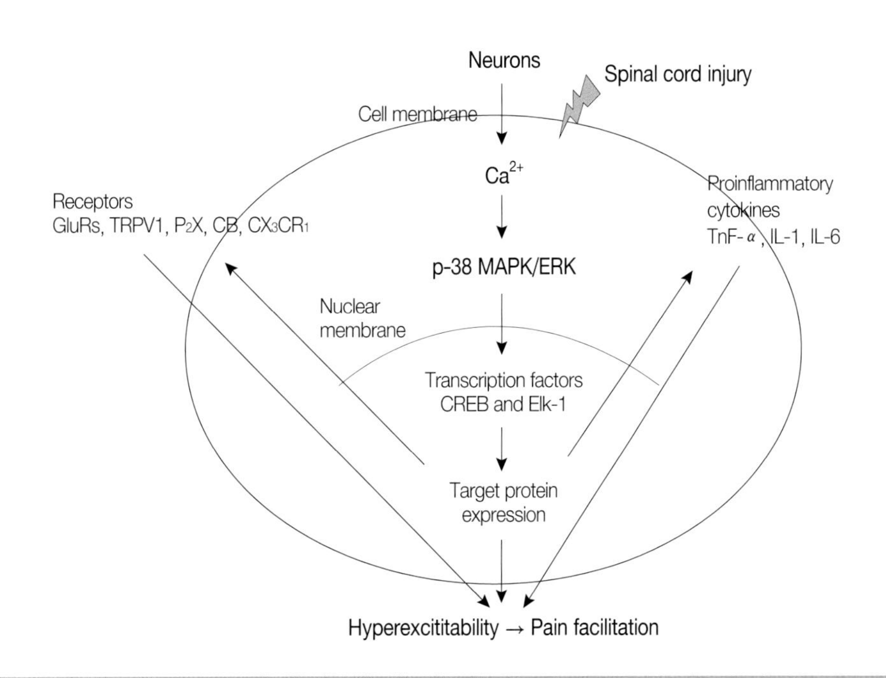

그림 23-1. 척추신경 손상 후 신경세포의 과흥분성 발생기전

(CGRP)의 발현이 증가하는 경우 이론적으로 통증의 발생강도가 증가하고 자발적인 통증의 발생이 가능하게 된다(그림 23-1).

신경손상 후 신경종(neuroma)이 발생할 수 있다. 신경종은 손상받은 신경으로부터 결체조직, 슈반세포(schwann cell), 수초 등이 무질서하게 뻗어 나와 이루어지는 매우 이질적인 조직이다. 신경종은 기계적인 자극에 매우 예민하고 외부자극에 의해 자발적이면서 반복적인 양상의 통증이 발생하는 것으로 알려져 있다. 그러므로 조직손상 시 신경조직의 손상으로 인해 비정형 안면통이 발생할 수 있다.

중추신경계 역시 통증의 발생 및 진행에 매우 중요한 역할을 하는 것으로 알려져 있다. 말초조직에서 발생하는 신경조직의 병변은 중추신경계 내에서 기능적 변화를 일으킨다. 뇌간(brain-stem) 내 감수영역(receptive field)은 조직 손상 후 이소성 전기적 활성도(ectopic activity)가 증가하고 신경세포 손상 후 2차 신경세포(second order neuron)의 전기적 활성도가 증가한다. 중추신경계 내에서 만성 통증의 진행 및 발생에 NMDA가 중요한 역할을 담당하는 것으로 알려져 있다. NMDA 수용체는 amino-3-hydroxy-5-methylisoxazole-4-propionic acid (AMPA) 및 metabotropic receptor의 활성도에 의해서 활성도가 결정된다. 위 상호작용이 증가하면 외부적 자극에 의해 활성도가 증가하게 되고 외부적 자극의 강도와는 무관하게 중추신경계를 감작시켜 통증을 유발하게 된다. 흥미롭게도 이는 비정형 치통의 임상 양상과도 매우 일치한다.

상기한 말초 및 중추적 변화는 다른 신경병증성 질환에서도 흔히 나타나는 현상으로 알려져 있다. 임상적으로 비정형 안면통은 복합부위통증증후군(complex regional pain syndrome, CRPS) 및 삼차신경통(trigeminal neuralgia)과도 비슷한 발병기전으로 인해 유사한 임상증상을 나타내는 것으로 알려져 있다. 아마도 치과치료 후 흔히 발생하는 하치조신경(inferior alveolar nerve)이나 설신경(lingual nerve)의 손상으로 인해 복합부위통증증후군과 삼차신경통과 유사한 양상의 신경병증성 통증이 발생하지 않을까 추측된다. 이는 비정형 안면통의 임상증상이 다른 신경병증성 통증을 일으키는 임상질환과 임상증상이 유사한 하나의 원인으로 작용할 것으로 생각된다.

참고문헌

1. Radnovich R, Chapman CR, Gudin JA, Panchal SJ, Webster LR, Pergolizzi JV: Acute pain: Effective management requires comprehensive assessment. Postgrad Med 2014; 126: 59-72.
2. de Leon-Casasola O: A review of the literature on multiple factors involved in postoperative pain course and duration. Postgrad Med 2014; 126: 42-52.
3. Dahl JB, Kehlet H: Preventive analgesia. Curr Opin Anaesthesiol 2011; 24: 331-8.
4. Ochroch EA, Mardini IA, Gottschalk A. What is the role of NSAIDs in pre-emptive analgesia? Drugs 2003; 63:v2709-23.
5. Schomberg D, Ahmed M, Miranpuri G, Olson J, Resnick DK Md Ms: Neuropathic pain: role of inflammation, immune response, and ion channel activity in central injury mechanisms. Ann Neurosci 2012; 19: 125-32.
6. Moore NZ, Lempka SF, Machado A: Central neuromodulation for refractory pain. Neurosurg Clin N Am. 2014; 25: 77-83.
7. Quiton RL, Keaser ML, Zhuo J, Gullapalli RP, Greenspan JD: Intersession reliability of fMRI activation for heat pain and motor tasks. Neuroimage Clin 2014; 22; 5: 309-21.
8. Low LA, Fitzgerald M: Acute pain and a motivational pathway in adult rats: influence of early life pain experience. PLoS One 2012; 7 :e34316.
9. Patel SB, Boros AL, Kumar SK: Atypical odontalgia--an update. J Calif Dent Assoc 2012; 40: 739-47.
10. Greene CS, Murray GM: Atypical odontalgia: an oral neuropathic pain phenomenon. J Am Dent Asso. 2011; 142: 1031-2.
11. Sardella A, Demarosi F, Barbieri C, Lodi G: An up-to-date view on persistent idiopathic facial pain. Minerva Stomatol 2009; 58: 289-99.
12. Bernstein JA, Fox RW, Martin VT, Lockey RF: Headache and facial pain: differential diagnosis and treatment. J Allergy Clin Immunol Pract 2013;1:242-51.

CHAPTER 24

통증과 불안의 평가

학습목표

1. 통증을 평가할 수 있다.
2. 불안을 평가할 수 있다.

국제통증연구학회(International Association for the Study of Pain, IASP)는 통증이란 '실질적 또는 잠재적 조직 손상 또는 그러한 손상에 연관되어 표현되는 불유쾌한 감각과 정서적 경험'이라고 정의하였다. 즉, 통증은 단순한 조직손상이나 침해수용에 의한 것 이외에도 개인적인 정서나 경험, 정신상태, 환경, 문화적 배경, 동기유발, 보험, 법적인 문제 등 수 많은 인자가 복잡하게 연관된 것이다. 이러한 통증의 복잡한 본질 때문에 통증의 평가 방법은 여러 가지일 수밖에 없고, 지금까지 알려진 어떠한 평가법도 한 가지만으로는 완벽하다고 할 수 없다. 그럼에도 불구하고 통증에 대한 평가는 통증의 효과적인 진단과 치료를 위한 첫 단계이며 환자와 의사 간의 치료적 관계를 이루는 기초가 되기 때문에 중요하다.

환자와의 면담을 통한 병력청취는 통증 평가와 진단에 큰 도움을 준다. 병력청취에는 통증의 시작 시기, 부위와 분포, 기간과 빈도, 강도와 특징, 완화 또는 악화인자, 지난 치료의 효과, 동반 질환, 직업 등이 포함되어야 한다. 통증 평가에는 유효하고 신뢰할 수 있는 평가 도구와 의사소통 능력이 필요하다. 평가 도구는 한 가지 특정한 성질로 표현하는 일차원적 평가도구와 통증의 정서적이고 기능적인 면 그리고 삶의 질에 미치는 영향 등을 복합적으로 평가하는 다차원적인 평가도구로 나눌 수 있다.

1. 일차원적 평가도구

일차원적 평가도구는 매우 단순하기 때문에 평가가 빠르고, 표현과 평가가 효과적이라는 장점이있어 수치화된 기준이 필요한 임상과 연구분야에서 쉽게 도입하여 사용할 수 있다. 그러나 각각의 통증은 특징적인 성질을 가지고 있기 때문에 모든 통증을 하나의 성질로 평가하는 일차원적 평가도구는 한계를 가진다.

통증을 평가하는 일차원적인 평가도구들은 숫자통증등급(numerical rating scale, NRS), 시각통증등급(visual analogue scale, VAS), 구두통증등급(verbal rating scale, VRS), 구두표현등급(verbal descriptor scale), 행태등급(behavioral rating scale) 등이 있으며 여기서는 가장 많이 쓰이는 앞의 세 가지만 기술하겠다.

1) 숫자통증등급(Numerical Rating Scale, NRS)

환자로 하여금 통증의 정도를 숫자로 표현하도록 하는 방법으로 '통증이 없는 상태'를 0으로 '상상할 수 있는 가장 극심한 통증'을 10으로 표현하는 11등급 숫자통증등급(NRS)이 가장 흔히 사용되고 있다(그림 24-1). 일반적으로 1-3점은 경도의 통증(mild pain), 4-6점은 중등도의 통증(moderate pain), 그리고 7-10점은 심한 통증(severe pain)으로 간주하며, 치료 전후로 2점 또는 30% 이상의 변화가 있을 때 임상적인 의미가 있다고 생각된다. 숫자통증등급(NRS)은 사용이 쉽고, 관리와 수치 기록이 용이하며, 환자들의 응답률이 높다는 장점이 있다. 또한 수술 후 초기의 통증평가에 시각통증등급(VAS)보다 유용하다고 알려져 있다. 하지만 통증의 강도를 평가할 때, 숫자통증등급(NRS)에서의 1과 3의 차이와 7과 9의 차이가 통계적으로 동일한 차이를 나타내지 않을 수 있다는 단점이 있다.

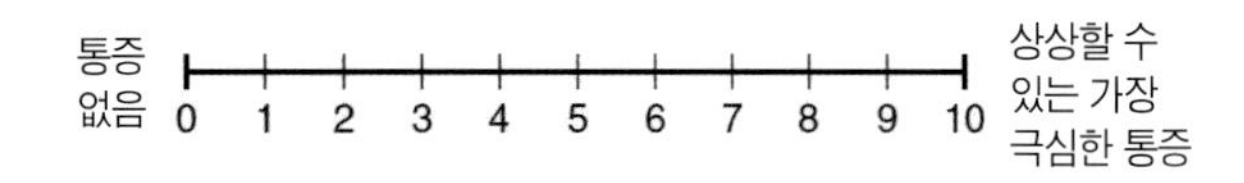

그림 24-1. 숫자통증등급(numerical rating scale, NRS)

2) 시각통증등급(Visual Analogue Scale, VAS)

시각통증등급(VAS)은 일반적으로 길이 10 cm의 수평 또는 수직의 직선을 이용하여 현재 환자가 느끼고 있는 통증의 정도를 시각적인 형태로 표현하는 방법이다. 10 cm 선의 한쪽 끝에는 '통증이 전혀 없다'고 적혀 있으며 다른 한쪽 끝에는 '상상할 수 있는 가장 극심한 통증'이라고 적혀 있어 환자가 현재 경험하고 있다고 생각하는 통증의 정도를 직접 표시하도록 한다(그림 24-2). 통증강도 수치는 통증이 전혀 없는 끝점에서부터 응답자가 표시한 위치까지의 거리를 기준으로 계산한다. 결과의 분포를 제한하기 위해서 양쪽 끝에는 경계선이 있어야 한다.

시각통증등급(VAS)은 사용방법이 단순하고 이전 측정값과의 비교가 용이하며 통증의 변화를 민감하게 반영할 수 있고 유효성 검증이 충분히 이루어져 있다는 장점이 있다. 또한 숫자통증등급(NRS)이나 구두통증등급(VRS) 같은 다른 일차원적인 통증평가방법들과는 달리 비율척도(ratio scale)적인 측면을 보인다. 측정하는 선상에 눈금 표시가 없어야 오류의 가능성이 더 적다고 알려져 있다. 통증경험을 일차원적으로 취급하여 통증의 강도만을 강조하게 되며, 중간 부위에 집중되는 경향이 생긴다는 단점이 있다. 또한 숫자통증등급(NRS)과 마찬가지로 환자들이 '상상할 수 있는 가장 극심한 통증'에 대한 개념이 없어 측정에 어려움을 겪기도 하고, 도구가 없어도 사용 가능한 숫자통증등급(NRS)이나 구두통증등급(VRS)과 달리 추가적인 도구가 필요하다.

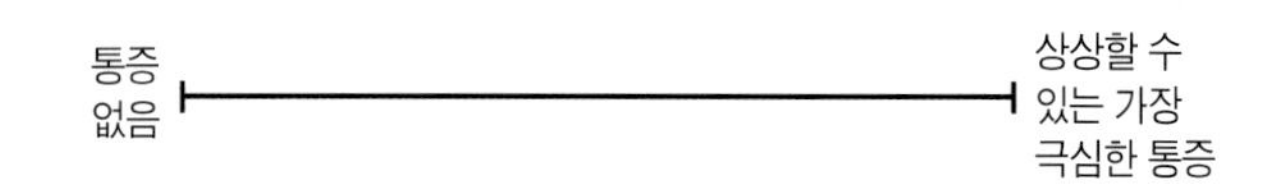

그림 24-2. 시각통증등급(visual analogue scale, VAS)

3) 구두통증등급(Verbal Rating Scale, VRS)

구두통증등급(VRS)은 통증의 정도를 가장 약한 정도부터 가장 심한 정도까지 환자가 특정한 단어로 표현하게 하거나 표현된 단어 중에서 고르게 하는 방법이다. 일반적으로 '통증이 전혀 없음'(0), '약함'(1), '중간'(2), '심함'(3), '아주 심함'(4)으로 표현할 수 있다(표 24-1).

숫자통증등급(NRS)과 마찬가지로 간단하고 쉽게 완성할 수 있으며 관리와 수치기록이 용이하고 높은 응답률을 보인다는 장점을 가지고 있다. 숫자통증등급(NRS)과

표 24-1. 구두통증등급(verbal rating scale, VRS)

없음	0
약함	1
중간	2
심함	3
아주 심함	4

함께 신뢰도와 타당도 면에 있어 시각통증등급(VAS)보다 다소 우위에 있다고 알려져 있다. 그러나 시각통증등급(VAS)과 숫자통증등급(NRS)에 비해 민감도가 떨어지고, 제한된 언어능력을 갖춘 사람은 응답이 어려우며, 제한된 언어선택 때문에 환자가 통증을 적절하게 표현하지 못할 수 있다는 단점이 있다. 또한 숫자통증등급(NRS)과 같이 약함과 중간의 차이와 심함과 아주 심함의 차이가 통계적으로 동일한 차이를 나타내지 않을 수 있다.

2. 다차원적 평가 방법

앞서 기술했듯이 통증은 정서적인 측면이 포함된 개념이므로 단순히 통증의 강도만으로 통증의 정도를 평가하는 것은 적절하지 않다. 그래서 통증의 정서적이고 기능적인 면, 그리고 삶의 질에 미치는 영향을 평가하기 위한 다차원적 평가 방법들이 개발되었다. 다차원적 평가 방법들은 일차원적 평가 방법들에 비해 설문의 내용이 길고 복잡하므로 시간이 많이 걸린다는 점과 인지 기능에 문제가 있는 경우 사용하기 힘들다는 점 등의 단점이 있어 임상에서 일상적으로 사용되지는 않는다. 그러나 일차원적 평가 방법과는 달리 통증의 질을 측정할 수 있다는 점, 각 환자의 특징에 따른 통증의 특성에 대한 정보를 제공해 줄 수 있다는 점 등에서 장점을 가지고 있다.

1) 맥길통증설문(McGill Pain Questionnaire, MPQ)

맥길통증설문(MPQ)은 통증을 세 가지 차원, 즉 감각식별 차원(sensory discriminative dimension), 정서 동기유발 차원(affective-motivational dimension), 인지 평가 차원(cognitive evaluative dimension)으로 나누어 평가한다. 환자에게 통증에 관해 적합한 어휘를 선택하여 통증의 강도를 분류하고 서열 척도를 만들어 체계화한다. 이렇게 하여 임상적인 통증을 선택하는 낱말의 수에 따라 양적으로 측정하여 이를 산술적으로 처리한다. 맥길통증설문(MPQ)은 단축형 맥길통증설문(Short-form McGill Pain Questionnaire, SF-MPQ)과 더불어 가장 널리 알려졌으며 여러 언어로 번역되어 가장 많이 연구된 다차원적 평가 방법 중 하나이다.

맥길통증설문(MPQ)은 크게 네 가지로 구성되어 있다. 첫 번째는 통증의 부위를 표시할 수 있도록 신체의 앞과 뒤를 나타낸 그림이다. 두 번째는 통증 등급 지수로서 20세트 총 78개의 단어들로 구성되어 있다. 10세트는 감각적 차원을, 5세트는 정서적 차원을, 한 세트는 인지적 평가를, 4세트는 기타로 구성되어 있다. 환자가 각 세트에서 본인의 통증을 설명하는 단어를 선택하면, 선택한 단어의 수(Number of Words Chosen, NWC)와 선택된 단어의 순위 값의 합계가 통증등급지수(Pain Rating Index Total, PRI-T)가 된다. 세 번째는 시간에 따른 통증의 변화, 악화와 완화 인자에 대한 질문으로 구성되어 있다. 네 번째는 통증강도지수(Present Pain Intensity, PPI)로서 0에서 5단계까지 모두 6단계로 '전혀 통증 없음(0), 약함(1), 불쾌함(2), 괴로움(3), 무서움(4), 몹시 피로함(5)'으로 표시하도록 되어 있다. 단어의 수(NWC), 통증등급지수(PRI-T), 통증강도지수(PPI)의 종합적 평가가 전체적 통증경험의 양적 평가라고 할 수 있다.

맥길통증설문(MPQ)은 설문의 구성된 방법, 신뢰성, 타당성, 각 통증 증후군 간의 감별 능력 등에 대해 높은 평가를 받고 있으며 지금까지의 평가 도구 중 가장 효과적인 것으로 알려져 있지만 실제 임상에서 널리 이용되고 있지는 않다. 그 이유는 설문에 시간이 오래 걸리며 표현이 힘든 환자에서 사용할 수 없고, 지도나 감독이 필요할 수도 있기 때문이다. 이러한 문제점을 극복하기 위해 단축형 맥길통증설문(SF-MPQ)이 개발되어 임상에서 사용되고 있다.

2) 단축형 맥길통증설문(Short-form McGill Pain Questionnaire, SF-MPQ)

단축형 맥길통증설문(SF-MPQ)은 임상적으로 길고 사용하기 불편한 맥길통증설문(MPQ)의 단점을 보완하

	None	Mild	Moderate	Severe
Throbbing	0)____	1)____	2)____	3)____
Shooting	0)____	1)____	2)____	3)____
Stabbing	0)____	1)____	2)____	3)____
Sharp	0)____	1)____	2)____	3)____
Cramping	0)____	1)____	2)____	3)____
Gnawing	0)____	1)____	2)____	3)____
Hot-burning	0)____	1)____	2)____	3)____
Aching	0)____	1)____	2)____	3)____
Heavy	0)____	1)____	2)____	3)____
Tender	0)____	1)____	2)____	3)____
Splitting	0)____	1)____	2)____	3)____
Tiring-exhausting	0)____	1)____	2)____	3)____
Sickening	0)____	1)____	2)____	3)____
Fearful	0)____	1)____	2)____	3)____
Punishing-cruel	0)____	1)____	2)____	3)____

Rate the intensity of your pain on the two scales below. Make a mark on the line to indicate where your pain falls between *No pain* and *Worst possible pain* and then circle the appropriate number on the second scale.

그림 24-3. 단축형 맥길통증설문(Short-form McGill Pain Questionnaire, SF-MPQ, Pain 1987;30:191-197)

려는 목적으로 개발되었으며, 11개의 감각 차원과 4개의 정서 차원을 포함한 15개의 단어군과 시각통증등급(VAS), 현재 통증 강도 등으로 구성되어 있다(그림 24-3). 다양한 통증치료에 따른 임상적인 변화를 민감하게 반영하는 것으로 알려져 있다. 최근에는 통증 치료에 있어서 통증의 경험적 측면이 강조되고 있어 통증의 질 및 정서적인 면을 평가하는데 단축형 맥길통증설문(SF-MPQ)을 사용하는 것이 추천되고 있다.

최근 신경병증성 통증에 합당한 증상에 대한 용어들 및 평가항목이 추가된 단축형 맥길통증설문(SF-MPQ)-2가 제시되어 여러 종류의 신경병증성 통증 질환에 대한 유효성 연구들이 진행되었으며 대부분 좋은 결과를 얻고 있다.

3) 일일 통증 일기(Daily Pain Diaries)

통증 평가를 환자의 기억에 의존하여 하다 보면 오류가 생기는 경우가 많기 때문에 일일 통증 일기가 개발되었다. 환자들에게 하루에 한 번 이상 1~2주 동안 통증 및 관련 증상을 기록하게 해서 통증을 평가하는 방법이다. 후향적으로 기억을 더듬어 통증을 평가하는 것보다 더 신뢰성 있고 민감한 것으로 알려져 있다. 최근에는 종이에 쓰는 아날로그방식이 아니라 휴대전화나 태블릿을 이용하는 디지털방식의 전자 일기가 추천되고 있다.

4) 간이 통증 조사지(Brief Pain Inventory, BPI)

간이 통증 조사지(BPI)는 본래 암 환자에서 통증 강도와 통증과 연관된 간섭의 평가를 위해 개발되어 암성통증 연구에서 가장 흔히 사용되는 다차원적인 통증 평가 도구였지만 현재는 많은 언어로 번역되어 여러 종류의 비암성 통증의 평가에도 폭넓게 사용되고 있다. 간이 통증 조사지(BPI)는 통증의 강도와 통증의 일상생활에 대한 간섭(interference) 두 가지 모두를 빠르고 쉽게 정량화할 수 있는 방법이다.

측정 방법은 환자로 하여금 통증 강도와 간섭 정도 두 가지 분야의 세부 항목을 11등급 숫자통증등급(NRS)을 이용하여 0은 '전혀 간섭 받지 않음', 10은 '완전히 간섭 받음'으로 측정하며 환자로 하여금 신체 그림에 자신의 통증 부위를 표시하게 한다. 통증의 강도는 현재의 통증, 지난 24시간 중 가장 심한 통증, 지난 24시간 중 가장 적은 통증, 평균통증의 네 가지 분야를 측정하고 통증 간섭 척도는 일반 활동, 기분, 걷는 능력, 밖과 가정 일을 포함한 정상적인 일, 다른 사람들과의 관계, 삶을 즐김 그리고 수면의 일곱가지 영역에서 통증과 연관된 간섭을 측정한다.

간이 통증 조사지(BPI)는 암성통증의 상태를 평가하는 데 이점이 있고 환자 자신이 직접 통증에 관하여 의료진에게 알릴 수도 있으며, 상담이나 전화통화를 통해서도 통증 정도를 평가할 수 있다는 장점이 있다. 모두 작성하는데 5-15분 정도가 소요되어 일차원적 평가 방법에 비해 상대적으로 오래 걸린 다는 점이 단점으로 지적되어 왔으나 두 페이지 정도의 단축형 설문의 개발되어 2-3분 이내로 완료할 수 있게 되었다.

5) 기억통증평가카드(Memorial Pain Assessment Card, MPAC)

기억통증평가카드(MPAC)는 암성통증 환자에서 진통제 투여의 효과를 신속하게 판정할 목적으로 개발된 방법이다. 환자의 통증 강도, 통증 완화도, 통증의 설명 척도, 기분의 네 부분으로 구성되어 있다.

기억통증평가카드(MPAC)의 가장 큰 장점은 빠르게 측정할 수 있고, 반복적인 측정이 용이하다는 점이다. 또한 카드를 사용하기 때문에 환자에게 한 번에 한 가지의 척도만 보여주고 측정할 수 있다는 장점도 있다. 단점은 광범위하게 사용될 수가 없어 아직 널리 쓰이지는 않고 있다는 점이며, 대부분은 암성통증 환자에서만 사용되고 있다.

3. 행동관찰Behavioral Observation

통증은 개인적이고 주관적인 경험이지만 때로는 객관적인 평가가 가능할 수도 있다. 통증이 있는 사람들은 발성, 얼굴 표정, 신체 자세 및 행동으로 불쾌감을 표현한다. 이러한 것들을 통증행동으로 부르며 통증의 행동 모델의 중요한 구성 요소이다. 여러가지의 통증 행동 코딩 시스템이 개발되었고 골관절염 같은 질병에 특화되어 있다. 통증 행동의 평가는 환자의 신체 기능 수준을 평가하고 강화할 수 있는 요인을 분석 할 때 유용하다.

최근의 많은 행동 관찰 연구는 통증으로 인한 표정에 초점을 맞추고 있다. 얼굴 표정을 특성화하기 위해 Facial Action Coding System (FACS)이 개발되어 사용되고 있다(그림 24-4). 입술 올림, 입 열림, 눈 감기 등의 얼굴 표정의 요소들이 통증 등급과 관련이 있으며 신생아부터 노인까지의 연령대별로 통증과 관련된 얼굴 행동 사이에도 관련이 있다는 연구 결과들이 보고 되었다. 이는 FACS가

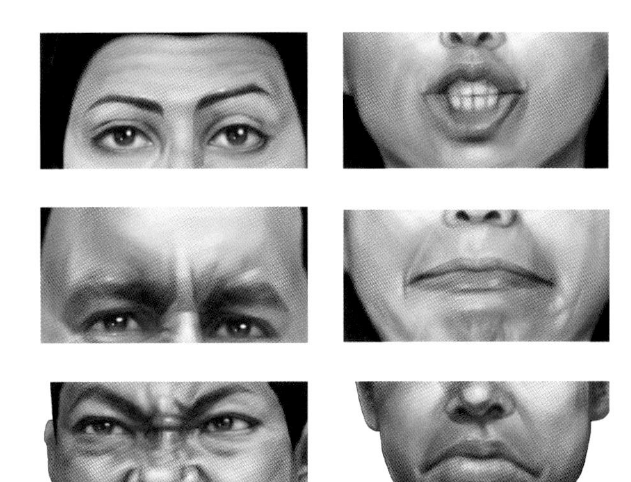

그림 24-4. Facial action coding system (FACS)

말을 못하는 신생아나 표현 능력이 떨어지는 사람들에서도 중요한 평가 도구가 될 수 있음을 시사한다. 하지만 두려움과 스트레스로 인한 표정과 통증 표정을 구분하는 것은 해결해야 할 과제로 남아있다.

4. 기능적 신경영상Functional Neuroimaging

인간의 두뇌에서 일어나는 통증 처리의 영상은 지난 10-15년 동안 상당한 연구가 진행되었다. 기능적 자기공명영상(fMRI)과 양전자 방출 단층촬영(PET)과 같은 기능적 신경 영상화 방법을 사용하면 뇌의 통증처리의 신경생리학을 비침습적으로 평가할 수 있다. 이런 연구의 대부분은 급성 통증 자극에 대한 뇌 반응의 측정을 기반으로 한다. 뇌 활동은 통증이 있는 기간과 통증이 없는 기간 동안 각각 측정되며, 이 두 측정 결과의 차이는 통증과 관련된 신경 생리학적 과정의 지표로 간주된다. 이러한 뇌 영상 연구는 중추 신경계의 통증 관련 정보 처리에 대한 이해를 급속히 향상 시켰으며 최근에는 진통제의 영향을 연구하기 위해 사용되기도 한다.

5. 통증평가를 위한 기술Technology 사용

최근 전자 기기를 기반으로 실시간으로 통증을 평가하는 것에 대한 관심이 높아지고 있다. 태블릿이나 스마트폰 같은 휴대기기는 통증에 관한 기록을 쉽게 수집할 수 있고 환자 맞춤형으로 만들 수 있으며 날짜와 시간 별로 확인이 가능하고 추후에 데이터 분석과 확인이 용이하다는 장점이 있다. 또한 이런 전자 플랫폼을 활용함으로써 사람의 실수를 줄이고 편향을 회피하고 순응과 협력을 향상시킬 수 있다. 통증 애플리케이션을 이용하여 환자가 통증 에피소드의 세부 정보를 입력하고 일일 통증 일기와 유사한 방식으로 기록할 수 있다. 최근에는 통증의 위치와 강도를 더 정확하게 나타낼 수 있게 해주는 3D 통증 맵핑 프로그램도 소개되었다. 예를 들어, 'Visual Scale (painometer)'은 시각통증등급(VAS), 숫자통증등급(NRS), 색상통증등급(Color Analogue Scale, CAS), 얼굴통증등급(Faces Pain Scale, FPS)와 같은 네 가지 통증 강도가 포함된 통증을 평가하는 스마트 폰 애플리케이션이다(그림 24-5).

6. 소아 환자나 노인 또는 의사 소통이 제한된 환자에서의 통증 평가 방법

1) 소아에서의 통증 평가

소아에서의 적절한 통증 평가는 정확한 진단과 치료를 위해 매우 중요하지만 소아의 특성상 어려움이 있다. 특히 3세 이하 소아들은 통증에 대해 말로써 표현하는 능력이 미숙하기 때문에 통증 평가는 매우 어렵다. 이를 측정하기 위해 무형의 생물학적, 행동적 측정을 위한 척도를 개발하기 위한 시도가 이루어져 왔다. 이러한 척도로서

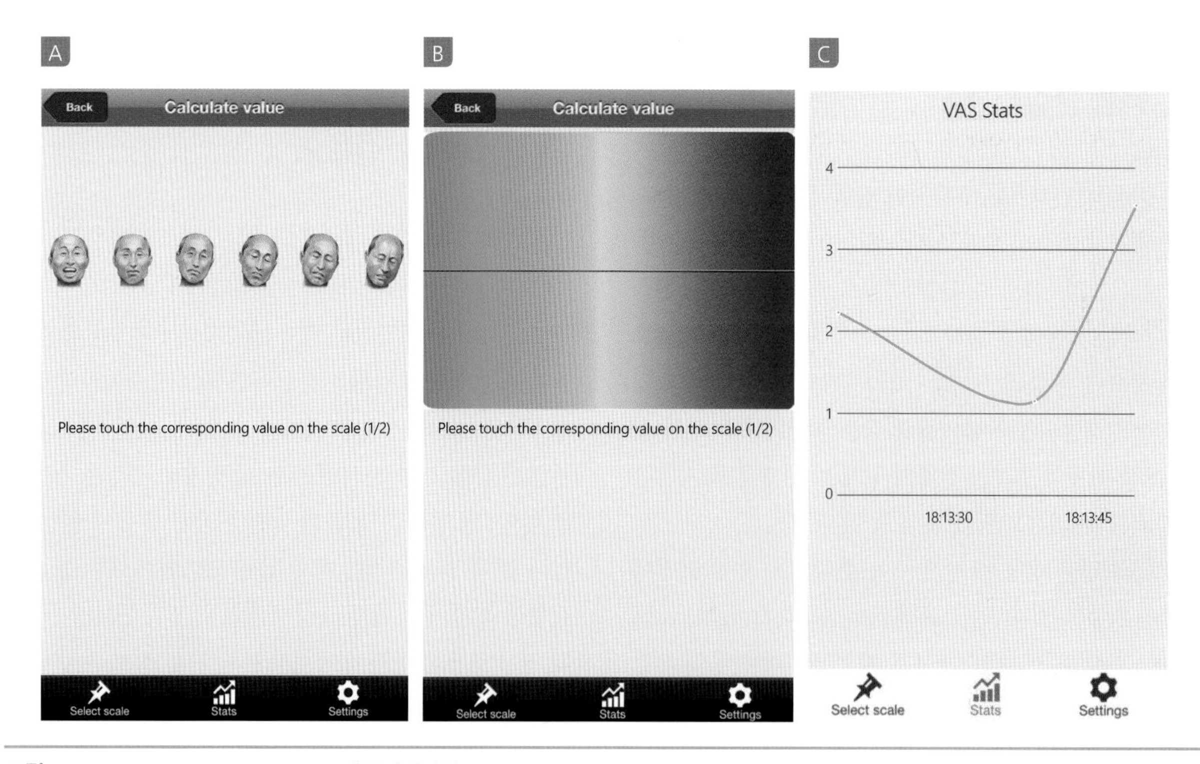

그림 24-5. Visual Scale (Painometer) 애플리케이션. (A) Faces Pain Scale-revised, (B) Colored Analogue Scale, (C) 시각통증등급 측정 경향

표 24-2. 신생아 통증 등급

변수	0	1	2
얼굴표정	이완된 근육 무표정	긴장된 얼굴 근육 주름진 이마, 턱, 입 부분	-
울음	조용함 울지 않음	약간의 신음소리 간헐적 울음(끙끙거림)	큰소리 울음 울음증가 지속적인 날카로운 울음 얼굴 움직임의 증가(소리 없는 울음)
호흡양상	편안함	호흡변화: 불규칙, 평상시보다 빠름, 시끄러움, 호흡방해	-
팔 움직임	이완되어 있음 근육강직이 없음 이따금 일정치 않은 팔의 움직임	구부리다/펼치다 긴장(부자연) 뻗은 팔 굳은 그리고 또는 빠른 신축, 굴절	-
다리 움직임	이완되어 있음 근육강직이 없음 이따금 일정치 않은 다리의 움직임	구부리다/펼치다 긴장(부자연) 뻗은 팔 굳은 그리고 또는 빠른 신축, 굴절	-
각성상태	수면 중/깨어있음 조용함/평화로움	소란하다(떠든다) 깨어있음 몸부림침	-

Lawrence J. et al. The development of a tool to assess neonatal pain. Neonatal Netw 1993;12(6):59–66.

표 24-3. FLACC (Face-Legs-Activity-Cry-Consolability) 등급

	0점	1점	2점
얼굴(Face)	특별한 표정이 없거나 웃음	가끔 얼굴을 찡그림, 눈살을 찌푸림, 움츠림, 무관심함	자주 또는 지속적인 턱의 떨림, 이를 악물고 있음
다리(Legs)	정상 자세 또는 이완됨	불안함, 거북함, 긴장됨	발로 차거나 다리를 끌어올림
활동(Activity)	조용히 누워있거나 정상자세, 쉽게 움직임	꿈틀댐, 몸을 앞뒤로 뒤척거림, 긴장됨	몸을 구부리고 뻣뻣함, 경련
울음 (Cry)	울지 않음	끙끙댐, 흐느낌, 훌쩍댐	지속적인 울음, 소리침, 흐느낌, 잦은 불편감 호소
마음의 안정도 (Consolability)	이완됨	가끔 안아주거나 접촉을 하여 안심시키는 것이 필요함. 관심을 다른 곳으로 돌리기 위해 대화가 필요함	안정되기 어려움

Merkel S. et al. The FLACC: a behavioral scale for scoring postoperative pain in young children. Pediatric Nursing 1997:23(3)

신생아 통증 등급(Neonatal Infant Pain Scale, NIPS)(표 24-2), Crying, Requires increased oxygen administration, Increased vital signs, Expression, Sleeplessness (CRIES), Face, Legs, Activity, Cry, Consolability (FLACC)(표 24-3), Children's Hospital of Eastern Ontario Pain Scale (CHEOPS) 등의 척도가 소개되고 있다.

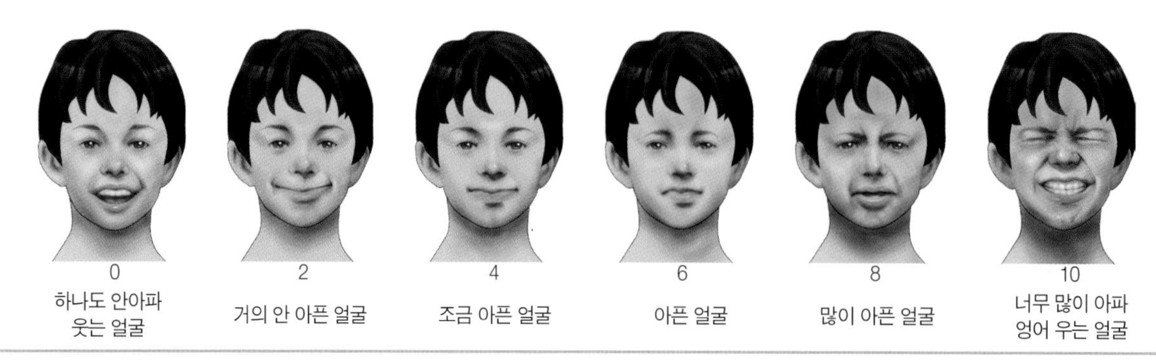

그림 24-6. Wong-Baker Faces Pain Rating Scale

이러한 척도들은 통증을 특이적으로 측정하는 것이 아니라 불편하거나 괴로움을 유발하는 공포, 불안감 등과 같은 통증 외의 다른 요소들의 영향을 받는다는 문제점이 있다. 소아가 3세 이상인 경우는 스스로 통증을 평가할 수 있으며 그 유효성이 입증되고 믿을 만한 많은 방법들이 소개되어 있다. 그 중 하나는 Wong-Baker Faces Pain Rating Scale로 6 등급의 숫자통증등급(NRS)과 그에 대응하는 얼굴표정이 그림으로 그려져 있다. 그림은 '하나도 안 아파 웃는 얼굴'에서 '너무 많이 아파 엉엉 우는 얼굴'까지의 단순한 얼굴들로 그려져 있다(그림 24-6). 유사한 평가법인 얼굴통증등급(Faces Pain Scale, FPS)은 웃는 얼굴에서 눈물은 흘리지 않지만 아파하는 얼굴까지 7개의 척도를 이용하여 측정하도록 개발되었다. CHEOPS와 FLACC 역시 7세 이하에서 사용 가능하다.

7세 이상의 경우는 통증 온도계(pain thermometer)를 사용하기도 한다. 이 척도는 Verbal Descriptor Scale을 각색한 것으로 중등도에서 심한 인지장애가 있거나 의사소통이 힘든 환자를 위해 개발되었으나 개정판이 소개된 이후 어린이들에게도 사용하게 되었다. 7-8세 이상의 소아는 질문의 내용을 이해할 수만 있다면 성인에서 사용하는 척도인 시각통증등급(VAS), 숫자통증등급(NRS), 맥길통증설문(MPQ) 등도 사용이 가능하다.

소아에서의 통증 측정 시 주의할 점은 낯선 의료진이 소아에게 질문하는 경우 통증 자체를 부인하거나 정확한 표현을 못 할 수도 있다는 점이다. 이러한 경우에는 소아들에게 통증을 보호자에게 표현하라고 한 후 보호자를 통해 정보를 얻는 것이 나을 수 있다. 또한 소아에서는 질문의 유형과 대답할 수 있는 선택사항(개방형 vs 체크리스트)에 따라서도 대답이 변할 수 있다. 이전에 경험했던 통증과 비교한다든가 통증의 기간을 평가하기 위해 구체적인 시점을 제시하는 것이 도움이 될 수 있다. 그러나 소아의 통증 평가는 어떠한 방법을 사용하더라도 편향이 발생할 수 있다는 점을 주의해야 한다.

2) 노인 또는 의사소통이 제한된 환자에서의 통증 평가

노인 환자의 통증을 평가할 때는 환자가 자신의 통증을 잘 표현하는지를 관찰하여 환자의 인지 기능 정도를 평가하고, 그에 따라 조금씩 더 복잡한 평가 방법을 사용하는 것이 좋다. 노인 환자에서의 통증 평가는 표현과 측정이 어려워 결과적으로 부적절한 치료를 받는 경우가 젊은 성인에 비해 흔하다. 특히 치매 환자와 같이 인지 기능에 장애가 있는 노인 환자들은 자신의 통증 정도를 정확히 전달하지 못하여 통증의 정도가 과소평가 될 수 있고, 결과적으로 적절한 통증치료를 받지 못할 가능성이 존재한다.

인지기능이 정상적인 노인 환자에서는 일반 성인에서와 마찬가지로 시각통증등급(VAS), 숫자통증등급(NRS), 구두통증등급(VRS)과 같은 일차원적 평가도구들이 효과적으로 사용될 수 있다. 그러나 시각통증등급(VAS)은 고령이거나 인지기능이 손상된 환자들에게 있어 성공률과 응답률이 낮다는 연구결과가 있어 주의해야 한다. 다차원적인 평가 방법의 경우는 오히려 소아보다 더 힘들어 할 수도 있다. 만약 환자의 인지능력이 약간이라도 의문시 되는 상황이라면 얼굴통증등급(FPS)과 같은 행동 평가 방법의 사용이 추천된다. 숫자통증등급(NRS)은 인지기능이 정상인 노인 환자에서 다른 어떤 척도보다도 선호되는 경향을 보이지만 인지기능에 장애가 있는 노인환자에서는 얼굴통증등급(FPS)이 선호되는 경향이 있다는 연구 결과도 있다.

중환자실에서 진정 상태로 있거나 기계호흡을 하고 있어 스스로 의사 표현이 불가능한 환자들을 위한 통증 평가 방법으로는 행동통증등급(Behavioral Pain Scale)과 중환자치료통증관찰도구(Critical-care Pain Observation Tool)를 사용한 연구가 가장 많이 소개되어 있다.

7. 신경병증성 통증 평가 척도

신경병증성 통증은 "체성감각계를 침범하는 병변이나 질환의 직접적 결과로 발생하는 통증"으로 정의되고 있다. 신경병증성 통증은 그 원인을 비롯한 모든 면에 있어서 유해 수용성 통증과 별개의 질환으로 취급하여야 하며, 따라서 그에 대한 평가 역시 별도로 이루어져야 한다. 시각통증등급(VAS), 숫자통증등급(NRS), 맥길통증설문(MPQ) 등의 기존 통증 평가 방법들은 신경병증성 통증을 평가함에 있어 많은 제한점을 가지고 있어 1990년대 후반 이후 Leeds Assessment of Neuropathic Symptoms and Signs (LANSS)와 신경병증성 통증설문(Neuropathic Pain Questionnaire, NPQ) 같은 측정 방법들이 개발되었다. 이러한 새로운 도구들이 현재 다양한 분야에서 사용되고 있는데, 신경병증성 통증을 평가할 때 사용하기도 쉬우면서 도움되는 정보를 즉시 제공해 준다. 여기서는 신경병증성 통증에서 일반적으로 유효성이 입증된 것들을 간략히 소개하기로 한다.

1) Leeds Assessment of Neuropathic Symptoms and Signs (LANSS)

5개의 증상 항목과 2개의 임상검사 항목으로 구성되어 있으며 총 24점이다. 항목별 총합이 12점 이상이면 신경병증성 통증을 의심할 수 있다. LANSS의 수정본인 S-LANSS (self-completed LANSS)를 이용하면, 환자의 최근 증상(symptom)과 징후(sign)를 바탕으로 각 항목의 합이 12점 이상일 때 통증의 기원이 신경병증성일 가능성을 의심할 수 있다.

2) 신경병증성 통증설문(Neuropathic Pain Questionnaire, NPQ)

감각이나 감각반응에 대한 10개 항목과 영향에 대한 2개 항목으로 구성되어 있다. 신경병증성통증설문(NPQ)의 간략 형식은 단 3개의 항목만으로 신경병증성 통증을 구별할 수 있게 고안되었다.

3) Douler Neuropathique 4 Questions (DN4)

7개의 증상 항목과 3개의 임상검사항목으로 구성되어 있다. 채점이 쉽고, 10점 중 4점 이상이면 신경병증성 통증을 의심할 수 있다.

4) PainDETECT

자가보고 형식의 설문지로써 임상검사가 필요 없는 9개의 항목으로 구성되어 있다. 그 중 7개는 감각 관련 문항이며, 나머지 2개는 통증의 공간적(방사성), 시간적(지속성) 관련 문항이다.

5) ID-Pain

5개의 감각(sensory) 관련 문항과 침해성통증(nociceptive pain)과 구별하기 위한 관절통 관련 문항 1개로 구성되어 있다.

표 24-4. 불안한 환자의 주관적인 평가

정신신체적 반응	행동과 감정적 반응
근육 수축	과잉활동
불안정한 손	빠른 걷기와 말하기
안절부절 못함	급함
헛기침(clearing the throat)	지연에 대한 초조(irritation with delays)
식은땀(손바닥, 이마, 윗입술)	공황상태
경동맥과 측두동맥(temporal artery)의 맥박	홍조
호흡의 깊이와 속도	대인 기피
경직된 자세	신경질적인 습관
물건을 단단히 잡음	기억력 감소
강하게 놀라는 응답	혼란
빈뇨	앞으로 기울어 의자 가장자리에 앉음
	잡지를 빠르게 훑어 봄
	부주의
	과도한 걱정
	감정의 폭발

8. 불안Anxiety의 평가

치과 불안의 유병률은 성인에서는 12.5~16.4%, 소아에서는 5~20%로 보고될 정도로 흔하다. 불안은 통증과도 연관이 있는데 불안이 심한 경우 통증 감수성도 증가하는 것으로 알려져 있다. 불안을 평가하는 주관적인 방법에는 환자의 정신신체적, 행동적, 감정적 반응을 근거로 평가하는 방법과(표 24-4) 환자 본인이 스스로 평가하는 방법인 자가보고(self-report)가 있다. 불안을 평가하기 위해 사용하는 객관적인 방법 중 하나는 훈련된 사람이 환자의 불안 정도를 보고 평가하는 행동등급척도(behavior rating scales, BRS)가 있다.

1) 행동등급척도(Behavior Ratings Scales, BRS)

행동등급척도(BRS)는 치과 치료를 받을 때 환자들이 보여주는 파괴적인 행동을 관찰해서 치과 불안을 평가한다. 두 가지 범주로 나누어 측정하는데, 첫 번째 범주는 Behavior Profile Rating Scale (BPRS)로 파괴적인 특정 행동을 3분 동안 관찰하여 그 빈도를 측정하여 평가한다(그림 24-7). Behavior Profile Rating Scale (BPRS)는 27가지의 특정 행동 목록으로 엄마와 분리되었을 때의 행동(울음, 엄마에게 집착, 엄마와의 분리 거부 등) 4가지와 진료실에서의 행동(불만, 부적절한 입막음, 눈 감음, 울음, 발차기 등) 23가지로 구성되어 있다. 진료실에서의 행동은 21가지의 소아의 행동과 2가지의 치과의사에 관한 것으로 구성되어 있다. 전체 Behavior Profile Rating Scale (BPRS)점수는 각 범주에 해당하는 행동이 3분 동안 발생하는 빈도에 가중치를 곱하여 합한 뒤 3분 간격으로 나누게 된다. Behavior Profile Rating Scale (BPRS)는 불안 행동에 대해 보다 정확한 측정이 가능하고 심리적인 속성에 대한 평가가 우수하다는 장점이 있지만 계산하기 복잡하고 상당한 시간이 걸릴 수 있으며 치과의사 이외의 외부 관찰자도 필요하다는 단점이 있다.

행동등급척도(BRS)의 두 번째 범주는 좀 더 거시적인 수준에서 주관적인 행동을 평가한다. 이 범주에서는 Frankl Behavior Rating Scale과 Venham Behavior Rating Scales가 있고 서술자의 지침에 따라 치과의사 또는 관찰자가 서수 등급을 정한다. 예를 들어 Venham Behavior Rating Scales의 경우, 불안을 측정할 척도와 협조성을 측정할 척도로 구성되며 0–5의 6단계로 표현된다(표 24-5).

	Successive 3-min observation period						
	1	2	3	4	5	6	Etc.
Separation from mother							
(3) Cries							
(4) Clings to mother							
(4) Refuses to leave mother							
(5) Roddy carried in							
Office behavior							
(1) Inappropriate month closing							
(1) Choking							
(2) Won't sit hack							
(2) Attempts to dislodge instruments							
(2) Verbal complaints							
(2) Overreaction to pain							
(2) Whitt, knuckles							
(2) Negativism							
(2) Eyes closed							
(3) Cries at injection							
(3) Verbal message to terminate							
(3) Refuses Jo open mouth							
(3) Rigid posture							
(3) Crying							
(3) Dentist using loud yogi							
(4) Restraints used							
(4) Kicks							
(4) Stands up							
(4) Rolls over							
(5) Dislodges instruments							
(5) Refuses to sit in chair							
(5) Faints							
(5) Leaves chair							

그림 24-7. Behavior Profile Rating Scale (J Psychopathol Behav Assess 1996;18(2): 153-171)

이러한 평가 척도들은 치과불안 평가에 널리 사용되고 있으며, 소아의 치과 불안에 대한 부모의 보고와 상호 관련이 있는 것으로 알려져 있다. 하지만 소아가 표시한 파괴적인 행동의 수준에서 치과불안을 추측하고 평가하는 데에는 한계가 있다. 예를 들어 소아는 매우 불안한 상태일지라도 협조적일 경우 불안이 과소평가될 수 있다. 따라서 자가보고(Self-reports) 데이터를 포함하여 평가함으로써 이러한 한계를 보완하는 것이 추천된다.

2) 자가보고(Self-reports)

Children's Fear Survey Schedule – Dental subscale (CFSS-DS)이 가장 흔히 사용되는 소아 치과불안의 자가보고 도구 중 하나로, 1968년에 보고된 Children's Fear Survey Schedule에 치과 공포의 하위 척도를 추가하여 1982년에 도입되었다(표 24-6). 15개의 항목에 5점 등급으로 표시한다. 15개 항목 중 치과 불안과 연관 없어 보이는 것들(병원에 간다, 낯선 사람이 당신을 만진다)에 대한 논의들이 있었고 이러한 쟁점이 수정된 소아치과불안척도(Modified Child Dental Anxiety Scale, MCDAS)에서 다뤄졌다.

수정된 소아치과불안척도(MCDAS)는 8가지 항목으로 구성되어 있다. 7개 항목은 치과에 방문하는 특정 상황과 관련된 소아의 불안에 대해 질문하며, 나머지 1개

표 24-5. **Venham Behavior Rating Scale**

등급	정의
0	협조 가능, 최상의 조건, 울지 않음, 신체적 항의 없음
1	약하고 부드러운 언어 항의, 불편함을 표현하고 조용히 울지만 진행을 방해하지는 않음. 절차에 대한 적절한 행동(즉 주사 시 약간 움직임), 아플 때 '아' 소리냄
2	좀 더 강한 항의. 울면서 손으로 신호함. 머리를 움직여서 치료가 힘들지만 협조 요청에는 응함
3	항의가 치료를 방해함. 마지 못해 협조 요청에 응함으로 치과의사의 추가 노력이 필요함. 몸을 움직임
4	항의가 치료를 방해하고 치과의사는 모든 주의를 아이의 행동에 기울여야 함. 협조에 치과의사의 상당한 노력과 신체적 구속이 필요함. 몸을 많이 움직임
5	항의, 협조 불가능, 신체적 구속이 필요함

Pediatric Dentistry 1980:2(3);195-202

표 24-6. **Children's Fear Survey Schedule – Dental Subscale**

항목	1	2	3	4	5
치과의사					
의사					
주사					
누군가 입을 검사한다					
당신의 입을 연다					
낯선 사람이 당신을 만진다					
누군가 당신을 본다					
치과 드릴					
치과 드릴을 사용하는 것을 본다					
치과 드릴 소리를 듣는다					
당신의 입에 누군가가 장비를 넣는다					
숨막힘					
병원에 간다					
흰색 가운을 입은 사람					
간호사가 당신의 치아를 청결하게 한다					

1 = 두려움 없음, 2 = 조금 두려움, 3 = 중간 두려움, 4 = 조금 많이 두려움, 5 = 매우 많이 두려움. J Dent Child 1982:49;432–436

항목은 치과에 가는 것에 대한 전반적인 느낌을 질문한다. 수정된 소아치과불안척도(MCDAS)는 CFSS-DS에 비해 하나의 통일된 구조를 평가하는 것처럼 보이지만 CFSS-DS와 마찬가지로 소아에게 적합하지 않을 수도 있는 5점 형식의 응답을 사용한다. 따라서 최신에 발표된 버전은 소아와 인지 장애를 가진 환자에게 안면 이미지 등급을 사용하도록 수정되었다(그림 24-8).

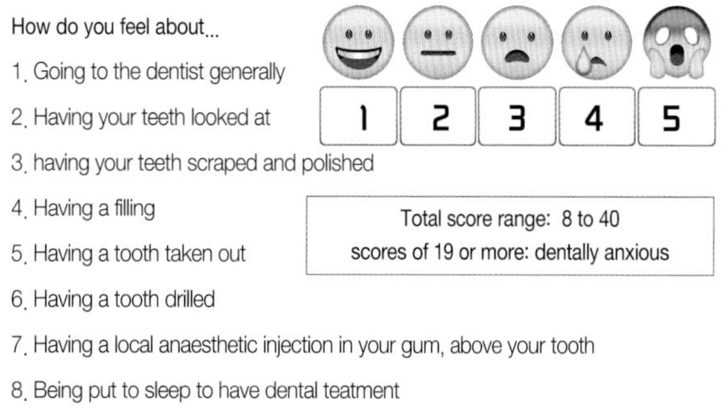

How do you feel about...

1. Going to the dentist generally
2. Having your teeth looked at
3. having your teeth scraped and polished
4. Having a filling
5. Having a tooth taken out
6. Having a tooth drilled
7. Having a local anaesthetic injection in your gum, above your tooth
8. Being put to sleep to have dental teatment

1 2 3 4 5

Total score range: 8 to 40
scores of 19 or more: dentally anxious

그림 24-8. Modified Child Dental Anxiety Scale (MCDAS, Journal of Advanced Oral Research 2017:8;42–46)

3세 이하의 소아에서는 Venham 사진 검사(Picture Test)가 더 적절할 수 있다. 8개의 항목에 각각 두 장의 그림으로 구성되어 있으며, 긍정적이거나 중립적인 감정과 부정적인 감정이나 행동이 표시되어 있다(그림 24-9). 매우 빠르고 간단하며 관리하기 쉽다는 장점이 있다. 하지만 단점은 치과치료에 대한 소아의 태도(긍정적인지 부정적인지)를 판단할 수는 있으나, CFSS-DS 및 수정된 소아치과불안척도(MCDAS)와 달리 소아가 두려워하는 상황의 유형에 대한 정보는 제공하지 않는다는 점이다.

위에 소개한 방법 외에도 여러가지 방법들이 개발되었다. 최근에 Smiley Faces Program이 개발되었지만 이는 특정 치아 자극에 대한 질문들로 이뤄져 있어 역시 한계가 있다. 소아인식설문 11-14(Child Perceptions Ques-

그림 24-9. Venham Picture Test (VPT, Pediatric Dentistry 1979:1;91–96)

tionnaire 11-14, CPQ 11-14)는 치아 건강 부족으로 인해 영향을 받을 수 있는 삶의 질적 영역을 평가하기 위해 고안되었으며 11세에서 14세 사이의 연령대를 대상으로 35개 항목의 자체 보고 형식의 설문 조사이다. 2008년에는 소아인식설문 11-14(CPQ 11-14)를 8개 항목으로 간추린 버전이 소개되었다. 이외에도 Corah's 치과불안척도(Dental Anxiety Scale)(4 항목), 치과두려움조사(Dental Fear Survey)(20 항목) 등이 있다.

참고문헌

1. 대한통증학회. 통증의학. 다섯째판. 61-73, 2018.
2. 대한마취통증학회. 마취통증의학. 셋째판. 751-64, 2014.
3. Honorio T. Benzon, Srinavasa N. Raja, Scott M. Fishman, Spencer S. Liu, Steven P. Cohen. Essentials of Pain Medicine. Fourth edition. Elsevier 39-46, 2018
4. Paul Ekman, Wallace V Friesen. Facial action coding system: manual. Palo Alto, Calif. Consulting Psychologists Press 1978
5. Ronald Melzack. The short-form McGill Pain Questionnaire. Pain 30:191-197, 1987.
6. Lawrence J, Alcock D, McGrath P, et al: The development of a tool to assess neonatal pain. Neonatal Netw 12(6):59–66, 1993.
7. Turk DC, Melzack R: Handbook of Pain Assessment. ed 3., New York, Guilford Press, 2011.
8. Lee JJ, Lee MK, Kim JE, et al: Pain relief scale is more highly correlated with numerical rating scale than with visual analogue scale in chronic pain patients. Pain Physician 18(2):E195–E200, 2015.
9. Chapin H, Bagarinao E, Mackey S: Real-time fMRI applied to pain management. Neurosci Lett 520(2):174–181, 2012.
10. McGrath P, Gillespie J: Pain assessment in children and adolescents. In Turk DC, editor: Handbook of Pain Assessment. New York, Guildford Press: 97–118, 2001.
11. Reynoldson C, Stones C, Allsop M, et al: Assessing the quality and usability of smartphone apps for pain self-management. Pain Med 15(6):898–909, 2014.
12. de la Vega R, Roset R, Castarlenas E, et al: Development and testing of painometer: a smartphone app to assess pain intensity. J Pain 15(10):1001–1007, 2014.
13. Aartman I., et al. Appraisal of behavioral measurement techniques for assessing dental anxiety and fear in children: A review. J Psychopathol Behav Assess 18(2): 153-171, 1996.
14. Cuthbert MI, Melamed BG. A screening device: Children at risk for dental fears and management problems. J Dent Child 49;432–6, 1982.
15. Wong HM1, Humphris GM, Lee GT. Preliminary validation and reliability of the Modified Child Dental Anxiety Scale. Psychol Rep 83(3 Pt 2):1179-86, 1998.
16. Kavita Hotwani and Krishna Sharma. Assessment of the Impact of Colors on Child's Anxiety and Treatment Preference for Local Anesthesia Injections. Journal of Advanced Oral Research 8(1&2);42–46, 2017.
17. Venham LL, and Gaulin-Kremer E. A self-report measure of situational anxiety for young children. Pediatric Dentistry 1;91–96, 1979.
18. Venham LL., et al. Interval rating scales for children's dental anxiety and uncooperative behavior. Pediatric Dentistry 2(3);195-202, 1980.
19. Deva Priya Appukuttan. Strategies to manage patients with dental anxiety and dental phobia: literature review. Clin Cosmet Investig Dent 10(8):35-50, 2016.

CHAPTER 25

| Dental Anesthesiology | 통증의학

통증관리

학습목표

1. 급만성 통증을 진단하고 관리할 수 있다.
2. 두통의 종류와 특성을 비교 설명한다.
3. 안면통의 종류와 특성을 비교 설명한다.
4. 난치성 치과질환인 비정형 안면통의 일반적 통증 양상을 나열한다.

1. 통증의 정의와 분류

통증치료는 우선적으로 발생 원인이 무엇인지 진단 후 그에 맞게 치료를 시작하는 것이 중요하다. 국제 통증연구학회(International Association for the Study of Pain, IASP)는 통증이란 실질적 또는 잠재적 조직 손상 또는 그러한 손상에 연관되어 표현되는 불유쾌한 감각과 정서적 경험으로 정의하였다. 이처럼 통증은 개인적이며 주관적인 경험의 요소가 중요하게 작용한다. 즉 조직 손상의 여부뿐만 아니라 정서적으로 동기화 되는 요인을 포함을 한다는 뜻이다.

일반적으로 통증은 개체에게 위험 또는 이상 상태를 인지하게 하거나 골절과 같은 조직손상 시에는 움직임을 제한시켜 회복을 돕는 경고나 방어적인 역할을 한다. 그러나 정상적인 조직 치유기간인 3개월을 넘어 지속되는 경우는 만성 통증으로 정의하며 단순이 증상이 아닌 하나의 질병으로 간주한다. 이는 환자의 생체기능과 생활에 유해한 효과를 초래하기 때문이다.

통증은 발생부위, 원인, 성질 및 발생기전 등을 고려하여 분류하며 이에 따라 치료법이 달라질 수 있다. 병태 생리학 기전에 의해 통각수용성 통증과 신경병증성 통증으로 분류한다. 통각수용성 통증은 조직 손상에 따라 발생하는 통증으로 유해한 자극정도에 비례해서 통증이 증가하는 경향을 보인다. 그러나 신경조직에 직·간접적인 손상으로 발생하는 신경병증성 통증은 유해자극의 세기와 관계없이 통증이 발생하며 자발통, 과통증, 이질통을 특징으로 한다. 신경병증성 통증은 시리거나 또는 반대로 타는 듯한 느낌, 칼이나 송곳으로 찌르거나 전기 자극이 오는 듯한 통증, 벌레가 기어 가거나 모래밭에 서 있는 느낌 등 아주 다양한 증상을 특징으로 한다. 그리고 통증의 지속기간에 따라 급성과 만성 통증으로 나눈다. 대표적인 만성 통증증후군으로서는 신경병증성 통증, 복합부위 통증 증후군, 대상포진 후 신경통 등이 있다. 만성 통증은 단순히 급성 통증의 연장성이 아니며 원래의 손상 정도와 비례하지 않고 자극이 없이도 자발적으로 일어날 수 있다. 통증이 지속될 경우 중추신경계에서 신경성형(Neuroplasty)이 발생하여 비가역적인 변화가 일어남이 밝혀졌다. 그러므로 만성 통증은 병의 증상이 아니라 그 자체가 하나의 질환, 즉 신경계의 질환으로 봐야한다. 또한 통증치료를 하더라도 완치에 이르지 못하는 경우가 많으므로 발초기에 적극적으로 치료하여 만성화를 예방하는 것이 매우 중요하다. 그리고 만성 통증은 우울증, 불안증, 불면증 그리고 만성 피로 등 정신과적인 문제를 동반하는 경우가 많다. 그러므로 만성 통증환자는 동반된 증상에 관련된 전문의와 같이 치료하는 것이 필요하다.

2. 급·만성 통증질환에서의 약물치료

통증 조절 시 약제의 투여는 경구투여를 원칙으로 하고 환자의 상황을 고려하여 경구투여가 적절하지 못할 경우에는 주, 정주, 패치제 등을 고려해야 한다.

일반적으로 환자의 일상 생활에 장애를 초래하는 중등도 이상의 통증이 발생할 경우에는 만성통증으로 이행하는 것을 예방하기 위해 적극적인 통증치료를 해야 한다.

1) 항우울제

항우울제는 본래 우울증을 치료하기 위해 개발되었지만 일부 항우울제에서는 통증을 감소시키는 효과가 밝혀져 통증치료에도 많이 사용된다. 항우울제가 통증을 억제 하는 기전으로 현재까지 밝혀진 바로는 중추신경에서 세로토닌(Serotonin)이나 노에피네프린(Norepinephrine)의 신경 전달 물질의 재 흡수를 막고, 히스타민 수용에 작용하거나 나트륨 통로를 차단하여 진통작용을 나타낸다고 알려져 있다. 임상적으로 많이 이용되는 항 우울제로는 삼환계 우울제(tricyclic antidepressant, TCA)나 최근 개발된 선택적 세로토닌 재흡수 억제제(selective serotonin reuptake inhibitor, SSRI), 세로토닌-노르에피네프린 재흡수 억제제(serotonin norepinephrine reuptake inhibitor, SNRI)가 있다. 최근 연구에 따르면 SNRI제재가 통증억제효과가 있지만 SSRI제재는 효과가 없다고 알려졌다. 항우울제는 주로 신경병증 통증에 효과가 있으며 긴장성 두통이나 편두통에도 사용된다.

항우울제의 진통작용을 나타내는 혈중농도는 각 개인마다 다르므로 주의를 요한다. 일반적으로 항우울의 작용이 나타나는 용량보다 더 적은 용량에서 진통작용이 나타나고 용량의 증가에 따라 진통효과도 같이 상승을 한다. 그러나 그에 따라 부작용이 나타날 가능성도 높아지므로 주의를 해야 한다. 부작용으로는 기립성 저혈압, 심정지, 부정맥 등의 심혈관계 부작용이나 구강건조, 변비, 요저류, 구토 및 구역, 어지러움, 진정작용 등이 있으므로 소량부터 시작하여 서서히 증량을 시켜나가는 것이 중요하다. 그러므로 항우울제를 선택할 때는 환자의 나이나 건강 상태, 이전 사용한 약물의 반응, 동반된 이상 증세나 복용하고 있는 약물 등을 고려하여 점진적으로 증량해야 한다.

2) 항경련제

항경련제는 발작을 억제하는 작용을 가진 개발된 carbamazepine은 삼차신경통에 효과가 뛰어나 많이 사용되고 있다. 항경련제는 통각 수용성 통증보다는 신경병증성 통증에 효과가 있다고 알려져 있다. 신경병증성 통증을 일으키는 중요한 기전 중 하나는 손상된 일차 감각신경으로부터의 이소성(ectopic) 흥분을 형성하는 것으로 항경련제는 정상신경의 전도를 억제하지 않는 약의 용량에서 신경의 비정상적인 이소성 흥분을 억제한다. 당뇨나 대상포진 후의 신경병증성 등의 통증질환들에서 많이 사용되고 있다. 그러나 신장으로 배설되므로 신장기능이 떨어진 환자에게는 심한 어지러움이나 진정, 의식소실 등의 부작용이 발생할 가능성이 높으므로 적절히 조절하며 사용해야 한다. 삼차신경통에 일차 치료약제로 사용되는 carbamazepine은 백혈구 감소증, 재생불량성 빈혈 등의 부작용이 발생할 수 있으므로 혈액학적으로 면밀한 추적이 필요하다.

3) 아편유사제

아편유사제는 여러 종류의 아편 수용체와의 상호작용

에 의하여 진통효과와 부작용이 나타나는데 아편유사제에 대한 불충분한 지식과 부정적인 태도 등이 아편유사제는 다른 진통제와는 달리 천장 효과(ceiling effect)가 없으며 간헐적이며 찌르고 전기가 오는 듯한 날카로운 통증보다는 지속적이며 둔탁한 통증에서 좀 더 효과적인 진통작용을 나타낸다. 주로 통각 수용성 통증이 효과가 있으며 신경병증성 통증치료에는 항 우울제나 항경련제를 사용 후 효과 없을 경우 사용할 것을 고려 할 수 있다. 부작용으로는 진정, 어지러움, 오심 및 구토, 소양감, 변비 등의 증상이 발생하는데 사용 후 수일 정도가 지나면 변비를 제외한 여러 부작용들이 서서히 사라지므로 우선 사용하기 전에 환자에게 이에 대한 적절한 교육이 필요하다. 그리고 과량을 사용할 경우에는 호흡억제와 같은 치명적인 부작용이 발생하므로 각 개개인의 특수한 상황에 따라 아편유사제를 선택하고 용량을 결정해야 한다.

4) 트라마돌(Tramadol)

노르에피네프린과 세로토닌의 재흡수를 억제하고 그 대사산물이 아편 수용체인 μ 수용체에 작용하여 통증 감소를 일으킨다. 주로 통각 수용성 통증에 효과가 있으며 신경병증성 통증에도 1차 선택약제가 아니지만 통증 감소 효과가 있다. 부작용으로는 졸림, 어지러움, 오심과 구토, 변비, 기립성 저혈압, 경련 등이 있어 용량 조절 시 서서히 증량할 필요가 있다.

5) 비스테로이드성 소염 진통제(Non-steroidal anti-inflammatory drug, NSAID)와 acetaminophen

NSAID의 작용기전은 cyclooxygenase (COX) – 1과 2를 억제하여 염증작용을 억제하여 진통효과와 해열작용을 나타낸다. 골관절염, 류마티스 관절염, 골전이에 의한 암성 통증 등이나 염증소견이 증가되는 질환에서는 유용하게 사용되나 장기간 사용하는 것은 바람직하지 않다. COX-1은 혈소판 응집과 위점막 보호작용에 중요한 역할을 하며 COX-2는 신장기능유지에 중요한 역할을 한다. 특히 COX-2는 염증질환이 발생하는 경우에 급격하게 증가하므로 최근 COX-2 선택적 억제제가 개발되어 이용되고 있다. NSAID의 부작용으로는 출혈, 위장관 출혈, 위염과 위궤양, 신기능 저하 등이 있다. 특히 65 이상의 고령의 환자, 위궤양이나 출혈병력이 있는 환자, 스테로이드를 복용중인 환자, 항 응고제를 복용중인 환자에서 위장과 출혈이나 위 궤양 등의 합병증이 발생 할 수 있으므로 주의를 요한다. 그리고 위장관 합병증을 예방하기 위하여 위산분비 억제제를 같이 사용하거나 COX-2 선택적 억제제의 사용을 할 수 있다. 그러나 COX-2 선택적 억제제를 사용하더라도 신기능을 저하 시킬 수 있으므로 체액이 부족하거나 신기능이 떨어진 환자에게는 사용에 주의를 요한다.

Acetaminophen은 Cox-1과 2를 약하게 억제한다고 작용한다고 알려져 있지만 아직까지 자세한 작용기전이 밝혀지지 않았다. 간에서 대사되어 신장으로 배설된다. 일반적으로 출혈이나 위 궤양 등의 합병증을 유발시키지 않으며. 신기능이 저하된 환자나 간기능이 저하된 경우에도 안전하게 사용할 수 있다. 경한 통증의 경우에는 일차적으로 acetaminophen을 권유하는 것이 안전하다. 그러나 알코올 중독자이거나 영양상태가 불량한 경우 그리고 대용량(하루에 3,600 mg 이상)을 복용할 경우에는 치명적인 간독성이 발생 할 수 있기에 주의를 요한다.

3. 통증질환의 진단

만성 통증을 호소하는 환자를 진단하는 경우에는 복잡한 통증에 대한 병력과 치료에 대한 조사뿐만 아니라 환자의 심리나 정신의학적 문제, 가족과 직장 그리고 사회적 활동의 영향 등을 아울러 종합적으로 평가를 해야 한다.

1) 문진

만성 통증을 가진 환자는 통증의 원인이나 증상이 애매모호한 경우도 많고 이전의 치료 실패에 대한 기억으로

의료진에 대한 불신이나 의심을 가지고 있을 수도 있으며 사회생활이나 가족생활에 어려움을 겪는 경우도 많기 때문에 면밀히 관찰하고 환자가 호소하는 증상에 대한 증상에 깊은 관심을 가져 환자가 의사와의 관계형성에 긍정적인 자세를 갖도록 하는 것이 중요하다.

(1) 통증의 병력 청취

환자 스스로가 통증에 대하여 이야기 하도록 하는 것 보다 환자의 병력을 청취하면서 중점을 두어야 할 사항에 대하여 치료자가 이끌어 나가야 한다. 환자는 통상적으로 통증에 대한 정보에 대해 이야기 하지만 발생 순서나 시간적 경과를 정확하게 표현하는 것이 어려울 때가 종종 있기 때문이다. 환자에게 원인이 될 만한 상해나 시작된 날짜를 기억하고 있는지 그리고 특정 자세나 행위와 연관이 되어 있는지를 조사해야 한다.

통증은 국한되어 나타날 수도 있지만 위치를 표현하기 애매한 경우도 많기 때문에 환자에게 직접 아픈 부위를 그리거나 표시하게 하여 가능한한 정확한 부위나 범위를 찾아야 한다. 그리고 통증의 강도, 성질, 발생하는 시기, 기간 그리고 발생빈도, 증강 또는 완화인자, 시간에 따른 강도의 변화, 과거의 치료법과 복용한 약물의 효과나 부작용 등을 자세히 물어 차트에 기록해야한다. 통증의 강도를 시각통증등급(visual analogue scale, VAS)이나 숫자평가척도(Numerical Rating Scale, NRS) 등을 이용하여 평가하거나 맥길통증설문 등을 이용한 다차원 평가는 환자의 통증양상을 이해하는데 도움을 준다.

(2) 동반 질환

환자에게 당뇨, 간질환, 신장질환, 신경계 질환, 정신과질환 등이나 안과나 이비인후과 관련 질환에 대하여 조사하고 기록을 한다. 동반된 질환이나 선행된 질환에 의하여 통증이 유발되거나 악화될 수 있기 때문에 치료 계획을 수립하는데 중요한 사항이다.

(3) 심리 및 정신의학적 평가

만성 통증을 호소하는 환자들에게는 불안감과 우울증, 의욕 상실 그리고 수면 장애 등이 동반되어 있는 경우가 많다. 그리고 직장이나 가정 내의 스트레스, 사고와 보상 문제 등 인자들이 통증에 많은 영향을 미치게 되어 효과적인 통증치료를 위해서는 동반된 문제들을 평가하면서 적절한 심리 정신의학적인 치료가 이루어지도록 해야 한다.

2) 이학적 검사

문진과 더불어 의심되는 질환을 확인하게 위해서는 이학적 검사가 매우 중요하다. 환자의 자세나 자극으로부터 보호나 회피하려는 행동이나 자세에 이상이 있는지, 통증과 동반되어 안검하수, 눈물, 안구결막 충혈, 코막힘, 콧물, 발한 이상 등의 자율신경계의 이상이 있는지, 조직의 부종이나 열감, 색깔 변화가 있는지, 통증과 연관성이 있는 조직의 손상이 있는 여부를 확인해야 한다. 그리고 통증질환에 따라 특징적인 감각의 변화를 보이는 경우가 많기 때문에 특정한 감각의 변화가 있는 지를 알아보는 것이 중요하다. 신경병증성 통증의 환자에서는 알코올에 적신 거즈나 바늘을 이용하여 이질통증(allodynia), 감각과민(hyperesthesia), 감각감퇴(hypoesthesia), 통각과민(hyperalgesia), 이상감각(dysesthesia) 등을 알아보고, 통증이 발생하는 해부학적 위치와 그리고 감각 이상의 정도와 통증의 재현성을 평가하는 것이 진단에 도움이 된다.

3) 영상학적 검사

일반적으로 X-ray 사진이나 CT나 MRI 등의 영상학적인 검사는 통증의 원인과 병리학적 조직의 변화를 파악하는데 많은 도움이 된다.

4. 두부 통증

두통은 두부 및 안면부위에 발생하는 통증으로 대부분의 사람들이 일생에 한번 이상을 경험한다. 두통은 크게 기질적인 원인에 의한 이차성 두통과 기질적인 병변이 없는 원발성 두통으로 나눈다. 이차성 두통으로는 지주막하 출혈, 수막염, 뇌종양 등이 있는데 지금까지 경험한 적이 없는 두통, 점점 악화되는 두통, 의식장애, 표재성 지각장애, 운동마비, 평형기능 장애, 복시, 경련발작 등의 증상이 나타날 경우 의심을 해야 하며 혈관 조영술, CT나 MRI와 같은 영상학적인 검사를 필요로 한다. 그리고 기질적인 원인이 밝혀지지 않은 원발성 두통은 임상적인 특징과 증상에 의거하여 분류를 하고 있으며 편두통(migraine), 긴장형 두통(tension-type headache), 군발 두통(cluster headache) 등이 있다(표 25-1).

표 25-1. 국제두통학회의 두통분류

원발성 두통	이차성 두통	뇌신경통, 안면통, 그리고 다른 두통
• 편두통 • 긴장형 두통 • 군발두통과 다른 삼차자율 신경두통 • 기타 원발성 두통	• 머리와 목의 외상에 기인한 두통 • 두개 또는 경부의 혈관질환에 기인한 두통 • 비혈관성 두개 내 질환에 기인한 두통 • 약물에 기인하거나 금단에 의한 두통 • 감염에 기인한 두통 • 항상성질환에 기인한 두통 • 두개, 목, 눈, 코, 부비동, 치아, 입 또는 기타 안면 및 두개구 조물의 질환에 기인한 두통 또는 안면통 • 정신과 질환에 기인한 두통	• 뇌신경통과 중추성 원인의 안면통 • 기타 두통, 뇌신경통 및 중추성 또는 원발성 안면통

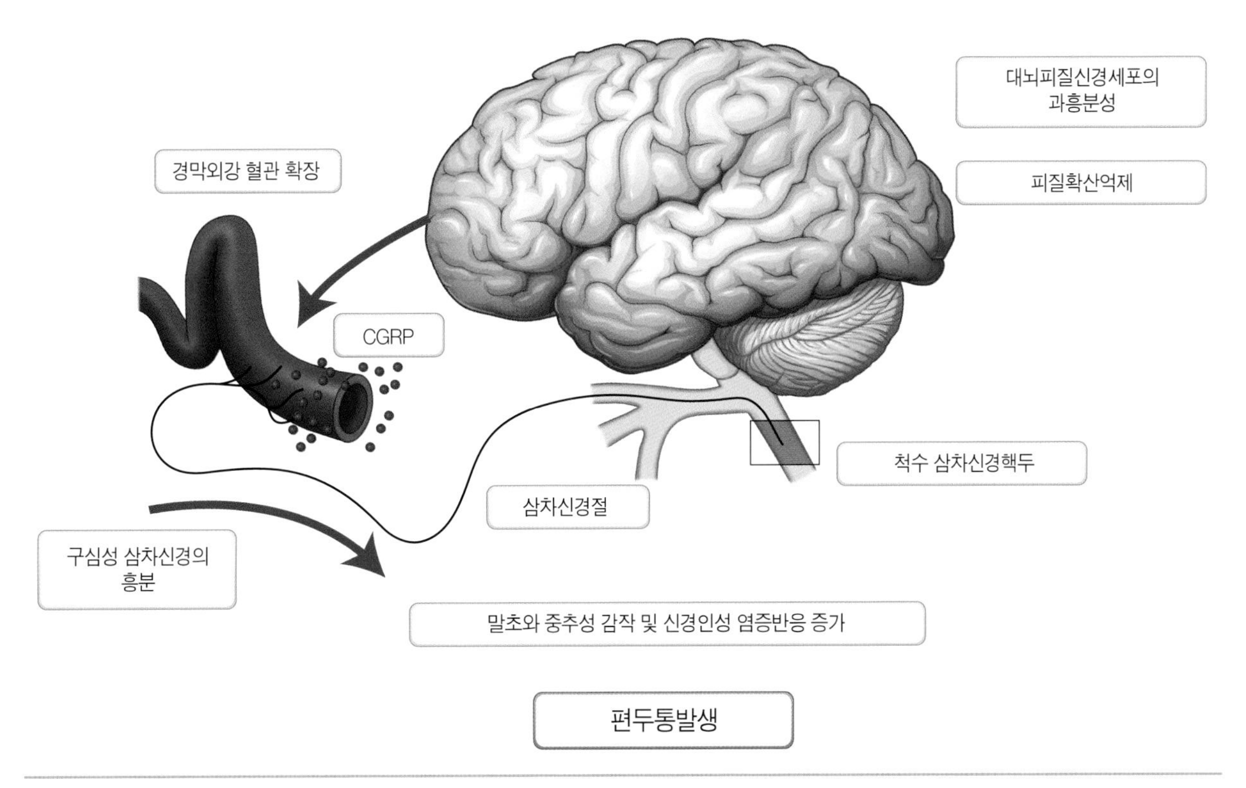

그림 25-1. 편두통 발생

1) 편두통(Migraine)

가장 흔한 원발성 두통 질환은 긴장형 두통이지만, 일상이나 직장생활에 지장을 가장 많이 초래하는 원발성 두통은 편두통이다. 편두통은 가족력이 60%가 넘을 정도로 가족력이 강한 원발성 두통이다. 비록 편두통 발작 시작이 다양한 내적, 외적 유발요인들과 관련이 있을지라도 주된 발병원인으로 신경혈관성 질환으로 설명된다(그림 25-1).

(1) 편두통의 분류 및 진단

현재 편두통의 분류는 국제두통학회에서 2013년에 발표된 국제두통질환분류 제3판 베타판(International Classification of Headache Disorder, 3rd edition [beta version], ICHD 3 beta)의 기준을 사용하고 있다(표 25-2). 편두통의 진단에는 병력청취가 가장 중요하며 두통의 유형에 대하여 자세히 물어 보아야 한다. 즉 두통의 발생시간과 지속시간 그리고 빈도, 통증의 강도나 양상, 위치와 동반된 증상, 두통의 유발 원인, 두통의 악화나 완화에 관련된 요인, 두통의 가족력, 발작간의 간격이나 간격간에 증상이 남아 있는지 등을 자세히 조사해야 한다. 편두통은 크게 두 가지 아형이 있는데 조짐 유무에 따라 무조짐편두통(migraine without aura)과 조짐편두통(migraine with aura)으로 나뉜다. 두 두통 간에 특성은 동일하므로 무조짐편두통의 진단 기준에 따라 편두통을 진단하게 된다(표 25-3, 25-4).

표 25-2. 편두통의 분류(ICHD-3 beta)

분류
무조짐편두통
조짐편두통
전형조짐편두통
두통을 동반하는 전형조짐
두통을 동반하지 않는 전형조짐
뇌간조짐편두통
반신마비편두통
가족반신마비편두통
가족반신마비편두통 1형
가족반신마비편두통 2형
가족반신마비편두통 3형
가족반신마비편두통 기타 유전자자리
산발반신마비편두통
1.2.4 망막편두통
만성편두통
편두통합병증
편두통지속상태
뇌경색이 없는 지속조짐
편두통경색증
편두통유발발작
개연편두통
개연무조짐편두통
개연조짐편두통
편두통과 관련된 삽화증후군
반복소화기장애
주기구토증후군
복부편두통
양성돌발현훈
양성돌발사경

(2) 편두통의 임상증상

편측 또는 양측 머리에서 박동성 통증이 4~72시간 지속되며, 통증강도는 중등도 또는 심도인 것이 전형적이다. 동반증상으로 구역이나 빛 공포증, 소리공포증이 흔하여 환자는 조용하고 어두운 곳에서 움직이지 않으려는 경향을 보인다. 조짐편두통은 두통 발작 전에 국소적 신경 증상인 조점을 동반하는 편두통으로 두통양상은 무조짐편두통과 동일하다. 조짐은 두통발작 직전에 나타나 5분 이상에 걸쳐 서서히 진행한 후 1시간 이내에 자연적으로 사라진다. 조짐은 시각조짐, 감각조짐, 언어조짐 등 세 가지가 있으며 이중 시각조짐이 가장 흔하다. 시각조짐은 지그재그 형태의 번쩍거리는 선이 고정시야 주변부에서 좌우로 번져나가고 바깥쪽으로 불룩하면서 모가 난 섬광 모서리를 가지는 모양을 띠고 있으며 지나간 자리에는 다양한 크기의 암점을 남기나, 어떤 경우에는 섬광 없이 작은 암점이 서서히 커져 나가기도 한다. 감각조짐은 시각조짐 다음으로 흔하다. 이상감각이나 감각저하가 한 부위에

표 25-3. 무조짐편두통의 진단기준(ICHD-3 beta)

A. 진단기준 B~D를 충족하며 최소한 5번 발생하는 발작
B. 두통 발작이 4-72시간 지속(치료하지 않거나 치료가 제대로 되지 않았을 경우)
C. 다음 네 가지 두통의 특성 중 최소한 두 가지:
  1. 편측위치
  2. 박동양상
  3. 중등도 또는 심도의 통증 강도
  4. 일상신체활동(걷거나 계단을 오르는 등)에 의해 악화 또는 이를 회피하게 됨
D. 두통이 있는 동안 다음 중 최소한 한 가지:
  1. 구역 그리고/또는 구토
  2. 빛공포증과 소리공포증
E. 다른 ICHD-3 진단으로 더 잘 설명되지 않음

표 25-4. 조짐편두통의 진단기준(ICHD-3 beta)

A. 진단기준 B와 C를 충족하며 최소한 2번 발생하는 발작
B. 다음 완전히 가역적인 조짐증상 중 한 가지 이상:
  1. 시각
  2. 감각
  3. 말 그리고/또는 언어
  4. 운동
  5. 뇌간
  6. 망막
C. 다음 네 가지 특성 중 최소한 두 가지:
  1. 최소한 한 가지 조짐증상이 5분 이상에 걸쳐 서서히 퍼짐,
     그리고/또는 두 가지 이상의 증상이 연속해서 발생함
  2. 각각의 조짐증상은 5-60분 동안 지속됨
  3. 최소한 한 가지 조짐증상은 편측임
  4. 두통은 조짐과 동시에 또는 조짐 60분 이내에 발생함
D. 다른 ICHD-3 진단으로 더 잘 설명되지 않으며, 일과성허혈발작은 배제됨

서 시작하여 한쪽 몸통이나 얼굴로 점차 퍼지며 지나간 자리에 감각소실이 나타나기도 한다. 두 가지 이상의 조짐이 한번에 발생하는 경우 대부분 시각조짐, 감각조짐, 언어조짐 순서로 나타나는 경우가 많다. 두통이 사라지고 나면 하루 정도 심한 피로와 탈진감이 뒤따르게 된다.

(3) 편두통의 유발인자와 악화인자

편두통은 가족력을 보이는 경우가 많다. 스트레스가 유발요인이 되며, 여성의 경우 월경직전 혹은 월경 중에 두통이 악화되는 경우가 많다. 생리주기, 피로, 수면부족이 악화인자가 되며, 초코렛, 치즈, 포도주 등도 악화인자가 된다.

(4) 치료

편두통의 주된 치료는 약물치료를 하며 급성기 치료요법과 예방치료로 나눌 수 있다.

① 예방요법

편두통 예방치료는 편두통 두통발작의 빈도, 기간 혹은 심한 정도를 줄여준다. 예방치료의 적응증으로는 급성기 치료에도 불구하고 반복되는 편두통으로 인해 일상생활에 장애를 초래하는 경우, 두통의 빈도가 주 1회 이상으로 잦은 경우, 급성기 치료약물의 사용 빈도가 주당 2일 이상 잦을 경우, 급성기 치료약물 사용이 금기인 경우, 급성기 치료약물로 인해 부작용이 나타나는 경우, 환자가 예방치료를 선호하는 경우, 반마비 편두통, 뇌바닥형편두통, 지속조짐편두통, 편두통 뇌경색과 같은 흔하지 않은 편두통이 있는 경우 등이 있다. Propranolol, atenolol과 같은 베타 수용체 차단제, amitriptyline, nortrityline, venlafaxine 등의 항우울제, sodium valproate, gabapentin의 항 경련제, flunarizine, nimodipine, nifedipine 등의 칼슘통로 차단제 등을 사용한다.

② 급성 치료

급성기때에는 주로 약물치료를 하며 발작 시작 후 가능한 빨리 통증을 감소시켜 장애의 경감을 주요 목표로 한다. 급성기에 중추감작이 일어나면 두통의 경감율이 현저히 떨어지므로 가능한 두통의 초기에 약물치료를 시작하도록 한다. 편두통의 환자는 대부분 두통과 더불어 오심구토 등을 호소하므로 항구투제의 투여가 필요하다. 비스

테로이드성 소염진통제는 진통효과는 있으나 위장 출혈, 위궤양 등의 부작용이 있다. 선택적 세로토닌(5-$HT1_{B/1D}$) 수용체 작용체인 트립탄(triptan)은 편두통 치료제로 많이 이용되고 있다. 세로토닌(5-$HT1_{B/1D}$)수용체는 뇌혈관을 수축시키며, 신경전달물질인 5-HT 분비를 억제하고 calcitonin gene-related peptide (CGRP)와 substance P의 분비를 억제하는 기능을 한다. 트립탄 제제나 에르고트 제재(ergot)는 편두통의 급성기 치료에 효과가 있으나 오심과 구토가 발생할 수 있다.

2) 긴장형 두통(Tension-type headache)

(1) 긴장형 두통의 특징

긴장형 두통은 가장 흔한 원발형태의 두통으로 중등도 이하 강도로 비박동성 통증이 양측으로 나타난다. 여자에서 흔하고, 흔히 내리누르며 밴드 모양으로 꽉 죄이는 듯한 두통이 머리 전반에 나타난다. 병인은 아직 불확실하지만 스트레스에 의한 근육의 긴장이 중요한 원인으로 생각되어 긴장형 두통으로 명칭을 정하고 있으며, 2013년 국제두통질환 분류 제3판 베타판에서는 긴장형두통을 저빈도삽화 긴장형두통(infrequent episodic tension-type headache), 고빈도삽화 긴장형두통(frequent episodic tension-type headache), 만성 긴장형두통(chronic tension-type headache), 개연 긴장형두통(probable tension-type headache)의 4가지로 분류하였다. 저빈도삽화 긴장형두통의 경우 한달 평균 하루 미만, 고빈도삽화 긴장형두통은 한달 평균 1~14일, 만성 진장형두통의 경우 한달 15일 이상의 두통이 나타나는 경우로 분류한다. 긴장형두통의 진단기준에 한 가지만 부합되지 않으면서 다른 두통질환으로 진단되지 않는 경우에는 개연 긴장형두통으로 분류한다. 각 두통은 두개주변 압통(pericracnial tenderness)의 여부에 따란 세분화된다(표 25-5).

표 25-5. 긴장형두통의 분류(ICHD-3 beta)

저빈도삽화 긴장형두통(infrequent episodic tension-type headache)
- 두개주위 압통과 연관된 저빈도삽화 긴장형두통(infrequent episodic tension-type headache associated with pericranial tenderness)
- 두개주위 압통과 무관한 저빈도 삽화 긴장형두통(infrequent episodic tension-type headache not associated with pericranial tenderness)

고빈도 삽화 긴장형 두통(frequent episodic tension-type headache)
- 두개주위 압통과 연관된 고빈도 삽화 긴장형두통(frequent episodic tension-type headache associated with pericranial tenderness)
- 두개주위 압통과 무관한 고빈도 삽화 긴장형두통(frequent episodic tension-type headache not associated with pericranial tenderness)

만성 긴장형두통(chronic tension-type headache)
- 두개주위 압통과 연관된 만성 긴장형두통(chronic tension-type headache associated with pericranial tenderness)
- 두개주위 압통과 무관한 만성 긴장형두통(chronic tension-type headache not associated with pericranial tenderness)
- 개연적 긴장형두통(probable tension-type headache)
- 개연적 저빈도 삽화 긴장형두통(probable infrequent episodic tension-type headache)
- 개연적 고빈도 삽화 긴장형두통(probable frequent episodic tension-type headache)
- 개연적 만성 긴장형두통(probable chronic tension-type headache)

(2) 진단 및 임상증상

긴장형 두통 발작의 지속시간은 30분에서 7일까지로 매우 다양하다. 전형적인 긴장형 두통발작은 중등도 이하의 강도를 보이고, 비박동성 통증이 양측으로 나타나며, 구역, 구토, 빛공포증, 소리공포증의 증상이 나타나지 않는 경우이다. 두통의 양상은 주로 '무겁다', '누르는 듯하다', ' 조인다' 등으로 표현된다. 만성화된 통증은 스트레스와 상승작용으로 불안, 우울증을 증가시키고 이렇게 악순환을 형성함으로써 만성 경과를 취하게 된다(표 25-6).

하루 중 저녁 혹은 일주일 중 주말에 심해지고 만성화

표 25-6. 긴장형두통의 진단 기준 (ICDH-3 beta)

저빈도삽화 긴장형두통
A. 진단기준 B~D를 충족하며 한 달 평균 하루 미만(일년 12일 미만)의 빈도로 최소한 10번 이상 발생하는 두통
B. 두통은 30분에서 7일간 지속됨
C. 두통은 다음 네 가지 양상 중 최소한 두 가지 이상을 충족하여야 한다.
1. 양측위치
2. 압박감이나 조이는 느낌(비박동 양상)
3. 경도 또는 중등도의 강도
4. 걷거나 계단 오르기 같은 일상 신체활동에 의해서 증상이 악화되지 않음
D. 다음 두가지를 모두 충족한다.
1. 구역이나 구토 증상이 없음
2. 빛이나 소리공포증 중 한 가지는 있을 수 있음
E. 다른 ICDH-3 진단으로 더 설명되지 않음
고빈도삽화 긴장형두통
A. 기준 B~D를 충족하며 두통이 3개월을 초과하여 한달 평균 1~14일(1년에 12일 이상 180일 미만)의 빈도로 최소한 10회 이상 발생하는 두통
B~E. 저빈도삽화 긴장형두통 진단기준과 같음
만성긴장형 두통
A. 기준 B~D를 충족하며 3개월을 초과하여 한달 평균 15일 이상(일년에 180일 이상) 발생하는 두통
B~E 는 저빈도삽화 긴장형두통 진단기준과 같음

되면 기분 불량을 호소한다. 단말기 조작, 같은 자세로 일하는 사무 또는 스트레스가 심한 직업에 많으며, 보통 일상생활에 장애를 가져오지는 않는다.

(3) 치료

저빈도 및 고빈도 삽화 두통과 만성 긴장성 두통을 가진 경우 삶의 질적인 차이가 날 수 있으며 만성 통증의 경우에는 예방 치료가 요구된다. 현재까지 긴장형 두통의 치료는 만성화로 이행되는 것을 막는것을 목적으로 한다. 급성기에 통증을 완화시키는 약물치료 및 예방적 약물치료와 비약물 치료법이 있다.

급성기에 사용되는 Acetaminophen이나 NSAID는 삽화 긴장형 두통의 치료에 적절하며 caffeine이 포함된 약물은 차선으로 선택하며 빈번한 사용을 자제해야 한다. 특히 만성형 두통인 경우 이러한 약물의 과다 사용은 오히려 두통을 유발시키는 경우가 있다는 점을 유념해야 한다. 고빈도 삽화형 두통과 만성 두통의 경우에는 예방적 약물치료를 고려해야 한다. 먼저 amitriptyline을 투여해 보고 다음에 mirtazapine이나 venlafaxine을 선택할 수 있으며 6~12개월마다 약물 투여를 중지해 보는 노력을 해야 한다. 그리고 비약물 치료로는 두통을 유발 시키는 인자 조절, 자세 교정, 이완요법, 물리치료, 후두신경차단 등이 사용된다.

3) 군발두통과 삼차자율신경두통(Trigeminal autonomic cephalalgia)

삼차자율신경두통은 편측 두통과 동측 얼굴의 자율신경증상을 동반하여 발생하는 원발성 두통 질환군으로 2004년 국제통증학회 분류에 따르면 군발두통(cluster headache), 돌발반두통(paroxysmal hemicranias) 등이 포함되며 삼차자율신경두통은 두통과 함께 눈물, 결막충혈 같은 두개부 부교감자율신경증상이 나타나며 강도가 매우 심하고 오랫동안 반복되는 특징을 나타낸다.

(1) 임상적 특징 및 진단

군발두통은 삼차자율신경두통 중에서 가장 흔하지만 유병률은 약 0.1% 정도로 긴장형 두통이나 편두통에 비해 매우 낮다. 남성에게 높은 빈도로 발생하며, 20대 후반에서 흔히 발생하나 어느 나이에서나 발생할 수 있다. 주기성을 가지고 있는 두통이 가장 중요한 특징으로 보통 매년 1~2회 1~2개월간 지속하는 군발기가 있다. 두통은 전조가 없으며 쿵쿵 뛰는 박동성일 수 있으나, 대부분은 일정하고 심하게 후벼 파며 화끈거리는 것이 특징이며, 두통발생 후 10~15분 뒤 최고에 달하고, 일반적으로 45~90분간 지속된다. 대부분 일측성이며 주로 삼차신경 지배영역, 즉 안와, 안와위, 측두부에 흔하고 복합되어 나

표 25-7. 군발두통의 진단기준(ICHD-3 beta)

A. 진단기준 B-D를 충족하며, 최소한 5번 발생하는 발작
B. 편측 안와, 안와위 그리고/또는 측두부의 심한 또는 매우 심한 통증이(치료하지 않을 경우*) 15~180분간 지속됨
C. 다음 중 한 가지 또는 두 가지
  1. 두통과 동측으로 다음의 증상 또는 증후 중 최소한 한 가지:
    a) 결막충혈 그리고/또는 눈물
    b) 코막힘 그리고/또는 콧물
    c) 눈꺼풀부종
    d) 이마와 얼굴의 땀
    e) 이마와 얼굴의 홍조
    f) 귀의 충만감
    g) 동공수축 그리고/또는 눈꺼풀 처짐
  2. 안절부절 못하고 초조한 느낌
D. 군발기 중 절반이 넘는 기간 동안 이틀에 1번에서 하루 8번 사이의 발작빈도
E. 다른 ICHD-3 진단으로 더 잘 설명되지 않음

* 군발두통의 경과 중 일부에서는(그러나 절반 미만의 기간) 발작의 강도는 덜 심하거나, 지속시간이 더 짧거나 길 수 있다.

타날 수도 있다. 상악부위에도 발생할 수 있는데 18%의 환자는 삼차신경 지배영역 외에 후두부, 목의 전방의 경동맥 분포부위 및 어깨에 통증을 호소한다. 수반증상으로 결막 충혈 및 눈물은 매우 흔히 나타나며, 대개 일측성이나 양측성일 때도 있고, 코막힘과 콧물도 동측에 나타난다. 그 외 이마와 얼굴의 땀, 축동, 안검 하수 및 안검 부종이 있다(표 25-7).

(2) 치료

급성 돌발기에는 산소흡입마스크를 통한 100% 산소의 흡입요법이 매우 효과적이다. 그리고 sumatriptan, ergotamine 등을 사용한다. 군발두통의 관리는 예방적 약물치료가 중요하며 군발기간에는 매일 약물치료를 해야 하는데 corticosteroids, ergotamine, verapamil, sodium valproate 등의 약물을 사용할 수 있다.

5. 안면부 통증

1) 삼차신경통(Trigeminal neuralgia)

삼차신경통은 삼차신경 분포부위에 돌발적으로 전기가 지나가는 듯한 날카로운 통증이 반복성으로 나타나는 것을 특징으로 한다. 통증이 대개 이환 부위의 안면근 경련을 유발하므로 tic douloureux라고 불린다.

(1) 원인

삼차신경통의 원인과 병태 생리적 기전이 명확하지는 않지만, 삼차신경이 혈관에 의해 압박되어 발생한다는 설이 가장 유력하다. 드물게 삼차신경이 소뇌 뇌교각에서 동정맥 혈관 기형, 동맥류 또는 종양에 의해서도 압박된다. 삼차신경통은 안면의 지속적인 이상감각통, 이질통, 그리고 비정상적인 피부감수성을 특징으로 하는 신경병증 통증이다.

(2) 임상증상

통증은 삼차신경의 하나 이상의 분지의 분포지에 국한되며 95%의 환자에서 가벼운 자극에 의해서 일측성으로 발생한다. 임상 특징으로 통증이 급격히 발생하고 난 후 소실되며, 대부분 간헐적으로 나타난다. 발작은 수 초 또는 수 분간 전기 자극과 같이 찌르는 듯한 통증으로 나타나고, 세수, 면도, 대화나 조그만 움직임에 의해서도 유발된다. 대부분의 경우 통증이 발생하는 부위에서 유발점을 찾을 수 있으며 간혹 다른 부위에 유발점이 발견될 경우도 있다.

통증이 발생하는 부위는 V2, V3 영역 또는 V2와 V3영역이 모두에서 발생하는 경우가 93%를 차지하였고, V1영역에서 통증이 발생하는 경우 7%로 드물다. 통증은 대부분 일측성으로 반대편으로 넘어가지 않는다. 환자의 5%에서 양측에서 통증이 발생하나 양측에서 동시에 발생하는 경우는 드물다. 양측에서 통증이 발생하는 경우에는 종양이나 다발성경화증 같은 원인을 의심하여야 한다. 통증부위에는 약간의 감각소실이 있는 경우도 있으나 대부분 감각소실은 없다. 통증은 종종 일상생활이 불가능할

표 25-8. 안면부 통증의 특징

안면부 통증	발병연령	성별	부위	통증양상	빈도기간	유발인자	다른 특징
삼차신경통	50세 이상	여성 60%	편측성 삼차신경 제2지, 제3지	전기자극같은 날카로운 찌르는 듯한	간헐적 발작성 수 초-수 분	무해자극에 유발, 세수, 면도	
대상포진 후 신경통	40세 이후	여성 1.6배	편측성 V번 뇌신경 제1지	따갑고 박동성 통증	지속적	접촉, 운동	
편측성 비정형 안면통	20~40대	여성 75%	편측성 삼차신경 주위	타는 듯한 쑤시는 듯한	지속적	드묾	
양측성 비정형 안면통	전연령	여성 90%	보통 입 주위, 구강 내	타는 듯한, 쑤시는 듯한	지속적	드묾	
군발두통	20~30대	남성 85%	편측성 눈주위	쑤시는 화끈거리는	주기성 수 분-2시간	없음	자율신경증상 (결막 충혈, 눈물, 축동)
편두통	30대	여성에 흔함	편측성 전두부, 눈주위	박동성 찌르는 듯한	수 시간 (24시간 이내)	스트레스, 수면부족, 월경	전조 증상
긴장형 두통	20~50대	여성에 흔함	양측성 전두부	누르는 듯 조이는 듯	수 분-수 일	스트레스, 수면부족	

만큼 중등도 이상의 통증이 발생되어 환자의 생활에 심각한 장애를 발생시킨다.

(3) 진단

진단은 전적으로 자세한 병력 청취와 특징적인 임상증상으로 쉽게 이루어진다(표 25-8). 그리고 유발점 부위에 국소마취제를 주사하여 통증의 발생 여부에 따라 진단을 할 수 있다. 삼차 신경통은 뇌동정맥 혈관 기형, 동맥류 또는 종양 등에 의해서 발생할 수 있음으로 뇌 MRI 촬영을 하여 원인을 확인해야 한다. 그러나 발병 원인을 찾지 못하는 경우가 많다.

(4) 치료

삼차신경통의 기본적인 치료는 뇌 영상학적 검사에서 뇌혈관 이상이나 종양 등의 유발 원인이 발견될 경우에는 미세혈관 감압술이나 종양제거술 등의 원인제거 수술이 치료의 원칙이다. 그러나 원인이 밝혀지지 않거나 고령이거나 환자의 몸 상태가 수술을 받기에는 위험하거나 할 수 없는 경우, 또는 수술을 거부하는 경우 등에는 약물치료를 차선으로 선택하며 carbamazepine, oxycarbamazepine, lamotrigine, pregabaline, gabapenin 등을 사용한다. 그러나 이러한 약물치료가 실패하거나 부작용이 심한 경우 등에는 경피적 풍선 압박술, 감마나이프 수술, 고주파 열응고술, 알코올이나 글리세롤을 이용한 신경파괴술, 국소마취제를 이용한 신경차단 등을 고려할 수 있다.

2) 설인신경통(Glossopharyngeal neuralgia)

제9번 뇌신경이 지배하는 영역인 혀의 후방 1/3 부위, 연구개 및 인두 부위에 짧고 격렬한 통증을 특징으로 하는 신경통으로 50세 이상에서 많이 발생하는 것으로 알려져 있다. 삼차신경통보다 발생 빈도는 훨씬 낮으며 미주신경의 이개 신경분지에 증상이 동반되는 경우가 많다.

보통 설인신경이 경정맥공을 통과하는 주행과정에서 동맥의 압박이 원인으로 알려져 있다. 통증 분포, 유발자발 자극위치 등을 제외하고 통증 양상이나 환자의 표현,

발병 시간 등이 삼차신경통과 매우 유사하다. 통증이 외측 인두벽 또는 혀의 기저부에서 일어나며 귀나 턱 목부위까지 방사되며 음식을 삼키거나 하품하거나 말하는 것으로도 유발된다. 그리고 통증과 함께 서맥, 저혈압, 부정맥 실신 등이 발생하기도 한다. 치료는 삼차신경통과 동일하게 carbamazepine 같은 항경련제를 투여한다. 약물치료가 실패하면 설인신경 블록, 신경절제술을 시행 할 수 있다.

3) 대상포진과 대상포진 후 신경통

(1) 대상포진(Herpes zoster)

① 병인

대상포진은 수두를 앓고 난 후 varicella-zoster virus가 척수의 감각신경절 또는 삼차신경절에 잠복되어 있다가 면역기능이 저하된 경우 재활성화하여 발생한다. 그리고 유발 인자로는 수술이나 외상, 악성 종양이나 면역억제제의 투여, 방사선 조사 그리고 고령의 나이 등을 들 수 있다.

② 증상

대상포진의 호발연령은 50세 이상으로 남녀차이는 없는 것으로 알려져 있다. 임상적 특징은 대부분 편측성으로 감염된 피부분절을 따라 피부발진과 통증이 발생한다. 피부발진이 발생하기 수 일 전부터 편측성으로 피부분절에 따라 통증, 통각과민, 가려움증, 작열통 등이 날 수 있으며 가끔 발열, 피로, 두통, 림프절 증대가 발생하기도 한다. 삼차신경에 이환 시 제1분지인 안신경분지가 압도적으로 빈도가 높다. 피부발진은 침범한 지각신경분포를 따라 띠모양으로 나타나며, 보통 편측성이며 중앙선을 넘지 않는다. 처음에는 국소적인 홍반, 종창, 구진이 발생하고, 홍반 위에 군집한 수포가 생기며 3일째가 되면 농포가 되고 7~10일경에 가피를 형성한다. 평균 발진 기간은 2~3주정도이나 심한 경우는 한 달 이상이 될 경우도 있다. 안신경이 침범된 경우에는 각막의 수포 및 궤양으로 실명할 수 있으며 안면신경 및 청신경을 침범한 경우 동측에 안면마비, 귀앓이, 안구진탕증이 나타나는 것을 Ramsay Hunt 증후군이라고 한다. 통증은 말초신경과 신경절내 신경세포의 염증성 손상으로 발생하며, 피부염증은 말초 감각 수용체의 활성화와 감작화(sensitization)를 일으켜 지속적인 피부통증을 초래한다. 발진이 없이 통증만 있는 경우도 있고 통증이 없는 경우도 있다. 가장 흔한 합병증은 대상포진 후 신경통으로 이행하는 것이며 그 밖에 드물게 폐렴, 뇌수막염, 심내막염 등을 일으키는 경우에는 사망에 이르는 경우도 있다.

③ 치료와 예방

대상포진의 치료 목표는 통증의 경감과 합병증 예방에 있다. 최근에는 백신이 개발되어 50대 이상 고령의 환자에게 접종을 권유하며 예방률은 50~70%이며 대상포진이 발생할 경우에도 통증의 정도나 대상포진 후 신경통으로 전이될 가능성이 줄어 든다고 알려져 있다.

항바이러스제는 피부발진과 통증 감소시키며, 발병 72시간 내에 투여할 것을 권유하나 안면부위에 발생할 경우에는 72시간 이후라도 사용할 것을 권고한다. 사용되는 항바이러스 제재로 acyclovir, famcyclovir, valacyclovi가 있다. 대상포진의 발생 초기에는 소염 진통제나 스테로이드를 사용할 수 있으며 항경련제와 항우울제가 효과가 있다. 발진 발생 후 3개월이 지났더라도 지속적으로 통증이 발생하는 대상포진후 신경통으로 이행되었을 경우에는 일차로 선택하는 약제로서 gabapentin, pregabalin의 항경련제와 항우울제를 사용한다. 그리고 통증이 심한 경우에는 tramadol이나 아편양 제제를 이차로 선택하여 사용할 수 있다. 교감신경인 성상신경절을(stellate ganglion) 차단하거나 경추 경막외강신경차단은 급성기때에 통증 감소 및 대상포진 후 신경통 발생의 예방에 효과적이며 가급적 발생 초기에 시행하도록 한다.

(2) 대상포진 후 신경통(Postherpetic neuralgia, PHN)

① 정의와 임상증상

대상포진 후 신경통은 대상포진의 합병증으로 가장 많이 발생하며 피부에 발진이 발생한 후 3개월이 지난 뒤에도 통증이 지속되는 경우이다. 대상 포진 후 신경통의 발생 위험인자로는 고령, 발진 발생 시 통증이 심할 경우, 두 피부신경분절 이상 포함된 경우, 피부발진에 선행한 전구 증상이 심할 경우, 안면이나 두부 등에 대상포진이 발생한 경우이다.

통증의 양상은 대상포진과 비슷하게 불에 대인 것 같은 화상성(burning)통증과, 우리한 박동성 통증 또는 쑤시거나 칼로 찌르는 듯한 통증 등 매우 다양하게 간헐적인 으로 나타난다. 감각신경의 손상으로 인하여 감각 저하나 이상감각, 통각과민, 또는 이질통이 발생한다.

② 치료

대상포진 후 신경통의 최선의 대책은 예방이며 치료를 발병 초기에 시작할수록 효과가 좋다. 급성기에 항바이러스제재를 사용하며 통증 조절을 위해 약물치료 및 성상신경절차단이나 경추 경막외강 신경 차단과 같은 신경차단용법을 시행함으로써 통증의 완화와 대상포진 후 신경통 발생을 줄일 수 있다고 보고된다. 그러나 대상포진 후 신경통으로 발생한 경우에는 이러한 신경차단에 잘 반응하지 않기 때문에 약물치료가 기본이 된다. 신경병증성 통증질환에 속하므로 gabapentin, pregabalin의 항경련제와 삼환계 항우울제나 SNRI계의 항우울제를 일차로 선택하여 사용한다. 그리고 capsaicin 크림은 척수후각에서 substance P를 고갈시켜 진통작용을 나타내며 이질통이 심한 경우에는 lidocaine국소 마취제가 포함된 피부접착형 파스를 사용할 수 있다.

4) 근막통증증후군(Myofascial pain syndrome)

(1) 원인과 임상증상

근막통증증후군은 외상이나 부적절한 자세, 스트레스, 불충분한 수면, 불안과 우울증, 그 외 전해질이나 비타민 결핍, 호르몬 불균형, 감염 등에 의해 근육의 지속적인 긴장이 발생하게 되어 통증유발점을 형성하게 되어 이차적으로 통증이 발생하는 것으로 알려져 있다. 통증유발점을 자극하면 근육이 수축하면서 방사통이 발생하며 환자는 회피 반응을 보인다. 일반적으로 지속적인 통증과 운동범위 제한 그리고 전반적인 피로감을 호소한다. 통증유발점은 목, 어깨 부위의 자세 유지근과 저작근에 가장 흔히 발생하며 경도의 통증에서부터 생활에 장애가 있을 정도로 심한 경우도 있다. 어지럼증, 현기증, 저린 느낌, 이명, 눈물, 발한, 국소혈관의 수축 등의 자율신경증상이 동반되기도 하며 그 외 불안, 수면장애, 우울증, 근력약화가 초래 될 수 있다.

(2) 진단

근막구조물의 외상이나 부적절한 자세, 스트레스, 불충분한 수면, 불안과 우울증, 그 외 전해질이나 비타민 결핍, 호르몬 불균형, 감염 등에 의해 근육의 지속적인 긴장이 발생하게 되어 통증유발점을 형성하게 되어 이차적으로 통증이 발생하는 것으로 알려져 있다. 통증유발점을 자극하면 근육이 수축하면서 방사통이 발생하며 환자는 회피 반응을 보인다. 일반적으로 지속적인 통증과 운동범위 제한 그리고 전반적인 피로감을 호소한다. 통증유발점은 목, 어깨 부위의 자세 유지근과 저작근에 가장 흔히 발생하며 경도의 통증에서부터 생활에 장애가 있을 정도로 심한 경우도 있다. 어지럼증, 현기증, 저린 느낌, 이명, 눈물, 발한, 국소혈관의 수축 등의 자율신경증상이 동반되기도 하며 그 외 불안, 수면장애, 우울증, 근력약화가 초래 될 수 있다.

(3) 진단

통증에 대한 자세한 과거 병력 청취 및 이학적 검사로 진단한다. 통증부위의 근력 및 근육촉진에 의해 통증유발점을 찾는 것이 중요하다. 방사선 검사는 도움이 되지 않는다. 통증유발점의 특징은 압력을 가하면 통증이나 특징적인 방사통이 발생한다. 그리고 운동 범위가 감소되고 촉진이나 바늘로 유발되는 국소연축반응이 발생하는 것을 관찰 할 수 있다.

(4) 치료

① 통증유발점 주사

통증유발점에 27 G의 5 cm 주사바늘로 통증유발점을 정확히 관통시키고 2~3회 반복하여 단단한 띠 부분을 관통하여 국소마취제 0.5~2 ml 주사한다.

② 신장과 분무(Stretch and spray)

통증유발점이 있는 근육을 신장시키고 냉각제를 분무하여 활동성 통증유발점을 비활성화시킨다.

③ 기타

교감신경차단, 자세교정, 운동요법, 약물치료(NSAIDS)를 할 수 있다.

5) 비정형 안면통(Atypical facial pain)

비정형 안면통이란 삼차신경통, 설인신경통 등의 뇌신경 통증으로 분류할 수 없고, 다른 기질적 원인 없이 지속적으로 발생하는 안면부위의 신경통을 말한다. 편측성 비정형 안면통은 20~30대 여성에서 호발하고 양측성으로 오는 경우는 호발연령이 없이 90%에서 여성이다.

(1) 원인 및 증상

발생 원인은 현재까지 뚜렷하게 밝혀지지 않았다. 통증은 거의 지속적으로 나타나며 시간이 갈수록 정도가 증가되는 경우가 종종 있다. 통증강도는 삼차신경통에서처럼 심하지는 않고, 식사나 대화를 방해하지 않을 정도이다. 편측성 비정형 안면통은 주로 삼차신경영역에 나타나지만 경추부, 후두부까지 방사되기도 하고 반대편으로 넘어가기도 한다. 그리고 약간의 지각저하나 지각이상, 이질통을 호소할 경우도 있다. 양측성 비정형 안면통은 주로 입 주변에 나타나며 구강 내에서 통증을 호소하기도 한다. 감각저하, 이상감각, 이질통이 흔하며, 유발자극과 자율신경증상은 없다.

(2) 진단

대부분의 경우에서 전형적인 증상이 잘 관찰되지 않아 진단이 어렵다. 소수의 환자에서 치료가 가능한 구조적인 병변을 가지고 있는 경우가 있으므로 두개골의 방사선사진, CT, MRI, 치과 및 이비인후과적 검사 등의 진단적 평가를 시행하여야 한다.

(3) 치료

일부 환자에서는 기질적 병변이 있어 치료 가능할 수 있지만 대부분 원인을 알 수 없으며 적절한 치료방법이 없어 치료가 힘들다. 항우울제나 항경련제 그리고 phenothiazine이 증상완화를 위해 사용된다. 성상신경절 블록이 유효할 수 있으며, 외과적 치료는 추천되지 않는다.

6) 그 외 안면부 통증

턱관절 질환, 뒤통수 신경통, 미주 및 상후두 신경통, 슬상신경통, 피부과, 안과 및 이비인후과질환과 관련된 통증 등이 있다.

7) 비정형 치통

McElin과 Horton에 의해 1947년에 처음 보고된 비정형 치통은 환상치통(phantom tooth pain)이라고도 불리며 비정형 안면통으로 난치성 치과질환 중 하나이다. 비정형 치통은 치아가 발치된 부위의 통증을 호소하나 임상적, 방사선 검사에서 별다른 이상소견이 없는 것이 특징이다. 임상적으로 비정형 치통은 발생빈도가 높은 편이며 신경치료를 받은 환자의 약 3~6%에서 발병하는 것으로 알려져 있다. 40대 중반의 중년여성에서 호발하며 소아를 제외하고 전 연령에 걸쳐서 발생하는 것으로 알려져 있다. 대구치와 전대구치발치의 발치 후에 많이 발생하며 하악보다는 상악에서 좀 더 많이 이환 되는 것으로 알려져 있다.

(1) 진단

현재까지 공통적으로 인정되는 비정형 치통의 진단기준이 정립되지 않았다. 하지만 국제두통학회(International Headache Society, IHS)에서 분류한 headache disorder, cranial neuralgia, facial pain의 분류기준에 의하면 비정형 치통은 비정형 안면통과 함께 다른 임상적인 질환에 의한 통증으로 분류될 수 없는 범주에 포함되어 있을 뿐이다.

이런 의미에서 비정형 치통의 진단은 특별한 진단기준이 있기보다는 치아와 그 주변 조직에서 발생하는 다른 병적인 질환을 배제하면서 진단을 내리는 질환으로 분류된다. Graff-Radford와 Solberg는 비정형 치통을 국제두통학회 분류기준 중에서 치아, 턱, 기타 관련 구조물의 질환과 연관되어 있는 두통 및 안면통의 분류기준을 좀 더 세분화하여 표 25-6과 같은 분류기준을 새로 정립하였다.

한편 Marbach 등이 제시한 진단기준도 참고할 만하다(표 25-7).

위에서 제시한 비정형 치통의 진단기준은 비정형 치통의 진단에 있어 각각 서로 강조하는 부분이 다르고 이에 따라서 세세한 부분에 있어서 약간의 차이는 보일 수 있다. 하지만 비정형 치통 환자는 지속적인 통증을 호소하며 통증 유발범위에 뚜렷한 임상적, 방사선적 이상소견이 관찰되지 않는 특징을 가지고 있다.

아직까지 비정형 치통의 정확한 발병기전에 대해선 알려진 바가 많지 않고 표 25-9, 25-10과 같이 임상증상에 근거하여 증례보고를 통해 비정형 치통의 진단 및 치료에 접근하고 있는 것이 현실이다. 구체적이고 객관적인 증거에 의해 비정형 치통을 진단하고 치료하기 위해서는 많은 기초 및 임상연구가 앞으로 필요할 것으로 생각된다.

(2) 증상 및 징후

비정형 치통의 진단은 순전히 환자의 임상증상을 통해 이루어지므로 환자의 병력청취를 통해 임상증상을 확인하는 것이 제일 중요하다. 증상 중 가장 중요하면서도 흔히 관찰되는 것이 통증이며 그 양상은 다음과 같다.

- 치아에 한정된 지속적이면서 자발적인 양상의 통증
- 통증발생 부위가 무치악 부위(edentulous area) 및 하악 혹은 상악 전체로 확대된다.
- 작열감, 예리한(sharp), 박동성(throbbing) 통증이 발생한다.
- 여러 달 또는 수 년까지 지속 가능하다.
- 급성으로 매우 심한 통증이 발생 시 주기적으로 통증의 강도가 변하면서 발생할 수도 있다.
- 수면을 방해하지는 않는다.
- 잠에서 깨어나자마자 바로 통증이 발생한다.
- 기타 동반질환으로는 군발두통, 편두통, 통증부위의 감각과민, 이질통, 열감, 촉진, 타진에 의한 통증의 악화현상이 동반되기도 한다.

표 25-9. Graff-Radford와 Solberg의 비정형 치통의 진단기준

- 치아나 치아 부근의 통증
- 계속적인 또는 거의 계속되는 통증
- 4개월 이상의 지속되는 통증
- 연관통이나 국소적인 통증의 증거가 없는 경우
- 체신경 차단 시 증상 호전이 모호함

표 25-10. Marbach의 비정형 치통 진단기준

- 통증은 안면에 국한되거나 치통으로 기술된다
- 통증은 지속적으로 둔한 심부의 통증이다(환자의 10% 이하는 때때로 예리하고 자발적인 통증을 경험했다고 한다).
- 잠에서 깬 후 몇 초에서 몇 분 정도 짧은 기간 동안 통증이 없는 기간이 존재한다. 그러나 불응기는 존재하지 않는다.
- 신경치료 후 치아발치 후 또는 안면의 외상이나 치료 후 한 달 이내에 통증이 증가하거나 지속된다.
- 치과치료를 받은 부분(주로 안면부, 드물게는 구강 내)은 통증 역치가 심하게 내려가고(통각과민) 이 부분은 역치가 감소한 주변부로 둘러싸여 있다.
- 통증이나 환상통에 의해 수면이 방해받지는 않는다.
- 방사선적이나 이학검사에서 통증의 원인은 발견되지 않는다.

(3) 감별진단

비정형 치통을 진단하기 위해서 치통을 특징으로 하는 다른 임상질환들을 먼저 배제해야 한다. 감별 진단해야 할 질환들은 다음과 같다.

- 치수치통(pulpal toothache)
- 삼차신경통(trigeminal neuralgia)
- 턱관절 질환(temporomandibular joint disorder)
- 근근막통증(myofacial pain)
- 부비동염(sinusitis)
- 편두통성 신경통(migranious neuralgia)
- 뇌신경통(cranial neuralgia)
- 대상포진 후 신경통(postherpetic neuralgia)
- 슬상 신경통(geniculate neuralgia)
- 턱관절 관절염(arthritis of temporomandibular joint)

임상적으로 비정형 치통과 치수조직 기원의 치통의 감별이 매우 어렵다. 비정형 치통에서는 흔하지만 치수치통(pulpal toothache)에서는 흔하지 않은 임상증상은 다음과 같다.

- 국소적인 병변이 없이 지속적으로 발현되는 치통
- 치통이 수주~수달간 변하지 않는다.
- 치과적 치료에 의해 증상의 호전이 없다.
- 국소마취제의 반응이 일정하지 않다.
- 열, 냉각자극에 의해서 치통의 강도가 크게 영향을 받지 않는다.
- 체열촬영술(thermography)에서 이상 소견이 관찰된다.

삼차신경통과의 감별진단은 삼차신경통의 특징적인 임상증상으로 인해 비교적 쉽다. 삼차신경통과 비정형 치통의 감별진단은 다음과 같다.

- 삼차신경통은 삼차신경의 분지부위의 감각분포영역에서 발작적이고 편측적이고 예리하며 감전된 듯한 통증이 간헐적으로 발생하지만 비정형 치통에서 는 지속적이며 무딘 통증이 발생하다.
- 삼차신경통은 40대 이후에 발생하며 50~60대에서 주로 발생하지만 비정형 치통은 40대 중반의 여성에서 흔히 발생한다.
- 삼차신경통은 자극에 의해서 통증이 시작 또는 악화되는 유발점(trigger point)이 있는 반면 비정형치통의 경우 치아조직의 손상이 주로 선행한다.

턱관절에 발생하는 질환 역시 비정형 치통으로 오인되는 경우가 많은데 그 특징은 다음과 같다.

- 통증 발생부위가 치아부위보다는 귀 앞쪽, 관자놀이 부위에 흔하다.
- 하악을 움직일 경우(씹고 말하고 하품하는 경우) 증상이 악화된다.
- 근막통의 경우 유발점이 있어 이를 자극 시 통증이 유발된다.

(4) 치료

비정형 치통의 진단이 이루어지면 통증을 악화시킬 수 있는 가능성이 있는 치과치료는 가능한 피해야 한다. 비정형 치통에 사용되는 대부분의 약제는 신경병성 통증에 사용되는 약물들이며 임상적으로 효용성이 입증되었다. 삼환계 항우울제가 단독 혹은 phenothiazine계 약물(perphenazine 혹은 trifluoperazine)을 함께 사용할 경우에 효과가 좋다고 보고된다. 흔히 사용되는 삼환계 항우울제는 amitriptyline이며 하루 25 mg에서 최대 100 mg 까지 사용된다.

삼환계 항우울제를 사용 시 약물의 부작용의 발생 가능성을 고려해야 하는데 약물 사용 시 구강 건조감, 체중 증가, 변비, 뇨저류(urinary retention) 등이 발생할 수 있다. 또한 녹내장이 있거나 monoamine oxidase (MAO) 억제제를 사용하고 있는 환자에서는 사용 금기다. 또한 phenothiazine계 약물은 지연발생 운동이상증(tardive dyskinesia)과 같은 비가역성 중추신경장애를 초래할 수 있다. 따라서 약물의 사용은 가능한 제한적으로 사용해야 하며 증상의 호전이 있을 경우 약물의 용량을 서서히 감량하여 결국은 중지해야 한다. 또한 다음과 같은 약물들 역시 비정형 치통 환자의 치료에 효과적인 것으로 보고되고 있다. 특히 삼환계 항우울제에 효과 없는 환자에 있어서 신경병성 통증에 사용되는 gabapentine, pregabalin, clonzepam, baclofen, phentolamine 등의 약물이 효과적으로 사용이 될 수 있다. Gababentin, pregabalin을 사용하여도 환자의 증상의 호전이 나타나지 않을 경우에 oxycodone, tramadol과 같은 아편양 제제 사용도 고려해 볼만하다.

약물사용 이외에 통증의 정도가 매우 심한 경우에 국소적으로 치아 주변조직에 약물주입을 시행하여 볼 수 있다. 국소마취제 및 스테로이드는 초기치료에 매우 효과적인 것으로 알려져 있다. 또한 성상신경절차단 및 접구개신경절차단(sphenopalatine ganglion block)은 증상 호전에 매우 효과적이라는 보고도 있다.

비정형 치통 환자의 경우 정신적인 문제가 같이 병존하는 경우가 많고 또한 두통 및 다른 의학적인 문제들과 같이 있는 경우가 많다. 따라서 치과적인 관점에서 국한하여 환자를 치료하는 것도 중요하지만 정신분석학적인 상담(psychological consult)뿐만 아니라 의학적인 질환들에 대해서도 통합적인 관점에서 환자를 치료하는 것이 필요하다.

요약하면 비정형 치통은 임상적으로 환자에게 크나큰 고통을 안겨다 줄 수 있는 만성질환이며 따라서 치과의사로서 비정형 치통을 정확하게 진단하고 치료하는 일은 매우 중요한 일이다. 치과치료 후 지속적이고 기존의 약물치료에 잘 반응하지 않고 임상적으로 방사선 검사에서 국소적 질환을 규명할 수 없는 환자에서 만성 치통을 호소하면 한번쯤 비정형 치통의 가능성을 의심해보아야 하고 감별진단을 통해서 비정형 치통을 진단한 경우에 적절한 치료를 통해 환자의 통증을 미리 치료하는 것이 필요할 것으로 생각된다.

참고문헌

1. 대한통증학회: 통증의학 셋째판. 서울. 군자출판사. 2007, pp 269-78.
2. Headache Classification Committee of the International headache Society: The international classification of headache disorders, 2nd edition. Cephalalgia 2004; 24; S1-S160.
3. Agostoni E, Frigerio R, Santoro P. l: Atypical facial pain: clinical considerations and differential diagnosis. Neurol Sci 2005; 25:S71-S4.
4. Kristoffersen ES, Lundqvist C: Medication-overuse headache: epidemiology, diagnosis and treatment. Ther Adv Drug Saf 2014; 5: 87-99.
5. Hale N, Paauw DS: Diagnosis and treatment of headache in the ambulatory care setting: a review of classic presentations and new considerations in diagnosis and management. Med Clin North Am 2014; 98: 505-27.
6. Cittadini E, Matharu MS: Symptomatic trigeminal autonomic cephalalgias. Neurologist 2009; 15: 305-12.
7. Hupp WS, Firriolo FJ: Cranial neuralgias. Dent Clin North Am 2013; 57: 481-95.
8. Gremillion HA: Multidisciplinary diagnosis and management of orofacial pain. Gen Dent 2002; 50: 178-86.
9. Spencer CJ, Gremillion HA: Neuropathic orofacial pain: proposed mechanisms, diagnosis, and treatment considerations. Dent Clin North Am 2007;51:209-24.
10. Bernstein JA, Fox RW, Martin VT, Lockey RF: Headache and facial pain: differential diagnosis and treatment. J Allergy Clin Immunol Pract 2013; 1: 242-51.

PART 6 응급의학

Chapter 26 치과에서의 의학적 응급처치
Chapter 27 의식 변화
Chapter 28 호흡 곤란
Chapter 29 기도 관리와 보조 기구
Chapter 30 약물관련 응급 상황
Chapter 31 가슴 통증
Chapter 32 심폐정지 및 심폐소생술

CHAPTER 26

| Dental Anesthesiology | 응급의학

치과에서의 의학적 응급처치

학습목표

1. 응급 상황 중 긴급과 응급을 구별한다.
2. 치과에서 흔한 응급 상황을 감별진단 및 치료법을 설명한다.
3. 응급 상황을 예방할 수 있는 스트레스 감소법을 열거한다.

치과의사는 진료 중에 발생할 수 있는 응급 의료 상황을 대비할 수 있도록 준비해야 한다. 치과에서 발생하는 응급 상황은 단지 환자에게만 국한된 것이 아니라, 치과의사, 치과종사자, 단순히 환자를 데리고 온 보호자 등 치과라는 한정된 공간에 있는 사람들에게 발생하는 모든 임상적 상황을 포함하는 것으로 현대 치과임상에서 점점 증가하고 있는 추세이다. 이는 치과치료를 받는 노인환자의 증가, 치의학분야의 치료기술의 발달, 보다 조직적인 치과시술의 증가로 인한 치료시간의 연장, 치과진료 시 환자의 불안과 통증을 적극적으로 조절하는 진정법 시행의 증가 등에 기인한다.

1. 응급 상황의 종류

1) 치과에서 자주 일어나는 응급 상황

치과에서는 어떠한 의학적 응급 상황도 발생될 수 있지만 어떤 것들은 더 자주 나타나게 된다. 특히 치과치료가 대부분의 환자들에게 불안과 공포 등의 스트레스를 동반하고 기도의 관문인 구강에서 치과치료가 이루어지기 때문에 자주 일어나는 응급 상황들이 있다(표 26-1). 응급처치는 긴급(urgency) 및 응급(emergency) 상황을 구별하는 것에서 시작되는데 긴급한 상황이란 치과에서 흔히 발생하는 혈관미주신경실신이나 과호흡증후군 같이 치과의사가 환자의 응급 처치를 할 수 있는 가벼운 임상 상황이나, 진짜 응급 상황이란 심폐정지 같이 응급 구조가 즉시 요구되는 상황이다.

표 26-1. **치과에서의 긴급과 응급 상황들**

긴급(Urgency)	응급(True Emergency)
• 실신	• 심폐정지
• 저혈당으로 인한 의식소실	• 아나필락시스
• 경련 발작	• 완전 기도폐쇄
• 천식 발작	• 의식소실을 동반한 뇌졸중
• 과호흡증후군	
• 협심증 발작	
• 피부에만 있는 알레르기 반응	
• 의식소실이 없는 뇌졸중	

표 26-2. 의과적 응급상황(2010)

Medical emergencies reported by 2,704 dentists.*		
EMERGENCY SITUATION	No. (%) OF EMERGENCIES REPORTED †	
Syncope	**4,161 (30.1)**	76.3%
Mild Allergic Reaction	**2,583 (18.7)**	
Postural Hypotension	**2,475 (17.9)**	
Hyperventilation	**1,326 (9.6)**	
Insulin Shock (Hypoglycemia)	**709 (5.1)**	
Angina Pectoris	644 (4.6)	
Seizures	644 (4.6)	
Asthmatic Attack (Bronchospsm)	385 (2.8)	
Local anesthetic Over-dose	204 (1.5)	
Myocardial Infarction	187 (1.4)	
Anaphylactic Reaction	**169 (1.2)**	
Cardiac Arrest	148 (1.1)	

* Source: Malamed. 1

† A few emergencies with low numbers wer omitted from the table

표 26-3. 의과적 응급상황 유병률(2016)

Emergency Situation	% of Emergencies Reported
vasovagal syncope	63%
angina	12%
hypoglycemia	10%
epileptic seizures	10%
choking	5%
asthma	5%
anaphylaxis	1%

2010년 Stanley F. Malamed가 북미지역에서 2,704명의 치과의사를 대상으로 한 조사에서 10년간 10,836회의 의과적 응급상황을 경험하였다고 하였으며, 이들 중 대부분은 경미한 긴급상황이었고, 가장 흔한 것은 실신(30.1%)이었으나, 심정지(1.1%)도 경험하였다(표 26-2). 또한, 2016년 British Dental Association에서 발표한 결과에서도 가장 흔한 응급상황은 실신(63%) 이었다.(표 26-3). 이러한 합병증 중 대부분 약 90% 정도는 가벼운 정도이나 8% 정도는 매우 심각한 것으로 간주되었다. 환자의 35%는 기저질환이 있는 것으로 나타났고 그 중 심혈관 질환이 33%를 차지했다.

치과에서 일어나는 응급 상황의 54.9%는 국소마취와 관련되어 있고, 22%는 치과치료 과정 동안, 15%는 치과진료가 끝난 후에 발생하였다. 응급 상황의 60% 이상이 실신이고, 그 다음이 과호흡으로 7%를 차지하였다. 혈관미주신경실신과 과호흡증후군은 스트레스 때문에 발생할 수 있고, 심지어 스트레스는 허혈성 심질환, 간질, 천식 등 급성 응급 상황들을 야기할 수 있다. 또한 국소마취제나 진통제, 진정제 등의 약물과 관련된 응급 상황이 알레르기 반응, 약물 과용량, 약물 간의 상호작용 등에 의해 발생할 수 있으며 다른 원인에 의한 응급과의 감별진단이 어려운 경우가 있으므로 이 역시 중요한 치과에서의 의학적 응급 상황이다. 치과에서 국소마취는 거의 모든 환자에서 이루어지므로 국소마취 관련 주의사항을 철저히 지키는 것도 응급 상황 예방에 중요하다. 실신 이외에 알레르기 반응, 협심증, 심근경색, 심장마비, 기립성 저혈압, 발작, 기관지 경련, 당뇨성 응급 상황도 보고되었다.

또한, 입안에서 치과치료 중 위장관이나 폐로 흡인되는 것은 의치를 비롯하여 치아, 파일 등 치과에서 사용되는 모든 것들이 가능하다. 기도로 들어가게 되면 기침 반사, 호흡 곤란 등 환자는 극심한 괴로움을 호소하게 된다. 그러면 내시경 등으로 제거하는 것이 필요로 하게 되고 전신마취가 필요할 수 있다. 그러나 대부분의 경우 위장관으로 흡인되는데 이물질이 위장관에 들어갔다고 해서 항상 안전한 것은 아니다. 오히려 위장관을 따라 이물질이 이동하면서 소장대장 접합부 등 위장관에 걸려 합병증을 야기할 수 있고 외과적 수술이 필요할 수 있다.

2. 응급 상황 예방법

1) 환자 평가

응급 상황은 필요에 따라 치료에 임하는 모든 사람들에 의한 준비, 예방, 관리가 요구된다. 예방은 철저한 병력조사 후 치료과정을 변경함으로써 할 수 있다(표 26-4). 치과에서는 의학적 병력질문표, 신체검진 및 병력문답을 통해 환자의 전신상태를 평가한다. 이를 통하여 치과의사는 환자에 따른 위험요인을 파악할 수 있고, 의과적 자문을 구하며, 환자에 맞게 의학적 응급 상황을 예방할 수 있고, 환자에 맞는 적절한 치과치료 방법을 선택할 수 있다.

표 26-4. 성인에서 혈압에 따른 치과치료 시 고려사항

혈압(mm Hg)	ASA 분류	치과진료 시 고려사항
systolic BP＜140 과 diastolic＜90	P1	1. 일반적 치과진료 2. 6개월 내 재측정
systolic BP 140-150 과/또는 diastolic BP 90-94	P2	1. 3번의 연속적 약속에 대해 치과치료 전 혈압을 재측정함: 만약 모든 측정치들이 이 지침들을 초과한다면 내과 의뢰 2. 일반적 치과진료를 준수함 3. 지시된 대로 스트레스 감소법
systolic BP 160-199 와/또는 diastolic BP 95-114	P3	1. 5분 후 혈압 재측정 2. 그래도 상승되어 있다면 내과의사의 도움을 받아 혈압 조절 3. 일반적 치과진료 4. 스트레스 감소법
systolic BP＞200 과/또는 diastolic BP＞115	P4	1. 5분 후 혈압 재측정하여 계속 혈압이 높으면 내과의사의 도움 요청 2. 상승된 혈압이 조절될 때까지 치과진료를 시행치 말 것 3. 약제(진통제, 항생제) 투여와 함께 간단한 응급 치과진료를 시행 4. 즉각적인 응급치과치료가 필요하다면 치과병원으로 이송함

표 26-5. 스트레스 감소법

불안을 호소하는 건강한 환자(ASA P1)	전신질환을 지닌 환자(ASA P2, P3)
• 환자의 불안 정도를 파악 • 필요하다면 치과약속 전날 저녁에 진정제 전투약 • 필요하다면 치과약속 직전에 진정제 전투약 • 치과치료는 아침에 정함 • 환자의 대기시간 최소화 • 치료 동안 진정법 사용 • 치료 동안 적절한 통증 관리 • 치과치료 시간을 단축시킬 수 있음 • 치료 후 통증 및 불안조절도 필요함 • 불안과 공포가 심한 환자에게는 치료 후 불안 정도 확인	• 환자의 의과적 위험도 파악 • 필요하다면 의학적 자문 • 아침에 치과치료 • 치과치료 전후 활력징후들을 모니터링하고 기록함 • 치료 동안 진정법 고려 • 치료 동안 적절한 통증조절 관리 • 치과치료는 언제든지 중단될 수 있음 • 치과치료 후에도 환자의 통증과 불안을 조절함 • 의학적 위험이 높은 환자에게는 치료받은 날 저녁에 전화로 상태 확인

표 26-6. 경구용 진정제들

약물	상품명(USA)	추천 용량	
		성인	소아
Alprazolam	Niravam, Xanax	4 mg/day	설정되지 않음
Diazepam	Valium	2~10 mg	설정되지 않음
Flurazepam	Dalmane	15~30 mg	설정되지 않음
Midazolam	Versed	7.5 mg	≤6개월, 설정되지 않음 ≥6개월, 0.25~0.5 mg/kg 치과치료 30~45분 전 경구투여
Oxazepam	Serax	10~30 mg	설정되지 않음
Triazolam	Halcion	0.125~0.25 mg	설정되지 않음
Eszopiclone	Lunesta	2~3 mg	설정되지 않음
Zaleplon	Sonata	5~10 mg	설정되지 않음
Zolpidem	Ambien	10 mg	설정되지 않음

ADA guide to dental therapeutics, 3 ed, Chicago, ADA Publishing, 2003

2) 스트레스 감소법

스트레스 감소법은 치과치료 동안에 환자의 스트레스를 최소화하는 두 종류의 과정들을 포함하고 있다. 이 방법은 스트레스의 예방 또는 감소가 진료약속 이전에 시작되고, 치료과정 동안 계속되며, 필요하다면 술후 기간에도 이어져야 한다는 믿음에 근거하고 있다(표 26-5, 26-6). 스트레스 감소법은 정서적 안정을 제공하고 필요시 약제를 사용할 수 있다.

3. 응급에 대한 준비

어떠한 노력에도 불구하고 생명을 위협하는 응급 상황이 치과진료에서 발생할 수 있으며, 실제로 발생한다. 예방은 물론 성공적일 수 있지만 항상 충분하지는 않다. 모든 치과의료진들은 잠재적인 응급 상황을 인지하고 대처할 수 있는 준비가 되어 있어야 한다.

치과에서 일어나는 거의 모든 응급의료상황에 있어 중요한 것은 뇌와 심장으로 가는 부족한 산소를 보충하는 것이다. 그러므로 모든 응급 의료 상황에서 산소로 포화된 혈액이 중요한 장기에 전달될 수 있도록 해야 한다. 이것은 기본적인 심폐소생술과 일치하며 치과의사는 심폐소생술을 할 수 있어야 한다. 이는 대부분의 응급 의료 상황에 대처할 수 있는 방법을 제공하고 환자 평가에서부터 시작되며 기도확보(treatment of airway), 호흡(breathing), 순환(circulation) 순서이다. 일반적으로 이러한 ABC가 해결된 후에 응급 약물 사용을 고려해야 한다.

치과의사가 즉시 이용해야 하는 약물은 두 가지 카테고리로 나눌 수 있다. 첫 번째 카테고리는 필수적인 것들이며 표 26-6에 정리되어 있다. 두 번째 카테고리도 매우 유용하며 응급약품 목록으로 고려되어야 하고 이는 표 26-7에 정리되어 있다. 두 번째 카테고리 약물은 치과치료의 성질에 따라 구성이 다양할 수 있다.

전문심장소생술을 배운 치과의사는 추가적인 약물을 사용할 수 있다. 전신마취 또는 정맥진정법을 배운 치과의사는 추가적인 약물을 갖추고 있어야 한다. 이러한 치과의사는 정맥주사선을 확보하여 가장 이상적인 약물 투

표 26-7. **필수 응급 약물**

약물	적응증	성인 초기 용량
산소	거의 모든 응급 상황	100% 흡입
Epinephrine	아나필락시스 Albuterol/salbutamol에 반응하지 않는 천식 심장마비	mg IV or 0.3~0.5 IM mg IV or 0.3~0.5 IM 1 mg IV
Nitroglycerin	협심증 통증	0.3~0.4 mg 설하투여
Antihistamine (diphenhydramine or chlorophenylamine)	알레르기 반응	25~50 mg IV, IM 10~20 mg IV, IM
Albuterol/Salbutamol	천식성 기관지경련	스프레이 흡입
Aspirin	심근경색	160~325 mg

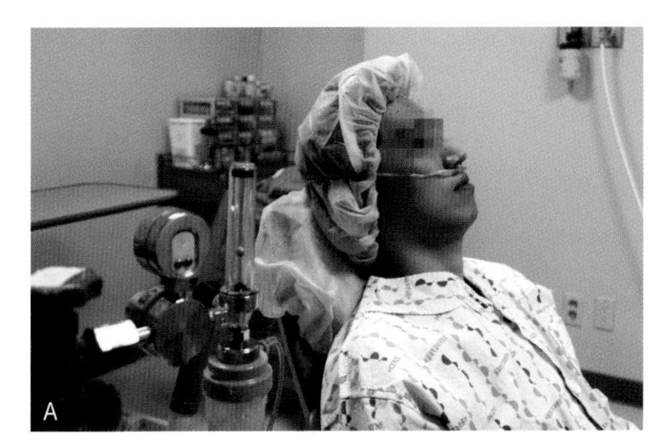

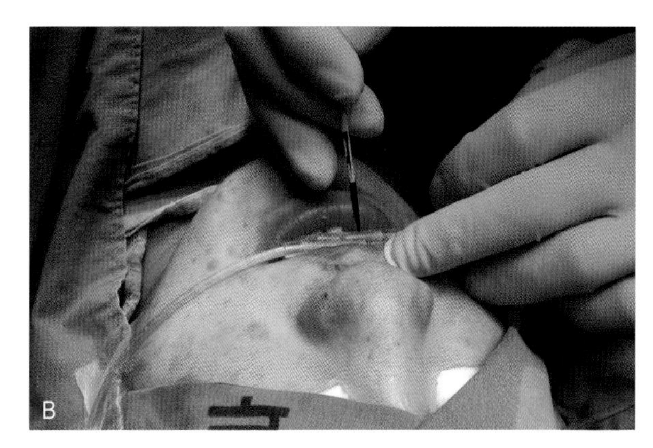

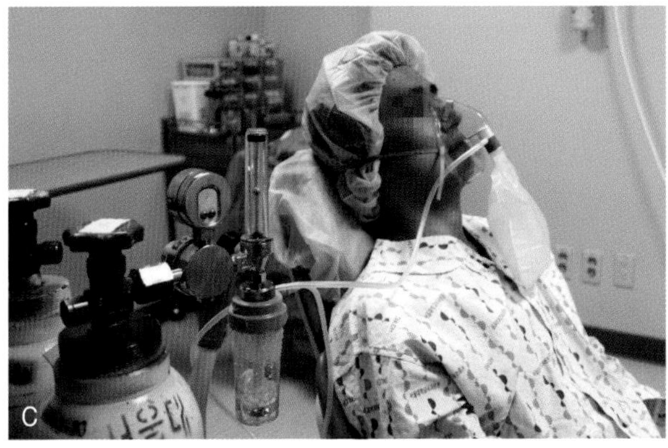

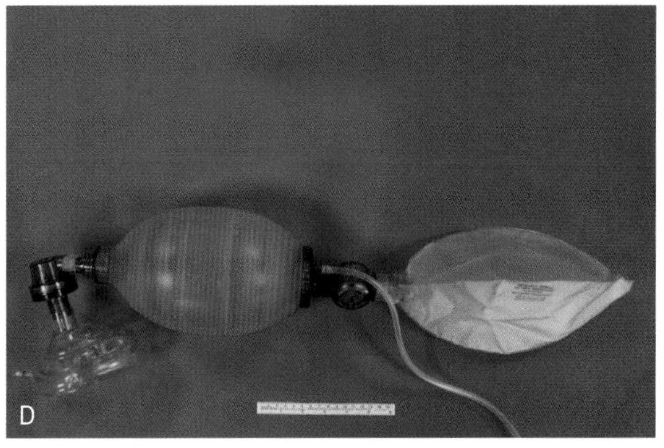

그림 26-1. (A) 비강 캐뉼라를 통한 산소공급. (B) 비강 캐뉼라를 필요하면 입에도 적용할 수 있다. (C) 산소마스크를 통한 산소공급. (D) 백-밸브-마스크(BVM)

여방법으로 알려진 정맥투여를 할 수 있다. 정맥로 확보가 불가능한 경우 근육주사가 적절하다. 혀내 근육주사는 정맥주사보다는 느리지만 약효가 빠르게 나타난다.

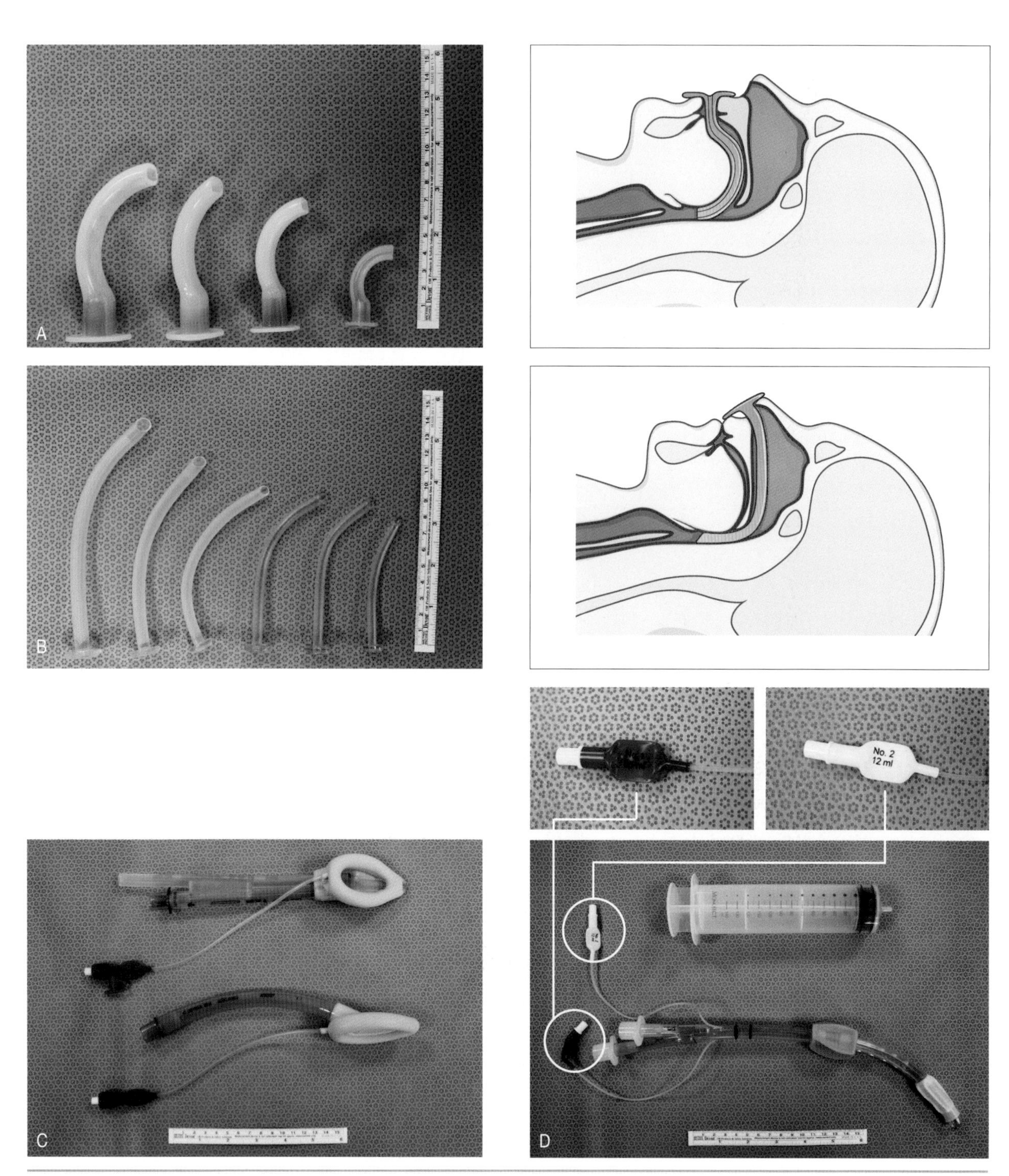

그림 26-2. 기도유지기
(A) 구인두 기도유지기, (B) 비인두 기도유지기, (C) 후드마스크, (D) 콤비튜브

그림 26-3. 고압산소통
산소통은 항상 2개 이상 준비하여 통 하나의 산소소진에 대비한다.

4. 필수적인 응급의약품

다음은 응급키트에 포함되어야 할 약물을 요약한 것이다. 6가지의 약물이 필수적인 것으로 생각된다(표 26-7).

1) 산소(Oxygen)

산소는 과호흡을 제외하고서는 반드시 필요하다(그림 26-1). 자발호흡을 할 수 있는 환자는 풀페이스마스크를, 무호흡증 환자는 백밸브마스크를 이용하여 산소를 공급한다. 가능하면 과호흡 환자를 제외하고 산소가 투여되어야 한다. 만성 폐쇄성 폐질환자가 만성 이산화탄소 보유자라면 비록 낮은 수준의 산소 농도에 의존할지라도 응급의료상황을 해결하기 위해 산소를 주어야 한다. 단기간 산소 투여는 자발호흡을 억제하지 않는다.

산소는 휴대용으로 이용할 수 있어야 하고, 산소 600 L를 포함한 실린더(그림 26-3)가 이상적이다. 산소는 응급의료상황을 해결하거나 환자를 병원으로 이송할 때까지 충분해야 한다. 일반적인 성인이 분당 6 L의 산소가 필요하며 최소한 이정도로 공급해야 한다. 환자가 의식이 있거나 자발적인 호흡을 하는 의식 불명인 경우 분당 6~10 L로 산소가 풀페이스마스크를 통해 전달되어야 한다. 환자가 의식 불명인 경우 분당 10~15 L로 산소가 백밸브마스크를 통해 전달되어야 한다. 양압 장치는 유량이 분당 35 L를 넘지 않으면 성인에게 사용할 수 있다.

2) 에피네프린(Epinephrine)

에피네프린은 아나필락시스와 알뷰테롤(albuterol)과 살부타몰(salbutamol)에 반응하지 않는 천식 응급치료를 위한 일차선택약이다. 에피네프린은 심장정지 시에도 사용할 수 있으나 정맥주사선을 확보할 수 없는 일반 치과에서는 사용하기 힘들다. 적절한 산소공급과 조기 제세동이 중요한 심장박동장애 즉, 심실세동, 무맥박성 심실성빈맥의 경우 에피네프린 근육주사는 크게 효과적이지 않다.

에피네프린 정맥투여는 발현시간이 빠르고 작용시간이 5~10분 정도로 매우 짧다. 응급치료 목적으로 2가지 조성을 사용할 수 있다. 에피네프린 1:1,000 즉, 1 mg/ml이 근육주사에 사용될 수 있다. 여러 번 투여가 가능하도록 앰플이 끼워진 여분의 시린지가 준비되어야 한다. 에피네프린 1:10,000 즉, 1 mg/10 ml가 정맥주사에 사용될 수 있다. 또한 EpiPen과 같은 자동주입시스템을 통해 근육주사를 할 수 있는데 성인용 에피네프린 1:1,000과 소아용 에피네프린 1:2,000이 있다.

아나필락시스를 위한 초기용량은 0.3~0.5 mg 근육주사 또는 0.1 mg 정맥주사이다. 주사투여는 여러 번 반복할 수 있다. 알뷰테롤(albuterol) 또는 살부타몰(salbutamol)과 같은 β-2 작용제에 반응하지 않는 천식발작의 경우에도 비슷한 용량을 사용할 수 있다. 심장정지 시에는 에피네프린 1 mg을 정맥투여한다. 심장정지 시 에피네프린 근육주사는 연구되어 있지 않지만 효과가 있을 가능성은 낮아 보인다.

에피네프린은 이러한 응급 상황에 매우 유용한 약물이다. 하지만 허혈성 심장질환자에게 투여되면 위험하다. 그럼에도 불구하고 아나필락시스와 지속되는 천식발작으로 발생하는 생명을 위협하는 징후와 증상을 역전시키는데 중요한 약물이다.

3) 니트로글리세린(Nitroglycerin)

이 약물은 급성 협심증이나 심근경색에 사용한다. 작용이 빠르다는 점이 특징적이다. 응급 목적으로 사용할 때 설하정이나 설하 스프레이를 사용할 수 있다. 주의해야 할 점은 병을 열어 정제가 공기와 빛에 노출되면 약 3개월의 짧은 수명을 가지고 있다는 점이다. 스프레이 형태의 경우 스프레이 용기에 기재되어 있는 것에 해당하는 수명을 갖는 이점이 있다. 환자가 가지고 있는 니트로글리세린의 경우 불활성일 가능성이 있으므로 치과의사는 신선한 니트로글리세린을 구비하고 있어야 한다. 협심증 신호가 오면 1정 또는 스프레이(0.3 또는 0.4 mg)를 설하 투여한다. 통증은 몇 분 안에 감소된다. 필요하면 같은 용량을 5분 간격으로 두 번 반복 투여할 수 있다. 수축기 혈압이 90 mmHg 이하인 경우 니트로글리세린 사용은 금기이다.

4) 주사용 항히스타민(Injectable antihistamine)

항히스타민제는 알레르기에 사용할 수 있다. 가벼운 증상인 경우 경구투여 하지만 생명을 위협하는 경우에는 비경구투여가 필요하다. 주사 가능한 약으로 디펜히드라민(diphenhydramine)과 클로르페니라민(chlorpheniramine)이 있다. 이 두 약물은 아나필락시스 또는 두드러기와 같은 덜 심한 알레르기 반응을 치료하기 위해 사용할 수 있다. 성인을 위한 권장 복용량은 디펜히드라민(diphenhydramine) 25~50 mg 또는 클로르페니라민(chlorpheniramine) 10~20 mg이다.

5) 알뷰테롤/살부타몰(Albuterol/Salbutamol)

알뷰테롤/살부타몰과 같은 선택적 β-2 작용제는 기관지 경련 치료를 위한 일차선택약이다. 흡입기로 투여하는 경우 전신적 심혈관 작용을 최소화하고 선택적으로 기관지를 확장 시킬 수 있다. 최대효과는 30~60분 후에 나타나고 효과는 4~6시간 지속된다. 성인의 경우 두 번 흡입하고 필요에 따라 반복할 수 있으며 소아의 경우 한번 흡입하고 역시 필요에 따라 반복할 수 있다.

6) 아스피린(Aspirin)

아스피린은 급성 심근경색의 사망률을 감소시켜주는 약으로 생명을 구하는 약으로 새롭게 인식되고 있다.

급성 심근경색 시 아스피린의 투여는 심장허혈이 심근경색으로 진행되는 것을 예방한다. 아스피린 응급사용 시 상대적인 금기가 있다. 아스피린 응급사용의 상대적 금기증에는 아스피린 과민증, 심각한 천식, 심각한 위장출혈 등이 있다. 최소 유효량은 확실히 알려져 있지 않지만, 급성 심근 경색으로 인해 통증이 발생한 환자에게 최소 162 mg은 즉시 투여되어야 한다.

7) 경구 탄수화물(Oral carbohydrate)

과일주스 또는 소프트드링크와 같은 경구탄수화물을 쉽게 사용할 수 있어야 한다. 약이 아니라 필수 의약품 목록에 포함되지는 않지만 필수적이다. 이러한 당 공급원을 냉장고가 아니라 응급키트에 보관해야 한다. 이것은 의식 있는 저혈당 환자에게 사용될 수 있다.

5. 추가 약물

부가적인 응급 약물에 관하여 표 26-8과 같이 고려한다.

1) 글루카곤(Glucagon)

글루카곤 근육주사는 의식이 없는 환자의 저혈당 상태를 치료하는데 사용한다. 심각한 저혈당 상황을 해결할 수 있는 가장 이상적인 방법은 50% 포도당을 정맥주사하

표 26-8. 부가적인 응급 약물

약물	적응증	성인 초기 용량
Glucagon	무의식환자의 저혈당상태	1 mg IM
Atropine	임상적으로 유의미한 서맥	0.5 mg IV or IM
Ephedrine	임상적으로 유의미한 저혈압	5 mg IV or 10~25 mg IM
Hydrocortisone	부신기능부전 재발성 아나필락시스	100 mg IV or IM 100 mg IV or IM
Morphine or Nitrous oxide	니트로글리세린에 반응하지 않는 협심증과 유사한 통증	2 mg IV, 5 mg IM ~35% 흡입
Naloxone	아편유사제 과량투여 시	0.1 mg IV
Lorazepam or Midazolam	간질지속증	4 mg IM or IV 5 mg IM or IV
Flumazenil	벤조디아제핀 과량투여 시	0.1 mg IV

는 것이다. 글루카곤은 정맥주사선을 확보할 수 없는 치과의원에서 사용될 수 있다. 성인 투여량은 1 mg이고, 환자가 20 kg 미만인 경우 권장 용량은 0.5 mg이다. 글루카곤은 사용직전에 해당 희석제로 희석하여 1 mg 제제로 사용한다.

2) 아트로핀(Atropine)

아트로핀은 항무스카린, 항콜린 작용제로 서맥을 동반하는 저혈압에 사용될 수 있다. 처음에 0.5 mg으로 시작하여 추가적으로 투여해 최대 3 mg까지 투여할 수 있다. 역설적으로 0.4 mg 미만의 아트로핀은 중추신경계 작용으로 서맥을 유발할 수 있다.

3) 에페드린(Ephedrine)

에페드린은 심한 저혈압을 치료하는데 사용하는 혈관수축제이다. 에페드린은 덜 강력하고 작용시간이 60~90분 정도로 길다는 점을 제외하고 에피네프린과 유사한 심혈관계 작용이 있다. 에페드린을 허혈성 심장질환자에게 투여한 경우 에피네프린 투여와 마찬가지로 비슷한 주의사항이 고려되어야 한다. 심한 저혈압을 치료하기 위해 5 mg 정맥투여가 이상적이다. 근육주사의 경우 10~25 mg을 투여해야 한다.

4) 코르티코스테로이드(Corticosteroid)

하이드로코티손 등의 코르티코스테로이드의 투여는 재발성 알레르기의 예방에 효과적이다. 하이드로코티손은 부신위기 시에도 사용할 수 있다. 응급 상황에서 사용할 때 가장 큰 단점은 정맥투여 시에도 한 시간 후에 효과가 나타날 정도로 발현시간이 느리다는 점이다. 그러므로 응급 상황에서 필수적이라고 생각되지 않는다. 한번 투여 시 부작용 가능성이 낮다고 생각된다. 응급 상황에서 하이드로코티손 100 mg이 투여될 수 있다.

5) 모르핀(Morphine)

모르핀은 심근경색 시 발생하는 심한 통증에 사용할 수 있다. 전문심장소생술은 모르핀을 이러한 목적으로 사용하길 권장하고 있다. 통증이 완화될 때까지 1~3 mg 단위로 추가적으로 정맥투여할 수 있다. 혈압감소와 호흡억제를 관찰하면서 투여해야 한다. 노인에게 사용할 때는 세심한 주의가 필요하다. 정맥투여가 불가능한 경우 모르핀 5 mg을 근육투여 할 수 있으며, 마찬가지로 노인은 더 적은 용량을 사용해야 한다.

6) 날록손(Naloxone)

모르핀이 과다 투여된 경우 날록손을 사용할 수 있다. 0.1 mg 단위로 효과가 나타날 때까지 천천히 투여한다.

7) 아산화질소(Nitrous oxide)

아산화질소는 모르핀을 심근경색 시 발생하는 심한 통증에 사용할 수 없는 경우 두번째 약물로서 사용할 수 있다. 심근경색으로 인한 통증을 해결하기 위해서 35% 농도로 산소와 함께 투여해야 한다.

8) 주사용 벤조디아제핀 (Injectable benzodiazepine)

간질지속증과 같은 장기간 또는 반복적인 경련에 벤조디아제핀을 사용할 수 있다. 대부분의 치과에서는 정맥천자가 현실적으로 불가능하므로 미다졸람과 로라제팜과 같은 수용성 약제 사용을 고려할 수 있다. 로라제팜은 간질지속증에 일차선택약이고, 근육투여할 수 있다. 미다졸람 또한 수용성이며 로라제팜 대신 사용할 수 있다. 부작용으로 진정작용이 나타날 수 있으므로 환자를 잘 모니터링 해야 한다. 성인에게 투여 시 로라제팜 4 mg 또는 미다졸람 5 mg을 근육투여할 수 있다. 정맥투여가 가능하다면 효과가 나타날 때까지 천천히 적정하여 투여해야 한다.

9) 플루마제닐(Flumazenil)

벤조디아제핀 길항제인 플루마제닐은 응급키트에 포함되어야 한다. 0.1~0.2 mg씩 점진적으로 정맥 투여한다.

약물뿐만 아니라 기본적인 장비도 갖추고 있어야 하며 청진기, 혈압계, 산소공급 시스템, 주사기, 바늘이 이에 해당된다. 치과의사는 심장마비를 치료하기 위해 자동제세동기(AED) 구비를 고려해봐야 한다. 자동제세동기 사용법은 쉽게 배울 수 있고, 기본적인 심폐소생술에 대한 지식만으로도 사용할 수 있다. 치과의사는 환자가 회복할 때까지 또는 구급차가 도착할 때까지 응급 상황에 대처하기 위해 준비해야 한다.

참고문헌

1. American Society of Anesthesiologists. New classification of physical status. Anesthesiology, 24:111, 1963.
2. McCarthy EM: Sudden, unexpected death in the dental office. J Am Dent Assoc, 83:1091-1092, 1971.
3. McCarthy FM: Stress reduction and therapy modifications. J Calif Dent Assoc, 9:41-47, 1981.
4. Fast TB, Martin MD, Ellis Tm: Emergency preparedness. a survey of dental practioners. J Am Dent Assoc, 112:499-501, 1986.
5. Matsuura H: Analysis of systemic complications and deaths during dental treatment in Japan. Anesth Prog, 36:219-228, 1990.
6. Haas DA: Management of medical emergencies in the dental office: conditions in each country, the extent of treatment by the dentist. Anesth Prog, 53(1): 20-4, 2006.

CHAPTER 27

| Dental Anesthesiology | 응급의학

의식 변화

학습목표

1. 환자의 의식변화 기전을 설명한다.
2. 혈관미주신경실신의 기전을 설명한다.
3. 체위성 저혈압의 기전을 설명한다.
4. 저혈당에 의한 의식변화의 치료법을 나열한다
5. 의식변화를 감별할 수 있다.

의식변화는 어떤 원인에서든 의도하지 않은 상황에서 환자의 의식수준이 변화된 것을 의미하며, 치과진료 시 발생하는 응급 상황 중 가장 흔한 것이 혈관미주신경실신(vasovagal syncope)으로 인한 의식소실이다. 의식저하는 단순한 임상증상이며 그 원인은 임상적으로 경미한 것으로부터 심폐정지까지 다양하다.

궁극적 치료는 의식변화의 원인을 파악한 후 해결하는 것이지만, 일단 발생한 의식변화는 기본 생명 유지술인 자세(P, position), 기도 열기(A, airway), 호흡(B, breathing) 및 순환(C, circulation) 순서로 환자를 응급 처치한다.

치과진료실에서 발생하는 의식변화는 대부분 적절한 처치를 통하여 회복되는 긴급사항이다. 그러나 적절한 응급 처치에도 환자의 의식이 신속히 회복되지 않으면 뇌졸중, 심폐정지 등의 심각한 원인에 의한 의식변화일 수 있으므로 감별진단 해야한다. 이러한 심각한 의식변화는 조기에 발견하여 환자를 종합병원 응급실 또는 중환자실에 이송하여 시행한 전문생명유지술만이 환자의 생명을 구할 수 있다. 그러므로 아무리 단순한 의식변화라도 감별진단은 매우 중요하다.

1. 의식변화의 일반적 고려사항

1) 기전

중추신경계의 중심인 뇌는 전체 혈류량의 15%, 산소 소모량의 20%가 의식유지를 위해 필요하며, 뇌는 혈류량과 산소가 상대적으로 많이 요구된다(그림 27-1). 공급이 원활하지 않으면 의식소실에 이르고 의식소실의 기전은 4가지로 분류 가능하다.

- 뇌에 공급되는 혈류나 산소의 부족으로 인한 대뇌 기능의 감소
- 전신적 혹은 국소적 대사 장애에 의한 대뇌 기능의 감소
- 의식이나 항상성을 조절하는 중추신경계의 직접적 혹은 반사적인 영향
- 과도한 불안이나 긴장에 의한 심리적 원인

의식변화의 가장 흔한 기전은 혈압저하로 인하여 대뇌 혈류 공급의 감소다. 혈관미주신경실신과 체위성 저혈압은 치과에서 가장 흔한 경우이다. 이는 말초 혈관이 이완

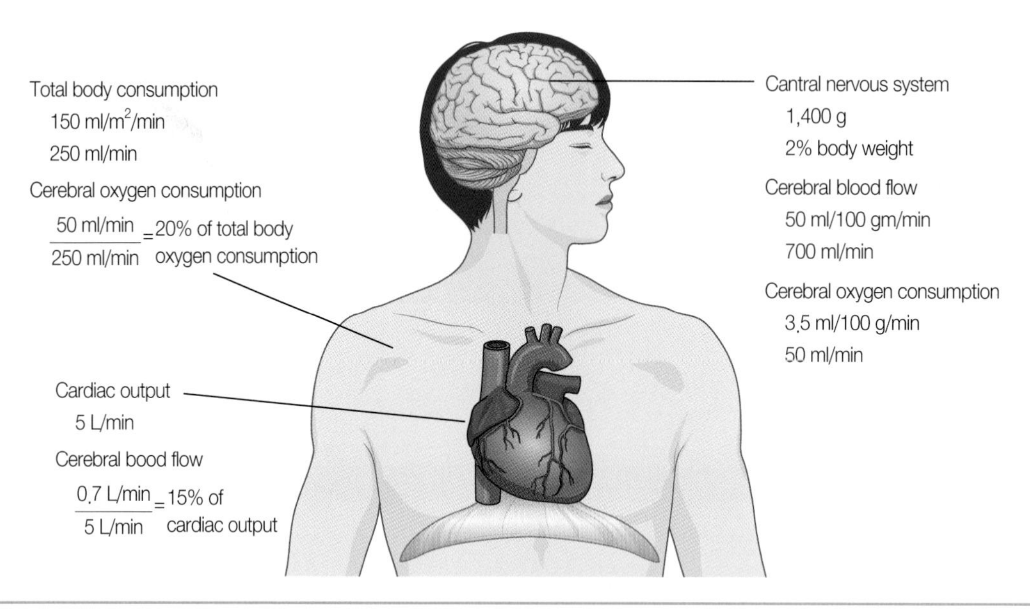

그림 27-1. 뇌는 체중의 2%이지만 전체 혈류량의 15%, 산소 소모량의 20%를 차지한다.

되어 심장으로 돌아오는 혈액량이 감소되고 대뇌로 가는 혈류도 감소되어 나타나는 일시적 대뇌 기능저하에 따른 의식변화이다. 최근 당뇨 환자의 증가로 저혈당 원인의 실신과 쇼크가 증가하고 있다.

2) 예방

많은 경우에 의식변화는 치과치료 전 환자평가를 통해 예방될 수 있다. 이 평가에서 중요한 것은 환자가 치과치료에 연관되어 발생하는 생리적, 심리적인 스트레스에 얼마나 견딜 수 있냐는 것이다. 치료 전 병력청취나 신체 검사를 시행하여 의식변화 가능성을 줄일 수 있다. 치과치료에 대한 걱정과 두려움이 과도하면 치과의사는 치료 동안의 스트레스를 줄이기 위하여 다양한 스트레스 감소법(stress reduction protocol) 중 환자에 적합한 방법을 선택하여 치과치료계획에 포함시켜야 한다. 치과치료 시 환자의 자세도 중요한데, 치과치료와 관련된 실신의 과거력이 있는 환자에서는 앉은 자세보다는 누운 자세에서 환자를 치료하면 치과치료에서 발생하는 실신을 어느 정도 감소시킬 수 있다.

3) 감별진단

치과에서 대부분의 의식변화의 일차적인 원인은 스트레스이며, 혈관미주신경실신인 경우가 대부분이다. 이는 심한 스트레스의 결과로 정맥천자나 구강 내를 국소마취할 때 자주 발생한다. 이 경우 일부 환자들은 단순한 혈관미주신경실신을 국소마취제에 대한 알레르기 반응으로 기억하게 되며 향후 치과치료에서 "국소마취제에 대한 알레르기가 있다."라고 표현하여, 치과의사들을 당황하게 한다. 이 경우 과거력에서 실신과 관련하여 두드러기나 호흡곤란이 있었는지, 어떤 치료를 받았는지, 응급실로 이송되었는지를 확인하면 심각한 알레르기성 약물 반응을 단순한 실신으로부터 손쉽게 감별진단할 수 있다. 그 외 변화된 의식수준의 원인은 다음과 같다.

- 대사이상(예: 저혈당증, 갑상선 기능 저하증)
- 외상(예: 두부 외상)
- 뇌졸중
- 감염(예: 수막염)
- 약물(예: 아편제, 미다졸람)
- 술

당뇨나 고혈압같이 조절이 필요한 질환을 가진 환자에서 치과질환으로 인하여 최근 음식섭취가 부족하면 기력이 쇠하여 의식변화의 가능성이 증가된다. 더구나 과도한 생리적 심리적 스트레스에 노출되었을 때 환자는 스트레스로 인한 빈맥, 고혈압으로 심근경색에 동반된 심실세동 발생으로 급사할 수 있으니 주의한다. ASA P3 환자에서는 심전도, 혈압, 맥박산소포화도를 모니터링하면서 추가로 산소를 공급하고, 정맥로를 확보하여 저혈량을 교정한다. 당뇨 환자인 경우 치료 시작 전 혈당을 검사하여 저혈당인 경우 포도당 용액을 투여한 후 치과치료하면 심각한 응급 상황을 상당 부분 예방할 수 있으리라 생각된다.

의식변화와 관련된 또 다른 주된 원인은 약제의 투여이다. 치과에서 많이 사용되는 약제 중 의식변화를 가져올 수 있는 약제는 아편유사제, 국소마취제와 진통제 및 항불안제들이다. 이들의 부작용은 전반적인 중추신경계 억제로 인하여 의식변화를 가져올 수 있다. 아편유사제는 보행 가능한 환자들에서 체위성 저혈압에 기인한 실신을 유발시킬 수 있고, 진정제로 사용되는 약제들은 기본적으로 마취제로도 사용되고 있기에 이들을 과량 투여하면 전신마취 상태가 된다. 국소마취제는 치과에서 사용되는 가장 흔한 약물이나 혈중 약물 농도에 따라 중추신경계와 심혈관계 독성을 일으킬 수 있어 주의를 요한다. 대부분의 경우에 혈관수축제가 포함된 국소마취제를 사용하므로 주사 후 의식변화가 있으면 국소마취제 자체에 의한 것인지, 국소마취제에 함유된 에피네프린 등의 혈관수축제 때문인지, 스트레스에 기인한 환자의 상태 악화에 의한 것인지 감별하는 것이 중요하다.

2. 혈관미주신경실신

실신('짧게 자르는' 이라는 뜻을 가진 그리스어에서 유래함)은 혈압의 저하로 인한 의식의 일시적인 상실로 정의한다. 실신의 가장 흔한 원인은 혈관미주신경 발작이나 단순 기절이다. 혈관미주신경이라는 용어는 스트레스에 의한 미주신경의 과활성에 의한 창백함, 실신, 땀, 오심과 함께 일시적인 혈압 감소와 관련된다. 혈관미주신경 실신은 치과 외래에서 가장 흔한 의학적 응급 상황이며 전체 응급 상황의 약 2/3 정도를 차지한다. 치과진료실에서 가장 흔하지만, 단기간에 쉽게 의식을 회복하는 긴급상황이다. 국소마취나 발치 또는 정맥로 확보와 같은 모든 종류의 치과치료와 관련되어 발생할 수 있다. 흥미로운 것은 치과의자에 앉아 있을 때 일어날 수 있고, 심지어 치과진료실에 들어올 때부터 일어날 수 있다.

1) 기전

원인으로는 심리적인 것과 비심리적 요인으로 구별할 수 있다. 심리적인 것은 불안통증과 연관되어 발생하고 치과 외래에서 발생하는 실신의 대부분은 스트레스가 원인이다. 다른 가능한 원인은 다음과 같다.

- 따뜻한 환경
- 긴 대기 시간
- 갑작스런 공포
- 시각적 자극, 특히 피를 보거나 주사바늘을 봤을 때
- 청구서

비심리적 요인으로는 앉은 자세에서 갑자기 일어서서 말초로 혈액이 이동해서 뇌혈류량이 급격히 감소하거나, 금식으로 인한 혈당 강하, 전신상태가 나쁠 때 혹은 덥고 습하며 혼잡한 환경이나, 남성인 경우 특히 16~35세인 경우 더 잘 발생한다.

2) 증상 및 징후

임상증상은 전구증상, 의식소실, 실신 후 증상으로 나눌 수 있다.

(1) 전구증상

일어나거나 앉은 위치에서 환자는 목과 얼굴에서 열감을 느끼고, 피부색이 창백해지거나 회색으로 변하며, 식은땀이 난다. 혈압저하에 따른 구역을 느낄 수도 있고 반

사성 빈맥(심박수 > 100회/분)으로 인하여 심장이 두근거릴 수도 있다. 저혈압이 진행됨에 따라 하품, 과호흡, 손발이 차가워진다. 이어서 혈압과 심박수는 급속히 감소하며 시각 장애가 오고, 현기증이 나며 의식이 소실된다. 실신까지 걸리는 시간은 환자의 자세와 밀접한 관련이 있다. 만일 환자가 서있었다면 30초 이내에 실신으로 이어졌을 것이나 누워있었다면 실신까지 진행되는 속도와 빈도를 줄일 수 있다.

(2) 의식소실

의식이 소실되면 호흡은 불규칙해지고, 발작적이고, 숨이 차게 되거나, 조용해지고, 얕아지고, 인지할 수 없게 되거나, 완전히 정지한다. 동공은 확대되고, 환자는 죽은 사람처럼 보인다. 환자가 의식을 잃고, 뇌에 10초 정도의 저산소증이 생기면 경련발작이 환자의 손과 다리, 안면 근육에 생긴다. 서맥(60회/분)은 실신동안 흔히 나타난다. 심하면 건강한 사람에서도 심장이 정지할 수도 있다. 혈압도 극심한 수준(30/15 mmHg)까지 감소할 수도 있다. 의식이 소실되면 전반적인 근이완이 유발되어 혀의 근긴 장도가 감소하여 종종 부분적이거나 전체적인 기도폐쇄 가 일어난다. 요실금도 수축기 혈압 70 mmHg 이하인 경우 나타날 수 있다.

(3) 실신 후 증상

환자의 자세를 적절히 해 주고 자극을 주면 의식의 회복은 빠르다. 실신 후 의식회복기에는 얼굴이 창백하고, 구역질을 하며, 땀을 흘리고 탈진상태가 되는데, 이런 증상들이 수 분에서 수 시간까지 지속된다. 혈압과 심박수는 서서히 회복된다.

3) 예방 및 치과적 고려사항

가장 좋은 예방법은 원인제거이다. 대부분의 치과진료실은 덥고, 습하며 또는 혼잡하기에 에어컨을 적당히 틀어서 실내 환경을 쾌적하게 하고, 환자에게서 저혈당증이나 심리적 불안을 최소화하기 위해서는 치과치료 전에 간단한 스낵이나 음식을 대접하며 불안을 감소시키는 것도 한 가지 방법이다. 필요하면 의식하 진정을 시행하여 환자의 불안과 통증을 완화시킴으로서 그 발생빈도를 현저히 감소시킨다. 환자의 과거력에서 실신이나, 공포스러운 치과치료 경험이 있다던가, 현재 치과치료에 과도한 불안을 보인다면 진정법 시행을 적극 고려한다.

일단 환자가 누워 있는 상태에서 치과치료를 하면 실신의 발현과 실신 기간도 줄일 수 있다. 만일 환자가 적절한 자세를 취하고 자극을 주어도 5분 이상 무의식 상태가 지속되거나, 환자가 15~20분 내에 임상적으로 완전히 회복되지 않는다면 실신 이외의 다른 원인을 반드시 고려해야 한다. 특히 환자가 40세 이상이고, 의식변화 이전에 특징적인 전구 증상을 나타내지 않는다면 다른 원인에 의한 의식변화를 반드시 감별진단해야 한다. 이 때 저혈당에 의한 의식변화가 빈발하므로 혈당을 측정한다. 사실 과거에 비하여 혈당측정이 간편하므로 의식변화가 있으면 감별 진단을 위하여 혈당측정을 환자 평가시에 시행한다. 환자의 의식변화가 전형적인 혈관미주신경실신과 많은 차이를 보이면 실신 초기부터 응급 구조를 요청한다.

4) 치료

- 1단계: 전구증상이 나타나면 치과치료 중단 및 구강내 이물질제거
- 2단계: P (자세). 환자를 똑바로 눕히고 다리를 조금 올린다(그림 27-2). 당뇨 환자인 경우 감별진단을 위하여 혈당측정
- 3단계: A-B-C (기도-호흡-순환).
- 4단계: D (결정적 치료). 산소를 공급하면서 환자의 코 밑에 암모니아나 알콜솜을 두어 호흡을 자극하면 보다 빨리 의식이 회복된다. 활력 징후를 측정한다. 수축기 혈압과 심박수가 각각 60 mmHg 또는 분당 45회 이하라면 정맥로 확보 후 아트로핀 0.5~1 mg (0.5 mg/ample) 투여를 고려한다.
- 5단계: 귀가. 환자의 의식이 회복되면 실신의 재발과 다음 치과치료에서 실신의 재발을 예방하기 위

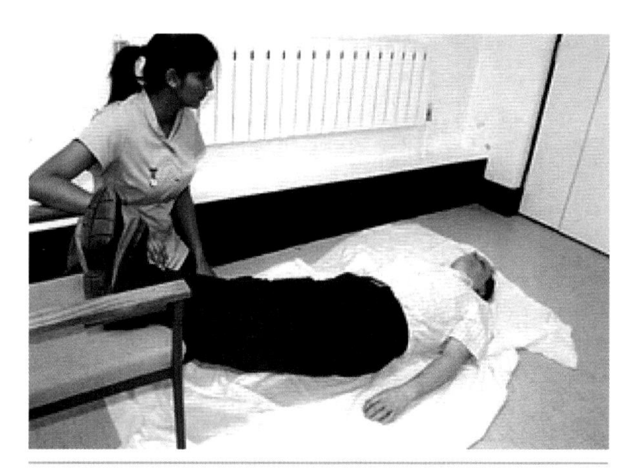

그림 27-2. 실신 시 대처법
똑바로 눕히고 다리를 10~15° 올린 자세

하여 실신의 원인을 파악한다. 치과의사와 환자가 못 다한 치과치료가 가능하다고 판단했을 때 치료를 다시 시작한다. 만일 둘 중 하나라도 미덥지 못한 경우 치료는 연기되어야 한다. 귀가 중 실신이 재발될 수 있으므로 환자 보호자 모두에게 응급 상황을 설명하고 향후 발생 할 수 있는 위험성을 설명하고 발생 시 치료법을 교육하고 책임있는 보호자와 함께 환자를 귀가시킨다.

3. 체위성 저혈압 Postural Hypotension

직립성 또는 자세성 저혈압이라고도 알려져 있는 체위성 저혈압은 치과에서 의식소실의 원인 중 두 번째로 많다. 체위성 저혈압은 환자가 직립자세를 취할 때 실신하는 것으로 자율신경계 질환으로 서 있을 때 수축기 이완기 혈압이 누웠을 때와 비교하여 각각 30, 10 mmHg 이상 떨어지는 것으로 정의될 수 있다. 체위성 저혈압은 혈관 미주신경실신과는 여러 면에서 다르다. 두려움, 불안과 같은 심리적 요인과 관련이 적고 반사성 혈압의 항상성 유지 기능이 저하된 기질적 질환이다. 환자가 앉거나 누었다가 갑자기 일어났을 때 급작스런 저혈압이 발생하고 이차적으로 뇌로 가는 혈류가 감소하여 의식이 소실된다.

1) 기전

자세의 변화에 의한 말초혈관의 저항이 증가할 때 압력수용기의 반사조절이 둔화된 결과이다. 원인으로는 고령, 탈수, 심혈관계에 작용하는 약물의 투약과 섭취, 다리의 정맥류, 교감신경차단술 시행 후, 임신 후기, Addison 씨병, 당뇨병, 자율신경 실조증, 특발성 체위성 저혈압(Shy-Drager 증후군) 등이 있다.

치과에서의 발생하는 체위성 저혈압은 환자가 복용하는 약물에 기인하는 경우가 대부분이다. 특징적으로 이러한 약물들은 항고혈압 약물의 범위에 들어가며, 특히 나트륨을 고갈시키는 이뇨제나, 칼슘채널 차단제, 그리고 신경 차단약물들이다. 기타 항우울제, 아편유사제, 항히스타민제 및 파킨슨병의 치료를 위한 L-도파가 있다. 이러한 약물들은 환자가 갑자기 일어날 때 증가된 중력의 영향에 대한 반응으로 몸의 혈압을 유지하는 기능을 저하시킴으로써 체위성 저혈압을 유발한다.

2) 증상 및 징후

체위성 저혈압으로 고통받는 환자는 갑작스런 혈압의 저하를 경험하거나 자세변화에 따른 실신을 경험한다. 이런 환자들은 종종 혈관확장에 의한 실신의 전구 증상 및 징후인 현기증, 창백함, 어지러움, 흐릿한 시야, 오심, 발한이 없이 실신이 빨리 진행되기도 한다.

혈관미주신경실신과 같이 체위성 저혈압에서도 환자가 실신한 동안 혈압은 매우 낮다. 서맥을 보여주는 혈관 미주신경 실신과는 다르게 체위성 저혈압에서는 보상성으로 심박수가 높다. 만약 무의식이 10초 이상 진행된다면 환자는 약한 경련을 보일 수 있다. 의식은 환자가 바로 누운자세를 해주면 빨리 회복된다.

평소에도 실신이 자주 발생하는 환자에서는 혈압, 심박수와 리듬, 호흡속도, 온도, 키, 몸무게와 같은 활력징후의 기록은 필수적이다. 체위성 저혈압은 환자의 혈압과 심박수를 바로선 자세와 바로누운 자세 둘 다에서 측정할 경우 진단할 수 있다. 환자가 누워 있는 자세에서 2~3분 후 혈압과 심박수를 측정하고 환자가 1분 동안 서 있은 후에 다시 혈압과 심박수를 측정한다. 이 때 정상인 경우 혈압의 변화는 수축기 혈압이 10 mmHg 이내이고, 심박수는 보통 사람이 서 있고 누워 있는 자세보다 증가하며 5~20회/분 이내로 유지된다. 체위성 저혈압인 경우 맥박이 30회/분 이상, 수축기 혈압 30 mmHg, 이완기 혈압 10 mmHg 이상 차이를 보이면 진단할 수 있다.

3) 예방 및 치과적 고려사항

체위성 저혈압을 예방하는데 도움이 되는 것은 병력청취, 신체검사 그리고 치과치료의 변경이다.

다음의 환자들은 체위성 저혈압으로 인한 실신 가능성이 증가한다.

- 체위성 저혈압 병력을 가진 환자
- 치과치료 도중 진정법을 시행받은 환자
- 장시간 동안 치과 의자에 누워있던 환자

이런 환자들은 치과가 끝나고 너무 빨리 일어나면 체위성 저혈압이 발생할 수 있으므로 치료 후 자세변화를 서서히 한다. 1분 내에 환자의 의자 위치를 두 번 또는 세 번 정도 바꾸거나, 환자의 어지러움증이 감소될 때까지 증상이 발현된 상태에서 환자를 머무르게 한다.

서 있는 자세에서 환자가 움직일 때, 환자가 어지럼증을 느낄 경우 앉히거나 누인다. 또는 필요에 따라서 있는 환자의 곁에서 넘어지지 않게 보조한다.

치과치료 시간이 2~3시간보다 길어진 경우 더구나 진정법을 시행한 경우 치료가 끝나고 환자의 체위 변화 시 체위성 저혈압의 위험은 증가될 수 있어 환자의 자세변화를 서서히 하여 환자를 외상으로부터 보호해야 한다.

4) 치료

체위성 저혈압의 치료는 혈관미주신경실신의 치료와 비슷하다.

- 1단계: 치과치료 중단
- 2단계: P (자세). 반응이 없는 환자는 다리를 약간 올리며 바로 누운 자세를 취한다. 대부분의 환자는 몇 초 안에 의식을 회복한다.
- 3단계: A-B-C (기도-호흡-순환).
  환자가 의식이 회복되지 않을 경우 시행한다.
- 4단계: D (결정적 치료).
  산소를 공급하면서 환자의 활력징후를 측정하고 기록한다. 환자의 저혈압이 계속 지속된다면 산소공급, 정맥로 확보 후 수액요법과 승압제 사용 또는 응급 구조를 요청한다.
- 5단계: 귀가 또는 병원으로의 이송 환자의 활력 징후가 안정되고, 저혈압의 증상과 징후가 없으면 퇴원을 고려한다.

4. 당뇨 Diabetes mellitus

당뇨는 가장 흔한 내분비계 질환이다. 인슐린 생산이나 작용의 결함 또는 두 가지가 복합적으로 동시에 일어남으로써 나타나는 고혈당이 특징적이다.

치과에서 당뇨로 인하여 발생할 수 있는 응급 상황에는 저혈당증, 당뇨병 케톤산증, 그리고 고혈당 고삼투압 비케톤 혼수가 있는데 임상적으로 문제가 되는 것은 고혈당으로 인한 것보다 오히려 저혈당에 의한 증상들이다. 성인에서는 정맥에서 혈당이 50 mg/100 ml 이하, 소아에서는 혈당이 40 mg/100 ml 이하이면 저혈당이다(Cranston et al., 1994). 저혈당증의 증상과 징후는 몇 분 안에 급격한 의식의 소실을 초래할 수 있지만 의식의 변화는 서서히 일어나는 경우도 있다. 고혈당으로 인한 의식변화는 적어도 증상이 나타나고 48시간 뒤에 발생하므로 치과에서 고혈당증으로 인한 의식의 소실은 자주 일어나지 않는다.

1) 증상과 징후

(1) 고혈당

당뇨의 3징후(다음, 다식, 다뇨)가 하루 혹은 며칠 이상 나타나며, 현저한 체중감소, 피로, 두통, 시력저하, 복통, 메스꺼움, 구토, 변비, 호흡곤란, 의식혼미, 그리고 더욱 진행해서 '당뇨성 혼수'로 일컬어지는 의식소실의 단계까지 나타날 수 있다.

고혈당(>250 mg/dL)의 증상 및 증후는 뜨겁고 건조한 피부와 탈수징후를 의미하는 밝고 붉은색의 얼굴빛이다. 호흡은 대개 깊고 빠르며(Kussmaul 호흡의 징후) 당뇨성 케톤병증이 있을 경우 달콤한 과일향의 아세톤향이 난다. 혈압은 정상보다 낮은 반면 심박수는 빠르다. 빈맥과 저혈압은 탈수와 염분소실의 증거이다.

비록 고혈당이 그 자체로 생명을 위협하는 응급 상황은 일으키지 않더라도, 만약에 고혈당증이 치료되지 않고 남아있다면 이것은 생명을 위협하는 당뇨성 케톤산증이나 당뇨성 혼수로 진행 할 수 있다.

(2) 저혈당

고혈당과 다르게, 저혈당은 급속히 발생할 수 있는데, 특히 인슐린 주사를 맞는 사람들 중 인슐린 주사 후 수 분 내에 발생할 수 있다. 저혈당의 초기에는 간단한 계산이 불가능한 대뇌 기능의 감소와 기분의 변화 등을 보인다. 교감신경계의 과다활동에 의한 발한, 빈맥, 털세움, 조바심 등의 증상을 보인다. 피부는 차갑고 축축한데, 고혈당의 뜨겁고 건조한 피부와 확연히 구별이 된다. 환자는 의식이 있으나 이상한 행동을 보일 수도 있다. 저혈당이 더 진행되면 환자는 의식을 잃거나, 발작이 일어난다.

저혈당은 고혈당보다 더 급하게 진행되므로 의식이 있을 때에는 설탕이나 사탕같은 탄수화물을 먹게 하고, 환자가 의식을 잃거나 음식을 거부할 경우를 대비하여 glucagon (1 mg)이나 50% 포도당 용액을 준비하는 것도 좋다.

당뇨환자에서 발생한 저혈당의 일반적 원인은 식사가 지연되거나 먹지 않는 것, 식사 전에 과도한 운동을 하는 것, 혹은 인슐린 양을 늘리는 것이다.

치과치료는 당뇨 환자에게 잠재적 위협을 유발하고, 그 질병을 조절하는데도 어려움을 준다. 당뇨 환자에서 스트레스는 신체의 인슐린 요구량을 증가시켜 고혈당증을 일으킬 가능성을 증가시킨다. 그러나 치과에서 문제가 되는 것은 오히려 저혈당이다. 수술 전 금식, 치료 후의 지속된 마취나 과도한 치과시술로 인하여 환자의 식사가 지연되면 저혈당증의 위험을 증가시킬 수 있다.

2) 치과치료 시 고려사항

조절되지 않는 당뇨 환자의 구강 내 합병증에는 피부건조증, 감염, 회복능력 저하, 충치의 유병률과 중증도 증가, 구강캔디다증, 잇몸염, 치주병, 치근단 농양, burning mouth syndrome이 있다. 환자평가 시에는 당뇨의 시작과 진행 상황, 혈당조절법, 조절 정도, 고혈당 또는 저혈당의 증상이 있는지, 어떤 합병증이 있는지 등의 질문이 이루어져 야 한다. 또한 환자의 순응도도 파악한다.

최근 1주일 동안 환자의 혈당이 잘 조절되지 않는다면 원인을 파악하고, 내과의의 자문을 구하여 혈당조절이 최소 1주일 이상 조절됨을 확인하고 치과치료를 하는 것이 좋다.

당뇨 환자는 가능한 오전 첫 환자로 치료하면 저혈당의 위험을 최소화할 수 있다. 적절한 국소마취제의 사용은 치과치료 후 식사장애를 최소화할 수 있다. 치과시술이 환자의 치료 전이나 후에 식이 습관에 방해가 된다면 인슐린 양은 조절되어야 한다. 평소 혈당이 잘 조절되던 환자에서 수술 전 금식이 필요하다면 아침에는 평소 용량의 반을 투여하는 것이 추천된다.

요즘같이 당뇨 유병률이 증가된 상황에서 혈당측정기를 치과에 비치하여 모든 당뇨 환자에서 치과 방문 시 혈당을 측정하는 것이 추천된다. 특히 혈당치가 낮거나, 정상공복 혈당치(80~120 mg/dL) 범위의 하한선에 머무를 경우 치과진료 시작 전에 설탕물 한 잔을 마시게 하면 치과치료 중 저혈당으로 인한 응급 상황을 예방할 수 있다.

3) 치료

당뇨와 관련된 부작용을 즉시 인식하는 것이 필수적이다. 고혈당과 케톤증, 산증의 확실한 치료법은 인슐린 투여로 대사를 정상화하는 것과, 수분과 전해질 부족을 정상화하고, 유발 인자를 결정하고, 합병증을 방지하는 것이다. 당뇨병성 산증은 치사율이 5%에 임박하는 생명을 위협하는 진짜 응급 상황이다.

(1) 고혈당증–의식 없는환자

- 1단계: 치과치료 중단 및 구강 내 이물질 제거
- 2단계: 혈당 측정 후 고혈당이면 즉시 응급 구조팀 호출
- 3단계: P (위치). 의식불명의 환자를 똑바로 눕히고 다리를 조금 높은 곳에 위치시킨다.
- 4단계: A-B-C (기도-호흡-순환).
- 5단계: D (결정적 치료). 산소 공급과 가능하면 정맥로를 확보하여 하트만 또는 생리식염수(saline)를 정주하여 저혈량을 교정한다. 인슐린은 혈당을 검사하며 신중하게 투여한다. 응급 구조팀이 도착할 때까지 주기적으로 활력징후를 측정 후 기록한다.
- 6단계: 환자 이송. 응급의료팀이 도착하면 환자와 함께 응급실로 가서 책임 있는 의사에게 환자를 인계한다.

(2) 저혈당증

- 1단계: 당뇨 환자에서 행동이 이상해지거나 성격이 변하면 치과치료를 바로 중단한다.
- 2단계: 즉시 혈당을 측정하여 저혈당을 인지한다.
- 3단계: P (자세, position). 의식이 있는 환자에서는 환자가 편하게 느끼는 자세를 취한 후 설탕물을 먹인다. 저혈당 징후가 사라질 때까지 매 5~10분당 설탕물을 한잔씩 먹인다. 의식이 없으면 바로 눕인다.
- 4단계: A-B-C (기본 생명 유지술). 의식이 없으면 기도를 열고 호흡과 순환을 보조한다. 응급 구조를 요청한다.
- 5단계: D(결정적 치료). 의식이 없는 환자에서 경구투여는 폐내 흡인 가능성이 있기에 금기다. Glucagon 1 mg 근주가 추천된다. 정맥로가 확보 되어 있다면 50% 덱스트로스(dextrose) 용액 50 ml를 2~3분 동안 정주한다. Glucagon 1 mg 근주 후에는 10~15분 후에, 50% 덱스트로스 용액을 정주하면 5분 내에 의식이 회복된다.
- 6단계: 회복과 귀가. 적어도 1시간의 경과관찰에 따라 환자의 귀가가 결정 된다.

5. 급성 부신기능부전 Acute adrenal insufficiency

사람은 스트레스에 적응하기 위하여 체내의 부신피질에서 cortisol을 분비한다. 그러나 여러 원인에 의한 부신피질기능 저하는 스트레스에 대한 반응이 적절하지 않을 수 있다.

부신피질기능이 저하된 환자에서 치과치료 같이 스트레스를 받는 상황에서 스트레스에 적응하기 위한 부가적인 cortisol을 생산해내지 못하면, 급성 부신기능부전의 증상과 징후가 나타난다. 비록 급성 부신피질기능 이상에 따른 응급 상황은 잠재적으로 생명을 위협할 수 있는 상태이지만 흔하지 않고 스테로이드 투여를 통한 예방 및 치료가 쉽다. 때문에 모든 치과의사는 급성 부신기능부전에 대해 대처할 수 있는 능력을 가져야 한다.

1) 기전

상대적인 glucocorticoid 호르몬의 결핍은 모든 급성 부신기능부전의 주요 원인이다. 스트레스가 증가되는 수술, 마취, 정신적 스트레스, 음주, 저체온증, 심근경색, 당뇨병, 간헐성의 감염, 천식, 발열물질, 그리고 저혈당 등에 의하여 급성 부신피질 기능부전이 올 수 있다.

급성 부신피질기능부전은 크게 일차성과 이차성으로 구분된다. 일차성은 Addison 병, 양쪽 부신 손상 또는 제거, 뇌하수체 파괴 등의 원인으로 생기고 이차성은 주로 지속적인 스테로이드 치료의 결과 이차적으로 시상하부(H)-뇌하수체(P)-부신피질(A) 축이 저하되어 생긴다. 오랜 동안 외인성 스테로이드 치료를 받은 환자의 부신이 제기능을 완전히 되찾는데 9개월이나 걸린다는 것이 증명되었다.

2) 임상증상

치과치료와 같이 스트레스를 받는 상황에서 부신피질 기능이 저하된 환자들은 피로감, 어지럼증, 식욕부진, 오심, 구토, 변비, 복통, 설사, 근육통 또는 관절통 등을 호소 한다. 저혈압으로 인하여 체위성 실신이 발생하기도 한다. 응급 상황에서는 환자가 저혈압과 저혈당증의 이차적인 결과 의식을 잃고 혼수(coma)에 빠질 수 있다.

치과의사들은 대부분 치과치료와 관련된 스트레스 정도를 과소평가한다. 그러나 일차성 부신피질 기능저하 질환인 Addison 병을 가진 환자는 매일 200~500 mg의 cortisone을 투여 받을 수도 있는데, 이것은 보통 사람에서 최고의 스트레스에 반응하여 분비되는 스트레스 호르몬 양이다. 참고로 정상 성인의 부신피질은 하루 20~30 mg의 cortisol을 분비 한다.

3) 예방 및 치과적 고려사항

환자평가에서 시상하부, 뇌하수체, 부신피질과 연관된 질환 또는 스테로이드 복용을 확인한다(표 27-1). 시상하부-뇌하수체-부신피질 기능이 저하되어 스트레스에 적절히 반응하지 않을 것이 예상되는 환자에서는 hydrocortisone 125 mg을 치료 전 정주로 전투약하거나 스트레스의 정도를 가늠하여 평소 투여용량의 2~4배 정도를 경구복용시킨다.

부신피질 기능저하가 예상되는 환자에서는 보다 주의 깊은 의학적 및 치과적 평가를 통하여 스트레스를 최소화할 수 있는 치료계획이 세워져야 한다. 필요하면 치과치료를 시작하기 전에 내과의의 자문을 구한다. 환자는 보통 ASA P2 또는 P3로 분류된다.

표 27-1. 글루코코티스코테로이드 유효 용량

작용 기간	코르티코 스테로이드 역가	유효용량 (mg)
단기		
Hydrocortisone (Cortisol)	1	20
Cortisone	0.8	25
중기		
Prednisone	4	5
Prednisolone	4	5
Methylprednisolone	5	4
장기		
Dexamethasone (Decardon)	30	0.75
Betamethasone (Celestone)	25	0.6

4) 치료

급성 부신피질 기능부전은 glucocorticoid 저하, 세포외액 고갈 및 고칼륨혈증 등 생명을 위협하는 진짜 응급상황이다. 치과의사는 기본 생명 유지술(basic life support, BLS)를 시행하고 스테로이드를 처방하는 결정적인 치료를 바로 할 수 있어야 한다.

- 1단계: 치과진료 중단 및 구강 내 이물 제거
- 2단계: P (자세). 만일 환자가 의식변화 등의 저혈압 증상과 징후를 보이면 다리를 약간 든 상태의 눕기 자세를 취해야 한다. 그렇지 않으면 환자가 편안한 자세를 취한다.
- 3단계: A-B-C (기도확보-호흡-순환) 기본 생명 유지술. 의식이 있는 환자의 경우 A-B-C를 평가하되 적용할 필요는 없다. 그러나 환자의 의식이 소실되면 즉시 응급호출한다. 저혈당이 중요 소견이므로 반드시 혈당을 측정한다.
- 4단계: D (결정적 치료). 산소를 5~10 L/min로 공급하면서 활력징후를 5분마다 측정한 후 기록한다. 환자는 빈맥과 저혈압을 나타낸다.
  가능하면 정맥로를 확보한 후 100~125 mg의 hydrocortisone을 정주한다. 정맥로를 확보하지 못하였으면 100~300 mg의 hydrocortisone 2 ml를 근주한다. 응급 구조팀이 도착할 때까지 스테로이드 투여 후 정맥로가 확보되어 있으면 수액요법을 시행한다. 저혈당이 있으면 정질액과 5% 포도당액을 같이 정주 한다. 정맥로가 없으면 glucagon 1~2 mg을 근주한다.

- 5단계: 환자 이송 및 귀가. 환자가 의식이 있을 때에는 대부분의 경우 스테로이드 투여로 증상이 호전된다. 환자의 의식이 없을 때에는 응급 구조팀이 도착할 때까지 기본 생명 유지술을 시행하고 도착 후 인계한다. 치과의사는 병원 응급실까지 환자와 함께하고, 책임있는 의료진에게 환자를 인수인계한다.

6. 뇌혈관 장애 Cerebrovascular accident, CVA

뇌졸중은 뇌의 특정 부분으로 공급되는 뇌 혈류량이 감소하여 신경학적 손상을 가하는 혈관질환이다. 증상은 갑작스럽게 또는 서서히 시작되며 이로 인하여 일시적이거나 영구적인 신경학적의 손상이 발생한다. 뇌졸중의 88% 는 뇌혈관이 차단되면서 허혈성으로 발생한다.

일과성 허혈발작(transient ischemic attack, TIA)인 경우 24시간 내에 가벼운 뇌졸중 증상이 저절로 회복되는 것인데, 발작 이후 90일 이내에 뇌졸중 발생 위험성이 3~17.3%으로 위험하다. 더구나 이들 환자들 중 25%는 1년 안에 사망하며, 10년 안에 뇌졸중, 심근경색 또는 기타 혈관계 질환으로 사망할 가능성을 모두 합하면 42.8%이다. 이처럼 일과성 허혈발작 환자는 위험한데, 뇌졸중 과거력이 확실한 환자와는 달리 일과성 허혈발작은 환자도 모르고 지나가는 경우가 있어 치과의사의 적절한 질문으로 이 런 환자를 감별하는 것이 중요하다.

1) 기전

뇌졸중은 뇌혈관의 폐쇄성과 출혈성 손상으로 발생한다. 흔한 형태는 폐쇄성 뇌졸중으로 대부분은 동맥경화, 심장 이상 등으로 발생한다. 열공 경색(lacunar infarction)도 폐쇄성 뇌졸중의 하나이다. 출혈성 뇌졸중은 뇌내의 출혈 또는 지주막 밑의 출혈이 대부분이다. 뇌출혈 환자 들은 일상생활 중 무거운 것을 들어 올리거나 대변을 보는 동안 무리한 힘을 가하는 것과 같이 혈압이 상승될 때 발생한다. 비록 뇌출혈이 뇌졸중 원인의 약 10% 정도 차지한다 할지라도 스트레스가 동반되는 치과치료 시 환자의 심박수와 혈압이 높아지기 때문에 허혈성 발작보다는 출혈성 뇌졸중이 더 많이 발생할 수 있다.

2) 증상 및 징후

일반적으로 관찰되는 뇌졸중의 징후와 증상은 두통, 현기증, 어지럼증, 졸음증, 발한과 오한, 구역, 구토 등이다. 쇠약감, 언어적인 장애 또는 반대편 외측사지의 마비도 나타난다.

(1) 일과성 허혈발작

증상은 갑작스럽게 나타나고 회복은 보통 빨라서 수 분 내로 회복된다. 대부분 외측 사지(다리, 팔, 손)의 일시적인 마비와 쇠약감을 일으키며 '바늘로 콕콕 찌르는' 감각 변화가 생긴다. 일시적인 한쪽 눈의 시각상실은 명백하고 흔한 징후이다. 증상은 정상적으로 2~10분 정도 지속되나, 24시간 정도 계속될 수도 있다. 발생하는 빈도는 환자마다 다양하다.

(2) 뇌경색증

뇌혈관의 죽상경화성 변화 또는 혈전증으로 인한 뇌경색증을 앓는 환자는 갑작스러운 발병을 경험하거나 신경학적 증상과 징후가 수 시간에서 수일 후에 느리게 나타남을 경험할 수 있다. 만약 두통이 발생했다면 이는 대개 경한 증상이며 일반적으로 경색 부위에 국한되어 나타난다. 구토는 매우 드물고, 경색이 뇌 또는 뇌간의 광범위한 부위를 포함하거나 이미 질병에 이환된 뇌에서 나타나지 않는 한 뚜렷한 감각 둔화는 나타나지 않는다.

(3) 뇌색전증

색전증으로 인하여 나타나는 뇌졸중은 갑자기 나타난다. 가벼운 두통이 첫 번째 증상이며, 이는 신체의 반대편 외측면에서만 나타나는 신경학적 증상에 수 시간 앞서 일어난다.

(4) 뇌출혈

갑자기 발생하여 수 분 동안 지속되는 두통, 구토, 심하게 올라간 혈압, 국소적인 신경학적 손상이다. 구역과 구토, 오한과 발한, 어지럼증, 현기증도 나타난다. 신경학적 손상의 증상은 어느 때건 나타날 수 있지만 대개 발병 후 수 시간 뒤에 나타난다. 심한 경우는 혼돈, 혼수, 사망이 나타나기도 한다.

3) 예방 및 치과적 고려사항

치과치료 중 뇌졸중을 예방하기 위해서 환자 평가 시 위험요소를 파악하고, 뇌졸중 발병 후 6개월 내에는 선택적인 치과진료를 받지 않도록 해야 한다. 또한 스트레스 감소법을 적극적으로 활용한다.

뇌졸증 위험이 높은 환자들을 정리하면 다음과 같다.

- 합병증을 동반한 뇌졸중 과거력를 가진 환자
- 혈전용해 치료를 받고 있는 환자
- 혈액량 과다증, 고혈압, 혈액 투석 치료를 받고 있는 환자
- 의학적 합병증 위험이 있는 환자
- 의학적 치료 후에 뇌졸중 과거력이 있는 환자

4) 치료

원인에 따른 진단의 불확실성 때문에, 뇌혈관 질환의 증상과 징후를 나타내는 환자의 초기 관리는 원인에 관계없이 같다.

- 1단계: 치과진료의 중단
- 2단계: 치과 응급팀의 활성화
- 3단계: P (자세). 앞서 설명한 증상이나 징후가 있는 의식이 있는 환자는 편안한 자세로 위치시켜야 한다. 대부분의 환자들은 앉은 자세를 선호한다. 의식이 없는 환자는 즉시 응급 구조를 요청하고 발이 약간 올라간 상태로 바로 누운 자세를 취한다. 무의식은 뇌졸중에서 70~100%의 초기 사망률을 보인다.
- 4단계: A-B-C (기도-호흡-순환), 기본 생명 유지술. 산소를 공급하면서 활력 징후를 5분마다 측정하고 기록 한다. 환자의 기도, 호흡, 순환이 평가되면 필요한 단계의 절차가 행해져야 한다. 뇌졸중 환자는 대부분 기도유지만이 요구된다. 호흡과 순환은 유지 된다.
- 5단계: D (결정적인 치료). 가능한 빨리 의과적 도움 요청을 해야한다. 폐쇄성 뇌졸중 발생 후 초기에 혈전용해 치료법이 행해진다면 남아있는 신경학적 손상을 최소화하는 데 도움을 줄 수 있기 때문이다.

  출혈성 뇌졸중 환자는 두개 내 압력 증가를 감소시키는 두개골 내 혈액의 외과적 배출, 뇌의 부종을 막거나 최소화시키는 것을 필요로 하므로 역시 빠르게 병원으로 환자를 이송한다.

  뇌졸중이 의심되는 환자에게 진통제, 항불안제, 아편유사제, 진정제 등 중추신경 억제제를 투여해선 안 된다. 이들은 신경학적 징후들을 은폐할 수 있으므로 환자의 결정적인 진단을 어렵게 하여 환자의 예후에 좋지 않은 영향을 미칠 수 있다.
- 6단계: 이송 및 귀가. 폐쇄성 또는 출혈성 뇌졸중 환자는 응급 구조팀과 같이 동행하여 병원에 이송한 후 인계한다.

  만약 임상적인 징후와 증상이 응급 구조팀이 오기 전에 사라진다면 아마도 일과성 허혈발작일 수 있다. 뇌혈관 질환의 병력이 없으면 추가적인 신경학적 평가를 위해 환자를 병원으로 옮길 필요가 있다. 의사와 협진으로 치과진료 계획의 수정이 논의되어야 한 다. 귀가 시에는 환자에게 자동차 운전을 허용해서는 안 되며, 책임있는 보호자 없이 치과에 오는 것도 허용되어서는 안 된다.

참고문헌

1. British Medical Association & Royal Pharmaceutical Society of Great Britain :: British National Formulary 56. BMJ Publishing, London, 2008.
2. Bruton-Maree N, Maree SM: Acute adrenal insufficiency. a case report, CRNA 4:128-132, 1993.
3. Clark TG, Murphy MF, Rothwell PM: Long term risks of stroke, myocardial infarction, and vascular death in low-risk. patients with a non-recent transient ischemic attack. J Neurol Neurosurg Psychiatry, 74:577-580, 2003.
4. Cranston I, Lomas J, Maran A, et al.: Restoration of hypoglycaemia awareness in patients with long-duration insulin-dependent diabetes. Lancet, 344:283-287, 1994.
5. Jevon P: Emergency Care & First Aid for Nurses. Elsevier, Oxford, 2006.
6. Levy DE: How transient are transient ischemic attacks?. Neurology, 38:674-677, 1988.
7. Lisbeth LD, Ireland JK, Risser JM, et al.: Stroke risk after transient ischemic attack in a population-based setting. Stroke, 35:18421846, 2004.
8. Sherman DG: Reconsideration of A diagnostic criteria. Neurology, 62:S20-S21, 2004.
9. Simon RP, Syncope, In Goldman L: Cecil textbook of medicine. 22 ed. Philadelphia, WB Saunders, 2020-2029, 2004.
10. Soanes C, Stevenson A: Oxford Dictionary of English, 2nd edn. Oxford University Press, Oxford, 2006.
11. Streeten DHP: Corticosteroid therapy. II. Complications and therapeutic indications. JAMA, 232:1046-1049, 1975.
12. Thijs RD, Benditt DG, Mathias CJ, et al: Unconscious confusion-a literature search for definitions of syncope and related disorders. Clin Auton Res, 15:35-39, 2005.
13. Vernillo AT. Diabetes mellitus: relevance to dental treatment. Oral Surg Oral Med Oral Pathol Oral Radiol Endod, 91:263-270, 2001.
14. Williams GR, Jiang JG, Matchar DB, Samsa GP: Incidence and occurrence of total (first-ever and recurrent) stroke. Stroke, 30:2523-2528, 1999.

CHAPTER

28

| Dental Anesthesiology | 응급의학

호흡 곤란

학습목표

1. 치과에서 흔한 이물질에 의한 기도 폐쇄를 설명한다.
2. 과호흡증후군과 천식 발작의 예방 및 치료법을 열거한다.
3. 호흡 곤란의 원인을 구별한다.

치과에서 발생할 수 있는 위중한 합병증의 대부분은 호흡곤란(respiratory distress)에서 비롯된다. 대표적인 호흡곤란의 원인으로는 천식, 과호흡증후군, 이물질흡인, 허파부종 및 심부전에 의한 이차적인 호흡곤란 등이 있다(표 28-1). 호흡곤란은 비정상적인 호흡수나 호흡운동의 상태이다. 호흡곤란은 호흡의 일의 양이 증가하는 것, 부적절한 호흡운동(예: 과환기, 저환기, 빈호흡, 서호흡), 불규칙적인 호흡을 포함한다. 이러한 호흡패턴들은 환자의 상태가 호흡부전(respiratory failure)으로 갈 수 있다는 신호가 된다. 호흡곤란은 빠르게 호흡부전으로 진행되고 심정지가 일어날 수 있다. 호흡정지로 심정지에 걸린다면, 결과는 종종 나쁘다. 호흡곤란과 호흡부전의 빠른 인지와 처치로 심정지가 오기 전에 좋은 결과를 이끌어 낼 수 있다.

표 28-1. 호흡장애를 일으킬 수 있는 원인

원인	빈도
과호흡증후군	매우 흔함
혈관미주신경실신	매우 흔함
천식	흔함
심부전	흔함
저혈당증	흔함
약물과용량 반응	다소 흔함
급성 심근경색	드묾
아나필락시스	드묾
신경혈관 부종	드묾
뇌혈관 사고	드묾
간질발작	드묾
고혈당증	드묾

치과에서 발생하는 호흡곤란의 가장 흔한 것으로 과호흡증후군과 혈관미주신경실신은 대부분 스트레스에 의해 나타난다. 또한 천식을 지닌 소아가 치과치료 때 천식 발작으로 인한 급성 호흡곤란을 나타낼 수 있다.

1. 과호흡증후군 Hyperventilation syndrome

과호흡증후군은 필요한 환기량보다 과도하게 많은 환기를 함으로써 발생한다. 과호흡증후군은 치과에서 흔하게 일어나 는 응급 상황으로 환자의 과도한 불안에 의해 발생하지만 통증이나 대사성산증, 약물중독, 과이산화탄소증, 간경화, 중추신경계 이상 등의 다른 원인에 의한 경우도 있다. 과호흡증후군에서는 현기증이나 가벼운 두통 또는 두 증상 모두를 호소하지만 의식소실은 드물다.

1) 기전

불안은 과호흡증후군의 가장 흔한 원인이다. 자신의 두려움을 의사에게 숨기려 하고 그것을 스스로 해결하려는 환자에게서 잘 발생한다. 자신의 두려움을 잘 표현하는 성인이나 소아에서는 잘 나타나지 않는데, 환자의 두려움이 해소되면 과환기와 혈관미주신경실신은 거의 일어나지 않는다. 15~40세 환자들에게 잘 발생한다.

2) 증상과 징후(표 28-2)

과호흡증후군은 흔히 국소마취에 대한 두려움으로 유발되며, 가슴이 조인다든지, 숨이 막힌다 등의 증상을 호소하지만 자신이 과도하게 호흡하고 있다는 사실을 환자는 모른다. 과환기가 계속되면 혈액의 화학적 조성이 바뀌게 되고 환자들은 약한 두통과 어지럼증을 느끼게 되는데 이 것이 불안을 더 가중시키고 과호흡증후군을 더욱 악화시킨다.

불안을 느끼는 환자의 손은 보통 차갑고 축축하고 심하며 미세한 떨림이 있다. 환자가 홍조를 띠거나 창백할 수 있으며 이마가 땀으로 젖어있고, 진료실이 이상하게 덥다고 말한다. 혈압이 상승하고 맥박과 호흡수도 증가한다.

불안, 호흡성 알칼리증, 혈중 카테콜아민 수치 상승 등이 동반되며 과환기와 연관된 임상적 징후와 증상 등을 발생시킨다. 호흡성 알칼리증은 혈중 칼슘이온 농도에도 영향을 미쳐, 혈장의 칼슘 총 함량은 정상이더라도 혈액의 pH가 증가함에 따라 칼슘이온의 농도는 감소한다. 감소된 혈중 칼슘이온 농도는 신경계통과 근육의 민감도와 흥분도를 증가시키고 손, 발, 입 주위의 저림과 감각이상과 같은 다양한 증상을 유발하는데 손발의 강직경련(tetany), 경련 발작 등도 생길 수 있다.

심혈관계 증상들로는 심장의 두근거림, 왼쪽 가슴과 상복부 불편감, 목에 무엇이 걸린 느낌 등이 있다. 과호흡증후군이 치료되지 않고 방치되면 비교적 장기간 지속될 수도 있다. 30분 혹은 그 이상 과환기가 지속될 수 있고 하루에 몇 번씩 증상을 겪기도 한다.

과호흡증후군이 지속되면 근육경련, 강직경련, 발목의 신전, 손발의 쥐, 발작 등이 발생할 수 있다. 과호흡증후군 환자가 적절한 치료를 받지 못하면 의식소실이 발생할 수 있다.

3) 예방과 치과적 고려사항

과호흡증후군은 환자의 불안을 바로 인지하고 대처한다면 효과적으로 예방될 수 있다. 불안정도에 관한 질문이 치과치료를 시작하기 전에 환자가 작성하는 의과적 과거력 질문지의 한 부분으로 포함될 수 있다. 스트레스 감소법을 시행하면 과호흡증후군을 예방하는데 도움이 된다.

표 28-2. 과호흡증후군의 임상적 양상

신체부위	증상과 징후
심혈관계	심계항진 빈맥 가슴 통증
신경계	현기증 가벼운 두통 의식 혼미 시야 혼탁 사지의 마비감 및 따끔거림 강직경련(tetany)
호흡기계	숨참 흉통 입이 마름
위장관계	상복부 통증
근골격계	근 긴장도 증가 및 근육통 떨림 뻣뻣함 손목 테타니
정신과적 증상	긴장 불안 악몽

4) 치료

과호흡증후군의 주요 원인이 환자의 불안이므로 환자를 편안하게 해주고 호흡성 알칼리증을 개선시킨다.

- 1단계: 치과치료 중단 및 구내 이물질 제거
  불안의 원인으로 생각되는 것(예: 주사기, 핸드 피스, 겸자)을 환자의 시야로부터 치운다.
- 2단계: P (자세)
  과호흡증후군 환자는 의식이 있으나 호흡곤란을 다양하게 표출한다. 대부분의 과호흡증후군 환자는 완전히 앉히거나 부분적으로 서 있으면 편안해 한다.
- 3단계: A-B-C (기도 확보-호흡-순환)
  호흡을 방해하는 조이는 칼라, 넥타이, 블라우스 등을 느슨하게 한다. 과호흡증후군 환자는 기본 생명유지술이 거의 필요하지 않다.
- 4단계: D (결정적 치료)
  환자를 진정시킨다. 부드럽게 환자 스스로가 호흡을 다시 조절할 수 있도록 도와준다. 가능하면, 환자의 호흡수가 분당 10회 이하가 되도록 천천히 규칙적으로 숨 쉬게 한다. 이를 통해 이산화탄소 분압이 증가하여 혈중 pH가 낮아져 정상에 가깝게 되면 호흡성 알칼리증에 의해 발생된 증상들이 사라지게 된다. 대부분의 과호흡증후군은 이 정도로 해결된다.

그림 28-1. 동맥 내 이산화탄소 분압을 높이기 위하여 두손으로 컵 모양을 만들어 입과 코를 덮고 호흡한다.

  해결이 안 되면 환자의 날숨을 다시 흡입하도록 한다. 환자의 손을 컵 모양으로 만든 뒤 코와 입에다 대고 환자가 내쉰 이산화탄소가 풍부한 공기를 흡입하게 하는 방법이다(그림 28-1). 흡입되는 공기 중의 이산화탄소분압을 증가시킬 뿐 아니라 따뜻한 날숨이 차가운 손을 따뜻하게 데우므로 과환기에 의한 공포심을 완화시킨다. 보다 많은 양의 이산화탄소를 효율적으로 흡입시키려면 코와 입 주위로 형태가 유지되는 종이봉투 또는 호흡낭을 가진 얼굴마스크를 대고 숨 쉬게 할 수도 있다. 과호흡증후군에서는 산소공급이 반드시 필요한 것은 아니다.
  필요하면 디아제팜(diazepam) 또는 미다졸람(midazolam) 같은 벤조디아제핀(benzodiazepine)계 약물을 정주하여 환자의 불안을 적극적으로 해결한다. 정맥로를 이용할 수 없다면 10 mg 디아제팜 또는 3~5 mg 미다졸람을 근육주사 할 수 있다.
- 5단계: 귀가
  과환기가 끝나고 모든 징후와 증상이 해소되면 환자는 평소대로 귀가할 수 있다. 만약 환자의 회복이 불확실하면 책임 있는 보호자를 동행하여 귀가시킨다.

2. 이물질에 의한 기도폐쇄 airway obstruction

이물질에 의한 기도의 급성 폐쇄는 갑작스럽고 위급한 특성 때문에 즉각적으로 치료되어야 한다. 치과에서 이물질 흡인은 발생빈도가 높으므로 모든 치과 구성원들은 급성 상기도 폐쇄에 대해 적절한 치료를 할 수 있어야 한다.

1) 기전

이물질에 의한 기도 폐쇄는 수 분 내에 심정지가 오는 진짜 응급 상황인 완전 기도 폐쇄와 긴급 상황인 부분 기도 폐쇄의 두 가지로 나뉠 수 있다. 다행히 치과에서 발생하는 이물질 흡인은 대부분 부분 기도 폐쇄이다.

폐내 공기의 출입이 양호한 부분 기도 폐쇄 시에는 환

자는 종종 강한 기침을 하게 된다. 천명음이 기침 사이사이에 나타나기도 한다. 기도 폐쇄가 심하면 가슴과 배가 반대로 움직이는 역설적(paradoxical) 호흡이 나타날 수 있다. 목소리가 안나오거나 변할 수도 있으며 흡기시간이 현저히 길어진다. 공기의 교환이 불량한 환자에서 심한 저산소증과 고탄산혈증이 나타나면 청색증, 기면, 인지장애 등의 증상이 보인다. 이러한 환자는 완전 기도 폐쇄 환자와 같이 치료한다.

2) 증상과 징후

일반적으로 환자가 나타내는 증상과 징후로 물체가 기도로 들어갔는지 아닌지 알 수 있다. 지속적인 기침, 숨막힘, 천명음 및 짧은 호흡 등이 있으면 강력하게 기도내 흡인을 의심한다. 이물질 폐내 흡인에 의한 저산소증과 고탄산혈증의 증후와 증상은 표 28-3에 정리하였다. 치과에서 흡인될 수 있는 이물질은 의치(denture)를 포함해 많은 것들이 있다(그림 28-2).

표 28-3. 저산소증과 고탄산혈증의 징후와 증상

저산소증(hypoxia)	고탄산혈증(hypercarbia)
• 안절부절(restlessness), 혼돈, 불안 • 청색증 • 발한 • 부정맥 • 고혈압 또는 저혈압 • 혼수 • 심장 또는 콩팥 기능상실	• 발한 • 초기 고혈압, 후기 저혈압 • 과한기 • 두통 • 혼돈, 졸림 • 심부전

3) 예방 및 치과적 고려사항

물체를 삼켰을 때는 보통 소화관 내로 들어간다. 식도를 통해 삼켜진 후 위나 소장으로 들어간 이물질의 대부분은 문제없이 소화관을 완전히 통과한다. 하지만 때로는 소화관 폐쇄, 복막 농양, 소화관 천공 또는 복막염 등을 일으킬 수 있다.

기관지로 흡인된 물체는 무기폐, 폐렴, 폐농양 등을 일

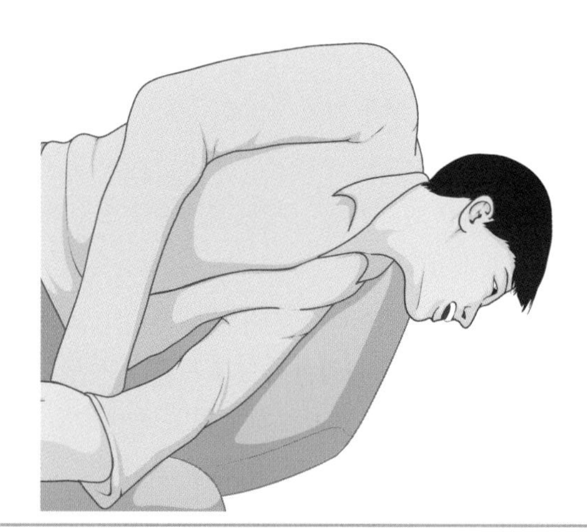

그림 28-3. 물체를 삼켰을 경우 환자를 옆으로 돌리고 머리를 낮게 의자를 위치시키고 상체를 치과의자 밖으로 나오도록 위치해야 한다.

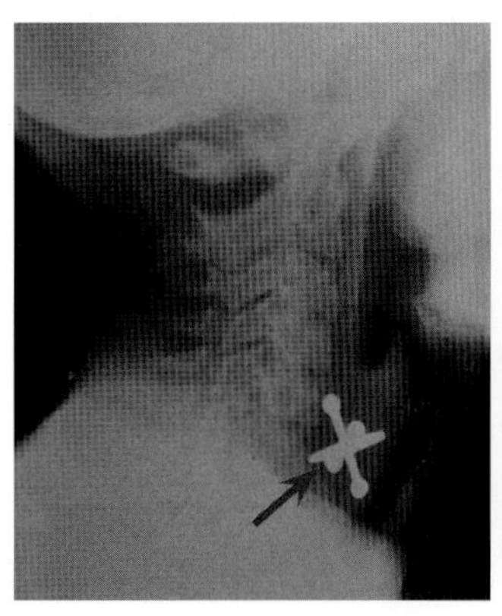
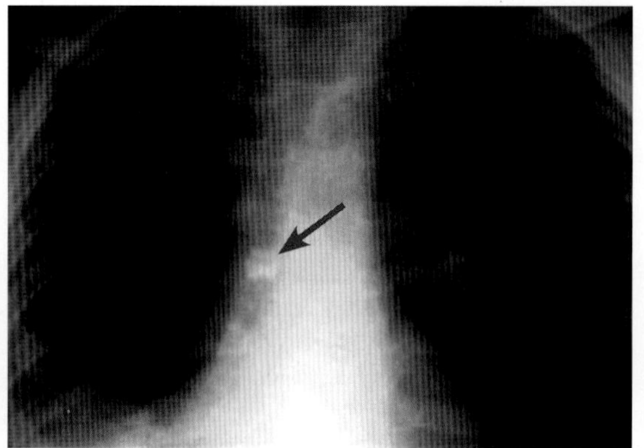
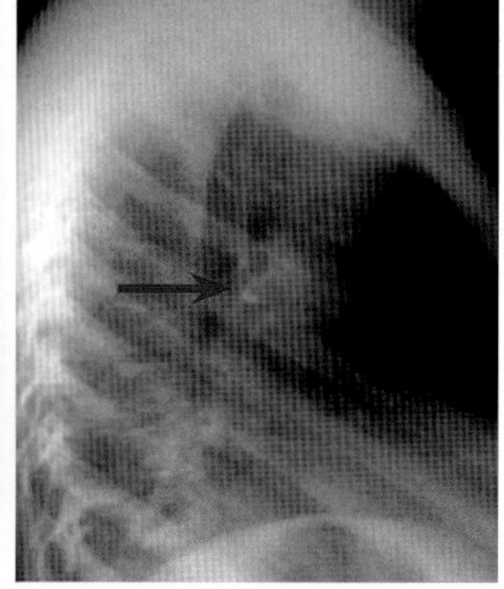

그림 28-2. 방사선 사진에서 확인된 기도내 이물질들

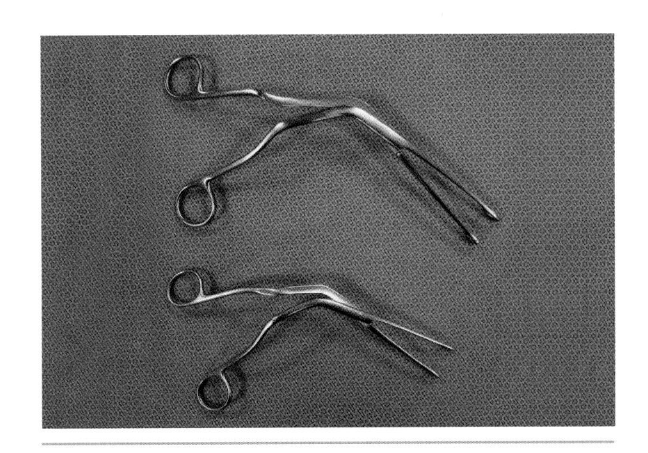

그림 28-4. Magill 겸자

으킬 수 있다. 예방법으로는 러버댐과 구강 내 패킹(packing)의 통상적 사용, 환자의 자세, 흡인(suction), Magill 겸자 및 입안에서 사용되는 모든 기구에 치실을 다는 등의 주의를 하면 이물질 흡인은 많이 줄일 수 있다.

이물질 흡인이 의심되면 환자의 고개를 옆으로 돌리고 치과의자 밖으로 상체를 내민 다음 머리를 아래로 하는 자세(Trendelenburg)를 취하고 등을 구부리도록 해야 한다(그림 28-3). 이러한 자세는 중력에 따라 흡인된 이물질이 입에서 배출될 수 있도록 도와준다.

기본적인 응급함에 포함되어야 하는 Magill 겸자(그림 28-4)는 구강과 인두부에서 크고 작은 물체를 제거하기 쉽게 디자인되었다.

4) 치료

- 1단계: 치과치료 중단 및 구강 내 보이는 이물질 제거
- 2단계: P (자세)
  바로 누운 자세나 앉은 자세로 있는 환자에서 물체가 구인두 내로 들어갔을 때 환자를 일으키지 않도록 한다. Magill 겸자가 준비되는 동안 더욱 눕혀진 자세로(가능하다면 Trendelenburg 자세) 한다.
- 3단계: A-B-C (기도-호흡-순환).
  환자의 의식이 정상이고 기도-호흡-순환에 문제가 없는 경우에 바로 결정적 치료를 시작한다. 그렇지 않으면 즉시 응급 구조를 요청하고 기본생명소생술을 시행한다.
- 4단계: D (결정적 치료).
  정상적인 기침 반사는 효과적이고 많은 경우 흡인된 물체를 제거하는 데 적절하다. 이물질 제거를 위하여 환자의 기침을 도와 준다. 이때 조심해야 할 것은 삼킨 이물질이 날카로운 것이라면 점막 손상이 가능하므로 주의해야 한다. 기관삽관용 후두경이 있으면 Magill 겸자를 이용한 이물질 제거가 보다 효과적으로 가능하다.

만일 이물질이 입 안에서 눈으로 확인되지 않으면 방사선 사진을 이용하여 위치를 파악해야 한다. 흉부의 전후 및 측면, 복부 방사선사진을 촬영하고 위치를 확인하여 치료를 전문의와 상의한다.

만약 완전 기도폐쇄가 의심되는 상황이라면 다음의 술식들이 유용하게 사용될 수 있다.

(1) 손가락으로 쓸기(Finger sweep)

맹목적인 손가락 쓸기(finger sweep)는 어린 소아의 기도를 손가락으로 탐색할 때 이물질이 기도 내로 더 깊게 들어갈 수 있으므로 미국심장학회 2015 가이드라인(AHA, 2015)에서 권장되지 않는다. 그러나 만일 이물질이 후두개보다 위에 위치하고 눈으로 보인다면 구조자는 손가락으로 기도에서 이물질을 제거할 수도 있다. 손가락 쓸기는 의식 없는 환자에서만 시행할 수 있다.

환자의 머리를 중립적인 자세로 유지하면서 앙와위로 눕힌다.

- 구조자는 손가락 엇갈리기 방법으로 환자의 입을 연다. 손가락 엇갈리기 방법은 윗니와 아랫니 사이에 검지와 엄지를 넣어 서로 엇갈리게 하여 입을 여는 방법이다.
- 손가락 쓸기를 하기 위해서 환자의 볼 안에 다른 손의 검지를 위치시키고 이를 혀의 기저부에 있는 인두 속으로 깊게 전진시킨다. 갈고리 모양의 동작을 시행하여 이물질을 흡인기나 Magill 겸자를 사용해서 제

거할 수 있는 위치로 이동시킨다. 이물질이 기도내로 더 깊게 들어가지 않도록 주의를 기울여야 한다.

(2) 손으로 밀어내기(Manual thrusts)

손으로 밀어내기(manual thrusts)는 상복부(Heimlich 방법)나 흉부 하부(흉부밀어내기)를 여러 차례 손으로 힘차게 밀어, 인위적으로 흉강내압을 빠르게 상승시켜 이물질이 튀어나오도록 하여 기도폐쇄를 해소하는 것이다.

① 하임리(Heimlich) 방법(복부밀어내기, Abdominal thrust)

성인과 소아에서 기도폐쇄 시 이물질을 제거하기 위해서 우선적으로 시도하는 방법이다.

- 의식이 있는 환자: 만일 환자가 의식이 있거나 앉아 있다면 구조자가 "숨이 막히세요?" 라고 질문하여 기도가 폐쇄된 것을 확인하고 다음의 단계들을 이행해 나간다.
  - 환자의 뒤에 서서 환자의 팔 아래 허리를 구조자의 두 팔로 감싼다.
  - 한쪽 손은 주먹을 쥐고 다른 손은 주먹 쥔 손을 감싸는데 환자의 상복부에 주먹 쥔 손의 엄지손가락이 닿게 한다. 손을 배꼽 약간 상방과 검상돌기 바로 아래의 복부 중앙에 위치시킨다(그림 28-5).
  - 이물질이 나오거나 환자가 의식을 잃을 때까지 내측 상방으로 반복해서 타격을 가한다.
- 의식이 없는 환자: 만일 환자가 의식 없다면 다음의 지침을 따른다.
  - 환자를 바로 누운 자세로 위치시킨다.
  - 머리 젖히고 턱들기 법을 이용해서 환자의 기도를 열고 머리를 상방으로 들어 올린다.
  - 가능하면 환자의 다리나 대퇴부위로 걸터앉는 자세를 취한다. 이러한 자세는 환자가 치과 의자에 있을 때는 불가능하므로 대안적인 방법으로 구조자가 환자 옆에 서서 구조자의 무릎을 환자의 오른쪽이나 왼쪽의 엉덩이에 위치시킨다(그림 28-6). 환자가 치과의자에 앉아 있을 때 이 자세가 유용하다.
  - 환자의 복부의 배꼽 약간 상방, 검상돌기 바로 아래의 중앙에 손의 뒤꿈치를 위치시킨다.
  - 두 번째 손을 첫 번째 손 위에 바로 위치시킨다.
  - 환자의 복부에 내측 상방으로 빠르게 밀면서 누른다(배에 수직으로 힘을 가하면 안 된다).
  - 연속해서 5회 복부밀어내기를 시도한다.

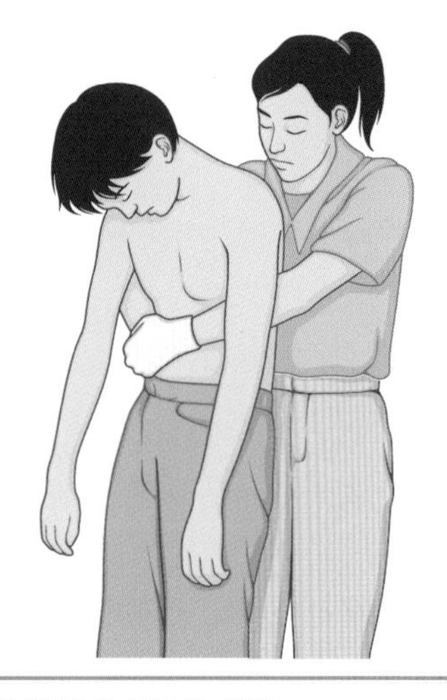

그림 28-5. 복부밀기의 올바른 방법

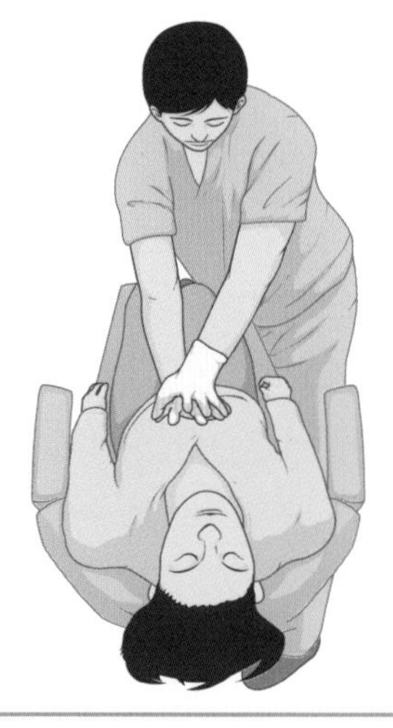

그림 28-6. 복부밀기의 걸터앉는 자세가 변형된 것으로 응급 구조자는 치과의자에 누운 환자의 옆에 서서 시행할 수 있다. 환자의 머리는 중립 자세가 유지되어야 한다.

- 환자의 입을 열고 이물질이 목에 걸려 있는지 아니면 보이는지 확인한다.
- 기도폐쇄가 없어질 때까지 반복한다.

복부나 흉부밀어내기를 할 때 간, 비장, 위를 포함하는 흉부나 복부 장기의 손상이 생길 수 있다. 손의 위치가 적절해야 심각한 부작용 발생을 최소화한다. 구조자는 손을 절대로 검상돌기나 흉곽의 늑골 하부 경계에 두면 안 된다. 여러 가지 손으로 밀어내기 법으로 급성 기도폐쇄를 성공적으로 해소한 후 환자가 회복된 뒤에는 퇴원하기 전에 복부 출혈과 같은 이차적인 손상 증거를 평가해야 한다.

② 흉부밀어내기(Chest thrust)

흉부밀어내기는 특수한 상황에서, 폐쇄된 기도를 열기 위한 하임리히 방법의 대안으로 이용되는 술식이다. 눈에 띄게 뚱뚱한 사람이나 임신 후기인 임부 환자에게 추천된다. 흉부밀어내기는 복부밀어내기보다 식도역류를 덜 일으킨다. 또한 영아에게는 흉부밀어내기가 추천되는데, 그 이유는 복부밀어내기가 영아에게 장기 손상(간, 비장)을 일으킬 수 있기 때문이다.

- 의식이 있는 환자: 만약 환자가 의식이 있고 서 있거나 앉아 있다면 다음 단계를 수행한다.
  - 환자의 뒤에 서서 겨드랑이 바로 아래에 팔을 두고 가슴을 감싼다.
  - 늑골 하부 경계나 검상돌기가 아니라 흉골의 중앙 부위에 주먹 쥔 손의 엄지손가락을 위치시키고 다른 손으로 주먹 쥔 손을 잡는다.
  - 이물질이 나오거나 환자가 의식을 잃을 때까지 후방으로 반복해서 타격을 가한다.
- 의식이 없는 환자: 만일 환자가 의식이 없다면 다음의 단계를 따른다.
  - 환자를 앙와위로 위치시킨다.
  - 머리 젖히고 턱들기법(head tilt chin lift)을 이용해서 환자의 기도를 열고 머리를 상방으로 들어 올려 중립적 위치를 유지한다.
  - 하임리히 방법에서 기술한 대로 환자의 다리나 대퇴부위로 걸터앉는 자세를 취하거나 환자의 옆에 선다.
  - 검상돌기 위가 아니라 환자의 흉골의 아래쪽 1/2 부위에 한 손의 뒤꿈치를 놓고 다른 한 손을 그 위에 위치시킨다(흉부 밀어내기 시 손의 위치와 방법은 성인에서 심폐소생술의 심장 압박 때와 동일하다).
  - 5번 연속해서 하방으로 흉곽을 누르면서 민다.

③ 등치기(Back blows)

등치기는 영아에서 폐쇄된 기도 관리에 사용되는 주요 방법으로 남아있다. 1세 이하의 영아에서는 복부밀어내기가 추천되지 않는데, 그 이유는 복부밀어내기가 간 손상을 가져올 수 있기 때문이다. 등치기를 영아에서 행할 때 머리는 몸통보다 아래로 하고 머리는 구조자가 영아의 턱을 단단하게 잡은 채로 지지하며 구조자의 팔에 두 다리를 걸치게 한다. 다른 손으로는 대퇴부를 받치면서 손의 뒤꿈치를 사용해서 구조자는 영아 등의 어깨 사이를 세게 5번 정도 친다. 그러나 이러한 시도가 효과적이지 못하였을 때 흉부밀어내기를 고려한다. 성인에서는 복부밀어내기가 실패하였을 때 시행한다.

- 5단계: 이송 및 귀가

  병원으로 이송하거나, 별 문제없이 대변으로 자연 배출될 이물질 흡인인 경우 귀가시킨다. 이물질 흡인 당일은 환자가 치과진료실을 떠나기 전에 이물질 흡인 후 생길 수 있는 합병증에 대한 예방, 발견 및 처치에 대하여 주의를 준다.

3. 천식

천식이란 호흡기계의 발작성 질환으로 열이나 국소염증 없이 숨쉬기가 굉장히 힘들고 가슴에 압박감을 느끼며 절박한 질식감(impending suffocation)을 느끼는 것을 특징으로 한다. 천식은 주로 젊은 사람에서 발병하는데,

천식환자의 약 절반은 10세 이전에 발병하여 소아에서 가장 많은 만성질환이다. 급성 천식발작은 일반적으로 저절로 좋아지지만 천식지속상태(status asthmaticus)는 가장 심한 천식발작으로 기관지확장제를 다량 투여하더라도 쉽게 치료되지 않는 진짜 응급 상황이다.

1) 기전

천식은 다양한 자극에 의해 세기관지(bronchiole)의 민무늬근육들이 수축함으로써 기도(airway)가 광범위하게 좁아져서 나타나는 소견으로 치료에 의해서나 자연적으로 증상이 호전될 수 있다고 규정하였다.

천식지속상태를 즉시 치료하지 않으면 호흡곤란에 의해 저산소혈증(hypoxemia)과 고탄산혈증(hypercarbia)이 나타나고 주요 장기의 허혈성 손상과 심한 호흡산증(respiratory acidosis)으로 사망할 수 있다.

천식은 일반적으로 원인인자에 따라 외인성(extrinsic)과 내인성(intrinsic) 및 혼합(mixed) 천식으로 구분된다. 외인성 천식 환자에서는 알레르기(allergy)의 병력이 있지만 내인성 천식환자는 그렇지 않다. 혼합 천식(mixed asthma)은 외인성 천식과 내인성 천식의 혼합형이다. 혼합 천식의 주요 촉진인자는 상기도의 감염이다. 모든 천식환자에서 공통적으로 나타나는 것은 기도가 민감해져 기도의 민무늬근육(smooth muscle)이 비정상적으로 수축할 뿐만 아니라 분비물(secretion)이 비정상적으로 생성 되고 제거되지 못하며, 비정상적으로 항진된 기침반사(cough reflex)가 나타난다.

2) 증상과 징후

급성 천식발작의 징후와 증상은 숨참(shortness of breath), 쌕쌕거림, 기침 등이 나타나며 그 후 완전히 완화되거나(ASA P2, P3), 임상 증상이 계속 지속되기도(ASA P4) 한다(표 28-4). 천식이 발현되면 대부분 환자가 정상적으로 숨을 쉴 수가 없기 때문에 환자의 불안은 증가한다. 급성 천식 증상의 전형적인 세 징후는 기침, 호흡곤란, 쌕쌕거림이다.

3) 예방과 치과적 고려사항

천식과 알레르기 질환의 유무, 천식의 종류, 치료약의 종류(특히 glucocorticoid), 천식발작 횟수와 정도, 호흡곤란으로 인한 응급실 방문 여부 등을 확인한 후 치과치료 중 천식발작의 위험성이 있으면 적극적인 스트레스 감소법

표 28-4. 천식의 미국마취과학회(ASA) 전신상태 분류

ASA 급	임상적 특징	치료법
P2	• 전형적 천식-외인성 또는 내인성 • 드문 발작 • 쉽게 치료된다. • 병원에서의 응급치료가 필요없다.	• 가능하면 스트레스를 줄인다. • 유발인자를 찾아낸다. • 유발인자를 피한다. • 기관지확장제를 준비한다.
P3	• 운동유도 천식을 가진 환자 • 공포감이 있는 환자 • 과거에 천식으로 입원하거나 응급치료를 받은 적이 있는 환자	• ASA P2 환자의 치료법을 따른다. • 진정제를 투여한다. • 진정법을 시행한다.
P4	• 안정 시에도 천식의 만성 징후와 증상이 있는 환자	• 내과의의 자문을 구하고, 필요하면 큰 병원으로 환자를 의뢰한다. • 치과진료실에서 응급치료만을 시행한다. • 호흡 상태가 호전될 때까지 또는 환자가 적정한 환경에서 치료를 받을 수 있을 때까지 치과시술을 미룬다.

을 시행하고, 치료 전에 미리 기관지확장제를 흡인시킨다.

치과치료는 천식의 심한 정도에 따라 약간씩 다르다. 치과에 대한 불안과 공포에 의해 천식의 급성 발현이 나타날 수 있으므로 환자의 스트레스를 최소화하면 천식 발작의 가능성도 줄일 수 있다.

천식환자에게도 진정법을 적용할 수 있다. 다만 일부 barbiturate나 아편유사제 특히 meperidine의 사용은 권장되지 않는다. 천식 환자에서 이들 약물에 의한 기관지 연축 발생 위험성이 증가하기 때문이다. 아산화질소와 산소를 이용한 흡입진정이나 벤조디아제핀계의 약물이 추천된다.

4) 치료법

급성 천식 발작이 발생하였을 경우에 즉시 효과적인 약물치료를 시행하고 증상을 치료해야 한다.

- 1단계: 치과치료의 중지 및 입안의 이물질 제거
- 2단계: P (자세)

  천식의 징후가 나타나면 환자를 편한 자세로 유지해야 한다. 일반적으로 환자의 편한 자세는 앉아서(sitting position) 팔을 앞으로 내는 것이며 환자가 편안하다면 다른 자세도 좋다.
- 3단계: A-B-C (기도-호흡-순환)를 시행
- 4단계: D (결정적 치료)

  산소를 공급하고 활력증후를 5분마다 측정하여 기록한다.

  천식환자를 치료하기 전에 의사는 환자의 기관지확장제 분무기(aerosol spray)를 가까이 두어 쉽게 사용할 수 있게 해야 하며 천식이 갑자기 발생하면 이 분무기를 이용하여 기관지확장제를 흡입시킨다(그림 28-7). 기관지확장제는 기관지연축을 치료하는 데 사용되는 약이다. 가장 강력하고 효과적인 기관지민무늬근육 확장제는 β-아드레나린 작용제(adrenergic agonist)인데 대표적인 약으로는 epinephrine (Adrenalin®), isoproterenol (Isuprel®), metaproterenol (Alupent®), salbutamol (Ventolin®) 등이 있다(표 28-5). 이 중 salbutamol은 작용 시작이 빠르고 β2-수용체에 선택적으로 작용하는 기관지확장제이며 그 효과가 장시간 지속하고 부작용은 거의 없어(Nowak, 2006)) 치과진료실에 비치하는 것이 추천된다. 분무 기관지 확장제는 프레온(freon) 압력통을 통하여 정해진 용량(a metered dose)이 투여되는데 분무되는 양의 약 10%만이 실제적으로 흡입된다.

  분무 흡입기의 적절한 사용법은 뜨거운 스프를 홀짝 홀짝 마시는 것처럼 5~6초에 걸쳐서 아주 서서히 분무하여 흡입시켜야 한다. 그 후 전폐용량(total lung capacity)을 들어 마신 다음 약 10초 동안 숨을 참은 후에 입술을 오므리면서 서서히 숨을 내쉰다. 분무로 투여된 기관지확장제의 작용 시작은 아주 빨라 대부분 15초 이내에 증상이 호전된다.

  Epinephrine과 isoproterenol을 투여하면 두근거림

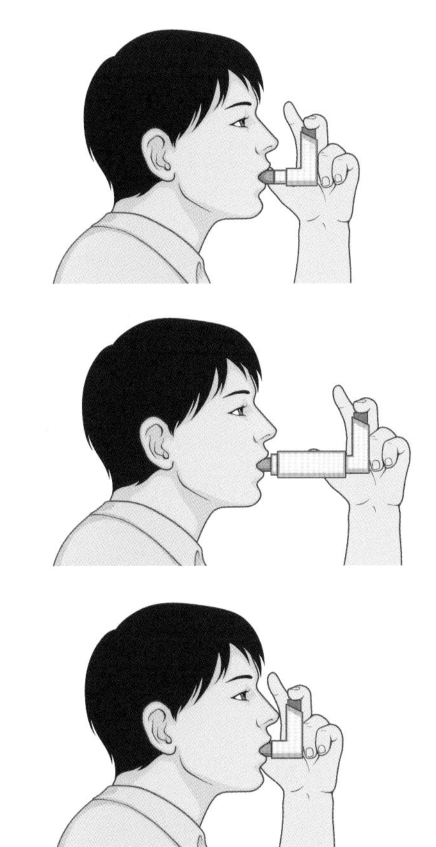

그림 28-7. 분무흡입기(aerosol inhaler)의 사용

(palpitation), 빈맥, 심장 리듬과 심박수의 비정상이 나타날 수 있다. 또한 epinephrine은 두통을 일으킬 수 있고 불안감을 증가시킬 수 있다. 천식환자가 혈압이 높거나 당뇨병, 갑상선 기능항진증(hyperthyroidism) 및 허혈성 심장질환이 있으면 epinephrine 투여는 주의해야 한다.

기관지확장제의 투여에도 불구하고 천식발작이 계속 진행되면 1:1,000 epinephrine (ample 용) 0.3 ml를 피하 주사하고, 가능하면 정맥로를 확보하여 hydrocortisone 125 mg을 정주한다.

- 5단계: 병원으로의 이송 및 귀가

급성 천식의 증세가 호전이 되면 의사는 먼저 발작의 원인을 찾아야 한다. 앞으로의 천식 발병의 위험성을 감소시키기 위해 스트레스 감소법을 적극적으로 고려한다. 만약에 의사와 환자 모두 환자의 상태가 적절하다고 느껴지면 치과치료를 재개할 수도 있다. 환자의 천식발작이 치료되지 않으면 응급 구조를 요청하여 병원으로 이송한다.

급성 천식의 증세가 기관지확장제의 치료에 의해 아주 빨리 호전되는 경우에는 퇴원시켜도 일반적으로 큰 문제가 되지 않는다.

4. 급성 심장 기능 이상과 허파부종에 의한 호흡 곤란

심장기능부전(cardiac failure)은 몸의 대사요구에 필요한 산소화된 혈액을 심장이 충분하게 공급할 수 없는 상태

표 28-5. 많이 사용되는 호흡곤란 치료제

종류	일반명	상품명
기관지확장제(bronchodilator)		
교감신경흥분약 (sympatgomimetic)	Salbutamol Salmeterol Metaproterenol Bitolterol Pirbuterol Terbutaline Isoetharine Isoproterenol Epinephrine	Proventil, Ventolin Serevent Alupent, Metaprel Tomalate Maxair Brethaire, Bricanyl Bronkometer, Bronkosol Isuprel 등 여러 상품명이 있음
항콜린제(anticholinergic) theophylline	Ipratropium bromide Theophylline Aminophylline	Atrovent 여러 상품명이 있음 Aminophylline
스테로이드(corticosteroid)		
	Beclomethasone Dipropionate Triamcinolone Prednisone Methylprednisolone Hydrocortisone	Beclovent, Vanceril Azmacort 여러 상품명이 있음 여러 상품명이 있음 여러 상품명이 있음
항매개체(antimediator)		
	Cromolyn sodium Medocromil sodium	Intal Tilade

이다. 치과에서 이와 관련되어 일어날 수 있는 응급 상황은 잘 조절되던 심부전이 감기, 감염, 치과치료와 연관된 불안과 통증 등의 원인으로 급성 심장 기능 이상이 생기는 경우이다. 기도폐쇄가 갑자기 풀리면 갑작스런 음압에 의하여 허파 부종도 발생하는 경우가 있지만 아주 드물다.

1) 기전

심장기능부전이 나타나면 호흡곤란과 피로감을 느끼며 체액이 말초에 축적되어 허파울혈과 말초부종이 발생할 수 있다. 좌심실과 우심실의 기능 상실은 독립적으로 발생할 수도 있고 동시에 나타날 수도 있다. 급성 허파부종은 좌심실기능부전의 결과이다. 급성 허파부종이란 생명을 위협할 수 있는 상황으로 허파의 꽈리 공간(alveolar space)이나 사이질 조직에 장액이 과다하게 축적된 상태를 말하며 숨쉬기가 힘든 상태가 된다.

2) 임상증상

심장기능상실의 임상증상은 기능상실이 있는 심장 부위와 관련이 있다. 왼심실 기능상실이 발생하면 임상적으로 주로 허파울혈과 관계되는 증상이 나타나는 반면, 오른심실 기능상실이 발생하면 전신 정맥울혈과 말초부종의 징후가 더 잘 나타난다. 두 형태의 심장기능상실 모두에서 심한 피로감과 쇠약이 주요 증상이다.

급성 허파부종은 생명을 위협할 수 있는 내과적 응급상황으로, 허파모세혈관계에서 허파의 꽈리공간으로 액체가 갑자기 빨리 누출되는 상황이다. 신체적 또는 심리적 스트레스가 허파부종을 촉진시킬 수 있고, 짠 음식, 약물 처치에 반응하지 않는 경우, 감염 등에 의해 급성 허파부종이 유발될 수 있다.

증상의 시작은 보통 급성이다. 급성 허파부종의 일반적인 초기 증상은 약한 마른 기침이 나타나지만 발작 야간 호흡곤란으로 직접 진행할 수 있다. 천식형 쌕쌕거림(심장천식)도 나타날 수 있다. 호흡곤란과 앉아숨쉬기의 증상이 자주 나타난다. 증상이 진행하면 환자는 질식감을 느낄 수 있으며, 불안감이 갑자기 심해져서 호흡수가 증가하고 호흡곤란이 심해질 수 있다. 또한 환자는 가슴에 압박감을 느낄 수 있다. 이때 신체징후로 빠른 호흡, 호흡곤란, 기침 등이 나타날 수 있다. 청진 상 허파의 바닥에서 거품소리가 들리며 점차 심해지면 거품소리는 더 위쪽으로 진행하게 된다.

급성 허파부종이 더 심해지면, 환자는 창백하고 땀이 나게 되며 청색증과 거품이 이는 연분홍색 가래, 즉 혈액 흔적 가래가 나타난다. 급성 허파부종은 심근경색증이 발생한 직후에 왼심실 심장근육 손상이 심한 경우에 발생한다. 대부분의 환자는 누워있지 못하고 공황 상태이며 비협조적인 상태가 된다.

3) 예방 및 치과치료 시 고려사항

치과의사는 심장기능상실 환자를 치료할 경우에 특히 환자평가를 철저히 한다. 스트레스 감소법을 시행하면서 환자에게 산소를 공급하고 활력 징후를 5분마다 측정하고 기록한다.

4) 치료

- 1단계: 치과치료의 중단 및 입 안의 이물질 제거
- 2단계: P (자세)
  환자가 편안한 자세를 잡는다. 대부분의 환자에서는 곧게 선 자세가 편안한 자세다. 곧게 선 자세를 취하면 허파꽈리 안에 있는 과도한 수액이 허파의 바닥으로 모이게 되어 허파에서의 산소 교환이 더 잘 된다. 그러나 환자가 어떠한 경우라도 의식을 잃게 되면 환자를 바로 눕혀야 한다.
- 3단계: 응급 구조 요청
  심장기능부전이 있는 환자에서 급성 호흡곤란이 발생한 경우 진짜 응급 상황이므로 바로 응급 구조를 요청한다.
- 4단계: 환자의 안정
  치과의사는 환자에게 환자의 문제점에 대하여 모든

노력을 다하여 최선을 하고 있으며 응급의료팀에게 도움을 요청하였다는 사실을 설명하여 환자를 안심시키고 격려해야 한다.

- 5단계: 필요하면 기본생명소생술에서의 A-B-C를 시행.

  급성 허파부종이 있는 환자에서는 일반적으로 기도, 호흡 및 순환이 잘 유지된다.

- 6단계: D (definitive care, 결정적인 치료)

  산소를 호흡낭이 있는 얼굴마스크를 사용하여 분당 10 L 이상의 고농도로 투여한다. 응급 구조팀이 도착할 때까지 활력징후를 5분마다 측정하여 기록한다.

  치료의 목표는 환자의 호흡곤란을 완화시키는 것이다. 병원에서는 정맥절개술, 산소 및 digitalis나 이뇨제 등의 약물투여로 치료한다.

  무혈 정맥절개술은 치과에서도 시행할 수 있다. 압박띠(tourniquet)를 네 팔다리 중 세 군데 팔다리에 묶는다. 다리에서는 샅고랑 부위(groin)에서 15 cm 아래에, 팔에서는 어깨에서 10 cm 아래에 압박띠를 댄다. 팔다리 네 군데 중에서 한 번에 세 군데 팔다리에 압박띠를 댄다. 매 5~10분마다 교대로 세 군데 중 한 군데의 압박띠를 풀어 압박띠를 대지 않은 부위에 압박띠를 묶는다. 압박띠의 압력은 수축기 혈압보다는 낮고 확장기 혈압보다는 높은 압력을 유지한다. 압박띠의 원위부에서 동맥 맥박이 만져져야 한다. 무혈 정맥절개술을 시행하면 순환혈액량을 실질적으로 감소시키는 효과가 있다.

- 7단계: 이송

  급성 허파부종이 있는 환자는 추가적인 치료를 위하여 병원에 입원시켜야 한다. 일단 응급의학과 의사의 도움을 받아야 되고 허파부종에 대한 응급치료를 시행해야 한다.

- 8단계: 차후 치과치료

  환자가 병원에서 치료에 의해 안정되고 집으로 퇴원하더라도 앞으로의 모든 치과치료 시에 재발의 위험성을 줄이기 위한 대책이 고려되어야 한다.

5. 호흡곤란 시 감별진단

호흡곤란은 그 원인과 정도에 따라 다양하게 나타난다. 대부분의 경우에서 환자는 급성 호흡곤란 상황에서 의식은 소실되지 않는다. 호흡곤란의 임상증상과 징후는 호흡 곤란의 원인과 관련되어 있다. 다음을 고려하여 감별진단한 후 치료한다.

1) 병력

병력지에서 천식(asthma)과 같은 호흡기계 질환, 심부전 등의 심장질환, 과호흡증후군(hyperventilation) 등의 병력 을 확인한다. 호흡곤란 초기의 경우 환자의 의식은 유지되므로 병력을 추가로 문진한다.

2) 나이

10세 미만인 소아의 호흡곤란은 천식인 경우가 가장 많으며 과호흡증후군과 심부전은 매우 드물다. 12~40세까지의 환자에서는 호흡곤란의 원인으로 과호흡증후군이 가장 많다. 심부전은 남자에서는 50~60세, 여자에서는 60~70세에서 잘 생긴다.

3) 유발요인

호흡곤란이 있는 대부분의 환자는 생리적 또는 심리적인 스트레스를 경험하며 호흡곤란이 진행되면 스트레스도 더 증가한다. 또한 극심한 불안에 의해 과호흡증후군이 발생될 수 있다. 스트레스가 있는 상황에서는 천식이 급격히 악화될 수 있다. 잘 조절되던 심부전이 있는 환자가 스트레스를 받게 되면 이차적으로 호흡곤란이 발생할 수 있다.

4) 발작 사이의 임상증상

심부전이 있는 환자는 심장의 펌프기능상실의 정도와 비례하여 앉아숨쉬기(orthopnea), 체위부종(dependent edema), 말초청색증(peripheral cyanosis), 호흡곤란(dyspnea) 및 심한 피로감 등이 나타날 수 있다. 천식환자는 발작과 발작 사이에는 일반적으로 증상이 없으나, 일부 천식환자에서는 안정 상태에서도 거친 숨소리(noisy breathing)와 만성기침(chronic coughing) 등이 나타날 수도 있다. 과호흡증후군의 환자는 발작과 발작사이에는 임상징후와 증상이 없다.

5) 자세

심부전이 있는 환자는 임상증상의 시작이 대부분 환자의 자세(position)와 관계가 있다. 이러한 환자를 치과의자(dental chair)에 앉힌 후 바로 눕히면 호흡곤란이 점차 심해진다. 이 환자를 곧은 자세(upright position)로 앉히면 증상이 극적으로 완화될 수 있다. 대부분의 호흡곤란 환자는 곧은 자세에서 더 쉽게 숨을 쉴 수 있지만 천식과 과호흡증후군에 의한 징후와 증상은 환자의 자세를 바꾸더라도 변하지 않는다.

6) 호흡음

천식이 있는 환자에서는 일반적으로 호기 시에 쌕쌕거림, 천명음(wheezing)이 나타난다. 쌕쌕거림은 발작 야간 호흡곤란(paroxysmal nocturnal dyspnea)이나 허파부종(pulmonary edema)이 있을 때 나타나는데, 이러한 증상은 심부전 환자에서도 가능하다. 기관(trachea)이나 기관지(bronchi)가 이물(foreign material)에 의해 부분적으로 막혀도 쌕쌕거림이 나타난다. 심부전 환자에서 급성 허파부종이 생기면 거품이 나는 연분홍 가래(frothy, pink-tinged sputum)가 나온다. 과호흡증후군 환자는 정상인에 비해 숨을 깊게 쉬고 더 빨리 쉬지만, 비정상 호흡음이 나타나지는 않는다.

7) 호흡곤란과 관계되는 증상

대부분의 호흡곤란 환자는 숨참(shortness of breath)을 호소한다. 심부전의 경우에 환자를 눕히면 숨참이 점차 심해지고 운동 중에 숨참이 심해진다. 과호흡증후군의 발작 중에 나타나는 숨참은 불안(anxiety)과 관계가 있으며 질식감을(suffocation) 느끼는데, 이때의 숨참은 운동과 무관하다. 또한, 과호흡증후군은 기침과 무관하다. 천식환자에서는 급성 발작 중에 쌕쌕거림이 있으면서 숨참이 나타난다. 대부분의 천식환자는 급성 발작 사이에는 증상이 없다.

8) 말초부종과 청색증

심부전이 있는 환자는 말초부종과 청색증이 나타난다. 말초부종이 나타날 수 있는 가능한 다른 원인으로는 신장병(renal disease), 정맥류(varicose vein), 임신(pregnancy) 등이 있으며, 청색증을 일으킬 수 있는 원인으로는 심폐질환(cardiopulmonary disease)와 참 적혈구증가증(polycythemia vera) 등이 있다. 저산소증(hypoxia)과 고탄산혈증(hypercarbia)을 동반한 심한 천식환자에서도 청색증이 나타날 수 있으나 말초부종은 나타나지 않는다. 과호흡증후군이 있는 환자는 말초부종이나 청색증이 나타나지 않는다.

9) 팔다리의 감각이상

과호흡증후군으로 인한 호흡곤란인 경우 손가락, 발가락 및 입 주위가 저리고(tingling) 무감각(numbness)해진다. 이러한 증상은 천식이나 심부전의 가벼운 발병 시에도 나타날 수 있다.

10) 호흡더부근육의 사용

급성 천식환자는 숨을 충분하게 쉬기 위해 호흡더부근육(respiratory accessory muscle)을 사용한다. 급성 허파부종이 있을 때에도 호흡더부근육을 사용한다.

11) 가슴 통증

과호흡증후군 환자에서는 가슴이 무겁고 억누르는 느낌에서 전격통증(shooting pain)이나 찌르는 통증(stabbing) 등으로 표현하는 가슴 통증을 자주 호소하나 심장병의 다른 임상증상은 거의 호소하지 않는다.

12) 호흡곤란의 기간

심부전과 관계되는 호흡곤란은 환자를 곧은 자세로 체위를 바꾸면 증상이 극적으로 좋아진다. 그러나 허파부종이 있으면 결정적인 치료가 시작될 때까지 호흡곤란은 좋아지지 않는다.

대부분의 천식발작은 약물치료를 하지 않으면 상당 기간 동안 지속된다. 따라서 가능한 한 빨리 기관지확장제를 투여하는 것이 좋다. 천식 지속상태가 발생하면 내과의사의 도움을 요청한다.

과호흡증후군은 보통 약물의 치료 없이 호전되나 드물게 의사의 도움이나 입원을 시켜야 할 경우도 있다. 다행히도 치과에서 발생하는 호흡곤란의 대부분은 혈관미주신경실신이나 과호흡증후군 같은 상황이므로, 호흡곤란을 호소하는 환자를 대하면 당황하지 않고 침착하게 순서대로 치료하면서 응급 상황을 감별진단하면 될 것이다.

참고문헌

1. American Heart Association. Part 4: Adult basic life support. Guidelines for BLS and ECC, Circulation, 112: IV18-IV34, 2005.
2. Edoute Y, Roguin A, Behar D, Reisner SA: Prospective evaluation of acute pulmonary edema. Crit Care Med, 28:330-335, 2000.
3. Folgering H. The pathophysiology of hyperventilation syndrome. Mondali Arch Chest Dis, 54:365-372, 1999.
4. Gandhi SK, Powers JC, Nomeir AM, et al.: The patho-genesis of acute pulmonary edema associated with hypertension. N Engl J Med, 344:17-22, 2001.
5. Nowak RM. Acute adult asthma. In Marx J, Hockberger MD, Walls R, editors. Rosen's emergency medicine, 6 ed, St. Louis, Mosby, 1078-1096, 2006.
6. Storey PS. Obstruction of the GI tract, Am J Hosp Palliat Care, 8:5, 1991.
7. Sama A, Meikle JC, Jones NS. Hyperventilation and dizziness: case reports and management, Br J Clin Pract, 49:79-82, 1995.

CHAPTER 29

| Dental Anesthesiology | 응급의학

기도 관리와 보조 기구

학습목표

1. 기도폐쇄의 원인에 대해 설명한다.
2. 손으로 기도를 유지하고 환기를 시행한다.
3. 기도유지기를 이용하여 환자의 기도를 확보할 수 있다.
4. 마스크를 이용하여 양압 환기를 할 수 있다.
5. 후두마스크와 i-gel을 사용할 수 있다.
6. 기관 내 삽관에 대해 설명한다.
7. 반지방패연골절개술에 대해 설명한다

1. 기도의 해부학적 구조

1) 기도의 해부

전신마취 또는 진정법 시 가장 심각한 문제는 기도폐쇄나 호흡억제에 의한 저산소혈증의 발생과 그에 따른 심각한 합병증의 발생이다. 그러므로, 치과치료를 위한 전신마취 또는 진정법을 시행하는 환자에서 마취 전부터 회복 후 퇴원하기까지 주의 깊은 기도관리가 매우 중요하다. 이 장에서는 기도유지방법, 마스크 환기법, 후두마스크와 i-gel 등의 성대대문위 기도유지기(supraglottic airway)의 삽입, 기관 내 삽관법, 삽관 후 위치확인 그리고 발관 조건 및 합병증에 대하여 알아본다. 특히 기도의 손상없이 효과적인 기도유지 장비를 사용하고, 기관 내 삽관을 하기 위해서는 상기도의 해부학적인 이해가 요구된다.

(1) 비강(Nasal cavity)

비강은 구강 이외의 또 다른 기도를 제공하고, 코기관삽관 시 기관 튜브를 고정해주는 역할도 제공하지만 때때로 코폴립(nasal polyp)이나 코중격만곡증으로 막힐 수도 있다. 코기관삽관에서 앞콧구멍으로 열린 비강의 구조를 파악해야 한다. 비강은 코중격에 의해 좌우로 나뉘어 있으며 코중격은 서서히 구부러져 있어 오른쪽과 왼쪽의 비강의 크기가 다른 경우가 많다. 코중격은 벌집뼈 수직판, 보습뼈, 그리고 코중격 연골로 구성되어 있으며, 바깥벽에서부터 위·중간·아래 콧길을 형성하고 있다. 뒤쪽으로 뒤콧구멍을 통해 인두와 연결되어 있으며 코눈물관의 개구부도 존재한다. 이들 코선반의 점막이나 점막밑조직은 혈류가 풍부하며 특히 중격 앞뒤의 Kiesselbach 부위에는 모세혈관이 다수 존재하므로 손상을 입기 쉬워 출혈이 발생할 수 있다. 그러므로 코기관삽관을 할 때 조작을 부드럽게 하여 가급적 손상을 적게 하도록 하며 무리한 조작은 금물이다. 비강의 기능으로 들숨의 가습, 가온과 먼지를 제거하는 정화작용이 있으나, 기관 내 삽관에 의해 이와 같은 기능이 사라지므로 삽관 후에는 가온가습서킷을 사용한다.

(2) 구강(Oral cavity)

구강은 본래 소화관이 시작되는 곳으로 성인에서는 호흡기능에 크게 영향을 주지 않으나 소아에서는 구호흡을 할 때 기도저항이 감소된다는 점에서 큰 의미를 가진다. 삽관 조작을 할 때 입을 벌리는 각도나 치열의 상태, 구강·혀·입천장의 크기가 문제가 된다. 혀는 크면서도 유동성이 있으며, 아래턱뼈, 목뿔뼈(hyoid bone), 후두덮개(epiglottis)와 붙어 있기 때문에 마취환자에서 기도폐쇄의 가장 흔한 원인이 된다.

(3) 인두(Pharynx)

인두의 통로는 코 뒤쪽에서부터 식도가 시작되는 반지연골까지 내려간다. 인두는 위·중간·아래의 세 부분으로 나누어져 각각 물렁입천장(soft palate) 위쪽은 코인두(nasopharynx), 물렁입천장 아래쪽부터 목뿔뼈까지는 입인두(oropharynx), 목뿔뼈 아래쪽부터 반지연골까지는 후두인두(laryngopharynx)라고 하며 아래쪽으로는 식도와 연결된다. 앞쪽으로 비강, 구강 그리고 후두와 연결되어 있다(그림 29-1).

코인두는 림프조직이 발달해 있고 귀관 개구부가 있으며, 코기관삽관으로 이 부위가 손상되면 귀관막힘이 생길 수 있다. 아데노이드(adenoids)는 나비뼈(sphenoid bone)를 싸고 있으며 소아기가 지나면 차차 위축되지만 코기관삽관 시에 출혈이나 기도폐쇄의 원인이 되기도 한다. 물렁입천장도 마취 중에 날숨의 흐름을 차단할 수도 있다. 코 아래는 입인두로 제2, 3번 목뼈 부위가 되는데 목구멍(fauces)을 통하여 구강과 연결된다.

입인두에는 입천장편도가 존재하여 입천장편도가 커짐으로 비호흡이나 구호흡에 장애가 생길 수 있다. 마스크로 환기할 때 호흡저항이 강하게 나타날 수 있어 주의가 필요하다. 그리고 코기관삽관 시 튜브삽입의 방해, 편도 손상이나 편도에 의한 기도폐쇄, 출혈과 같은 합병증을 만들 수 있으므로 무리한 조작은 절대 하지 않도록 한다.

후두인두는 후두 및 식도와 연결되고 제6번목뼈 위치에서 식도와 만난다. 그곳에서 아래인두수축근의 아래쪽(반지인두; cricopharyngeus)이 반지연골에 부착하여 위 식도 조임근을 이룬다. 목을 신전시킨 상태에서 목뼈에 대해 외부에서 반지연골을 압박하는 것(Sellick's maneuver)은 식도를 압박하여 위식도 내용물의 역류를 막아준다.

(4) 후두(Larynx)

성인의 경우 목의 앞부분, 즉 제4~6번 목뼈 부위에 위치하고 있는 후두(larynx)는 발성기관이며 소화관을 통과하는 음식물로부터 하기도를 보호하는 판막 역할을 한

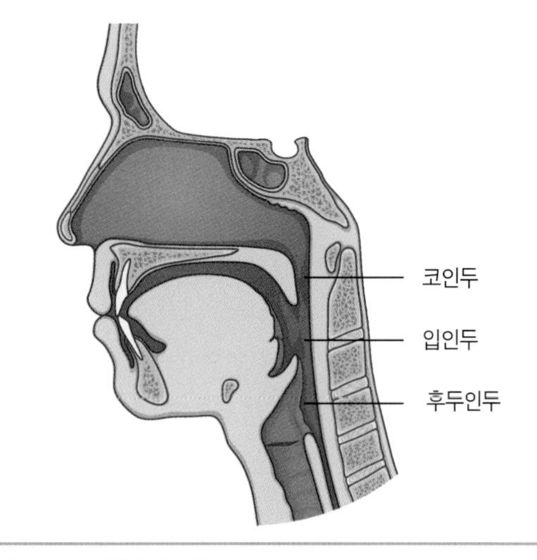

그림 29-1. 인두 시상면

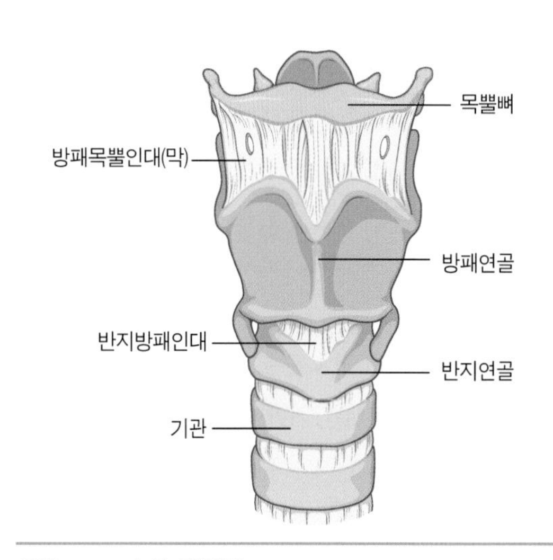

그림 29-2. 후두 관상면

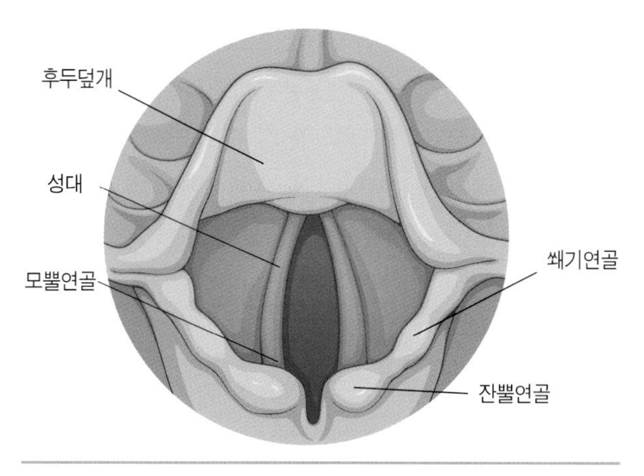

그림 29-3. 성대문

다. 후두는 연골, 인대, 근육 등으로 이루어져 있으며 기도관리에서 중요한 부분이다. 세 개의 단일 연골(방패연골; thyroid cartilage, 반지연골; cricoid cartilage, 후두덮개연골; epiglottic cartilage)과 쌍을 이루는 세 개의 연골(모뿔연골; arytenoid cartilage, 잔뿔연골; corniculate cartilage, 쐐기연골; cuneiform cartilage)이 후두를 이루고 있다(그림 29-2, 3).

성대(vocal cord)는 들숨 때 벌어져서 성대문틈새(rima glottidis)가 삼각형이 되는데 8세 이상에서 상기도의 가장 좁은 부분이다. 8세 이하의 어린이에서는 반지연골 부위가 가장 좁다. 성대는 앞쪽으로는 갑상연골에 붙고 뒤쪽으로는 모뿔연골에 붙는다(그림 29-3).

세로축에 직각의 단면으로 본다면 성인의 후두덮개는 반원형으로 되어 있다. 영아의 경우 혹은 드물게 몇몇 성인에서는 더 길고 Ω(오메가)모양을 하고 있으며, 이로 인해 성대문의 시야를 방해할 수 있다. 유아의 기도는 성인에 비해 표 29-1에 나타난 해부학적 특징 때문에 기도유지가 더 어렵다.

후두덮개계곡(vallecula)은 정중 및 가쪽 혀덮개주름(median and lateral epiglottic fold) 사이의 함몰부위를 말한다. 성대문을 보고자 할 때, 곡날 후두경을 사용해 후두덮개계곡 아래의 목뿔후두덮개 인대(hyoepiglottic ligament)를 누름으로써 간접적으로 후두덮개를 들어 올린다.

표 29-1. 유아와 성인 상기도의 해부학적 비교

	유아	성인
머리	비교적 크다	비교적 작다
혀	비교적 크다	비교적 작다
후두덮개	길고, 얇고, 낭창낭창하며 Ω(오메가) 모양 기관에 45도	짧고, 넓고, 납작하고, 더 유연하고 기관에 평행
후두입구	들숨 때 벌어져서 3~4번 목뼈 높이에 위치	4~5 번 목뼈 높이에 위치
반지연골	4~5번 목뼈 높이에 위치	6번 목뼈 높이에 위치
가장 좁은 부위	반지연골	성대문 대문틈새

비록 여자와 어린이에서는 구별하기 쉽지 않지만 위 방패패임(superior thyroid notch)은 목의 앞쪽에서 가장 뚜렷한 표지가 된다. 반지방패인대(cricothyroid ligament)는 방패연골과 반지연골 사이의 함몰부위로, 기관내로 국소마취제를 주사하거나 응급 시 기도확보를 위하여 큰 주사바늘로 천자를 하거나 반지방패연골절개술(cricothyroidotomy)을 하는 부위가 된다(그림 29-2).

후두는 미주신경(vagus nerve)의 두 개의 가지인 위후두신경(superior laryngeal nerve)과 되돌이후두신경(recurrent laryngeal nerve)의 지배를 받는다. 후두를 형성하는 근육 중 반지방패근(cricothyroid muscle)만 위후두신경이 지배하고 다른 것은 되돌이후두신경이 지배한다. 갑상샘절제술이나 상해 등으로 양측 되돌이 후두신경이 손상되면 위후두신경의 작용만 남아 반지방패근이 수축하고 성대가 닫혀 급성 기도폐쇄가 일어나게 된다.

이물질이 침입하면 반사적으로 후두근이 수축하여 기도가 폐쇄된다. 전신마취 유도 시에 잘 발생하는 후두경련은 이 반사가 과다해지기 때문에 나타난다. 그리고 후두점막을 자극할 때 발생하는 기침반사(barking)는 전신마취에서 각성될 때 잘 나타난다.

(5) 기관(Trachea)

기관은 성인의 경우 길이가 15 cm 정도이고 반지연골부터 기관갈림(tracheal carina)까지를 말한다. 20개의 C자형 연골과 섬유탄성조직으로 이루어져 있고, 지름은 2.5 cm 정도이다. 기관갈림과 기관은 호흡이나 순환동태, 머리의 위치에 의해 이동하여 기관내관(endotracheal tube)의 위치에 영향을 주기 때문에 주의해야 한다. 말발굽 모양의 기관연골들은 뒤쪽으로 기관근(trachealis muscle)에 의하여 연결되어 있으며 단면이 D 모양을 하고 있어서 굴곡후두경시 기관지와 구별이 쉽다. 팽창된 대동맥활, 선천성 혈관이상, 앞가슴세로칸 종괴, 큰 림프절 등이 기관을 압박하여 환기를 방해할 수도 있다.

성인에서 오른기관지는 왼기관지에 비해 지름이 크고, 기관갈림으로부터 오른위엽기관지까지의 길이가 1.8 cm으로 왼쪽 5 cm에 비해 짧다. 또한 기관과 이루는 각도가 20° 정도로 왼쪽 45°보다 예각을 이루기 때문에 음식물의 흡인이 주로 오른쪽 폐에 많이 생기고, 기관 내 삽관 시에도 오른기관지 내 삽관이 자주 일어난다. 그러나 신생아 때에는 두 기관지와 기관축이 이루는 각도가 거의 같아서 오른기관지 내 삽관이 될 확률이 낮다.

2) 기도 관리

환자의 술전 기도평가는 기도관리의 어려움을 예상할

표 29-2. 어려운 기도관리 요인

해부학적 요인	• 짧고 근육이 발달한 목/목의 운동제한 • 돌출된 위턱의 앞니/치아의 결손 또는 부적절한 의치의 위치 • 좁은 구강/길고 높은 입천장활 • 입을 벌리기 어려운 경우 • 아래턱이 작은 경우	• 납작한 코 • 얼굴이나 머리가 큰 경우 • 수염 • 유방이 크거나 가슴이 돌출된 경우 • 임신 말기
병적 요인	• 과민성 기도부종 • 관절염 및 강직증(목뼈, 턱관절) • 후두관절염 • 선천성 이상: Apert 증후군(위턱뼈가 작음) 다운증후군(Trisomy21: 큰 혀, 작은 입, 후두경련이 흔함) 눈귀척추형성이상(oculoauricularvertebralsysplasia: 턱이 작고 목뼈에 기형이 동반) Klipel-Feil증후군(두세 개의 목뼈 융합) Pierre-Robin증후군(작은 아래턱, 입천장갈림증, 작은 입, 큰 혀) Treacher Collins증후군(턱얼굴뼈발생이상, 작은 입) Turner증후군(어려운 기도, 작은 턱)	
	• 내분비 기능 이상: 비만, 말단비대증, 갑상샘저하증, 갑상샘종	
	• 염증: Ludwig's angina (구강저), 편도주위 고름집, 뒤인두 고름집, 후두덮개염, 가슴세로칸종괴, 근긴장증이나 입벌림장애와 같은 근병증, 화상이나 방사선 조사로 인한 흉터, 외상 및 혈종, 종양 또는 물혹	
기술적 또는 기계적 요인	• 전신석고붕대 • Halo 고정술 또는 목 고정대(cervical collar) • 마스크 고정이 어려운 경우: 무치(edentulous) • 코위영양관 • 조급 또는 기술 및 경험부족	

수 있으므로 대단히 중요하다. 성인의 경우 정상적인 기도를 가진 환자의 특징은 다음과 같다.

- 이전에 후유증 없이 정상적인 기관 내 삽관을 했던 환자
- 평범한 외모와 목소리
- 얼굴이나 목에 방사선 치료 과거력이 없으며 특별한 통증이나 부종, 종괴, 흉터가 없음
- 똑바로 누워 목을 잘 움직일 수 있고 코로 숨을 쉬며, 입을 크게 3~4 cm (손가락 두 개 너비)이상 벌릴 수 있으며 혀가 지나치게 크지 않고 수면 중 코를 골지 않음
- 입을 크게 벌리고 '아' 소리를 낼 때 목젖과 양쪽 편도 및 뒤인두공간이 잘 보임

표 29-3. 병력상 기도관리에 문제가 되는 경우

병력소견	문제점
마른기침	기관 기관지 압박
출혈성 소인	코피
만성 당뇨	목운동장애
심한 코골이	연부조직 폐쇄
주요 외상	목불안정, 혈종
목 부위 방사선 조사	섬유화, 운동장애
흡연	타액분비, 기침, 후두경련
위식도역류증	흡인가능성, 폐렴

- 목이 가늘고 길며 목을 뒤로 젖혔을 때 방패연골에서 턱뼈까지의 거리가 6.5 cm (세손가락 너비) 이상
- 지나치게 뚱뚱하지 않고 목을 45° 정도 뒤로 젖힐 수 있음

기도관리가 어려운 요인으로 해부학, 병적, 기술적 요인이 있다(표 29-2).

이러한 요인들은 마스크 고정, 머리와 목의 위치 잡기, 입 벌리기 등을 방해하고, 기도폐쇄, 조직의 변형이나 운동장애를 가져온다. 환자의 병력 청취(표 29-3) 로부터 정보를 얻을 수도 있으나 대부분의 문제점은 환자의 자세, 습관, 안면, 구강, 턱, 목 등을 철저히 조사한 후에 밝혀지게 된다.

이학검사는 정면을 보고 앉은 상태에서 정면과 측면을 보고, 입을 벌려보며(Mallampati 기도 분류, 그림 29-4), 혀를 내밀어 보고, 다시 입을 다물고 목을 뒤로 젖힌다. 입 안에서는 목구멍을 보고, 치아의 상태를 보아 흔들리거나 결손 또는 손상된 치아가 없는지 확인하여 마취 후에 흔히 발생할 수 있는 법적문제에 대비한다. 머리가 정상 위치에 있을 때 입을 벌려보고 평가하며, 머리를 뒤로 젖혔을 때 턱에서 위방패패임까지 길이를 잰다. 목뿔뼈, 위방패패임, 반지방패인대 등을 각각 만져보고 크기, 굳기, 움직임 등을 평가한다(표 29-4).

환자의 숨소리로 상기도의 이상을 알 수 있다. 외상이

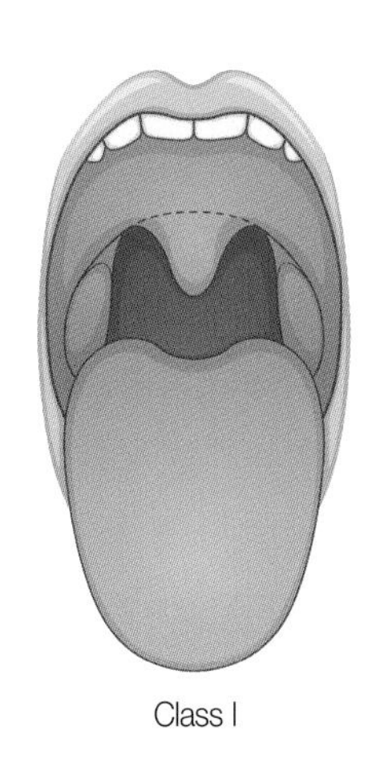

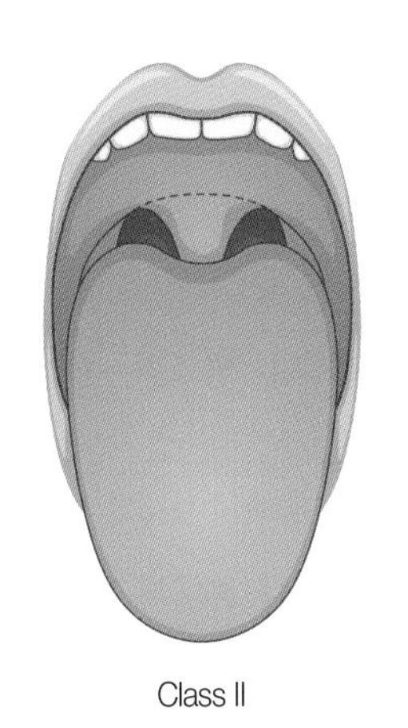

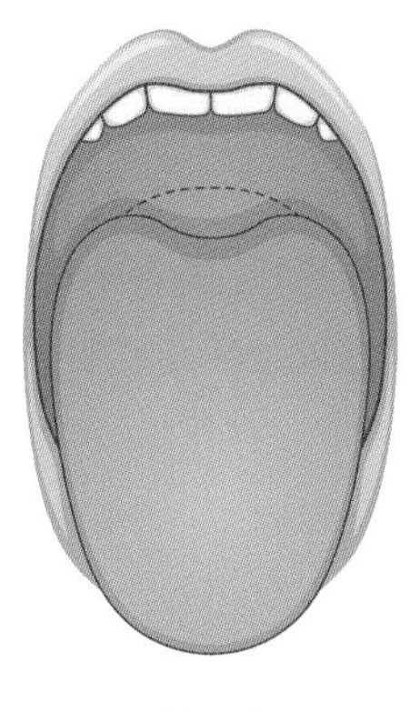

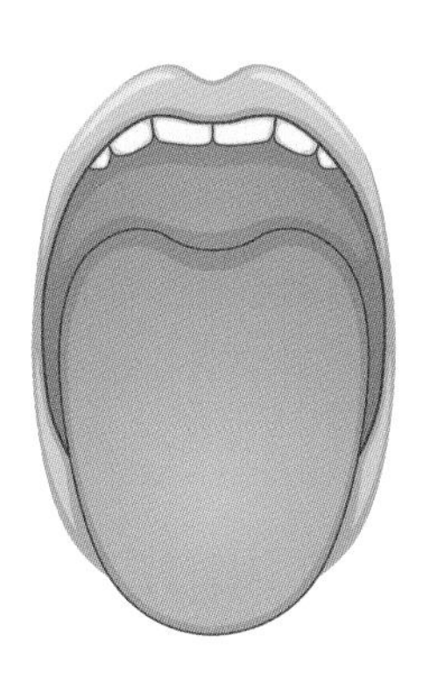

그림 29-4. 기도 삽관 난이도 평가를 위한 Mallampati 기도분류

표 29-4. 기도관리의 어려움을 예측할 수 있는 이학적 검사소견

이학적 소견	문제점
비만	기도폐쇄, 흡인, 흉벽 탄성 감소, 큰 혀 또는 목의 운동범위 제한으로 후두경술 곤란
임신	흡인, 큰 유방으로 인한 후두경술 곤란, 점막종창으로 출혈
복수	흡인, 흉벽 탄성 감소
수염, 납작코, 넓은 안면	마스크 적용 곤란
입벌리기 < 40 mm	위턱치아로 인하여 성대문시야 감소
목뿔뼈에서 목-후두 신전각도 < 160°	성대문 시야를 위한 구강과 인두의 정렬 곤란
짧고, 굵고, 근육질인 목	연부조직으로 인한 기도폐쇄, 삽관이나 마스크환기 시 목의 신전 곤란
방패연골-턱 < 60 mm, 작은 턱	혀의 이동이 쉽지 않아 성대문 노출 어려움, 성대문이 너무 앞으로 위치하여 보기가 어려움
앞니 결손, 우측치아	후두경 날은 결손치아 부위로 들어가서 입을 벌려주지 못하고, 우측의 치아나 입술, 잇몸은 성대문의 시야나 기관 튜브의 진행을 방해
무치, 아래턱 위축	작아진 얼굴, 얼굴의 주름 등이 마스크 적용을 방해, 혀와 연구개가 날숨의 흐름을 방해
돌출된 위턱의 앞니	성대문 시야를 방해
충치, 동요치아, 크라운, 가공의치	치아손상, 부러진 치아의 기관내 흡인, 기관내관의 커프 손상
흉벽 퇴축, 쌕쌕거림	기도폐쇄
애성	성대이상, 기도이물
수중음	후두덮개나 후두덮개계곡의 낭종
코위영양관	마스크 적용 곤란
입을 충분히 벌려도 목구멍과 연구개가 잘 안보일 때(Mallampati's sign 3, 4)	후두경으로 성대문을 보기 힘듦
기관 변위를 동반한 갑상샘종, 종양	성대문 시야 확보곤란, 기도폐쇄, 기관 협착
기관 절개 흉터	기관 협착

나 종양으로 조직의 변형이 생긴 경우에는 방사선 검사를 시행한다. 측면 경추방사선 사진, 단층촬영(CT), 자기공명영상(MRI) 등으로 척추손상과 기도압박 정도 등을 확인할 수 있다. 기관삽관 가능성에 의문이 남아 있으면 국소마취나 진정 상태에서 후두경이나 굴곡후두경을 사용하여 기도를 조사하여 각성 하에 삽관이 필요한지 보편적인 방법(수면과 근이완)으로 할 것인지를 결정할 수 있다.

3) 기도폐쇄, 저환기, 무호흡, 탈질소

기도폐쇄는 항상 가능성을 염두에 두고 세심한 관찰을 해야만 발견할 수 있다. 호흡의 확인은 환자의 반응을 확인하면서 동시에 얼굴과 몸통을 짧게 관찰하여 정상적인 또는 비정상적인 호흡이 있는지 10초 이내로 관찰하여야 한다. 부분 기도폐쇄 환자는 위쪽 가슴우리 수축이 일어나고, 코인두폐쇄인 경우는 코 고는 소리를 내고, 후두 근처가 막히면 흡기 그렁거림(inspiratory stridor)이 들린다. 환자가 숨을 쉬려는 노력이 커지면 상기도가 흡기성 협착이 일어날 수 있다.

치료는 연조직, 종양, 이물질, 후두경련 등의 원인에 따라 달라진다. 상기도 폐쇄의 경우 대부분 혀와 턱이 이완되어 혀뿌리와 인두벽 사이가 좁아져서 생기는 것으로 이물질이나 틀니도 비슷한 폐쇄 증상을 일으킬 수 있다. 이물질이 없는 경우는 턱뼈각(mandibular angle)을 들어 올려 아래턱뼈가 밑으로 떨어지는 것을 막고, 환자의 목을 약간 뒤로 젖혀 기도를 유지하도록 한다. 입인두폐쇄의 경우 호흡주머니를 사용하여 입인두에 양압을 가하는 양압호흡을 통해 해결할 수 있다. 마스크로 양압호흡을 실시하면 위장 속으로 공기가 유입될 가능성이 있으므로 1회 호흡량이 1 L를 넘지 않고 기도압이 20 cmH_2O보다 작게 유지하도록 한다. 의식이 없거나 마취된 환자에서 기도를 유지하기 위해서는 기도유지기를 삽입해야 한다. 얕은 마취의 환자도 코인두 기도유지기에 비교적 잘 견딘다. 기도유지기는 혀뿌리 뒤를 지나서 인두 속으로 충분히 깊게 삽입하도록 한다. 코피가 나거나 통기가 되지 않을 경우에는 입인두 기도유지기를 삽입한다. 그래도 기도 유지가 잘 이루어지지 않을 경우에는 베개를 이용하여 고개를 뒤로 젖힌다. 이러한 시도가 효과적이지 못하면 기관 내 삽관을 실시해야 한다.

대기 중에서 저환기로 폐포환기가 1.5 L/분 이하가 되면 저산소증이 생기므로 산소를 투여해야 한다. 흡입산소농도(FiO_2)가 50%에서는 건강한 성인이면 폐포환기 0.5 L/분에서도 헤모글로빈의 산소포화도가 95% 이상을 유지할 수 있다. 흡입산소농도 100%에서 환자의 기도가 폐포까지 열려 있다면 무호흡 중이라도 헤모글로빈 산소포화도(SpO_2)가 100%를 유지할 수 있다. 이러한 무호흡성 산소화를 기도수술 중에 이용할 수도 있다. 탈질소와 마취 전 산소투여(preoxygenation)는 무호흡 발생 시 안전역을 넓혀준다. 탈질소 방법은 배기 밸브(exhaust valve, pop-off valve)를 완전히 열어서 과도한 기도압 상승을 방지하고, 산소유량은 8~10 L/분을 유지하며, 마스크를 잘 밀착시켜 대기가 섞이지 않도록 하고, 일회호흡량 호흡을 2~3분간 하거나 또는 폐활량 호흡을 4회 시킨다.

전형적인 성인은 1분에 250 ml의 산소를 소모하며 기능잔기용량(functional residual capacity, FRC)은 2,500 ml 가량이다. 흡입산소농도가 21% 이하일 때 FRC는 500 ml 이하의 산소를 포함하고 있어서 2분간의 대사요구량에도 미치지 않는 양이 된다. 100% 산소로 탈질소 후에는 FRC는 8~10분간 쓸 수 있는 산소를 포함하게 된다. 호기가스를 분석해 보면 폐포의 산소농도를 90% 이상으로 증가시킨다. FRC를 90% 산소로 채우고 있는 환자가 기도폐쇄로 무호흡이 8분간 지속될 경우 $PaCO_2$가 70 mmHg로 될 때까지도 심한 저산소증은 오지 않았다. 특별한 질병(뇌압증가, 폐고혈압)을 제외하고는 고탄산혈증은 저산소혈증에 비해 심한 문제를 일으키지 않는다. 영아, 산모, 비만환자에서는 산소소모는 증가하고 FRC는 감소하므로 주의해야 한다.

4) 기관삽관 없는 기도관리

기관삽관 없는 기도관리는 안면 마스크, 후두마스크(laryngeal mask airway, LMA), i-gel 등을 사용할 수 있다.

(1) 안면 마스크 환기

마스크 환기는 기관 내 삽관을 하지 않은 환자에서 산소나 아산화질소, 흡입마취제 등 흡입약제를 투여하고 환기

표 29-5. 환기 평가

적절환기	부적절 환기
정상호흡음	그렁거림, 쌕쌕거림, 발성, 코골이
갈비뼈 하부의 규칙적인 상승 하강	갈비뼈 하부의 운동이 없거나 점차적인 확장
가슴이 갈비뼈 하부보다 먼저 또는 동시상승	갈비뼈 하부 확장 시 가슴 하강
호기 시 호흡 주머니가 즉시 채워짐	채워지지 않는 호흡 주머니
적절한 일회환기량 유지	감소된 일회환기량
정상 호기말 이산화탄소 곡선 및 농도	호기말 이산화탄소 곡선에 편평한 부분이 없고 비정상적으로 높거나 낮은 경우
$SpO_2 > 97\%$	$SpO_2 < 95\%$
정상활력징후, 심전도	빠른맥, 느린맥, 부정맥, 저혈압, 고혈압, 빠른호흡

보조를 하거나, 진정법 시 환자가 무호흡일 때 Bag-valve-mask이나 인공호흡기를 이용한 인공 환기 등에 사용하는 방법이다.

① 환기의 적절성 평가와 상기도 폐쇄

동맥혈 가스분석 없이 환기의 평가는 어려우므로 여러 가지 다른 지표로 관찰할 수 있다(표 29-5).

마스크 환기 시 일회호흡량의 감소나 사강의 증가로 호기말이산화탄소농도($ETCO_2$)는 실제보다 낮게 측정되므로 정확하게 폐포농도를 반영하지 못한다. 맥박산소측정기(pulse oximeter)를 통한 산소포화도는 실제보다 20초~1분가량 느리게 반영된다. 그럼에도 불구하고 맥박산소측정기는 마스크 환기 시 안정성에 도움이 되는데 이는 다른 저산소증의 징후가 덜 예민하고 신뢰성이 적기 때문이다.

기도폐쇄는 발견 즉시 해결해야 한다. 그 이유는 첫째로 탈질소화 후라도 저산소증은 위험하기 때문이다. 둘째로 기도폐쇄가 있을 때 양압환기를 시도할 경우 공기가 위로 들어가서 위압을 증가시키고 FRC를 감소시킨다. 위압의 증가는 자발흡기 시 위-식도압력차를 증가시켜서 식도로의 역류가 쉽게 일어난다. 셋째로 기도 내 음압은 폐부종을 유발할 수 있다.

② 환기를 위한 체위(그림 29-5)

마취 중 상기도 폐쇄는 후두덮개와 혀뿌리에 연결된 턱끝혀근(genioglossus m.)과 턱끝목뿔근(geniohyoid m.)이 이완되어 일어난다. 상기도의 개방을 위해 머리 밑에 8~10 cm되는 베개를 두고 목후두관절을 신장하여 냄새 맡는 자세(sniffing position)를 하는 것이 좋은데, 후두가 발달된 어린이는 베개가 없어도 된다. 아래턱을 앞쪽으로 당기는 것은(jaw thrust) 목뿔, 후두덮개, 혀를 앞쪽으로 이동시켜 기도유지를 개선시킨다. 마스크로 양압환기 시 공기를 폐로 이동시킬 수 있으나 호기 시에 폐쇄현상이 발생하는 경우가 있는데, 이런 일방적인 폐쇄는 기도 유지기를 사용하면 해결할 수 있다. 방사선이나 굴곡후두경 검사로 보면 후두덮개 자체가 기도를 폐쇄하여 기관삽관은 물론 어떤 방법으로도 개선되지 않는 경우도 있다. 상복부 압력을 감소시키고, 흉부벽탄성 개선과 FRC 유지를 위해서 수술대의 머리 쪽을 높이는 방법도 있다. 구토 시에는 신속하게 상체를 낮추고 머리를 옆으로 돌려서 기도 내로 흡인되기 전에 인두로부터 이물질을 제거하도록 한다.

③ 안면 마스크 적용

마스크가 얼굴에 잘 맞지 않으면 양압호흡이 어렵고, 마취가스로 수술실 및 대기가 오염된다. 마스크 적용 시 윗부분은 콧날의 가장 낮은 부분에 닿게 하고 왼손으로는 턱을 들어 올려 쿠션에 붙게 한다. 왼손의 자뼈 쪽 세 손가락으로 아래턱을 위로 당기고 엄지와 검지로 마스크의 위

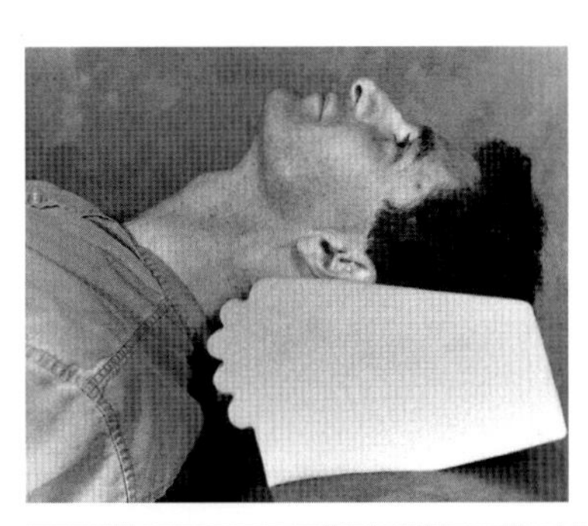

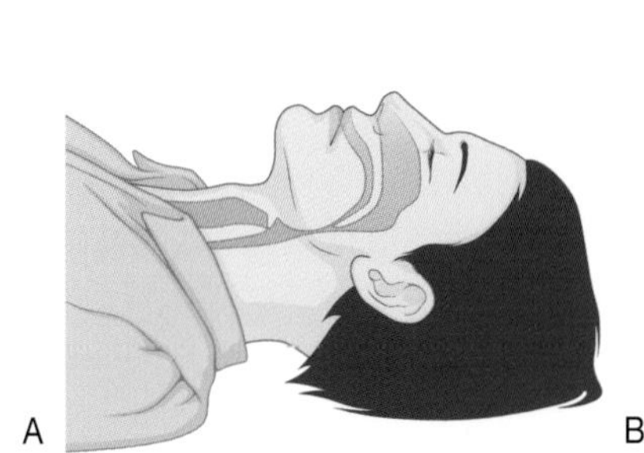

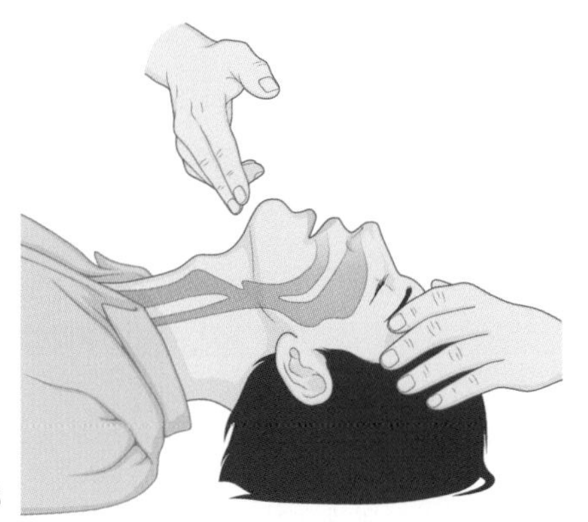

그림 29-5. 환기를 위한 체위(sniffing position): 베개(popitz pillow)를 이용한 기도개방
(A) 베개없이 바로 누운 상태: 기도폐쇄 (B) 머리를 젖히고 턱 당기기(head tilt, chin lift): 기도개방

아래를 고정한다. 손의 피로를 줄이기 위해 마스크 고정끈을 사용하기도 하지만, 안면피부 또는 신경의 압손상이나 구토물에 대하여 주의해야 한다.

일회용 투명 마스크는 분비물, 구토물, 청색증 등을 볼 수 있고, 호흡에 따라 입김이 끼고 없어지는 것으로 호흡의 유무를 알 수 있다. 크고 부드러운 쿠션은 코가 납작한 환자에서 편리하나 일회용을 사용하는 것은 점차 타당성을 잃어가고 있다. 유아에서는 Rendell-Baker Soucek 마스크를 사용하는데 사강을 최소화해 준다. 엄지와 검지는 다른 마스크 때와 같지만 턱은 세 번째 손가락만으로 충분히 올릴 수 있다.

치아가 없어 볼에 주름이 생긴 경우 입인두기도유지기를 사용하면 볼이 늘어나 마스크 적용이 개선된다. 다른 방법은 볼에 거즈를 넣거나, 아래입술과 이틀능선(치조제, alveolar ridge) 사이에 마스크의 쿠션을 넣을 수 있다. 또한 의치를 주의하면서 그대로 사용하는 방법 등이 있다. 기도유지가 어려운 환자의 경우, 양손을 사용해야 마스크의 적용 및 환기가 가능한 경우가 있으며, 이 때는 다른 사람이 호흡 주머니를 짜주어 호흡을 돕는다(그림 29-6).

④ 양압 환기

마스크를 사용하여 양압호흡 시 기도압이 20 cmH_2O (15 mmHg)이상이 되면, 위에 가스가 들어 갈 수 있다. 얕은 마취가 된 환자에서 부드럽게 얕은 호흡을 하는 것이 갑자기 큰 호흡을 시키는 것에 비해서 기침을 하거나 위로의 가스 흡입 가능성을 감소시킨다. 자발호흡환자에서 5~10 cmH_2O의 지속기도양압(continuous positive airway pressure, CPAP)은 인두의 연조직을 분리하여 기도를 열어 주어 기도유지기가 필요 없게 한다.

마스크에 의한 양압환기를 시행하기 전에 기도평가를 하여 기도 유지가 용이하다고 판단되면 진정제, 아편유사제, 근이완제를 투여하여 조절호흡을 즉시 시도할 수 있으나 마스크에 의한 양압환기가 어렵다고 판단할 경우 탈질소를 한 후 마취유도를 하여 심도를 점차 깊게 한다. 환기조절은 자발호흡(spontaneous breathing)에서 보조호흡(assisted respiration)을 유지한 후 궁극적으로 조절호흡(controlled respiration)을 할 수 있다. 호흡에 문제가 생기면 마취 심도를 낮추어 자발호흡을 유도한다. 환기에 확신이 서지 않으면 무호흡을 초래할 정도의 진정제, 수면제, 근이완제 등을 투여하지 말아야 한다.

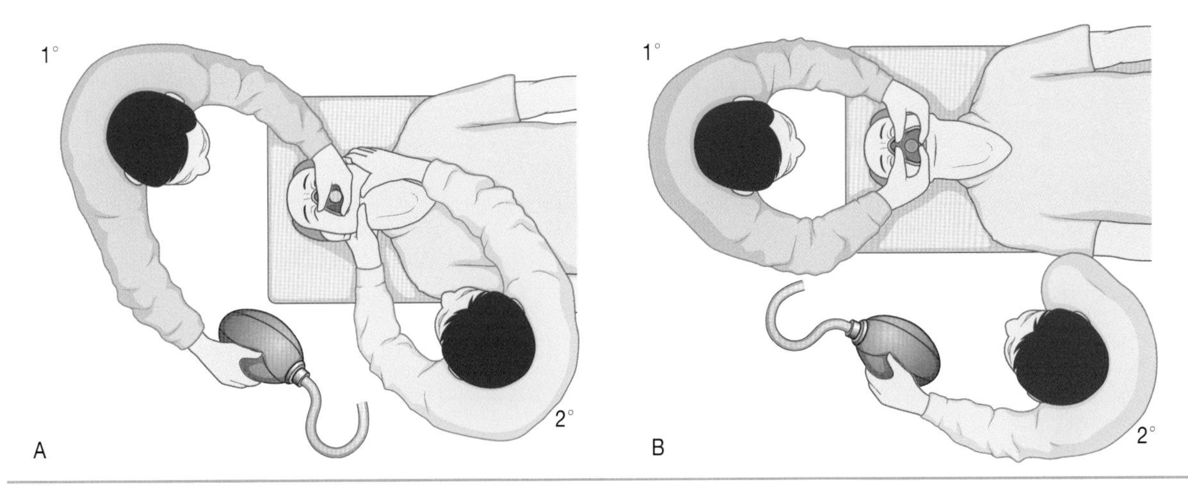

그림 29-6. 두명에 의한 적절한 마스크 호흡법
(A) 한 명이 마스크 호흡을 실시하며 나머지 사람은 턱당기기술식으로 기도유지보조. (B) 한 사람은 두손으로 마스크 적용과 턱당기기술식으로 기도유지를 하고 나머지 사람은 호흡주머니만 짜준다.

⑤ 신경근 차단제

신경근 차단제의 사용은 기도관리에 도움이 되지만 위험을 증가시킬 수도 있다. 신경근 차단제의 사용은 저작근을 이완시켜서 입을 쉽게 열 수 있게 하여 후두경이 혀의 연한 점막에 손상을 주지 않도록 하며, 기침, 후두경련, 흉부근육의 경직 등 불필요한 반응을 없애준다. 10~20 mg의 석시닐콜린(succinylcholine)의 정맥주사는 후두경련 시 상기도 근육을 이완시켜서 환기를 가능하게 해준다. 외상, 종양, 부종, 농양 및 외부로부터 기도 압박 등이 있을 경우 신경근차단제의 사용은 되돌릴 수 없는 기도폐쇄를 초래할 수 있으므로 주의해야 한다. 신경근차단제는 마스크로 환기가 어려울 경우 조심해서 사용해야 한다.

(2) 기도유지기

입인두 기도유지기(oropharyngeal airway, OPA)의 사용은 기도폐쇄가 있을 때, 혀뿌리에 자극이 가도 견딜 만큼 아래턱의 근육이 이완되고 구역반사가 사라졌을 때 사용한다. 먼저 적절한 크기의 OPA를 선택하여야 하는데, 얼굴 옆면에 대보았을 때, OPA의 날개부분이 입꼬리에 OPA의 끝 부분이 턱뼈각에 위치하는 것이 적절하다. 오른손의 엄지와 검지 또는 중지로 가위질하는 것처럼 입을 벌리고 왼손으로 설압자를 가지고 혀뿌리를 앞쪽으로 들어올리고 OPA를 혀와 인두 후벽 사이로 삽입한다. 환자가 설압자를 넣을 때 반응을 보이면 OPA 삽입을 미룰 수 있고, 이때의 자극 자체가 기도상태를 개선시킬 수 있다. 기도반응을 완화시키기 위해 흡입마취제 농도를 점차로 높여서 마취 깊이를 증가시킬 수 있으며 다른 방법으로 아편유사제, 수면제, 신경근 차단제를 사용할 수 있다.

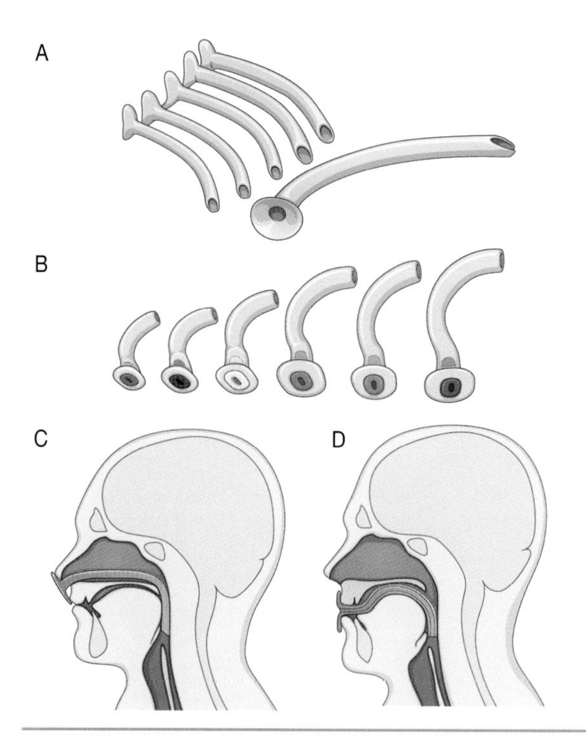

그림 29-7. 기도유지기 종류와 코인두, 입인두 기도유지기의 적절한 크기에 따른 올바른 위치
(A,C) 코인두 기도유지기 (B,D) 입인두 기도유지기

코인두 기도유지기(nasopharyngeal airway, NPA)는 입을 꽉 다문 환자가 연조직 폐쇄가 있거나, 구역반사가 있으면서 기도폐쇄가 있을 때 사용한다(그림 29-7).

NPA의 크기는 날개 부분이 코에, 끝 부분이 귓볼에 위치하는 것이 적절하다. 적당한 크기의 NPA를 골랐으면, NPA를 삽입하기 전에 미리 비강 내에 국소혈관 수축제를 도포하고 NPA를 따뜻하게 한 상태에서, NPA에 윤활제를 바른다. NPA 끝 부분의 잘린 면이 코사이막을 향하게 한 상태로, 날개 부분이 콧구멍에 닿을 때까지 코인두 바닥의 자연스러운 굴곡을 따라 조심스럽게 삽입한다. 마취나 외상 등으로 기도폐쇄가 생겼을 경우에는 기관삽관이 필요하지만, 기관삽관이 불가능하거나, 숙련된 사람이 없을 경우 후두마스크나 i-gel, 콤비튜브로 식도 내 삽관을 시도할 수 있다. 이들 기구는 혀와 물렁입천장, 후두덮개 등을 인두후벽과 분리함으로써 기도를 확보하는 방법이므로 외상, 기침, 후두경련, 역류, 구토 등의 부작용이 생길 수 있다. 윤활제의 사용, 부드러운 시술, 구역반사의 억제 등으로 합병증을 감소시킬 수 있다.

(3) 후두마스크(Laryngeal mask airway, LMA)

후두마스크는 후두 위에 위치하도록 고안되었으며, 마스크 고정을 위해서 손을 아래턱과 마스크에 지속적으로 적용할 필요가 없다. 후두마스크는 타원형의 마스크에 연결되는 관과 공기로 팽창시킬 수 있는 테(쿠션)로 구성되어 있다. 후두마스크는 재사용이 가능하며, 실리콘으로

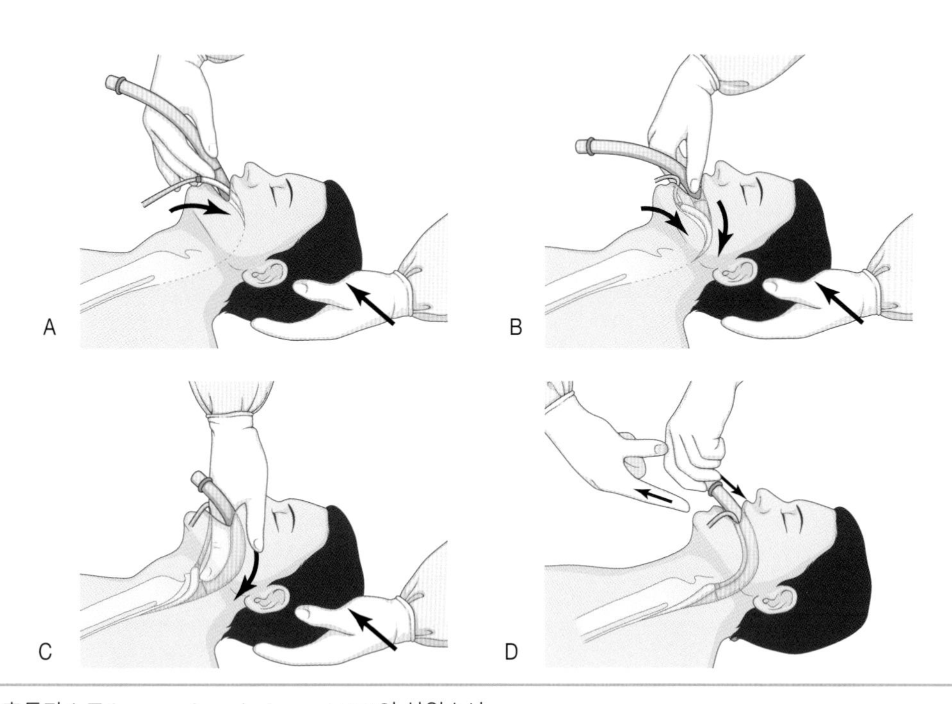

그림 29-8. 후두마스크(laryngeal mask airway, LMA)의 삽입순서
(A) 연필을 잡는 것처럼 쥐고 커프의 끝을 단단입천장 방향으로 하여 검지로 밀고 중지는 입을 벌린다. (B) 부드럽게 후하방으로 밀어넣는데, 다른 손은 머리를 뒤로 젖힌다. (C) 후두마스크가 더 이상 진입이 되지 않을 때까지 밀어 넣는다. (D) 후두마스크를 잡은 손을 떼기 전 빠지지 않도록 다른 손으로 위치를 고정한다.

되어 있어서 멸균이 가능하고 신생아부터 성인까지 사용할 수 있다.

환자의 머리를 젖히고 한 손으로 환자의 입을 벌리고 다른 손으로는 윤활제를 바른 후두마스크를 앞니 바로 뒤의 단단입천장에 대고 밀어 넣어 후하방으로 진행이 저항으로 인해 방해될 때까지 진행시킨다(그림 29-8). 테(쿠션)를 공기로 팽창시키면 후두입구 주위를 에워싸게 되며 양압호흡이나 자발호흡이 가능하다. 보통 15 cmH_2O 이상의 기도압에서는 가스가 새지만 시간이 흐를수록 덜 새게 된다. 제한이 따르지만 경우에 따라서는 후두마스크가 기관삽관을 대신할 수 있다. 후두마스크의 장점은 안면마스크나 기관 내 삽관이 실패했을 때 환기를 가능하게 하고, 얕은 마취와 빠른 각성을 가능하게 하며, 맹목 또는 굴곡 후두경하 기관삽관이 가능하고, 기관 내 삽관보다 배우기가 용이하다. 단점으로는 적절한 위치 잡기가 쉽지 않고, 기도압이 20 cmH_2O 이상일 때 가스가 샐 수 있으며, 일차적으로 자발호흡환자에서 유용하고, 기관 내 흡인이나 후두경련을 방지할 수 없다.

후두마스크는 기도관리에 새로운 전략을 제공하고 있다. 쉽고 빠른 후두마스크의 삽입은 안면마스크로 환기가 어렵고 기관삽관도 실패한 경우에 유용하며, 신경근 차단제나 후두경술이 필요 없다. 맹목기관 삽관이나 굴곡 후두

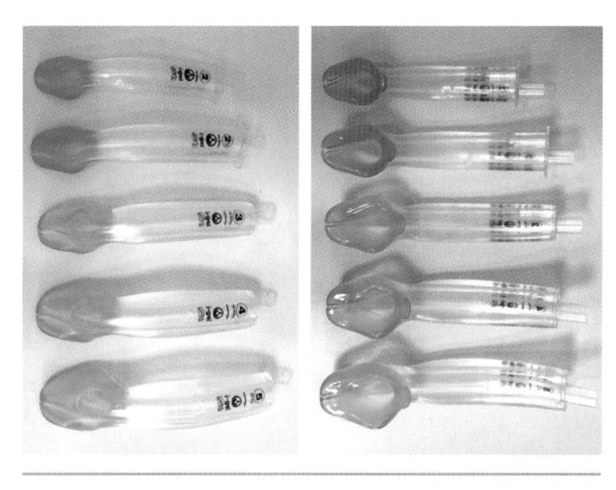

그림 29-9. i-gel

경을 사용한 기관 내 삽관 시 유용하게 이용 할 수 있으며 소아나 어른에서 마취 또는 진정상태에서 진단적 기관지경 검사에도 유용하다. 굵기가 굵은 기관지경검사를 할 때도 후두마스크는 유용하며 후두와 상부 기관을 볼 수 있고 환기에 높은 기도압이 필요하지 않다.

최근 저렴하고, 쉽게 사용할 수 있는 1회용 후두마스크가 개발되어 사용되고 있다.

(4) i-gel

의료용 열가소성 탄성중합체로 만들어진 i-gel은 후두마스크와 같은 팽창과정이 없이도 인두, 후두, 인두 주위를 적절하게 밀봉하고, 압력으로 인한 손상은 최소화하도록 만들어졌다. 총 7개의 서로 다른 사이즈로 구성되어 있으며, 몸무게에 따라 골라서 사용할 수 있다. [1(2~5 kg), 1.5(5~12 kg), 2(10~25 kg), 2.5(25~35 kg), 3(30~60 kg), 4(50~90 kg), 5(90+ kg)] 사이즈 1번을 제외한 모든 제품에는 식도로 연결되는 통로가 있어, 코위관(nasogastric tube)을 통한 코위흡인(nasogastric suction)이 가능하다. 사용하기 전에 먼저 플라스틱 거치대를 제거하여야 한다. 윤활제를 바른 i-gel의 윗부분을 단단히 잡고, 커프의 열린 부분이 환자의 턱 쪽을 향하도록 위치시킨다. 환자는 바로 누운 자세에서 머리를 뒤로 젖힌 sniffing position이 되도록 하며, i-gel을 삽입하기 위해 환자의 턱을 가볍게 눌러 입이 벌어지도록 한다. 환자의 입천장을 따라 제품이 미끄러져 들어가도록 하며, 강한 저항이 느껴질 때까지 부드럽게 삽입한다. 이 지점에서 장치의 끝은 상부식도 입구에 위치하며, 커프는 후두의 뼈대에 위치하고, 상악 전치는 제품의 상방에 위치한 위치가이드인 검은 선에 일치시키면 된다. 이 상태에서 테이프를 이용하여 윗입술 주변의 피부에 장치를 고정한다.

표 29-6. 기관삽관의 적응

- 인공호흡 등 호흡조절이 필요한 경우
- 위내용물의 흡인방지
- 기관, 기관지, 폐의 흡인(suction)이 자주 필요한 경우
- 폐에 양압환기가 필요한 경우
- 바로 누운 자세 체위가 아닌 수술체위
- 상기도를 포함하거나 기도에 근접한 수술
- 마스크로 기도 유지가 어려운 경우

5) 기관삽관

치과와 구강외과 영역에서 여러 경우에 일반적인 마취관리의 한 방법으로서 기관삽관이 필요하다(표 29-6). 수술 전 환자의 기도에 대한 평가는 기관 내 삽관 통로의(구강 또는 비강)선택과 방법(의식하 또는 마취하)에 있어 어떤 상태에서 기관 내 삽관을 할 것인가에 대한 결정을 도와준다.

치과 및 구강외과 영역에서의 처치 및 수술의 특이성으로서 수술시야가 상기도에 존재하므로 이러한 점에서 기도관리가 곤란한 경우가 있다. 즉, 기도확보를 확실하게 할 목적으로 기관 내 삽관의 적응이 되는 경우가 많으며 장·단점은 다음과 같다.

장점
- 완전한 기도확보
- 해부학적 사강 감소
- 보조조절호흡 용이
- 마취과 의사와 마취기가 환자에게서 떨어져 있어도 관리가 가능
- 기관 내 흡인 가능
- 기관 내 분비물, 혈액, 구토물 등의 흡인방지

단점
- 삽관에 의한 구강, 치아, 인두, 비강 등의 기계적 손상
- 삽관 시 미주신경반사, 교감신경자극 등 반사성 반응
- 기도내경의 감소에 의한 호흡저항의 증대
- 수술 후의 후두부종, 기도염증, 쉰소리, 객담 증가 등의 상기도증상의 발현

(1) 입기관삽관(Orotracheal intubation)

대부분의 수술뿐만 아니라 긴급한 상황에서 최우선으

로 선택하는 가장 일반적인 방법으로 구강에서 인두, 후두를 통하여 기관 내로 삽관하는 방법이다. 비교적 용이하게 적용할 수 있으나 삽관 후는 구강 내의 조작이 곤란하여 오랫동안 유지하는 경우, 구강 내가 불결해지는 단점이 있다.

① 사용 기구

기관튜브, 슬립조인트, 스타일렛, 표면마취용 분무기, 후두경, bite block, 윤활제, 삽관용집게, 기도유지기 등을 준비할 필요가 있다.

- 후두경: 마취에 사용하는 후두경은 손잡이와 날 그리고 광원으로 구성되어 있다. 손잡이에는 건전지가 들어가고, 날은 바꿔 낄 수 있으며 손잡이에 붙는다. 최근에는 유리섬유에 의해 빛을 날에 보내는 형이 많다. 날의 그 모양은 직형(Guedel, Bennett, Miller형 등)과 곡형(Macintosh형)이 있으며 각각 다양한 크기가 있다(그림 29-10).

  직형은 날의 끝 부분으로 직접 후두덮개를 들어 올리나 곡형은 후두덮개계곡에 날을 넣어 상방으로 올리면 후두덮개가 함께 거상되어 후두가 보인다. 직형은 주로 소아에게 사용한다. 최근에는 손잡이 부분의 레버조작으로 날의 끝부분이 안쪽으로 꺾이도록 하는 특수한 후두경이나 아주 좁은 개구부를 통하여 후두를 관찰하면서 기관튜브가 성대로 삽입되는 것을 볼 수 있는 내시경형 후두경이 개발되어 어려운 증례를 위해 사용되고 있다. 많은 종류와 크기의 후두경 날이 있지만 대부분 성인 환자에서 성공적인 기관 내 삽관은 그 중 두 가지만 사용한다. 곡형날 중 매킨토시 3번이면 대부분 성인에 알맞고 직형날은 밀러 2번, 3번이 보통 알맞다.
- 기관튜브(그림 29-11): 대부분의 튜브는 일회용이며 투명하고 생체에 영향을 주지 않는 polyvinyl chloride로 되어 있고 삽관 후 체온에 의해서 부드러워져서 기도에 맞게 모양을 유지하게 된다. 끝부분은 비스듬히 잘려 있고 그 절개면은 만곡중심에서 보아 좌측으로 개구부가 있다. 그리고 끝부분의 옆면에 구멍(Murphy eye)이 있어, 비스듬하게 잘린 단면이 기관 벽에 밀착하여도 막히지 않도록 설계되어 있다. 그리고 튜브에는 커프가 있는 것과 없는 것이 있어, 있는 것은 팽창되는 정도를 알기 위한 확인용 풍선(공기주머니)이 달려 있다.

  커프가 있는 튜브는 8세 이후에 사용하는데 기관에 이물이 흡인되는 것을 막아주고 양압호흡을 가능하게 해준다. 사용 전 공기주머니에 10 ml의 공기를 넣어서 새는지 확인해야 한다.

  튜브의 모양은 표준 단일기공관(standard single

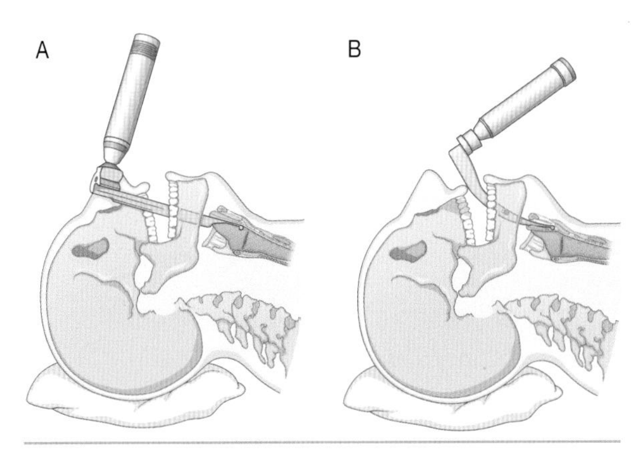

그림 29-10. 후두경의 종류
(A) 직형(Guedel, Bennett, Miller형 등), (B) 곡형(Macintosh형)

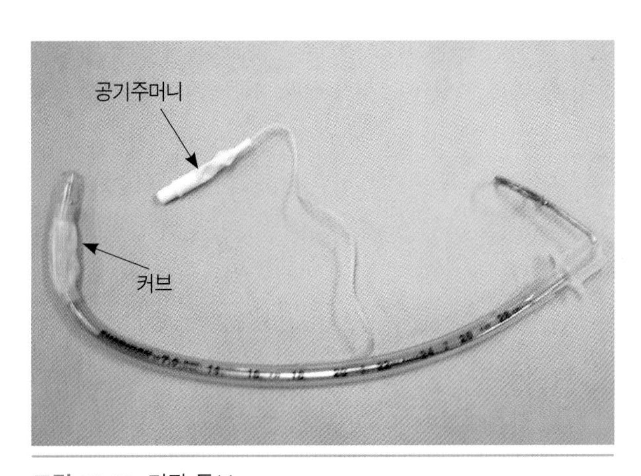

그림 29-11. 기관 튜브

-lumen tube), 용수철로 보강되어 있어서 꼬임과 눌림을 방지하는 강화튜브(armored tube), 미리 모양이 완성되어 있어서 기관코, 기관입, 기관 절개 시 해부학적 구조에 맞아서 이동 없이 사용할 수 있는 튜브(preformed tube, RAE)가 있다.

- 튜브의 크기와 길이: 튜브의 내경은 mm로 되어 있고 길이는 cm로 표시한다. 성인 남자는 8.0 mm 여자는 7.0~7.5 mm가 흔히 사용된다. 입기관 삽관 시 적절한 튜브 깊이는 앞니의 잇몸으로부터 성인남자는 23 cm, 성인여자는 21 cm이다. 코기관 삽관 시에는 콧구멍이 기준으로 3 cm 더 깊어진다.
  - 튜브의 크기
    - 외경 = 새끼손가락의 직경
    - 외경(French size) = 나이 + 18
    - 내경(mm) = (나이/4) + 4[커프가 없는 튜브]
    - 내경(mm) = (나이/4) + 3.5[커프가 있는 튜브]

준비 시에는 예측한 크기보다 0.5 mm 더 큰 것과 작은 것을 함께 준비한다. 튜브에 의한 호흡저항은 내경의 약 4제곱에 반비례하여 증가하므로 좁은 튜브일수록 선택에 주의가 필요하다.

- 커프: 상기도의 분비물, 구토물, 수액, 혈액 등의 기관 내 유입을 방지하고 기도 안을 가압하여도 가스가 새지 않도록 밀봉하는(air tight sealing) 목적으로 튜브 끝부분에 위치한 풍선을 말한다. 기관튜브에 의한 기도손상 중 커프 내압 상승 및 이상팽창에 의한 기관 벽의 손상이 문제가 된다. 기관점막의 정상모세혈관압이 25~35 mmHg이므로 기관점막의 혈류를 유지하기 위해 커프 내압을 20 mmHg 이하로 유지해야 한다. 이를 위하여 고용량 저압 커프가 시판되고 있으나 커프의 손상으로 인한 것으로 생각되는 기관벽의 손상도 보고되고 있어 문제가 완전히 해결된 것은 아니다. 그리고 초기 커프 압과 마취 중의 커프 내로 아산화질소가 확산되는 것에 의한 점진적인 내압 상승도 문제가 되기 때문에 장시간 유지할 경우는 확인용 풍선이 팽창하는 것을 참고로 커프 내압을 낮춰 줄 필요가 있다.

② 머리 위치(그림 29-12)

통상의 입기관삽관은 환자를 바로 누운 자세로 하여 후두경을 이용하여 직접 보면서 시행한다. 그러나 구강축, 후두축, 인두축와 같은 것을 고려할 경우 바로 누운 자세에서는 세 축이 복잡하게 교차하여 성대문부를 바로 볼 수 없어 머리를 올리고 목 뒤로 젖히는 sniffing position이 각 축의 교차각을 작게 하여 후두경을 사용한 삽관을 보다 쉽게 한다. 결국 목 손상이 없는 경우 가능한 한 삽관하기 적합한 머리자세를 취하게 할 필요가 있다.

③ 순서

튜브의 삽입이 끝나면 입꼬리에서 튜브의 위치가 변화지 않도록 손가락으로 고정하면서 후두경을 구강 내에서 끄집어낸다. 튜브가 기관 내에 삽입되어 있으면, 마취회로에 튜브를 연결하여 호흡주머니를 눌러 앞가슴이 올라오고, 호흡주머니를 누르면서 가슴을 청진할 때 호흡음이 들리는 것으로 확인된다. 그 외 튜브 안의 수증기가 날숨 때 튜브에 맺히는 것을 보는 방법이나 호기말 이산화탄소 모니터를 이용하여 확인하는 방법도 있다. 그 후 양측의 호흡음이 균등한 것을 확인하여 튜브의 깊이가 적절하면, 머리의 위치를 원래대로 하고 테이프로 입 주위의 피부에 튜브를 고정한다. 치과와 구강외과 영역에서 고정부위가 수술 부위와 겹치지 않도록 고정하는 것이 중요하다. 이 때 구강외과수술에서 입을 열 필요가 없을 경우에는 bite block을 튜브와 함께 고정시킨다.

고정이 끝나면 커프가 있는 튜브의 경우, 기도 내에 가압하여도 공기가 새어 나오지 않도록 커프를 팽창시킨다. 커프 팽창량이 많은 경우에는 튜브를 한 사이즈 큰 것으로 교환할 필요가 있다. 그리고 커프 없는 튜브를 사용할 때나 구강 내의 수술을 할 때는 거즈로 인두부를 막아 수액, 혈액, 분비물 등이 흡인되지 않도록 한다.

(2) 코기관삽관(Nasotracheal intubation)

코기관 삽관법은 구강이나 안면, 안면골격 등의 수술 시, 콧구멍, 비강, 인두, 후두를 통하여 기관내에 삽관하

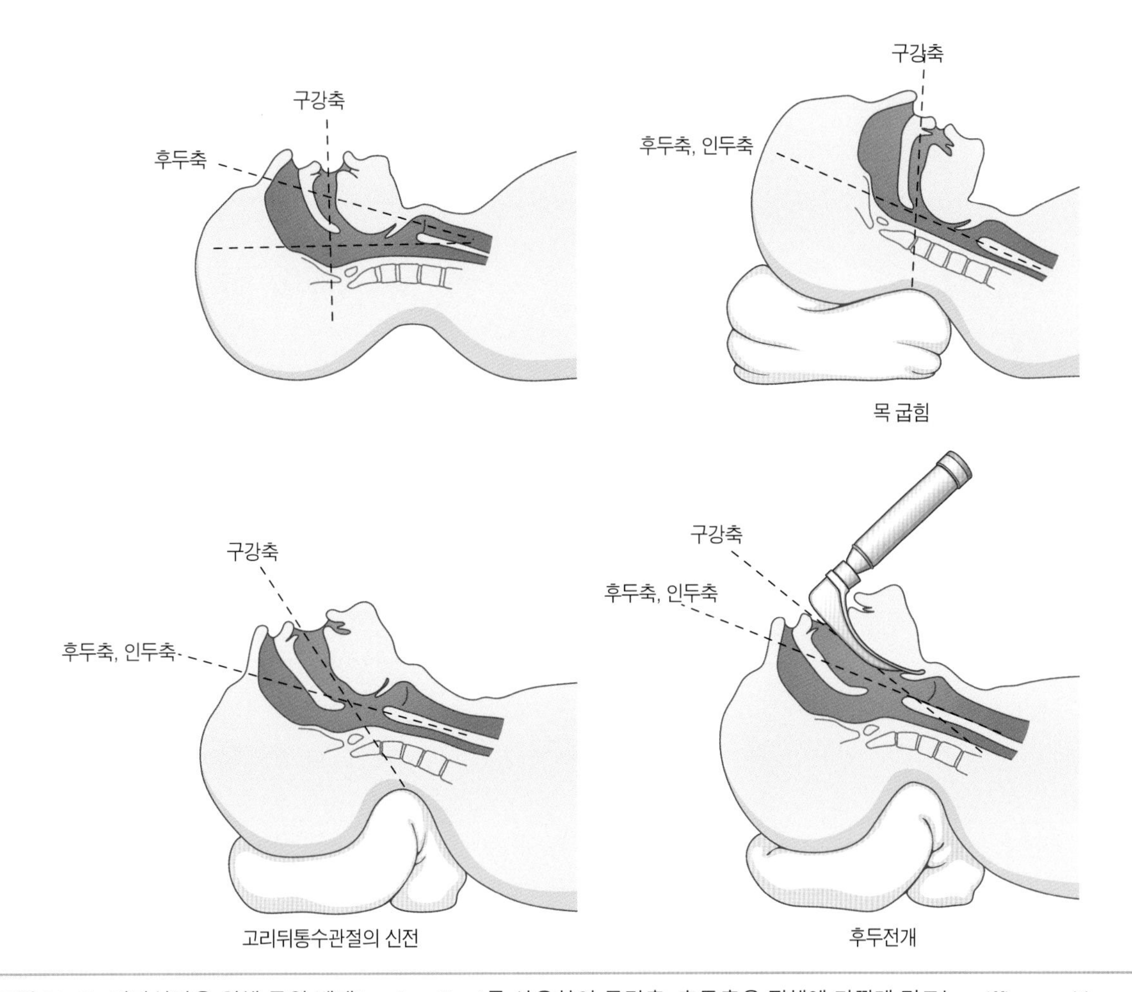

그림 29-12. 기관삽관을 위해 두위 베개(popitz pillow)를 사용하여 구강축, 후두축을 평행에 가깝게 만드는 sniffing position

는 방법으로, 치과, 구강외과 영역의 처치 및 수술을 안전하게 하는 최적의 방법이다. 코뼈 골절이나 코 안이 폐쇄된 환자에서는 시행하면 안 되며 급성 부비동염(acute sinusitis)이나 꼭지돌기염(mastoiditis)이 있을 경우에 병균성 세균이 기도 내로 들어갈 수 있으므로 코기관 삽관을 하면 안 된다(표 29-7).

사용기구, 머리 위치는 입기관삽관과 같다. 먼저 긴 면봉을 사용하여 비강 내를 소독하고 표면마취 및 혈관수축제를 도포하여 튜브 삽입에 대비한다. 동시에 면봉의 삽입방향을 확인해 둔다. 코기관삽관에 사용하는 것은

표 29-7. 코기관 삽관의 장단점

장점	단점
• 개구·폐구 조작을 방해받지 않음 • 튜브 고정이 잘 됨 • 이물감이 적고, 튜브가 치아에 의해 물리거나 손상 받을 가능성이 없음 • 경구 식이섭취가 가능	• 비강 등의 점막과 조직 손상 가능성 • 코를 통한 기관과 폐의 감염 • 튜브 사이즈 작아짐 • 분비물 흡인 어려움

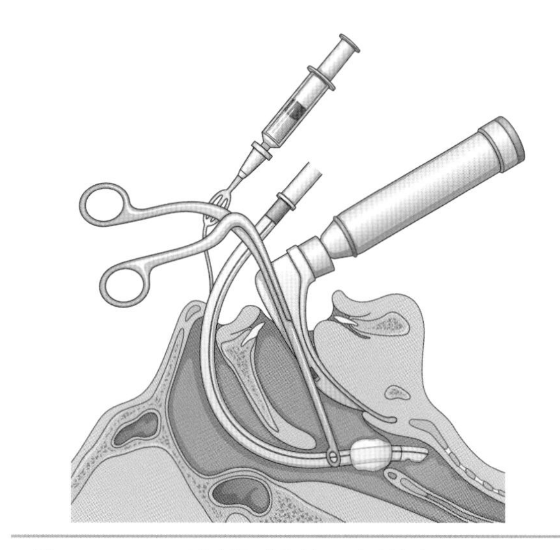

그림 29-13. Magill 겸자를 사용한 코기관삽관

대부분 아래쿳길이기 때문에 안면에 대해서 수직에 가까운 경우가 많다.

다음은 코인두 기도유지기(airway)를 좁은 내경의 것부터 비강 안으로 주의하여 삽입하고 점차 큰 것으로 변경한다. 이것은 삽관튜브를 위한 가이드 역할을 하는 것으로 점막손상을 감소시킨다고 생각된다. 그 후 코인두기도유지기를 코기관삽관용 튜브로 교환하여 인두부까지 튜브를 삽입하고 구강으로 후두경을 넣어 튜브의 위치를 확인한 후, 삽관용 집게(Magill 집게 등)를 사용하여 튜브를 잡고 성대문까지 유도하여 기관 내에 삽입한다(그림 29-13).

집게를 사용할 때 커프가 있는 튜브의 커프가 손상되지 않도록 주의한다. 삽관 후에는 입기관삽관과 같이 확인하고 안면피부에 테이프로 고정한다.

(3) 기관 절개(Tracheostomy)

장시간의 기도확보나 삽관이 곤란하거나 불가할 때, 간염, 폐기종 등의 호흡곤란 증례 등에 대한 적응증으로서 수술실에서 행해진다. 치과, 구강외과 영역에서는 악안면의 변형에 따른 술 후의 기도관리나 수술조작을 용이하게 하기 위한 목적으로 하는 경우가 많다. 기관내분비물의 흡인(suction)이 쉽고, 호흡저항이 감소되는 장점이 있다. 한편 절개주위에서 출혈이 있든지, 가래배출부전이나 감염에 의한 폐합병증의 발현, 기도협착, 흡인(aspiration), 피부밑·세로칸공기증, 공기가슴증 등의 문제점이 있으므로 최근에는 기관 절개를 선택하지 않고 코기관삽관에 의해 장기간 유지하는 경우가 증가하고 있다. 즉 관리기간과 침습 정도, 전신상태에 적절한 기도확보법을 선택해야 한다.

수술은 대부분 외과의사에 의해 이루어지므로 사용기구, 순서와 같은 상세한 내용은 외과책을 참조한다. 여기에서는 응급상황에서 기관 절개하는 것에 대해서만 설명한다.

보통은 앞목 부위의 제 2~5 기관연골고리에 기관 절개 구멍을 만들어 삽관하나 긴급할 때는 방패연골과 반지연골의 사이의 반지방패인대를 절개한다. 이곳은 피부에서 촉지하고 접근하는 것이 용이하여 기관내에 외과적으로 가장 빨리 도달되기 때문이다. 산소투여를 하면서 목을 신장시키고 그 쪽 피부를 수 cm 가로로 절개한다. 인대를 빨리 박리하고 1~1.5 cm의 절개를 하여 반지연골을 기관연골고리에서 전방으로 당겨 튜브를 삽입한다. 여유가 있으면 수술 부위를 멸균, 소독한다. 국소마취 하에서 절개를 하나 호흡곤란이 현저한 경우에는 전처치를 생략하고 한다. 그리고 절개 준비가 되지 않았다면 주사침이나 카테터로 찔러도 된다. 그리고 어디까지나 긴급한 기도확보이므로 전형적인 기관 절개의 준비가 되거나 환자상태가 완화되면 기관 절개 혹은 기관 내 삽관에 의한 기도확보를 하는 것이 좋다.

(4) 어려운 기관 내 삽관(Difficult intubation)

경험이 많은 마취의 일지라도 0.5~2.0%는 후두경을 이용한 기관 내 삽관이 어렵다고 한다. ASA Task Force는 어려운 후두경술을 일반 후두경으로 성대가 전혀 보이지 않을 때를 지칭하는 것으로 정하였다. 일반 후두경으로 3회 시도하여 삽관되지 않은 경우나 10분 이상 시도한 경우를 삽관곤란이라고 정의하며, 발생률은 3~4%로 보고되고 있다. 실제로 술전 평가에 의해 삽관곤란을 예측하여 여러 가지 대책을 준비하는 것이 중요하다. 치과마취영역에서는 개구불능환자, 구강암 수술 후 안면변형 환자, 두경부 방사선 치료로 인한 목과 어깨 부위의 경직, 악안면 발육 이상을 동반한 각종 증후군 환자 등, 삽관 곤란이 예측되는 증례를 취급하는 경우가 많아 충분한 술전 평가가 필요하다.

① 어려운 기도관리 요인

직접 후두경술로 하는 기관 내 삽관은 구강, 인두, 후두축을 일직선상에 놓이게 하고 혀를 아래턱 쪽으로 밀어야 하는데, 여기에 영향을 미치는 몇 가지 요인이 있다. 후두경술이 어려운 경우 중 통로확보가 곤란한 경우는 고리뒤통수 관절 이상, 근이완 불충분 등이 있고, 가까운 쪽의 장애물로는 돌출된 치아, 큰 수직피개교합(overbite), 후두경날의 오른쪽에 있는 격리된 치아, 길고 좁은 위턱, 치아 없이 윗입술이 큰 환자 등이 있으며, 먼 쪽의 장애물로는 턱관절 운동제한, 작은 아래턱, 비만, 큰혀증, 혀편도나 갑상샘 비대, 혀의 종창(종양, 염증, 아밀로이드증), 늘어진 후두덮개, 전방에 위치한 후두 등이 있다. 예측하지 못한 어려운 기관 내 삽관의 경우는 급성 과민성 기도부종, 심한 저작근 경직, 혀편도 또는 혀 갑상샘, 늘어진 후두덮개, 후두덮개의 점액성 낭종, 기관지 폐쇄 등이 있다.

② 술전 판정

병력을 확인하고 과거의 마취경험으로 삽관 곤란의 경험이 있는지를 확인한다. 그리고 선천성 질환의 유무와 류마티스, 염증성 질환이 있는지에 대해 확인한다. 다음은 이학적 소견으로 다음과 같은 점을 진찰한다. 전신에 대한 전반적인 평가, 코의 구조, 턱관절의 움직임, 입벌림 상태, 입술·구강의 상황, 치아의 심어진 상태, 의치의 유무, 혀의 크기와 움직임, 아래턱의 크기, 머리의 길이와 크기, 목뼈의 움직임과 굴곡·신전의 장애유무, 목소리의 질 등을 진찰한다. 진찰의 결과에서 삽관곤란 인자라고 생각되는 소견이 있는지 검토한다. 의문점이 있으면 정량적인 평가법으로 목피부의 아래턱-목뿔뼈간 거리의 측정(최대 머리 젖힘 시)과 같은 방법이나 측면 두부 방사선 촬영 사진에 의한 여러 가지 기준치를 계측하는 것이 유용할 수 있다. 그리고 반정량적인 평가법으로 Mallampati의 sign이나(그림 29-4) Cormack의 분류 등 시각적인 방법도 있다(그림 29-14).

Cormack은 산과 환자의 후두경술 난이도를 네 등급으로 나누었는데(그림 29-14) 등급 Ⅰ은 성대문 전체가 잘 보일 때, 등급 Ⅱ는 성대문의 뒷 부분 구조만 보일 때, 등급 Ⅲ는 후두덮개만 보일 때, 등급 Ⅳ는 후두덮개가 안 보일 때로 하였다. 기관 내 삽관은 맹목으로도 할 수 있고 때로는 속심(stylet)이 필요하기도 하는데 경험이 많은 사람은 후두경술이나 직접 성대문의 시야확보가 어려움에도 불구하고 기관 내 삽관을 할 수가 있다.

Mallampati의 기도분류는(그림 29-4) 기관삽관의 난이도를 예측하는데 사용된다. 앉아서 혀를 내밀고 있는 환자의 단단입천장, 물렁입천장, 후두덮개 끝부분, 편도기둥(tonsillar pillar) 등 점차로 더 깊은 곳의 해부학적 구

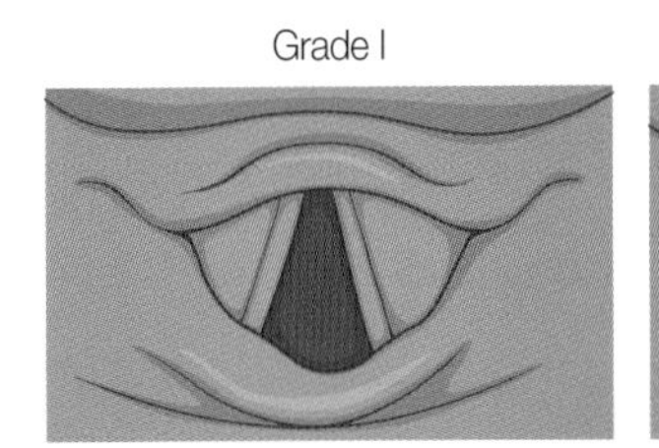

Grade Ⅱ

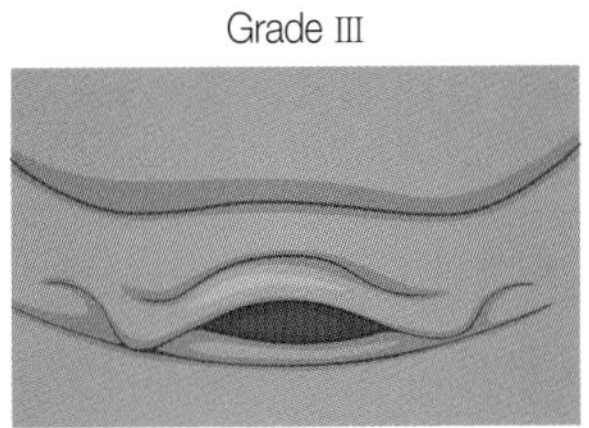

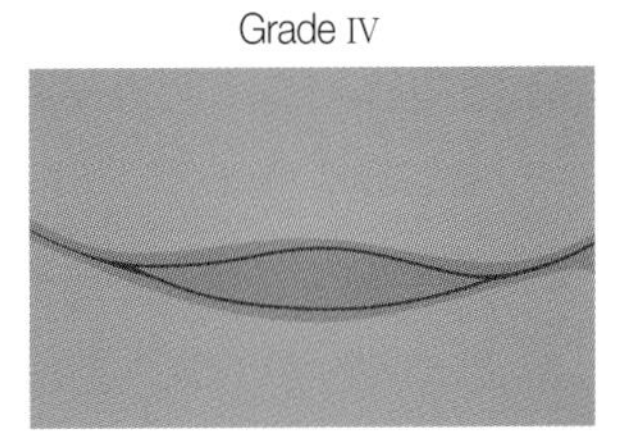

Cormack 분류: 후두경을 사용하여 관찰한 성대문의 소견
Grade가 높을수록 삽관이 곤란하다.

그림 29-14. Cormack 분류

조를 얼마나 잘 볼 수 있느냐로 평가한다. 모든 구조물을 볼 수 있을 때 I등급, 단단입천장만 보일 때 IV 등급으로 분류한다. 이 분류는 마취를 하는 초심자들이 너무도 일반적으로 적용하여 중요한 요소인 목의 운동성이나 유연성, 또는 치아의 상태 등은 고려하지 않은 상태에서 단순히 등급을 기술하기도 한다. Mallampati 등급의 해석은 앉을 수 없는 환자나 혀를 내밀 때 혀를 너무 높게 활모양으로 하거나, 코로 숨을 쉬느라고 연구개와 혀를 가까이 위치하는 경우에는 불확실하다. 환자가 조사하는 중에 발성을 해야 하는지에 대해서도 의견이 분분하다. 어려운 기관 내 삽관에 대한 예측은 미세한 징후들과 이들의 조합 그리고 또한 예측하지 못한 기관 내 삽관의 실패 등으로 숙련된 시술자들도 과도하게 평가하는 경향이 있어 이들 전반에 대한 이해를 필요로 하는 기술이다.

③ 대책

삽관 곤란이라고 판정되는 경우 여러 가지 방법에 의해서 안전한 삽관이 되도록 대책을 마련해야 한다.

- 각성기관 삽관(Awake intubation)

  전신마취에 의한 마취유도를 하지 않고 진정제나 국소마취제를 투여하거나 혹은 긴급한 경우는 완전하게 의식이 있는 상태에서 삽관하는 방법이다. 적응증은 흡인 위험이 있을 때, 안면 마스크 환기가 어려울 때, 마취제가 필요 없을 때, 기관삽관 후 신경계 기능을 확인해야 할 때이다. 자발호흡을 보전할 수 있으며 조작에 대해 환자의 협력을 얻을 수 있어 삽관할 때의 안전성이 높다. 그러나 환자에게 고통을 주기 때문에 시술 방법을 충분히 설명해 주고, 마취 전 투약제를 사용하여 환자를 편안하게 해주고, 이 방법의 시술로 인한 유쾌하지 않은 기억을 줄이도록 해주어야 한다.

  각성기관 삽관은 입기관, 코기관 삽관 모두 가능하다. 대부분의 환자들은 보통 때보다 추가로 진정이 필요하고 상기도에 국소마취가 필요할 수도 있다. 전형적인 정주용 진정제인 미다졸람을 0.5~1 mg 씩, fentanyl은 25~50 μg씩 증량할 수 있으며 이들과 상승작용이 있는 약물을 적용하려면 3~5분은 기다렸다가 추가투여해야 한다. 상기도의 국소마취는 환자를 더 편하게 하고 혈역학적 변화를 줄인다. 도포마취로 분무기나 소독 솜을 사용하거나, 위후두 신경차단법이나 경후두마취(translaryngeal anesthesia) 또는 후두경으로 직접 보면서 국소마취제를 분무하는 방법 등이 이용된다. 마취는 입인두, 혀의 기저부, 후두덮개, 성대 및 후두와 기관 윗부분에 성대문을 통해 국소마취제 2 ml를 점적한다. 코기관 삽관 시에는 코점막을 마취해야 한다. 이때 마취제는 부작용을 일으키지 않도록 최소량을 쓰는데, 4% lidocaine, 5% cocaine은 2~3 ml 이하, 1% tetracaine은 2~3 ml 이하로 사용한다.

- 굴곡후두경에 의한 삽관(Fiberoptic intubation)

  굴곡 후두경을 이용하면 목뼈 골절 및 탈구, 기도 종양, 염증, 목뼈 이상이 있는 상태에서 상기도의 폐쇄나 병변의 평가 시 추가적인 손상 없이 기관 내 삽관이 가능하다. 굴곡후두경에 튜브를 통과시켜서 굴곡후두경을 가이드로 해서 삽관을 하는 방법(그림 29-15)으로 일반적으로 입기관삽관보다 구역반사가 적은 코기관삽관을 하게 된다.

  굴곡후두경으로 성대문을 확인하여 이것을 기관 내에 삽입한 후 그대로 튜브를 전진시킨다. 역시 의식

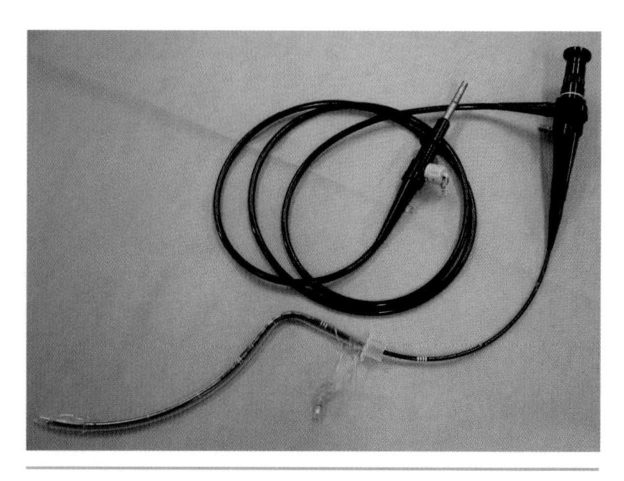

그림 29-15. 굴곡후두경에 의한 삽관(fiberoptic intubation)

이 있는 상태에서 행하는 경우가 많다. 술자의 숙련도가 중요하나 가장 효과적이고 안전한 방법으로 생각된다. 그러나 고가인 유리섬유 부분의 크기의 한계가 있고(튜브의 크기에 영향을 준다) 큰 광원이 필요한 등의 단점이 있다.

- 맹목적 코기관삽관(blind nasal intubation)

호흡을 보전하는 각성기관삽관으로 튜브를 비강을 통해 인두까지 전진시켜놓고, 호흡음을 지표로 보지 않고 튜브를 성대문까지 전진시켜 날숨에 맞추어 맹목적으로 기관 내에 삽입하는 방법이다. 술자는 튜브 근위부에서 호흡음을 들으면서 한 손으로 방패목뿔뼈인대를 만지면서 나머지 한 손으로 환자가 숨을 들이쉴 때 기관 튜브를 전진시킨다. 튜브 끝이 배모양 오목(piriform fossa)에 닿아서 생기는 목 면의 솟아오른 부분들로 튜브의 위치를 확인할 수 있고, 후두덮개계곡에 닿았을 경우에는 전진하는데 저항이 있고, 식도로 들어가면 숨소리가 없어진다. 튜브가 기관지로 잘 들어가면 기침, 발성소실, 호기말 이산화탄소 곡선이 정상으로 된다. 1회에 성공되지 않을 경우 머리 위치를 바꾸든지 튜브를 회전시키는 방법으로 성공할 수 있다.

- 특수한 후두경의 사용

Bullard 후두경은 환자의 체위가 중립에 고정이 되어 있거나 아래턱의 운동 제한이 동반된 경우에 유용하다. 속심이 끼어 있는 기관 튜브가 부착되어 있고 입인두 기도유지기와 비슷한 혀의 견인기를 동반하고 있어서 후두덮개와 맞게 되어 있다. 광섬유 후두경으로 성대문을 직접 보면서 기관 튜브를 삽입할 수 있다. 후두경 날에 프리즘을 붙여 간접적으로 성대문을 확인할 수 있는 후두경이나 내시경과 후두경, 속심이 함께 일체가 된 브라더 후두경, 혹은 후두경 날끝의 각도를 손잡이부분의 레버를 이용하여 조절할 수 있는 맥코이 후두경 등의 특수한 후두경도 있다.

- 광봉(Light wand)을 사용한 기관 내 삽관술

광봉은 전지를 사용하여 끝에 빛을 내는 장치가 있는 구부릴 수 있는 유연한 속심의 일종이다. 기관 튜브 속에 넣고, 끝을 구부려 하키스틱처럼 만들어 혀를 앞쪽으로 당겨서 혀의 중앙을 따라 광봉을 진행시킨다. 방안의 조명을 어둡게 하면 기관의 입구가 목의 중앙으로부터 수직으로 빛에 의해 표시가 난다. 식도로 들어가면 빛이 아주 흐리게 된다. 상당한 기술이 필요하지만 목뼈의 불완전 골절이나 선천성 기형에서 쓸 수 있다.

- 후두마스크를 이용한 기관 내 삽관

후두마스크를 미리 삽입하고, 후두마스크의 관을 통해 기관 내 삽관을 시행하는 방법이다.

(5) 기관 내 삽관의 합병증

마취환자의 기도를 확보하는 과정에서 입술에 멍이 들거나 치아의 파절, 동요, 탈구 혹은 비출혈이 오는 경우가 흔하다. 좀 더 심한 경우는 아래 인두나 식도, 기관 등이 천공되어 세로칸염이나 공기가슴증이 발생할 수 있다. 즉시 발견하여 적절한 치료를 하는 것이 사망이나 심한 합병증을 예방 할 수 있다.

① 삽관 시에 오는 합병증

- 기도주위 외상: 입술, 치아, 혀, 코안, 인두, 후두, 기관, 식도
- 심혈관계: 고혈압 및 빠른맥, 부정맥, 반사성 느린맥, 무맥, 심허혈
- 호흡기계: 기침, 흉벽 경직, 후두경련, 기관지경련, 흡인, 저산소혈증(저산소증)
- 중추신경계: 뇌압 상승, 불안, 목뼈와 척추 손상
- 부적절한삽관: 식도, 기관지, 성대 사이의 손상
- 오심, 구토

② 삽관 후에 오는 합병증

- 저산소혈증(기관 튜브의 폐쇄, 식도삽관, 기관지경련, 기관지 내 삽관, 환기곤란, 사고발관, 기관 또는 기관지 내 파열, 긴장성 공기가슴증 등)
- 고혈압, 빠른맥, 부정맥

- 오심, 구토
- 기도점막의 염증, 부종, 인후통
- 성대마비, 신경손상, 흡인
- 폐공기증, 무기폐
- 궤양, 육아 형성(장기유지의 경우)

이상과 같은 기관 내 삽관에 따른 많은 합병증이 있으므로 삽관을 할 때 충분히 모니터하고 확실하고 부드럽게 그리고 신속한 조작을 할 필요가 있다. 절대 무리하지 말고 안전하고 확실한 방법을 선택하는 것이 중요하다.

발관 과정에서 주의해야 하는 합병증은 발관 후 기도의 폐쇄인데, 이의 원인들로는 연조직의 상기도 폐쇄, 후두경련, 기관지경련, 기관지폐쇄, 흉곽의 경직, 기관지 협착, 기타 기계적인 문제 등이 있다. 평가와 치료는 필요 시 기관 내 삽관을 비롯해서 마취 유도 시와 같이 한다.

③ 발관 직후에 오는 합병증

후두경련, 후두 또는 성대문 아래쪽의 부종, 성대마비, 흡인

④ 시간경과 후 오는 합병증

인후통 또는 쉰 목소리, 기관 협착, 성대용종

참고문헌

1. 대한마취과학회 교과서 편찬위원회: 마취통증의학. 초판. 서울. 여문각, 95-111, 2009.
2. 대한마취과학회 교과서편찬위원회: 마취과학. 서울. 군자출판사, 245-371, 2002.
3. Benumof JL: Laryngeal mask airway and the ASA difficult airway algorithm. Anesthesiolgy, 84:686-699, 1996.
4. Benumof JL: Management of the difficult airway. Anesthesiology, 75:1087-110, 1991.
5. Caplan R et al: Practice guidelines for management of the difficult airway: A report by the ASA Task Force on Management of the Difficult Airway. Anesthesiology, 78:597-602, 1993.
6. Longnecker DE, Murphy FL: Introduction to anesthesia. 8th ed. Philadelphia, WB Saunders, 77-90, 1992.
7. Longnecker DE, Tinker JH, Morgan GE: Principles and practice of anesthesiology. 2nd ed. St Louis, Mosby, 1123-1157, 1998.
8. Mallampati SR, Gatt SP, Gugino LD, et al: A clinical sign to predict difficult intubation: A prospective study. Can AnaesthSoc J, 32:429-434, 1985.
9. Cormack RS, Lehane J: Difficult tracheal intubation in obstetrics. Anesthesia, 39:1105-1111, 1984.
10. Morgan GE, Mikhail MS, Murray MJ: Clinical anesthesiology. 3rd ed. New York, Lange Medical books/McGraw-Hill, 127-150, 2002.
11. Stoelting RK, Miller RD: Basics of anesthesia. 7th ed. Philadelphia, Churchill Livingstone, 2007.

| Dental Anesthesiology | 응급의학

약물관련 응급 상황

학습목표

1. 치과에서 많이 사용되는 약물들의 약물 부작용을 열거한다.
2. 알레르기와 약물 과용량에 따른 부작용을 구분하여 설명한다.
3. 치과에서 흔한 혈관미주신경실신과 약물 부작용을 구별한다.

전세계적으로 치과와 관련되어 발생하는 통증을 경감시키기 위해 다양한 종류의 진통제가 사용된다(표 30-1).

이 외에도 치과에서 많이 사용되는 약물들은 항생제, 항불안제 및 국소마취제 등이 있다. 약물의 사용에는 늘 위험이 따르기 마련이다. 최근 우리나라에서도 약물사고에 대한 전 사회적인 인식이 확산되고 있다. 치과치료 시 흔히 사용되는 약제는 약물 자체의 부작용으로 인해 위험성을 내포하고 있다(표 30-2). 미국에서는 이미 1990년대부터 높은 사망률과 의료비용의 증가로 인하여 약물사고가 사회문제화되었다.

대부분의 경우 신중한 임상적, 약리학적 판단을 통해 심각한 약물 부작용의 발생을 예방할 수 있다. 합리적인 약물요법의 목적은 필요한 약리작용을 최대화하고 부작용을 최소화하는 것이다. 어떤 약물도 "절대 안전"하거나 "절대 유해"한 것은 없다. 모든 약물은 부주의하게 취급될 경우 해로운 작용이 나타날 수 있다. 다시 말하면 어떤 약물이라도 주의사항만 잘 지킨다면 안전하게 사용될 수 있다. 약물의 잠재적 독성은 사용자의 손에 달려있는 것이다. 약물 부작용에 대한 지식은 약물과 관련된 응급 상황에서 치과의사들이 정확한 원인을 빨리 진단하고 적절

표 30-1. 미국 치과에서 많이 사용되는 진통제

성분명	상품명
NON-OPIOID	
Acetylsalicylic acid (aspirin)	다수
Acetaminophen	Tylenol
	Ultracet
Ibuprofen	Motrin
Naproxen	Anaprox
	Aleve
	Naprelan
Flurbiprofen	Ansaid
Ketoprofen	Orudis KT
	Actron
	Oruvail
Ketorolac	Toradol
OPIOID	
Codeine	
Hydrocodone	Vicodin (with acetaminophen)
Oxycodone	ETH-Oxydose
	OxyContin
	OxyFast
	Roxicodone

표 30-2. 치과에서 흔히 사용되는 약제 및 각 약제의 주요 부작용

약제	알레르기	과용량	부작용
국소마취제			
Ester	특히 도포마취제에서 국소적인 부종과 발적이 흔하다.	유전적 이상이 없는 한 드물다.	진정(졸림)
Amide	드물다. 대개 알레르기로 의심되었던 경우 심리적 반응, 과용량 또는 다른 첨가물에 의한 알레르기로 확인되었다.	중추신경계 억제-졸림, 떨림, 경련발작	위장 장애
항생제			
	잠재적 위험성이 높다.	드물다.	위장 장애
진통제			
비아편계	아스피린은 알레르기 위험이 높다.	살리실산 중독	위장 장애
아편유사제	드물다.	중추신경계 억제 및 호흡 억제	오심, 구토, 자세성 저혈압, 가려움증
항불안제			
Benzodiazepines	드물다.	중추신경계 억제(과진정)	졸림
Nonbenzodiazepine			
아산화질소	현재까지 보고된 바 없다.	과진정	오심, 구토

한 치료를 시작할 수 있게 해준다. 감별 진단에는 혈관미주신경실신이 포함되었는데, 이것은 흔한 치과적 응급 상황이기 때문이다.

1. 약물 부작용

약물 부작용의 약 85%가 약물의 과다사용과 관련 있다. 과용량(또한 독성 효과로 알려진)은 절대적일 수도(많은 용량 사용 시), 상대적일 수도 있다(정상 용량에서 환자에 따라). 과용량 반응은 대개 주의 깊게 용량을 결정(경구 투여, 근육 주사, 비강 내 투여법의 경우) 하거나 적정(정맥 내 주사 또는 흡입약제의 경우)한다면 예방할 수 있다. 약에 대한 임상적 반응은 용량과 관계되어 있다. 반면 극소량의 약물이 이미 감작된 사람에게서는 심한 알레르기 반응을 일으킬 수도 있다.

보통 심한 약물 부작용은 위장관 경로보다 비경구 경로에서 더 빈발한다. 정맥주사법은 신속한 약효발현 및 높은 신뢰도로 인해 가장 효과적인 약물투여경로이지만, 심각한 약물 부작용의 위험도도 가장 크다.

약물 부작용의 분류는 매우 복잡하다. 과거 약물 부작용을 표현하는 다양한 용어들이 사용되었는데(side effect, adverse experience, drug-induced disease, disease of medical progress, secondary effect, intolerance) 최근의 분류는 다음과 같이 단순하다.

- 약물 자체의 약리학적 작용이 과다한 경우(과용량 반응)
- 면역반응의 유발(약물 알레르기)
- 정상인에 비하여 화학적, 유전학적, 대사적 변화가 있는 사람(환자)에서 예기치 않았던 부작용(특이체질)

1) 과용량 반응

과용량 반응은 소량의 약 투여 시에는 나타나지 않지만 약물을 많이 사용했을 때(환자가 약제에 과다하게 노출된 경우) 나타나는 상황이다. 절대적 또는 상대적 과용량 투여로 인해 다양한 표적기관 및 조직에서 약물의 혈중농도가 증가한다. 약물 과용량을 일으키는 요소는 다음과 같이 분류할 수 있다(표 30-3).

과용량의 임상적인 징후 및 증상은 정상적인 약리작용이 확대되어 나타난다. 예를 들어 barbiturate의 유효농도는 중추신경계를 경도로 억제해서 원하는 정도의 진정 및 최면상태를 일으키나 barbiturate의 과용량(중추신경계에서 고농도)은 중추신경계를 과도하게 억제해서 호흡, 심혈관계 기능이 저하되어 호흡정지, 심한 저혈압을 가져올 수 있다.

2) 알레르기

알레르기는 환자가 기존에 알레르기항원(allergen)에 노출된 적이 있고 그에 대한 항체를 형성한 경우 알레르기항원에 재노출 되었을 때 나타나는 과민반응이다. 임상적으로는 알레르기가 다양한 형태, 즉, 약물 열(drug fever), 혈관 부종, 가려움증, 피부염, 조혈기관의 억제, 광과민증, 아나필락시스로 나타난다. 일부 특정 약제는 특히 알레르기 반응을 일으키기 쉬운 경우가 있다(예: penicillin, aspirin, 라텍스고무, bisulfite, 견과류, 벌침 등). 알레르기 반응은 어떤 약제나 화학약품에서도 나타날 수 있어 예측이 불가능한 경우가 많다.

표 30-3. 약물 과용량의 기여 요소

환자 요소
• 나이(6세 이하, 65세 이상)
• 체중(체중이 낮을수록 위험 증가)
• 질병(예를 들면, 간질환, 울혈성 심부전, 폐질환)
• 유전(예를 들면, pseudo cholinesterase deficiency)
• 정신적 태도(불안은 발작 역치를 낮춤)
• 성별(임신기에 약간의 위험성 증가)
약물 요소
• 혈관활성(혈관확장 시 위험 증가)
• 용량(높은 용량은 위험 증가)
• 투여경로(혈관 내 투여는 위험 증가)
• 주사속도(빠른 주사는 위험 증가)
• 주사부위의 혈관화(풍부한 혈관은 위험 증가)
• 혈관수축제의 존재(위험 감소)

표 30-4. 치과치료 시 사용되는 약물 중 알레르기 반응을 일으킬 가능성이 있는 약물들

항생제
• Penicillin
• Cephalosporin
• Tetracycline
• Sulfonamide
진통제
• Acetylsalicyclic acid (asprin)
• Nonsteroidal antinflammtory drugs (NSAIDs)
마약성 진통제
• Fentanyl
• Morphine
• Meperidine
• Codeine
항불안제
• Barbiturate
국소마취제
• Ester
• Procaine
• Propoxycaine
• Benzocaine
• Tetracaine
• Antioxidant
• Sodium (meta)bisulfite
• Paraben
• Methylparaben
다른 제제
• Acrylic monomer (methyl methacrylate)

약물의 정상 약리작용과 직접 관련이 있는 과용량 반응과 대조적으로 알레르기 반응은 체내 면역체계의 반응이 증폭되어 나타난다. 그 증폭된 정도에 따라 반응의 심도와 급성도가 결정된다. Barbiturate, 국소마취제, 항생제에 대한 알레르기 반응은 동일한 기전으로 나타나며 그 임상적 양상도 동일하다. 치과치료 시 사용되는 약물 중 알레르기 반응을 일으킬 수 있는 약물은 다음과 같다(표 30-4).

알레르기 반응은 환자가 항원에 노출된 후 알레르기 반응이 일어나는데 걸린 시간을 기준으로 즉시형과 지연형 반응으로 분류할 수 있다. 즉시형 반응으로 I형 알레르기 반응 또는 아나필락시스 반응을 들 수 있다. 대부분의 약물 알레르기 반응은 즉시형이다. 많은 장기나 조직 특히 피부, 심혈관계, 호흡기계, 눈, 위장관계가 알레르기 반응을 보인다. 전신형 아나필락시스는 모든 장기에서 면역반응이 진행되는 것이다. 혈관이 느슨해지면 간질로 수액이 빠지고 그 결과 심한 저혈압이 발생하면 의식소실이 일어나고 아나필락시스 쇼크로 이어진다.

한편 하나의 장기에만 국한되어 알레르기 반응이 나타나는 경우는 국소형 아나필락시스라고 한다. 국소형 아나필락시스의 예로 호흡기계에 이환된 기관지 천식, 피부에 이환된 두드러기가 있다.

알레르기 반응은 표 30-5와 같이 매우 다양한 임상양상으로 나타날 수 있다.

표 30-5. 알레르기 반응의 증상과 징후

반응	증상	징후	병태생리
두드러기	가려움증, 따끔거림, 미온, 홍조, 발진	두드러기, 미만성 홍반	혈관 투과성 증가, 혈관확장
혈관부종	가려움이 없는 사지, 안와 주위와 구강 주위의 부종	부종, 종종 비대칭	혈관 투과성 증가, 혈관확장
비염	코막힘, 코 가려움, 재채기	비강점막의 부종, 콧물	혈관투과성 증가, 혈관확장, 신경말단 자극
인두부종	무호흡, 목쉼, 목막힘	인두부 천명, 혀의 부종	혈관투과성 증가, 혈관확장, 내분비선의 분비물 증가
기관지 경련	기침, 쌕쌕거림, 복장뼈 뒤쪽의 뻣뻣함, 무호흡	기침, 쌕쌕거림, 빠른호흡, 호흡곤란, 청색증	혈관투과성 증가, 혈관확장, 기관지 평활근의 수축
순환 허탈	전신허약, 실신, 허혈성 가슴 통증	빠른맥, 저혈압, 쇼크	혈관 투과성 증가, 혈관이완 • 혈관운동신경성 증가 • 정맥 용량 증가
부정맥	전신허약, 실신, 가슴 통증, 두근거림	심전도 변화: 빠른맥, 비특이적 허혈성, ST-T파형 변화, 조기 심방성 및 심실성 수축, 결절성 리듬, 심방세동	심박출량 감소 이유 • 직접적 매개 물질로 유도된 심근 억제 • 효과적인 혈장 용량 감소 • 전부하 감소 • 후부하 감소 • 부정맥 • 치료에 사용된 약물에 의한 의원성 작용 • 기존의 심장질환
심정지	무의식, 무반응, 심박동 소실	무맥, 심전도 변화: 심실세동, 무수축	

3) 특이체질

특이체질(idiosyncrasy)이란 특정 약제, 식품, 기타 물질에 대한 개인의 독특한 과민반응으로 생각할 수 있다. 즉, 그 약리적, 생물학적 기전을 알지 못하는 약물 부작용, 혹은 과용량 반응이나 알레르기가 아닌 약물 부작용이다. 예를 들면 잘 알려진 중추신경계 억제제인 barbiturate나 히스타민 차단제를 투여할 경우 일부 사람에서 나타나는 흥분, 두근거림을 들 수 있다.

특이체질은 임상적으로 다양한 양상으로 나타난다. 자극제를 투여한 뒤 오히려 나타나는 기능억제, 억제제 투여 후 나타나는 기능항진, 근이완제(예: succinylcholine) 투여 후 나타나는 악성 고열증 등 실제로 그 양상은 매우 다양하다. 어떤 사람에서 이런 반응이 나타날지 혹은 어떤 양상으로 나타날지 예측하는 것은 힘들다.

참고로 과도한 불안 공포에 의해 발생하는 심인성 반응인 혈관미주신경실신, 과호흡증후군 등은 치과 내에서 발생하는 주된 국소마취 관련 응급 상황이다. 그러나 이는 국소마취제 주사를 맞을 때 극도의 긴장, 스트레스에 의해 나타나는 것이지 국소마취제 자체로 발생하는 것이 아니다. 심인성 반응은 어떤 약제에서나 비경구 투여 시에 발생가능하다. 특히 주사바늘, 주사기를 사용하는 경우 더 자주 나타난다. 위장관 경로로 투여하는 경우 극히 소수의 사람에서만 심인성 반응을 보인다.

2. 알레르기 반응의 치료

1) 국소적인 피부 반응

- 1단계: 치과치료를 중단하고, 입 안의 이물질 제거
- 2단계: P (환자 자세).
  이러한 환자는 가려움증이 존재하여 환자가 불편감을 느낄 때를 제외하고는 환자를 편안한 자세로 위치시킨다.
- 3단계: A-B-C (기도-호흡-순환). 필요한 경우, 기본 생명 유지술(basic life support, BLS)을 시행한다.
- 4단계: D (결정적 치료).
  국소적인 피부 병소에는 항히스타민제를 2~3일 동안 경구투여(diphenhydramine 50 mg 하루 3번 3일 동안 투여, 8 kg 이상의 소아에서는 25 mg)한다.
  빠르게 발병하는 피부 병소인 경우는 항히스타민제(diphenhydramine 50 mg)를 근주(근육주사) 또는 정주(정맥주사). 정주 시 효과 발현은 수 분, 근주 시에는 10~30분이 걸린다. 환자에게 이후에도 2~3일 동안 diphenhydramine나 chlorpheniramine을 경구투여 처방한다. 필요하면 전문가에게 의뢰한다.

2) 심혈관계, 호흡기계 증상이 있을 때

- 1단계: 치과진료를 중단하고, 응급 구조 요청
- 2단계: P (환자 자세).
  저혈압이 있으면 반듯이 누운 자세에서 환자의 다리를 10~15° 올려 높게 하고, 심혈관계 증상 없이 호흡곤란이 발생한다면 환자가 편한 자세로 위치하도록 한다.
- 3단계: A-B-C (기도-호흡-순환). 필요한 경우, 기본 생명 유지술을 시행한다.
  산소를 공급하면서 활력징후를 5분마다 측정하고 기록한다. 환자의 기도, 호흡, 순환이 평가되면 필요한 단계의 절차가 행해져야 한다. 가능하면 정맥로를 확보한다.
- 4단계: D (결정적 치료). 항히스타민제의 투여(diphenhydramin 50 mg 근주). 심혈관계 또는 호흡기계를 포함하는 미약한 아나필락시스 반응에 대한 처치로 1:1,000 에피네프린을 성인 0.3 mg, 소아 0.15 mg, 영아의 경우 0.075 mg 피하주사 또는 근주한다. 에피네프린은 필요한 경우 매 5~20분마다 투여할 수 있으며 총 3회 용량까지 사용할 수 있다. 환자에게서 약리 효과 또는 부작용이 나타나는지 관찰한다.
  필요하면 스테로이드(hydrocortisone 125 mg 정주)와 혈압상승제(5~10 mg ephedrine, 10~100 μg epinephrine 등)를 적정하여 사용한다.
- 5단계: 환자 이송. 응급 구조팀에 환자 인계 후 환자

와 동반하여 환자를 병원으로 옮기고 의사에게 환자를 인계한다.

3. 감별진단 시 고려사항

1) 의학적 병력

약물 과거력은 약물 부작용의 예방에 있어서 아주 중요하다. 약물과 관련된 알레르기는 반드시 기술되어야 한다. 증명된 알레르기가 있을 때에는 반드시 대체 약물을 써야 한다. 알레르기를 일으킬 수 있는 약제를 사용하는 경우에는 주의해야 하고 이를 대체할 수 있는 약제의 사용을 고려해야 한다(표 30-6).

하지만 이전의 약물 사용 시 부작용이 없었더라도, 다음번 사용 시 알레르기 반응의 발생을 완전히 배제하지는 못한다.

약물 과용량(혹은 독성) 반응은 의학적 병력으로 평가하기가 더 힘들다. 환자들은 흔히 모든 약물 부작용들을 알레르기로 기록한다. 오직 철저한 병력 청취와 해당 약물에 대한 약리학적 지식만이 과거의 과용량 반응을 진단할 수 있다.

혈관미주신경실신은 흔히 혈관 내로 약물 주입, 특히 국소마취제의 주입과 관련이 있다. 주사가 투여될 때마다 "의식을 잃음"의 병력으로 의사는 혈관미주신경실신을 의심하고 재발 방지를 위해 준비해야 한다.

2) 나이

알레르기와 과용량 반응은 어느 나이에서나 일어날 수 있다. 어린이들은 어른보다 알레르기를 일으킬 가능성이 더 크지만 나이가 듦에 따라 어린 시절의 알레르기는 완화된다. 그러나 아나필락시스(anaphylaxis)로 인한 사망의 90% 이상은 19세 이상의 환자들에게서 나타난다.

약물 과용량은 어느 환자에서나 발생할 수 있지만 소

표 30-6. 알레르기를 일으키는 약물들의 대체약물들

분류	약물	유용한 대체 약물	
		성분명	제품명
항생제	Penicillin	Erythromycin	Ilosone Erythocin
진통제	Acetylsalicylic acid Opioid	Acetaminophen NSAIDs	Tylenol Tempra Datril Naproxen Ibuprofen Many available
진정-수면제	Barbiturate	Flurazepam Diazepam Triazolam Chloral hydrate Hydroxyzine	Dalmane Valium Halcion Noctec Atarax, Vistaril
아크릴릭 모노머	Methyl methacrylate	가능하면 사용하지 않고, 필요한 경우 열중합형 사용	
항산화제	Sodium (meta)bisulfite	혈관수축제가 포함되지 않은 국소마취제 사용	Mepivacaine Prilocaine

아나 노인 환자에서 위험성이 높으며, 특히 진정-수면제와 같은 중추신경계 억제 약물, 아편유사제, 국소마취제에서 빈번히 일어난다.

반면에 혈관미주신경실신은 소아나 40세가 넘는 환자에서는 거의 나타나지 않는다. "건강한 어린이는 실신하지 않는다"는 말이 있다. 그들은 공포를 억누르려 하지 않고 큰 소리와 행동으로 표현한다. 10대 후반에서 30대 후반, 주로 남자에서 혈관미주신경실신이 잘 나타난다.

3) 성별

약물 과용량과 알레르기는 성별 차이가 없다. 혈관미주신경실신도 남녀 모두에서 비슷하게 발생한다.

4) 자세

임상적 징후와 증상이 나타났을 때의 환자의 자세는 알레르기나 과용량의 발현과는 관련이 없다. 그러나 혈관미주신경실신은 국소마취제 투여 시 환자가 바로누운자세(supine)로 있다면 거의 나타나지 않는다. 곧게 선자세로 앉은 환자에게 국소마취제를 주사하는 경우, 혈관미주신경실신이 훨씬 잘 일어난다.

환자의 자세는 의식소실 시 원인을 파악하는데 도운을 준다. 의식소실 환자를 바로누운자세로 위치시키는 것은 혈관미주신경실신의 경우 빠른 의식 회복을 가져 오지만, 약물 과용량이나 알레르기 반응인 경우 임상증상의 변화가 거의 없다.

5) 과거의 약물 노출

특정한 약물 혹은 거의 비슷한 약물의 과거 노출은 알레르기 반응이 일어나는 데 필수적이다.

혈관미주신경실신은 약물을 투여 받는 정신적인 측면이 반응을 촉진시키는 점을 제외하면 진정한 의미의 약물 관련 상황은 아니다. 약물의 과거 노출은 약물 과용량에서는 중요하지 않다. 그것은 약물의 첫 번째 투여나 이후 어떤 투여에서도 나타날 수 있다.

6) 약물 투여 용량

혈관미주신경실신은 약물투여용량과는 무관하다. 반면 약물 과용량은 대부분 투여된 약물의 양과 관련이 있다. 과용량은 원하는 치료 효과를 넘어서는 특정 표적 장기에서의 약물의 증가된 혈중 농도와 관련이 있다. 상대적 약물 과용량은 정상 치료 용량이 부작용을 나타내는 환자(과민반응자)에서 나타난다. 이는 정상 분포 곡선에 의해 보여지는 생물학적 다양성의 현상으로 설명할 수 있다.

알레르기의 경우 정상적으로는 투여된 약물의 절대량과 무관하다. 제제의 0.1 ml를 사용하는 알레르기 시험도 이전에 감작된 환자에서는 치명적인 전신적 아나필락시스를 일으킬 수 있다.

7) 전반적 발생빈도

혈관미주신경실신은 치과에서 가장 흔하게 나타나는 부작용이다. 진정한 약물 부작용 중에서 가장 흔하게 접하게 되는 것은 사소한 부작용(치료 용량에서 나타나는 치명적이지 않고 바라지 않는 약물 반응)이다. 생명을 위협할 수 있는 상황은 약물의 과용량에 의해 가장 흔하게 발생하며, 약물 부작용들 중 단지 15%만이 진정한 알레르기 반응이다.

8) 징후와 증상

(1) 징후와 증상의 시작

혈관미주신경실신, 약물 과용량 그리고 알레르기는 약물 투여 후 바로 혹은 좀 더 천천히 나타날 수 있다. 혈관미주신경실신은 대부분 약물 투여 직전에 나타나지만, 투여 중이나 이후에도 나타날 수 있다. 약물 투여 직전에 나타나는 의식 상실은 알레르기에 의한 것도 아니고 약물과용량에 의한 것도 아니며, 대부분 불안, 공포와 관련되어 있다. 약물 투여 중에 나타나는 임상적인 증상은 이러한 반응들 중 어떤 것과도 관련이 있을 수 있으며, 그런 상황에서는 투여된 약물의 용량이 매우 중요하다. 약물 투여 후에 나타나는 징후나 증상은 대부분 약물 과용량이나 알레르기를 나타낸다.

(2) 반응의 기간

국소마취제에 대한 과용량 반응은 정상적으로는 자기한정적(self-limited, 외부의 영향에 의해서가 아니라 자기 자신의 특성에 의해서 일정하게 한정된 결과를 취하는 질환을 말함. 즉, 일정시간이 지나 약물의 혈중농도가 떨어지면, 증상도 자연히 사라짐)이다. 국소마취제가 부주의하게 한 카트리지 더 투여될 경우 혈중농도가 정상으로 돌아올 때까지 1~2분 동안 간질 같은 급성 발작을 보일 수도 있다. 에피네프린은 수 분 내에 빨리 불활성형으로 대사되므로 과용량 반응이 극히 짧은 시간동안 나타난다. 혈관미주신경실신도 또한 자기한정적이다. 반면에 알레르기는 상당 기간 동안 지속될 수 있다. 알레르기 유발물질(allergen)에 대한 반응으로 분비된 화학 매개체가 환자의 몸 안에 남아있으면 알레르기의 증상과 징후는 계속된다. 집중적인 치료에도 불구하고 알레르기 반응이 수 시간에서 수 일 동안 지속되는 것은 드문 일이 아니다.

(3) 피부의 변화

알레르기는 대부분 피부 반응으로 나타난다(그림 30-1). 다른 응급 상황에서도 임상적인 징후 중 하나로 홍조 또는 홍반이 나타날 수 있으나 홍조가 두드러기나 소양감(가려움), 혹은 이것이 동시에 동반될 때는 알레르기로 임상 진단이 가능하다.

에피네프린 과용량 또한 홍반을 나타낼 수 있으나 다른 임상 징후로 쉽게 알레르기와 감별할 수 있다. 에피네프린 과용량의 징후는 심한 두통, 떨림, 불안감 증가, 두근거림 그리고 심하게 증가된 혈압 등을 포함한다.

창백하고 차갑고 끈적한 피부는 혈관미주신경실신에서 관찰되고, 저혈압이 생기는 국소마취제 과용량에서도 나타날 수 있다. 창백함은 에피네프린 과용량에서 나타날 수 있다. 부종은 알레르기 반응에서만 나타난다.

(4) 심리적 반응

공포, 불안 등으로 나타나는 외향적 신경과민 증상은 국소마취제나 에피네프린 과용량 모두에서 나타날 수 있다. 혈관미주신경실신을 보이는 환자는 약물 투여 전이나 중에 신경이 예민해질 수 있으나 주사 후에는 정상적으로 더 심하게 예민해지지는 않는다. 이러한 환자의 주요한 불만 사항은 "나쁜 기분" 혹은 "기절할 것 같은 기분" 중 하

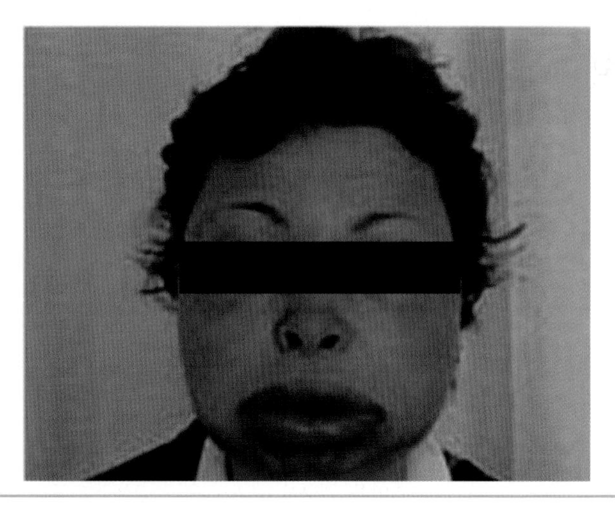

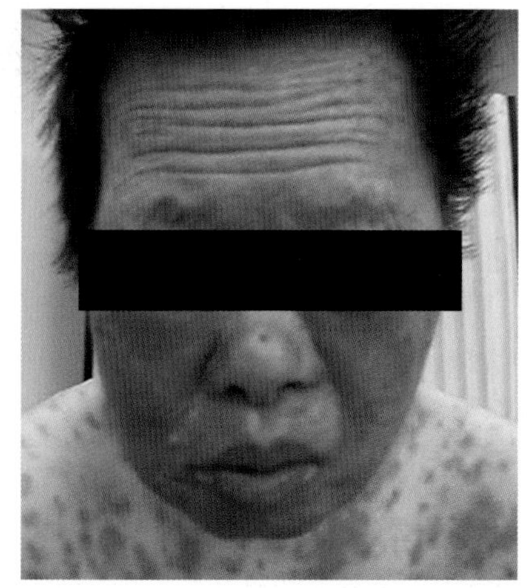

그림 30-1. 알레르기의 예

나이이다. 알레르기 환자는 뚜렷한 신경과민을 나타내지 않는다. 대부분 단순히 "끔찍한 느낌"을 호소한다.

(5) 의식소실

국소마취제 과용량, 급성 전신 아나필락시스 그리고 혈관미주신경실신은 모두 의식소실로 연결될 수 있다. 그러나 모두 이보다 가벼운 반응을 나타낼 수도 있다. 에피네프린 과용량은 심각한 심혈관계 합병증이 아니라면 거의 의식소실을 유발하지 않는다.

(6) 경련의 존재

국소마취제 과용량은 전신의 간대성근경련을 일으키기 쉽다. 반면 혈관미주신경실신에서는 손가락이나 얼굴의 개개의 근육에 경미한 경련성 움직임이 나타날 수 있다. 에피네프린 과용량에서는 보통 경미하고 전신적인 사지의 떨림이 관찰된다. 저산소증이 없는 알레르기에서는 보통 경련이 나타나지 않는다.

(7) 호흡기계 증상

이상호흡 혹은 호흡곤란은 어느 상황에서나 있을 수 있다. 호흡기계 증상은 알레르기 반응에서 가장 현저하다. 기관지 평활근의 수축으로 인한 쌕쌕거리는 소리(wheezing)가 나면 천식이나 알레르기로 추정 진단을 내릴 수 있다. 이러한 임상적 상황의 처치는 동일하기 때문에 정확한 진단은 급하게 요구되지 않는다.

천명(stridor)이라고 하는 높은 음의 까마귀 소리는 의사로 하여금 후두 폐쇄를 의심할 수 있게 한다. 이는 이물질이나 알레르기 반응으로 인한 후두부종에 의해 생긴다. 피부 반응과 같은 알레르기의 다른 증상들이 없으면, 기도는 추가 처치를 생각하기 전에 반드시 이물질 등을 제거하기 위한 흡인(suction)을 해야 한다.

완전 기도폐쇄는 의식이 없는 환자에서 대개 혀에 의해 발생된다. 기도 열기(head tilt-chin lift)와 흡인 후에도 기도 폐쇄가 지속되면 하기도 폐쇄를 의심해야 한다. 원인에 관계없이 반드시 기도를 신속하게 확보해야 한다.

(8) 활력 징후

① 심박동수

혈관미주신경실신의 실신 전 단계 동안 심박수가 증가되지만 의식이 상실되면 대략 분당 40회 정도로 극적인 감소가 관찰되고 실신 후에도 낮게 유지된다.

국소마취제 과용량과 알레르기 반응 또한 심박수 증가와 관련이 있지만 의식이 상실되어도 느린맥은 나타나지 않는다. 빠른맥과 저혈압이 특징인, 약하고 빠른(weak and thready) 맥박을 나타내는, 쇼크 반응이 발생된다. 반면, 에피네프린 과용량에서는 심박수와 혈압이 급격하게 상승하고, 크고 널뛰는(full and bounding) 맥박을 나타낸다. 게다가 심박수는 심근에 대한 에피네프린의 효과 때문에 불규칙하게 될 수 있다.

② 혈압

혈관미주신경실신의 실신 전 단계 동안 혈압이 한계선 수준을 유지하지만, 의식의 상실과 함께 혈압은 상당히 감소된다. 급성 알레르기 반응에서도 혈압은 과도한 혈관확장 때문에 급하게 감소하는데 급성 전신성 아나필락시스는 모든 약물 부작용들 중 심혈관계 허탈(심근정지)로 이어지는 가장 흔한 이유 중의 하나이다.

국소마취제 과용량의 초기 단계 동안 혈압은 보통 약간 상승된다. 반응이 진행됨에 따라 혈압은 한계선 수준이나 그 이하로 떨어지게 된다. 에피네프린 과용량 반응 동안 혈압은 극적으로 상승된다. 이런 반응 동안 수축기 혈압이 200 mmHg를 넘고 이완기 혈압도 120 mmHg를 넘는다.

국소마취제 과용량은 표적 장기인, 중추신경계와 심근에 있어서 국소마취제의 높은 혈중 농도와 관련이 있다. 이는 너무 많은 용량 투여, 빠른 흡수 혹은 급한 혈관 내 주사 등에 의해 발생된다. 흔히 중추신경계 자극의 징후와 증상(동요, 심박수와 혈압 상승, 경련)이 생기고 이어서 억제의 징후와 증상(혼수, 심혈관계 억제, 호흡억제, 의식상실)이 뒤따른다.

에피네프린 과용량은 잇몸뒤당김(gingival retraction) 시 높은 농도의 에피네프린의 사용에 의해 가장 흔히 발생되고, 가끔은 혈관수축제가 포함된 국소마취제에 의해서 생긴다. 가장 현저한 임상 징후는 극도의 신경예민, 경미한 떨림, 강력한 박동성의 두통 그리고 극히 상승된 혈압과 심박수 등을 포함한다. 에피네프린의 반응은 보통 짧다. 의식은 상당한 심혈관계 합병증이 생기지 않으면 거의 상실되지 않는다.

알레르기는 그 자체가 다양한 방식으로 나타난다. 하지만 홍조, 두드러기, 가려움증 등을 포함하는 분명한 임상적 징후와 증상 또한 나타난다. 호흡하려는 노력이 증가하면서 천명음이 날 때 또한 알레르기를 의심할 수 있다. 알레르기는 세가지 약물 부작용(과용량, 알레르기, 특이체질) 중 가장 드물지만 가장 위험하다.

알레르기 반응이 심한 경우, 기존에 약물에 감작되어 있는 환자의 경우 전신적으로 치명적인 아나필락시스 반응이 나타날 수 있다. 아나필락시스 반응의 징후와 증상은 표 30-7과 같다.

표 30-7. 아나필락시스 반응의 징후

증상과 징후	빈도(%)
피부	>90
두드러기, 혈관부종	85~90
얼굴이 상기됨	45~55
발진 없는 가려움	2~5
호흡기계	40~60
무호흡, 천명	45~50
상기도 혈관부종	50~60
비염	15~20
뇌신경계	
어지러움, 실신, 저혈압	30~35
위장관계	
오심, 구토, 설사, 쥐어짜는 통증	25~30
여러기관의 혼합	
두통	5~8
가슴 통증	4~6
간질	1~2

참고문헌

1. Bond CA, Raehl CL: Adverse drug reactions in United States hospitals. Pharmacotherapy, 26:601-8, 2006.
2. Lazarou L, Pomeranz BH, Corey PN: Incidence of adverse drug reactions in hospitalized patients: meta-analysis of prospective studies. JAMA, 279:1200-1205, 1998.
3. Nelson KM, Talbert RL: Drug-related hospital admissions. Pharmacotherapy, 16:701-707, 1996.
4. Parrish HM: Analysis of 460 fatalities from venomous animals in the United States. Am J Med Sci, 245:129, 1963.
5. Caranasos GJ: Drug reactions : Principles and practice of emergency medicine. 2nd ed. Philadelphia, WB Saunders, 1986.
6. Simon RP: Syncope, In: Cecil textbook of medicine. 22nd ed. Edited by Goldman L. Philadelphia, WB Saunders, 2020-2029, 2004.

CHAPTER 31

| Dental Anesthesiology | 응급의학

가슴 통증

학습목표

1. 허혈성 심질환 환자에서 급성 허혈성 발작 예방법을 제시한다.
2. 급성 허혈성 가슴 통증 발작을 치료법을 나열한다.
3. 가슴 통증을 구별한다.

갑작스런 가슴 통증은 많은 사람들에게 심각한 응급 상황인 "심근경색"을 떠올리게 하는 두려운 임상증상이다. 치과진료실에서 만나게 되는 급성 가슴 통증의 가장 주된 원인은 협심증, 과환기 및 심근경색증 등으로 정확한 감별진단과 적절한 치료는 매우 중요하다.

1. 가슴 통증의 일반적 고려 사항

1) 역학 및 기전

현재 우리나라에서 심혈관계 질환으로 인한 사망은 1위인 암에 이어 두 번째이다(미국에서 사망원인 1위는 심혈관계 질환이다). 2007년 통계에 따르면 인구 10만 명당 103.3명이 심혈관 질환으로 사망하였다. 우리나라의 경제와 의학이 발전하고 사람들의 생활습관의 변화로 과거에 비해 심혈관계와 관계있는 대사증후군(metabolic syndrome)을 앓는 사람들이 급증하면서 심혈관 질환으로 사망하는 사람뿐 아니라 이를 앓고 있는 사람들도 많이 늘고 있다.

심혈관 질환의 대다수를 차지하는 허혈성 심질환(ischemic heart disease)의 위험 인자는 유전적 소인, 흡연, 고혈압, 고콜레스테롤혈증, 당뇨, 비만 등에 의한 관상동맥(coronary artery)의 죽상동맥경화(atherosclerosis)이다.

스트레스는 교감신경계를 자극해 고혈압과 빈맥을 유발하여 심근의 산소요구량을 증가시키고 공급량은 감소시켜 심근허혈을 유발할 수 있다. 치과치료는 많은 환자들에게 정신적 스트레스를 주기 때문에 허혈성 심질환을 지닌 환자에서는 치과치료에 동반되는 통증, 불안 등의 스트레스를 최소화하는 것이 중요하다.

2) 증상 및 징후

심장에 산소를 공급하는 관상동맥에 죽상동맥경화증이 있다고 하여 모두 가슴 통증 등의 허혈성 임상 증상이 나타나는 것은 아니다. 그러나 관상동맥의 폐쇄가 심해져 심장이 필요로 하는 산소의 공급이 부족해지면 특징적인 증상과 징후가 나타난다.

임상적으로 흔한 협심증(angina pectoris)에 의한 가슴 통증은 운동이나 스트레스에 의해 유발되고 일반적으로 수 분 동안 지속되며, 점진적으로 강도가 강해지고, 빠르게 최고치에 도달한다. 협심증 통증은 내장통이므로 통증이 명확히 구분되는 것이 아니라 "소화가 안 되는 더부룩한 느낌", "무디고 쑤시고 불쾌한", "단단히 죄는", "숨 막힐 듯한", "짓누르는", "쥐어짜는", "터질 듯한" 및 "타는 듯한" 등의 느낌으로 표현된다. 이러한 가슴 통증은 주로 휴식이나 니트로글리세린(nitroglycerin)의 투여로 완화된다.

그러나 급성심근경색(Acute myocardial infarction) 중 80%의 환자들은 매우 심한 갑작스런 협심증 양상의 가슴 통증을 30분 이상 호소한다. 급성심근경색은 관상동맥에서 혈전형성이나 혈관의 연축(spasm)에 의해 가장 많이 발생되기에 분명한 유발 요인 없이 나타날 수 있고 협심증과는 다르게 휴식 또는 수면 중에도 발생한다. 이 경우에는 휴식이나 니트로글리세린에 의해 가슴 통증이 완화되지 않는다.

3) 예방 및 치과적 고려 사항

이미 알려진 가슴 통증 발작의 위험요소들을 제거하거나 최소화한다. 특히 치과치료와 관련된 분당 100회 이상의 빈맥과 고혈압의 관리는 중요하다. 빈맥은 심근의 산소 소모량은 늘리고 공급량을 줄이는 가장 큰 원인이므로 적극적으로 조절되어야 한다. 빈맥과 고혈압은 심근의 부하량을 증가시키고 산소 공급을 감소시켜 일시적인 허혈을 가져와 협심증의 증상을 나타내게 할 수 있을 뿐만 아니라 혈관의 전단력(shearing force)을 증가시켜 죽상경화판(atherosclerotic plaque)의 파열을 가져와 심근 경색을 유발할 위험을 증가시킨다. 시술 전후에 혈압을 측정하여 평소 환자의 혈압과 비교하여 20~30% 이상의 변화를 보이면 즉시 치과치료를 중단한다.

다른 하나의 중요한 가슴 통증 발작 예방법은 스트레스 감소이다. 협심증이나 심근경색 위험성이 높은 환자는 특히 적극적인 스트레스 감소법과 더불어 환자의 활력징후를 감시하면서 치과치료를 시행해야 한다.

치과에서 통증조절은 주로 국소마취를 통해 이루어진다. 그러나 국소마취제에 섞인 혈관수축제(에피네프린 등)의 사용 여부는 아직도 의견이 다양하다. 혈관수축제를 포함한 국소마취제 사용의 장점은 혈관수축작용에 의한 마취 지속시간의 연장, 심도 깊은 국소마취, 시술 부위에서 출혈 감소, 국소마취제의 혈장 최고치 감소로 인한 전신 부작용 위험도 감소를 들 수 있다. 그러나 에피네프린의 심장 자극 효과에 의한 빈맥과 고혈압 등은 심근산소 요구량의 증가와 공급량의 감소를 일으킬 수 있다. 따라서 에피네프린 사용은 위험도가 높은 환자일수록 주의가 필요하다. 비록 허혈성 심질환자에서 국소마취 시 사용되는 혈관수축제의 최대 용량이 아직 공식적으로 인정된 바는 없으나, 위험도(cardiac risk)가 큰 환자에게(ASA P3 이상) 권장되는 에피네프린의 최대 투여용량은 한 번의 치료 당 0.04 mg이다. 일반적으로 사용되는 에피네프린 농도로 계산하면 1:50,000으로 희석된 에피네프린(0.02 mg/ml)을 포함한 국소마취제 약 1개의 카트리지(1.8 ml), 또는 1:100,000으로 희석된 에피네프린(0.01 mg/ml)을 포함한 국소마취제 2개의 카트리지 또는 1:200,000으로 희석된 에피네프린(0.005 mg/ml)을 포함한 국소마취제 4개의 카트리지에 해당한다. 불안정한 허혈성 심질환(ASA P4)을 가진 환자에서는 에피네프린이 포함된 국소마취제를 결코 사용해서는 안되며, 긴급을 요하지 않는 치과치료 역시 허용되지 않는다.

또 한 가지 고려할 것은 인상 채득 전 사용하는 치은압배코드(gingival retraction cord)에 함유되어 있는 화합물인 8% 라세믹(racemic) 에피네프린이다. 정상 점막을 통해 흡수되는 정도의 에피네프린은 심혈관계에 큰 영향이 없지만, 치은 찰과상과 급성 출혈이 있으면 에피네프린이 체내로 빨리 흡수되어 고위험 환자에서 급성 가슴 통증 발작을 일으킬 수 있으니 주의해야 한다.

높은 위험도의 허혈성 심질환 환자의 치과진료에 앞서 환자의 가슴 통증이 발생할 것을 대비하여 니트로글리세린 스프레이나 알약을 필요시 쉽게 접근할 수 있는 곳에 두도록 한다. 니트로글리세린(0.3~0.6 mg)은 2~4분 내에 효과를 보이며 약 30분의 지속시간을 갖는다. 기타 이소소비드(isosorbide dinitrate), 경피 니트로글리세린 패치, 니트로글리세린 연고도 협심증 발작에 사용될 수 있다.

일반적으로 나타나는 니트로글리세린의 부작용은 두통, 홍조, 저혈압과 그 보상작용인 빈맥 등이다. 저혈압이 있는 환자에서는 니트로글리세린 투여에 주의한다.

4) 치료

허혈성 심질환인 협심증이나 심근경색은 다양한 정도와 기간으로 급성 가슴 통증의 임상증상으로 나타난다. 허혈성 심질환 중 협심증은 심근의 일시적 국소적 허혈이며, 좁아진 관상동맥을 통한 혈액의 공급이 수요에 미치지 못하여 발생하며 보통 운동이나 스트레스에 의해 빈맥과 고혈압이 유발요인이 되므로 휴식이나 니트로글리세린의 투여로 완화되는 것이 일반적이다. 심근경색은 죽상경화판의 파열과 이에 따른 혈전에 의해 관상동맥이 완전히 폐쇄됨에 따라 발생하게 된다. 휴식이나 니트로글린세린의 투여로도 잘 조절되지 않으며 통증이 30분 이상 지속된다. 심근경색의 부위가 광범위할 경우 심장기능부전이 같이 발생할 수 있으며 심실세동에 의한 심정지가 발생할 경우 적절한 치료를 하지 않으면 사망하게 된다. 심근경색은 관상동맥 폐쇄가 좀 더 오래 지속된 결과이다. 급사는 광범위한 심근경색이나 심실세동이 발생했을 때 일어날 수 있다. 급성 가슴 통증 발작의 일차적 치료 목표는 가슴통증의 완화이다. 이를 위해서는 심근의 산소요구량은 감소시키고 관상동맥을 통한 산소공급량을 증가시켜야 한다. 만약 심폐정지가 발생하면 즉시 심폐소생술을 시행한다. 협심증을 의심했던 가슴 통증이라도 10분 이상 지속되면 급성 심근경색 또는 불안정형 협심증을 의미하므로 바로 응급 구조를 요청한다. 또한 처음부터 심근경색이 의심되는 심한 가슴 통증이면 바로 응급 구조를 요청한다.

2. 협심증

협심증(angina pectoris)은 허혈성 심장질환에 의한 가슴 통증을 의미하는 전통적 용어이다. 협심증은 “불충분한 관상동맥순환의 결과로 운동이나 스트레스, 갑작스런 기온의 변화 또는 과식에 의해 유발되는 가슴과 상복부에서 느껴지는 통증(불쾌감)이며 니트로글리세린 같은 혈관이완제나 수 분간의 휴식으로 인해 완화되는 특징적 가슴 통증”으로 정의된다.

1) 협심증의 종류

협심증의 가장 흔한 형태는 안정형(stable angina)이다. 만성, 고전적 또는 운동 시 협심증(exertional angina)이라고도 불린다. 안정형 협심증과 심근경색의 중간 단계인 불안정형 협심증(unstable angina)은 아래 세 가지 특징 중 적어도 한 가지를 가진 협심증이다. 이는 임박한 심근경색을 의미하며 다음의 특징을 가지고 예후가 나쁘므로 심근경색에 준하여 치과치료 시 주의한다(표 31-1).

- 한 달 이내에 새롭게 발생한 가슴 통증이다.
- 휴식 상태에서도 나타나며 주로 20분 이상 지속된다.
- 평소의 안정형 가슴 통증의 심도, 기간, 빈도가 증가한다.

한편, 변이형 협심증(variant angina)은 프린츠메탈 협심증(Prinzmetal's angina), 비정형 협심증 또는 혈관연축 협심증이라고도 불리며, 다른 협심증과는 다르게 휴식 시 더 잘 일어난다. 주요 원인으로는 관상동맥의 경련(spasm)이다. 관상동맥의 경련은 심장 외막이나 큰 격막

표 31-1. 협심증 환자의 미국마취과학회 신체상태 분류

협심증 빈도	환자의 신체능력	ASA 전신상태 분류
한 주에 1회 이하의 발작	불편 없이 1층의 계단을 올라감	P2
한 주에 2~3회 발작	1층의 계단을 오를 때 통증 발작 있음	P3
불안정 협심증	1층의 계단도 오를 수 없음	P4

관상동맥의 갑작스런 수축을 일으킨다. 변이형 협신증은 같은 환자에서 매일 비슷한 시간인 새벽에 일어날 수 있는데, 순환되는 내인성 카테콜라민(endogenous catecholamine)의 일간 변동과 연관되어 있다. 변이형 협심증의 징후와 증상은 실신, 호흡곤란, 심계항진이다. 니트로글리세린의 투여는 바로 통증을 완화시킨다. 더불어 칼슘통로차단제는 변이형 협심증의 주된 치료법이다.

협심증 환자는 보통 아스피린이나 클로피도그렐(clopidogrel), β-아드레날린 수용체 차단제(β-adrenergic blocker)와 니트로글리세린 같은 질산염(nitrate) 또는 칼슘통로차단제를 복용하고 있다.

2) 증상과 징후

통증은 주로 흉골 밑으로 가슴의 양쪽 편을 가로지르며 갑자기 나타난다. 이 통증은 다른 부위로 퍼질 수 있다. 허혈성 가슴 통증이 주로 퍼져나가는 다른 부위로는 목과 턱, 상복부(위), 어깨뼈 사이(interscapular), 왼쪽 팔로 퍼져나가는 흉골 하, 목, 턱 및 양쪽 팔로 퍼져나가는 방사통인 경우가 많다.

환자는 묵직하고(dull), 쑤시며(aching), 타는 듯한(burning) 모호한 가슴 통증을 호소하면서 무거운 것이 가슴 위에 놓여 있는 것 같다고 느끼며 많은 수의 환자는 꽉 쥔 주먹을 가슴에 올려놓는다(Levine sign: Samuel A. Levine에 의해 알려진 허혈성 통증의 특징적 증상)(그림 31-1).

환자에서 급성 협심증 발작 시 나타나는 임상 증상들은 발작들 간에 동일하다. 최근에 일어난 빈도 및 지속시간의 증가 및 정도의 악화를 포함한 가슴 통증의 변화는 불안정형 협심증의 증상일 수 있으므로 바로 내과의의 자문을 구한다. 만일 치과치료 중 불안정형 협심증 발작이 의심된다면, 응급 구조를 요청한다.

3) 치료

- 1단계: 치과치료 중지 및 구강 내 이물질 제거
- 2단계: P (자세). 협심증 환자는 의식이 있으며 대화가 가능하다. 환자가 가장 편안한 자세를 하도록 한다. 일반적으로 환자는 똑바로 앉아있는 것을 편안해한다.
- 3단계: A-B-C (기도-호흡-순환). 환자의 가슴 통증이 10분 이상 지속되면 응급 구조 요청. 그 이전이라도 기도 호흡 순환에 문제가 생기면 즉시 응급 구조를 요청하고 필요시 기본 생명 유지술(basic life support, BLS) 시행. 허혈성 심질환이 없었던 사람에서 지속적인 가슴 통증이 2분 이상 계속될 경우 응급 구조를 요청한다. 산소를 투여하고 활력징후를 5분 마다 측정하여 기록한다.
- 4단계: D (결정적 치료). 환자가 심근 허혈성 통증을 호소하면, 니트로글리세린을 혀 밑에 두거나 협측 스프레이(0.3~0.6 mg)를 투약한다. 5분 간격으로 3회에 걸쳐 투약 후 발작이 멈추지 않는다면 응급 구조를 요청한다. 변이형 부정맥에서 칼슘통로차단제는 협심증 발생을 유의할 정도로 감소시킨다.
- 5단계: 이송 및 귀가. 치과치료는 가슴통증이 사라진 후 언제라도(필요하면 같은 방문 내에서도) 다시 시작될 수 있다. 치과치료를 계속하거나 환자가 퇴원하기에 앞서 편안함을 느낄 때까지 충분한 휴식을 취하도록 한다. 환자를 퇴원시키기에 앞서 활력징후를

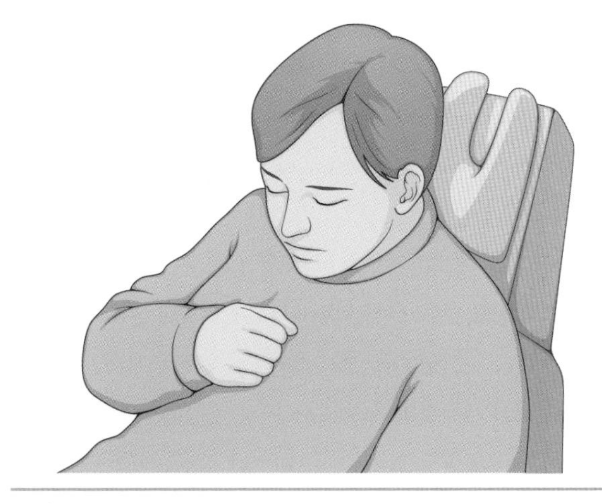

그림 31-1. Levine sign

측정하고 기록해야 한다. 의사의 판단 하에 환자가 혼자 가거나 자동차를 운전할 수 있다고 생각되면 가능하다. 회복의 정도가 불안하면 의과적 자문을 구하거나 환자의 친구나 가족(환자의 건강 및 안전에 확실한 관심을 가진 사람)에게 연락하여 환자와 동행하도록 해야 한다. 협심증 발작 종료 후 발작의 원인 규명, 향후 치과치료 시 협심증 발작을 예방하기 위하여 치과치료의 수정이 필요하다.

3. 급성 심근경색증

급성 심근경색증(Acute myocardial infarction)은 심근에 공급되는 관상동맥혈류의 차단에 의해 심근의 허혈성 손상으로 인한 심근세포의 괴사를 유발한다. 급성 심근경색에서는 협심증보다 심하고 수십 분 이상 지속되는 가슴통증으로 보통 니트로글리세린에 의한 통증의 감소가 관찰되지 않는다. 심근경색과 관련된 합병증으로는 쇼크, 심부전 및 심정지가 있다. 심근경색증과 관련된 사망의 약 50%는 발작 1시간 이내에 발생하며, 주로 심실세동(ventricular fibrillation)의 결과다. 심실세동 발생 후 1분마다 사망률이 7~10%씩 증가한다. 심실세동의 결정적 치료는 조기 제세동이다. 때문에 우리나라에서도 2008년 의료법의 개정으로 자동제세동기(automatic external defibrillator, AED)를 공공시설이나 일정 규모 이상의 의료기관에의 비치를 의무화하고 있다.

치과의사는 심근경색증의 발견 및 치료와 더불어 심근경색증을 이겨낸 환자의 치과치료를 안전하게 할 수 있어야 한다. 생존한 심근경색증 환자의 대부분은 약 6~8주 내로 일상생활이 가능하다. 그러나 심근경색 이후 얼마 동안은 재경색의 위험이 존재한다. 수술 환자를 대상으로 한 연구에 따르면 재경색(reinfarction)은 심근경색 후 3개월 내에 수술이 이루어진 경우 37%, 4~6개월 사이에 이루어진 경우는 16%, 6개월 이상이 지난 후에 이루어진 경우 5%였다. 심근경색 병력이 없는 정상인에서는 0.1%였다. 비록 높은 사망률이 시간이 지나면 감소하지만, 경색 후 10년이 지난 후에도 일반인과 비교하여 급성 심근경색증 생존자는 심장부전의 위험도가 10배 높고, 갑작스런 사망의 위험도는 4~6배 더 높다. 따라서 심근경색 발병 후 적어도 6개월까지는 예방적 치료와 같이 안전해 보이는 치과치료라도 응급이 아닌 치과치료는 피할 것을 강력히 권한다. 만약 발병 후 6개월 이내에 응급으로 치과치료를 해야 할 경우 반드시 심장내과의의 자문을 구한다.

1) 기전

급성 심근경색의 원인은 중증 관상동맥 질환 외의 요소로 죽상경화 플라크(atherosclerotic plaque)의 파열(균열 또는 출혈)이나 동맥 연축(arterial spasm)이 있다. 드물게 급성 심근경색증은 관상동맥이 협소화되지 않은 상황에서도 일어날 수 있다. 이는 심근에서 산소공급과 수요 사이에 확연한 부조화가 있을 때 발생한다. 코카인의 남용 또한 이러한 불균형의 원인으로 알려져 있다.

2) 증상 및 징후

환자는 불안해하며 근심스러워 보이고 격렬한 통증을 느낀다. 얼굴은 잿빛 회색을 띄며 손톱바닥과 다른 점막은 청색을 띈다. 피부는 차갑고, 창백하며, 축축하다. 맥박은 약하고 가늘며 빠르거나 느리다. 조기심실수축은 급성심근경색 후 첫 4시간 내에 93%의 환자에서 나타나고, 경색 후 초기 1~2시간에 나타나는 심실세동은 치명적이다. 혈압은 보통 낮으며, 처음 몇 시간 동안은 쇼크 상태에 빠질수 있을 정도로 심하게 낮아진다. 호흡은 빠르고 얕다. 만약 좌심실이 경색의 주된 장소라면 좌심실 부전이 임상적으로 명백하게 나타날 수 있으며, 우심실이라면 호흡곤란과 거품 섞인 가래를 특징으로 하는 허파부종이 나타날 수 있다(표 31-2).

주먹으로 가슴을 꽉 쥐는 Levine sign을 보일 수도 있다. 대부분의 경우에 호흡곤란도 나타나며, 환자는 가슴이 꽉 조이는 통증으로 인해 정상적 호흡을 할 수 없다고 얘기한다. 호흡 운동이 통증을 악화시키지는 않는다. 오

표 31-2. 심근경색을 의심해야 하는 가슴 통증

- 가슴의 압박, 조임, 무게감 같은 중중도 이상의 불편함
- 흉골 밑, 상복부 통증, 턱까지 퍼지는 통증
- 30분 이상 지속
- 오심과 구토
- 발한
- 호흡곤란
- 불규칙한 맥박
- 전신 쇠약
- 청색증

심과 구토도 자주 일어나며, 특히 통증이 심할 때 잘 나타난다.

급성 심근경색의 20~25%에서 가슴 통증이 없거나 가벼울 수 있다(silent infarction). 주로 당뇨병이나 노인 환자에서 나타나는데, 통증은 급성 허파부종, 심부전, 심인성 쇼크(cardiogenic shock), 실신 같은 심근경색 합병증에 의해 가려질 수 있다.

심인성 쇼크의 임상적 증거로 저혈압(80 mmHg 이하의 수축기 혈압) 및 말초 순환의 감소(예: 의식변화, 차가운 피부, 말초청색증, 빈맥 및 감소된 소변량)가 나타난다.

3) 예방 및 치과적 고려사항

심근경색증 병력을 가진 치과 환자는 치과치료 전 반드시 평가되어야 한다.

심근경색을 경험한 환자의 치과치료 시 고려사항으로 약물치료나 치과치료, 또는 둘 다를 가능한 수정하여 치과치료와 관련된 스트레스를 완화시켜야 한다. 이러한 환자는 미국마취과학회(ASA)에 의해 이전 심근경색 발병 후 경과기간, 이전에 경험한 경색 횟수 및 심혈관 질환의 지속된 증상이나 징후가 있는 경우(예: 호흡곤란, 가슴통증, 부정맥)에 근거하여 ASA P2, P3 또는 P4로 분류된다(표 31-3).

스트레스 감소법은 심한 스트레스가 심근의 부하 및 산소공급에 가할 수 있는 잠재적인 해로운 영향을 최소화시켜 급성 심근경색을 야기할 수 있는 직접적인 위험도를 낮춘다. 치과치료 시 스트레스 감소 및 적절한 통증조절은 매우 중요하다.

심근경색증을 가졌던 환자는 산소요법을 병행해야 하는데 비강 캐눌라(nasal cannula)를 통해 3~5 L/min의 속도로 산소를 공급하면서 치료한다.

국소마취 시 혈관수축제는 ASA P4 환자에게는 금기이며, 응급이 아닌 치과치료 역시 이런 환자에서는 금기이다. 심근경색을 가졌던 환자의 치과치료 시간은 다양하지만, 환자의 인내의 한계를 넘어서서는 안 된다. 환자가 호흡곤란과 발한, 증가된 불안감과 같은 증상을 나타낼 때, 시술을 중단하거나 또는 변경하면서 원인을 찾는다.

만약 환자가 현재 항응고제 또는 항혈소판 요법을 시행받고 있다면, 출혈의 위험이 있는 치료(예: 치주수술, 구강 내 수술, 임플란트 식립 등)를 시행하기에 앞서 항상 의과적 자문을 구한다. 아스피린의 경우는 협심증 환자에서 투여량이 보통 소량이고, 투여 중지가 재경색의 위험을 증가시키므로 투여를 중지하는 것이 오히려 더욱 위험할 수 있다. 클로피도그렐의 경우 출혈 위험성이 아스피린보다 더욱 크므로 출혈 위험성이 큰 시술의 경우 사용을 중지하는 것이 더 안전할 수도 있다. 하지만 사용 중단

표 31-3. 심근경색 환자의 미국마취과학회 전신상태분류

심근경색의 기간 및 횟수	ASA 전신상태분류
6개월 내 1번 발작, 심혈관계 합병증 없음	P2 또는 P3
6개월 내 최소 1번 발작, 협심증, 심부전, 또는 부정맥 등의 가벼운 심혈관계 합병증 있음	P3 또는 P4
지금까지 2번 이상 심근경색, 6개월 이내에 경색 있었으나 심혈관계 합병증 없음	P3
6개월 이내에 심근경색 및 심각한 합병증	P4

은 심장내과의와의 자문을 통해 이뤄져야 한다.

치과적 지혈법은 출혈 부위 압박, 수술 부위를 여러 번 봉합, 구강외 얼음찜질, 양치 금지 및 술후 48시간 동안 유동식 권장이 있다.

4) 치료

급성심근경색의 임상적 관리는 증상 및 징후의 인지와 기본소생술에 필요한 단계들을 수행하는 데 기초한다. 처음에는 협심증과 급성심근경색으로 가슴 통증을 구별하기가 어려울 수 있다. 치과에서 협심증을 진단하는 것은 내원한 환자가 이미 협심증 과거력 을 가지고 있으며 의사에게 평소 협심증으로 인해 나타나는 통증과 비슷한 양상의 통증이 확인된 경우에 한정된다. 모든 다른 경우에 있어서, 특히 협심증 기왕력이 없는 경우에는 급성 심근경색으로 생각하여 즉시 응급 구조를 요청한다.

- 1단계: 치과진료의 중단 및 응급 구조 요청
- 2단계: P (자세). 가슴 통증을 호소하며 의식이 있는 환자는 자신이 느끼기에 편안한 자세를 취해야 한다.
- 3단계: A–B–C (기도–호흡–순환). 또는 기본 생명유지술. 감소된 심박출량의 임상적 증상을 보이면 기도, 호흡 및 순환을 평가한다. 산소를 투여하고 활력징후를 5분마다 측정하고 기록한다. 가능하면 정맥로를 확보한다.
- 4단계: D (결정적 치료). 심근경색이 의심되는 환자의 병원 도착 전 치료는 MONA에 입각하여 시행된다. M 은 morphine을, O는 oxygen을, N은 nitroglycerin을, A는 aspirin을 의미한다. 산소요법과 혈관 확장을 통해 심근 산소공급량을 늘리고, 혈전 용해 치료를 통해 관상혈류를 회복시킨다. β-아드레날린 차단제를 사용하여 심근의 산소요구량을 감소시킨다. 니트로글리세린, 모르핀, 혈전용해제를 사용하여 더 이상의 손상으로부터 심근을 보호한다.

  아스피린은 160~325 mg을 경구 투여한다. 아스피린에 대해 명백한 알레르기가 있거나 생명에 위협이 되는 출혈과 같이 투약에 금기가 되는 경우를 제외하고, 급성 심근경색이 의심되는 환자나 불안정형 협심증을 가진 환자 모두에게 325 mg 용량이 경구로 섭취되어야 하며, 씹은 후 삼켜야 한다. 급성심근경색의 급성기에 투여된 아스피린은 환자의 예후에 중요하다.

  모르핀은 강한 진통 작용과 불안해소 작용이 있으며 이는 가슴 통증을 느낀 환자에게 도움이 된다. 2~5 mg의 모르핀을 5~15분 정도 간격으로 반복해서 정주한다. 또한 폐울혈을 감소시켜서 심근 산소요구량을 감소시킨다. 그러나 호흡수가 분당 10회 이하인 경우에는 모르핀을 반복 투여하면 안 된다. 치과에서 사용하는 아산화질소와 산소를 흡입한다면 비침습적이고 빠르고 morphine, oxygen, nitroglycerin 효과를 효율적으로 나타내기에 추천할만하다.
- 5단계: 합병증 관리. 응급 구조팀이 도착하기 전에 급성 심근경색증의 주된 합병증인 심실세동 등의 부정맥, 심부전, 심정지 등을 바로 효과적으로 치료해야 한다. 기본이 되는 것은 기본 생명유지술과 체외제세 동이다.
- 6단계: 종합병원으로의 환자 이송. 치과의사는 구급차에 환자와 동행해야 하고 의사에게 인수될 때까지 함께 있어야 한다.

4. 감별진단

협심증과 연관되어 나타나는 통증과 심근 허혈과 관계없이 일어나는 가슴 통증을 감별진단 하는 것은 매우 중요하다.

만약 환자의 통증이 "쏘는 듯한", "날카로운 것으로 잘리는 듯한", "칼로 찌르는 듯한", "따끔따끔 쑤시는" 이라고 표현한다면 비심장성 통증일 가능성이 크다. 또한 "숨쉴 때마다"나타나는 가슴통증은 일반적으로 심근 허혈이 원인이 아니다.

만약 통증이나 불쾌감의 부위를 환자가 정확히 짚을 수 있다면 원인은 주로 심장 허혈성이 아닌 피부나 흉벽에서 유래된 것일 가능성이 크다. 허혈성 통증은 내장통이라 좀 더 깊이 좀 더 넓은 면적에서 통증이 나타난다. 그러나 환자가 통증을 묘사할 때 가슴 부위를 주먹으로 꽉 움켜잡는다면, 통증의 원인은 허혈성일 가능성이 매우 높다(Levine sign).

심장의 허혈에 의한 가슴 통증은 니트로글리세린 투여로 일반적으로 조절된다. 그러나 식도연축이나 식도염으로 인한 통증 또한 니트로글리세린으로 완화될 수 있다. 상체를 앞으로 구부리면 완화되는 가슴 통증은 급성 심장막염에 의한 속발증이며, 깊은 흡기 시 숨을 참는 것으로 인해 완화되는 가슴 통증은 주로 늑막염에 의해 생긴다.

오심과 구토를 동반한 중증의 가슴 통증은 주로 심근경색에 의한다. 발열과 관계되어 나타나는 가슴 통증은 폐렴이나 심막염 등에서 나타난다.

요약하면 환자가 가슴 통증을 호소하면 허혈성 심질환에 의한 것인지 아닌지, 허혈성 심질환 중에서 일과성인 협심증인지 위급한 심근경색인지를 구별하여 환자를 치료하는 것이 중요하다.

참고문헌

1. Aronow WS, Silent MI: Prevalence and prognosis in older patients diagnosed by routine electrocardiograms. Geriatrics, 58:24-26, 36-38, 40, 2003.
2. Benzaquen BS, Cohen V, Eisenberg MJ: Effects of cocaine on the coronary arteries. Am Heart J, 142:402-410, 2001.
3. McGuire DK, Granger CB: Diabetes and ischemic heart disease. Am Heart J, 138:S366-S375, 1999.
4. Houston JB, Appleby RC, DeCounter L, Callaghan N, Funk DC: Effect of r-epinephrine-impregnated retraction cord on the cardiovascular system. J Prosthet Dent, 24:373-6, 1970.
5. Iribarren C, Crow RS, Hannan PJ, et al: Validation of death certificate diagnosis of out-of-hospital sudden cardiac death. Am J Cardiol, 82:50-53, 1998.
6. Kolodgie FD, Bruke AP, Farb A, et al.: The thin-cap fibroatheroma: a type of vulnerable plaque: the major precursor lesion to acute coronary syndromes. Curr Opin Cardiol, 16:285-292, 2001.
7. Rose LF, Mealey B, Minsk L, Cohen DW: Oral care for patients with cardiovascular disease and stroke. J Am Dent Assoc, 133:37S-44S, 2002.
8. Szatjzel J, Mach F, Righetti A: Role of the vascular epithelium in patients with angina pectoris or acute myocardial, infarction with normal coronary arteries. Postgrad Med J, 76:16-21, 2000.
9. Thom T, Haase N, Rosamond W, et al.: American Heart Association Statistics Committee and Stroke Statistics Subcommittee. Heart disease and stroke statistics--2006 update: a report from the American Heart Association Statistics Committee and Stroke Statistics Subcommittee. Circulation, 113:e85-151, 2006.
10. Veterans Administration Cooperative Study Group on Antihypertensive Agents. II. Results in patients with diastolic blood pressure averaging 90-114 mm Hg. JAMA, 215:1143-1152, 1970.
11. Weinblatt E, Shapiro S, Frank CW, Sager RV: Prognosis of men after first myocardial infarction: mortality and first recurrence in relation to selected parameters. Am J Public Health, 58:1329-1347, 1968.
12. Yagiela JA. Injectable and topical local anesthetics. In Ciancio SG, editor: ADA guide to dental therapeutics. 3ed. Chicago. American Dental Association, 1-16, 2003.

CHAPTER 32

| Dental Anesthesiology | 응급의학

심폐정지 및 심폐소생술

학습목표

1. 심폐소생술의 임상적 중요성을 설명한다.
2. 심폐소생술을 시행한다.
3. 자동제세동기를 사용한다.

심장은 온몸으로 혈액을 내뿜는 우리 몸의 펌프역할을 하며 심장마비는 심실빈맥이나 세동 또는 무수축 등으로 심장에서 실질적인 박출이 없어지는 상태이며 호흡 중추로의 혈류 공급이 없어지므로 즉각적인 호흡 정지와 의식 소실이 동반되게 된다. 심장마비가 발생하면 온 몸으로의 혈액 순환이 중단되기 때문에, 바로 조치를 취하지 않으면 사망하거나 심각한 뇌손상이 일어날 수 있다. 심폐정지가 발생하면 환자는 의식이 소실되고 숨을 쉬지 않으며 맥박이 없어진다. 이 때 심폐소생술을 얼마나 빨리 시작하는지가 환자의 예후를 결정한다. 뇌는 혈액 공급이 4~5분만 중단돼도 영구적으로 손상이 일어난다. 심장마비로부터 살아나는 사람 중 적절한 시기에 효과적으로 심폐소생술을 받지 못하는 경우에는 비록 생존하더라도 대다수가 심한 뇌손상으로 고통을 받게 된다.

심폐소생술은 심장마비가 발생했을 때 인공적으로 혈액을 순환시키고 호흡을 돕는 응급치료법으로 심장이 마비된 상태에서도 혈액을 순환시켜, 뇌의 손상을 지연시키고 심장이 마비 상태로부터 회복하는데 결정적인 도움을 줄 수 있다.

즉시 심폐소생술을 시행받은 심장 마비 환자는 심폐소생술을 시행하지 않은 경우에 비해 생명을 구할 확률이 3배 이상 높아지며, 심폐소생술을 효과적으로 시행하면 그렇지 않은 경우에 비해 심장마비 환자의 생존율이 3배 가량 높아진다. 그러나 대부분의 심폐정지는 예측할 수 없기에 평소의 응급 상황에 대한 준비가 매우 중요하다.

1. 심폐정지

심폐정지는 심정지와 호흡정지로 시작된다. 심정지의 가장 중요한 원인이 급성 심근경색이다. 심장이 원활한 펌프의 역할을 하려면 심장 근육으로 충분한 산소와 영양분이 공급되어야 하는데, 심장근육으로 혈액을 공급하는 관상동맥이 완전히 막혀 혈액 공급이 되지 않는 상태가 되면 심정지가 일어날 수 있다. 호흡정지는 심정지가 없이도 일어날 수 있다. 호흡정지가 발견되지 못하고 적절히 치료되지 않는 경우 짧은 시간 안에 심기능이 저하되고 심정지가 잇달아 일어난다. 건강한 어린이에서 심폐정지가 일어나는 대부분의 원인은 기도폐쇄나 호흡 정지로 인한 무산소증이다.

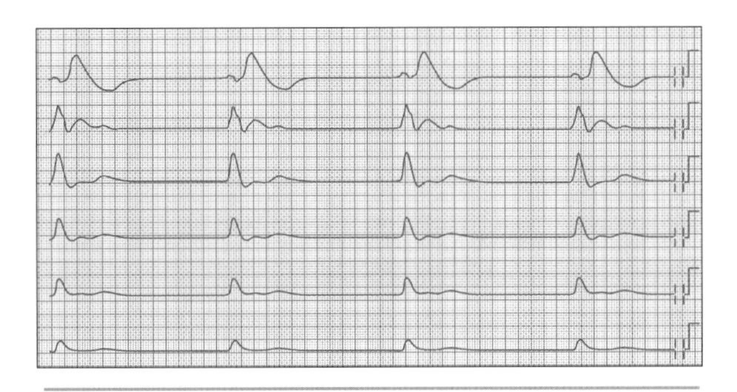

그림 32-1. 무맥박 전기활동
심근의 전기적 활동은 있으나 맥박은 없다.

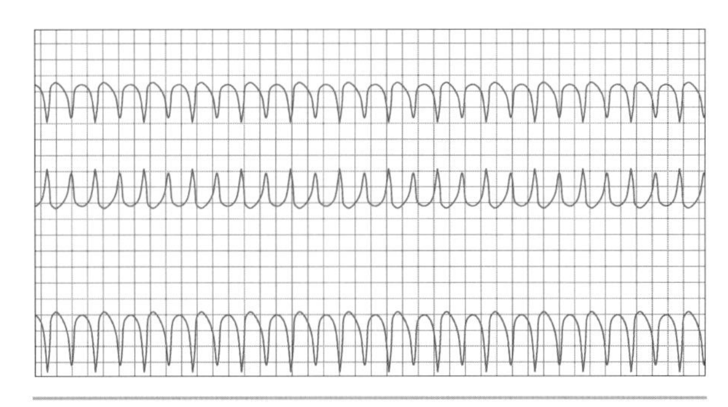

그림 32-2. 심실빈맥
심방의 전기적 활동인 p파를 보이지 않는 분당 150회 이상의 빠른 심근의 전기적 활동을 보이고 있다.

1) 심정지

심정지는 심장의 일차적 기능인 조직으로의 혈류를 보내는 조직화된 박동(pumping)이 멈춘 상태로 무수축뿐만 아니라 무맥박 전기활동(pulseless electrical activity, PEA), 심실빈맥, 심실세동 등을 포함한다.

2) 심정지를 일으키는 심장리듬

(1) 무맥박 전기활동

무맥박 전기활동(그림 32-1)의 경우 심장의 전기적 활성은 있으나 기계적 박동이 없어 심혈관계를 통한 효과적인 혈액순환이 일어나지 않는다. 이런 상황은 국소마취제, barbiturates, 아편유사제와 같이 치과에서 많이 사용되는 약물의 부작용으로 나타날 수 있다. 또한 무맥박성 전기적 활동은 대부분 저혈량증(hypovolemia), 저산소증(hypoxia), 산증(acidosis), 저칼륨혈증, 고칼륨혈증, 저혈당증, 저체온증, 심장 눌림증(cardiac tamponade), 긴장성 기흉, 혈전증, 외상 등의 원인으로도 일어난다. 이 때에는 원인이 치료되지 않는 한 제세동의 효과는 거의 없다.

(2) 심실빈맥

심실빈맥(그림 32-2)은 심실의 빨라진 박동이다. 심박동의 전기적 신호의 시작이 심실에서 시작되므로 심전도상 넓은 QRS파를 보이며 P파는 보이지 않아 심실상성 빈맥과 구분된다. 환자는 빠른 박동을 느끼며 불안해하고 의식이 있거나 맥박이 없고 의식이 없을 수도 있다. 두 경우는 서로 다르게 치료되어야 한다. 맥박과 의식이 있는 경우는 amiodarone 같은 약물을 투여하여 심실상성 리듬으로 전환되도록 시도한다. 맥박이 있는 심실빈맥은 제세동의 적응증이 아니다. 그러나 맥박이 없는 경우에는 심실세동의 경우와 같이 제세동이 바로 필요하다.

(3) 심실세동

심실세동은 정상 심장 박동과는 다르게 심근들이 서로 독립적이고 무질서하게 수축하는 부정맥이다(그림 32-3). 심근이 여전히 수축하고 있어도 순환은 일어나지 않거나 전혀 효과적이지 않다. 심실세동은 급성 심근경색이 일어

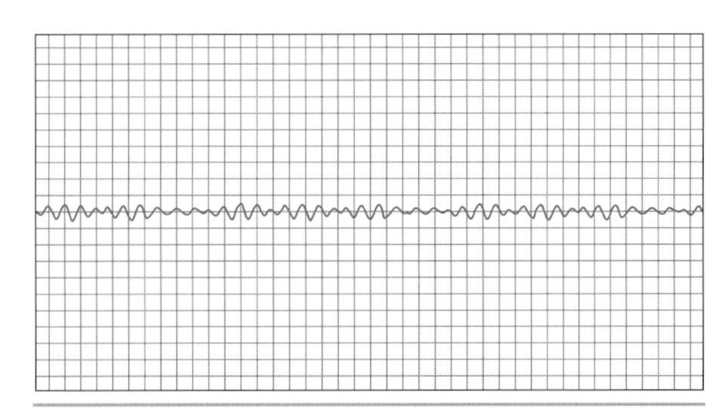

그림 32-3. 심실세동. 심실세동은 심장의 전기 축이 일정하지 않고 분당 300회 이상의 빠른 심실의 전기신호를 보인다.

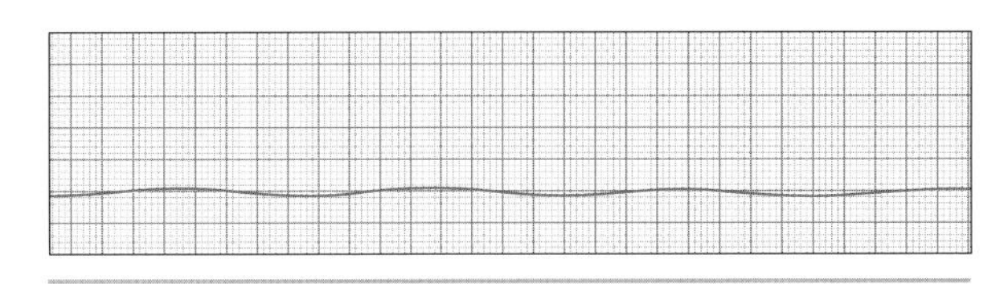

그림 32-4. 심실 무수축
심장의 전기적 신호가 없다. 심전도 모니터링 중 전극이 환자 몸에서 떨어지면 나타나는 현상은 자로 그은 듯한 – 모양인데, 심실 무수축은 위아래로 약간의 움직임이 있다.

난 후 첫 2~4시간 이내 흔하게 일어나며, 허혈성 심장질환의 주요 사망원인이다. 심실세동 초기의 거친 파형은 심근이 약화되면서 미세한 심실세동으로 변하고 결국은 심근이 괴사되어 무수축이 된다. 심실세동은 신속한 제세동이 필요하다.

(4) 심실 무수축

심실 무수축은 심근의 수축이 없는 경우이다. 심근으로의 심각한 산소 부족이 가장 흔한 원인이다. 제세동에 잘 반응하지 않는다(그림 32-4).

지금까지 언급한 무맥박 전기활성, 의식이 없는 환자의 심실빈맥, 심실세동 및 심실 무수축은 모두 환자의 맥박이 없으므로 심전도의 도움 없이 정확한 심장리듬을 알 수 없다. 제세동이 가능한 심실빈맥이나 심실세동도 효과적인 심폐소생술과 제세동이 이루어지지 않으면 저산소증이나 무산소증이 되어 호흡성 산증, 대사성 산증에 빠지고 결과적으로 무맥박 전기활동과 무수축이 되어 성공적인 소생의 가능성이 줄어든다.

2. 심폐소생술

1) 기전

심폐소생술에서 중요한 개념은 "생존 사슬(chain of survival)"이다(그림 32-5).

- 심정지의 예방과 조기 발견: 생존사슬의 첫 번째 고리로 2015년에 새롭게 도입한 개념이다. 병원 밖에서는 심정지를 일으킬 수 있는 유발요인 및 위험요인을 감소시키기 위해 노력해야 하며, 병원 안에서는 심정지 발생 전에 나타나는 징후들을 빨리 파악하고 대처를 할 수 있는 원내응급팀(medical emergency team)이나 원내신속반응팀(rapid response team)의 역할이 필요하다.
- 신속한 신고: 심정지를 인식한 목격자가 응급의료체계에 전화를 걸어 심정지의 발생을 알리고, 연락을 받은 응급의료전화상담원이 환자발생 지역으로 119구급대원을 출동시키는 일련의 과정이 포함된다.
- 신속한 심폐소생술: 신속한 신고 후에 구급대원이 도착할 때까지 심정지 환자에게 가장 필요한 처치는 목격자에 의한 심폐소생술이다.
- 신속한 제세동: 제세동 처치를 신속하게 실시한다.

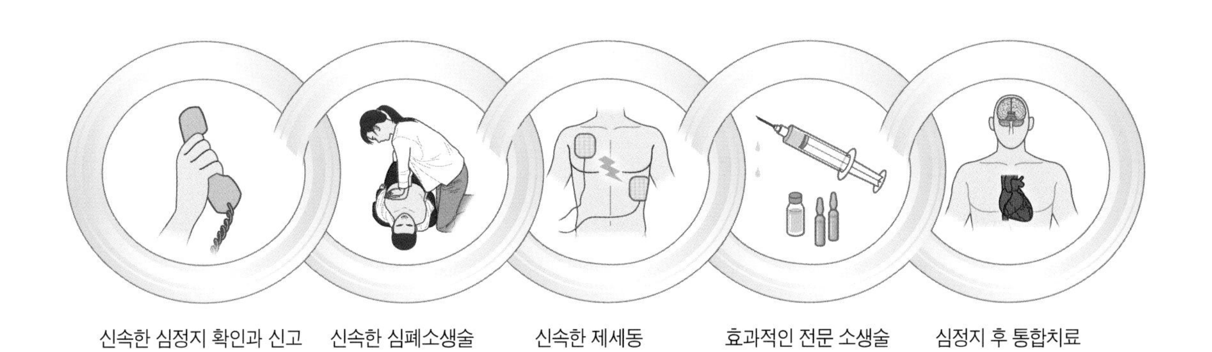

그림 32-5. 생존고리

- 효과적 전문소생술과 심정지 후 치료: 자발순환이 회복된 환자에서 혈역학적 안정을 유지하고 심정지의 재발을 막기 위한 효과적인 전문소생술은 환자의 생존에 중요하고, 심정지 후 치료는 일반적인 중환자 치료와 더불어 목표 체온 치료, 급성 심근경색에 대한 관상 동맥 중재술, 경련 발작의 진단 및 치료 등이 포함된 통합적 치료 과정이다.

'통합적 심정지 후 치료' 전 과정은 심정지가 발생한 현장에서 목격자에 의해 시행되므로, 심정지 환자의 생존은 이를 발견한 목격자에 의해 좌우된다. 심폐소생술은 심정지 환자가 소생될 때까지 쉼 없이 이어져야 한다.

연속된 생존고리 중 어떤 한 가지라도 실패하면 성공적인 환자의 소생은 이루어지지 않는다. 구조자가 혼자인 경우, 성인 환자 구조는 응급 구조 요청("Call first")이 최우선이나 소아 환자의 경우 대부분의 심폐정지의 원인이 호흡정지에 의한 것이므로 심폐소생술을 먼저 2분 시행한 후 응급 구조를 요청한다("Call fast"). 그러나 치과진료실에는 여러 사람들이 있으므로 소아환자라도 심폐소생술 시작과 동시에 응급 구조요청이 가능하다.

2) 심폐소생술 가이드라인

증거에 기반한 심폐소생술은 매우 중요하므로 1973년 미국심장학회(American Heart Association, AHA)와 미국국립연구회(National Academy of Sciences National Research Council)는 심폐소생술과 응급심장처치의 표준화를 위해 처음으로 basic and advanced life support의 가이드라인을 제시하였다. 그 이후 효과적인 심폐소생술을 위하여 계속적으로 새로운 실험연구와 임상연구를 검토하여 이전의 표준지침을 개선하여 왔으며 AHA2015 가이드라인까지 이루어졌다. 여기서는 AHA 2015 가이드라인과 대한심폐소생협회 공용심폐소생술(그림 32-6)을 참고하여 기술하겠다. 2015년 가이드라인에서 주목할 점은 119신고 후 호흡을 확인하는 것이다. 심정지 환자의 반응을 확인하면서 호흡을 확인하는 것이 아니라 반응 확인 및 119신고 후에 환자의 호흡을 확인하는 것으로 변경되었다는 점이다. 이 내용의 변화는 호흡의 확인 과정이 매우 어려우며, 특히 심정지 호흡이 있는 경우 심정지 상황에 대한 인지가 늦어져 가슴압박의 시작이 지연되기 때문이다.

① 심폐소생술의 순서에서 인공호흡 이전에 흉부압박을 먼저 시행하도록 제안한다. 2010년 가이드라인과 마찬가지로 심폐소생술 순서는 흉부압박(compression)-기도유지(airway)-인공호흡(breathing)의 순서(C-A-B)를 유지한다.

② 일반인 구조자는 흉부압박만 하는 '가슴압박 소생술(hands-only CPR)'을 하도록 제안한다. 인공호흡을 할 수 있는 구조자는 인공호흡이 포함된 심폐소생술을 시행 할 수 있다. 그러나 119구급대원을 포함한 응급의료종사자는 반드시 흉부압박과 인공호흡을 함께 하는 심폐소생술을 시행할 것을 제안한다.

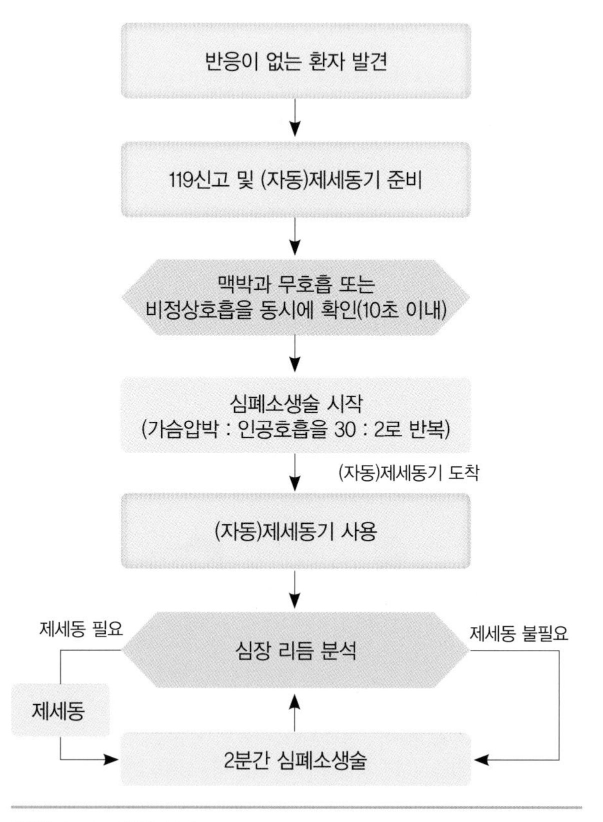

그림 32-6. 생존 사슬

③ 고품질의 심폐소생술을 강조한다. 성인 심정지 환자에서 흉부압박의 깊이는 약 5cm 깊이를 권고하고, 속도는 분당 100~120회를 제안한다. 흉부압박의 중단을 10초 이내로 최소화할 것을 제안하며, 인공호흡을 과도하게 시행하지 않아야 한다.

④ 심정지의 즉각적인 확인은 무반응과 비정상적인 호흡의 유무로 판단한다. 비정상적인 호흡이란 환자가 숨을 쉬지 않거나, 심정지 호흡과 같이 정상이 아닌 모든 형태의 호흡을 말한다.

⑤ 호흡 확인을 위한 방법으로 2005년 가이드라인에서 제시하였던 '보고-듣고-느끼기'의 과정은 2010년 가이드라인에서는 삭제되었는데, 2015년 가이드라인에서도 사용되지 않는다.

⑥ 일반인이 심정지를 확인하기 위하여 맥박을 확인하는 과정은 2010년 가이드라인에서와 같이 권장되지 않는다. 의료제공자는 10초 이내에 맥박과 호흡을 동시에 확인하도록 하며, 맥박 유무를 확인하기 위해 가슴압박을 지연해서는 안 된다.

⑦ 여러 명의 구조자가 함께 심폐소생술을 시행하는 과정을 교육함으로써, 팀 접근에 의한 체계적인 심폐소생술이 시행될 수 있어야 한다.

3) 기본 생명 유지술

기본 생명 유지술은 심폐정지 환자에게 흉부압박을 통한 순환(C), 기도 열기(A), 호흡(B)을 통하여 환자의 자발 호흡과 순환의 회복을 도우면서 전문생명유지술이 시행될 수 있을 때까지 시행한다. 기본소생술에서는 8세 이상은 성인, 8세 미만은 소아에 준하여 심폐소생술을 한다.

기본소생술은 보통 일련의 구조 행동 순서로 설명되며 단일 구조자에게 그대로 적용된다. 하지만, 대부분의 의료진은 팀으로 일하며 보통 팀원들은 기본소생술을 동시에 실시한다. 예를 들어, 한 팀원이 자동제세동기(AED)를 구하고 도움을 요청하는 동안 다른 팀원은 즉시 흉부압박을 시행하며, 또 다른 팀원은 기도를 열고 인공호흡을 시행한다. 의료진은 심정지의 가장 큰 원인에 구조 행동을 맞추도록 해야 한다. 예를 들어, 혼자 있는 의료진이 환자가 갑자기 의식을 잃는 것을 목격할 경우 의료진은 환자에게 쇼크 리듬의 일차적인 심정지가 발병한 것으로 예측하고 즉시 응급 구조 체계를 가동한 후 자동제세동기를 준비하여 환자에게 심폐소생술을 시행하고 자동제세동기를 작동한다. 또는 질식성 심정지가 추측되는 환자의 경우, 응급 구조 체계(EMS)를 가동하기 전에 우선적으로 약 5회(약 2분)의 흉부압박 및 인공호흡을 시행한다.

(1) 성인 환자에서의 심폐소생술

- 1단계: 무의식 확인과 응급 구조 요청. 환자의 어깨를 가볍게 흔들며 이름을 불러도 반응이 없으면 흉골을 손마디로 눌러 통증자극을 준다. 이 때도 반응이 없다면 무의식 상태이다. 만일 의료진이 10초 이내에 맥박을 확인하지 못한다면 심폐소생술을 시행하거나 준비된 자동제세동기를 사용하는 것을 권고하고 있다. 많은 원인들이 의식소실의 원인이 될 수 있지만, 대부분은 심폐정지는 아니다. 환자 반응이나 무반응을 평가하여 감별진단한다.
- 2단계: 응급 구조 요청과 P (Position, 자세). 진료실 응급 구조 체계를 활성화하고 응급 장비와 산소, 자동제세동기를 가지고 오게 한다. 응급팀은 평소 훈련했던 대로 자신의 역할을 맡는다. 환자를 반듯이 누운 자세로 위치시킨다. 머리와 가슴은 바닥과 평형하게 위치시키고 사지로부터 혈액이 잘 돌아오도록 다리는 10° 정도 약간 올린다. 이 때 환자의 의식이 돌아오지 않으면 즉시 응급 구조를 요청한다.
- 3단계: C (Circulation, 순환). 2005 미국심장학회 지침은 다음 사항을 포함하여 능숙한 심폐소생술의 필요성을 재차 강조하고 있다(그림 32-7).
  - 성인과 소아에서 분당 100~120회의 압박 수(성인과 소아에서 최소 분당100회(최고 분당120회 이하)에서 변경)
  - 압박 깊이는 영아 4 cm, 소아 4~5 cm, 성인 약 5 cm (최대 6 cm를 넘지 말 것).

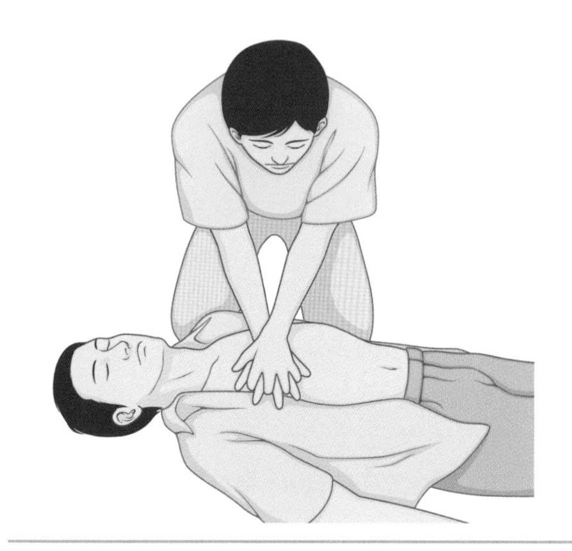

그림 32-7. 흉부압박을 하는 방법

- 매 압박 후 완전한 흉부반동이 가능하게 함
- 흉부압박 시 중단을 최소화함
- 과도한 인공호흡은 피함

효과적인 흉부압박은 심폐소생술 동안 심장과 뇌로 충분한 혈류를 전달하기 위한 필수적 요소이다. 흉부압박으로 혈류를 효과적으로 유발하려면, 흉부의 중앙인 가슴뼈(sternum)의 아래쪽 절반 부위를 강하게 규칙적으로, 그리고 빠르게 압박해야 한다. 성인 심정지의 경우 압박 깊이는 약 5cm, 흉부압박의 속도는 분당 100회~120회를 유지한다. 흉부압박을 할 때 손의 위치는 '가슴뼈의 아래쪽 1/2'을 제안한다. 또한 흉부압박 이후 다음 흉부압박을 위한 혈류가 심장으로 충분히 채워지도록 각각의 흉부압박 이후 흉부의 이완을 최대로 할 것을 제안한다. 흉부압박이 최대한으로 이루어지기 위해 흉부압박이 중단되는 기간과 빈도를 최소한으로 줄여야 한다. 흉부압박과 인공호흡의 비율은 30:2를 제안한다. 심폐소생술 시작 1.5~3분 사이부터 흉부압박의 깊이가 얕아지기 때문에 매 2분마다 흉부압박을 교대해 주는 것이 구조자의 피로도를 줄이고 고품질의 심폐소생술을 제공하는데 도움이 될 수 있다(그림 32-7).

한 살 이상의 소아인 경우 흉부압박을 한 손 또는 두 손으로 성인과 같은 방법으로 한다. 흉부압박은 흉곽 내 압력을 증가시키고, 증가된 압력은 흉곽 내 혈관을 압박하여 혈액이 심장을 통해 나가도록 심박출을 만들어 낸다. 눌렀던 손이 제 자리로 돌아오면 말초의 정맥혈은 심장으로 다시 돌아와 심장을 채우게 된다. 이 때 흉곽 이완을 완전하게 하는 것은 성공적인 흉부압박을 위하여 매우 중요하다. 적절히 시행된 흉부압박은 수축기 혈압을 60~80 mmHg까지 올릴 수 있다. 그러나 이완기 혈압은 낮고 경동맥에서의 평균 혈압은 40 mmHg을 넘지 않아 뇌혈류량이나 관상동맥 혈류량은 정상의 20% 미만이다.

1인 또는 2인 이상의 구조자가 성인 심정지 환자의 심폐소생술을 하는 경우 흉부압박 대인공호흡의 비율은 30:2를 제안한다(그림 32-8). 기관내삽관 등 전문기도기가 유지되고 있는 경우에는 한 명의 구조자는 분당 100회~120회의 속도로 흉부압박을 중단 없이 계속하고 다른 구조자는 백밸브 마스크로 6초에 한번씩(분당 10회) 호흡을 보조하는 것을 제안한다. 심폐소생술의 고품질 유지와 구조자의 피로도를 고

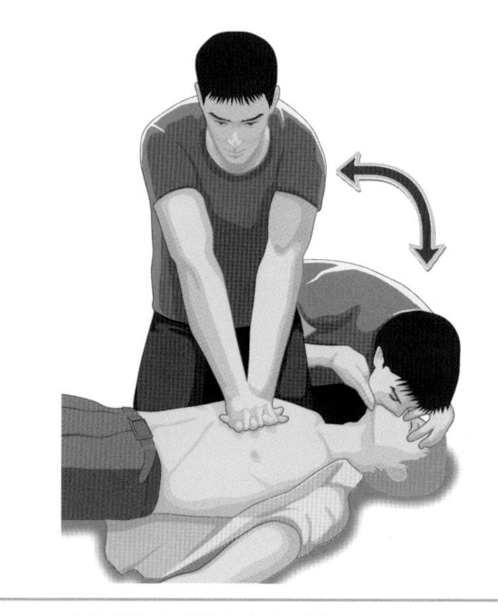

그림 32-8. 흉부압박과 인공호흡의 비율

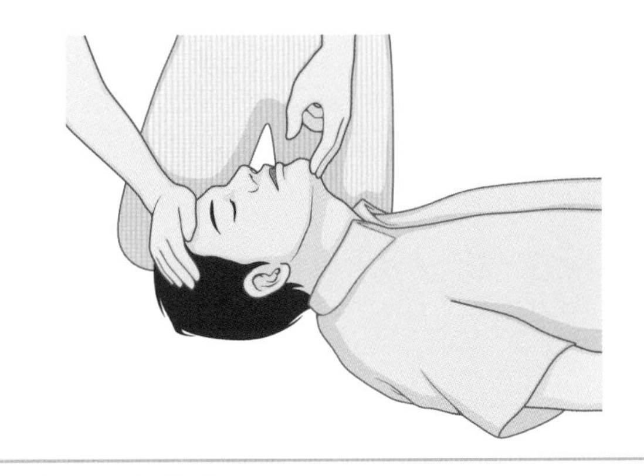

그림 32-9. 기도열기
머리 기울임-턱 들어올리기로 기도를 연다.

려하여 2분마다 흉부압박과 인공호흡을 교대하도록 한다.

- 4단계: A (Airway, 기도 열기). 먼저 환자의 머리를 뒤로 젖히고 아래턱을 들어 올려(head tilt-chin lift), 환자의 기도를 개방하게 되는데 만약 머리 젖히고 턱 들기법으로 기도 유지가 잘 이루어지지 않으면 두 손으로 아래턱 각을 밀어올리는 방법(jaw thrust)이 사용될 수 있다(그림 32-9).
- 5단계: B (Breathing, 호흡). 기도유지가 안 된 상태에서 인공호흡을 실시하면 환자에게 투여된 들숨이 식도를 통해 위에 들어가 위내압이 증가할 수 있고 횡격막이 두부 쪽으로 이동하여 오히려 호흡에 방해가 된다. 또한 위내압이 증가하면 위내용물이 역류하여 폐내 흡인의 가능성이 증가한다. 때문에 기도유지가 안 되면 바로 흉부압박을 실시한다. 흉부압박만으로도 흉곽의 움직임이 있으므로 인공호흡이 가능할 수 있다.
  - 백-밸브-마스크 환기(Bag-Valve-Mask, BVM, ventilation): 머리 젖히고 턱 들기법으로 기도를 유지하고 마스크를 한 손 또는 두 손으로 잡고 마스크의 좁은 쪽이 환자의 코에 닿고 넓은 쪽은 턱의 오목한 곳에 오도록 환자의 얼굴과 완전 밀착한다. 산소가 연결된 Ambu 백을 짜주어 산소를 환자의 기도를 통해 밀어 넣는 것이 들숨이다. Ambu 백은 일방향 밸브를 가지고 있어 환자의 날숨을 분산시켜 들숨에 들어가지 않게 한다.
  - 입-입 인공호흡법: Ambu 백이 없을 때에는 머리를 젖혔던 손의 엄지와 검지로 환자의 코를 잡아서 막고, 입을 크게 벌려 환자의 입을 완전히 막은 뒤에 가슴이 올라올 정도로 1초 동안 숨을 불어넣는다. 숨을 불어넣을 때에는 환자의 가슴이 부풀어 오르는지 눈으로 확인한다. 숨을 불어넣은 후에는 입을 떼고 코도 놓아주어서 공기가 배출되도록 한다(1:1). 날숨에는 약 16~18%의 산소가 포함되어 있다. 정상 성인의 경우 적절한 환기를 위해 공기량은 호흡당 500~600 ml (6~7 ml/kg)면 충분하다.
  - 2번의 호흡을 불어 넣고 필요하면 맥박을 확인한다. 맥박은 주로 경동맥에서 확인한다. 경동맥은 목의 기도와 흉쇄유돌근 사이와 갑상연골 높이의 홈에 위치한다. 검지와 장지로 5초 이상 10초 이내로 맥박을 느낀다. 경동맥의 맥박이 명확하게 느껴지지 않는다면 즉시 흉부압박(cardiac compression)을 시행한다(그림 32-7). 맥박 확인을 위해 소중한 시간을 낭비할 필요는 없다.
  - 만약 맥박이 있으면 인공호흡만 계속하면 된다(P→A→B). 성인 환자의 경우 구조 호흡은 5~6초에 한번 호흡하는 비율로 시행한다. 맥박은 2분에 한 번씩 확인한다.
- 6단계: 제세동. 제세동은 심폐정지일 때만 사용한다. 제세동은 수축하지 못하는 심장에 충격을 가하여 박동기(pacemaker) 기능을 다시 회복시켜 정상 심전도 리듬을 만들어내고 심박출을 가능하게 한다. 자동제세동기가 비치된 치과진료실에서는 가능한 빨리 제세동한다. 이는 제세동이 실시된 시간이 1분 증가할 때마다 생존율은 대략 10% 감소하는 것으로 나타났다. 심폐정지 후 4~5분 이후 제세동이 준비되었으면 우선 2분 동안 심폐소생술을 하여 자발적인 순환을 향상시킨 후 제세동한다.
  - 심실세동에서 제세동을 하면 단지 20~40% 환자만이 즉시 조직화된 리듬(정상 동성 리듬, 서맥)을

보였다. 그러므로 미국심장학회 가이드라인에서는 1회의 전기 제세동 후 즉시 심폐소생술을 시행할 것과 5회의 심폐소생술을 시행하고(약 2분) 맥박을 확인하도록 하였다.

- 소아에서 자동 체외제세동기(automated external defibrillator, AED) 사용 권고 사항을 재확인하고 1세 이상의 소아에서 심정지가 목격된 경우 가능한 빨리 AED를 사용하도록 하였다.

성인에서의 제세동은 다음과 같이 한다.

- 흉부압박의 중단을 10초 이내로 최소화한다.
- 제세동기는 환자 옆에 가깝게 위치시킨다.
- 제세동기의 전극을 붙이기 위해 환자의 가슴을 연다.
- 제세동기의 전원을 켠다.
- 음성 지시를 따른다.
- 성인 전극 패드를 보호막을 제거하고 오른쪽 쇄골 아래와 왼쪽 가슴 피부에 붙인다.
- 미리 연결되어 있지 않은 경우 전극 케이블을 제세동기에 연결한다.
- 제세동기가 자동으로 심장리듬을 분석 중일 때는 환자와 아무도 접촉하지 못하게 한다(필요한 경우 분석 버튼을 누른다).
- 자동 제세동기의 지시에 따라 환자와 아무도 접촉하지 못하게 한 후 쇼크를 준다.
- 제세동 후 즉시 흉부압박부터 심폐소생술을 시작한다.
- 만일 쇼크가 필요하지 않다면 자동 제세동기의 지시에 따라 흉부압박부터 심폐소생술을 시작한다.

4) 심폐소생술의 시작과 끝

심폐소생술은 심정지가 일어난 후 바로 시작될 때 가장 효과적이다. 만일 심정지가 10분 또는 그 이상 지속되었다면 저체온으로 인한 심정지가 아닌 한 환자의 생존은 거의 어려우며 환자가 생존한다 해도 중추신경계가 심정지 이전 상태로 회복될 가능성은 거의 없다.

심폐소생술은 시작되면 다음 상황이 일어나기 전까지 계속되어야 한다.

- 환자가 적절하고 자발적인 호흡과 순환을 보이면서 회복된 경우
- 구조자들 사이의 역할 교대
- 응급 구조팀이 도착하여 환자를 인도하고 전문생명구조술을 시행하기 위해 응급의료기관으로 이송하는 경우
- 일인 구조자가 지쳐 육체적으로 더 이상의 소생술을 지속하기가 불가능한 경우. 마지막의 경우는 치과 내에서는 일어나기 힘들다.

5) 치과진료실에서의 심폐소생술

치과의 진료의 특수성과 치과진료실에서 일어나는 응급 상황과 심폐정지의 원인은 기도폐쇄, 호흡부전 또는 호흡정지로 인한 심폐정지가 대부분이고 치과와 연관된 가장 많은 합병증은 대부분 호흡정지와 기도폐쇄가 대부분이므로 호흡 확인 과정이 반드시 필요하다. 그러므로 C-A-B로 진행되는 심폐소생술에서 A-B-C로 진행하는 심폐소생술을 고려할 필요가 있다. 심정지 후 호흡정지는 10초안에 오지만 반대로 호흡정지 후 심폐정지가 올 수 있는 시간은 4~5분에 길게는 10분까지 본다면 A-B-C 순서에 의한 적절한 기도개방과 호흡유지가 된다면 불필요한 흉부압박의 과정과 이로 인한 합병증을 줄이게 된다.

이물질에 의한 기도의 급성 폐쇄는 갑작스럽고 위급한 특성 때문에 즉각적으로 치료되어야 한다. 치과에서 이물질 흡인은 발생빈도가 높으므로 모든 치과 구성원들은 급성 상기도 폐쇄에 대한 적절한 치료를 할 수 있어야 한다. 치과진료 중 이물질에 의한 폐쇄가 흔한데 기도개방을 위해 흡인을 가장 우선적으로 해야 하며 이를 즉각적 처치를 시행하는데 있어 A-B-C 순서가 타당하다.

또한 2015년 지침과 마찬가지로 “호흡 상태 확인 과정”이 심폐소생술 순서에서 제외되었다. 심정지 의심 시 바로

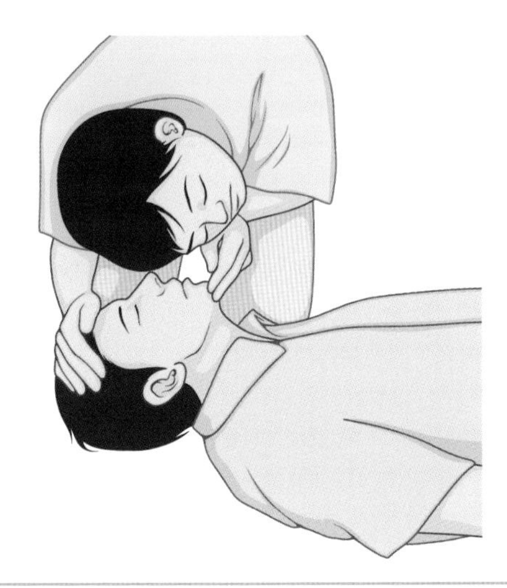

그림 32-10. 호흡확인
머리 기울임-턱 들어올리기를 한 상태에서 10초에 걸쳐 호흡이 있는지를 확인한다.

흉부압박을 30회 시행한 다음 1인 구조자는 환자의 기도를 개방하고 인공호흡을 2회 시행한다. 그러나 치과진료의 특성상 기도폐쇄로 인한 경우가 대부분이며 기도개방과 보고-듣고-느끼는 호흡 상태 확인 과정이 반드시 필요하다. 호흡의 평가는 머리 젖히고 턱 들기법으로 기도를 유지하는 동안 환자의 입과 코에 가까이 귀를 대고 환자가 숨을 쉬는지 느끼면서 들어보고 눈으로 자발적인 호흡이 있는지 가슴을 관찰한다. 심폐정지에서 호흡은 없거나 있더라도 너무 약해서 거의 없다고 할 수 있어 호흡 평가에 많은 시간을 보내면 안 되고 5~10초 이내로 평가한다(그림 32-10).

모든 직원은 매년, 가능하다면 더 자주 기본 생명 유지술을 반복해서 숙련해야 응급 상황을 효과적으로 대처할 수 있다. 심폐소생술 교육과정은 대한심폐소생협회 및 대한치과마취과학회에서 정기적으로 진행하고 있다. 특히 대한치과마취과학회에서 제공하는 심폐소생술 교육에서는 다음 4분야에서의 숙련 과정을 포함한다.

- 1인 구조자 심폐소생술
- 2인 구조자 심폐소생술
- 소아 기본 생명 유지술
- 특히 치과에서 중요한 기도유지에 관련된 전문기도유지술(백-밸브-마스크를 이용한 양압환기, 기도유지기, 후두마스크, 콤비튜브, 윤상갑상연골절개술(cricothyrotomy), 기관내 삽관술 등을 포함)

환자이송 시 중요한 것은 응급 구조팀이 도착하여 환자를 인계하더라도 치과의사는 병원으로 이송되는 동안 응급차에 동행하고 병원에 도착 후 책임 있는 내과나 응급의학과 의사에게 환자를 인계해야 한다.

참고문헌

1. Abella BS, Alvarado JP, Myklebust H, Edelson DP, Barry A, O'Hearn N, et al. Quality of cardiopulmonary resuscitation during in-hospital cardiac arrest. JAMA. 2005;293:305-10.
2. American Heart Association. 2005 American Heart Association guidelines for cardiopulmonary resuscitation and emergency cardiovascular care. International Consensus on Science. Part 4: Adult basic life support. Circulation, 112:IV1-IV203, 2005.
3. Berg RA, Hemphill R, Abella BS, Aufderheide TP, Cave DM, Hazinski MF, et al. Part 5: adult basic life support: 2010 American Heart Association Guidelines for Cardiopulmonary Resuscitation and Emergency Cardiovascular Care. Circulation. 2010;122(18 Suppl 3):S685-705.
4. Bobrow BJ, Spaite DW, Berg RA, Stolz U, Sanders AB, Kern KB , et al. Chest compression-only CPR by lay rescuers and survival from out-of-hospital cardiac arrest. JAMA. 2010;304:1447-54.
5. Bohm K, Rosenqvist M, Herlitz J, Hollenberg J, Svensson L. Survival is similar after standard treatment and chest compression only in out - of - hospital bystander cardiopulmonary resuscitation. Circulation. 2007;116:2908 - 12.
6. Carpenter J, Rea TD, Murray JA, et al.: Defibrillation waveform and post-shock rhythm in out-of-hospital ventricular fibrillation cardiacarrest. Resuscitation, 59:189-196, 2003.
7. Cha KC, Kim YJ, Shin HJ, Cha YS, Kim H, Lee KH, et al. Optimal position for external chest compression during cardiopulmonary resuscitation: an analysis based on chest CT in patients resuscitated from cardiac arrest. Emerg Med J. 2013;30:615-9.
8. Cobb LA, Werner JA, Trobaugh GB. Sudden cardiac arrest. I. A decades experience with out-of-hospital resuscitation. Mod Concepts Cardiovasc Dis, 49:31-36, 1980.

9. Eisenberg MS, Hallstrom A, Bergner L. The ACLS score predicting survival from out-of hospital cardiac arrest. JAMA, 246:50-52, 1981.
10. Field JM, Hazinski MF, Sayre MR, Chameides L,Schexnayder SM, Hemphill R, et al: Part 1: Executive Summary of 2010 AHA Guidelines for CPR and ECC. Circulation, 122(18 Suppl 3): S640-56, 2010.
11. Gazmuri RJ, Ayoub IM, Radhakrishnan J, Motl J, Upadhyaya MP. Clinically plausible hyperventilation does not exert adverse hemodynamic effects during CPR but markedly reduces end-tidal PCO_2. Resuscitation. 2012;83:259-64.
12. Glatz AC, Nishisaki A, Niles DE, Hanna BD, Eilevstjonn J, Diaz LK, et al. Sternal wall pressure comparable to leaning during CPR impacts intrathoracic pressure and haemodynamics in anaesthetized children during cardiac catheterization. Resuscitation. 2013;84:1674-9.
13. Hazinski MF, Nolan JP, Billi JE, Böttiger BW, Bossaert L, de Caen AR, et al: Part 1: Executive Summary: 2010 International Consensus on Cardiopulmonary Resuscitation a Circulation and Emergency Cardiovascular Care Science With Treatment Recommendations. Circulation, 122(16 Suppl 2): S250-75, 2010.
14. Hinchey PR, Myers JB, Lewis R, De Maio VJ, Reyer E, Licatese D, et al. Improved out-of-hospital cardiac arrest survival after the sequential implementation of 2005 AHA guidelines for compressions, ventilations, and induced hypothermia: the Wake County experience. Ann Emerg Med. 2010;56:348-57.
15. Kill C, Galbas M, Neuhaus C, Hahn O, Wallot P, Kesper K, et al. Chest Compression Synchronized Ventilation versus Intermitted Positive Pressure Ventilation during Cardiopulmonary Resuscitation in a Pig Model. PLoS One. 2015;10:e0127759.
16. Kitamura T, Iwami T, Kawamura T, Nagao K, Tanaka H, Nadkarni VM, et al. Conventional and chest-compression-only cardiopulmonary resuscitation by bystanders for children who have out-of-hospital cardiac arrests: a prospective, nationwide, population-based cohort study. Lancet. 2010 17;375(9723):1347-54.
17. Larsen MP, Eisenberg MS, Cummins RO, Hallstrom AP. Predicting survival from out-of-hospital cardiac arrest: a graphic model, Ann Emerg Med, 22:1652-1658, 1993.
18. Marsch S, Tschan F, Semmer NK, Zobrist R, Hunziker PR, Hunziker S. ABC versus CAB for cardiopulmonary resuscitation: a prospective, randomized simulator-based trial. Swiss Med Wkly. 2013;143:w13856.
19. Nolan JP, Hazinski MF, Billi JE, Boettiger BW, Bossaert L, de Caen AR, et al:
20. Part 1: Executive Summary: 2010 International Consensus on Cardiopulmonary Resuscitation and Emergency Cardiovascular Care Science With Treatment Recommendations. Resuscitation, 81(Suppl1): e1-25, 2010.
21. Olasveengen TM, Vik E, Kuzovlev A, Sunde K. Effect of implementation of new resuscitation guidelines on quality of cardiopulmonary resuscitation and survival. Resuscitation. 2009;80:407-11.
22. Ong ME, Ng FS, Anushia P, Tham LP, Leong BS, Ong VY, et al. Comparison of chest compression only and standard cardiopulmonary resuscitation for out - of - hospital cardiac arrest in Singapore. Resuscitation. 2008;78:119 – 26.
23. Paradis NA, Martin GB, Goetting MG, et al.: Simultaneous aortic, jugular bulb, and right atrial pressures during cardiopulmonary resuscitation in humans: insights into mechanisms. Circulation, 80:361-368, 1989.
24. Qvigstad E, Kramer-Johansen J, Tømte Ø, Skålhegg T, Sørensen Ø, Sunde K, et al. Clinical pilot study of different hand positions during manual chest compressions monitored with capnography. Resuscitation. 2013;84:1203-7.
25. Sayre MR, Berg RA, Cave DM, Page RL, Potts J, White RD. Hands - only (compression - only) cardiopulmonary resuscitation: a call to action for bystander response to adults who experience out - of - hospital sudden cardiac arrest: a science advisory for the public from the American Heart Association Emergency Cardiovascular Care Committee. Circulation. 2008;117:2162 – 7.
26. SOS - KANTO Study Group. Cardiopulmonary resuscitation by bystanders with chest compression only (SOS - KANTO): an observational study. Lancet. 2007;369:920 – 6.
27. S tueven H, Troiano P, Thompson B, et al. Bystander/first responder CPR: ten years experience in a paramedic system. Ann Emerg Med, 15:707-710, 1986.
28. Wik L, Hansen TB, Flylling F, et al. Delaying defibrillation to give basic cardiopulmonary resuscitation to patients with out-of-hospital ventricular fibrillation: a randomized trial. JAMA, 289:1389-1395, 2003.
29. Weisfeldt ML, Becker IB. Resuscitation after cardiac arrest: a 3-phase time-sensitive model. JAMA, 288:3035-3038, 2002.
30. Wenzel V, Idris AH, Banner MJ, Fuerst RS, Tucker KJ. The composition of gas given by mouth-to-mouth ventilation during CPR. Chest, 106:1806-1810, 1994.
31. Yannopoulos D, McKnite S, Aufderheide TP, et al. Effects of incomplete chest wall decompression during cardiopulmonary resuscitation on coronary and cerebral perfusion pressures in a porcine model of cardiac arrest. Resuscitation, 64:363-372, 2005.
32. Young KD, Seidel JS. Pediatric cardiopulmonary resuscitation: a collective review, Ann Emerg Med, 33:195-205, 1999.
33. Zuercher M1, Hilwig RW, Ranger-Moore J, Nysaether J, Nadkarni VM, Berg MD, et al. Leaning during chest compressions impairs cardiac output and left ventricular myocardial blood flow in piglet cardiac arrest. Crit Care Med. 2010;38:1141-6.

INDEX

국문

ㄱ

가슴 통증: 협심증/ 심근경색증 476
가이드라인 384
가지돌기 25
각성섬망 478
각성 후 섬망 509
간극결합 42
간이 통증 조사지 542
간질발작 595
갈색세포종 71
감각감퇴 556
감각과민 556
감마-아미노부티르산 A수용체 427
감염 319
감지기구 386
갑상선기능항진증 223
강직경련 596
강직성-간대성 경련 524
개구장애 318
개선된 퇴원 점수 시스템 467
개연 긴장형두통 560
경구섭취 509
경구진정법 409
경동맥체 102
경련 198, 582
경피전기신경자극 53
고령환자 국소마취법 256
고빈도삽화 긴장형두통 560
고탄산혈증 598, 602
고혈당 588
고혈당증 595
고혈압 475
고혈압위기 475
골내주사법 247
골막주위주사법 247
골막하주사법 246, 247
과용량 반응 631
과진정 425
과혈량 142
과호흡 579
과호흡증후군 595
관문통로 30
관상동맥 639
관상동맥 순환 136
교감신경 61
교감신경계 24
교감신경 부신수질계 510
교질액 143
교차반응 150
구강염증 525
구강외과 수술 525
구두통증등급 540
구심성신경 23
구외접근법 276
구인두기도유지기 470
구토 421, 452, 478
국소도포소독제 242
국소마취제의 동맥 내 주사 306
국소마취제의 분류 186
국소마취제의 정맥 내 주사 305
국소마취제의 특징 186
국소마취제의 혈관 내 주사 305
국소마취제 투여에 의한 알레르기반응 201
국소혈류의 자동 조절 130
군발 두통 557
권리주장 12
권장최대 용량 197

근막통증증후군 565
근무력성 위기 78
근육경련 596
근육 내 주사법 246
글라이신(glycine) 수용체 492
글루카곤 580
글루탐산염 510
금속제 흡인 주사기 230
금식 503, 508
금식시간 382
급성 부신기능부전 590
급성 심근경색 595, 640
급성 심근경색증 643
급성 천식발작 602
급성 콩팥기능상실 512
급성 통증 533, 553
급성 허파부종 605
급속진정 430
기계작동 이온통로 30
기관 삽관 480
기관 절개 526, 624
기관지삽관 495
기관지연축 471
기관지확장제 분무기 603
기능예비력 509
기능적 신경영상 543
기능적 잔기용량 117
기도 88
기도저항 94
기도폐쇄 387, 470, 597, 616
기도확보 576
기록 341
기립저혈압 509
기본소생술 477
기억통증평가카드 543
긴급 573
긴장형 두통 557
길이상수 36
길항제 363, 444
깊은 진정 384, 427, 429

ㄴ

날록손 582
날신경 23
내림 조절경로 535
내인성 β-차단 510
내장통증 43
노르에피네린 66
노르에피네프린 24, 62, 510
노출 한계 426
농도효과 494
농축 적혈구 151
농축효과 494
뇌경색증 592
뇌병변 장애 522
뇌색전증 592
뇌성마비 517, 522
뇌순환 137
뇌실막세포 28
뇌전증 524
뇌졸중 592
뇌파-Entropy 431
뇌혈관 사고 595
눈신경 159
뉘른베르크 강령 12
뉘른베르크 군사재판 12
니코틴 82
니코틴 수용체 65
니트로글리세린 580, 640

ㄷ

단일 연축자극법 396
단축형 맥길통증설문 541
당뇨병 케톤산증 588
당뇨성 혼수 589
당부하 512
대뇌의 재구성 536
대동맥체 102
대사성 산증 111
대사성 알칼리증 113
대사증후군 639
대상포진 564
대상포진 후 신경통 563, 564
데스플루란 500
도약전도 39
도파민 69, 510
도파민 β-수산화효소 63
도파민 수용체 65
도포국소마취제 203
도포마취법 245
도포마취제 241
독성 299
독성의 예방 305
동결 침전제제 152
동공확대 79
동맥혈액분율 495
동맥 화학 수용체 133
동물실험 12
동성 빈맥 475
동성 서맥 475
동의서 12, 338
두통 556, 596
뒤위이틀구멍 164
들숨분율 493
들신경 23
등치기 601

ㄹ

랑비에결절 37
레닌-안지오텐신-알도스테론 141
로큐로니움 490
리간드 작동 63
리도카인 hydrochloride 205

ㅁ

마취가스 제거장치 488
마취계획 375
마취기 485
마취기록지 399
마취심도 398
마취액에 의한 국소적 반응 314
마취위험도 374
마취유도 488
마취유지 491
마취 전 산소투여 615
마취 전 투약 508
마취 주사기의 소독과 관리 234
마취회로 487
마취 후 관리 463
마취 후 퇴원 점수 시스템 466
만성 긴장형두통 560
만성 통증 535, 553
말초신경계 23
말초청색증 607
매개물질 533
맥길통증설문 541
맥동음 391

맥박산소측정기 386
맥박산소포화도 386
맥박파전파속도 509
맥압 134
메티오닌 생성효소 498
메티오닌 합성효소 426
모노아민산화효소 64
모르핀 420, 581
모세혈관 션트 117
목표농도조절주입 497
목표조절주입방식 489
무맥박 전기활동 648
무수신경섬유 37
무스카린 수용체 65, 75
무조짐편두통 558
무증상 심근경색증 510
무해자극통증 47
무혈 정맥절개술 606
문턱값 492
문턱치 전압 31
미국병원협회 12
미국치과의사협회 384
미다졸람 524
미립체적 혼합기능 산화효소 513
미세아교세포 27
미주신경 178, 510

ㅂ

바랄라임 500
바이오피드백 406
반앙와위자세 424
반응급강현상 68
반지연골 506
발관후 크루프 508
발작 596
발작 야간 호흡곤란 607
방향족L-아미노산탈탄산효소 63
백밸브마스크 579
법적 대리인 13
법적인 문제 14
베타 수용체 차단제 559
변이형 협심증 641
별아교세포 26
병력청취 366, 518
보존 의무 기간 14
복부밀어내기 600
볼신경 168
부교감신경 62
부교감신경계 24
부교감신경절 170
부분 기도 폐쇄 597
부정맥 393, 476, 510
부종 319
분당 환기량 90
분배계수 492
분산법 407
분쟁사례 18
분포 193
분포용적 512
불가항력 15
불안 404, 548
불안정형 협심증 641
불안해소 403
불응성 저산소혈증 124
비강 내 진정법 337
비스테로이드성 소염 진통제 555
비스테로이드 소염진통제 459
비인두기도유지기 470
비정형 안면통 566

비정형 치통 566
비 캐뉼러 119
비타민 B12 426
비탈분극성 신경근차단제 490
비탈분극 차단제 83
비활성화 관문 34
빈맥 392

ㅅ

사용-의존성 192
사이신경세포 51
산소 576
산소 구동 주입기 121
산소마스크 119
산소 분압 386
산소 투여 114
산소포화도(SO2) 99
산소해리곡선 98, 99
산소화 감시 386
산화헤모글로빈 해리곡선 386
살부타몰 580
삼각관계시냅스 26
삼차신경 159
삼차신경통 60, 554, 562
삼차자율신경두통 561
상기도 감염 376, 504, 507
상부심실성 빈맥 393
상아질모세포 변환기설 49
상악결절상방접근법 275
상악신경 159
상황민감성 반감기 439
생리적 사강 95
생명윤리 12
생물학적 연구(임상실험) 12
생존고리 649
생체대사 195
서맥 392
서면 12
석시닐콜린 490
선택적 COX-2 억제제 461
선택적 세로토닌 재흡수 억제제 554
선한 사마리아 규정 14
선행성 기억상실증 427
설명 의무 11
설명의 의무의 범위 13
설인신경 178
설인신경통 563
설하진정법 336
섬망 500
섭취-1 64
섭취-2 64
성대문밑부종 506
성대문연축 470
세계의사회 12
세로토닌 510
세로토닌-노르에피네프린 재흡수 억제제 554
세보플루란 417, 427, 500
세포내액 138
세포외액 138
세포체 25
소아마비 517
손가락 엇갈리기 방법 599
손해배상책임 18
수가마덱스 491
수분 부족 142
수분 중독 148
수상돌기 25
수액 유지 요구량 145
수액의 선택 146

수액 투여량의 결정 147
수축기 혈압 391
수혈 149
수혈반응 153
수혈 적합검사 150
순환 576
순환의 자율신경성 130
술전 금식 413
숨참 602, 607
숫자통증등급 540
숫자평가척도 556
슈반세포 28
스테로이드 633
스트레스 574
스트레스 감소법 576, 584
스트레스-손상 회로 511
습도 결핍 125
시각장애 517
시각통증등급 540, 556
시간가중-평균한계치 426
시냅스 25, 40
시냅스 이후전위 40
시상하부-뇌하수체-부신조절장애 511
신경근 감시 396
신경-근 차단제 83
신경근차단제 489
신경병성 통증 44, 57
신경병증성 통증 553, 554, 556
신경병증성 통증설문 547
신경설 49
신경성형 553
신경세포 25
신경아교세포 25
신경연접(synapse) 현상 537
신경전달물질 25
신경전도 25
신경절 차단제 82
신경종 537
신경혈관 맞물림 27
신경혈관 부종 595
신생아 통증 등급 545
신선 동결혈장 151
신체상태 분류 374
신체장애인 517
실신의 기전 312
심근경색 394, 574
심근 산소 균형 136
심근 수축력 135
심근허혈 394
심박수 391
심박출량 134
심방세동 393
심방이뇨호르몬 140
심부전 595
심실 무수축 649
심실빈맥 648
심실성 빈맥 394
심실세동 394
심실 유순도 135
심장 기계 수용체 132
심장기능부전 604
심장 내에 좌우단락 495
심장마비 574
심장박동수변동 510
심장박출량 473
심전도 392
심정지 477
심차단 393
심폐소생술 576, 650
심폐정지 573, 647

심혈관계 368
심혈관계 반사 131
심혈관계 반사궁 131
심혈관성 교감신경 130

ㅇ

아관긴급 375
아급성 세균심내막염 521
아나필락시스 70, 595, 632
아나필락시스 반응 307
아드레날린성 수용체의 분류와 그 효과 213
아드레날린 수용체 64
아래이틀신경 168
아래턱신경 166
아미드 결합 187, 208
아산화질소 417, 498, 582
아산화질소-산소 진정법 417
아세틸콜린 24, 62, 490
아세틸콜린에스테라제 64
아스피린 580
아트로핀 581
아편양 수용체 444
아편유사제 361, 438, 554
악골골절고정술 525
악관절경수술 529
악설골구 287
악설골신경 287
악성 고열증 395
악성 빈혈 426
안면신경 175
안면신경마비 322
안정막전위 28, 29
안정통로 30
안지오텐신 Ⅱ 133
앉아숨쉬기 606
알도스테론 133
알러지 307, 472
알러지의 예방 311
알러지의 치료 309
알레르기 367, 629, 631
알레르기 반응 574
알렌 시험 392
알뷰테롤 580
암페타민 68
압수용체 131
압축가스 486
앙와위 424
앞위이틀신경 165
약물 과용량 629
약물과용량 반응 595
약물 부작용 629
약물 상호작용 222
양압 환기 469
어린이 국소마취법 253
어지럼증 596
억제성 시냅스 이후 전위 41
얼굴신경 170
에르고트 제재 560
에페드린 68, 581
에피네프린 66, 70, 525, 579, 633, 640
역사 4
역설적(paradoxical) 호흡 598
역설적 호흡 388
역전제 491
연관통증 43
염기 과다 395
염소이동 108
염증성통증 44
오른심실 기능상실 605

오심 421, 452, 478
완전 기도 폐쇄 597
완전심차단 393
외과턱교정술 526
외래마취 501
왼심실 기능상실 605
요량 395
용해도 492
우좌단락 495
운동 시 협심증 641
원근 조절마비 79
원발성 두통 557
원심성신경 23
웩슬러 지능검사 520
위상(phasic)차단 192
위성세포 28
위턱뼈 183
위턱신경 159
유기인산염제제 77
유수신경섬유 37
유입차단 밸브 422
유체역학설 49
유해성통증 44
유해수용기 44
유해수용성의 억제성조절 53
윤리강령 12
응급 573
응급 상황 13, 479
응급 수혈 150
응급 의료기관 18
응급 의료 상황 573
응급 장비 482
의료과실 11, 18
의료소송 11, 12, 13, 14
의료행위 11
의무기록 11
의사의 과실 13
의식소실 596
의식수준 감시 341
의식하진정 427
의식하 진정 상태 417
의원성안정법 403
의지결정능력 12
의학적 실험 12
의학적 응급 상황 574
이공 281
이력현상 92
이물질 흡입 595, 597
이산화탄소 분압 388
이산화탄소분압측정도 388
이산화탄소분압측정법 388
이상감각 556
이상감각증 320
이소플루란 499
이신경 전달마취 281
이온통로 연계 수용체 63
이완기 혈압 391
이중분광지수 399, 431
이질통증 556
이차가스효과 494, 495
이차성 두통 556
이환율 514
익돌구개관접근법 275
익돌정맥총 290
인지장애 511
인체실험 12
일과성 허혈발작 592
일산화탄소 500
일일 통증 일기 542
일회박출량 473

일회호흡량 89
일회환기량 387
임계길이 192
임상검사 365
임신 426
임신 시 국소마취제의 사용 202
임플란트 528
입기관삽관 620
입술갈림증 528
입술입천장갈림증 528
입인두 기도유지기 618
입천장갈림증 528

ㅈ

자가보고 549
자가 수혈 152
자가조절진정법 443
자동제세동기 582, 643
자동조절 510
자세성 저혈압 424
자유의지 12
자율신경계 23, 60
작용제 444
잔기량 511
장신경계 24
장애인 515
재경색 643
재분극 189
재판 11
저빈도삽화 긴장형두통 560
저산소증 420, 451, 598
저산소혈관수축 511
저산소혈증 107, 114, 386, 602
저알도스테론증 512
저체온 154
저체온증 395
저혈당 589
저혈당증 595
저혈압 473
적정 424, 481
전달마취법 245
전도 38
전반적발달장애(자폐성 장애) 521
전부하 135, 474
전산소화 488
전신마취 384, 485
전신적 즉발성 반응의 처치 311
전신 혈관저항 135
전압작동 이온통로 31
전율 513
전해질 396
전해질 과다증 148
전흉부 청진기 388
절치신경 281
점막하주사법 247
정당성 11
정맥주사선 576
정상 성인의 하루 수액 소실량 141
정상 유지 요구량 145
정주진정법 435
정질액 143
제산제 380
제세동 650
조기수축 393
조직 간질액 138
조직/혈액' 분배계수 492
조짐편두통 558
좁은앞방각녹내장 79
종양절제술 527

주사바늘 232
주사 시 통증 317
주사용 벤조디아제핀 582
주사침 파절 323
죽상동맥경화 639
중간위이틀신경 165
중간유효용량 496
중과실 14
중등도 진정 384
중심정맥압 394
중증근무력증 78
중추감작 535
중추민감화 54
중추신경계 23
지방제외체중 513
지적장애 517, 520
지체 및 신체장애 524
직업적인 노출 426
직장진정법 337
진료기록 11, 14
진정 기록지 399
진정법 동의서 15
진정 심도 감시 398
진정 척도 398
진정 후 회복 463
진정 후 회복실 퇴실 조건 465
진행 경과 19

大

천명음 598
천식 595, 601
천식 발작의 처치 310
천식지속상태 602
철회할 자유 12
청각장애 517
체성신경계 23
체성통증 43
체온 395
체온보존법 507
체위부종 606
체위성 저혈압 583, 587
초점조절마비 82
총폐용량 511
최대호흡용량 511
최면술 405
최소진정 384
최소폐포농도 398, 420, 492, 496, 513
최초투약효과 72
추가 산소화 480
축삭 25
충분한 설명 11, 13, 15
치간유두주사법 247
치과용주사기 227
치과적 장애인 516
치근막내주사법 247
치료거부 13
치료 동의서 11
치료상 긴급성 13
치료 전 동의서 12
치수 내 주사법 247
치수치통 568
치은압 배코드 640
치조골간 중격내 주사법 247
치주인대주사기 231
침습 384
침윤마취법 245
침해수용체 533

ㅋ

카바마제핀 60
카테콜-O-메틸 전이효소 64
카테콜아민 211
커프 391
코골이 387
코기관삽관 622
코르티코스테로이드 581
코인두 기도유지기 615, 618
코카인 3
코티솔 511
코후드 419
콜린성 약물 75
콜린성 위기 78
콜린아세틸전이효소 64
콜린에스터 화합물 75
콜린유사 작용제 75
크세논 501

ㅌ

탄수화물 580
탈감작 406
탈분극성 신경근차단제 490
탈분극 차단제 83
탈수 145
탈질소 615
턱관절고정술 526
턱끝구멍 184
턱끝신경 170
턱밑신경절 170
턱뼈구멍 183
토리여과율 512
통각과민 47, 556
통각수용성 통증 553
통증 404, 553
통증유발점 주사 565
통증의 이중적 반응 44
퇴실 기준 465
퇴원 기준 467
투사신경세포 51
트라마돌 555
트립탄 560
특이체질 311
티로신 510
티로신수산화효소 63

ㅍ

파킨슨병 522
페닐에타놀아민 N-메틸전이효소 64
페닐에프린 220
편두통 557
평균 혈압 134
폐고혈압 114
폐내 흡인 478
폐동맥쐐기압 143
폐부종 97
폐쇄용량 94
폐쇄용적 94
폐쇄폐공기량 511
폐 용량 89
폐용적 89
폐탄성 511
폐포분율 493, 494
폐포 사강 95
표면마취 245
퓨린성 수용체 65
프로카인 hydrochloride 204

프린츠메탈 협심증 641
플루마제닐 582
피검자 12
피부내주사법 246
피하주사법 246
피하진정법 337

ㅎ

하기도 폐쇄 471
하악공 286, 287
하악소설 286, 287
하악 전달마취법 287
합병증 13, 468
항경련 작용 197
항경련제 554
항구투제 559
항무스카린성 약물 79
항부정맥작용 199
항불안제 410
항우울제 554, 559
항유해수용성경로 51
항콜린에스터라아제 491
항콜린에스테라제 77
항콜린제제 491
항히스타민 580
항히스타민제 412
해부학적 사강 95
해부학적 션트 117
행동관찰 543
행동등급척도 548
행동조절 521
허용 실혈량 149
허파부종 472, 595
허혈성 심질환 639
헬싱키 12
헬싱키 선언 12
혀신경 168
혀인두신경 178
혈관감압성성실신 312
혈관내액 138
혈관미주신경실신 472, 573, 583, 584, 585, 595, 629
혈관수축제에 의한 합병증 326
혈관수축제의 농도 214
혈관수축제의 선택 222
혈소판 농축액 151
혈압 391
혈액가스 395
혈액/가스분배계수 427, 492
혈액뇌장벽 510
혈액량 142
혈액성분 요법 151
혈액 용해도 420
혈액형 149
혈종 315
협신경 168
협신경 전달마취법 284
협심증 574, 639, 641
협착음 508
호기말 농도 427
호기말세보플루란농도 431
호기말 이산화탄소 428
호기말이산화탄소농도 431
호기말이산화탄소분압 389
호르몬에 의한 순환 조절 133
호흡 87, 576
호흡곤란 595
호흡 깊이 387
호흡낭 388
호흡더부근육 607

호흡법 405
호흡부전 595
호흡성 산증 109, 390
호흡성 알칼리증 110, 390, 596
호흡수 387
호흡억제 450, 472, 511
호흡음 388
호흡저하 468
호흡 중추 100
화학작동 이온통로 31
확산성 저산소증 420
확산성저산소증 496
환기/관류 불균등 98, 511
환기기 485, 488
환상치통 566
환자감시 383
환자 동의서 11
환자의 권리장전 12
환자의 동의 11
환자의 존엄성 13
환자 평가 575
환자평가 365
활동전위 32
활성화 관문 34
회복 과정 464
회복과 퇴원 기준 343
회복실 464
회질 510
횡격막 91
후과분극 시기 34
후두경련 508
후두마스크 480, 615, 618
후두부종 472
후두연화증 508
후부하 135, 474
후상치조신경 164
흉부밀어내기 600, 601
흉부압박 650
흐름계 486
흡기 430
흡수 193
흡수성 무기폐 122
흡인 472, 574
흡인성 폐렴 525
흡입 430
흡입마취제 7
흡입진정 340
흡입진정법 417
흡입환기증폭 494
흥분성시냅스 이후전위 40
희소돌기아교세포 27

영문

A

ABO-Rh 검사 150
ABO 혈액형 149
accommodation paralysis 79
acebutolol 72
acetaminophen 555
Acetaminophen 461
acetylcholine 24
acetylcholinesterase 64
AChE 64
activation gate 34
acute renal failure 512
AED 582
aerosol spray 603
afferent neuron 23
after hyperpolarization phase 34
albuterol 67
Albuterol 580
aldosterone 133
Aldrete 회복 점수 465
Allen test 392
allodynia 47, 556
alveolar dead space 95
alveolar partial pressure of the agent 494
anatomical dead space 95
anesthesia 261
anesthesia machine 485
angina pectoris 641
anticholinergics 491
Antinociceptive pathway 51, 53
Anxiety 548
aortic bodies 102
arachidonic acid 44
aromatic L-amino acid decarboxylase 63
Articaine 207
Aspirin 460, 580
Astrocyte 26
atenolol 72
atherosclerosis 639
atrial natriuretic hormone 140
Atropine 80, 581
Atropine 중독 79
Atypical facial pain 566
augmentation of inspired ventilation 494
autonomic nervous system 23
autoregulation 510
axon 25
Aδ 533

B

Back blows 601
Bag-valve-mask 471
barbiturate 603
Barbiturate 440
Barium hydroxide lime 500
basic life support 477
Behavioral Observation 543
Behavior Profile Rating Scale 548
Behavior Ratings Scales 548
Benzodiazepine 410, 436
biphasic response of pain 44
BIS 399, 431
bispectral index 431
block adrenergic response 496
blood-brain barrier 510
BLS 477

Botulinum 독소 86
BPI 542
BPRS 548
breathing 576
Brief Pain Inventory 542
BRS 548
Bupivacaine 207
butyrylcholinesterase 64
BVM 471

C

capsaicin 47
carbamazepine 60, 554
cardiac failure 604
carotid body 102
Cartridge 238
Cartridge의 구성성분 205
Cartridge의 내용물 238
Cartridge의 문제점 239
Cartridge 파절 324
Carvedilol 74
catechol-O-methyltransferase 64
catechol-O-methytranferase 510
cell body 25
central nervous system 23
central sensitization 54, 535
cevimeline 77
CFSS-DS 549
chemically gated ion channel 31
Chest thrust 601
Children's Fear Survey Schedule – Dental subscale 549
Chloral hydrate 411
Chloride shift 108
choline acetyltransferase 64
cholinergic crisis 78
Cholinesterase inhibitor 491
chronic tension-type headache 560
chronotropic 510
circulation 576
Citrate 중독 154
Clonidine 67, 75
closing capacity 94, 511
closing volume 94
cluster headache 557
CNS 23
COMT 64, 68, 510
concentration effect 494
concentrationg effect 494
conduction 38
conduction anesthesia 245
Cormack의 분류 625
coronary artery 639
Corticosteroid 581
COX-1 44, 555
COX-2 44, 555
cricoid cartilage 506
critical length 192
Cross matching 150
Cryoprecipitate 152
cut-off valve 422
cyclooxygenase 555
cyclooxygenase-1 44
cycloplegia 82
C 신경섬유 533

D

Daily Pain Diaries 542

Dantrolene 86
delirium 500
Denarco 421
dendrite 25
dependent edema 606
depolarizing NMB 490
Desflurane 500
Dexmedetomidine 440
Diazepam 410
Diffusion hypoxia 420, 496
Digital MDM 421
diphenhydramine 633
distribution coefficient 492
DN4 547
Dobutamine 67
donepezil 79
dopamine β-hydroxylase 63
Double-burst stimulation (DBS)법 397
Douler Neuropathique 4 Questions 547
doxazosin 71
Droperidol 380
dysesthesia 556

E

Edema 319
edrophonium 77
efferent neuron 23
Emergence delirium or Paradoxical excitement 478
emergency 573
Endobronchial intubation 495
end tidal carbon dioxide 428
ENS 24
enteric nervous system 24
ependymal cell 28
ephedrine 474
Ephedrine 581
Epinephrine 579
EpiPen 579
EPSP 40
ergot 560
esmolol 72
Esmolol 475
$EtCO_2$ 428
Eve test 422
excitatory postsynaptic potential 40
exertional angina 641

F

Fa 495
FA 493
Facial Action Coding System 543
FACS 543
Fainting 312
famotidine 380
Fast-tracking 466, 502
Felypressin 221
Fentanyl 454
FFP 151
FI 493
FLACC 545
Flumazenil 360, 469, 582
formoterol 69
Fraction alveoli 493
Fraction arterial 495
Fraction inspired 493
FRC 117
frequent episodic tension-type headache 560
Fresh frozen plasma 151

Functional Neuroimaging 543
functional residual capacity 117

G

GABA 492
GABAA receptor 427
gallamine 84
Gamma-Aminobutyric Acid 492
gap junction 42
gated channel 30
general anesthesia 485
GFR 512
gingival retraction cord 640
glomerular filtration rate 512
Glossopharyngeal neuralgia 563
Glucagon 580
glucose tolerance 512
Goldman 수식 29
Gow-Gates 287
gray matter 510
greater palatine nerve block anesthesia 261
G단백 63
G단백 연계 수용체 63

H

HCN 492
Heimlich 방법 600
Hematoma 315
Henderson-Hasselbach 공식 103
heparin 367
Herpes zoster 564
Hexamethonium 82
h gate 34
high nerve block technique 287
humidity deficit 125
hydrodynamic theory 49
Hydroxyzine 412
hyperalgesia 47, 556
hypercarbia 598, 602
hyperesthesia 556
hyperpoation activated cyclic nucleotide-gated 492
hypoaldosteronism 512
hypoesthesia 556
hypoxemia 602
hypoxia 598
Hypoxic Pulmonary vasoconstriction 511

I

Ibuprofen 461
Idiosyncrasy 311
i-gel 615, 620
inactivation gate 34
infiltration anesthesia 245
inflammatory pain 44
infraorbital nerve block anesthesia 261
infrequent episodic tension-type headache 560
inhalation 430
inhibitory postsynaptic potential 41
Injectable benzodiazepine 582
insufflation 430
interneuron 51
interpapillary injection 247
interseptal injection 247
intracutaneous injection 246
intraligamental injection 247
intramuscular injection 246
intraosseous injection 247

intrapulpal injection 247
Ionotropic 수용체 63
ipratropium 80
IPSP 41
ischemic heart disease 639
Isoflurane 499
isoproterenol 67

J

Jet injector 232

K

Ketamine 363, 439
Ketorolac 460
Korotkoff sound 391
Korttila 퇴원 기준 467

L

labetalol 475
Labetalol 74
Lactated Ringer씨 액 143
LANSS 547
laryngeal mask airway 615, 618
leak channel 30
leaky or resting K+ channel 189
lean body mass 513
Leeds Assessment of Neuropathic Symptoms and Signs 547
Le Fort I 527
Le Fort Ⅲ 526
Left to Right shunt 495
length constant 36
Levine sign 642
Levonordefrin 220
Lidocaine 204
ligand-gated 63
LMA 615, 618
Lorazepam 411

M

MAC 398, 492
MACBAR 496
Magill 겸자 599
Mallampati 613, 625
mandibular foramen 287
mandibular lingula 287
mandibular nerve block anesthesia 286
MAO 64, 68, 510
maxillary nerve block anesthesia 261
maximal breathing capacity 511
McGill Pain Questionnaire 541
mecamylamine 82
mechanically gated ion channel 30
median effective dose 496
Memorial Pain Assessment Card 543
mental foramen 281
Meperidine 453, 603
Mepivacaine 205
metabolic syndrome 639
Metaproterenol 67
methionine synthetase 426, 498
methoxamine 67
methylparabens 202
methylphenidate 70
Metoclopramide 380
metoclopromide 514

Metoprolol 72
m gate 34
Microglia 27
microsomal mixed function oxidase 513
midazolam 360, 411
migraine 557
migraine with aura 558
migraine without aura 558
minimal alveolar concentration 420, 496
minimum alveolar concentration 492
mivacurium 84
MONA 645
monoamine oxidase 64, 510
morbidity rate 514
morphine 420, 453, 581
MPAC 543
MPQ 541
myasthenic crisis 78
mydriasis 79
myelinated nerve fiber 37
mylohyoid groove 287
mylohyoid nerve 287
myocardial infarction 394
myocardial ischemia 394
Myofascial pain syndrome 565

N

Na+/K+ 펌프 30
naloxone 469
Naloxone 458, 582
Nasal cannula 119
nasal hood 419
nasopalatine nerve block anesthesia 261
nasopharyngeal airway 618
nasotracheal intubation 622
Neonatal Infant Pain Scale 545
neostigmine 85
Neo-synephrine 220
Nernst equation 28
nerve conduction 25
neural theory 49
Neuroglial cell 25
neuroma 538
neuromuascular blocker 489
neuron 25
neuropathic pain 44, 57
Neuropathic Pain Questionnaire 547
Neuroplasty 553
neurotransmitter 25
neurovascular coupling 27
nil per os 503
Nitroglycerine 475, 580, 640
Nitrous oxide 498, 582
nitrous oxide and oxygen sedation 417
NMB 489
NMDA 492, 535
NMDA 수용체 538
N-methyl D-aspartate 492
N-methyl-D-aspartate 535
nociceptive pain 44
nociceptor 44
non-depolarizing NMB 490
Non-steroidal anti-inflammatory drug 535, 555
norepinephrine 24
NPA 618
NPO 503
NPQ 547
NRS 540, 556
NSAID 555

Numerical Rating Scale 540, 556

O

OAA/S 398
odontoblast transducer theory 49
Oligodendroglia 27
Omeprazole 380
Ondansetron 380
Ondine's curse 101
OPA 618
organophosphates 77
oropharyngeal airway 618
orotracheal intubation 620
orthopnea 606
orthostatic hypotension 509
Oversedation 425
oxygen dissociation curve 99
oxygen-driven injector 121

P

P450 513
Packed RBC 151
PADS 467
PADSS 466
Pancuronium 84
para-aminobenzoic acid 201
paralysis of accommodation 82
paraperiosteal injection 247
parasympathetic nervous system 24
paroxysmal nocturnal dyspnea 607
p-conc 151
peripheral cyanosis 607
peripheral nervous system 23
phantom tooth pain 566
Phenoxybenzamine 71
Phentolamine 71
Phenylephrine 67, 68, 475
phenylethanolamine-N-methyltransferase 64
pheochromocytoma 71
PHN 564
physiological dead space 95
physostigmine 478
Physostigmine 78
Pilocarpine 77
Pirenzepine 81
pKa 192
PNS 23
Postanesthetic discharge scoring system 466
Postherpetic neuralgia 564
Postintubation croup 508
postsynaptic potential 40
Post tetanic count (PTC법) 396
pralidoxime 78
prazosin 71
pRBC 151
pre-emptive analgesia 535
preoxygenation 488, 615
Prilocaine 206
Prinzmetal's angina 641
probable tension-type headache 560
project neuron 51
Promethazine 412
Propofol 361, 437
propoxycaine 205
Propranolol 72
prostaglandin 44
pseudocholinesterase 64, 84, 195
pseudoephedrine 68

pterygoid venous plexus 290
Pulmonary edema 472
pulmonary elasticity 511
pulpal toothache 568
pulse wave velocity 509
P파 392

Q

QRS복합체 392

R

Ramsay Hunt 증후군 564
ranitidine 380
Ranvier node 37
referred pain 43
reivsed postanesthetic discharge scoring system 467
Remifentanil 454
renin-angiotensin-aldosterone 141
reorganization 536
residual capacity 511
respiratory accessory muscle 607
resting channel 30
resting membrane potential 28
Rh 혈액형 150
rigeminal autonomic cephalalgia 561
Right to left shunt 495
Ritodrine 67
Rocuronium 84, 490

S

Salbutamol 580
Salmeterol 69
saltatory conduction 39
satellite cell 28
Schwann cell 28
scopolamine 80
secondary gas effect 494
Sedation scale or score 398
selective serotonin reuptake inhibitor 554
Self-reports 549
serotonin norepinephrine reuptake inhibitor 554
SF-MPQ 541
shivering 513
Short-form McGill Pain Questionnaire 541
shortness of breath 602, 607
silent myocardial infarction 510
sniffing position 616
SNRI 554
solubility 492
soma 25
somatic nervous system 23
somatic pain 43
SSRI 554
status asthmaticus 602
stress/injury cycle 511
stress reduction protocol 584
stridor 614
ST분절 392
subcutaneous injection 246
subcutaneous or submucosal injection 247
subglottic edema 506
subperiosteal injection 246, 247
Succinylcholine 84, 471, 490
Sugammadex 491
surface anesthesia 245
sympathetic nervous system 24
sympathoadrenal pathway system 510

synapse 25, 40
synaptic transmission 27
syncope 312
system 232

T

tachyphylaxis 68
TEA 82
TENS 54
Tension-type headache 557, 560
terazosin 71
terbutaline 67
Tetrodotoxin 86
threshold 31, 492
TIA 592
tidal volume 89
tiotropium 80
titration 481
Titration 424
TOF 396
TOF (Train of four)법 396
topical anesthesia 245
Topical anesthesic agent 241
total lung capacity 511
tracheostomy 624
Tramadol 555
transcutaneous electrical nerve stimulation 53
transient ischemic attack 592
transient receptor potential 47
treatment of airway 576
Trendelenburg 599
Triazolam 410
tricyclic antidepressant 554
Trieger dot test 422
Trimethaphan 82, 83
tripartite synapse 26
triptan 560
tropicamide 80
TRP 47
Tubocurarine 84
tyramine 68
tyrosine hydroxylase 63
T파 392

U

unmyelinated nerve fiber 37
urgency 573
use-dependent 192

V

variant angina 641
VAS 540, 556
vasopressin 140
vasovagal syncope 312, 583
Venham Behavior Rating Scale 549
Venham 사진 검사 550
ventilator 485
Venturi 마스크 121
Verbal Rating Scale 540
visceral pain 43
visual analogue scale 540, 556
voltage-gated ion channel 31
volume of distribution 512
V/Q mismatch 511
VRS 540

W

warfarin 367
Water Intoxication 148
Woodbridge 485

X

Xenon 501

Z

Zolpidem 411

기호

α 수용체 212
β 수용체 212
β-아드레나린 작용제 603
γ-aminobutyric acid A receptor 427